ACCESO GRATIS *a la Lectura en la Nube*

Para visualizar el libro electrónico en la nube de lectura envíe junto a su nombre y apellidos una fotografía del código de barras situado en la contraportada del libro y otra del ticket de compra a la dirección:

ebooktirant@tirant.com

En un máximo de 72 horas laborales le enviaremos el código de acceso con sus instrucciones.

IUS PUNIENDI Y GLOBAL LAW
HACIA UN DERECHO PENAL SIN ESTADO

IUS PUNIENDI Y GLOBAL LAW

HACIA UN DERECHO PENAL SIN ESTADO

ADÁN NIETO MARTÍN
BEATRIZ GARCÍA MORENO

(dir.)

Autores

MARTIN BÖSE — ADÁN NIETO MARTÍN
DOMINIK BRODOWSKI — CARL-WENDELIN NUEBERT
M. MERCÈ DARNACULLETA — MARTÍN ORTEGA CARCELÉN
GARDELLA — MERCEDESPÉREZ MANZANO
ROSARIO DE VICENTE MARTÍNEZ — MANUEL PORTERO HENARES
NICOLÁS GARCÍA RIVAS — ANA MARÍA PRIETO DEL PINO
DIEGO GÓMEZ INIESTA — CRISTINA RODRÍGUEZ YAGÜE
JOSÉ L. GONZÁLEZ CUSSAC — ULRICH SIEBER
BEATRIZ LÓPEZ LORCA — FRANK ZIMMERMANN

tirant lo blanch

Valencia, 2019

En caso de erratas y actualizaciones, la Editorial Tirant lo Blanch publicará la pertinente corrección en la página web www.tirant.com.

Esta publicación ha sido realizada en el marco del proyecto de investigación El derecho penal europeo en el proceso de globalización jurídica (PEII-2014-027-P) de la Junta de Comunidades de Castilla la Mancha.

© TIRANT LO BLANCH
EDITA: TIRANT LO BLANCH
C/ Artes Gráficas, 14 - 46010 - Valencia
TELFS.: 96/361 00 48 - 50
FAX: 96/369 41 51
Email:tlb@tirant.com
www.tirant.com
Librería virtual: www.tirant.es
DEPÓSITO LEGAL: V-3124-2019
ISBN: 978-84-1313-624-0
IMPRIME: Guada Impresores, S.L.
MAQUETA: Tink Factoría de Color

Si tiene alguna queja o sugerencia, envíenos un mail a: *atencioncliente@tirant.com*. En caso de no ser atendida su sugerencia, por favor, lea en *www.tirant.net/index.php/empresa/politicas-de-empresa* nuestro procedimiento de quejas.

Responsabilidad Social Corporativa: http://www.tirant.net/Docs/RSCTirant.pdf

Índice

Capítulo 3
DEL DERECHO INTERNACIONAL PÚBLICO AL DERECHO GLOBAL
Martín Ortega Carcelén

Capítulo 4
EL *IUS PUNIENDI* DEL CONSEJO DE SEGURIDAD DE NACIONES UNIDAS
Diego J. Gómez Iniesta

Capítulo 5
SANCTION REGIMES BY THE EUROPEAN CENTRAL BANK, EUROPEAN SECURITIES AND MARKETS AUTHORITY AND WORLD BANK -EXAMPLES FOR AN EMERGING GLOBAL CRIMINAL JUSTICE?
Dominik Brodowski

Capítulo 6
ESTRATEGIAS DE COOPERACIÓN EN LA LUCHA CONTRA LA PIRATERÍA MARÍTIMA. UN EJEMPLO DE GOBERNANZA GLOBAL
Beatriz López Lorca

Capítulo 7
SALUD ALIMENTARIA, FRAUDES Y DERECHO GLOBAL
Adán Nieto Martín

Capítulo 8
EL DERECHO GLOBAL DEL DEPORTE.
EL *IUS PUNIENDI* DE LAS FEDERACIONES DEPORTIVAS INTERNACIONALES
Rosario de Vicente Martínez

Capítulo 9
INVESTIGACIONES TRANSNACIONALES DE CRÍMENES EN EL CIBERESPACIO: RETOS A LA SOBERANÍA NACIONAL
Ulrich Sieber y Carl-Wendelin Nuebert

Capítulo 10
EL MERCADO ÚNICO DE LOS DERECHOS FUNDAMENTALES Y LA PROTECCIÓN DE LOS PRINCIPIOS Y GARANTÍAS PENALES
Mercedes Pérez Manzano

Capítulo 11
CONFLICTS OF JURISDICTION AS A CHALLENGE TO GLOBAL CRIMINAL JUSTICE
Frank Zimmermann

Capítulo 12
THE EVOLUTION OF CRITERIA FOR GLOBAL CRIMINAL LAW
ENFORCEMENT: TOWARDS A NETWORK OF JURISDICTIONS?
Prof. Martin Böse

Capítulo 13
ALCANCE Y PERSPECTIVAS DEL *NE BIS IN*
ÍDEM EN EL ESPACIO JURÍDICO EUROPEO
Nicolás García Rivas

Capítulo 14
EUROPOL
Manuel Portero Henares

Capítulo 15
ASSET RECOVERY: ...GONNA TRY WITH A LITTLE HELP FROM OUR FRIENDS...
Ana María Prieto del Pino

Capítulo 16
EL PAPEL DE LOS SERVICIOS DE INTELIGENCIA EN LA INVESTIGACIÓN DESDE LA PERSPECTIVA DE UN DERECHO PENAL GLOBAL
José L. González Cussac

Capítulo 17
LAS PRISIONES EN UN MUNDO GLOBAL: ESTÁNDARES EUROPEOS DE DERECHO PENITENCIARIO
Cristina Rodríguez Yagüe

Capítulo 1
TRANSFORMACIONES DEL *IUS PUNIENDI* EN EL DERECHO GLOBAL

Adán Nieto Martín
Catedrático de Derecho Penal
Universidad de Castilla la Mancha

I. ¿HACIA UN *IUS* PUNIENDI SIN ESTADO?

El Derecho global, más que una realidad jurídica, constituye un concepto llave, agrupa la discusión de problemas diversos unidos por el nexo común de la pérdida de protagonismo del estado como regulador[1]. El hueco dejado por el Derecho estatal ha sido ocupado por un sistema de gobernanza[2] multinivel. Una regulación postnacional en el que interactúan estados, organizaciones internacionales, redes de trabajo gubernamentales y otros actores puramente privados, como multinacionales, entidades de estandarización y ONGs. El escenario en que este nuevo tipo de regulación tiene lugar no es otro que la globalización, en el que han aparecido un conjunto de problemas difícilmente resolubles a través de

---

[1] Para una panorámica sobre la discusión del Derecho global, vid. por todos Darnaculleta i Gardella M. M., *El Derecho Administrativo Global ¿Un nuevo concepto clave del Derecho Administrativo?*, RAP, n º 199, 2016, 11 ss e igualmente su contribución a este volumen, *¿Qué es el derecho global?: Una visión desde el Derecho público*. Para la perspectiva del Derecho internacional Ortega Carcelén M. *Derecho global. Derecho internacional público en la era global*, Tecnos, Madrid, 2014; y su contribución a este volumen *Del Derecho internacional público al Derecho global*. Desde el punto de vista de la teoría y la historia del derecho Grossi P., *La primera lección de Derecho*, Marcial Pons, Barcelona/Madrid, 2006 (trad. Álvarez Alonso); Teubner G., *Global Law without State*, 1997. En el marco del Derecho constitucional Krisch N. *Beyond Constitutionalism. The Pluralist Structure of Postnational Law*, Oxford University Press, 2010.

[2] El significado del término gobernanza como opuesto al de gobierno viene precisamente a significar esta pérdida de protagonismo del derecho estatal como único producto de normas que regulan las relaciones sociales: *"Governance is the sum of the many ways individuals and institutions, public and private, manage their common affairs. It is a continuing process through which conflicting or diverse interests may be accommodated and co-operative action may be taken. It includes formal institutions and regimes empowered to enforce compliance, as well as informal arrangements that people and institutions either have agreed to or perceive to be in their interest"*, vid. Commission on Global Governance, *Our Global Neighbourhood: The Report of the Commission on Global Governance*, Oxford, 1995. (http://www.gdrc.org/u-gov/global-neighbourhood/).

la acción individual de los estados. En el marco de la política criminal estos problemas solemos agruparlos bajo el difuso nombre de delincuencia transnacional[3], concepto que ha pasado de la política criminal internacional y la criminología al derecho positivo a través del art. 83 del TFUE.

Mientras que los colegas de Derecho público llevan ya algún tiempo discutiendo acerca del concepto de Derecho global, no se ha producido un debate semejante en el Derecho penal[4]. Nuestro horizonte termina en el Derecho penal internacional convencional, que continúa fundamentándose en el consentimiento de los Estados y por tanto en el ejercicio de su soberanía. Los estados son los "señores" de los convenios y las organizaciones internacionales son una herramienta al servicio de sus proyectos e intereses. La Corte Penal Internacional no se aparta —substancialmente[5]— de este esquema, pues depende de la voluntad de los estados reflejada en un convenio.

El primer y principal objetivo de este trabajo es describir cómo y en qué medida la Política criminal y el Derecho penal, han dejado de ser patrimonio exclusivo del estado y del Derecho estatal. Se trata, en la medida de lo posible, de hacer la cartografía de este nuevo derecho punitivo global que abarcaría todas las fases del *ius puniendi*: la definición de infracciones, la investigación de comportamientos delictivos, la ejecución de medidas como el comiso e incluso la imposición de sanciones. La aparición de sistemas sancionadores supranacionales o globales, a veces en manos

---

[3]   Existe una infinidad de publicaciones que tratan de presentar los distintos escenarios del crimen globalizado, la visión más oficial puede encontrarse en UNDOC, *The Globalization of Crime. A Transnational Organized Crime Threat Assessment*. 2010. Un análisis también descriptivo en Reichel P. (ed), *Handbook fo Transnational Crime & Justice*, Sage Publications, 2005, entre las diversas contribuciones que componen este volumen es de especial interés para entender la aparición del crimen transnacional como problema global Felsen D./Kalaitzidis, *A Historical Overview of Transnational Crime*, p. 13 ss.; una recopilación de artículos esenciales en esta materia puede encontrarse en Karstedt S./Nelken D., *Crimen and globalization*, Ashgate, 2013. En lo que concierne a los delitos económicos Zagaris B., *International White Coller Crime, Cases and Materialas*, Cambridge University Press, 2ª ed, 2015. Para una visión más criminológica, Smith C./Zhang S./Barberet R., *Routledge Handbook of International Criminology*, Routlege, 2011. Con aportaciones más críticas Mitsilegas V./Alldridge P./Cheliotis L., *Globalisation, Criminal Law and Criminal Justice*, Hart, 2015, vid. especialmente en este volumen las contribuciones de Andreas P, *Illicit Globalisation: Myths and Misconceptions*, p. 45 ss.; Mitsilegas V., (not. 3), p. 153 ss. Sobre las relaciones entre el concepto de delitos transnacionales y derecho penal global, vid. infra II. 1 b).

[4]   Una excepción es Sieber U., *Legal Order in a Global World. The Development of a Fragmented System of National, International, and Private Norms*, en von Bogdandy A./R. Wolfrum, (eds.), Max Planck Yearbook of United Nations Law, Volume 14, 2010, p. 1-49 y Meyer F., *Strafrechtsgenese in Internationalen Organisationen*, Nomos, 2012.

[5]   Substancialmente, porque como después veremos en su regulación puede jugar un papel determinante un importante actor del Derecho global como es el Consejo de Seguridad de Naciones Unidas, vid. infra.

de organismos privados, constituye una de las mayores sorpresas de esta cartografía, que dibuja un mapa con más regiones de las que en un principio cabría esperar.

La existencia de un *ius puniendi* sin Estado o con un Estado que actúa como un regulador más puede, en primer lugar, sorprender. El *ius puniendi* desde hace siglos es monopolio exclusivo del Estado y la idea de un *ius puniendi* sin estado constituye para muchos un *oximoron*[6]. En segundo lugar, esta constatación puede y debe preocupar. La principal crítica que puede realizarse al debate relativo al Derecho global es que la utilización de la palabra Derecho para referirse a normas que proceden de agentes privados o a entidades supranacionales con procesos de producción normativa poco transparentes y participativos como el G20, G7, el FMI o el Banco Mundial, sirve para prestar legitimidad a lo que no la tiene[7]. De esta suerte, los que nos ocupamos de estos temas nos estaríamos convirtiendo en cómplices de las fuerzas neoliberales que protagonizan la globalización.

Esta crítica resulta en buena medida acertada. La regulación en red, con los estados en retaguardia, tiene importantes problemas de legitimación, de transparencia, de garantías y de asignación de responsabilidades (*accountability*). Por esta razón, el gran objetivo del Derecho global debe ser analizar la legitimidad de estas nuevas formas de regulación e incrementar los derechos de los individuos, reformulando y trasladando las garantías existentes en el Estado de Derecho. Es lo que unos llaman Derecho administrativo global o, a mi juicio, de manera mucho más gráfica constitucionalismo global[8]. A la vista de cuanto acaba de indicarse, el segundo de los dos objetivos de este trabajo es intentar fijar las garantías del Derecho penal global, lo que supone una contribución al debate sobre el constitucionalismo global desde la óptica del Derecho penal. Lo que debe quedar en cualquier caso claro es que no hay vuelta atrás[9]. La solución de los problemas

---

[6]   Para más detalles supra III.1. Más allá de un *ius puniendi* supra nacional no estatal, el debate acerca de si existe un *ius puniendi* fuera del estado también puede darse en el interior de un ordenamiento. En los últimos años, por ejemplo, se ha hablado mucho de la privatización del *ius puniendi*, vid. la exhaustiva exposición de Garcia de la Galana, *Los alertadores*, Tesis doctoral, Facultad de Derecho y Ciencias Sociales, Ciudad Real, 2018. La denominada justicia restaurativa y el abolicionismo penal de los años 70 supone también una corriente desestatalizadora que quiere devolver el conflicto a la sociedad. Supondrían también casos de *ius puniendi* no estatal la justicia indígena. En el libro de Caeiro P., *Fundamento, conteúdo e limites da jurisdiçao penal do estado*, Wolters Kluger-Coimbra Editories, 2010, pueden encontrarse un análisis histórico de esta cuestión con ejemplos ulteriores.

[7]   Con ulteriores referencias, Darnaculleta i Gardella, M. M. (not. 1), p. 111 ss.

[8]   Vid. Krisch N. (no. 1), *pássim*.

[9]   Es lo que algunos denominan la paradoja de la globalización, la necesidad de una mayor centralización del poder, pero a su vez los riesgos que para la democracia y las libertades supondría un poder mundial concentrado. La existencia de varios actores, de una gobernanza policéntrica, asegura un cierto sistema de pesos y contrapesos; vid. acerca de esta paradoja Slaughter A.M, *A New World Order*, Princenton Univesity Press, 2014, p. 8 ss.

penales que genera la globalización sólo puede solucionarse con un *ius puniendi* concebido de manera diferente a la estatal, con modos de regulación y ejecución distintos, basados en la cooperación y actuación de varios actores públicos y privados: un Derecho penal policéntrico o en red.

Una advertencia antes de comenzar. Este nuevo *ius puniendi* global coexiste y en ocasiones interactúa con formas de Derecho penal internacional más convencionales o con formas incluso que responden a un nivel de integración casi federal, como es la que se da entre los diversos países de la UE. Para describir la situación del Derecho penal extra y supranacional hoy podríamos acudir a la imagen de tres conjuntos normativos con características y elementos singulares en cada uno de ellos, pero también con grandes zonas de intersección. Estos tres conjuntos son, el Derecho internacional penal clásico, el Derecho penal europeo y el Derecho global penal. Carece de sentido enzarzarse en polémicas con el fin de señalar si una determinada manifestación es parte de uno u otro conjunto. Al lado de estos tres conjuntos normativos encontramos además la actuación de los ordenamientos penales de los estados más fuertes, como singularmente el de Estados Unidos. Este ordenamiento tiene una pronunciada vocación extraterritorial y ejerce además una amplia influencia en el resto de sistemas, que ha llevado a hablar de un proceso de americanización[10]. El objetivo del este trabajo no es ocuparse de todos los círculos, sino únicamente del que denominaremos como Derecho penal global. Los otros dos conjuntos y los ordenamientos nacionales más influyentes serán tratados sólo ocasionalmente para establecer comparaciones.

---

[10]   En el marco del derecho penal económico, me ocupe de esta cuestión en Nieto Martín A, *¿Americanización o europeización del derecho penal económico?* Revista Penal. Vol. 19. Enero 2007 (puede verse igualmente en Arroyo L./Delmas Marty M./Sieber U./Pieth M., Los caminos de la armonización penal, Tirant lo Blanch, 2009). Sobre este tema son de gran interés Raustiala K., *The Architecture of International Cooperation. Transnational Networks and the Future of Internationale Law*, Virginia Journal of International Law 43 (2002), p. 1 ss y Slaughter A. M., (not. 9). Estos trabajos describen la estrategia seguida por la SEC en Derecho bursátil, la EPA en materia de medio ambiente o el Departamento de Justicia en derecho la competencia para extender la normativa americana por el mundo. Otra lectura de gran interés es Nye M., *Bound to Lead: The Changing Nature of American Power*, New York Basic Books, 1990, donde desarrolla el concepto de *soft power* una de las herramientas principales de que se ha valido EEUU para extender sus modelos regulatorias. El *soft power* no es otra cosa que la utilización de la formación de funcionarios de terceros países, la asistencia técnica, la creación de organismos de coordinación, el intercambio de *best practices* etc.

II. EL DERECHO PENAL GLOBAL: UNA PRIMERA CARTOGRAFÍA

1. Las fuerzas del cambio

La aparición de un Derecho penal post estatal, acuñado en moldes diversos al Derecho internacional clásico, responde a dos elementos transformadores básicos, que están presentes en las diversas manifestaciones que van a ser estudiadas. Estos elementos son, de un lado, la soberanía interrelacional. Un nuevo concepto de soberanía que resta importancia a la ecuación estado-territorio y que permite dar entrada a nuevos actores en la escena de las relaciones internacionales. De otro, un concepto renovado de seguridad, que actúa también como fuerza legitimadora de la entrada de nuevos actores y como criterio para justificar mayores controles y prohibiciones.

(a) Soberanía interrelacional

El primero de los elementos transformadores es, como decía, la mutación del siempre escurridizo concepto de soberanía. La concepción aún hoy imperante tiene sus orígenes en la Paz de Westfalia, donde se asienta un modelo diferente de soberanía al que había caracterizado al feudalismo y al nacimiento de los primeros estados. A partir de este momento el ejercicio del poder va a vincularse a un espacio, al territorio[11]. Dentro de cada territorio el soberano ejerce su poder de manera exclusiva y sin interferencias de otros soberanos o de otras instancias como el poder papal o imperial (*potestas legibus solutus*). Se trata del derecho a estar y ser dejado sólo en el espacio geográfico que corresponde a cada soberano[12].

De acuerdo con esta concepción clásica, cuando un estado se relaciona como soberano con otros lo hace en pie de igualdad, participando con total autonomía en la comunidad internacional[13]. Los convenios internacionales, la fuente por

---

[11] Una explicación tanto el auge como el actual proceso de declive del territorio como base del poder estatal en Badie B., *La fin des territoires. Essai sur le désorde international et su l'utilité sociale du respect*, Fayard, 1995. También Ruggie J., *Territoriality and Beyond: Problematizing Modernity in International Relations*, International Organization, Vol. 47, No. 1 (Winter, 1993), pp. 139.

[12] Cfr. Slaughter A.M., *Sovereignity and Power in a Networked World Order*, Standford Journal of International Law, 40, 2004, 283 ss.

[13] Kelsen H., *The Principle of Sovereing Equality of States as a Basis of International Law*, Yale Law Journal, Vol. 53, 1944, p. 207 ss: "When characterizing the States as equal, they mean that according to general international law no State can be legally bound without or against its will. Consequently, they reason that international treaties are binding merely upon the contracting States, and that the decision of an international agency is not binding upon a State which is not represented in the agency or whose representative has voted against the decision, thus excluding the majority vote

antonomasia del Derecho internacional responden plenamente a este paradigma. Los convenios adquieren legitimidad y eficacia en el derecho interno cuando son firmados y ratificados por los parlamentos nacionales, quienes además pueden establecer reservas o denunciarlos cuando lo estimen conveniente. Se trata de una forma de Derecho internacional poco o nada agresiva con la soberanía estatal. Su teoría general tiene aspectos comunes con la teoría de los contratos (*pacta sunt servanda*, buena fe...) y se basan en un principio muy similar a la autonomía de la voluntad (*emanate from their own free will*)[14].

Las organizaciones internacionales reflejan también esta concepción igualitaria de la soberanía. Se basan en un respeto escrupuloso a los estados y su organización territorial. Los estados son indiscutiblemente sus dueños. Fruto de este respeto es que sus decisiones tienen como destinatarios los estados pero no afectan directamente a los individuos. Las organizaciones internacionales tradicionales, en el modelo más clásico, no se inmiscuyen en la relación estado-ciudadano. Esta relación se reserva en exclusiva al soberano.

Una consecuencia de esta comprensión de las relaciones internacionales es que cada estado se relaciona con sus iguales y con las organizaciones internacionales a través de una parte muy específica de su aparato, como es la administración diplomática. El resto de la burocracia estatal no tiene competencias para relacionarse con sus iguales de otros países, ni mucho menos para sellar algún tipo de acuerdo o estrategia compartida. El estado en la esfera internacional se muestra unitario, sin que los diversos departamentos, centros de poder u organización interna tengan reflejo alguno en este espacio. Como después veremos con más detalle esta concepción domina aún en gran medida la cooperación internacional. Los jueces, los fiscales o policías cuando se piden colaboración, ayuda unos a otros, no cooperan directamente entre sí. La cooperación judicial de cuño más tradicional se vehicula mediante la administración diplomática. E igual ocurre con el legislador. Las asambleas legislativas no están presentes en la negociación de convenciones internacionales. Su papel es el de la ratificarlas, a lo sumo dar alguna orientación a los cuerpos diplomáticos, pero no negociarlas.

Tras la Segunda Guerra Mundial —aunque partiendo de un proceso paulatino que comienza con el Tratado de Versalles y la Sociedad de Naciones— se plasma una nueva versión del modelo de Derecho internacional clásico, que conforma el paradigma actualmente dominante: la denominada *progressive grotian tradition*. La soberanía estatal, del estado sobre sus ciudadanos en su espacio territorial, deja de ser absoluta. El significado de las convenciones internacionales

---

principle from the realm of international law (...). Understood this way, the principle of equality is the principle of autonomy of the States as subjects of international law".

[14]   Caso Lotus, PCIJ, Ser A, nr. 10, 18. Al respecto ampliamente Caeiro P., (not. 6), p.

de derechos humanos que aparecen tras la postguerra consiste precisamente en indicar que estos derechos limitan la acción de los soberanos sobre sus ciudadanos en sus respectivos territorios[15]. El individuo, con ello, se coloca en el centro de las preocupaciones del Derecho internacional público. Los juicios de Nüremberg simbolizan este nuevo paradigma que conlleva una primera pérdida de poder del estado. Los estados y por ello los individuos que actúan en su nombre dejan de ser inmunes —más bien invisibles— para el Derecho internacional y pueden ser hechos responsables de acuerdo con normas internacionales[16]. Hoy día en el Derecho internacional se asume igualmente la capacidad de intervenir y dejar de lado el derecho a estar sólo cuando los estados violan o no puedan asegurar la vigencia de los derechos humanos en su territorio[17].

Al lado de esta primera transformación del paradigma más clásico de derecho internacional, hoy asistimos a una segunda transformación que es la que explica la aparición del Derecho global. Los estados como va a comprobarse a lo largo de este trabajo han perdido su protagonismo con principales productores de nor-

---

[15] Vid. al respecto las reflexiones de Ferrajoli quien destaca como resultaba inmantenible que mientras en la esfera interna la soberanía estatal había sufrido importantes recortes y había dejado de ser absoluta, en el marco de las relaciones internacionales ésta resultaba absoluta, Ferrajoli L., *Más allá de la ciudadanía y soberanía: un constitucionalismo global*, Isonomía, nº 9, 1998.

[16] En esta batalla destaca sobre todo la obra del gran internacionalista Lauterpacht H, vid. por ejemplo *The Grotian Tradition in International Law*, British Year Book of International Law, nº 23, Vol. 1, 1946, especialmente p. 20 y ss. No es nada estraño que Lauterpacht reclamara para abrir esta nueva era del derecho internacional la obra de Grotius. Su gran tratado, *De jure belli ad pacis* fue escrito dos décadas antes de la Paz de Westfalia y en él todavía se establecen quiebras al ejercicio de la soberanía de los estados sobre su territorio. A través del concepto de *totius humani generis societas*, Grotius evoca una idea absolutamente pre-westfaliana en la que una parte del Derecho internacional no se centraría sobre los estados, sino que afectaría a los individuos concretos. El Derecho de gentes que está tras esta concepción sería un derecho común a toda la humanidad por encima de los estados, lo que supone la sujeción de la soberanía estatal a los límites del Estado de Derecho. La construcción del crimen de agresión y por tanto la posibilidad de que una guerra pueda ser ilegal arranca precisamente de esta pretensión. Entre nosotros ha señalado precisamente la tradición del *ius gentum* como base del derecho global Domingo R, *The New Global Law*, Cambridge University Press, 2010.
Para una historia novelada sobre la vida y el trabajo de Hersch Lauterpacht y su influencia en Nüremberg, vid. la extraordinaria novela de Sands P., *Calle Este-Oeste*, Anagrama, 2017. Cuestionando sin embargo que esta corriente del derecho internacional pueda entroncar con la obra de Grotio Vid. Parry J, *What is Post Grotian Tradition in International Law?*, U. Pa. J. Int'l L., 2014, Vol 35 (2), p. 300 ss. Para esta autora la invocación de Grotius por parte de Lauterpacht respondía en el fondo a una estrategia para dotar de mayor legitimidad al derecho internacional de nuevo cuño que se iba a plasmar en los juicios de Nüremberg y en la Carta de Derechos Humanos.

[17] Cfr. Slaughter A.M., (not. 12), p. 284. Al respecto de este viraje del Derecho internacional tras la IIGM, también Ferrajoli L., (not. 15), p. 177 ss.

mas e incluso también como principales encargados de ejecutarlas coactivamente. Esta transformación, por lo que ahora interesa, ha llevado a la formulación de un nuevo concepto de soberanía. De la soberanía westfaliana hemos pasado a una soberanía post-westfaliana o interrelacional[18].

La solución de determinados problemas no depende ya de la capacidad del estado para ejercer su poder de manera asilada dentro de un territorio. En nuestro caso, el ejercicio del *ius puniendi* vinculado a su ejercicio en régimen de monopolio sobre un territorio no le garantiza una capacidad efectiva de resolver problemas como el de la criminalidad transnacional, la protección de intereses comunes como el medio ambiente, la estabilidad de los mercados financieros etc. Los problemas que afectan a los ciudadanos provienen en el mundo globalizado de fuera de sus fronteras y su solución depende de la capacidad del Estado para entablar relaciones con otros estados, organizaciones y empresas y crear espacios de gobierno conjunto. Un estado será más soberano, tendrá mayor poder, cuanta más capacidad tenga para crear redes, con actores público o privados, cooperar con otros estados o hacer valer sus puntos de vista en organizaciones internacionales. La Ciencia política en este nuevo escenario habla de un nuevo tipo de poder, el denominado *soft power*, como herramienta para conseguir determinadas metas y objetivos. Este poder se ejerce mediante el dialogo, antes que la coerción, el intercambio de ideas en las redes internacionales, la capacitación de funcionarios públicos de otros países, el asesoramiento etc.[19].

La soberanía interrelacional, a diferencia de la tradicional, requiere compartir soberanía con otros estados, con organizaciones internacionales e incluso con actores privados. Dentro de estos nuevos actores destacan las redes intergubernamentales de trabajo[20], que se ocupan de asuntos globales muy concretos y especializados que van desde la regulación bancaria, el medio ambiente o al Derecho de la competencia o bursátil. Estas redes son las grandes productoras de normas en la gobernanza global. Como después veremos, hay un número prácticamente indeterminado de este tipo de organizaciones informales en las que ya no se reúnen los cuerpos diplomáticos estatales, sino según sea la naturaleza de la red, altos funcionarios de las agencias del mercado de valores, de protección de la competencia, bancarias, jueces, policías etc. A diferencia de lo que ocurría en el paradigma clásico del Derecho internacional

---

18   El concepto proviene de Chayes A./Chayes A., *The New Soverignty: Compliance with International Regulatory Agreements*, Harvard University Press, 1995; este concepto ha sido después vital en autores como Slaughter A.M., (not. 9) y (not. 12); vid. también Meyer F., (not. 4), p. 648 ss.

19   Vid. Nye M., (not. 10).

20   El estudio más pormenorizado de estas redes es el realizado por Slaughter A.M, (not 9), *pássim* y (not. 12), p. 288 ss. La autora describe en su obra, clave para entender cómo funciona la regulación actual, el papel decisivo que juegan estos nuevos actores informales, al lado de las organizaciones internacionales más clásicas.

donde el Estado aparecía en sus relaciones internacionales como un bloque, aparece ahora enormemente desagregado, descompuesto, y representado por distintos cuerpos burocráticos que se relacionan directamente y con gran libertad con funcionarios que realizan funciones similares de otros Estados[21].

La soberanía interrelacional explica igualmente la aparición de términos tan característicos de la jerga de la cooperación como el *public-private partnership*[22] en el que, en un nivel absolutamente horizontal, para solucionar un determinado problema —por ejemplo, la corrupción— trabajan conjuntamente actores públicos y privados. ONGs y multinacionales son hoy protagonistas de la gobernanza internacional participando en la creación de sus normas, pero como veremos también en la su ejecución. En ocasiones esta actuación tiene lugar en las redes gubernamentales de las que hablábamos anteriormente, que dado su carácter flexible permiten e incentivan su presencia, pero también como vamos a ver se han colado en los procesos legislativos de las organizaciones internacionales más clásicas de la mano de la noción de democracia deliberativa. A todo esto debe añadirse la tendencia de política legislativa de la autorregulación presente en todos los estados e incentivada como forma de gobernanza global. Aunque hasta ahora no se ha conectado este fenómeno con una mutación de la soberanía, está claro que el fenómeno de la autorregulación, responde también a una estrategia del Estado para pedir o exigir colaboración tanto en la producción de normas de conducta, como en su ejecución y por tanto una voluntad clara de llamar y relacionarse con otros actores delegando en ellos tareas que tradicionalmente le han correspondido de manera exclusiva[23].

La soberanía interrelacional, finalmente, ha traído consigo una forma más sociológica y menos formal de explicar la validez y la eficacia de las normas internacionales[24]. El cumplimiento con las normas internacionales se basa en tener la habilidad

---

[21]   Aunque como indica Slaughter las redes también afectan al legislador o a los jueces, que también han pasado a tener una mayor presencia interncional y conformar diversos tipos de redes, en este caso su importancia no ha sido tan relevante, vid. Slaughter (not. 9), p. 65, p. 104 ss. A esta autora también se debe el término de estado desagregado o soberanía desagregada, para descubrir esta nueva forma de actuar de los estados, p. 266 ss.

[22]   Cfr. Donahue J.D./Zeckhauser, *Public Private Collaboration*, en, Moran M./Rein M./Goodin R., *The Oxford Handbook of Public Policy*, Oxford University Press, 2006, p. 496 ss.; en el terreno de la lucha corrupción con independencia de lo que después se indicará por Klitgaard R., *Public Private collaboration and Corruption*, en Pieth (ed.), *Collective Action: Innovative Strategies to Prevent Corruption*, Dike, 2012, p. 41 ss.

[23]   Además de lo que se dirá supra, cuando analicemos por ejemplo los programas de cumplimiento de las compañías transnacionales como forma de regulación global, vid. por ahora Arroyo Jiménez L./Nieto Martín A., *Autorregulación y sanciones*, Aranzadi, 2ª Ed., 2015.

[24]   Un trabajo clave para explicar esta nueva forma de eficacia es Raustiala K., (not. 10); también haciéndose eco de este trabajo Slaughter A. M. (not. 9), p. 171 ss.

suficiente para construir una red de apoyos a una normativa, que le garantice legitimidad técnica, un fuerte apoyo en valores u opiniones compartidas, pero también la imposición de costes reputacionales y económicos a sus infractores. Esta explicación del éxito de una norma explica la importancia que hoy tienen las normas de *soft law*, las recomendaciones, los estándares privados o la propia autorregulación que está íntimamente vinculada a los fenómenos anteriores. (vid. supra 4.1.2).

(b) La seguridad

El segundo vector que mueva la aparición de un Derecho penal global es la noción de seguridad. Del amplio campo semántico de este término, nos interesa el binomio seguridad interior-exterior. Durante siglos las amenazas a la seguridad de un país procedían de peligros procedentes de fuera de sus fronteras, principalmente del ataque de un país enemigo. En este contexto aparece un tipo de función pública especializada, los servicios de inteligencia, cuyo cometido radicaba en la obtención de información y su análisis (informes de inteligencia) con el fin de orientar decisiones políticas tendentes a proteger la seguridad nacional[25]. Hoy el concepto de seguridad exterior ha mutado[26]. A partir de mitad de los años setenta, pero sobre todo la caída de muro de Berlín y el fin de la guerra fría, fenómenos como el terrorismo, la criminalidad organizada, la ciberdelincuencia etc. se conciben como peligros para la seguridad global. Actualmente incluso se integran en el concepto de seguridad las amenazas procedentes del medio ambiente o las que afectan a los mercados financieros (seguridad económica)[27]. Esta nueva noción

---

[25] Vid. en este volumen Gonzalez Coussac J. L., *El papel de los servicios de inteligencia en la investigación desde la perspectiva de un Derecho penal global*, vid. igualmente Gonzalez Coussac J. L/Fernández Flores F., *Una metodología para el análisis de las amenazas de seguridad, la evaluación de sus respuestas y su impacto sobre derechos fundamentales*, Cuadernos de Estrategia, 188, 2017, p. 15 ss.

[26] Sobre la evolución del concepto de Seguridad, vid. Laboire M., *La evolución del concepto de seguridad*, Documento marco del IEE, nº 5, 2011, p. 3 ss. La reformulación de la seguridad como problema global supone otro de los motivos que han llevado a intensificar la cooperación entre estados, bajo fórmulas novedosas como las que examinábamos en el apartado anterior. De hecho son frecuentes los términos de "seguridad cooperativa" o "seguridad común" para mencionar este nuevo forma de cooperación, vid. Abad Quintanal G., *El concepto de seguridad: su transformación*, Comillas Journal of International Relations, nº 4, 2015, p. 41 ss.; como pone de relieve esta autora también se habla en esta perspectiva global de seguridad alimentaria, de seguridad energética e incluso del concepto de seguridad humana, que en definitiva implicaría la protección de los individuos frente a fenómenos criminales muy extendidos, como por ejemplo puede ser una alta cifra de homicidios o de delincuencia en un determinado país. En este sentido, veremos después como por ejemplo Naciones Unidas interviene en determinados estados fallidos con el fin de garantizar la seguridad ante amenazas puramente internas como es el aumento de la criminalidad.

[27] Cfr. Felsen D./Kalaitzides, *A Historical Overview of Transnational Crime*, en Reichel P. (not. 2), p. 13 quienes exponen como la redefinición del concepto de Seguridad comienza tras el fin de

ha influido, en primer lugar, en la agenda de las organizaciones internacionales y muy especialmente de Naciones Unidas, cuyo objetivo prioritario es precisamente la defensa y salvaguarda de la paz y seguridad global. Esta reinterpretación de la noción de seguridad ha servido para legitimar la ampliación de competencias de órganos como el Consejo de Seguridad de Naciones Unidas, y en general para que muchas organizaciones internacionales que en principio no tenían nada que ver con el Derecho penal, incluyan en sus agendas conductas delictivas, por entender que suponen un riesgo, por ejemplo, para el funcionamiento de los mercados[28].

Podría indicarse incluso que el Derecho penal global es, al menos en parte, un Derecho global de la seguridad[29]. La noción de seguridad y la utilización que se hace de ella es próxima también al término de delincuencia transnacional[30]. Desde hace algún tiempo existe un esfuerzo académico en dotar de contenidos normativos al concepto de delincuencia transnacional, cuyo nacimiento se debe a

---

la Guerra fría en EEUU. A partir de este momento los policías y demás *law enforcement agents* comienzan a preocuparse por el crimen internacional. Un documento emblemático en este giro procede del documento resultante de la conferencia que tuvo lugar en Washintong en 1994 reuniendo a policías, agentes de inteligencia etc., vid. Raine P./Cilluffo F. J, *Global Organized Crime: The New Empire of Evil*, Center for Strategic and International Studies Washington,1994.

[28] Cfr. Felsen D./Kalaitzidis A., (not. 27), p. 12 ss.; Naylor T, *From Cold War to Crime war: the search for a new "national security threat"*, Transnational Organized Crime, n° 4, 1995, p. 37 ss., vid. ya la constatación de este giro en Mitsilegas V/Monar J/Rees W., *The European Union and Internal Security: Guardian of the People?*, Palgrave, 2003.

[29] Vid. especialmente el análisis de Sieber U., *Alternative Systems of Crime Control. National, Transnational, and International Dimensions*, en U. Sieber/V. Mitsilegas/C. Mylonopoulos/E. Billis/N. Knust (eds.): Alternative Systems of Crime Control. National, Transnational, and International Dimensions. Berlin, Duncker & Humblot, 2018, que incluye como mecanismos de control alternativo característicos del derecho de seguridad, las sanciones administrativas supranacionales, el sistema de listas negras, la legislación sobre blanqueo de capitales, los programas de cumplimiento o la confiscación. Como puede apreciarse la cartografía de Sieber, bajo el nombre de derecho de la seguridad, coincide en buena medida con la que aquí se propondrá bajo el nombre de derecho global. Un primer intento de abordar la importancia de la idea de seguridad en el derecho penal fue el de Pérez Cepeda A.I, *La seguridad como fundamento de la deriva del Derecho penal posmoderno*, Iustel, 2007, si bien su explicación se centró en una explicación del Derecho penal del enemigo y la "militarización del derecho penal". La propuesta de la autora sería la de reconducir las demandas de seguridad de la globalización al Tribunal penal internacional o al derecho internacional clásico. Al lado de este análisis, muy centrado en el incremento del Derecho penal y su dureza, aquí se pone más el énfasis en la aparición de un Derecho global de la seguridad más preventivo y que ha generado medidas de control para-penales.

[30] Vid. además de la bibliografía citada en la nota 3, Boister N., *Transnational criminal Law*, European Journal of International Law, Volume 14, Issue 5, 1 November 2003, pp. 953 ss., que constituye uno de los empeños más destacados en construir una catergoria en torno a este concepto.

Naciones Unidas hacía mitad de los años 70[31], con el fin de impulsar una nueva agendad legislativa. Después este concepto ha sido utilizado profusamente por la criminología y sólo en una tercera fase se intenta convertirlo en un concepto normativo, lo que en parte ha venido motivado por su incorporación al art. 83 del TFUE[32]. Buena parte de estos esfuerzos se centran además en darle un contenido propio en relación a la categoría de delitos internacionales, en los que se incluyen los *core crimes* establecidos en el Estatuto de Roma y delitos como la tortura. En realidad todos estos términos son parte de un mismo discurso[33]. No obstante, y aunque este polémica es terminológica y por tanto irrelevante, el término seguridad, vinculado a la idea del Derecho global nos parece más omnicomprensivo. La delincuencia transnacional se emplea en un sentido más clásico, vinculada a una serie de convenciones internacionales, y no subraya lo suficiente en nacimiento de una nueva forma de gobernanza global de la criminalidad, que es el fenómeno del que queremos dar cuenta en este trabajo. Por otro lado, y como en seguida vamos a ver, la idea de seguridad no sólo ha servido para aportar la agenda de la política criminal, sino también para completar esta agenda con una nueva metodología de hacer frente a la criminalidad, tan centrada en aspectos preventivos como —y esto es lo nuevo— preventivos.

En efecto, más allá de esta primera función, legitimadora, existe una segunda función más oculta e inadvertida del término seguridad. Esta segunda función tiene carácter metodológico y ha consistido en transvasar las formas de actuar de los servicios de inteligencia a la Política criminal en la prevención e investigación de delitos[34]. El Derecho penal global ha propulsado una estrategia de control de

---

[31]   Cfr. Boister N., (not. 30), p. 954. Según Bassiouni, el término se debe al criminólogo norteamericano de origen alemán, Mueller G., quien fue el director entre 1974 y 1982 de la Oficina de Naciones Unidas para la Prevención del Crimen y el Delito, al mismo tiempo durante esos años ocupó también un puesto relevante en la dirección de la política criminal norteamericana como secretario de la Comisión del Congreso para la prevención del delito el tratamiento de infractores, vid. al respecto Bassiouni Ch., *In Memoriam. Gerhard O. W. Mueller*, Revue internationale de droit pénal 2006/1-2 (Vol. 77), pp. 9 ss.
        Vid. también para los orígenes del término Bassiouni Ch./Vetere E., *Towards Understanding Organized Crime and Its Transnational Manifestations*, en Bassiouni Ch. and Vetere E. (eds), Organized Crime: A Compilation of UN Documents, 1975-1998 (1998) 31.

[32]   Vid. especialmente Mitsilgas V, *EU Criminal Law after Lisabon*, Hart, 2016, p. 58 destacando correctamente como el art. 83.1 es expresión para intervenir en las áreas del derecho penal que desde el fin de la Guerra Fría se conceptúan por la comunidad internacional como amenazas a la seguridad global.

[33]   Vid. por ejemplo además de Boister N. (not. 30); Fouchard I., *De l'utilité de la distinction entre les crimes supranationaux et transnationaux: traduire les processus d'incrimination complexes alliant droit international et droits pénaux internes*, RIEJ, 2013, 71.

[34]   Hasta el punto de que los informes de inteligencia procedentes de los servicios secretos, confeccionados conforme al marco normativo de la seguridad exterior, han sido aceptados en la ma-

la criminalidad basada en las herramientas clásicas de los servicios de inteligencia: la recogida de información y su análisis[35]. En efecto, una estrategia preventiva común a muchos sectores del Derecho global es la imposición de obligaciones de almacenamiento o recogida de información que puede recaer en sujetos públicos o privados. Acompañando a la anterior obligación, aparece con frecuencia la obligación de compartir, comunicar o mantener disponible esta información. La finalidad última de estas obligaciones no es otra que su análisis, por ejemplo a través de técnicas como el *profiling* y el *risk assesment*. A ello han ayudado el desarrollo técnicas de inteligencia artificial como el *big data* o el *data mining*[36].

En el fondo, el concepto de seguridad a través de la valoración del riesgo procedente del análisis de datos ha supuesto la reaparición en el Derecho penal del viejo concepto de peligrosidad, adornado y justificado con otros ropajes. Y lógicamente ha traído consigo la aparición de nuevas sanciones, que bajo nombres mucho más modernos, cumplen fines similares a las antiguas medidas de seguridad. El sistema de *smart sanctions* de Naciones Unidas en materia de terrorismo[37], que después estudiaremos con detalle, son el paradigma de este nuevo modelo sancionador de la seguridad. Pero también puede observarse que este modelo (información + análisis de riesgos + medidas de control) es el que inspira la normativa sobre blanqueo de capitales y financiación del terrorismo, consistente también en almacenar, analizar la información y adoptar medidas de control restrictivas de derechos para individuos sospechosos. Un camino paralelo a la utilización de estas medidas de seguridad, sería la nueva generación de delitos que peligro, que, por ejemplo, aparecen en materia de terrorismo y que no hacen sino tipificar situaciones peligrosas —la formación (art. 575 CP), la financiación (Art. 576 CP)— cuya detección depende en gran medida de la acumulación y el análisis

---

yoría de los ordenamientos como elementos de prueba, vid. Bachmaier Winter L., Información de inteligencia y proceso penal, en Bachmaier Winter L. (coord), *Terrorismo, proceso penal y derechos fundamentales*, Marcial Pons, 2012, p. 45 ss.; Vervaele J., *Medidas de investigación de carácter proactivo y uso de información de inteligencia en el proceso penal* y Prada Rodríguez M./Santos Alonso J, *La valoración de la prueba en los delitos de terrorismo de los informes de inteligencia*, en Pérez Gil J., (dir), El proceso penal en la sociedad de la información, La Ley, Madrid, 2012.

[35]   Vid. Gónzalez Coussac J. L., (not. 25) p.. Sobre la recogida de Información y su análisis como núcleo del concepto de "inteligencia", cfr. Bachmaier Winter L., (not. 34), p. 50 s.

[36]   Vid. ya Maroto Calatayud M./Nieto Martin A., *Redes sociales en internet y 'data mining' en la prospección e investigación de comportamientos delictivos*, en Rallo Lombarte A./Martínez Martínez R., Derecho y Redes Sociales, Civitas, 2010. Recientemente Romeo Casabona, C.M, *Riesgo, procedimientos actuariales basados en Inteligencia Artificial y medidas de seguridad*, en Revista Penal, nº42, julio 2018 Miro F., *Inteligencia artificial y justicia penal: más allá de los resultados lesivos causados por robots* (en prensa).

[37]   Infra. 4 b).

de datos. Como veremos después, la aparición de estos delitos ha estado impulsada directamente por las resoluciones del Consejo de Seguridad de Naciones Unidas, partiendo de unas competencias basadas en esta nueva reinterpretación de la seguridad. Igualmente debe incluirse en este nuevo conjunto de medidas alternativas para penales el régimen del comiso, con instituciones como el comiso sin condena o el comiso ampliado. A nadie de se le oculta el decisivo impulso que, también en este caso Naciones Unidas, ha dado a su conformación.

2. Ley penal en el espacio y cooperación judicial

La primera región del Derecho global que va a describirse es la evolución de la cooperación judicial y de los criterios que rigen la aplicación de la ley penal. En este escenario se aprecia claramente la influencia de los dos factores —soberanía y seguridad— que acaba de describirse.

El Derecho penal desde mediados del siglo XVII se basa en una relación que resulta tan consolidada que a veces consideramos que se trata de un hecho ahistórico, me refiero a la relación existente entre *ius* puniendi —"soberanía"— territorio. Los estados soberanos ejercen su derecho a castigar fundamentalmente en un determinado espacio físico, el territorio. Este triángulo de hierro, en expresión de *Pedro Caeiro*, procede de la Paz de Westfalia, que puso fin a la guerra de los treinta años. En ella, como antes se indicó, se estableció que cada estado tenía derecho absoluto ejercer su soberanía sobre un determinado territorio en el que tenía además el derecho a ser dejado solo y a excluir a cuantos quisieran entrometerse en él.

La no injerencia para el Derecho penal significó la implantación del principio de territorialidad como criterio básico para la delimitación del ejercicio del *ius puniendi* estatal[38]. El territorio representa el criterio fundamental de demarcación de los distintos órdenes jurisdiccionales nacionales. Una extensión de la jurisdicción más allá de este límite puede considerarse una intromisión en los asuntos de otro estado y necesita estar debidamente justificada[39]. La doctrina penal de la Ilustración, con *Beccaria* y *Montesquieu* a la cabeza, reforzarían la importancia de la territorialidad como elemento prácticamente consubstancial al *ius puniendi*. La territorialidad, de un lado, entronca perfectamente con un Derecho penal basado en el contrato social que tenía lugar entre los miembros de una comunidad ubicada en un determinado territorio. De otro, la territorialidad encaja con los fines preventivo generales, positivos y negativos de la pena, e igualmente con la seguridad jurídica. Una justicia universal, desligada de un territorio, era para *Beccaria* difícilmente imaginable[40].

---

[38] Cfr. Caeiro P., (not. 6).
[39] Vid. ampliamente Caerio P., (not. 6), p. 294 ss.
[40] Cfr. Caeiro P., (not. 6), 295-296.

El valor constitutivo del territorio en el ejercicio estatal del *ius puniendi* fue confirmado por la Corte de Justicia Internacional en el famoso caso *Lotus*. El núcleo de su doctrina señala que: "la limitación principal impuesta por el derecho internacional al Estado es la exclusión —reservada a la existencia de una regla permisiva en contrario— de todo ejercicio de su poner en el territorio de otro Estado. En este sentido, la jurisdicción es ciertamente territorial y no puede ser ejercida fuera del territorio si no en virtud de una norma que lo autorice conforme con la costumbre o un acuerdo internacional"[41].

Aun partiendo de esta limitación, en el paradigma westfaliano de *ius puniendi* cada estado es soberano para fijar su marco de competencias, lo que supone mirar con recelo la fijación de reglas de conflictos de jurisdicción, pero también la aplicación del principio de *ne bis in ídem* a las sanciones procedentes de diversos estados. *Binding* lo expresaba de una manera tajante: "ningún postulado de justicia puede impedir, que varios estados se decidan por acumular sus pretensiones"[42]. Las distintas sanciones impuestas por estados diversos son expresión de su soberanía y su ejercicio está por encima de un hipotético derecho fundamental común o universal a no verse procesado o sancionado por múltiples soberanos. Incluso en el marco de la UE, las críticas que una parte de la doctrina expresa contra la aplicación del principio de *ne bis in ídem* tienen su fundamento último en una limitación indebida de soberanía[43].

El Derecho de la cooperación judicial, correlato de las normas que determinan el ámbito de aplicación de la ley penal en el espacio, está también conformado sobre este paradigma westfaliano de *ius puniendi*. La necesidad de articular convenios o acuerdos de cooperación judicial parte precisamente del respeto a la soberanía[44]. Aun dentro de estos convenios, el principio de no injerencia supone la imposibilidad de realizar cualquier acto de ejecución en el territorio de otro estado sin su consentimiento. El Derecho internacional prohíbe incluso la obtención del consentimiento forzado, bajo presiones inconsistentes con el

---

[41]　Para un análisis en profundidad Caeiro P., (not. 6), p. 300 ss.

[42]　Vid. la cita en Zimmermannn F., *Strafgewaltkonflikte in der Europäischen Union*, Nomos, 2013, p. 139. Al respecto también Caerio P. (not. 6), p. 215 ss, de hecho la concepción dominante no entiende las normas de competencia como normas de resolución de conflictos, sino como normas que dónde los estados de manera autónoma y solo marcada por el derecho internacional establecen los límites de su *ius puniendi*.

[43]　Por esta razón, aun en el marco de la UE, el art. 55 del Convenio de Aplicación de Shengen limita la aplicación del principio de *ne bis in ídem*, en aquellos supuestos en los que el hecho se comete en el territorio del Estado. Igualmente la aplicación del ne bis in ídem, cede cuando el delito afecta a la seguridad del propio Estado. En relación a estos supuestos vid. Zimmermann F. (not. 42), p. 268 ss.

[44]　Vid. al respecto de los principios que gobiernan la cooperación judicial Caerio P. (not. 6) p. 354 ss.; Vogel J., en Vogel J./Grotz M., *Perspektiven des internationalen Strafprozessrechts*, C.F. Muller, 2004, p. 13 ss.

Derecho internacional[45]. El principio *locus regit actum*, que ha regido de manera inquebrantable, resulta también coherente con el eje soberanía-territorio. Carece de lógica en este modelo que un Estado pida a otro que un acto de cooperación que va a tener lugar en el territorio de otro soberano se realice conforme a las normas de quién solicita la ayuda.

El *non inquiry*, que ha sido un principio vertebrador de la cooperación durante mucho tiempo, encarna también la idea de respeto absoluto a los ordenamientos soberanos de otros países. Al prestarse asistencia, los estados no cuestionaban los sistemas jurídicos con los que colaboraban, ni a sus jueces[46]. La posible ausencia de garantías, el estado de las cárceles o incluso el riesgo de tortura etc. era una cuestión que puede ser discutida en la fase política de la cooperación, pero no puede ser cuestionada por los jueces en aplicación de su derecho nacional[47]. Solo de manera muy reciente, el *non inquiry* se ha empezado a dejar de lado, como consecuencia de la influencia de la *progressive grotian tradition*. La entrada en escena de un Derecho internacional de los Derechos humanos, que permite al Derecho internacional poner límites al poder omnímodo de un estado sobre sus ciudadanos en su territorio, es también la causante de la doctrina *Soering* y de la reinterpretación de concepto de orden público en clave de Derechos fundamentales. Como es conocido desde *Soering* un estado puede negarse a cooperar con otro argumentando que su acto de cooperación puede fomentar la violación de un derecho fundamental reconocido internacionalmente por parte del estado solicitante.

Esta modificación del Derecho internacional explica igualmente los recortes que ha ido sufriendo otro de los ejes del paradigma westfaliano, la inmunidad de los agentes estatales como consecuencia de la inmunidad que gozaba el soberano. Baste recordar que éste era uno de los argumentos centrales de las defensas durante los juicios de *Nuremberg* para cuestionar la legitimidad del tribunal. Actualmente el Estatuto de la Corte Penal Internacional limita su inmunidad en los casos de los *core crimes* del Derecho internacional (Art. 27)[48] .

---

[45]   Cfr. con referencia Joutsen M., *International Instruments on Cooperation in Responding to Transnational Crime*, en Reichel P., (not. 2), p. 258.

[46]   Vid. Vogel J. (not. 44), p. 23, es muy reveladora del modelo clásico la cita que realiza de Mittermaier (1831), según el cual los jueces que solicitan la ayuda debían ser considerados tan "listos y competentes" como los nacionales.

[47]   Nieto Martín A., *El concepto de orden público como garantía de los derechos fundamentales en la cooperación penal internacional*, en Diez Picazo/Nieto Martin, Los derechos fundamentales en el Derecho penal europeo, Civitas, 2010, p. 453 ss.; vid. también las consideraciones de Vogel (not. 44), p. 23 en relación al principio de reconocimiento. Citando a Mittermaier (1831) este principio presupone considerar que los jueces que solicitan la ayuda son tan "listos y competentes" como los nacionales.

[48]   Al respecto ampliamente Carnero Castilla R., *La inmunidad de jurisdicción penal de los Jefes de Estado extranjeros*, Iustel, 2007. Como es conocido otro hito en la limitación exterior de la

La cooperación internacional clásica responde igualmente al modelo de Estado unitario, como opuesto al Estado disgregado, que antes analizábamos. La cooperación, sobre todo la extradición[49], no tiene lugar de manera directa entre jueces, sino entre los órganos políticos competentes (ministerios de asuntos exteriores). Los jueces o fiscales tienen un papel muy relevante en la fase interna o nacional de la cooperación, impulsando las peticiones de ayuda o analizando si se cumplen los presupuestos jurídicos para prestar ayuda, pero al final quienes tramitan estas peticiones y se relacionan directamente son los cuerpos diplomáticos, la burocracia especializada y con competencia exclusiva para representar los intereses del Estado den el exterior. Sólo en la UE, en el marco de la cooperación judicial desarrollada a partir principio de reconocimiento mutuo, se ha establecido de manera revolucionaria un sistema de cooperación judicial basado en la comunicación directa de jueces y fiscales.

Un rasgo ulterior del modelo de cooperación judicial westfaliano es su concepción como ayuda judicial (*Rechtshilfe*) a otro estado que persigue un interés propio a través de un proceso penal. Los conceptos de jurisdicción derivada y originaria se corresponden muy bien a este esquema. La ruptura de esta visión es precisamente la que está permitiendo de manera paulatina la implantación de un nuevo paradigma postwestafaliano de cooperación judicial y también de criterios de aplicación de la ley penal en el espacio. Una nueva generación de convenios internacionales, que se ocupan de formas de delincuencia transnacional, ha ido estableciendo formas de cooperación judicial distintas basadas en la asunción de que existe un interés común. Bajo el *mantra* de la seguridad común, puesta en entredicho por la corrupción, el terrorismo, la delincuencia económica más grave y de manera muy especial la criminalidad organizada se ha roto con la tradicional distinción entre jurisdicción primaria y derivado en amplios sectores de la cooperación judicial[50].

En todos estos ámbitos se ha transformado, en primer lugar, el modo en que se establecen los criterios de aplicación de la ley penal en el espacio. Con el fin de evitar espacios vacíos y lagunas de punibilidad los convenios internacionales

---

soberanía estatal fue el caso Pinochet y la decisión de la Cámara de los Lores de 24.3.1999.

[49] En otros tipos de cooperación sí que poco a poco se ha ido relajando la intervención de los ministerios de asuntos exteriores. Ello se ha hecho, bien a través de la creación de autoridades centrales, generalmente ubicadas en los ministerios de justicia, lo que supone mantener la presencia del ejecutivo, bien sobre todo en casos de urgencia permitiendo la comunicación directa entre jueces, como hace por ejemplo el art. 18.13 de la Convención sobre criminalidad organizada, que permite canalizar las demandas de auxilio judicial a través de Interpol. Vid. Joutsen M., (not. 45), p. 267.

[50] La invocación de este término no ha dejado por lo demás de recibir críticas, por su falta de definición, vid. el ya clásico estudio de Bears M. (ed), *Critical Reflections on Transnational Organized Crime, Money Laundering and Corruption*, University of Toronto Press, 2003.

se esfuerzan en crear una red de jurisdicciones nacionales. La idea de red, como fundamento de las normas que regulan la aplicación de la ley penal en el espacio, se aleja del modelo clásico basado en el territorio y en una aplicación excepcional de la extraterritorialidad[51]. El objetivo no es delimitar espacios de soberanía penal, sino compartirlos. De hecho el criterio de territorio resulta tan disfuncional, que se van abriendo paso formas de interpretarlo extraordinariamente amplias, donde basta con una conexión mínima con el territorio. Los nuevos acuerdos internacionales utilizan además profusamente los principios de personalidad pasiva y, sobre todo, activa, transformado en residencia o incluso, en el caso de personas jurídicas, de realización de algún tipo de actividad[52]. De este modo, los Estados asumen que deben extender los criterios de aplicación de la ley penal en un escenario plagado de intersecciones de jurisdicción. En la cooperación judicial hemos pasado de una imagen que se correspondía con círculos tangentes, con zonas accidentales de intersección, a una fijación de competencias basada en círculos secantes, con grandes zonas de intersección absolutamente deseadas.

De la red de jurisdicciones, a la extensión de la justicia universal o del principio *aut dedere aut judicare* sólo hay un paso, que tiene más carácter cuantitativo que cualitativo. Se trata sólo de pasar de que muchos tengan competencias a que todos la tengan, pero en cualquier caso lo que late tras todo esta dirección es que determinados delitos no son ya asunto de un solo estado, sino que su persecución constituye un interés común[53]. Las diferencias entre jurisdicción originaria y derivada pierden igualmente parte de su sentido en este escenario donde la que existe es un interés compartido y no una ayuda judicial[54].

---

[51] Aunque de manera crítica con la creación de red de jurisdicciones, vid. Böse M./Meyer F., *Die Beschränkung nationaler Strafgewalten als Möglichkeit zur Vermeidung von Jurisdiktionskonflikten in der Europäischen Union*, ZIS, 2011, p. 336 ss.

[52] Vid. el completo estudio de Böse M./Meyer F./Schneider (Hrsg), *Conflict of Jurisdiction in Criminal Maters in the European Union*, Nomos, 2013.

[53] Nieto Martin A., (not. 47), p. 472 ss. En este punto juega un papel la distinción entre delitos transnacionales (por ejemplo, tráfico de drogas) y delitos internacionales (por ejemplo, genocidio), mientras que en los primeros, la extraterritorialidad se busca a través de la red, en los segundos de manera más clara se legitima la justicia universal. Pero la distinción entre uno y otro espacio es más que borrosa y la utilización de la estrategia de la red también está presente en delitos internacionales. Vid. Fouchard I., (not. 30), *p.* 71 ss. De hecho, la diferente denominación y los diferentes ámbitos de aplicación de delitos internacionales y transnacionales puede encontrar su explicación en que proceden de dos momentos históricos distintos. Los delitos internacionales proceden de la que hemos denominado *pogressive grotian tradition* que arranca tras la IIG con Nuremberg y la creación de Naciones Unidas. Los delitos transnacionales representan, sin embargo, una expresión genuina de los problemas de la globalización y de la noción actual de seguridad.

[54] Vid. sólo Böse M,. *The evolution of criteria for global criminal law enforcement: Towards a network of jurisdictions?*, en esta obra, p. 436 ss.

La regulación de la cooperación judicial constituye parte esencial de las convenciones internacionales, como la relativa especialmente a la criminalidad organizada[55], va desdibujando lentamente elementos claves del modelo de cooperación tradicional como la doble incriminación[56], el principio de especialidad[57], la no extradición de nacionales[58]. Igualmente va ganando terreno la aparición de un nuevo principio, la *positive comity*[59]. Se trata de no esperar a recibir una petición de ayuda, sino cooperar activamente, para ello se establece por ejemplo el deber de suministrar información de manera espontánea a las autoridades de otro Estado[60], recomendaciones para transferir el proceso[61] o establecer equipos de investigación conjunta. Este tipo de equipos, donde participan autoridades policiales y judiciales de diversos estados, constituye probablemente el paradigma de una nueva cooperación judicial. Muestra de que la cooperación judicial expresa la persecución de un interés común es que en ella se incluyen a menudo actividades de formación de jueces, fiscales y policías, lo que entraña también un ejercicio del *soft power* al que antes nos referíamos[62]. El modelo de transformación más radical desde luego es el que se ha producido en el ámbito de la Unión Europea de la mano del principio de reconocimiento mutuo, que constituye la antítesis a cada uno de los principios de la cooperación tradicional[63]. Pero aunque con otro nombre y de manera más lenta, en la cooperación internacional en los ámbitos relativos a la seguridad común camina hacia un modelo similar.

---

[55] Sobre el sistema de cooperación judicial que establece este convenio, vid. United Nations. Office on Drugs and Crime, *Legislative Guides for the Implementation of the United Nations Convention against Transnational Organized Crime and the Protocol thereto*, New York, 2004.

[56] De hecho la doble incriminación representa ya un avance en relación al modo en que operaban los convenios clásicos de extradición, donde se contenía una lista cerrada de infracciones. Igualmente se aprecia muy bien esta tendencia en el Tratado Modelo sobre extradición de Naciones Unidas, cuyo artículo 2 describe la doble incriminación de manera similar a como la entiende modernamente el TJUE en el marco del reconocimiento mutuo en sentencias como Grundza (STJUE, Sala Quinta, 11.1.2017, asun. C-789/15). Al respecto de la evolución de la doble incriminación ampliamente Muñoz de Morales M., *Juicio normativo y doble incriminación en el caso Puigdemnot*, en Arroyo Zapatero Luis/Muñoz de Morales M. (ed.), Cooperar y Castigar: el caso Puigdemont, Colección Marino Barbero Santos, 2018.

[57] Art. 16.2 Convenio de Naciones Unidas contra la delincuencia organizada transnacional.

[58] Art. 16.11. Convención de Naciones Unidas contra la delincuencia organizada transnacional.

[59] Vid. Slaughter A. M. (not. 9), p. 315 ss.

[60] Art. 18.4. Convención de Naciones Unidas contra la delincuencia organizada transnacional. Extensamente sobre los equipos de cooperación conjunta tanto en el marco de la UE, como en otros acuerdos internacionales, Zurkinden N., *Joint Investigation Teams*, Schriftenrehie des Max Planck Institut B. 137, 2013.

[61] Art. 21 Convención de Naciones Unidas contra la delincuencia organizada transnacional.

[62] Arts. 29 ss Convención de Naciones Unidas contra la delincuencia organizada transnacional.

[63] Cfr. Nieto Martín A., *El reconocimiento mutuo en materia penal y el Derecho primario*, en Arroyo Jiménez L./Nieto Martín A. (dir), El reconocimiento mutuo en el Derecho español y europeo, Marcial Pons, 2018.

La aparición de nuevos sujetos en la escena de la cooperación es otra de las señas de identidad de este nuevo modelo que sintoniza bien con las ideas de soberanía interrelación y Estado desagregado. Además de las formas de cooperación que unen directamente a jueces, policías y fiscales, se ha intensificado de manera muy significativa la cooperación entre agencias administrativas. Como después veremos es el caso de las agencias nacionales que supervisan los mercados. Esta cooperación es desde luego de gran importancia en el marco de infracciones como el abuso de mercado o las prácticas restrictivas de la competencia. También tendremos ocasiones de analizar la aparición de redes intergubernamentales, donde se dan cita autoridades (policías, fiscales) nacionales y organizaciones privadas muy activas en la recuperación de activos. En este ámbito por ejemplo, resulta de gran interés la actividad desempeñada por el *Basel Institute of Governance* y su *International Center for Asset Revovery*, asociación de derecho privado suiza con financiación pública, que presta una asistencia técnica decisiva a jueces y fiscales de muchos países para que recuperen activos situados en paraísos fiscales o en bancos de países como Suiza o Luxemburgo[64].

Las empresas multinacionales a través de sus investigaciones internas deben contarse también entre los nuevos actores de la cooperación judicial, en el marco de la criminalidad económica y la corrupción. El caso Siemens es el ejemplo más conocido, pero hay otros muchos. Las investigaciones internas, como en general el fenómeno del cumplimiento normativo de donde proceden, constituyen una forma de cooperación público privada, que funciona como un mecanismo de cooperación alternativo a la cooperación interestatal. Incentivar a grandes empresas que den cuanta de las irregularidades que han podido cometer en diversas partes del mundo, a cambio de beneficios procesales o de reducción de pena, resulta una forma eficaz y rápida, por su alta desformalización, para obtener información y pruebas procedente de otros territorios[65].

La cooperación de agentes privados, no sólo se incentiva, sino que en ocasiones se establece de manera obligatoria, como ocurre en el relación al almacenamiento masivo de datos y al análisis de información. El ejemplo paradigmático de obligación de conservación, avocada principalmente a la cooperación con otros países, con fines de prevención de la criminalidad, son las obligaciones impuestas a las compañías aéreas acerca de los datos sobre pasajeros. En este contexto, el Derecho de protección de datos se ha convertido en el auténtico Derecho de la cooperación internacional dentro de este sector, como bien pone de manifiesto

---

[64]   Vid. https://www.baselgovernance.org/theme/icar/.
[65]   Vid. Nieto Martin, *Sanctions Systems and Cooperation*, en Giudicelli-Delage G./Manacorda S., La responsabilité pénales des personnes morales: perspectives européenes et internationals, Societé de Législation Comparée, Vol. 30, Paris, 2013, p. 89 ss.

la normativa de la UE[66]. Las obligaciones de suministro de datos y la creación de un entorno legal que regule su conservación y entrega, quedan sin embargo superadas cuando existen empresas cuya finalidad es directamente recopilar, elaborar y comercializar la información que de manera voluntaria les suministran los usuarios y existen estados que compran esta información.

Este ejemplo pone de manifiesto la irrupción del factor seguridad en la reconfiguración de la cooperación en materia penal. El aspecto más claro de esta influencia es la cercanía que hoy existen entre los servicios de inteligencia y los cuerpos policiales. El intercambio de información y la cooperación entre ambos cuerpos está hoy absolutamente asumido, hasta el punto de que ha sido regulado expresamente por la UE[67]. Pero lo importante, tal como anteriormente indicaba, es la asunción de la metodología de los servicios de inteligencia por el sistema penal. Europol muestra de manera clara este fenómeno, consagrando un modelo de cooperación judicial muy distinto a Interpol. El modelo de cooperación policial tradicional, plasmado en Interpol[68], tiene como objetivo el intercambio de información para la investigación de delitos concretos[69], algo de lo que en la UE se ocupa el Sistema de Información Schengen, pero no es el objetivo de Europol. La función principal de Europol es la elaboración de informes de inteligencia criminal (análisis estratégicos y operativos) basada en la herramienta de trabajo básica de los cuerpos de inteligencia como es el intercambio y el análisis de información. Europol respresenta por ello un modelo de cooperación judicial que se inspira en la metodología de los servicios de inteligencia y cuya actuación se corresponde con las formas de criminalidad que forman parte del nuevo concepto de seguridad[70].

---

[66]   Vid. supra III. 3.

[67]   Decisión Marco 2006/906/JAI, sobre simplificación del intercambio de información de inteligencia entre los servicios de seguridad de los Estados miembros de la Unión Europea.

[68]   En cualquier caso la paradoja de la cooperación policial, que nace durante el siglo XIX, con el fin de luchar contra el "anarquismo violento", es que se desarrolló de manera informal, entre policías, sin intervención del legislador ni los aparatos diplomáticos. Es decir, responde a un modelo muy similar al que hoy vamos a ver a través de las redes intergubernamentales. Posteriormente, su formalización, a través de convenios siempre ha sido incompleta y en cualquier caso no comparable a la cooperación policial, vid. Deflem M., "*Wild Beats Without Nationali ty*". *The Uncertain Origins of Inerpol, 1898-1910*, en Rachel P., (not. 2), p. 283 s.

[69]   Cfr. Haberfeld M./McDonald W., *International Cooperation in Policing*, en Rachel P., (not. 2), p. 286 ss, quienes señalan que la actividad central de Interpol desde su creación ha sido la localización de fugitivos, a estos efectos es esencial el *International Notices System* como plataforma que ayuda al intercambio de información sobre personas buscadas por la justicia. Aparte de los casos de desaparecidos, este sistema únicamente acepta la idea de peligrosidad, en relación personas que ya han sido condenadas pero se observa en ellas un alto riesgo de reincidencia, a través de las denominadas *Green noticies*.

[70]   Con referencias Bachmaier Winter L. (not. 34), p. 50, con bibliografía en nota 10. Para un análisis general de sus funciones vid. Portero Henares M, *Europol*, en esta obra, p. 481 ss.

3. Las redes intergubernamentales

Uno de los productos más característicos de la soberanía inrterrelacional son las denominadas redes de trabajo intergubernamentales que constituyen un elemento esencial de la gobernanza global[71]. Ejemplos paradigmáticos de estas redes son IOSCO, que reúne a las autoridades del mercado de valores; la ICN que aglutina a las autoridades en materia de competencia; el Basel Committee and International Association of Insurance Supervisors en materia de seguros; el Comité de supervisión bancaria de Basilea, en la actividad bancaria etc.. En realidad existen redes intergubernamentales en casi todos los sectores en qué uno pueda pensar y hacer un elenco de las mismas es una tarea casi imposible. Las redes intergubernamentales complementan la actividad de las organizaciones internacionales y de los Estados, no constituyen por tanto un modelo distinto sino complementario. De hecho son creadas por los propios Estados o por las propios organizaciones internacionales. La capacitación, intercambio de información, de buenas prácticas están presentes en todas ellas, pero su labor es también decisiva en la elaboración normativa. Son incansables produciendo estándares, recomendaciones o propuestas que tienen después una gran influencia en el legislador. Más llamativo es el papel que juegan también en la ejecución de muchas de estas regulaciones.

La característica principal de las redes internacionales de trabajo es su composición. En ellas se integran funcionarios de diversos cuerpos y agencias administrativas, incluyendo desde luego la policía, pero también existen redes de trabajo de jueces e incluso de legisladores. Como antes se indicó, en la soberanía westfaliana solo los cuerpos diplomáticos estaban habilitados para negociar y representar al estado. No se concebía que otros funcionarios públicos tuviesen contactos entre sí de manera oficial y mucho menos que adoptasen acuerdos, recomendaciones, posiciones comunes etc., que pudiesen comprometer a sus estados. Las redes intergubernamentales suponen una diplomacia en paralelo, conformada por funcionarios, con gran cualificación técnica, y que participan en ellas de manera autónoma, sin un mandato procedente del parlamento o del gobierno[72]. En la mayoría de los casos son designados pos sus superiores jerárquicos. Las redes están sin embargo abiertas. Además de los representantes esta-

---

[71] La denominación procede del campo de las relaciones internacionales, los trabajos más importantes y pioneros son los de Raustiala K., (not. 10) y Salughter A. M., (not. 9).

[72] Cfr. Slaughter A.M (not. 9), p 36 ss. Por esta razón quizás la red que se ve más "natural" es el G7 y el G20 que aglutina a los presidentes del gobierno o jefes de estado, quienes tradicionalmente a través de sus cuerpos diplomáticos dirigían la política exterior. En realidad, como me ha hecho ver en este punto M. Darnaculleta, las redes de trabajo conformadas por agencias administrativas independientes, como IOSCO o el Comité de Basilea, tienen un como nota intrínseca un mayor grado de independencia de los ejecutivos. Por contra, redes como el G20 representarían de una manera mucho más clara la idea de red intergubernamental.

tales, en ellas participan también con frecuencia organizaciones internacionales, empresas, entidades privadas y ONGs. Son, como puede apreciarse, el punto de encuentro abierto y flexible de los actores que protagonizan la regulación global. La influencia de las redes gubernamentales en la conformación de los derechos nacionales es enorme y despliegan efectos armonizadores similares a las convenciones internacionales. Esta influencia se debe a la concurrencia de una serie de factores. En primer lugar, la alta legitimidad técnica[73] de sus recomendaciones, debida a que están compuestas por funcionarios nacionales de alto nivel, con gran *expertise*, acompañados en ocasiones de otro tipo de especialistas o empresas del sector. En segundo lugar, la cercanía al ejecutivo de sus integrantes y su capacidad para influir en proyectos legislativos.

Pero quizás el factor decisivo de su éxito es la estrategia de la que hoy se vale la regulación internacional para ser eficaz. Se trata de un trabajo en equipo donde las recomendaciones de una red internacional sirven de apoyo a una convención o, viceversa, el *soft law* de una organización internacional apoya y complementa las recomendaciones y propuestas que se han hecho en la red intergubernamental[74]. En la eficacia de sus recomendaciones juega también un papel decisivo el evitar costes reputacionales. Las listas de países no cumplidores del GAFI en materia de blanqueo y paraísos fiscales son un buen ejemplo. Reputación y soberanía interrelacional están estrechamente alineadas. La mala reputación de un país por no seguir las recomendaciones de estas redes le supone una pérdida de capacidad para trazar alianzas y con ello su capacidad de influencia y por tanto de soberanía será menor.

Como puede apreciarse el éxito de las redes intergubernamentales se explica bien a través de las nociones de soberanía interrelacional y *soft power*. Cuantos más apoyos de diversos actores se consigan, más eficaz es una norma. Igualmente la capacidad de estar presente en muchos de estos foros y conseguir apoyos depende de la reputación de un país. Ser mal evaluado, aparecer en una lista negra o en general no cumplir con las expectativas que genera el pertenecer a una red conlleva un coste reputacional para los estados que afecta a su soberanía. Cuando la soberanía se mide por la capacidad para relacionarse con otros estados y agentes, la buena o mala fama tiene un valor determinante[75]. Pero aparte de mecanismos, las redes intergubernamentales se valen también del *soft power* para extender sus propuestas normativas: el intercambio de información, de experiencias, que en

---

[73]   Sobre la importancia de la legitimidad técnica en el debate actual sobre la legitimidad normativa, vid. Muñoz de Morales M., *El legislador penal europeo: legitimidad y racionalidad*, Civitas, 2011, p. 521 s.

[74]   Cfr. Sieber, *Los factores que guían la armonización del derecho penal*, en Delmas Marty M./Pieth M./Sieber U, (not. 10), p. 514.

[75]   Cfr. Slaughter A.M. (not. 9), p. 196, 203 ss.

ellas se produce genera confianza mutua, como también la formación o la asistencia técnica de los estados más "rezagados"[76].

Aun limitándonos al marco del Derecho penal, resulta complejo hacer un recuento de cuantas redes de trabajo existen. A fin de reducir la complejidad, es preciso tener en cuenta que existe una tendencia a la regionalización y especialización. Algunas redes de carácter global como el G20 tiene grupos de trabajo dedicados a la corrupción, que confluyen a su vez con las redes creadas por las propias organizaciones internacionales clásicas, como es el caso de Naciones Unidas y el STAR[77], en el marco de la recuperación de activos procedentes de la corrupción.

La mayor concentración de redes en el área penal o al menos las más visibles se produce seguramente en materia de blanqueo de capitales, financiación del terrorismo y la confiscación de bienes[78]. La más conocida es el GAFI (FATF, *Financial Action Task Force*) red intergubernamental que tiene como objetivo impulsar reformas legislativas en esta materia[79]. Las 40 + 9 Recomendaciones se han convertido en la base de la legislación sobre blanqueo y financiación del terrorismo en todo el mundo. El GAFI interactúa con organizaciones internacionales, especialmente con el Banco Mundial y el Fondo Monetario Internacional, que pueden participar en sus grupos de trabajo, pero también con la UE, Naciones Unidas la OCDE y el G20. Parte del éxito de sus recomendaciones es que fueron expresamente invocadas por la Resolución 1617 del Consejo de seguridad de Naciones Unidas que urgía a los Estados a implementarlas y por el Plan de Acción estableciendo medidas en materia de terrorismo. El GAFI también interactúa con otras redes intergubernamentales como el *Wolfsberg Group* que reúne a los trece bancos centrales más importantes o el *Basel Committee of Banking Regulation* que es la red regulatoria de los supervisores bancarios. Estas redes promulgan a su vez estándares específicos para el sector bancario que complementan a los del GAFI[80]. Como puede apreciarse la eficacia descansa en esta suerte de remisiones en cadena de unos estándares a otros y de apoyos mutuos.

---

[76]   Cfr. Slaughter A.M. (not. 12), p. 290 ss.; vid. igualmente Zagaris B.,(not. 2), p. 10 ss.

[77]   Cfr. Prieto del Pino A.M, *Asset Recovery: ...Gonna Try With A Little Help From Our Friends*, en ésta obra, p. 507 ss.

[78]   En lo que sigue Prieto del Pino A.M, (not 77) *pássim* y Zagaris B. (not. 2), p. 62 ss.

[79]   En sus propias palabras (http://www.fatf-gafi.org/about/): "The Financial Action Task Force (FATF) is an inter-governmental body established in 1989 by the Ministers of its Member jurisdictions. The objectives of the FATF are to set standards and promote effective implementation of legal, regulatory and operational measures for combating money laundering, terrorist financing and other related threats to the integrity of the international financial system. The FATF is therefore a 'policy-making body' which works to generate the necessary political will to bring about national legislative and regulatory reforms in these areas".

[80]   El Comité de Supervisión Bancaria del Basel Comité ha publicado en 2017 las *Guidelines Sound management of risks related to money laundering and financing of terrorism*, que estan

Las redes de trabajo relativas al blanqueo de capitales y a la confiscación de bienes ilícitos no actúan únicamente en el terreno de la producción normativa. Es frecuente que una red con fines de estandarización genere en su interior una subred, conformada por policías y miembros de otras agencias, cuya función es mejorar la aplicación de una determina normativa. Este intercambio de información implica una verdadera cooperación policial-judicial[81], que a veces cristaliza en otra red independiente. El caso del *Egmont Group* creado en 1995 por el GAFI es un buen ejemplo. Esta red de ejecución normativa reúne a unidades de inteligencia creadas por los estados que ponen en común e intercambian información sobre operaciones sospechosas de blanqueo de capitales. Existen otras redes similares como la *European Asset Recovery Offices*, creada por la UE; o el Equipo de delitos financieros y económicos de Eurojust (*Finanancial and Economic Crime* (FEC)[82].

De manera semejante a lo que ocurre en el proceso de generación celular de los tejidos, las redes intergubernamentales utilizan un proceso de mitosis, mediante el que se van dividiendo progresivamente en nuevas células con el ADN original pero cada vez más especializadas. Así, por ejemplo, el *Edgmont Group* se complementa con el *Camden Assets Recovery Interaency* (CARIN), que proporciona una asistencia mucho más operativa en el terreno del decomiso de bienes, prestado ayuda en la localización de bienes que deben ser decomisados. Esta red de trabajo está integrada por cuarenta y cuatro países, y en ella se integran también Eurojust y Europol que ejerce de manera permanente su secretariado. Redes similares han aparecido en África, Asía y Latinoamérica[83].

El abuso de mercado es otro de los terrenos tradicionales de las redes de trabajo, si bien aquí encontramos una estructura mucho más centralizada[84]. Si en materia de blanqueo y recuperación de activos lo que hemos visto es una

---

absolutamente coordinadas con las recomendaciones del GAFI (https://www.bis.org/bcbs/publ/d405.pdf). Por su parte el Wolfsberg Group cuenta con los *Wolfsberg Anti-Money Laundering Principles for Private Banking (2012)*, al que acompaña un cuestionario de autoevaluación de sus miembros que publica anualmente y que es rellenado por los departamentos de cumplimiento normativo de sus asociados.

[81] En el ámbito del derecho de la cooperación judicial clásico, desde luego, mezclar cooperación judicial y policial es un auténtico problema, pero una de las ventajas de las redes desformalizadas es precisamente es que posibilitan los contactos directos. Al respecto de la distinción policial-judicial en la cooperación clásica y sus implicaciones, vid. Zurkiden N., (not. 60), p. 105 ss.

[82] Cfr. Prieto del Pino A.M (not. 77), p. 517 ss.

[83] Cfr. Prieto del Pino A.M (not. 77), p. 517 ss.

[84] Ampliamente Raustiala K. (not. 10), p. 28 ss. Aunque en menor escala la expansión del Derecho de la competencia obedece a una estrategia similar a la del Derecho de los mercados financieros. También aquí Estados Unidos capitaneó la extensión de su modelo regulador en principio valiéndose.

pléyade de organizaciones, en este caso encontramos un solo actor: IOSCO, red que reúne a los representantes de las autoridades del mercado de valores de prácticamente todo el mundo[85]. IOSCO es fundamental tanto en el terreno de la producción normativa, como en el de su ejecución e investigación de irregularidades. Los *Principles of Security Regulation* y completados por la *Methodology For Assessing Implementation of the IOSCO Objectives and Principles*, sientan las bases de la regulación del mercado de valores, detallando por ejemplo las competencias de las autoridades, las normas de conducta de los intermediarios financieros, de los emisores de valores etc.. Desde el punto de vista de la ejecución de la normativa, la principal aportación de IOSCO es la cooperación a través de los Memorandos de Entendimiento (MMoU) creados en 2002 a semejanza de los que ya había establecido la SEC con muchos paises. Estos acuerdos, firmados por las autoridades administrativas, y que pueden ser multilaterales o bilaterales, equivalen a la creación de un sistema de cooperación *ad hoc* basado en el intercambio y la puesta en común de información entre autoridades del mercado de valores[86]. Con el fin de hacer más efectivas la cooperación, los acuerdos contienen también obligaciones de archivar los documentos que reflejen transacciones bursátiles. Aunque se trata en principio de un sistema de cooperación e intercambio de información entre autoridades administrativas, en modo alguno impide que de esta información puedan beneficiarse los jueces o fiscales cuando investigan conductas de *insider trading* o abuso de mercado[87].

---

[85]   Cfr. Zagaris B., (not. 2) p. 283 ss. Si bien no puede negarse que a la cabeza de IOSCO está la SEC. En éste ámbito lo que se ha producido es sin duda una extensión del modelo de securities law norteamericana. Cuando se crea IOSCO en los años 80, incluso en la UE el desarrollo de este sector del derecho era muy bajo. En la extensión del modelo fueron muy importantes los MOU que la SEC firmó con muchos países, donde sobre todo a través de *soft power* consiguió extender lo que se ha dado en llamar su "regulatoy gospel". Son por ejemplo decisivos los convenios anuales que organizaba con asistencia de reguladores de todo el mundo, en los que se ofrecía capacitación, basada en los principios del derecho norteamericano.

[86]   Cfr. Raustiala K (not. 10) p. 29, indicando que el derecho de la cooperación judicial debido a su lentitud es totalmente inadecuado para actuar en un espacio tan dinámico como los mercados financieros. Los MOUs por esta razón han ocupado el espacio de la cooperación judicial en este punto. En ocasiones como ocurrió con Suiza, los MOU no fueron suficientes, y tuvo que acudirse a la creación de tratados internacionales clásicos. Es lo que paso a comienzos de los noventa del pasado siglo con el Tratado sobre *insider trading* del consejo de Europa que respondió totalmente a la presión de los Estados Unidos.

[87]   Vid. *Methodology for Assesing Implementation of IOSCO Principles* (https://www.iosco.org/library/pubdocs/pdf/IOSCOPD562.pdf), punto D. Principles Relating to Cooperation, p. 80 ss.; igualmente *Multi-Jurisdictional Information Sharing for Market Oversight, Final Report, Report of the Technical Committee of IOSCO*, April 2007, (http://www.iosco.org/library/pubdocs/pdf/IOSCOPD248.pdf.).

La expansión del Derecho de la competencia obedece a una estrategía similar a la del Derecho de los mercados financieros. También aquí Estados Unidos capitaneó la extensión de su modelo regulador en principio, con la ayuda en esta ocasión de organizaciones internacional clásicas como es la OMC y la OCDE[88], y la International Competition Network, que aglutina a prácticamente todas las autoridades del mundo. La extensión de los programas de clemencia como herramienta clave para sancionar los acuerdos anticompetivos tiene mucho que ver con su actuación[89], al igual que una suerte de directrices para establecer sanciones eficaces[90].

En el derecho del medio ambiente existe otra importante red intergubernamental, INECE[91]. A diferencia de las anteriores, no es una red formada exclusivamente por supervisores, tiene composición mucho más plural que comprende a reguladores, investigadores, fiscales, jueces, policías, académicos ONGs y empresas. Su forma de trabajo comprende intercambios, formación etc. Y se ha centrado menos en la armonización. En el terreno del Derecho penal su objetivo es fomentar el intercambio de conocimientos y formación para una mejor persecución de estos delitos.

Las redes de trabajo intergubernamentales son también importantes en la lucha contra la evasión fiscal o la corrupción. El GAFI[92] y el G20[93], a través del procedimiento de mitosis que antes referíamos, han ido extendiendo sus competencias de manera paulatina al fraude fiscal o la corrupción. En materia de fraude fiscal, sin embargo, el protagonismo pertenece a una organización más formalizada como es la OCDE con iniciativas de *hard law* (Convention on Mu-

---

[88]   Cfr. Raustiala K., (not. 10), p. 35 ss.

[89]   Vid. Por ejemplo su *Checklist for Efficient And Effective Leniency Programmes.* (http://www.internationalcompetitionnetwork.org/uploads/library/doc1126.pdf), donde da una serie de pautas al legislador para introducir de manera eficaz este medio de investigación.

[90]   Cfr. *Defining Hard Core Cartel Conduct, Effective Institutions, Effective Penalties*, 2005, http://www.internationalcompetitionnetwork.org/uploads/library/doc346.pdf.

[91]   Son las siglas de *International Network for Environmental Compliance and Enforcement* https://inece.org. En su fundación fueron determinantes la agencia norteamericana (EPA) y la holandesa, también aquí se siguió hasta cierto punto un modelo similar basado en acuerdos de entendimientos (MOU) que permitió a las agencias, pero también a jueces, fiscales, de países más desarrollados cooperar y capacitar con otros, vid. Para los orígenes Raustiala K. (not. 10), p. 43 ss.

[92]   Vid. *Best practices. Paper The Use Of The Fatf Recommendations To Combat Corruption* (http://www.fatf-gafi.org/media/fatf/documents/recommendations/BPP-Use-of-FATF-Recs-Corruption.pdf).

[93]   El G20 cuenta desde 2010 un *Anticorruption Working Group* cuya función es apoyar al resto de las redes intergubernamentales y el trabajo de las organizaciones internacionales, muy especial es su implicación con el programa STaR de recuperación de activo puesto en marcha por naciones Unidas.

tual Assitence in Tax Matters) como de *soft law*, que promueven el intercambio de información en prácticas fiscales peligrosas, entre países miembros y no miembros (Harmful Tax Practices o también Tax Transparency)[94]. En corrupción, como veremos, el liderazgo además de organizaciones internacionales clásicas, tal como después examinaremos, está en manos de actores privados y ONGs.

En el campo de la criminalidad organizada el G7 ha dedicado a esta cuestión algunos de sus encuentros, abordando materias como el tráfico de personas o el uso de documentos falsos[95]. El Foro Económico de Davos ha aprobado en esta materia dos documentos el World Economic Forum' s Global Agenda Council on Illicit Trade y la Global *Initiative against Transnational Organized Crime*[96]. El tráfico de armas cuenta con sus propias redes intergubernamentales como el *Australian Group* compuesto por numerosos países industrializados sirve como plataforma de intercambio de información en relación al comercio de armas biológicas y nucleares, con fines similares encontramos también al *Missile Technology Control Regime*y al *Nuclear Suppliers Group,* e iniciativas similares se encuentran en el tráfico de armas ligeras mucho más conectadas con la criminalidad organizada[97].

4. *El ius puniendi de las organizaciones internacionales*

Decir que las organizaciones internacionales en el Derecho penal internacional constituyen un nuevo actor es desde luego equivocado. En materia penal desde después de la IGM la cooperación de los estados ha tenido lugar preferentemente en este marco. En la práctica, desde los tiempos de la Sociedad de Naciones, los estados han renunciado a elaborar convenciones internacionales al margen de las mismas, con la excepción de los convenios en materia de extradición[98]. Lo que caracteriza hoy su intervención en la política criminal internacional son una serie de factores que han transformado su papel, confiriéndoles un protagonismo propio, no

---

[94]   Cfr. Zarges B. (not. 2), p. 48 ss.
[95]   http://www.australiagroup.net.
[96]   Cfr. Zarges B., (not. 2), p. 204. En el Foro de Davos es una organización pública privada que reúne a mandatarios de organizaciones internacionales, dirigentes de varios países, líderes de empresas y personas de reputado prestigio a nivel mundial con fines de análisis de la situación global. Su papel es muy distinto al resto de las redes, también por el tamaño de sus reuniones, y consiste más bien en ir conformado la agenda política. Este año al hilo de la tema de la seguridad global se ha vuelto a insistir en terrorismo y criminal organizada.
[97]   Cfr. García D., *Small Arms and Security. New emerging international norms*. Routledge, 2006, en este libro puede encontrarse una descripción de la génesis de la regulación en el tráfico de armas.
[98]   Cfr. Joutsen M., *The impact of United Nations crime conventions on international cooperation*, en Smith C./Zhang S./Barberet (not. 2), p. 112 ss.

vinculado siempre a la voluntad de los estados. Estos además tienen un margen de maniobra político criminal muy limitado a la hora de adoptar alguna de sus grandes convenciones. No es simplemente posible dejar de lado la política criminal internacional en materia de tráfico de drogas, de criminalidad organizada etc.

No es fácil hoy definir qué es una organización internacional. De hecho, algunos las definen de manera tan amplia que les darían este carácter a redes intergubernamentales, aunque tengan un grado muy bajo de formalización como el G20[99]. En este apartado nos ocuparemos exclusivamente de aquellas organizaciones convencionales, como Naciones Unidas, la OCDE, el Banco Mundial o el FMI, que se caracterizan por tener procesos formalizados de decisión, basados en el voto de los estados miembros y un marco competencial fijado por su carta fundacional.

La existencia y el funcionamiento de las organizaciones internacionales se explicaba mediante la idea de delegación de funciones y consentimiento: los estados soberanos les encargaban la cooperación en un determinado sector, fijado por sus cartas fundacionales, en el que operaban como herramientas de la acción exterior de los estados, subordinándose a su voluntad. En este marco, la legitimidad de las convenciones internacionales nunca planteo problemas. En el caso del Derecho penal encajan perfectamente con el principio de legalidad penal. Los acuerdos se negocian por los estado miembros, en pie de igualdad, de acuerdo a un multilateralismo horizontal, donde las decisiones se adoptan normalmente por unanimidad[100]. Las negociaciones se llevan a cabo por los representantes nacionales, que deben estar debidamente autorizados para prestar su consentimiento. Tras su aprobación, cualquier convención, necesita para su vigencia pasar por el control de legitimidad previsto en cada ordenamiento. Es decir, normalmente la aprobación parlamentaria y su publicación en el boletín oficial. En el caso de que la convención contuviese obligaciones penales esto significa necesariamente además de la aprobación de la normativa penal específica, que la transposición de sus obligaciones del a través de la correspondiente ley orgánica. El sistema de reservas permite a su vez un "tratado a la carta" excluyendo aquellas partes de los tratados que los estados no están dispuestos a asumir.

Las organizaciones internacionales tenían estrictamente vedado adoptar actos que pudieran restringir directamente, sin la mediación del derecho interno de los estados, los derechos de los ciudadanos. Por lo que era casi imposible pensar en un Derecho penal propio y directo de la organización.

Esta explicación clásica del funcionamiento de las organizaciones internacionales se ha visto alterada en las últimas décadas. Por de pronto, se han inverti-

---

[99]   Cfr. sobre la definición de OI, Álvarez J.E, *International Organizations as Law-Makers*, Oxford University Press, 2005, 4 ss.
[100]   Vid. Ortega Carcelén M., (not. 1), p. 139 ss.

do en buena medida los papeles. Las organizaciones internacionales no son hoy sujetos funcionales del Derecho internacional al servicio de los estados. De ser herramientas, han pasado a tener agenda propia y, en muchos casos, son las que conforman partes importantes de las agendas legislativas de gobiernos y parlamentos[101]. Por otro lado, el principio de igualdad de los estados constituye más bien un mito que una realidad. Muchos estados no tienen capacidad de influir realmente en sus normas. La composición de las burocracias internacionales y de sus cuadros directivos distan mucho de ser equilibradas. No existe además una opción sería y real para la mayoría de los estados de no adoptar una convención internacional. Ello les supondría la exclusión de ayudas y otros beneficios de la cooperación además de un coste reputacional difícil de asumir[102].

Dejando de lado este último asunto, lo que caracteriza a la época actual y entronca con el campo de discusión del Derecho global, son tres fenómenos diversos. En primer lugar, cómo los órganos ejecutivos y la alta burocracia de las organizaciones van independizándose de sus asambleas y de este modo de la voluntad de los Estados. Al mismo tiempo, existe un proceso de creación de comités y órganos que permite la participación de ONGs, redes intergubernamentales y multinacionales en la fijación de objetivos, recomendaciones, con ello estos nuevos actores adquieren protagonismo e influencia en sus procesos legislativos. En segundo lugar, las organizaciones internacionales han ido ampliando paulatinamente su campo de actuación originario; lo que es especialmente importante como veremos a la hora de explicar su incursión en el Derecho penal de organizaciones como la OCDE. Finalmente, y en tercer lugar, la utilización de nuevos formas de regulación como el recurso al *soft law*, que utiliza de manera alternativa o convergente con convenciones internacionales, les ha permitido ampliar su influencia. Frente a los tratados internacionales, cuya negociación es enojosa, lenta y en ocasiones de resultado incierto, por la oposición que puede surgir por parte de ciertos estados, el *soft law* y las recomendaciones son mucho más ágiles y a través de ellos se obtienen resultados similares[103]. En ocasiones estas propuestas

---

[101]   Cfr. Kawaka, *Introduction*, en Kawaka (ed.), Globalization and International Organizations, Ashgate, 2011, p. xi ss.

[102]   Este es el principal argumento de la denominada corriente "realista" dentro del Derecho internacional. Para los realistas los estados son los únicos actores del Derecho internacional, pero desde luego no todos los estados sino los más poderosos que en realidad dominan las organizaciones internacionales, cuya función sería marginal o la de mera herramienta de algunos estados, vid. Álvarez J.E (not. 99), p. 29 ss. Vid. igualmente una exposición de todas las críticas al modo en que operan realmente las organizaciones internacionales y la marginación de determinados estados en Chimni B.S., *International Institutions Today: An Imperial Global State in the Making*, Europeanl Journal of International Law, 2004, nº 15, p. 1 ss. (= en Kawaka ed. (not. 101), p. 41 ss.

[103]   Vid. Ortega Carcelén M., (not. 1), p.; Darnaculleta i Gardella (not. 1), p. 17 ss.; un trabajo de referencia en la evolución recientes de las organizaciones internacionales es el de Álvarez J.E.,

actúan en combinación con las convenciones, enmarcando (*framing*) su regulación y por tanto haciendo más imperiosa su regulación[104].

4.1. La ampliación de la capacidad normativa

Las organizaciones internacionales se han convertido en actores legislativos independientes dotadas de una agenda legislativa propia y autonoma de los estados, que con frecuencia van más allá de las competencias originarias de la organización. Resulta sorprendente por ejemplo como los bancos de desarrollo, pensados para apoyar procesos de construcción de infraestructuras, han incluido entre sus competencias la corrupción o el blanqueo de capitales, e igual cabría decir de la OCDE, que lidera hoy la política criminal internacional en materia de corrupción, blanqueo de capitales o lucha contra el fraude fiscal. Esta ampliación puede explicarse a través de la teoría de los poderes implícitos, pero también a la aparición de materias transversales en la política internacional. Así, por ejemplo, la preocupación por el buen gobierno vincula sus actividades —por ejemplo, la concesión de financiación o ayudas— con el tema de la corrupción. La integridad de los mercados, los derechos humanos o la necesidad de crear seguridad jurídica como requisito para la inversión suelen ser también buenos argumentos para la extensión de sus agendas[105].

4.1.1. Naciones Unidas y el Consejo de Seguridad

Especial mención merece el caso de Naciones Unidas. Lógicamente la única organización generalista mundial puede tener en su agenda problemas relativos al Derecho penal. Esto ha ocurrido desde su función, principalmente, en el marco del Consejo Económico y Social y la UNODC[106]. Ambos organismos han desarrollado una intensa labor, durante mucho tiempo desconocida, que abarca numerosos ámbitos de la política criminal más tradicional y no vinculada a la globalización. Esta situación empieza a cambiar tendencialmente a partir de los últimos años 80, en los que se aprueban las tres grandes convenciones de Naciones Unidas en materia penal: corrupción, crimen organizado y drogas,

---

International Organization: Then and Now, en *Kwakwa E., Globalization and International Organizations*, Asthage, 2011, p. 3 ss. (= The American Journal of International Law, Vol. 100: 134).

[104]   Cfr. Meyer F., (not. 4), p. 812 ss.
[105]   Cfr. Álvarez J.E., (not. 99), p. 328; Chimini, B., (not. 102), p. 50.
[106]   La UNODC nace en 1997 como consecuencia de la fusión de los dos organismos que existían hasta la fecha la Oficina para la prevención del crimen y el delito y el Programa de Naciones Unidas para el control de la droga.

que como hemos ya indicado plantean una auténtica revolución, no tanto en el terreno de las incriminaciones, si no en el marco de la cooperación judicial[107].

Ahora bien, la evolución más importante y que aquí nos interesa de Naciones Unidas ha sido la asunción progresiva de competencias del Consejo de Seguridad, que se produce con el cambio de siglo[108]. Un primer avance fue sin duda la competencia que le atribuyó el Convenio de Roma en relación a la Corte Penal Internacional. El Consejo tiene la llave para abrir la Corte a hechos acaecidos en países que no forman parte del convenio. Situándolo en el marco de la evoluación del Derecho internacional a la que antes se hizo referencia, este avance conecta con lo que hemos denominado la *progressive grotian tradition* que procede del final de la IIGM. La asunción de estas competencias enlaza directamente con el legado de

---

[107]   La exposición más detallada de la intervención de Naciones Unidas en el ámbito del Derecho penal conforme a este modo tradicional es la de Clark R., *The United Nations Crime Prevention And Criminal Justice Program*, University Pensilvania Press, 1994. La política criminal de las Naciones Unidas se centraba en puntos muy alejados de los actuales, en cuanto que se trataba de aspectos internos, relativos a la mejora y el buen funcionamiento de los sistemas nacionales de justicia: el tratamiento de prisioneros, código de conducta para policías y reglas para la utilización de armas de fuego, justicia juvenil, la pena de muerte y las ejecuciones extrajudiciales, prevención de la delincuencia, víctimas, cooperación internacional etc. Como puede apreciarse, todos estos temas resultan muy distintos a los actuales presididos por el paradigma de la seguridad y la delincuencia transnacional. Desde luego, el soft law y los estándares de esta primera fase tienen un significado y una importancia distinta a la actual. Su forma de producción era mucho más interna, la apertura se producía —y se produce aún en este marco— a través de entidades como el ISPAC o sus congresos quinquenales cuyas resoluciones se comunicaban después a la Secretaria General. La Resolución 46/152 de la Asamblea General, de 8 de diciembre de 1991 intentó reactivar la totalidad de la labor realizada por Naciones Unidas desde 1945, cuya labor había pasado bastante inadvertida.

No obstante, para esa fecha se había producido ya un giro importante. A partir de finales años 80, la Asamblea General de Naciones Unidas decide cambiar de modelo y utilizar el hard law de las convenciones internacionales. Durante los años siguientes elabora sus tres grandes convenciones: drogas, crimen organizado y corrupción, que contienen obligaciones de criminalización y además instrumentos de cooperación muy avanzados (vid. Joutsen M., (not. 45), p. 115 ss.). La fase de la que vamos a ocuparnos en el texto constituiría una vuelta de tuerca más y estaría presidida por el protagonismo del Consejo de Seguridad.

[108]   Vid. el trabajo de Gómez Iniesta D., *El ius puniendi del Consejo de Seguridad de Naciones Unidas, en esta misma obra*. Lógicamente la evolución tiene que ver con el deshielo de las relaciones internacionales tras la Guerra fría, hasta este momento la actividad del Consejo había sido mucho menos importante, debido a las tensiones que había en él. El deshielo y la desintegración del bloque soviético hace que su actividad se incremente imponiendo obligaciones vinculantes a los Estados como nunca antes lo había hecho y actuando como un poder no sólo ejecutivo, sino también en ocasiones legislativo y casi judicial, vid. Tzanakopoulos A., *Transparency in the Security Council*, en Bianchi A./Peters A., Tranparency in International Law, Cambridge, 2013, p. 370 s. Es muy interesante (p. 372) el relato que hace el autor de la total falta de transparencia en la aprobación de la Resolución 1267 que transforma el régimen de listas negras incluyendo a individuos y a personas jurídicas.

Nuremberg. Por esta razón la ampliación de competencias que ahora interesa es la que proviene de la mano de la reinterpretación del concepto de mantenimiento de la "paz y seguridad mundial del art. 39 de la Carta de Naciones Unidas" que le ha permitido incluir dentro de este comportamiento ámbitos como el terrorismo o la piratería[109]. Es seguramente en este punto donde ha tenido más importancia la extensión del concepto de seguridad comentada en un epígrafe anterior.

Las resoluciones del Consejo de Seguridad en materia de terrorismo han alterado el sistema de fuentes del Derecho internacional[110]. Algunas de estas resoluciones, han actuado de manera equivalente a las directivas de la UE , obligando de hecho a los estados a introducir tipos penales[111]. Otras resoluciones han ido aún más lejos, creando un auténtico *ius punieni* supranacional como es el sistema de listas negras en materia de terrorismo que después veremos con más detenimiento. Obviamente este *ius puniendi* en manos del Consejo de Seguridad ha sido objeto de severas críticas. De un lado, la transparencia en su aprobación es menor que la que existe en las convenciones internacionales, las resoluciones eluden el vehículo por excelencia de la cooperación internacional como son los tratados y además se adoptan por el reducido grupo de estados que compone el Consejo de Seguridad[112].

4.1.2. Génesis y eficacia de sus normas

Dejando de lado, el singular caso del *ius puniendi* del Consejo de Seguridad, el aumento de la capacidad normativa de las organizaciones internacionales ha sido posible merced a que han desarrollado una nueva estrategia tendente a garantizar

---

[109] Cfr. Macke, *UN Sicherheitsrat und Strafrecht. Legitimation und Grenzen einer internationaler Strafrechtsgesetzgebung*, Berlin, 2010 Thenari, *Die Smart Sancions im Kampf gegen den Terrorismus und als Vorbild einer präventiven Vermögensabschöpfung*f, Schriftenreihe des Max Planck Institut, Band K. 166, 2014, p. 59; Meyer F. (not. 4), p. 165 ss: Mitsilegas V., *The European Union and Preventive Justice. The Case of Terrorist Sanctions*, en Mitsilegas V. (ed) EU Criminal Law after Lisabon, Hart, 2016, p. 240; Talmon, *The Security Council as World Legislator*, American Journal of International Law, 2005, 175.

[110] Resulta lógicamente discutido en qué medida entre las medidas que el art. 41 de la Carta de Naciones Unidas permite adoptar al Consejo se encuentra la adopción de una determinada legislación interna, Thenari, (not. 109), p. 60.

[111] Resolución 1373 (2001) relativa a la financiación del terrorismo y Resolución 2178 (2014) Resolución, en la 2253 (2015) LO 2/2015, de 30 de marzo, por la que se modifica el Código penal en materia de delitos de terrorismo. De hecho la UE señaló a los Estados miembros a través de una posición común, adoptada en el marco del entonces segundo pilar, la necesidad de introducir las previsiones penales a las que hacía mención la Resolución 1371. Posición Común del Consejo de 26 de febrero de 2001

[112] Vid. además de la bibliografía citada en la nota anterior Krisch N., (not. 1), p. 154 ss. Las *Smart Sanctions* cuyo régimen de imposición después serán abordado con más detenimiento ha sido uno de los casos emblemáticos del denominado Derecho global administrativo.

su eficacia. Las normas internas, según el modelo kelseniano son eficaces porque se aprueban de acuerdo con el procedimiento establecido y resultan conformes a las normas de reconocimiento de cada sistema. En el modelo clásico, que es el que refleja el art. 1 del Código civil, las únicas normas internacionales que se contemplan son los convenios, que como ya se ha indicado se acomodan perfectamente a este modelo de eficacia mediante la ratificación, publicación y en su caso transposición.

La eficacia de las normas en el Derecho internacional hoy se consigue mediante una actividad mucho más compleja, que depende de tres factores[113]. El primero es la capacidad de la organización para buscar una red de apoyos internos y externos, no sólo en el momento del proceso de elaboración y aprobación de la normativa, sino a lo largo de toda su vida, en las fases de transposición y ejecución[114]. Esta búsqueda de apoyos corresponde también al estado que quiera internacionalizar una normativa a través de una organización internacional. El segundo es la búsqueda de legitimidad técnica a través de la creación de grupos de expertos, subcomités o el recurso a las redes de trabajo intergubernamentales[115]. El tercero son los costes de apartarse de una regulación internacional. La extensión de la práctica de evaluar el grado de cumplimiento de las organizaciones internacionales es una estrategia esencial para garantizar la eficacia de las normas. El binomio evaluación-coste reputacional, que tal como veíamos funcionaba en relación a las recomendaciones de redes intergubernamentales, opera también en el caso de las convenciones internacionales. En ocasiones los costes no son solo reputacionales sino económicos, a menudo inasumibles por los estados. No cumplir con una convención puede significar quedar fuera de determinados medios de financiación internacional[116]. Estos tres factores permiten que hasta cierto punto puedan utilizarse de manera indiferente instrumentos de *soft* y *hard law*. La relación entre ambos tipos de normas es a veces de alternatividad, se utiliza un camino u otro, en otras de complemento y apoyo. Igual cabría decir en relación

---

[113]   En los últimos años domina una aproximación sociológica, con el fin de explicar las razones del cumplimiento de las normas de derecho internacional, vid. Brunnée J./Toope J., *Persuasion and Enforcement: Explaining Compliance with International Law*, Finish Y. B. Int'L, 2002, p. 273 ss.; Krisch N., (not. 1), p. 18 s; Álvarez J. E., (not.), p. 17.

[114]   Es lo que algunos autores han denominado gráficamente como mission creep o regime complexes, vid. Álvarez J.E, (not. 103), p. 7. Un análisis muy estructurado de los factores de eficacia en relación a la normativa penal internacional, es el que ofrece Meyer F., (not. 4), p. 811-836.

[115]   Desde un primer momento se ha constatado que la relación entre redes intergubernamentales y organizaciones internacionales no es de competencia sino de complementariedad, vid. Álvarez J.E (not. 99), p. 338; Slaughter A. M. (not. 9) y Raustiala K., (not. 10), p. 83 ss., planteando distintas posibilidades unas de conflicto y otras, en el sentido del texto, de cooperación.

[116]   Vid. al respecto Kingsbury B., *Sovereignty and Inequality*, European Journal of International Law, 9, (1998), p. 599 ss.

a los estándares de redes intergubernamentales o a las normas procedentes de la autorregulación y estandarización empresarial.

Generalmente la organización internacional que desea poner sobre la mesa una nueva regulación debe rodear su propuesta de una atmósfera propicia a través de la organización de encuentros, reuniones de expertos y un conjunto de publicaciones que vayan poniendo el problema sobre la mesa. Es muy importante que otras organizaciones internacionales se sumen a su proyecto, y que incorpore también redes redes intergubernamentales y actores privados. Se trata de "manufacturar el consenso" y hacer aparecer como absolutamente necesaria una normativa internacional, de tal forma que su oportunidad no sea cuestionada.

La historia de la non nata figura internacional del robo de identidad es un buen ejemplo de cómo se fabrica el consenso[117]. Todo comenzó con la actuación de la Comisión de Derecho Comercial de las Naciones Unidas, a la que al poco tiempo siguió una Resolución de la Asamblea General, y la creación de un grupo de expertos con el fin de elaborar un informe. Coetáneamente a esta iniciativa se empezaron a suceder los informes, proyectos y recomendaciones de otras organizaciones internacionales como a las que se fueron sumando sucesivamente la OCDE, el FMI, la UE o el Consejo de Europa. Lógicamente el sector privado interesado (compañías de *software* o el sector bancario) empezó bien pronto a estar presente en las reuniones de las organizaciones internacionales y a generar a su vez estándares. Aun en ausencia de proyectos legislativos, los documentos aprobados por estas organizaciones constituyen un nuevo tipo de literatura científica, con citas cruzadas, argumentos que se repiten, y que generan un discurso oficial y numerosas cifras acerca de los daños o las ganancias que genera una actividad ilícita[118].

Como acaba de comprobarse, la aprobación de una normativa requiere de una acción conjunta y compartida que nos retrotrae de nuevo a la idea de soberanía interrelacional. La creación de la red y el impulso principal puede estar más o menos repartido entre organizaciones y estados. El fenómeno es similar al que hemos visto con las redes intergubernamentales. También aquí cuando hablamos de estados ha predominado el papel de Estados Unidos[119]. El supuesto mucho

---

[117]   Vid. al respecto, tomando como ejemplo, el denominado robo de identidad las exposiciones de Maroto Calatayud M., Muñoz de Morales M., y Nieto Martin A. en Cahiers de Defense Sociale, 2009-2010.

[118]   Es lo que Slaughter E., (not. 9) ha denominado *governance by information*, 177s.

[119]   En el caso del robo de identidad la actuación de Estados Unidos como promotor no resultó tan evidente, pues en seguida se sumó por ejemplo la UE. No obstante, Estados Unidos era uno de los pocos países que disponían de un precepto penal específico en esta materia, y que además se trataba con un problema que se derivaba de un factor muy nacional, como es la ausencia de un sistema de identificación seguro de ciudadanos. El verdadero motor del robo de identidad consistía sin embargo el desarrollo del comercio electrónico.

más conocido de su liderazgo estatal es la corrupción en el comercio internacional. Todo parte de una decisión expresa proveniente de la administración Clinton, que elige además una organización internacional, en concreto la OCDE, por creer más sencillo la aprobación del convenio en su seno. A diferencia de lo que ocurre con Naciones Unidas donde la tensión política entre países desarrollados y en vías de desarrollo hace más complejo sacar adelante determinadas iniciativas, la OCDE es una organización mucho más despolitizada, al estar compuesta por los países con economías más desarrolladas, y que además dispone de unos procedimientos internos para la aprobación de convenciones extremadamente flexibles, alejados del sistema quasi parlamentario de Naciones Unidas[120].

El ejemplo de la corrupción internacional muestra además como los estados tienen cierto margen de maniobra para plantear sus iniciativas en las organizaciones que consideran más propicias (*forum shopping*). Cuando, ninguna organización internacional les resulta conveniente, pueden recurrir a mecanismos bilaterales, tal como ocurrió con el famoso Acuerdo Comercial Antifalsificación (*Anti Countering Trade Agreement*) cuya adopción hubiera supuesto un incremento punitivo más que notable en los delitos contra la propiedad intelectual e industrial. Los procesos legislativos de las organizaciones internacionales proporcionan un mínimo grado de transparencia, pero esta desaparece totalmente en el marco de los acuerdos negociados de manera multilateral. La falta de transparencia, obvio es decirlo, permite por ejemplo una mayor actuación de los lobbies.

El comportamiento de los estados, tendente a internacionalizar líneas de política criminal, puede atender a diversas razones. Generalmente se trata de expandir una normativa interna con el fin de favorecer su comercio internacional. Pero a veces son razones puramente internas como ocurre en el denominado fuera de juego legislativo o *policy laundering*; un fenómeno bien conocido en la política criminal europea. Los estados que prevén que la adopción de una determinada normativa puede tener dificultades para ser aprobada internamente, intentan que su iniciativa sea acogida por una organización internacional. Una vez secundada internacionalmente su iniciativa las barreras y obstáculos internos suelen debilitarse[121].

Igualmente en el arranque de la maquinaria legislativa de una organización internacional puede tener un papel relevante la denominada "sociedad civil". Es conocido, el papel de determinadas ONGs en las convenciones contra la tortura o en las convenciones prohibiendo las minas antipersonas, como también el papel de los sindicatos ante la OIT. Igualmente la sociedad civil jugó un papel importante en la

---

[120] Cfr. Meyer A.M., (not. 4), p. 497.
[121] Al respecto Muñoz de Morales M., ¿Transposición de obligaciones comunitarias o fuera de juego legislativo?: sobre los atajos fraudulentos para adoptar normas penales, en Pérez Álvarez F. (Ed.), Delito, penal, política criminal y tecnologías de la información y la comunicación en las modernas Ciencias Penales, Ediciones Universidad de Salamanca, 2011, p. 321 ss.

aprobación del Estatuto de la Corte Penal Internacional[122] o la trata de seres humanos, donde los medios de comunicación han jugado un papel de gran importancia. Determinados activistas o académicos pueden igualmente desempeñar un papel relevante. Aunque su función no resulta comparable al nivel de iniciativa que tienen algunos estados, sí que por ejemplo su inclusión puede ser vital para incrementar la legitimidad técnica. Es lo que ocurre con expertos que en determinados temas ejercen una gran influencia en la asesoría de organizaciones internacionales[123].

Distinta de la sociedad civil, cuyas organizaciones, al menos teóricamente, velan por la preservación de intereses colectivos, es la presencia en los procesos legislativos del sector privado. Las empresas internacionales o determinados lobbies pueden jugar un papel decisivo en el arranque de la normativa internacional, pero también en su fase de transposición. Por ejemplo, en blanqueo de capitales el sector bancario desempeñó un papel esencial en el arranque de esta normativa, mientras que en materia de corrupción el papel de las empresas ha sido determinante en su ejecución, a través del cumplimiento normativo y aceptando ejecutar una política criminal internacional basada en buena medida en la privatización del *enforcement* en este ámbito.

Tras lo dicho, gráficamente podríamos hablar de una suerte de pentágono a la hora de presentar la red de actores que interrelacionan para la producción de normativa internacional en el marco de organizaciones internacionales. En este pentágono no todos los actores tienen siempre la misma fuerza y la composición de fuerzas varía de normativa a normativa. A veces, algunos actores, pueden estar prácticamente ausentes. Por ejemplo, los actores privados y la sociedad civil apenas si tienen importancia en el desarrollo de la política criminal en materia de drogas o de criminalidad organizada o el terrorismo. En los últimos tiempos lo que destaca es un mayor protagonismo de las organizaciones internacionales en distintos ámbitos, con agenda legislativa propia[124]. Recurriendo de nuevo a la imagen del pentágono de fuerzas, lo que ocurre es que se trata nunca de una figura regular, en la que todos sus aristas —las fuerzas que empujan a la internacionalización— tienen una igual longitud. Incluso, podríamos imaginar que las aristas que componen el pentágono no siempre sumaran, sino que en ocasiones actuaran como fuerzas contrarias a la aprobación de una normativa. Por ejemplo, los intereses particulares de diversos estados, pueden llevarles a oponerse a una determinada normativa internacional[125].

[122] Fue el caso de Amnistía Internacional, cfr. Lelieur J., *El Estatuto de la Corte Penal Internacional: un derecho represivo de nueva generación*, en Demas-Marty M./Pieth M./Sieber U., Los caminos de la armonización penal, Tirant lo Blanch, 2009, p. 55 ss.
[123] Sieber U., (not. 74), p. 511.
[124] Cfr. Sieber U., (not. 74), p. 504.
[125] Cfr. Sieber U., (not. 74), p. 497 con ejemplos.

Igualmente si aproximáramos el microscopio a nuestro pentágono podríamos ver que algunas aristas se descomponen a su vez en varios vectores. Es lo que ocurre con la arista nacional, dónde el fuera de juego legislativo pone de manifiesto la prevalencia del ejecutivo, que es quien saca el balón al terreno internacional, frente al parlamento, que precisamente ve mermada su capacidad de intervención como consecuencia de esta maniobra[126]. Pero también ocurre lo mismo si nos situamos en las organizaciones internacionales. Hemos dado por supuesto que la armonización proviene básicamente de convenciones internacionales y de normas de *hard law*, pero en otros ámbitos es importante el papel de los tribunales de derechos humanos, es decir, de su "poder judicial"[127].

La imagen del pentágono puede servirnos para analizar la presencia de las distintas fuerzas a lo largo de la vida de la normativa. La eficacia de las normas de las organizaciones internacionales no sólo depende de contar con una red de apoyos en su momento inicial, sino a lo largo de su vida en las fases de transposición y evaluación. Algunas aristas pueden ser pequeñas en la fase de iniciativa, pero pueden ir agrandándose en las fases de ejecución.

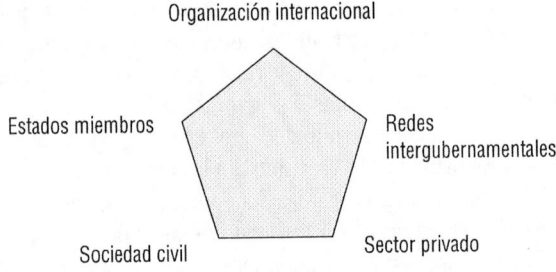

La aparición de una normativa internacional y, posteriormente, su eficacia no solo depende de que exista una red de actores, sino también como ya hemos indicado que se genere una red normativa de apoyos. Es aquí donde el *soft law* y las recomendaciones de redes intergubernamentales pueden tener un papel decisivo. La existencia de Convenciones de Naciones Unidas a las que les siguen recomendaciones de la Asamblea o del Consejo es un buen ejemplo de apoyos

---

126   Cfr. Sieber U, (not. 74), p. 502.
127   Cfr. Sieber U, (not. 74), p. 506.

normativos procedentes de la misma organización[128]. Las recomendaciones ejemplifican el consenso y pueden ayudar a interpretar la convención[129]. En ocasiones, en lugar de recomendaciones se generan normas modelos, otro tipo de derecho blando, con el fin de ayudar a los estados a cumplir con sus obligaciones[130]. La OCDE utiliza también la técnica de flanquear sus convenciones de normas de derecho blando como ocurre con la Convención sobre corrupción en el Comercio internacional, donde además de diversas *Guidelines* para empresas y sus influyentes *Good Practice Guidance on Internal Controls, Ethics and Compliance*, ha publicado una interpretación semioficiosa del Convenio[131]. Pero no siempre el apoyo normativo procede de la misma organización. En ocasiones son otras organizaciones internacionales o redes intergubernamentales las que promulgan el *soft law* de apoyo. Esta relación de simbiosis a la vez que sirve para aclarar o completar el convenio le presta mayor legitimidad.

No ha de pensarse, sin embargo, que el derecho blando actúa siempre de manera subordinada al derecho duro. En realidad, ambos tipos de normas son intercambiables y existen pasarelas entre uno y otro campo. Lo importante, en definitiva, no es el tipo de norma sino los apoyos con qué cuanta. La estrategia de dar preferencia al derecho blando ha sido, por ejemplo, la opción utilizada por el Consejo de Europa en materia de Derecho penitenciario. El Consejo bien podía haber utilizado la vía de los convenios, pero su saga de recomendaciones en esta materia ha tenido una eficacia similar a la aprobación del convenio[132]. En ello

---

[128] Meyer F., (not. 4) p. 141. Las resoluciones tienen un claro carácter constringente cuando proceden del Consejo de Seguridad, como es el caso de la la Resolución 1373 que requería a los estados que ratificaran cuanto antes la Convención relativa a la supresión de la financiación del terrorismo de 1999.

[129] En materia de corrupción, la Convención de Naciones Unidas estuvo precedida por una resolución inicial (A/58/4), pero a ellas les han seguido otras muchas, como Resolución 5/1 sobre el aumento de la eficacia de la cooperación en materia de cumplimiento de la ley para la detección de los delitos de corrupción en el marco de la Convención de las Naciones Unidas contra la Corrupción; la Resolución 5/2 de fortalecimiento de la aplicación de las disposiciones sobre penalización contenidas en la Convención de las Naciones Unidas contra la Corrupción, en particular en lo que respecta a la solicitud de sobornos; la Resolución 5/3 de Facilitación de la cooperación internacional en la recuperación de activos y la Resolución 5/4 de seguimiento de la declaración de Marrakech sobre la prevención de la corrupción.

[130] Así por ejemplo la UNDOC ha creado el *Model against Trafficking in Persons* por encargo de la Asamblea General con el fin de apoyar a los Estados con el cumplimiento del Protocolo sobre tráfico de Personas.

[131] Al respecto de su importancia como criterio de interpretación Nieto Martin A. *Corrupción en las transacciones económicas internacionales*, en Memento de Derecho penal económico, 2011-2012, Lefebvre, p. 921.

[132] Vid. en lo que sigue el trabajo de Rodríguez Yague C., *Las prisiones en un mundo global: estándares europeos en derecho penitenciario*, en esta misma obra.

han contribuido cuatro factores, que pueden servirnos de ejemplo práctico para explicar cómo se genera la legitimidad y eficacia del derecho blando.

En primer lugar, existe una red normativa de apoyos con otros instrumentos de *soft law*, como singularmente las recomendaciones de Naciones Unidas en esta materia. En segundo lugar, y en este punto es particularmente importante como las recomendaciones han ingresado en el sistema del derecho positivo, al ser adoptadas como canon interpretativo del Convenio por parte del TEDH[133]. La utilización jurisprudencial del *soft law* es sólo una de las pasarelas para que estas normas ingresen en el ordenamiento jurídico, pero existen otras. Las recomendaciones pueden utilizarse para afirmar una costumbre internacional[134] o que nos encontramos ante un caso de *ius cogens*[135].

El tercer elemento que explica el éxito de las recomendaciones es su alta legitimidad técnica. Para entender la efectividad de las recomendaciones es necesario hacer mención al papel que desempeña al Conferencia de Directores Generales de Administraciones Penitenciarias, órgano intergubernamental en el que también participan jueces, oficiales de prueba etc. y cuyas conclusiones representan la base de las recomendaciones. Finalmente, el cuarto pilar es el sistema de evaluación. El seguimiento de las recomendaciones por cada país es evaluado por el Comité de Prevención de la Tortura, al que los estados miembros están obligados periódicamente a enviar información y que demás puede realizar inspectores *in situ*. El Comité tiene en sus manos un mecanismo de gran coste reputacional para los estados como es la emisión de declaraciones públicas.

La forma de incrementar la legitimidad técnica que utiliza el Consejo de Europa, a través de órganos especializados, es también característica de otras organizaciones internacionales y muy especialmente de Naciones Unidas. Se trata nuevamente del proceso de mitosis, que ya hemos constatado anteriormente en las redes intergubernamentales, mediante el que se generan órganos especializados, que hacen que el debate sobre la normativa internacional no tenga lugar principalmente en la Asamblea, donde están representados los estados, sino en el seno

---

[133]   También el TJUE los ha invocado expresamente en el marco del reconocimiento mutuo, convirtiéndolos en los estándares oficiales que los centros penitenciarios en la UE deben cumplir.

[134]   Cfr. Meyer F., (not. 4), p. 194.

[135]   Un caso especialmente interesante y discutido son las moratorias de Naciones Unidas en relación a la pena de muerte, cuya validez como parte del *ius cogens* internacional se empieza a discutir. De este modo, Naciones Unidas a través del derecho blando habría creado ni más ni menos que una norma con el máximo rango jerárquico dentro del derecho internacional. Vid. Quispe Remón F., *Las salvaguardias para proteger los derechos de las personas condenadas a muerte y su relación con el ius cogens*, en Arroyo Zapatero L/Estrada M./Nieto Martín A. (dir.), Metáfora de la crueldad: la pena capital de Cesare Becarria al tiempo presente, Cuenca, 2016, p. 319 ss.

de estos subcomités con claro perfil técnico. En Naciones Unidas esta tendencia resulta espectacular, pues aunque cuanta ya con un subcomité especializado en asuntos penales, como es la UNDOC, genera constantemente nuevos organismos específicos para cada materia como el terrorismo, el tráfico de armas etc.[136].

La evaluación es conjuntamente con la red de actores y normas y la legitimidad técnica, otro factor más a tener en cuenta en la generación y eficacia de la regulación internacional, tanto en relación al derecho duro, como al blando[137]. No hay tratado de la última generación que no cree un sistema de evaluación, aunque su designación pueda ser variopinta y también la metodología de la evaluación. La evaluación corre en ocasión a cargo de los estados a través de un sistema de *peer review* como ocurren en materia de corrupción en el marco de la OCDE. En otras ocasiones se crea un comité específico, sería el caso del GRECO en relación a la corrupción o el Comité de prevención de la tortura del Consejo de Europa. Naciones Unidas tiene preferencia por esta última solución como muestra el *Counter Terrorism Committe* de Naciones Unidas que evalúa como los estados implementan las resoluciones del Consejo de Seguridad en las que se establece el sistema de listas negras[138]. Estos comités pueden ser el mismo órgano técnico que se ha puesto en marcha en la fase de gestación del Convenio, con lo cual los papeles pueden ser intercambiables. Muestra de esta relación entre fase pre-normativa y evaluación es que por ejemplo las evaluaciones del Comité de prevención de la tortura del Consejo de Europa generan con frecuencia nuevas recomendaciones[139].

En Naciones Unidas encontramos varios ejemplos de comités gubernamentales que si bien no llegan propiamente a hacer evaluaciones de los estados, sí que supervisan el seguimiento de los tratados y sus conclusiones se convierten después con frecuencia en recomendaciones. En materia de corrupción es el caso del *Grupo de Trabajo Intergubernamental de Composición Abierta sobre Prevención de la Corrupción*, mientras que en lo que atañe a la criminalidad organizada se ha creado el *Global Programme against Money-Laundering, Proceeds of Crime*

---

[136] Vid. nuevamente Álvarez J. E, (not. 99), p. 334, ejemplos en materia de terrorismo nota 55.

[137] Vid. Sieber U. (not. 74), p. 519 s; Meyer F., (not. 4), p. 829 ss.

[138] En materia de terrorismo existe además algunos órganos evaluadores más específicos: un comité especial para evaluar la implementación de la Convención relativa al secuestro de aeronaves y la Oficina de Asuntos de Desarme de las Naciones Unidas creada por la Resolución 1540 (2004) que evalúa en qué medida los Estados cumplen con su obligación de no apoyar a los agentes no estatales que, en particular con fines terroristas, tratan de desarrollar armas de destrucción masiva (*Proliferation Secutiry intiative*), vid. Meyer F., (not. 4), p. 225, 226.

[139] Este ciclo evaluación-modificación legislativa se aproxima a lo propuesto por Nieto Martin A., *Un triángulo necesario: Ciencia de la legislación, control constitucional de leyes penales y legislación experimental*, en Becerra J./Muñoz de Morales M./Nieto A., Hacia una evaluación racional de las leyes penales, Marcial Pons, 2016, p. 422 ss.

and the Financing of Terrorismo (GPLM). La función del *Global Programme* es confeccionar modelos legislativos que ayuden a los estados a cumplir sus obligaciones en materia de blanqueo de capitales y financiación del terrorismo.

Como ya apuntábamos anteriormente los costes de una mala evaluación se traducen en costes en soberanía relacional, afectan a la capacidad de los estados para introducirse en redes de trabajo y ser considerados como socios fiables. Pero a veces los costes pueden ser mayores. Por ejemplo, pueden impedir la concesión de créditos al desarrollo o dificultar la cooperación judicial, como ocurre en el caso de los estándares europeos. Incluso pueden tener repercusiones para las transacciones y relaciones comerciales. Una mala calificación en materia de corrupción implica una mayor obligación de *due diligence* en relación a las empresas que quieran realizar negocios en ese país[140].

4.2. Sanciones supranacionales

Uno de los aspectos más llamativos del *ius puniendi* de las organizaciones internacionales es la creación de sistemas sancionadores que pertenecen al Derecho penal en sentido amplio y que se imponen directamente a los ciudadanos[141]. La actuación de los estados suele aparecer únicamente en fase ejecutiva, con el fin de ejecutar las sanciones impuestas por la organización. Este tipo de sanciones administrativas son uno de los ejemplos más paradigmáticos del denominado Derecho administrativo global, con el objetivo de establecer un marco de garantías comunes en estos procedimientos sancionadores[142].

El derecho sancionador supranacional más conocido es el de la UE que desde sus inicios posee la capacidad para imponer sanciones administrativas. Son sobradamente conocidas las sanciones impuestas por la Comisión Europea en materia de competencia. Sin embargo, en los últimos años esta potestad sancionadora se ha ido ampliando y se ha extendido al sistema financiero. La crisis

---

[140] La eficacia de la evaluación no sólo depende de que constriñe a los estados por temor al coste reputacional. Los informes de evaluación son importantes también en las discusiones parlamentarias y son utilizados como arma arrojadiza por grupos parlamentarios en la oposición frente al gobierno. La escasa capacidad de los grupos parlamentarios más pequeños convierte las objeciones de los evaluadores en enmiendas dentro de los procesos de reforma, lo que les da posibilidad de convertirse en derecho positivo. El profesor I. Ortiz de Urbina ha mencionado este factor en varias de sus conferencias sobre la evaluación internacional.

[141] Sobre el concepto de sanción recientemente Donini M./Foffani L., *La materia penale. Tra Diritto nazionale ed europeo*, Giapiachelli Editore, 2018; Maugeri A.M., *The concept of criminal matter in the European courts case law*, en Sicurella R./Mitsilegas V./Parizot R./Lucifora A., General Principles for a Common Criminal Law Framework in the EU, Giuffré Editore, 2018, p. 275 ss.

[142] Vid. sólo Mitsilegas V., (not. 109), p. 236 ss o Krisch N., (not. 1), p 153 ss, quien en su influyente libro utiliza este tipo de sanciones como ejemplo de problemas constitucionales post estatales.

económica de 2008 ha sido el detonante para que la UE haya decidido centralizar los poderes de supervisión y sanción tanto en el sistema bancario y el mercado financiero. Esta supranacionalización está estrechamente vinculado con el debilitamiento de las entidades de supervisión nacionales ante un sistema financiero global. Con ellos un elemento central de la soberanía westfaliana como el poder supervisor de los bancos centrales de cada estado ha entrado en crisis. De hecho, las normas materiales sobre las que se proyecta esta supervisión no proceden de ningún parlamento ni asamblea nacional, sino de una red de trabajo intergubernamental: el Comité de Basilea que como sabemos agrupa a los reguladores bancarios. El paquete de normas objeto de supervisión es lo que se conoce como Basel III. E igualmente en los mercados financieros ya hemos visto la importancia de IOSCO y el comité específico que en esta materia tiene el G20 (Financial Stability Board)[143].

En el sistema bancario a través del conocido como Mecanismo Único de Supervisión el Banco Central se reserva directamente la supervisión de las entidades crediticias significativas con la capacidad de imponer sanciones, pero también de realizar inspecciones a sus locales, interrogatorios a sus directivos, obligación de entrega de documentos (*production orders*) etc.[144].

En la regulación del mercado de valores existe un modelo igualmente centralizado, aunque con características propias. La ESMA (*European Securities and Market Authority*), la autoridad europea de los mercados de valores, tienen atribuidas directamente una potestad sancionadora sobre las agencias de rating, sin embargo las potestades sancionadoras de las conductas de abuso de mercado siguen estando en manos de las agencias de valores y del sistema penal nacional. Eso no implica que la ESMA no juegue un papel extraordinariamente relevante. De la lectura del Reglamento sobre abuso de mercado se infiere claramente que su

---

[143]   Brodowski D., *Sanction Regimes by the European Central Bank, European Securities and Markets Authority and World Bank-examples for an emerging Global Criminal Justice?* (en esta obra). Sobre el derecho global de los mecados financieros Vid. Leñero Bohorquez R./Darnaculleta i Gardella, M.M.: *Crisis financiera y crisis democrática: la regulación financiera internacional mediante redes de supervisores*, en Recalde Castells J./Tirado Martí I./Perdices Huertos A., Crisis y reforma del sistema financiero, Aranzadi, 2015; Leñero Bohorquez R., *El Comité de Basilea como poder público global para la armonización normativa bancaria. Implicaciones para el derecho público*, en Salvador Armendáriz (coord), Regulación bancaria: transformaciones y estado de Derecho, Thomsom, 2014, p. 184 ss.

[144]   Reglamento (CE) n° 2532/1998 del Consejo, sobre las competencias del Banco Central Europeo para imponer sanciones, DO L 318 de 27.11.1998, modificado por el Reglamento 2015/19 de 27.1.2015. Además del trabajo de Brodowski D. (not. 143), vid. también Allegrezza S./Voordeckeers O., *Investigative and Sanctioning Powers of the ECB in the Framework of the Single Supervisory Mechanism. Mapping the Complexity of a New Enforcement Model*, Eucrim 4/2015, p. 151 ss.

capacidad para supervisar el ejercicio de la potestad sancionadora de las agencias estatales[145].

El Derecho sancionador administrativo de la UE no es un conjunto absolutamente homogéneo e igualmente existe algún punto oscuro en sus garantías[146]. Así por ejemplo, no respeta plenamente el principio *nemo tenetur se ipse acusare*, exigiendo a las empresas investigadas la aportación a la investigación de documentos que pueden incriminarlas bajo amenaza de sanción[147]. Las nuevas sanciones administrativas impuestas por el BC han consagrado algún derecho nuevo como la división entre el órgano que instruye y el que sanciona, pero también presentan algunos puntos preocupantes como una menor regulación de los derechos de defensa. Resulta sorprendente que el *acquis* de los derechos de defensa que se ha alcanzado en el Derecho sancionador de la competencia no se haya trasladado a los reglamentos que regulan las nuevas sanciones. Un rasgo distintivo muy importante del derecho sancionador europeo es que renuncia a aplicarse a personas físicas, aunque ya en el sector bancario es posible que la autoridad central pida a la nacional la apertura de un procedimiento sancionador contra una persona física[148].

Pero las competencias de la UE y su peculiar estatus dentro de las organizaciones internacionales son, como es sabido, un caso aparte. La UE desde sus orígenes tiene capacidad para crear normas jurídicas y adoptar decisiones que afectan de manera directa a los ciudadanos y en eso se distingue del resto de organizaciones internacionales, por esta razón ha sido mucho más discutida la aparición de un sistema sancionador supranacional en manos del Consejo de Seguridad de Naciones Unidas y en un ámbito tan genuinamente penal como es el terrorismo.

Desde mediados de los años noventa del pasado siglo, el Consejo de Seguridad, en el marco de las competencias que le atribuye el Capítulo VII de la Carta, para preservar la seguridad mundial, puso en marcha las denominadas "sanciones inteligentes"[149]. Su objetivo era evitar los daños colaterales que para la población traían consigo los embargos impuestos a determinados países cuyos

---

[145] Vid. Reglamento (CE) 1060/2009 del Parlamento Europeo y del Consejo, de 16 de septiembre de 2009, sobre las agencias de calificación crediticia DO L 302, 17.11.2009, p. 1 ss y Reglamento 596/2014 sobre abuso de mercado DO L 173, 12.6.2014.

[146] Cfr. Brodowski D., (not. 144).

[147] Cfr. Blumenberg A./Nieto Martin A., *Nemo tenetur se ipsum accusare en el Derecho penal económico europeo*, en Diez Picazo L./Nieto Martin A., Los derechos fundamentales en el Derecho penal europeo, Civitas, 2010.

[148] Cfr. Allegrezza S./Voordeckeers O, (not. 144), p.; Brodowski D. (not. 144), p.

[149] La bibliografía sobre las Smart Sanctions es considerable, vid. las obras citadas en not. 109. Igualmente una descripción sucinta de los distintos sistemas puede encontrarse en *Subsidiary Organs of the United Nations Security Council, Fact Sheets*. 2019.

gobiernos se consideraban una amenaza. Esta nueva tipología de sanciones consiste en la confiscación de bienes, restricciones a la libertad ambulatoria, como la prohibición de viajar, y otro tipo de restricciones como la tenencia de armas. Aunque hay unos catorce regímenes sancionadores distintos que afectan a más de mil personas físicas, los más importantes son los destinados al terrorismo islámico. En la actualidad trescientas personas están en la "lista negra" por su conexión con organizaciones con Al Qauida, Bin Laden o el Da' esh.

La lógica inicial de las "sanciones inteligentes" es la de ser una medida de presión política, impuestas a dirigentes estatales, con el fin de presionar a determinados estados, razón por la cual las garantías de los individuos se confían a los procedimientos de protección diplomática. No obstante, las listas negras en materia de terrorismo paulatinamente se van alejando de este modelo. Mediante la denominada Resolución de los Talibanes (Resoluciones 1267 y 1333), las sanciones del Consejo de Seguridad se imponen por primera vez a personas físicas que no podían ser consideradas agentes estatales. En 2001, días después de los atentados del 11 de septiembre, el sistema de listas negras se extiende a través de las Resoluciones 1373 (2001) y 1390 (2002) a personas vinculadas con organizaciones terroristas como Al Quaida, Daesh o Osama Bin Laden. El paso es significativo desde la construcción de un Derechos sancionador global pues se prescinde de la vinculación de las personas sancionadas con un gobierno o estado; el vínculo se encuentra en exclusiva en su pertenencia a una organización terrorista.

El sistema de listas negras se transformó, de este modo, en un auténtico Derecho sancionador encubierto: parte de un hecho tipificado como delito: el tener conexiones con una organización terrorista; cuya comisión produce una decisión: la inclusión de la persona física o jurídica en una lista negra; inclusión que a su vez determina la imposición automática de una serie de sanciones: la congelación de cualquier tipo de activo, el impedir que estas empresas puedan entrar en el territorio de cualquier otro Estado, el suministro de cualquier tipo de arma. La sanción se impone por órganos administrativos, dependientes del Consejo de Seguridad, el Comité de Sanciones, los respectivos Comités de Sanciones, a propuesta de los Estados miembros de Naciones Unidas. La sanción tiene un alcance global. La inclusión en la lista obliga a todos los estados, con independencia de dónde tuvieran lugar los hechos o la nacionalidad o residencia del afectado.

El diseño de este sistema de listas negras, al menos en sus orígenes, presentaba numerosas deficiencias desde el punto de vista del Estado de Derecho. El comportamiento que daba lugar a la inclusión en la lista se describía de un modo tremendamente vago y sobre todo no ofrecía ninguna posibilidad real de defensa ni antes de la imposición de la sanción, ni tras su imposición. El afectado no tenía acceso en ningún momento al material probatorio que había utilizado los Estados para solicitar su inclusión en la lista negra. Además, la información más determinante es para solicitar la inclusión en la lista negra es normalmente secreta, procedente de los servicios de inteligencia. En el diseño original las posibilidades de revisar, por el mismo u otro órgano, el alistamiento no existía. Un elemento básico del proceso debido como es el control judicial no aparece por ningún lado.

El sistema de listas negras de Naciones Unidas experimentó un serio revés por parte del TJUE en su conocida sentencia *Kadi*, donde la Corte europea puso de manifiesto su incompatibilidad con los derechos fundamentales de la UE, que mediante un reglamento había dado entrada a las disposiciones de Naciones Unidas[150]. A partir fundamentalmente de esta sentencia, el Consejo de Seguridad comienza a introducir una sería de modificaciones en su régimen sancionador con el fin de hacerlo más compatible con el Estado de derecho, mejorando por ejemplo la descripción de los comportamientos típicos que dan lugar a la imposición de la sanción. Así por ejemplo la Resolución 1617 intenta cumplir con el principio de determinación, con el fin de señalar con más precisión que se entiende por "asociación" con Al Qaida. Ya antes había establecido una serie de límites con el fin, por ejemplo, que las personas a las que les fueran confiscados sus bienes dispusieran de unos fondos mínimos para atender a sus necesidades más vitales.

Además se mejoró el sistema "procesal". De un lado se estableció, aunque no en todos los tipos de *Smart sanctions*, la figura del Ombudsman o en otros casos el *Focal Point*, una autoridad independiente del Comité de Sanciones y por tanto del Consejo de Seguridad, al que los afectados podían presentar su reclamación con el fin de solicitar ser sacados de la lista. No obstante, sus recomendaciones siguen sin ser vinculantes. En última instancia solo el Comité de Sanciones tiene competencias para alistar o excluir de la lista. Por otro lado, el Comité de Sanciones tiene también la obligación de publicar una sucinta motivación, señalando las razones que habían determinado la inclusión de una persona en la lista. Pese a estos esfuerzos, el proceso sigue siendo poco transparente y está muy lejos de respetar el derecho de defensa. No existe ninguna posibilidad de contrastar la información que han utilizado los estados en su resolución, cuando estos consideran que por razones de seguridad debe permanecer secreta. El Consejo de

---

[150]   Sobre la importancia de esta decisión Mitsilegas V., (not. 109), p. 245 ss: Krisch N., (not. 1), p. 160 ss. Vid igualmente Nieto Martín A., *Kadi (STJCE de 3 de septiembre de 2008) y sus consecuencias para el Derecho penal del Consejo de Seguridad de Naciones Unidas y el Derecho penal de la Unión Europea*, Revista General de Derecho Penal, nº 10, 2008. (= en Demetrio Crespo E./Serrano Piedecasas JR., Terrorismo y Estado de Derecho. Iustel. 2010). Es muy esclarecedor sobre las deficiencias del sistema a la luz del CEDH Carmeron I., *The European Convention on Human Rights, Due Process an United Nations Security Council Counter Terrorism Sanctions*, 6.2.2008, www.coe.int.

Seguridad puede incluso negarse a revelar el nombre del país que propone la inclusión en la lista negra.

Desde luego podría discutirse la naturaleza jurídica de este tipo de sanciones. Para algunos tienen fines más preventivos que punitivos. Se trata de una incautación preventiva de bienes por considerarse que existe el peligro de que sean utilizados con el fin de financiar organizaciones terroristas. Lo que no cabe duda es que a efectos de garantías esta medida pertenece al Derecho penal en sentido amplio, lo que implica que han de respetarse los derechos de defensa, e igualmente un estándar de prueba estricto que no deje lugar a una duda razonable acerca de la vinculación del sujeto con organizaciones terroristas; a partir de aquí y tal como ocurre con el comiso sin condena quizás podría ser válida una presunción virtud de la cual esos bienes son peligrosos en cuanto que pueden utilizarse para la financiación del terrorismo[151].

Tan sorprendente o más que la aparición del sistema de listas negras del Consejo de Seguridad es el sistema de listas negras del Banco Mundial (BM), que debe insertarse además en una de las corrientes político criminales más importantes de la última década como es la responsabilidad penal de personas jurídicas y el cumplimiento normativo, en materias como la corrupción[152].

La competencia sancionadora del BM descansa en el Acuerdo mediante el que se establece el Banco Internacional de Reconstrucción y Comercio (BIRF), cuyo art. I (i) señala que uno de sus objetivos es la facilitación de la inversión de capital con fines productivos. EL BIRF otorga préstamos para la construcción de infraestructuras a gobiernos y empresas públicas, que son administrados por el BM. Estos fondos provienen de las contribuciones de los estados miembros y también de bonos que se emiten por el BM, como deuda pública, y que se negocian en el mercado de capitales. El BM tiene por tanto el deber de administrar diligente y lealmente los fondos puestos a su disposición (art. 5 III Sección 5 (b). Esta obligación fiduciaria se invoca precisamente por el Banco como fundamento del sistema de sanciones, cuyo objetivo último es que los fondos aportados por los donantes sean utilizados de una manera eficiente e integra y explica el ámbito subjetivo de aplicación del sistema sancionador: las empresas que participan en los proyectos financiados por el Banco.

---

[151]   Cfr. Tehrani, (not. 109) p. 197 ss.; sobre los diferentes modelos legislativos, nacionales e internacionales, de abordar la financiación del terrorismo vid. Sieber U./Vogel B., *Terrorismusfinanzierung. Prävention im Spanungsfeld von internationalen Vorgaben und nationalem Tatstrafrecht*, Schriftenreihe Max Planck Institut, Band S 150, 2015, p. 101 ss.

[152]   Vid. Brodowski D. (not. 143), p. para una descripción más general Selvaggi N., *Las listas negras en el Banco Mundial, ¿hacia un sistema global de sanciones?*, en Nieto Martín A./Maroto Calatayud M., Public compliance, Servicio de Publicaciones de la UCLM, Cuenca, 2015, p. 115 ss. El estudio más detallado que se ha realizado hasta la fecha es el de Manacorda S./Grasso C., *Fighting Fraud and Corruption at the World Bank*, Springer, 2018.

El sistema de sanciones del Banco Mundial se puso en marcha en 2001 y desde entonces se ha ido perfeccionando y asumiendo las garantías propias del Derecho penal[153]. En su evolución fue de capital importancia el denominado *Informe Thornburgh* que se produce al hilo de un acontecimiento clave, el acuerdo firmado en 2012 entre todos los bancos de desarrollo para establecer un sistema de reconocimiento mutuo mediante el que la sanción impuesta por uno de ellos es inmediatamente reconocida por el resto ("róbanos a uno y nos robarás a todos"). Con una lógica similar a la que se ha producido en la UE, el reconocimiento mutuo exigía establecer un cuadro de garantías comunes y uniformes, armonizando el sistema sancionador de los distintos bancos de desarrollo. El reconocimiento mutuo aumenta considerablemente el carácter preventivo general de las sanciones, pues significa algo tan grave como verse excluido de la totalidad de las obras públicas y proyectos existentes en el mundo que se financian con fondos procedentes de bancos de desarrollo.

Descrito sintéticamente el sistema del BM es el siguiente[154]. En primer lugar existe una tipificación de las infracciones mucho mejor técnicamente que la que hemos visto en las listas negras del Consejo de Seguridad. Los delitos en que pueden incurrir las empresas son el de corrupción, estafa, acuerdos colusorios, coacciones y obstrucción a la justicia. El procedimiento sancionador tiene como principal característica la división de funciones entre quien realiza la investigación —la Vicepresidencia de Integridad— y hace una primera propuesta de sanción y los órganos que imponen la sanción. El *Evaluation Officer*, actúa como un tribunal de primera instancia, confirmando o no los cargos y la propuesta de sanción de la Vicepresidencia de Integridad. En caso de que la empresa sancionada no esté conforme puede recurrir la sanción ante el *Sanctions Board*, compuesto por personas independientes al Banco. Las sanciones a que puede verse sometidas las personas jurídicas implicadas son la restitución, que tiene una configuración a caballo entre la responsabilidad civil y el comiso; la amonestación utilizada en los casos menos graves, con el fin de atestiguar que la empresa ha estado implicada en un caso de corrupción. La sanción más importante y conocida es el *debartment*. La inclusión de la empresa en una lista negra que bien de manera definitiva o por un tiempo determinado le impide participar en proyectos financiados por el Banco.

---

[153] Sobre el marco en que se produjo esta reforma, y las presiones existentes para mejorar el sistema de garantías vid. Boisson de Chazournes L/Fromageau E., *Balancing the Scales: The World Bank Sanctions Process and Access to Remedies*, European Journal of International Law, Vol. 23, 4, 2012.

[154] Vid. Anne-Marie Leroy A.M./Fariello F., The World Bank Group Sanctions Process and Its Recent Reforms, The World Bank, 2012, p. 2 ss.

En la actualidad, y siguiendo también las más recientes evoluciones en los sistemas sancionadores contra personas jurídicas, la sanción de exclusión puede quedar sujeta un régimen de *probation*. La sanción queda en suspenso si la empresa cumple con una serie de condiciones que le impone el Banco Mundial, entre las que suele encontrarse la mejora de su sistema de cumplimiento normativo. El Banco ha creado la *Integrity Compliance Office* que actuando, cuyos oficiales de prueba supervisan la efectividad de las mejoras. También se ha abierto la puerta a un sistema de autodenuncia (*Voluntary Disclosure Programme*). Si la empresa antes de ser investigada se autodenuncia queda libre de toda sanción, imponiéndole el Banco la condición generalmente de que mejore su sistema de cumplimiento. En este caso también se nombra un supervisor.

El sistema sancionador del Banco Mundial es un sistema mucho más compatible con los principios del derecho sancionador que las listas negras de Naciones Unidas. Su grado de transparencia es considerablemente mayor. No solo es posible consultar en la página web del Banco quiénes son las empresas sancionadas, sino que además se publican las resoluciones sancionadoras a modo de colección jurisprudencial. La principal mácula en este punto es la opacidad de los acuerdos entre la Vicepresidencia de Integridad y las empresas cuando existe una suspensión.

En realidad, los principales problemas que plantea este sistema supranacional es su relación con el *ius puniendi* estatal y su despreocupación por la corrupción de funcionarios públicos y dirigentes estatales[155]. Resulta sorprendente que las sanciones se centren en exclusiva en uno de los protagonistas de la corrupción como son las empresas, y que se omita toda presión sobre los gobiernos y sus sistemas de justicia. Podría también haberse ensayado un sistema consistente en denunciar los hechos ante las autoridades nacionales, de hecho el Banco Mundial pone en conocimiento el resultado de sus investigaciones de las autoridades estatales, por si desean iniciar un procedimiento penal.

No obstante, la estrategia del Banco Mundial resulta comprensible y va a acorde con la denominada privatización de la lucha contra la corrupción. La sanción a las personas jurídicas implica apostar por una estrategia político criminal en boga en todo el mundo, de la mano del avance de la responsabilidad penal de las personas jurídicas, y que es especialmente marcada en la lucha contra la corrupción: servirse de la capacidad de autorregulación de las empresas para conseguir la prevención y detección de los delitos que se comenten en su interior[156]

---

[155]   Cfr. Soreide T./Groning L./Wandall R., *An Efficient Anticorruption Sanctions Regime? The Case of the World Bank*, Chicago Journal of International Law, Vol. 16, 2, p. 524 ss.

[156]   Cfr. Nieto Martin A., *La privatización de la lucha contra la corrupción*, en Arroyo Zapatero L./ Nieto Martin A., El derecho penal económico en la era compliance, Tirant lo Blanch, 2013, p. 191 ss.

Por otro lado, el BM tiene el deber de ser neutral desde el punto de vista político y responsabilizar a las empresas evita daños colaterales. Desde luego, que la medida más directa para evitar la corrupción sería dejar fuera del régimen de ayudas a los Estados cuyos dirigentes hayan estado implicados en los casos de corrupción o aquellos países que no hagan las reformas oportunas con el fin de contar con un sistema judicial aceptable. Esta opción tendría sin embargo como consecuencia provocar daños colaterales a la población similares a los embargos de Naciones Unidas.

Como puede apreciarse, y en resumen, hay una preocupación compartida y subyacente en estos dos sistemas sancionadores supranacionales que ha traído un giro inesperado en el Derecho internacional público en este punto: sancionar colectivamente a los Estados, tal como era usual de acuerdo con el paradigma westfaliano, genera daños indeseables para los ciudadanos, por lo que mejor evolucionar a un sistema de sanciones a actores privados directamente relacionados con la infracción.

5. Los actores no estatales

En el modelo tradicional de Derecho internacional los actores principales y únicos de las relaciones internacionales eran los estados y, lo que incluso puede ser discutido, las organizaciones que estos conformaban. Frente a esta situación, una de las señas de identidad del Derecho global es la aparición de sujetos no estales, que intervienen en el proceso de creación, implementación y evaluación de normas. Este factor apunta a uno de los aspectos esenciales del Derecho global: la diferencia entre reguladores y regulados se ha roto o al menos difuminado notablemente. En muchos ámbitos la regulación estatal ha dado paso a una regulación privada, como ocurre significativamente con la importancia de los estándares privados, como las normas ISO[157].

Son varias las causas que explican la pujanza de los sujetos privados. La primera de ellos tiene que ver con la legitimidad. Tanto las organizaciones internacionales clásicas, como las informales (G20, redes intergubernamentales) con el fin de dar una mayor legitimidad a sus normas y decisiones han adoptados pro-

---

[157]   Cfr. Darnaculleta i Gardella M. M., (not. 1), p.; Ortega Carcelén M., (not. 1), p.. En lo que sigue para explicar el protagonismo de los actores privados, vid. Noortmann M./Ryngaert C., *Non-State Actor Dynamics in International Law, From Law Takers to Law Makers*, Ashgate, 2010; Pieth M. (ed.), (not. 22); Peters A./Koechlin L./Föster T./Zinkernagle G., *Non State Actors as Standard Setters*, Cambridge, 2009; Büthe T./Mattli W., *The New Gobal Rulers. The privatization of Regulation in the World* Economy, Princenton University Press, 201. Sobre los actores no estatales, vid. Lehmkuhl, *Non-State actors in regulation*, en Pieth (ed), (not. 22), p. 25 ss.

cesos de decisión inspirados, aunque sea de una manera vaga, en la democracia deliberativa de Jürgen Harbermas[158]. Se trata de adoptar un proceso abierto, que facilite la participación y el diálogo de los distintos interesados (*stakeholders*) que pueden verse afectados por la norma. Este procedimiento abierto ha sido la puerta que ha permitido a los actores no estatales, desde empresas multinacionales a ONGs, adquirir una importancia muy relevante en los procesos de generación de convenios internacionales pero también instrumentos de *soft law* y estándares de todo tipo. En ocasiones más que una invitación a participar, lo que se produce es una genuina cooperación público-privada mediante la creación de una institución conjunta que produce estándares normativos o que aún de manera más general abordan la solución a un determinado problema.

Una segunda razón reside en su gran competencia para generar normas dotadas de una alta legitimidad técnica de carácter global. Las entidades de estandarización, como ISO o IEC, produce normas puramente privadas que afectan a la mayoría de los productos que se benefician del libre comercio global, dirigido por la OMC. Las normas de estandarización suplen la falta de armonización global pública necesaria para que pueda producirse la libre circulación de productos y servicios. Ninguna organización internacional tiene competencia y la suficiente capacidad técnica para acometer esta tarea, por lo que este espacio lo han ocupado el legislador privado.

La presencia de los actores privados como reguladores y ejecutores también se produce, en tercer lugar, por el protagonismo que les ha dado el propio legislador a través de la denominada autorregulación, que ha generado multitud de normas internas en la empresa, de carácter técnico y vinculadas a las normas de estandarización, pero también de carácter mucho más general como son los códigos éticos[159]. Los incentivos estatales a la autorregulación han generado, en realidad, todo un sistema de enforcement de normas públicas que son los programas de cumplimiento.

5.1. Las empresas multinacionales

El papel de las empresas y particularmente de las empresas transnacionales como reguladoras globales es enorme y no para de crecer. Nadie puede negar su influencia en el establecimiento de normas estatales, internacionales, de soft law, estándares.... Esta influencia se produce en ocasiones a través de medios delictivos

---

[158]   Acerca de este modelo de legitimación en el Derecho penal europeo, vid. Muñoz de Morales M., (not. 73), p. 556 ss.

[159]   La obra de referencia en este punto continúa siendo Darnaculleta i Gardella M., *La autorregulación y el derecho público*, Marcial Pons, 2015.

como el *lobby* ilegal o la corrupción, pero en otras muchas de forma abiertamente legal. Ya hemos visto la importante presencia que tienen las empresas multinacionales en las redes intergubernamentales o en los distintos comités o subcomités que generan el procedimiento de mitosis de las organizaciones internacionales[160]. Esta presencia sirve para incrementar la legitimidad técnica de estos instrumentos, pero también es consecuencia de la mejora de los procedimientos de decisión y su pretensión de dar entrada a los afectados por una determinada regulación. Lógicamente las relaciones entre empresas y entidades de estandarización son aún más estrechas si cabe como después tendremos ocasión de comprobar.

En este lugar, sin embargo, vamos a prestar especial a los sistemas de cumplimiento normativo de las empresas y sus relaciones con la denominada autorregulación regulada en su dimensión de mecanismo regulador global. El sistema de listas negras del Banco Mundial nos ha mostrado ya el papel que ocupan en el sistema de regulación del derecho global las grandes empresas multinacionales. La imposición de sanciones, o de cualquier otro tipo de consecuencias desfavorables a empresas, se ha convertido en un mecanismo muy potente de regulación indirecta por parte de los estados. La finalidad de las sanciones a las personas jurídicas es fomentar que estás creen un sistema de autorregulación eficaz destinado a prevenir riesgos o incluso comportamientos delictivos. La mayoría de los ordenamientos a la hora de imponer la sanción a la empresa tienen de algún modo en cuenta los esfuerzos que estas han hecho con el fin de generar mecanismos internos de control, prevención y detección eficaces. Los programas de cumplimiento, y en general todos los sistemas de autorregulación, se han convertido de este modo en un mecanismo de regulación a distancia por parte de los Estados. John Coffee describía gráficamente este cambio de estrategia indicando como el Estado había dejado de comportarse como un luchador de sumo, que opone directamente su fuerza a la del adversario, a un inteligente luchador de judo, que utiliza la propia fuerza del adversario para derrotarlo. Los sistemas de cumplimiento normativo de las empresas multinacionales en materia de corrupción, prácticas restrictivas de la competencia, blanqueo de capitales etc. forman parte de los mecanismos de regulación característicos del Derecho global.

Este mecanismo regulador es, siguiendo con el símil, una de las "llaves de judo" más importantes que los últimos tiempos ha utilizado el estado. Resumidamente puede decirse, que el derecho penal/sancionador del estado ha operado en este punto de tres formas. La primera de ellas es imponiendo a las empresas el deber de autorregularse con el fin de controlar riesgos concretos que se derivan

---

[160] Vid. sobre las multinacionales y su actuación como legisladores, Muchlinski P., *Multinational Enterprises as Actors in International Law: Creating Soft Law Obligations and Hard Law Rights*, en Noortmann M./Ryngaert C., (not. 157), p. 9 ss.

de sus procesos productivos. Los riesgos pueden ser muy variados y van desde el medio ambiente, a la intimidad como consecuencia del almacenamiento de datos, a los trabajadores, a la salud alimentaria, a los consumidores, especialmente aquellos que son de productos financieros etc... La metodología es siempre similar, la legislación pública da unas pautas generales (metarregulación) del sistema que deben establecer las empresas entre las que se encuentran la realización de un análisis de riesgos, el asignar responsabilidades dentro de la organización, una política de empresa que parta de sus más altos dirigentes etc.[161].

La segunda, más sorprendente, pero que va más aún en la línea de convertir a las empresas en guardianes de intereses públicos es utilizar la autorregulación no ya para conjurar sus propios peligros, sino para prevenir y detectar comportamientos irregulares, cuando no abiertamente delictivos de terceros. Se trata de convertirlos en *gatekeepers*, con el fin de evitar conductas de blanqueo de capitales, abuso de mercado, de fraude fiscal realizadas por personas ajenas a ellas, pero que en algún momento van instrumentalizarlas[162].

La tercera estrategia que opera como cláusula de cierre o como un sistema complementario es el establecimiento de la responsabilidad penal (o sancionadora en sentido amplio). Ahora se trata, fundamentalmente, de que prevengan, detecten y sancionen comportamientos delictivos de sus responsables máximos, pero también de sus subordinados realizados en su beneficio y en el ejercicio de su actividad. La mayoría de los ordenamientos que se han sumado a este sistema, de un lado, incluyen los rasgos básicos de éste peculiar sistema de autorregulación, bien en la propia norma penal que establece la responsabilidad, como hace el 31 bis 5 del CP, bien en directrices (soft law) dadas por alguna autoridad pública.

---

[161] Ha estudiado minuciosamente la forma en que este tipo de autorregulación se imbrica en los tipos penales, en relación al derecho penal del trabajo, Torre V., *La "privatizzazione" delle fonti di diritto penal. Un'analisi comparata dei modelli di responsabilità penale nell'esercizio dell'attività di impresa*, Bolonia University Press, 2013; de la misma autora y en relación al derecho penal alimentario, *Produttori di alimenti o produtorie di norme? Gli standard di sicurezza tra fonti pubblicistiche e fonti privatistiche e il loro valore tipizzante nel fatto culposo*, en Foffani L./Doval A./Castronuovo D., La sicurezza agroalimentare nella prospettive europea, Giuffré Editore, 2014, p. 507 ss.

[162] Sobre esta estrategia y el término *gatekeeper*, vid. Coffe Jr., *The Professions and Corporate Governance*, Oxford University Press, 2006. No obstante, en el texto se utiliza el término de "vigilante" de una forma más amplia que la propuesta por el autor, quien limita el término a aquellas profesiones como los auditores que experimentan un importante coste reputacional si no ejercen de manera adecuada su función de supervisión. En este lugar lo empleamos en un término más amplio, con el que designamos todas aquellas situaciones en las que el legislador obliga a las empresas a establecer medidas de prevención para detectar y en su caso prevenir comportamientos ilícitos de terceros.

Aunque originariamente la obligación que imponían los estados de autorregularse, en los tres niveles señalados, estaba destinada fundamentalmente a operar en el territorio estatal y a responder fundamentalmente por comportamientos de agentes de la propia empresa. En los últimos tiempos las obligaciones de autorregulación han dejado de tener un límite territorial y se han hecho cada vez más globales. Para ello resulta esencial como estrategia de control las denominadas obligaciones de *due diligence*. La OCDE en este punto es la organización internacional que marca la pauta a través de la *OECD Due Diligence Guidance for Responsible Business Conduct,* aunque hay innumerables recomendaciones que se hacen después de asociaciones empresariales. El punto de partida de las obligaciones de diligencia debida fue el ámbito de la lucha contra la corrupción internacional. La herramienta específica para prevenir este tipo de corrupción consiste en un procedimiento interno que obliga a la empresa a asegurarse de la profesionalidad de consultoras o socios comerciales que prestaban sus servicios o formaban una *joint venture* con empresas del país. Dicho de manera simple, el procedimiento de diligencia debida exige a la empresa comprobar que la consultora no era en realidad el vehículo que utilizaba el funcionario para recibir el pago del soborno o que la empresa con la que formaba la *joint venture* no era en realidad una tapadera de los dirigentes del país para ser los beneficiarios del plan de obras públicas que ellos mismos habían aprobado[163].

A partir de este sector original, la extensión de la *due diligence* se ha producido de la mano de otro fenómeno característico de la globalización como es la globalización de la cadena de suministro. Una estrategia de regulación global al alza en los últimos tiempos es imponerle a la gran empresa que está a la cabeza de la cadena el control de la misma en diversos aspectos. Así por ejemplo esta estrategia se está desarrollando en la cadena alimentaria como forma de impedir el fraude alimentario[164], pero sobre todo donde más desarrollo está teniendo es en materia de derechos humanos. Es aquí donde ha de ubicarse la OECD *Due*

---

[163]   Los modelos más avanzados de *due diligence* suelen articularse en tres fases diferentes. En la primera fase se examina la honorabilidad y solvencia profesional de la persona u organización a la que va a encargarse la representación de la empresa ante las autoridades extranjeras para evaluar su nivel de riesgo. En la segunda, conforme al grado de riesgo, se adoptan una serie de cláusulas contractuales para limitarlo este riesgo, pueden ir desde la forma de articular los pagos, hasta exigir que establezca un canal de denuncias y forme a sus empleados para que denuncien en él cualquier tipo de irregularidad. La tercera fase post-contractual permite a la empresa supervisar que efectivamente se están implementando los controles internos o cualquier otro tipo de medida que le haya exigido contractualmente Sobre el procedimiento de *due diligence,* vid. Giavazzi S., *The ABC Program: An Anti Bribery Compliance Programm Recommended to Corporations Operating in Multinational Environment,* en Manacorda S./Centonze F./Forti G, Preventing Corporate Corruption, The Anti Bribery Compliance Model, Springer, 2014.

[164]   Vid. Nieto Martin A., *Salud alimentaria, fraudes y Derecho global,* en esta misma obra, p. 257 ss.

Diligence Guidance que concreta en este ámbito de sus Principios rectores para empresas multinacionales , vinculados, a su vez, con los Principios de Naciones Unidas para Empresas Multinacionales[165]. La estrategia elegida es que las grandes empresas multinacionales a través de procedimientos de diligencia debida se aseguren que los productos que suministran al mercado están libres de trabajo infantil, de situaciones de trabajos forzados ligados al tráfico de personas etc.

La OCDE en todos estos sectores ha ido publicando una sería de guías específicas fijando las obligaciones de *due diligence*[166]. En todo este sistema de vigilancia estatal mediata y a distancia tiene también una gran importancia los sistemas de certificación. En determinados casos, por ejemplo, en relación a los proveedores de los proveedores la obligación de diligencia se exige asegurando al primer proveedor que el resto esté debidamente certificado.

Sería un error pensar que toda esta estrategia de regulación global se sitúa exclusivamente en los terrenos del derecho blando. Paulatinamente los ordenamientos van estableciendo sanciones u otros mecanismos de *enforcement* más indirectos con el fin de que la elusión de estas obligaciones de diligencia debida dé lugar a responsabilidad[167]. Así por ejemplo la UE obliga a las empresas multinacionales de los Estados miembros a través de la Directiva sobre información no financiera a informar en las cuentas anuales sobre sus medidas de diligencia. En el Reino Unido y California las empresas deben dar la información de los controles que realizan en sus cadenas de proveedores para evitar el trabajo infantil y formas modernas de esclavitud. Francia ha modificado, mediante la Ley de vigilancia empresarial, el Código de comercio con el fin de exigir a las empresas que cuenten con estos procedimientos de diligencia debida. No contar con estos planes puede dar lugar a responsabilidad civil. Es igualmente de gran importan-

---

[165]   Es muy ilustrativo en este sentido el estudio que realizan De Schutter O./Ramasastry A./ Taylor M., *Human Rights Due Diligence: The Role of States* (http://corporatejustice.org/ hrdd-role-of-states-3-dec-2012.pdf) donde en distintos ámbitos examinan las obligaciones estatales de due diligence que pesan sobre las empresas en el Derecho comparado. La finalidad última del estudio es mostrar que se trata de una técnica habitual y que por tanto puede ser extendida a ámbitos como los derechos humanos, donde cómo acabamos de ver tiene un gran predicamento.

[166]   Así por ejemplo, para el sector textil, OECD *Forum on Due Diligence in the Garment and Footwear Sector*; para la extracción de minerales en áreas de conflicto armado OECD *Due Diligence Guidance for Responsible Supply Chains of Minerals from Conflict-Affected and High-Risk Areas*; en este mismo sector, pero en relación al trabajo infantil *Child labour risks in the minerals supply chain* en el caso de empresas grandes cadenas y compra de productos alimentarios OECD-FAO *Guidance for Responsible Agricultural Supply Chains*; en el marco de las industrias extractivas *Stakeholder engagement due diligence in extractive industries*; con fines de inversiones responsables *Responsible business conduct in the financial sector*.

[167]   El estudio más completo de este asunto puede verse en Krajewski/Saage-Maaß (Hrsg), *Die Durchsetzung menschenrechtlicher Sorgfaltspflichten von Unternehmen*, Nomos, 2018.

cia el Reglamento de la UE que establece obligaciones de diligencia debida para empresas europeas que adquieren determinados minerales, cuando estos provienen de zonas de conflicto armado. Este Reglamento resulta esencial a la hora de ver las interacciones entre derecho blando y derecho duro. La UE adopta como patrón principal de diligencia debida la Guía que en este punto ha publicado la OCDE[168].

Como puede apreciarse los procedimientos de diligencia debida constituyen un mecanismo de regulación global de gran importancia, con el cual los estados pueden controlar el comportamiento de terceros ajenos a su jurisdicción, valiéndose de la capacidad de *enforcement* de las empresas multinacionales. Las obligaciones de diligencia debida convierten, por decirlo de manera gráfica, a las empresas multinacionales en inspectoras de trabajo a distancia con el fin de asegurar en toda su cadena de suministro que por ejemplo no se da trabajo infantil o forzado. Así por ejemplo deben realizar visitas de inspección no anunciadas a los talleres de los proveedores que les suministran calzado, un determinado mineral o productos agrícolas. A la deslocalización característica de la globalización y a los riesgos que conlleva, en este caso para los Derechos humanos, se le da una respuesta que combina *soft law*, autorregulación empresarial y sanciones para las empresas transnacionales. Si las grandes multinacionales implementan eficazmente estas medidas de cumplimiento en relación a sus proveedores, qué duda cabe que el impacto regulador puede ser más eficaz que el de normas legales internas, cuando nos encontramos ante estados con mecanismos de ejecución muy debilitados, que carecen por ejemplo de sistemas de inspección.

Pero dejando incluso de lado la regulación del comportamiento de terceros por parte de las multinacionales, no debe perderse de vista que sus propios sistemas de cumplimiento normativo constituyen un sistema de regulación global cuya importancia no se puede desdeñar. Sus códigos éticos son auténticas normas globales, cuyas infracciones se investigan y sancionan sea cual sea la parte del mundo donde hayan tenido lugar y con independencia de si los comportamientos que se sancionan son o no perseguidos en el país en el que tienen lugar. El número de destinatarios del código ético o la política anticorrupción de una empresa multinacional puede resultar mayor que el de muchas normas estatales y desde luego, si la organización transnacional se lo toma en serio, sus mecanismos de

---

[168]   Reglamento (UE) 2017/821 del Parlamento Europeo y del Consejo, de 17 de mayo de 2017, por el que se establecen obligaciones en materia de diligencia debida en la cadena de suministro por lo que respecta a los importadores de la Unión de estaño, tantalio y wolframio, sus minerales y oro originarios de zonas de conflicto o de alto riesgo. Sobre todas estas iniciativas, vid. Guaman Hernaández C./Moreno González G., *Empresas transnacionales y Derechos Humanos*, Bomarzo, 2018.

implementación, ejecución y sanción pueden ser tanto o más efectivos. En este punto no debe perderse de vista el gran potencial que tiene el derecho disciplinario laboral como mecanismo de Derecho global. En efecto, una de las exigencias más habituales de los programas de cumplimiento es que sancionen disciplinariamente las infracciones de las políticas internas de la empresa; con ello los códigos éticos adquieren una gran efectividad en cuanto que la empresa está obligada a investigar sus infracciones y sancionarla y a generar mecanismos internos de prevención como los canales de denuncia. En esta cadena de protección de bienes jurídicos a distancia, después los jueces nacionales comprobarán que las empresas efectivamente investigan y sancionan las violaciones a sus normas internas a la hora de comprobar la efectividad de los programas de cumplimiento en el marco, por ejemplo, de la responsabilidad penal de las personas jurídicas.

5.2. Acciones colectivas

En un epígrafe anterior analizamos las redes intergubernamentales de trabajo fruto de la soberanía interrelacional, también mostramos los distintos órganos que se derivan del proceso de mitosis de las organizaciones internacionales; pues bien, para acabar de entender el enjambre de organizaciones más o menos estructuradas que acampan en los terrenos de la gobernanza global falta por ocuparnos de las denominadas acciones colectivas[169]. Funcionalmente estos organismos cumplen roles idénticos a las anteriores: producen estándares destinados bien al legislador bien a las propias empresas; supervisan el cumplimiento de estos estándares u otro tipo de normas; componen documentos de trabajo e informes; se prestan asistencia técnica etc. También sus integrantes suelen ser similares: representantes de países, de organizaciones internacionales de empresas y de ONGs. Las acciones colectivas se distinguen, sin embargo de las anteriores organizaciones debido a que sus protagonistas principales son las empresas.

El Banco Mundial que ha impulsado una importante red de acciones colectivas en materia de corrupción (*Figthing Corruption Througt Collective Action*) las ha definido como "un proceso de cooperación estable entre diversos *stakeholders*, que incrementa el impacto y la credibilidad de los comportamientos individuales, integrado a los actores individuales más vulnerables dentro de una alianza entre organizaciones similares que estabiliza las reglas de juego entre los competidores". Las acciones colectivas pueden tener varios objetivos. El más modesto puede residir simplemente el intercambio de información sobre un problema común, el más avanzado serie dotarse de unas reglas de autorregulación comunes. Pero con

---

[169] En lo que sigue vid. las distintas contribuciones a Pieth M., (not. 22).

independencia de su concreta plasmación en cada caso su utilidad última reside en que, de un lado, solucionan el problema de los denominados *free rider*. Si en un sector, por ejemplo, la corrupción está muy asentada, es más difícil esperar que una empresa decida ser virtuosa por su cuenta sin atender al resto. El riesgo de perder mercados y contratos será tan alto que pese a sus buenas intenciones seguirá realizando las mismas prácticas ilícitas. Coaligándose las empresas evitan aquellos que van por libre y que pueden sacar una ventaja competitiva del comportamiento del resto. Pero las acciones colectivas, por otro lado, benefician también a los competidores más débiles. Tomando de nuevo la corrupción como ejemplo, ocurre en ocasiones que solo las empresas grandes pueden ser virtuosas y permitirse el lujo de abandonar determinados mercados, donde jugarían exclusivamente aquellas que menos poder tienen.

Para que cumplan estas funciones y en general para que las acciones colectivas tengan éxito, el B20 grupo paralelo al G20 y que reúne a las veinte empresas más grandes del mundo ha elaborado una serie de pautas en su puesta en marcha: la necesaria implicación de organismos públicos, de las empresas líderes del sector y la creación de un buen sistema de supervisión. Aunque la acción colectiva nazca de abajo arriba, es importante la presencia de entidades públicas con el fin de dotarlas de una mayor seriedad. En realidad la acción colectiva debe entenderse como un mecanismo de cooperación público privado. No sólo se consigue que las empresas se autorregulen para prevenir la corrupción, sino que además establezcan un sistema de autocontrol o supervisión propio y privado que sirve también para descargar la labor del estado. En definitiva, la capacidad de un estado para incentivar eficazmente este tipo de comportamientos empresariales es un nuevo ejemplo de soberanía interrelacional, de aumento de poder y capacidad de solucionar problemas mediante la capacidad de sumar a diversos actores. El objetivo de la acción colectiva puede ser precisamente implicar tanto a las empresas líderes en el sector como a los países en desarrollo donde por ejemplo tienen lugar las prácticas corruptas. De este modo, una acción colectiva puede ser también una forma de presionar a determinados países a que implementen buenas prácticas en una determinada materia.

Hacer una búsqueda de las distintas acciones colectivas que existen resulta una tarea compleja, por esta razón me ocuparé sólo de iniciativas que se dan en un sector tan relevante como es el de la corrupción[170]. En esta materia la

---

[170] Aunque la corrupción constituye el ámbito por antonomasia de las acciones colectivas, el *Wolfsberg Group* fue una de las primeras en aparecer ocupándose de la regulación bancaria y muy especialmente del blanqueo de capitales y otros delitos financieros. Conformado por 30 entidades bancarias de carácter global (Barclays, Santander, Bank of America, HSBC, DB...), su objetivo principal es la publicación de estándares, como los denominados *Wolfsberg Anti-*

Extractive Industries Transparece Initiative es un buen ejemplo de acción colectiva donde se reúnen empresas, gobiernos y ONGs, integradas en una asociación privada con sede en Oslo. Sus orígenes se remontan a 2001, en ese año surge una iniciativa denominada "publica lo que pagas" en virtud de la cual algunas empresas extractivas publican los pagos que han realizado en países como Angola. A partir de esta iniciativa, y promovida por el gobierno inglés, surge la idea de generar un sistema de transparencia entre empresas extractivas y gobiernos (en principio sólo Nigeria, Azerbayan, Ghana, pero hoy muchos otros como Perú, República del Congo). En relación a cada país que se suman a la iniciativa, las empresas publican cuales son los pagos que realizan de manera total (incluyendo desde impuestos a cualquier tipo de pago), mientras que los gobiernos publican el valor de los recursos naturales que a cambio explotan. Los informes de cada país suponen un mecanismo de control importante sobre gobiernos y empresas. Su fiabilidad descansa en que los informes se realizan a partir de unos estándares (EITI Rules) elaborados por un Grupo Asesor y que además se supervisa como cada país los implementa, de ello se encarga una comisión formada por ONGs, empresas y gobiernos[171].

Partering Against Corruption (PACI) es otra de las grandes acciones colectivas globales en materia de corrupción, a diferencia de EITI el papel de las empresas es mucho más determinante que el de los estados, si bien en su sistema de gobernanza encontramos representantes de la OCDE y a ONGs como Transparencia Internacional[172]. Sus orígenes se encuentran en uno de los conclaves más característicos de la globalización como es *World Economic Forum* de Davos del año 2004. PACI tiene como objetivo desarrollar estándares comunes en la implementación de programas de cumplimiento en materia de corrupción, sobre los que las empresas que tienen que realizar un informe bianual en relación a su cumplimiento. Además de esta labor de estandarización PACI persigue generar acciones colectivas con objetivos más concretos en determinadas áreas geográficas, en las que deben estar presentes los gobiernos y las empresas más importantes.

La industria farmacéutica ha sido tradicionalmente uno de los sectores donde la corrupción ha estado más presente, por esta razón la acción colectiva que se ha creado en la UE, lanzada por la Federación Europea de Industrias Farmacéuticas

---

Money Laundering (AML) *Principles for Private Banking*, que va renovando periódicamente. A diferencia del PACI la implementación de los diferentes estándares por las distintas entidades financieras es mucho más flexible y depende de su tamaño y el nivel de riesgo que quieran asumir.

[171] Moberg J./Rich E., *Beyond goverments: lessons on multistakeholder governance from Extrative Industries Transparece Initiative*, en Phiet M., (not. 22), p. 113 ss.

[172] Wong A./Fernandes J., *The Partenering Against Corruption Initiative* (Paci), en Pieth M., (not. 22), p. 147 ss.

(EFPIA) es una de las más consolidadas, compuesta de treinta tres asociaciones nacionales, en las que se agrupan mil novecientas compañías, incluyendo a las líderes del sector. La acción colectiva de EFPIA comprende una serie de actuaciones a nivel europeo, como singularmente el *EFPIA Disclousure Code*, a través del cual las empresas afiliadas hacen públicas sus relaciones patrimoniales con los profesionales sanitarios (pago de conferencias, invitaciones a congresos, dictámenes...), pero sobre todo se estructura a partir de acciones colectivas nacionales, que se conforman tomando como modelo un código de conducta colectivo (EFPIA *Code on the promotion of prescription-only medicines to, and interactions with, healthcare professionals)*. Este código modelo, común a toda la industria farmacéutica europea es un modelo de mínimos, y es desarrollado por los códigos de conducta nacionales.

Más allá de poseer un estándar común lo que caracteriza a esta acción colectiva es tener, en cada país, órganos de ejecución del sistema de cumplimiento comunes (mecanismos de control). El Código de Conducta establece además sanciones económicas, de hasta 360.000 €, a las empresas que lo infringen que son impuestas por un Jurado de Autocontrol. El sistema de autorregulación común permite que las empresas integrantes denuncien la infracción del Código realizada por otra empresa. Desde este momento se abre la posibilidad de una posible mediación, a cargo de la Comisión Deontológica, o la imposición de sanciones por parte del Jurado. El Código de Conducta cuenta a estos efectos con una mini parte general, estableciendo reglas para la imposición de sanciones. La segunda característica que posé este auténtico *ius puniendi* privado, conformado a través de una acción colectiva, es que es preferente a las reclamaciones a autoridades administrativas. Las empresas parte de la acción colectiva se comprometen a utilizar este sistema de autorregulación antes de interponer algún tipo de recurso ante los tribunales de justicia. Las sumas recaudadas a través de las sanciones son destinadas a campañas publicitarias para promover el uso racional de medicamentos.

5.3. Las ONGs

En 1972 durante la conferencia sobre el clima de Estocolmo apareció por primera vez registrada una ONG, al lado de los Estados[173]. Resultaría exagerado indicar que las ONGs tienen un papel similar al de las multinacionales en la conformación del derecho global, pero desde luego tampoco puede despreciarse. Ya hemos indicado, como las ONGs pueden estar presentes en las diversas fases de la vida de una norma internacional. Pueden tener en primer término una

---

[173]   Vid. Lehmkuhl D., *Non State Actors in regulation*, en Pieth M., (not. 22), p. 27 ss.

presencia relevante a la hora de poner en la agenda legislativa un determinado asunto, como ocurrió ya en el silo XIX con la trata de blancas[174] o incluso antes con la prohibición de la esclavitud o las iniciativas de Cruz Roja en el marco del Derecho internacional humanitario[175]. Tampoco debe desdeñarse, en sentido inverso, su oposición a determinadas iniciativas que pueden generar la retirada de un proyecto, como ocurrió en 1988 con el Tratado Multilateral de Inversiones[176].

Su papel puede extenderse también a la fase de confección de la norma, integrándose en los comités de organizaciones internacionales, y finalmente pueden aparecer en la fase de evaluación. A todo ello ayuda la desformalización de los procedimientos legislativos de organizaciones internacionales, pero también y de manera significativa el que vaya calando poco a poco fórmulas de democracia deliberativa[177]. La falta de legitimidad de acuerdo con el modelo de democracia representativa tradicional ha generado el que algunas organizaciones internacionales abran canales de participación, que permiten la entrada de ONGs y de otros afectados por una regulación.

Su presencia puede ser también usual en determinadas redes intergubernamentales de trabajo, en el proceso de generación de estándares, aunque existen también ejemplos de estándares autónomos de las propias organizaciones internacionales. En materia de corrupción es sobradamente conocido el papel que asociaciones como Transparencia Internacional cumplen a través de sus *rankings* de percepción de la corrupción. Auténtico "nombrar y avergonzar" que tiene indudable efecto en la soberanía interrelacional de los Estados en cuanto que lesiona su reputación.

Un tipo peculiar de ONGs en materia de política criminal son las sociedades científicas, como la AIDP, la Sociedad Internacional de Defensa Social, la Asociación Penal y Penitenciaria o la Sociedad de Internacional de Penología. Estas organizaciones se relacionan con Naciones Unidas a través del *International Scientific and Professional Advisory Council* (ISPAC), cuya función es sistematizar las relaciones con la sociedad civil y colaborar en la investigación y el desarrollo de políticas[178].

---

[174] Vid. Capus N., *La represión de la trata de seres humanos a lo largo del siglo XIX*, en Delmas Marty M./Sieber U./Pieth M., (not. 10), p. 117 ss.

[175] Igualmente a Gustavo Moyner, fundador de Cruz Roja, realizó en 1864 la primera propuesta de una Corte Penal Internacional, vid. Arroyo Zapatero L., *Presentación a la Edición Española*, en Delmas Marty M./Sieber U./Pieth M., (not. 10), p. 15.

[176] Cfr. Peters A./Koechlin L./Förster T., (not. 157), p. 5, con ulteriores referencias.

[177] Cfr. Wheatley S., *Democratic governance beyond the state: the legitimacy of non state actors as standard setters*, en Peters A./Koechlin L./Förster T., (not. 157), p. 228 ss.

[178] Cfr. Clark R., (not. 107), p. 93 s.

5.4. Las entidades de estandarización y otros reguladores no estatales

La irrupción de los *non state actors* en el escenario del Derecho global pone de manifiesto que, como ya hemos señalado anteriormente, la diferencia entre quién hace la ley y a quién se le aplica ha dejado de estar clara y que al lado de una regulación basada en el estado se abre paso paulatinamente una regulación privada. Probablemente donde esta afirmación es más significativa en el caso de las entidades privadas de estandarización que son una de las mayores productoras de Derecho global. Se calcula los estándares técnicos procedentes ISO e IEC suponen el 85% de los estándares técnicos existentes y que un tercio de los productos que conforman el mercado global está afectado por estándares técnicos[179].

Los motivos que han dado lugar al auge de la estandarización son sencillos de comprender. El tráfico internacional de productos y servicios de la globalización económica necesita fuertes dosis de armonización que los gobiernos nacionales no están en condiciones de acometer, ni tampoco están dispuestos a delegar en organizaciones internacionales. Por si fuera poco, la autoridad gendarme del comercio mundial, la OMC suele mirar con malos ojos las normativas nacionales más exigentes, por considerar que en el fondo se encubren intereses proteccionistas. Este vacío de poder ha sido ocupado por los reguladores privados, las entidades de estandarización, cuyas normas técnicas, de calidad o de procesos de producción se han acabado por convertir en muchos sectores en la regulación global. Estas regulaciones privadas se sustentan casi exclusivamente en la legitimidad técnica, lo que les concede un aura de neutralidad, que aparentemente aleja esta normativa de cualquier tipo de toma decisión política. La legitimidad tampoco necesita ser muy elevada en cuanto que las empresas asumen voluntariamente la sujeción a estas normas.

El relato que acaba de hacerse de este tipo de regulación no se sostiene o al menos no es el único que puede realizarse. Como muestra por ejemplo la regulación alimentaria, donde el fenómeno de la estandarización es impresionante, se evidencia como muchas de estas normativas más que a criterios técnicos responden a la ley del más fuerte o del más poderoso dentro del mercado[180]. Las entidades de estandarización toman prestada la regulación de las empresas líderes del mercado y en este hecho radica en buena medida la eficacia de los estándares[181]. La creencia de que entidades como ISO poseen expertos en cada uno de

---

179   Vid. Büthe T./Mattli W., (not. 157), p. 1 ss.
180   Cfr. Nieto Martin A., (not 164), p.. Esencial en el papel de los estándares en la regulación de la calidad de los alimentos, Van Der Meulen B, *Private Food Law*, Wageningen Academic Publishers, 2016.
181   Vid. igualmente en materia de medio ambiente Schaper M., *Non statute environmental standards as a substitute for satate regulation?*, en Peters A./Koechlin L./Förster T., (not. 157), p. 304 ss.

los sectores donde actúan es una quimera, estos expertos se encuentran en las grandes compañías que son las que establecen las normas de calidad que acaban imperando. Como se ha puesto de manifiesto, las normas de estandarización no buscan el compromiso o el punto medio entre las diversas opciones técnicas, sino que imponen determinados puntos de vista. Por ello no es una regulación neutral, sino que produce ganadores y perdedores. La idea de la voluntariedad en la adopción de los estándares tampoco es acertada en todos los casos. La no implantación puede generar importantes costes, en cuanto que el producto puede tener problemas para transitar libremente en el comercio internacional. La aceptación del estándar equivale a afirmar la calidad del producto que en otro caso debe probarse. En otros casos, cuando los estándares reflejan como ocurre en el ámbito alimentario, a la voluntad de las empresas líderes en un sector, los proveedores no tienen más remedio que someterse a ellos, lo que les puede llevar a costes inasumibles, que por ejemplo trasladan a los más débiles imponiendo condiciones de trabajo abusivas.

Los estándares privados en la red regulatoria global deben ponerse en conexión con los procedentes de las redes intergubernamentales o con el *soft law* procedente de las organizaciones internacionales, pero también con la autorregulación empresarial o con las normas estatales. Es fácil observar que normalmente existe una relación de especialización[182] o de complementariedad. Esta relación es más evidente cuando las normas de estandarización se centran en establecer procedimientos de dirección, para cumplir con obligaciones legales, como ocurre en materia penal con los estándares publicados sobre el cumplimiento normativo y la corrupción. Ambos son fundamentalmente estándares tendentes a proporcionar un sistema de dirección en ambos sectores, estableciendo competencias de los distintos niveles de una organización, sistemas de gestión documental etc. Los contenidos materiales que también contienen (due diligence, controles en la selección de personal, controles financieros) recogen en buena medida el acervo que en materia de cumplimiento normativo han promulgado organizaciones internacionales como la OCDE, acciones colectivas o el propio legislador. La ISO 19600, y aún más sus plasmaciones en cada país como la UNE 16600, conecta con las indicaciones que en materia de cumplimiento normativo se hacen en las legislaciones norteamericana, chilena, italiana, española... Igual ocurre con las normas de estandarización en materia de medio ambiente o protección de los trabajadores, que conectan tanto con las obligaciones que se desprenden de la ley.

---

[182]   Cfr. Büthe T./Matti W, (not. 157), p. 22 consideran que en esencia cumplen las mismas funciones los estándares normativos procedentes de organizaciones internacionales como la OIT o el FMI y los que tienen su base en entidades de estandarización privadas.

Las relaciones de complementariedad de los estándares con la ley muestran que en realidad estas normas no viven absolutamente separadas del derecho. Existen múltiples caminos por los que pueden ingresar en el sistema del derecho estatal y alcanzar relevancia jurídica. El más sencillo es que se exijan contractualmente. Muchos de los estándares alimentarios se convierten en exigencias contractuales para los proveedores de las grandes cadenas de supermercados. Igualmente la ISO 37001 en materia de corrupción está llamada a jugar un importante papel en la selección de proveedores de servicios, con el fin de satisfacer obligaciones de *due diligence*.

Mucho más clara es la relación con el derecho positivo cuando la ley o un organismo público establece que resulta obligatorio su cumplimiento. El ejemplo más conocido son los *International Reporting Financial Standards*, que proceden de una entidad privada *International Acounting Standars*, y que son expresamente exigidos por la SEC y por diversas autoridades del mercado de valores como criterio a la hora de confeccionar los estados financieros. Estas normas contables de origen privado, en unos mercados financieros globalizados, han sido la forma de armonizar la información financiera[183].

Las relaciones con el ordenamiento jurídico y más en concreto con las normas penales pueden también encauzarse a través de decisiones jurisprudenciales que tomen los estándares de certificación para establecer cuál es el deber de cuidado en los delitos imprudentes o deberes de garantía. En este sentido se ha apuntado por ejemplo que los el cumplimiento de estándares, cuando hay una certificación que lo atestigua, podría suponer una prueba pericial anticipada[184].

Las intersecciones entre estándares y el derecho positivo y la prueba evidente de que nos encontramos ante una regulación privada con efectos públicos evidencia la necesidad de discutir acerca de la legitimación de estas normas, sobre todo si como ya se ha indicado pueden representar en ocasiones la ley del más fuerte. Se sabe muy poco acerca de los procesos de aprobación de los estándares, su grado de transparencia, el modo en que se aseguran, si es que lo hacen, la intervención de los distintos intereses que pueden estar representados en los contenidos de una normativa etc.

---

[183]   Cfr. Büthe T./Matti W, (not. 157), p. 1, que lo utilizan como ejemplo paradigmático de éxito de normas de estandarización. Al respecto de la arquitectura de la regulación del mercado financiero, y el desarrollo de los Acouting Standards, vid. Brummer C., *Soft Law and the Global Financial System. Rule Making in the 21ST Century*, Cambridge, 2012, p. 80 ss.

[184]   Cfr. Nieto Martin A., (not. 164), p.. y las obras de Valeria Torre citadas en not. 161.

5.5. El *ius puniendi* global de las federaciones deportivas

El caso de las federaciones deportivas y su protagonismo en la regulación del deporte, una de las actividades culturales y económicas más importantes de la globalización, pone de relieve hasta qué punto los estados y las organizaciones internacionales clásicas pueden delegar su actividad en manos de actores privados[185]. Las federaciones deportivas como el COI, la FIFA o las organizaciones semejantes en la mayoría de los deportes tienen ya como gran ventaja que poseen una estructura global, semejante a lo que ocurre con las empresas multinacionales. Se trata de asociaciones de derecho privado, generalmente creadas al amparo del Derecho suizo, que tienen delegaciones en la mayoría de los países con personalidad jurídica basada en los respectivos derechos nacionales. Las federaciones nacionales, integradas a su vez por entidades regionales, regulan la práctica totalidad de las competiciones deportivas que se realizan en cada país. Cualquier competición dentro de un deporte federado está sujeto a las reglas que en la ordenación de ese deporte se han dictado a escala global y que se transmiten y se ejecutan hasta en el último rincón del planeta gracias a este sistema piramidal.

Con el fin de asegurar la vigencia de las normas que regulan la realización de actividades deportivas todas las entidades deportivas poseen códigos disciplinarios, aplicables a clubs y deportistas. La proximidad de este derecho disciplinario a las reglas del Derecho penal es total, con una regulación detallada de cuestiones de parte general (autoría y participación, error, concurso de infracciones, reglas de determinación de la sanción...), una tipificación exhaustiva de las infracciones que en líneas generales cumple con las exigencias del principio de determinación y unas reglas de procedimiento y de organización del sistema de tribunales y recursos que también se acomodan a los patrones básicos del Estado de derecho.

Un aspecto particularmente llamativo de este *ius puniendi* global de las federaciones deportivas es que en ellas descansa principalmente la ejecución y sanción de la normativa antidoping. Cómo se ha gestado esta normativa resulta tremendamente ilustrativo del juego de fuerzas, de la red regulatoria, existente en este sector y de su poder de coerción. La norma básica en esta materia es el Código Mundial Antidopaje al que están sujetos todos los deportistas federados. El sistema "judicial" de este particular Derecho disciplinario termina en el Tribunal Arbitral del Deporte, también con sede en Suiza, que está constituido como entidad de Derecho privado y que constituye el órgano jurisdiccional global de las federaciones deportivas. Más lo llamativo de este caso es que el Derecho internacional público a través de la Convención de

---

[185] En lo que sigue De Vicente Martínez, *El derecho global del deporte el ius puniendi de las federaciones deportivas internacionales*, en esta misma obra.

la UNESCO sobre dopaje se pone al servicio del sistema de autorregulación privada. Una de las finalidades principales de la Convención es garantiza la eficacia de la Código Mundial Antidopaje en todos los países. De acuerdo con la Convención, los estados firmantes deben eliminar los obstáculos que pudieran existir en su ordenamiento para la ejecución de las sanciones por infracción al código impuesta por los órganos "judiciales" privados. Por si este mecanismo de coerción no fuera suficiente, las federaciones deportivas tienen la capacidad de impedir que los estados que no cumplen con el Código Mundial Antidopaje organicen competiciones internacionales o más aún que sus deportistas federados pueden competir fuera de sus fronteras.

El Derecho disciplinario del deporte es probablemente el mejor ejemplo de un Derecho sancionador global y del ejercicio de unas potestades soberanas desvinculadas de la idea de territorio. No menos curiosa es la relación entre el derecho estatal o de organizaciones e internacionales y el *ius puniendi* privado. De un lado, como hemos indicado, el Derecho internacional ha delegado hasta tal punto en manos privadas la regulación que ha generado un convenio internacional para permitir su correcto funcionamiento en materia de dopaje. Este diseño global es independiente a la posición que se adopte por cada estado. En países como España se parte de un modelo público de gestión del deporte, pero que el estado delega, incluida la potestad sancionadora en las federaciones deportivas. El modelo opuesto es el privado en el que se entiende que el deporte es una actividad que nace de la sociedad, por lo que la regulación deportiva debe ser estrictamente privada.

Tampoco está del todo claro las relaciones entre este *ius* puniendi y el ordenamiento jurídico de cada país en que se aplica, incluso la vigencia de los derechos fundamentales. Un claro ejemplo es el conocido como caso de las "esteladas": la UEFA sanción al FC Barcelona por la muestra de banderas independentistas durante un partido de competición, por entender que ello violaba el Código disciplinario (Art. 16. e) del Código disciplinario de la UEFA. Ningún órgano judicial entró a analizar la compatibilidad de esta sanción con el derecho a la libertad de expresión, cosa que si ha ocurrido cuando por ejemplo se ha intentado sancionar penalmente la conducta de "pitar el himno" como un delito de injurias a la corona y a España. Uno de los aspectos más polémicos es si la justicia deportiva puede impedir que los tribunales nacionales puedan conocer de las sanciones impuestas.

6. El *ius puniendi* en territorios sin estado y en estados de no cumplimiento *(paraísos jurídicos)*

El último espacio que va a explorarse para confeccionar la cartografía del Derecho global, es el que podríamos denominar el de los territorios sin soberano, lo que incluye el de aquellos estados que son incapaces de ejecutar su *ius puniendi*, como los estados fallidos, o simplemente aquellos que no quieren ejecutarlo con el fin de convertirse en santuarios de conductas ilegales, como ocurre con los paraísos jurídicos o estados no cumplidores. Como veremos todas situaciones, aunque aparentemente muy diversas, plantean problemas estructuralmente similares, cuyo punto en común es que ponen en evidencia la eficacia del modelo de derecho penal internacional procedente de *Westfalia*. De un lado, existen territorios sin soberano o si lo hay éste no puede o no quiere ejercer el *ius puniendi*, de otro, nos encontramos con la necesidad de establecer una gobernanza que asegure el control y la sanción de las actividades delictivas que se realizan en ellos. Se trata de ilícitos que afectan a toda la comunidad internacional, bien por ser delitos transnacionales, bien por afectar a bienes jurídicos globales como los derechos humanos.

La piratería fue el primer fenómeno delictivo que planteo la comisión de delitos en un espacio sin soberano como era el mar[186]. La historia de la piratería nos proporciona además los primeros ejemplos de paraísos jurídicos. Estados como EEUU o Francia daban protección a los piratas a cambio de una parte de su botín. Curiosamente estos estados protagonizan la primera reacción del Derecho internacional ante el fenómeno de la piratería, basada en el *ius ad bellum*. Después de haberlos incentivado y tolerado persiguieron a los piratas mediante operaciones militares, con el fin de garantizar la seguridad en los mares. Cuando se acomete por primera vez la regulación de la piratería en la Convención del Derecho del mar, la piratería ya no era un fenómeno preocupante y se regula bajo un modelo clásico. De un lado, se impone el deber de cooperar de los estados y, de otro, se trata de permitir que los estados que apresan a los buques piratas puedan extender su jurisdicción, permitiéndoles perseguir y juzgas estos delitos.

---

[186] Así ya Vespasiano Pella: "Le caractère spécifique de la piraterie [...] est l'universalité de la répression. Cette universalité est justifiée non pas par le caractère maritime du crime, mais par le lieu d'exécution du crime, lieu qui doit se trouver en dehors de la juridiction exclusive d'un Etat déterminé", la cita a la par que un desarrollo de la regulación global de la piratería puede encontrarse en, López Lorca B., *Estrategias de cooperación en la lucha contra la piratería marítima. Un ejemplo de gobernanza global*, en esta misma obra.

La aparición de la piratería en el siglo XXI, en zonas como el Cuerno de África o el Golfo Pérsico puso en evidencia la obsolescencia del sistema ideado Convención del Derecho del Mar, entre otras razones porque la piratería tenía lugar en áreas territoriales, pero pertenecientes a estados fallidos como era el caso de Somalia. De este modo, en la gobernanza mundial del fenómeno de la piratería aparecen los elementos que caracterizan al Derecho global. Destaca, en primer lugar, la intervención del Consejo de Seguridad de Naciones Unidas, que mediante varias resoluciones ha ido completando de facto la Convención de Naciones Unidas sobre el Derecho del Mar en lo tocante a determinar cuáles son las obligaciones de los estados, la armonización de su derecho, con el fin de que dispongan de una descripción similar de la piratería, y la autorización a ejercer su *ius puniendi* en el territorio de un estado fallido como es Somalia. En segundo lugar, la utilización del *soft law*, cuya aparición ha venido de la mano de los denominados acuerdos de transferencia, que suplantan a los convenios de extradición y que han permitido la entrega de los piratas apresados por un estado a otro en el que finalmente van a ser juzgados. En tercer lugar, para completar la red regulatoria, al lado de Naciones Unidas, han aparecido organizaciones internacionales que han ampliado claramente su competencia originaria para ocuparse de esta cuestión, como la OTAN o la UE. En cuarto lugar, en el sistema global contra la piratería han aparecido estructuras de cooperación público privada que permiten la participación de industrias del sector (*Maritime Security Centre-Horn of Africa* (MSC-HOA) y medidas puramente privadas, como las empresas de privadas que garantizan la seguridad en los buques. Esta red de organizaciones ha generado varios estándares como, por ejemplo, el Código de Conducta de Djibouti o el *Global Integrated Shipping Information System* (GISIS), que regula el intercambio de información.

La pesca ilegal, como problema delictivo global, es estructuralmente similar a la piratería —de hecho también se la denomina pesca pirata—. También ocurre generalmente en alta mar y por tanto fuera de la jurisdicción nacional. La pesca no declarada-no reglamentada, conocida con el acrónimo de pesca INDR es un fenómeno delictivo que quizás por su sectorialidad ha pasado desapercibido y que acoge conductas delictivas relacionadas por la pesca, que afectan a un bien jurídico global como es la explotación de los recursos pesqueros, y que se entremezcla con otras actividades características del Derecho penal global como el crimen organizado o la corrupción.

La sanción de las conductas de pesca INDR resulta en principio sencilla con los esquemas del Derecho internacional penal clásico. Basta con aplicar el principio de pabellón, que constituye un sucedáneo del principio de territorialidad. De este modo, las conductas delictivas realizadas por un barco en alta mar pueden ser sancionadas en la jurisdicción en la que la embarcación se encuentre matriculada. No obstante, el punto débil para la represión de la pesca ilegal son los pabellones de no cumplimiento. Todo el edificio del Derecho penal internacional westfaliano se derrumba cuando el barco se matricula en un estado que no tiene ninguna intención de utilizar su *ius puniendi* para reprimir esta conducta[187]. El Derecho internacional no prohíbe adoptar pabellones de conveniencia, es decir, acogerse a jurisdicciones con las cuales no existe ningún vínculo efectivo. Amparados en esta posibilidad un par de decenas de países en el mundo ofrecen a los barcos que se acojan a su jurisdicción, el no cumplimiento con las normas internacionales. Cambiar de pabellón y por tanto de jurisdicción puede hacerse incluso varias veces en el mismo día (*reflagging*)[188].

Como hemos visto con la piratería, también en este caso existe una incipiente regulación de este problema con mecanismos propios del derecho global. El protagonismo reside en la FAO, la Oficina para la Alimentación de Naciones Unidas, a través del denominado Plan de Acción Internacional para Prevenir, Desalentar y Eliminar la Pesca Ilegal, no Declarada y no Reglamentada. Este Plan constituye una norma de *soft law* en cuanto que proviene del Condigo de conducta de la FAO para pesca responsable y contiene un conjunto de recomendaciones a los estados, pero también a la industria del sector para hacer más efectiva la lucha contra la pesca ilegal. Aunque no abandona el principio de pabellón, recomienda a los estados que utilicen el principio de personalidad activa, con el fin de que con independencia del estado del pabellón sancionen a sus nacionales (punto 21). Hace también recomendaciones de Derecho procesal penal, como la admisión de pruebas electrónicas, pero sobre todo establece obligaciones de colaboración entre estados en investigaciones penales y les insta a tener no sólo sanciones eficaces sino también mecanismos de control eficientes.

Los delitos cometidos en internet presentan muchas similitudes con los cometidos en alta mar. Internet puede ser también asimilado a un espacio sin jurisdicción que incrementa las posibilidades de comisión de hechos delictivos. Los autores se mueven en un nuevo territorio donde pueden cometerse delitos a distancia, eligiendo el lugar de comisión, o el lugar donde se albergan datos y contenidos ilícitos. Es un territorio con coordenadas de tiempo y espacio radicalmente nuevas, pero que de ellas se benefician sólo los autores del delito, pues la investigación de estas conductas sigue en cambio aferrada a un paradigma clásico. El acceso a los datos contenidos en un servidor situado fuera del territorio situado en otro

---

[187]   En nuestro país es ilustrativa la sentencia del TS 5614/2016, de 23.12.2016, al respecto de esta decisión, vid. Quintero Olivares G. *Pabellones de conveniencia y pesca ilegal: marco jurídico internacional y de la Unión Europea*, en http://tv.uvigo.es/video/5b5b452a8f4208112b244643

[188]   Oanta G.A., *Pabellones de conveniencia y pesca ilegal: Marco jurídico internacional y de la Unión Europea*. http://tv.uvigo.es/video/5b5b45288f4208112b244631.

estado, no puede hacerse sin el consentimiento de las autoridades estatales de ese país, salvo que los datos sean públicos, tal como por ejemplo se estable en el Convenio del Consejo de Europa sobre Cibercriminalidad[189].

El Derecho penal de internet sigue aferrado al territorio, aunque la vinculación de los datos con un espacio sea extraordinariamente débil y totalmente aleatoria o pese a que la intromisión de los agentes de un estado en el territorio de otro cuando se trata de investigaciones en la red sean mínimas y no sean tan "agresivas" ni comparables a la presencia física de agentes de un estado en otro realizando registros o detenciones. La posibilidad de desconectarse de un territorio no se produce ni tan siquiera en los casos de "pérdida de ubicación" (*loss of localition*), en los que las autoridades que investigan un hecho pueden acceder a los datos pero desconocen simplemente donde se encuentran ubicados territorialmente. Se puede realizar la investigación pero sin saber a quién debe pedirse auxilio judicial[190].

Como puede apreciarse, lo que ocurre en este nuevo territorio, se trata de una situación inversa a los estados de no cumplimiento, pero que lleva a las mismas consecuencias: la imposibilidad de investigar debida a la conexión con un territorio, donde nadie es capaz de ejecutar la norma, se debe ahora a lo evanescente de la relación del comportamiento con el territorio. De ahí, que algunos autores propongan abandonar totalmente el paradigma westfaliano de Derecho penal, para considerar que internet debería considerarse un auténtico espacio global sin soberano como la Antártida o alta mar, en el que un tratado internacional regularía el modo de realizar las investigaciones[191]. Es dudoso sin embargo que este paso se produzca, por el simple hecho del alto valor que hoy tiene la información como fuente de riqueza, que los estados desean seguir controlando.

Los estados fallidos son aquellos que resultan incapaces para ejercer el *ius puniendi*. No es una cuestión de no querer cumplir, como en los "paraísos jurídicos", sino de no poder cumplir. La actuación del Derecho internacional ha consistido en estos casos en crear órganos de apoyo que suplan las debilidades de los sistemas de justicia internos. Estos órganos de apoyo tienen en unos casos naturaleza jurisdiccional, pero también existen experiencias en las que se han dado paso a la creación de órganos que ejercen la función de la fiscalía. El primer ejemplo de órgano jurisdiccional fue el Tribunal Especial de Sierra Leona creado

---

[189]   Desde la perspectiva del derecho global, en lo que sigue vid. Sieber U./Neubert C.W., *Investigaciones transnacionales de crímenes en el ciberespacio: retos a la soberanía nacional*, en esta obra, p.

[190]   Sólo algunos países prevén la posibilidad de realizar la investigación extraterritorialmente en casos de delitos graves, bajo autorización judicial y con la obligación de comunicar el acceso al estado afectado tan pronto como sea conocida la investigación, vid. Sieber U./Neubert C.W., S, (not. 190), p.

[191]   En contra y partidario de una solución clásica o westfaliana, Sieber U./Neubert C.W., (not. 190), p.

por Naciones Unidas en el 2002, para luchar contra las atrocidades cometidas en este país durante la década de los noventa. Este Tribunal constituye un camino intermedio entre un tribunal internacional y otro nacional, en cuanto que resulta vinculado con Naciones Unidas pero también con el sistema judicial nacional. A este Tribunal le han sucedido después otros con una estructura similar[192].

La Comisión Internacional Contra la Impunidad en Guatemala (CICIG) muestra como la reacción ante estados o, al menos, sistemas judiciales fallidos puede ser también la creación de órganos como la fiscalía[193]. Creada en 2007 por el Consejo de Seguridad de Naciones Unidas, la CICIG fue la respuesta a la situación existente en Guatemala tras los acuerdos de paz de 1995, en donde las redes de criminalidad organizada estaban tan infiltradas en la estructura del Estado que su persecución penal resultaba irrealizable. La CICIG no sólo desempeñó labores de capacitación o de asesoramiento en materia de legislación penal muy importantes, sino que además, conjuntamente con policías y fiscales nacionales, tiene atribuida capacidad para investigar y para querellarse ante los tribunales nacionales.

Una experiencia similar se ha puesto recientemente en marcha en Honduras mediante la llamada Misión de apoyo contra la corrupción y la impunidad y que responde a un Convenio firmado entre el gobierno de Honduras y la Organización de Estados Americanos. La situación de partida es la incapacidad del sistema judicial para hacer frente a la corrupción y los compromisos internacionales. El Convenio establece mecanismos de apoyo de la OEA en relación a la prevención y el combate contra la corrupción, el asesoramiento para emprender reformas legales, especialmente en lo que atañe a la financiación de campañas electorales y partidos políticos y el asesoramiento para la implantación de las reformas y su evaluación. En estos ámbitos, pero sobre todo en el de la prevención y la sanción, la Misión establece una auténtica tutela sobre los órganos judiciales realizada por comisiones de expertos internacionales y nacionales, que tienen acceso a la totalidad de las actuaciones judiciales, capacidad para formar y certificar, es decir para dar el visto bueno, a los jueces y fiscales que instruyen los casos de corrupción y decidir en qué procesos van a ejercer una supervisión más intensa[194].

---

[192]   Vid. Angermaier C./Hopfel F. *Adjudicating International Crimes*, en Reichel P., (not. 2), p. 310 ss.

[193]   Cfr. WOLA, *La Comisión Internacional contra la impunidad en Guatemala, Un estudio de investigación de WOLA sobre la experiencia de la CICIG*, Informe 3/2015; igualmente WOLA, *Complementariedad en acción. El contrato de rule of law-building análisis de la cooperacion internacional para el fortalecimiento institucional y operativo de los sistemas de seguridad y justicia de los estados, del estado de derecho y de los derechos humanos. La comision internacional contra la impunidad en Guatemala (CICIG) como caso de estudio*, Wola, 2014.

[194]   Secretaría General de la Organización de los Estados Americanos, *Misión de Apoyo contra la Corrupción y la Impunidad en Honduras (MACCIH-OEA), Tercer Informe Semestral*, octubre 19, 2017.

Cercano también a la tipología de los estados fallidos es el caso de los estados donde existe un conflicto armado y no puede encontrarse ningún gobierno local. Bajo el nombre de misiones de paz se esconden realidades muy diversas y que afectan al diseño del *ius puniendi* en este espacio sin soberano. En determinadas operaciones las fuerzas militares cumplen funciones de mantenimiento del orden lo que las aproxima a cuerpos de policía, en otras se trata de auténticos conflictos bélicos, donde deben primar las normas de Derecho penal humanitario[195]. En este espacio sin soberano, que es ocupado por organizaciones internacionales (Naciones Unidas, OTAN) y por soldados provenientes de diversos países, se trata también de determinar cuál es el Derecho penal que debe aplicarse a los delitos cometidos por estas personas que provisionalmente ejercen el poder. Hay que decidir si se aplica el ordenamiento jurídico local o el nacional conforme al principio de personalidad activa. Igualmente hay que fijar los límites de la inmunidad de los miembros de organizaciones internacionales y que derecho se les aplica. El caso más importante hasta la fecha es el enjuiciamiento de los delitos sexuales cometidos por miembros de Naciones Unidas en el Congo.

Aunque como se desprende de cuánto se ha expuesto no existen soluciones al problema de los territorios sin soberando, se apuntan caminos que ya nos son conocidos y que se aproximan a las diversas manifestaciones del Derecho global que venimos estudiando. Especialmente, al igual que ocurre con el modelo de justicia en red, que se ha analizado en relación a al cooperación judicial, se potencia el principio de personalidad activa, frente al de territorialidad. Por otro lado, los estados fallidos han potenciado el *ius puniendi* de Naciones Unidas, y especialmente de su Consejo de Seguridad. En este punto, destaca, finalmente la creación de órganos mixtos que no son plenamente ni supranacionales, como sería el caso de la Corte penal internacional, pero desde luego tampoco se trata de órganos nacionales. No obstante, a diferencia de lo que hemos visto que ocurría con el Banco Mundial y sus medidas anticorrupción, que dejaba de lado el reforzamiento de los sistemas judiciales nacionales, la dirección en este punto parece ser la opuesta. La intervención internacional persigue robustecer y afianzar los sistemas penales nacionales.

---

[195]   Sobre todas estas cuestiones ampliamente, Manacorda S./Nieto Martin A. (ed.), *El Derecho penal entre la guerra y la paz. Justicia y Cooperación penal en las intervenciones militares internacionales*, Ediciones de la Universidad de Castilla la Mancha, Colección Marino Barbero, Cuenca, 2009.

III. EL DERECHO PENAL GLOBAL: LEGITIMIDAD Y GARANTÍAS

Este trabajo tenía una doble pretensión: de un lado, confeccionar la cartografía del derecho global, cosa que se ha hecho hasta este momento; de otro, valorar y reseñar los peligros que se desprenden de este nuevo Derecho penal global para a partir de aquí repensar algunas de las garantías clásicas del Derecho penal.

En lo que sigue el trabajo se estructura en tres partes. En primer término, nos preguntaremos si, efectivamente, es posible un Derecho penal fuera del estado o, en cambio, el Derecho penal está condenado a ser una realidad estatal. En segundo lugar, abordaremos la cuestión relativa a la legitimidad de estos nuevos sistemas post estatales, lo que nos remite a la cuestión de las garantías. Las garantías penales se han gestado en el marco de un *ius puniendi* estatal y deben ser reelaboradas en el marco del *ius puniendi* post- estatal, policéntrico y globalizado. En esta tarea lógicamente debe partirse de la reflexión ya realizada en el Derecho público y constitucional al hilo del Derecho administrativo global o el denominado constitucionalismo multinivel. Finalmente nos detendremos en algunas cuestiones específicamente penales relativas a la cooperación judicial global, analizando también las garantías que deben ser aplicadas para dar respuesta a los riesgos que conlleva.

1. ¿Derecho penal fuera del Estado?

Aunque es cuestión que se ha dado por descontada, quizás la primera gran pregunta a resolver es si puede existir Derecho penal fuera del estado, lo que nos lleva a preguntarnos por la legitimidad de todos los sistemas sancionadores, ya sean públicos o de privados, que cumplen una función de protección de bienes jurídicos similar al Derecho penal. Una forma sencilla de solucionar este problema, sería señalar que la mayoría de las sanciones que hemos visto se imponen fuera del aparato estatal son legítimas en cuanto que los posibles afectados deciden participar de manera voluntaria en el sistema que les va a imponer las sanciones. Es lo que ocurre con las sanciones que se imponen por el Banco Mundial. Su naturaleza es contractual, forman parte de las condiciones que acepta quien participa en contratos públicos patrocinadas con los fondos del Banco. Igual cabría decir con las sanciones impuestas por la FIFA o las que proceden de los sistemas de cumplimiento, cuya legitimidad es la misma en la que descansa el derecho disciplinario laboral. Cuestión distinta es que estos Derechos penales privados persigan intereses de naturaleza pública y que además los estados se valgan de ellos para regular determinados sectores. Esta nueva dimensión exige una mayor coordinación entre los ordenamientos estatales y las regulaciones privadas, de la que por ejemplo debe formar parte el principio de *ne bis in ídem*.

El argumento de la voluntariedad, sin embargo, deja de funcionar cuando se trata de un *ius puniendi* propio de organizaciones internacionales, es aquí donde surge la pregunta de la legitimidad del *ius puniendi* no estatal. La pregunta entronca directamente con la forma de concebir la legitimidad de las normas. Para una opinión muy asentada la idea de democracia, y por tanto el sentido último del principio de legalidad, está íntimamente ligada al *demos*, es decir, a la existencia de una nación o una comunidad preexistente. Este grupo social preexistente es el que marca los límites del contrato social y por consiguiente en qué medida las decisiones mayoritarias tomadas por un grupo de ciudadanos pueden vincular al resto. Desde esta concepción de la democracia el ejercicio del *ius puniendi* es inescindible del estado nación. No es posible un *ius puniendi* legítimo fuera de este contexto, pues la aprobación de normas restrictivas de derechos sólo tiene sentidos si son acordadas en el marco de la nación o esta comunidad preexistente[196].

Este tipo de concepción de la democracia es la que se manifiesta, por ejemplo, en la sentencia del TC alemán sobre el tratado de Lisboa y la asunción de competencias penales por la UE, especialmente a través del art. 83 del TFUE. El TC alemán señalaba en su decisión que el traspaso de competencias penales a una organización internacional atentaba contra el principio democrático[197]. El Estado debe reservarse la capacidad de configuración en una materia tan vinculadas al *demos* como es el Derecho penal, a través del cual se ejerce una autodeterminación ética vinculada a una determinada comunidad[198]. Con esta visión, sería criticable no sólo la existencia de un auténtico Derecho penal supranacional sino de una armonización que dejara escaso margen de maniobra a los legisladores nacionales para apartarse de una determinada línea político criminal, como ocurre por ejemplo en materia de tráfico de drogas o blanqueo de capilares, donde merced a la red de apoyos que hemos descrito no es posible fácticamente para los estados una opción diversa[199].

Esta visión de la democracia, como sistema que solo puede practicarse en el interior de una comunidad, no es desde luego ni la más deseable, ni la única posible. Las personas pueden ejercer su derecho a autodeterminarse en espacios distintos al estado y a una comunidad preestablecida y por esta razón puede existir un Derecho penal no estatal. De hecho el estado, tal como hoy lo entendemos —el estado west-

---

[196]   Cfr. Meyer F. (not. 4), p. 616 ss.
[197]   Cfr. Böse M, *Die Entscheidung des Bundesverfassungsgerichts zum Vertrag von Lissabon und ihre Bedeutung für die Europäisierung des Strafrechts*, ZIS 2/210, pp. 76 ss, especialmente pp. 79 ss, criticando con razón al TC que no conciba el ejercicio de la participación democrática de los ciudadanos más allá del Estado.
[198]   Vid. por ejemplo esta visión en Perron W, *Sind die nationalen Grenzen des Strafrechts überwindbar?* ZStW, 1019 (1997), p. 281 ss.
[199]   Cfr. Meyer F. (not. 4), p. 655 s.

faliano— no es sino una herramienta válida en cuanto que sea apta para resolver los problemas que afectan a los ciudadanos. Si los problemas derivados de la criminalidad global o transnacional no pueden resolverse en el marco del *ius puniendi* estatal nada impide la transferencia de competencias penales a una organización internacional. Lo decisivo es, lo que no es poco, que los procedimientos legislativos de esta organización permitan a los ciudadanos participar en la elaboración de las normas[200]. Pero esta es una cuestión relativa ya a las condiciones bajo las cuales el Derecho penal post estatal puede ejercerse, donde el debate radica en el cómo trasladar los fundamentos de la democracia y del Estado de derecho del marco estatal a la constelación post nacional. El punto de partida en este viaje es que desde luego no es posible reproducir los modelos de legitimidad democrática estatales en la esfera global[201], lo que en nuestro caso afecta a la conformación del principio de legalidad.

En algunos espacios post nacionales como la UE esta conformación, pese al gran debate que ha existido, ha sido relativamente sencilla dado al mayor paralelismo de su arquitectura constitucional con la estatal. Un procedimiento como el de codecisión, que tras el Tratado de Lisboa es el que ha de utilizarse en la aprobación de las directivas que armonizan el Derecho penal, es inimaginable en otras organizaciones internacionales. Tampoco es imaginable un grado similar de participación de los parlamentos nacionales, a través de instrumentos como el freno de emergencia o el protocolo relativo a la aplicación del principio de subsidiariedad[202]. El Derecho penal de la UE está más cercano a un Derecho penal federal que Derecho penal internacional y por supuesto global. Esto no quiere decir sin embargo que alguno de las herramientas y principios que la UE ha generado no deban ser trasladados al marco global[203]. Es el caso como veremos del principio de subsidiariedad o la importancia que la democracia deliberativa tiene en la conformación de las normas europeas.

2. Legitimidad del ius puniendi post estatal

Los problemas de legitimidad del Derecho penal global son muy diversos y no se plantean con igual intensidad en los distintos centros u organizaciones que

---

[200] Una prolija fundamentación de la legitimidad del Derecho penal post estatal puede encontrarse en Meyer F. (not. 4), p. 639 ss. Igualmente, en la otra gran monografía, relativa a esta cuestión Caeiro P. (not. 6), p. 67 estudiando la existencia histórica de jurisdicciones no estatales y su legitimidad.

[201] Vid. al respecto las reflexiones de Krisch N. (not. 1), p. 266 ss.

[202] Sobre ello ampliamente, Muñoz de Morales M., (not. 73), p. 744 ss.

[203] La práctica de utilizar soluciones y principios que se han fraguado en el marco de la UE en la discusión relativa al global law está muy extendida, vid. Beneyto Pérez J.M (dir.), *El modelo europeo: contribuciones de la integración europea a la gobernanza global*, Instituto de Estudios Europeos de la Universidad CEU San Pablo, Siglo XXI, 2014.

actúan en el marco de la política criminal globalizada. Igualmente no se plantean con igual intensidad cuando se trata de contar con un *ius puniendi* propio de la organización, como ocurre con las listas negras o las sanciones deportivas, que en el terreno de la armonización y a su vez en este punto habría que distinguir entre el *soft law*, el *hard law* y las recomendaciones que provienen del mundo privado. Ante la diversidad de situaciones, también han de ser diferentes los caminos para alcanzar una mayor legitimidad. No obstante, pese a estas diferencias, debe subrayarse la existencia de una serie de elementos comunes que pueden servir para proporcionar un contorno o halo de legitimidad a cualquiera de las organizaciones o entidades que participan en el entramado regulador del Derecho global. Estos elementos comunes son sin duda la transparencia de la organización y[204] la posibilidad de que los ciudadanos tengan cauces para oponerse a sus decisiones y que estas puedan ser revisables[205].

(a) El fortalecimiento de los parlamentos nacionales

Igualmente, no todas las exigencias deben centrarse en las organizaciones públicas o privadas internacionales. También debe buscarse fortalecer la presencia de los parlamentos nacionales en la actividad exterior del estado. La globalización ha afectado desde luego al monopolio que el estado ha ejercido sobre la regulación, pero cuando se aproxima más el microscopio al sistema de regulación global lo que se comprueba es que ha afectado mucho más al papel de los parlamentos como reguladores y en nuestro caso productores de normas penales. El principal efecto de la gobernanza global es una desparlamentarización de la función legislativa[206].

Encerradas en sus territorios, las asambleas legislativas no tienen otro remedio que aceptar las direcciones de política criminal que les vienen de fuera, que les resultan casi imposibles de rebatir, bien porque están cargadas de una alta legitimidad técnica, bien porque han sido revestidas de un consenso tan notable que es imposible sustraerse al mismo. La debilidad del parlamento como legislador penal, ya constatada hace tiempo en el marco nacional[207], se acrecienta por la presión de la gobernanza global. Si las asambleas legislativas son ya incapaces de contradecir las propuestas legislativas que le vienen de las burocracias ministeriales, su impotencia es aún mayor cuando las decisiones se toman por estas mismas burocracias reunidas por ejemplo en una red intergubernamental. No hace falta

---

[204] Al respecto de la transparencia Bianchi A./Peters A., (not. 108) y Tzannakopoulos (not. 108), p. 372.
[205] En general sobre todos estos aspectos Krisch N., (not. 1), p. 266 ss.
[206] Cfr. Álvarez J.E, (not. 99), p. 396 s.
[207] Por todos Diez Ripolles J.L., *La racionalidad de las leyes penales*. Trotta, 2003, p. 17 ss.

insistir mucho en que todo este proceso afecta enormemente al propio concepto de ley y, particularmente, a la reserva de ley penal, que venía precisamente a expresar el monopolio de las asambleas legislativas en la producción de las normas penales[208].

La solución a este problema es compleja, y desde luego no afecta sólo a la política criminal, pero pasaría por ejemplo por crear mecanismos que permitiera a los parlamentos nacionales controlar y garantizar la rendición de cuentas de los funcionarios estatales que participan en la actividad internacional en el marco de las redes intergubernamentales, cuyo papel en la política criminal se ha mostrado decisivo. Esta vertiente externa de la actividad parlamentaria, no sólo debiera proyectarse sobre el control, sino que también debiera abarcar a la fase de gestación de las normas. La ratificación de los tratados internacionales o el resto de mecanismos de validación que se establecen en la Convención de Viena, constituyen en este escenario una herramienta más de carácter formal que material, que no garantiza tener el monopolio de las decisiones en materia de política criminal. Una herramienta que pertenece al viejo mundo westfaliano pero que quizás ya hoy no resulta siempre tan operativa[209].

(b) La democracia deliberativa

La democracia deliberativa es la herramienta de carácter transversal más idónea para solucionar —o al menos mitigar— los problemas de legitimidad que se plantean tanto en organizaciones públicas como privadas. La esencia de la democracia deliberativa es devolver a los ciudadanos el papel central en la toma de decisiones políticas, lo que se consigue abriendo canales de participación, que han de responder a dos criterios básicos: en primer lugar, que todos los interesados puedan participar en el debate en un plano de igualdad; en segundo lugar,

---

[208]   Aunque no menciona expresamente el fenómeno de las convenciones internacionales quasi obligatorias como causa de la crisis de la ley, es interesante la lectura de Pérez Luño A., *A desconstrução da lei no constitucionalismo global*, Revista de Estudos Constitucionais, Vol. 6 nº 2, 2014, p. 129 ss.

[209]   La propuesta de un control parlamentario sobre estos nuevos agentes exteriores del Estado es de Slaughter A.M., (not. 9), p. 230 ss. Esta propuesta de supervisión va más allá de la intervención que por ejemplo se establece en nuestro ordenamiento de las Cortes en la denominada fase intermedia de los Tratados. El art. 94.1 de la CE requiere antes de que el Gobierno firme determinados tratados (en nuestro caso todos los que tienen relevancia penal) una autorización previa por parte de las Cortes, que por cierto no tiene carácter vinculante. Además de que quizás convendría reforzar los mecanismos de intervención de las Cortes en la negociación de tratados, lo que en realidad resulta necesario es generar nuevos mecanismos de control que abarquen a la totalidad de la acción exterior del gobierno que puede tener efectos normativos, aunque sea a través de la generación estándares o normas de *soft law*. Por otro lado, en la práctica se constata que al menos en nuestro país las Cortes son muy poco activas a la hora de proponer cambios en los proyectos de tratado que el gobierno les somete a consideración, cfr. Ortega Carcelén M.,(not. 1), p. 190.

que la participación va unida a deberes de argumentación, con el fin de que la deliberación sea posible. La regulación del lobby y la captura legislativa, tan frecuentes en la normativa post nacional no son sino un problemas de asimetrías en la participación y por tanto de democracia deliberativa[210].

La reserva de ley estatal se ha construido exclusivamente sobre la democracia representativa, lo que desde luego, y de manera indiscutible, debe seguir siendo así. Sin embargo, y tal como he expuesto con detenimiento en otro lugar, debido a la importancia de la fase prelegislativa o gubernamental en la conformación de las leyes penales, la reserva de ley debe abarcar también a esta fase, con el fin de controlar su legitimidad. Este control de calidad debe hacerse, precisamente a partir de criterios de democracia deliberativa[211]. Pues bien, esta nueva estructura debiera repetirse cuando la fase prelegislativa no se produce en el gobierno nacional, sino que tiene lugar en alguno de los centros de gobernanza global y con independencia de que nos encontremos ante un tratado internacional, una norma de *soft law* o un estándar privado. Con las lentes de la democracia deliberativa deberían, por tanto, examinarse desde las recomendaciones del GAFI en materia de blanqueo de capitales hasta las resoluciones del Consejo de Seguridad de Naciones Unidas en materia de terrorismo, que como hemos visto operan como auténticas directivas.

El camino sugerido no es ni mucho menos original. En la mayoría de las organizaciones productoras de normas en el contexto de la gobernanza global existe un intenso debate relativo a la mejora de los procesos de adopción de decisiones, que en muchos casos se inspira directamente en planteamientos de democracia deliberativa[212].

En el marco de las organizaciones internacionales clásicas, por ejemplo, un aspecto importante de la reforma de los procesos legislativos radica en el aumento de la transparencia con el fin de que evitar el lobby o la captura legislativa por parte por ejemplo de empresas multinacionales[213]. El que se potencie un proceso deliberativo con igualdad efectiva de partición evitará el efecto perverso que puede tener un procedimiento deliberativo más diseñado, que abre las puertas del lobby y la captura legislativa a los únicos interesados con capacidad efectiva de

---

[210]   Cfr. Muñoz de Morales M., (not. 73), p. 556, también con ulteriores referencias en not. 47 Nieto Martín A., (not. 139), p. 418 ss.

[211]   Vid. Nieto Martín A., (not. 139), p. 418 ss.

[212]   La bibliografía en este punto es muy extensa vid. por todas las importantes obras de Álvarez J.E, (not. 99); Noortmann M/Ryngaert C., (not. 157); Peters A./Koechlin L./Förster T./Zinkernagel G., (not. 157). Igualmente el trabajo de Johnstone I. (*Law-making through the Operational Activities of International Organizations*) en Kawakawa E., (not. 101).

[213]   Cfr. Muchilinski P., *Multinational Enterprises As Actors in International Law: Creating Soft Law Obligations and Hard Law Rights*, en Noortmann M./Ryngaert C., (not. 157) p. 9.

intervenir como son las grandes multinacionales y determinadas ONGs[214]. Más allá de esta cuestión, los procesos legislativos de las organizaciones internacionales debieran también garantizar un peso equitativo de los diversos estados e igualmente las reglas de la democracia deliberativa debieran también extenderse a la negociación de convenciones internacionales cuando se negocian multilateralmente[215].

Este mismo debate, relativo a la mejora de los procesos de adopción de acuerdos, se encuentra también en las redes intergubernamentales, que son conscientes de que la sola legitimidad técnica no resulta suficiente[216]. También las entidades de estandarización han comenzado el proceso hacía la mejora de sus procedimientos de producción normativa, lo que ha venido de la mano en ocasiones de la mejora de sus sistemas de gobernanza, incluyendo asociaciones de consumidores o de otros *stakeholders* que pueden verse afectado por actividad. Así ha ocurrido en el marco de la UE, donde existe una regulación expresa sobre estas entidades que incide especialmente en este punto, y las somete además a una supervisión pública[217]. Los principios fundamentales de la OMC relativos a las entidades estandarizadoras, que inspiran las regulaciones nacionales o regionales contemplan expresamente la transparencia y la ausencia de conflictos de intereses[218].

Los problemas de legitimidad deben incluso debatirse en el marco de las empresas multinacionales y sus sistemas de autorregulación, y muy especialmente el cumplimiento normativo[219]. En esta línea vienen insistiendo autores como Braithwaite o Chirstine Parker desde hace tiempo[220]. Probablemente una de las

---

214   Algo semejante ocurre con la presencia de ONGs como cauce de participación de los interesados. No es seguro, de un lado, que representen a toda la sociedad civil, e igualmente representan más los intereses de países ricos de los que proceden, Vid. Álvarez J.E, (not. 99), p. 397.

215   Cfr. Álvarez J.E (not. 99), 338 ss., si bien en este punto debe resaltarse que la mayoría de los tratados hoy se negocian y aprueban en el seno de organizaciones internacionales conforme a sus procesos legislativos.

216   La legitimidad técnica produce además una influencia desmedida de los países más desarrollados y de las empresas, cuyos departamentos de I+D sacan ventaja a la mayoría de gobiernos. Todo ello sin contar que existe una falta de transparencia en su toma de decisiones, Vid. Slaughter A. M. (not. 9), p. 219, que toma como ejemplo las decisiones por ejemplo del Comité de Basel en relación a los coeficientes de liquidez de los bancos; también Álvarez J. E (not. 99), p. 244 ss.

217   Cfr. Büthe T./Walter M., (not. 157), p. 216 ss, donde se ponen de manifiesto el peligro de que su normativa sea dominada por los grupos de interés.

218   En el ámbito de la Unión Europea las entidades de estandarización tienen una regulación común a través del Reglamento (UE) 1025/2012 del Parlamento Europeo y del consejo de 25 de octubre de 2012 sobre la normalización europea, L 316/12.

219   Vid. además Nieto Martín A. *Cosmetic Use and Lack of Precision in Compliance Programmes: Any Solution?*, Eucrim, 3/2012, p. 124 ss.

220   Parker C., *The Open Corporation. Effective Self-Regulation and Democracy*, Cambridge, 2002, especialmente p. 197 ss.

pruebas mejores de la eficacia de un sistema de cumplimiento y de la existencia de una verdadera cultura de la legalidad sea permitir la participación en los sistemas de cumplimiento de las personas que pueden verse afectadas por la actividad de la empresa. Por ejemplo, y desde este punto de vista, resulta de gran importancia la aparición del denominado Órgano de Vigilancia que establecen tanto la legislación española como la italiana relativa a la responsabilidad penal de la persona jurídica. La función de este órgano es la proporcionar una supervisión independiente sobre el funcionamiento del programa de cumplimiento. Este órgano es el lugar adecuado para introducir a los representantes de intereses.

(c) El principio de subsidiariedad

En el debate relativo al Derecho penal europeo y su legitimidad, el principio de subsidiariedad tiene una importancia esencial. Este principio debiera ser trasladado al Derecho penal global como complemento indispensable de los principios liberales ilustrados (ultima ratio, protección de bienes jurídicos...). La subsidiariedad implica que las decisiones que afecten a los ciudadanos deben adoptarse prioritariamente en los centros de poder más próximos a ellos, lo que permite una mayor participación y un mayor control. La elevación del debate político criminal del plano nacional al europeo, internacional o global debe ser analizada siempre críticamente, y debe ser justificada[221].

Tal como ha ocurrido en el marco de la UE, la subsidiariedad debe implicar cuanto menos una obligación de argumentar con el fin de mostrar por qué es necesaria la unificación de la política criminal en determinadas materias[222]. La subsidiariedad de-

---

[221]   Extensamente Muñoz de Morales (not. 73), p. 313 ss.

[222]   Así expresamente se define el principio de subsidiariedad en el Manifiesto sobre la política criminal europea, elaborado por European Crimianl Policy Alternative: "Las disposiciones jurídicas de la UE con relevancia penal, promulgadas con fundamento en una competencia compartida, están sujetas al principio de subsidiariedad en conformidad con las disposiciones generales del derecho de la UE. Por esta razón el legislador de la UE puede actuar únicamente cuando una medida (1) no sea eficaz en el ámbito de los Estados miembros y (2) debido a su extensión o a su eficacia pueda ser alcanzada mejor en el ámbito de la UE. Por este motivo las iniciativas del legislador penal nacional tienen preferencia a las del legislador europeo de acuerdo con la capacidad de actuación de los Estados miembros. Ello posibilita una legislación penal lo más cercana posible a los ciudadanos. En el ámbito del derecho penal el principio de subsidiariedad adquiere un significado especial, en cuanto que el orden de valores jurídico-penal de los Estados miembros forma parte de su 'identidad nacional', que de acuerdo con el artículo 4.2 del TUE (Lisboa) ha de respetarse expresamente. El test de subsidiariedad debe realizarse singularizadamente, es decir, sobre cada disposición y cada una de sus partes. Los actos legislativos deben fundamentarse extensamente de acuerdo con el protocolo de subsidiariedad (Protocolo nº 2 del Tratado de Lisboa). Las alegaciones realizadas por los Parlamentos nacionales en este momento deben respetarse. De acuerdo con el good governance la propuesta de una disposición jurídica penalmente relevante debe ser siempre evaluada, a través de un control

be servir para analizar críticamente los argumentos criminalizadores que proceden de las nociones de seguridad o delincuencia transnacional. Estos conceptos, como hemos visto, son los *topoi* que sirven para legitimar la expansión de los ámbitos delictivos afectados por la gobernanza global. Su utilización no es, desde luego, políticamente neutral. La criminalización de la inmigración es el más claro ejemplo. La política criminal que existe en esta materia, con un marcado carácter represivo, beneficia a los países más desarrollados. Igualmente, y por citar un supuesto mucho más concreto, el que se hagan más esfuerzos en la represión del tráfico de obras de arte, que en el tráfico de residuos evidencia los intereses ideológicos que se esconden bajo la categoría de delitos transnacionales. En otras palabras, la subsidiariedad debe servir también para poner de manifiesto las diversas tensiones (norte-sur, países ricos-pobres, occidente-oriente...) que existen en la criminalización internacional de conductas y revisar conceptos como el de infracción transnacional. De hecho, esto último es algo que ya ha ocurrido en el marco del Tratado de Lisboa donde el art. 83 menciona a través de una lista cerrada los ámbitos de criminalidad transnacional.

3. Derecho penal global: ¿Qué Derechos fundamentales?

Las constituciones estatales abordan tres cuestiones básicas: la división de poderes, los mecanismos de toma de decisión y los Derechos fundamentales. En el apartado anterior se ha reflexionado sobre los dos primeros aspectos, por lo que ahora corresponde enfrentarnos con la cuestión relativa a cuáles son los Derechos fundamentales que van a proteger a los individuos en este nuevo escenario. Este debate tiene varios frentes abiertos, como por ejemplo el debatido asunto de la relación entre empresas multinacionales y Derechos humanos. Si en el mundo globalizado, las multinacionales como actores internacionales tienen una fuerza e influencia semejante, cuanto no superior a los Estados, y son capaces de afectar tremendamente a los derechos de los ciudadanos, lo coherente sería situarlas en un nivel similar a los Estados. Lo que implicaría que no sólo tienen la obligación —negativa— de no lesionarlos con su actividad, sino también la obligación positiva de tutelarlos y la reactiva, de reparar[223].

---

de subsidiariedad previo, ponderando todas las circunstancias y teniendo en cuenta todas las alternativas de actuación. Una afirmación formal de las condiciones de la subsidiariedad, como hasta ahora se ha venido realizando, no resulta en ningún caso suficiente". ZIS, nº 12/2019, p. 727 ss. (www.zis-online.com).

[223]   Vid. desde la óptica del Derecho penal Nieto Martín A., *Responsabilidad penal de empresas transnacionales por violaciones a los derechos humanos: un primer boceto*, (en prensa), también Demetrio Crespo E./Nieto Martín A., Derecho penal económico y derechos humanos, Tirant lo Blanch, Valencia, 2018.

Pero en este momento vamos a centrarnos en el aspecto central del constitucionalismo global. Como hemos visto, la característica principal del Derecho global es la actuación al unísono de ordenamientos jurídicos estatales y sistemas de normas procedentes de actores públicos como organizaciones internacionales, pero también de organizaciones privadas. Por otro lado, el Derecho actual ha provocado el que incluso los ordenamientos nacionales entren constantemente en relación unos con otros, en situaciones de interlegalidad. Estas situaciones generan con frecuencia conflictos que afectan a las garantías existentes en cada ordenamiento o sistema. Un ordenamiento estatal o el de una organización internacional puede considerar que una decisión o una norma procedente de otro sistema no respeta sus garantías o principios básicos.

El famoso caso *Kadi* constituye probablemente el arquetipo de este tipo de conflictos de interrelación[224]. Como es conocido en este supuesto las autoridades del Reino Unido al ir a ejecutar las sanciones impuestas al Sr. Kadi con motivo de la aplicación de las resoluciones de Naciones Unidas y sus listas negras en materia de terrorismo, plantean una cuestión prejudicial ante el TJUE indicando si las garantías previstas en el sistema de sanciones del Consejo de Seguridad resultaban compatibles con el previsto en el ordenamiento de la UE. Años antes, y con esta misma estructura encontramos el caso *Bosphorus*[225]. En este caso fueron las autoridades judiciales irlandesas quienes preguntaban, ahora al TEDH, si las garantías previstas en el Reglamento de la UE que le obligaba a decomisar las aeronaves de una compañía aérea turca por sus actividades en la guerra de los Balcanes eran compatibles con el nivel de derechos fundamentales previstos en el Convenio Europeo.

Estos conflictos de interrelación pueden producirse entre decisiones de todos los actores implicados en la gobernanza global. Sería imaginable que una empresa incluida en una lista negra del Banco Mundial, alegara al ser excluida de una licitación pública por el estado X que en su proceso de inclusión no se respetaran todas las garantías. Igualmente el ejecutivo de una multinacional despedido tras una investigación interna podría alegar ante los jueces nacionales que en la investigación se utilizaron pruebas que violaban su derecho a la intimidad o al secreto de las comunicaciones. Estas interrelaciones, en contra de lo que hasta ahora pudiera desprenderse, no se limitan al momento de ejecución de una sanción. También pueden estar presentes en otros momentos. Pueden darse en el momento de definir la tipicidad: así por ejemplo la norma ISO 19600 podría invocarse para indicar que una empresa ha implantado o no un programa de cumplimiento eficaz o la norma OHSAS 18001 para concretar las normas de cuidado en un accidente laboral; ¿qué

---

[224] Vid. la bibliografía ya citada supra. not 150.
[225] STEDH 30.6.2005, Bosphorus Airlways, asun. 450036/98.

ocurriría si alguien señalara que estas normas determinantes para su condena no tienen el grado suficiente de legitimidad? Pero también es posible que se produzcan en el plano procesal: los correos electrónicos obtenidos por la empresa en el marco de una investigación interna son utilizados como prueba en el proceso penal.

La estructura de estos conflictos nos es conocida desde antiguo en el marco de la cooperación judicial[226]. En este terreno el problema en esencia es similar: el ordenamiento de un estado a la hora de decidir si coopera o no con otro, siempre se encuentra en el dilema de tener que decidir si le parece suficiente el grado de garantías aplicado en el país que solicita la colaboración o en el país en el que se ha obtenido una prueba que piensa utilizar después en su proceso penal. Esta cuestión cobra hoy una gran importancia, en el marco de un tipo de criminalidad global donde lo transnacional deja de ser un factor puntual, para convertirse en un factor estructural de los procesos penales.

Hasta ahora, y en estrecha conexión a los casos de cooperación judicial, que acabamos de mencionar, pero también en el marco de *leader cases* como *Kadi* o *Bosphorus* estas cuestiones se han discutido bajo el rótulo de constitucionalismo multinivel. La metodología que en el constitucionalismo multinivel se utiliza para utilizar una derecho fundamental está compuesta por una suerte de "diálogo empático"[227], basado en un pluralismo constitucional entre los jueces de los diversos sistemas. En algunas ocasiones este "diálogo empático" conduce a un relajamiento del estándar de derechos fundamentales que se utiliza por parte del juez ya sea internacional o interno que examina la decisión foránea, pero en otras este diálogo sirve también para obligar al otro sistema a aumentar su grado de protección de derechos fundamentales, pues sabe que de no hacerlo puede quedar fuera del juego de la cooperación.

Esta misma estrategia es la que han de seguir los ordenamientos estatales con los no estatales, en un proceso que debe significar un aumento paulatino de su nivel de garantías y su grado de legitimidad. Esta tarea les corresponde tanto a los jueces como al legislador. Los jueces por ejemplo deben entrar a examinar el grado de legitimidad de los estándares privados que invocan a la hora de justificar sus decisiones. Una norma privada que no hubiese sido aprobada por un proceso transparente y participativo debería tener nula o escasa eficacia a la hora de fundamentar la tipicidad de un comportamiento o cualquier otro elemento necesario

---

[226]   Vid. Nieto Martin A., (not. 47), *pássim*.

[227]   La mejor descripción de esta metodología sigue siendo a mi juicio Poiares Maduro M., *Contrapunctual Law: Europe's Constitutional Pluralism in Action*, en Walker N./Wind M. (ed), European Constitutionalism Beyond the State, Cambridge, 2003, p. 74 ss. Para una visión crítica del denominado constitucionalismo global, por la incertidumbre que genera y la tendencia hacía la baja que suele conllevar es de gran interés el trabajo en este mismo volumen de Pérez Manzano M., *El mercado único de los derechos fundamentales y la protección de los principios y garantías penales*.

para la imposición de una sanción. Igualmente los jueces deben ir concretando en qué medida las pruebas obtenidas en una investigación interna pueden pasar a ser parte de un proceso penal o cuándo pueden ser ejecutadas las sanciones impuestas por actores no estatales.

No obstante, esta tarea también le compete lógicamente al legislador. En el marco del constitucionalismo multinivel ha hecho fortuna la expresión de "normas interfaz"[228]. El interfaz es el elemento que permite a un sistema informático interrelacionar con el usuario y por tanto la comunicación entre sistemas bien diferentes. El símil resulta afortunado para describir la función de este nuevo tipo de normas que es permitir la colaboración y la relación entre los diversos sistemas que componen la gobernanza global. Estas normas desde luego no deben formularse como una especie de "cheque en blanco" que permitan la entrada de cualquier norma o decisión extraestatal es el ordenamiento jurídico. Uno de sus principales cometidos es fijar las condiciones de legitimidad que debe cumplir el sistema no estatal para ser tomadas en cuenta. Así por ejemplo cumplen esta última función las normas de la UE que regulan la actividad de las entidades de estandarización, pero también las propuestas legislativas tendentes a regular las investigaciones internas de las empresas. De este modo, las normas interfaz cumplen también el papel de normas de reconocimiento de decisiones o cualquier otro tipo de acto jurídico proveniente de otro sistema.

La intervención del legislador estatal me parece fundamental con el fin de acabar con la principal crítica que en el marco del constitucionalismo multinivel se ha realizado contra la metodología basada en el diálogo entre jueces y el denominado pluralismo: que deja al individuo en una suerte de limbo en el que no sabe cuáles son sus derechos fundamentales, en cuanto que debe esperar a un incierto proceso de debate entre varios actores para su fijación[229]. Fijar normas interfaz puede resultar más complicado cuando se trata de establecer las relaciones entre dos ordenamientos estatales[230], como ocurre con la cooperación judicial, donde es difícil ir más allá de conceptos genéricos como el de orden público, pero no lo es cuando se trata de regular sistemas no estatales. Los ordenamientos estatales

---

[228]   Al respecto, Krisch N. (not. 1), p. 285. Ha desarrollado esta propuesta en el marco de los conflictos ordenamiento estatal y ordenamiento UE, Arroyo Jiménez L., *Empatía Constitucional. Derecho de la Unión Europea y Constitución Española*, Marcial Pons, 2016; también De la línea roja al interfaz, Almacén del Derecho (https://almacendederecho.org/).

[229]   Vid por ejemplo la crítica al pluralismo y al constitucionalismo multinivel que realiza Pérez Manzano M., (not. 231); e igualmente el clásico artículo de Baquero Cruz J., *The Legalicy of Maastricht Urteil and the Pluralist Movement*, European Law Jounal, 2008, nº 14, p. 389 ss.; Krisch N. (not. 1), p. 277 ss con argumentos en contra de esta crítica.

[230]   En este supuesto, normas estatales o de organizaciones internacionales, las normas interfaz deben partir de que no existe una primacía de un orden estatal sobre el resto, Krisch N., (not. 1), p. 294 s, pero esta opción no tiene por qué ser la válida cuando hablamos de normas interfaz que contienden con sistemas no estatales.

tienen una posición de privilegio, de primacía, en relación al resto de sistemas, pues la efectividad de sus normas depende en última instancia de los mecanismos de coerción jurídica del sistema estatal.

4. Las nuevas reglas de la cooperación global

En un apartado anterior analizábamos las transformaciones que ha experimentado la cooperación. La cooperación global es, en primer lugar, una cooperación *desestatalizada* y, en ello, en un doble sentido. De un lado, han aparecido actores privados como actores de la cooperación, pero de otro, la cooperación se produce de forma creciente en el marco del Estado disgregado, mediante redes intergubernamentales, fuera de los cauces diplomáticos tradicionales. La segunda nota que caracteriza a la actual cooperación judicial es que es una *cooperación en red*, cuya lógica es cerrar espacios de impunidad, procurando la confluencia de ordenamientos con competencia para investigar y enjuiciar los hechos. No se trata de una cooperación diseñada por estados que buscan ejercer a toda costa su *ius* puniendi, sino de estados que persiguen intereses comunes. Este nuevo diseño tiene como contrapartidas evidentes los posibles conflictos de jurisdicciones y desde luego el problema del principio de *ne bis in ídem*. Finalmente, y como tercera nota, la cooperación global es una *cooperación securitaria*. Su objetivo no es solo la investigación de delitos, también a la prevención o la vigilancia global de determinados tipos de delincuencia. Con estos fines utiliza técnicas de análisis de riesgos, donde de nuevo la participación de particulares vuelve a ser esencial, al igual que el tratamiento de datos. Comenzaremos por esta última cuestión.

(a) La importancia del Derecho de protección de datos

La idea de seguridad como eje vertebrador de la cooperación judicial globalizada ha generado como una transformación profunda en su metodología y en los actores. De un lado, ha propiciado una serie de medidas legislativas tendentes a facilitar la acumulación masiva de datos, el intercambio de estos entre las autoridades de investigación (policías, fiscales, jueces etc..), incluyendo entre estas autoridades a los servicios de inteligencia; estos datos son objeto de análisis, que puede dar lugar a medidas restrictivas de derechos. De otro, ha incentivado o más bien obligado a la cooperación público privada en la prevención e investigación de delitos, con el fin de que puedan utilizarse los datos que obtienen determinadas compañías, como por ejemplo las de telecomunicaciones o las de redes sociales. En este punto habría que añadir las obligaciones que en materias como el blanqueo de capitales/financiación del terrorismo o la prevención del abuso de mercado se le imponen a determinados sujetos con el fin que hagan de "guardianes del muro" y detecten actividades sospechosas e igualmente obligaciones como las que pesan las compañías aéreas para transmitir los datos de los viajeros a autoridades europeas.

Este tipo de cooperación está llamada además a tener una dimensión global, lo que resulta una consecuencia lógica del tipo de delitos que investiga (en este punto el terrorismo ha sido un motor esencial), pero también del espacio global "desnacionalizado" en el que tiene lugar, los modernos sistemas de comunicación con internet a la cabeza. Los datos que se necesitan para la investigación o prevención del terrorismo en Europa pueden estar situados en un proveedor con sede en los EEUU o en China y, viceversa, algunos de estos países pueden solicitar datos a autoridades o empresas europeas.

El Derecho de la cooperación judicial clásico no está pensado para este tipo de cooperación. La cooperación judicial, aún en sus versiones más modernas basadas en el reconocimiento mutuo, es un derecho que sigue regulando la ayuda entre estados. No está prevista la aparición de privados en el marco del derecho de la cooperación. Tampoco está prevista un intercambio de información con fines preventivos. La regulación de la cooperación judicial en este punto está siendo sustituida por el derecho de protección de datos, que está llamado a tener un papel cada vez más esencial dentro de la cooperación judicial. La normativa de la UE y las sentencias del TJUE van conformando paulatinamente los aspectos determinantes de esta nueva modalidad de cooperación judicial, si bien existen aún numerosos puntos abiertos[231].

Lo primero que llama la atención del Derecho europeo de protección de datos en este punto es que ha decidido establecer un régimen especial en todo lo que tiene que ver con la protección de la seguridad y la prevención e investigación de hechos delictivos[232]. La libre circulación de datos se ha convertido en el motor de esta normativa especial. En la ponderación entre la captación, el uso y el intercambio de datos e informaciones, de un lado, y los derechos constitucionales

---

[231]   Al respecto de todo lo anterior vid. Pedraz Penalva (coord), *Protección de datos y proceso penal*, La Ley, Madrid, 2010; Gutierrez Zarza (coord.), *Nuevas tecnologías, protección de datos personales y proceso penal*, La Ley, Madrid, 2012; Colomer Hernandez I./Oubiña Barbolla S. (dir), *La transmisión de datos personales en el seno de la cooperación judicial penal y policial en la Unión Europea*, Aranzadi, 2015; igualmente De Busser E./Vermeulen G., *Towards a coherent EU policy on outgoing data transfers for use in criminal matters?*, en Cools M., et alt. (ed), EU and International Crime Control, Maklu, 2010, p. 95 ss.

[232]   Primero fue la Decisión marco 2008/977/JAI relativa a la protección de datos personales tratados en el marco de la cooperación policial y judicial penal, que después, tras la aprobación del Reglamento general de protección de datos, ha sido sustituida por la Directiva 2016/680 relativa a la protección de las personas físicas en lo que respecta al tratamiento de datos personales por parte de las autoridades competentes para fines de prevención, investigación, detección o enjuiciamiento de infracciones penales o de ejecución de sanciones penales, y a la libre circulación de dichos datos (DO 4.5.2016, L 119/89).

afectados (intimidad y autodeterminación informativa, la seguridad parte con mayor peso. El argumento es que conceder los derechos de acceso, información, rectificación, cancelación y oposición en estos supuestos haría perder eficacia al objetivo público de la seguridad.

A partir de este punto de partida, tanto la legislación europea, como de manera especial el TJUE han comenzado a establecer una serie de límites. Sin duda alguna una regla clave, relativa al uso de los datos, es el que se establece que "el interesado debe tener derecho a no ser objeto de una decisión que evalúe aspectos personales que le conciernen que se base únicamente en un tratamiento automatizado de los datos y que tenga efectos jurídicos adversos que le conciernan o le afecten significativamente"[233]. Esta prohibición limita las medidas restrictivas de derechos basadas exclusivamente en la elaboración de perfiles, sin intervención humana alguno (art. 11). Visto desde las garantías clásicas y en especial del principio de proporcionalidad, la necesidad de una argumentación debe seguir constituyendo una de los pilares de cualquier medida restrictiva de Derechos.

La STJUE *Digital Irland Rights*[234] marca las claves relativas a la posibilidad de almacenamiento masivo de datos por parte de privados con fines de prevención e investigación de delitos graves, lo que ya había sido en parte discutido en relación a las obligaciones de las compañías aéreas relativas al suministro de datos de viajeros. La normativa europea como es conocido exige un almacenamiento masivo de los datos de tráfico de comunicaciones telefónicas, fija y móvil, de los accesos a internet y del correo electrónico por internet de todos los ciudadanos europeos, sean o no potencialmente sospechosos de haber realizado actividades delictivas[235]. El TJUE aunque considera legítima este tipo de obligaciones aplica un estricto test de proporcionalidad, reduciendo el margen de deferencia del legislador europeo. La razón para ello es que constituye una vulneración "especialmente grave" del derecho de protección de datos y del derecho a la intimidad. La sentencia impone una serie de requisitos al almacenamiento masivo de datos con fines de prevención y sanción de delitos graves, que en definitiva exige que las investigaciones que se realizan con los datos tengan carácter selectivo, atendiendo a las diversas situaciones jurídicas en que pueden encontrarse las personas cuyos datos se almacenan, el nivel de sospecha sobre determinados colectivos, una re-

---

[233] Considerando 38 de la Directiva 2016/680 relativa a la cooperación judicial y art. 11.

[234] STJUE (Gran Sala), 8 de abril 2014, Digital Irland Rights Ltd., asuntos acumulados C-293/12 y C-594/12

[235] Directiva 2006/24/CE, sobre la conservación de datos generados o tratados en relación con la prestación de servicios de comunicaciones electrónicas de acceso público o de redes públicas de comunicaciones, DO 13.4.2006, L 105/54.

gulación clara y precisa acerca de los límites y garantías que se establecen. No es posible, en cualquier caso, que cualquier autoridad con el pretexto vago de investigar o prevenir un delito grave pueda tener acceso a datos almacenados masivamente. El TJUE deja también claro que la injerencia en el Derecho a la intimidad y a la protección de datos se produce por el sólo hecho del almacenamiento, sin necesidad de que los datos tengan carácter sensible o se haya adoptado una decisión a partir de su tratamiento que haya perjudicado a su titular[236].

Los doctrina establecida en *Right Digital Irland* sirve de trasfondo al asunto *Shrems*[237] en el que muy poco tiempo después el TJUE se enfrenta con el aspecto que sin duda es clave desde el Derecho de la cooperación global y es la transferencia internacional de datos. Los hechos que dan lugar a la cuestión judicial son bien reveladores de lo que hemos denominado cooperación judicial global: los datos del Sr. Shrems usuario de Facebook habían sido transferidos por la filial europea de Facebook a los Estados Unidos, donde sin que existiera ningún motivo de sospecha habían sido analizados por la Agencia Nacional de Seguridad y el FBI. Los datos fueron además transferidos por razones comerciales, pero acabaron en manos de autoridades de investigación de delitos[238].

En su decisión el TJUE establece el criterio clave en la transferencia internacional de datos: la existencia de un nivel de protección adecuado. Este grado de equivalencia no puede ser apreciado genéricamente, ni mucho menos, de manera estática. Aunque la Comisión o las autoridades nacionales de protección de datos consideren que un país tiene un nivel adecuado de protección en líneas generales, debe ser siempre posible un análisis del caso concreto, que permita amparar al particular. El concepto de nivel protección adecuado responde a una lógica que resulta conocida en el ámbito del Derecho internacional: la equivalencia funcio-

---

[236] En realidad, sorprende el carácter poco detallado de la Directiva sobre retención de datos, cuando se la compara con la Directiva coetánea relativa a los PNR (Directiva 2016/681 de 27 de abril de 2016 relativa a la utilización de datos del registro de nombres de los pasajeros (PNR) para la prevención, detección, investigación y enjuiciamiento de los delitos de terrorismo y de la delincuencia grave, DO 4.5.2016, L119/132). Las obligaciones son similares —conservar datos de comunicaciones, conservar datos de viajeros— ambas afectan al derecho a la intimidad y a la determinación, informativa, sin embargo, en el caso de los PNR las garantías que establece la directiva son mayores. Sobre esta cuestión Galán Muñoz A., *La protección de datos de carácter personal en los tratamientos destinados a la prevención, investigación y represión de delitos: hacia una nueva orientación de la política criminal de la Unión Europea*; en *Colomer Hernandez I./Oubiña Barbolla S. (dir) (not. 234)*, p. 37 ss.

[237] STJUE (Gran Sala) de 6 de octubre de 2015, asunto C-362/14.

[238] Los datos habían sido transmitidos no al amparo de las normas Europas que regulan la transmisión de datos en el seno de la cooperación policial, en esos momentos la Decisión marco de 2008, sino bajo el régimen general de la Directiva de 1995, vid. apartado 48 de la sentencia donde se deja claro que los datos fueron transmitidos por razones comerciales.

nal. Para decidir si existe un nivel de protección adecuado no es necesario que los mecanismos de protección sean idénticos, pueden ser enteramente diferentes. Lo importante es que tras el análisis de la normativa del país y su aplicación práctica se considere que existe una equivalencia entre ambos sistemas. Este criterio puede emparentarse sin problemas a nociones clásicas de la cooperación judicial como el orden público o los contenidos ad extra de los derechos fundamentales, que, como sabemos, pertenecen también a la categoría de las cláusulas interfaz que facilitan la comunicación entre dos sistemas distintos.

(b) Regulación del conflicto de jurisdicciones y *ne bis in ídem* internacional

Como hemos intentado explicar en diversas partes de este trabajo el modelo de cooperación judicial del Derecho global es una cooperación en red y desestatalizada. El objetivo de establecer una red de jurisdicciones y de actores públicos y privados resulta una meta loable y que no puede ser criticada en cuanto es expresión de la existencia de un interés común. La cooperación judicial no puede seguir siendo una institución ocupada en regular la ayuda entre estados que de manera descoordinada persiguen sus propios objetivos de política criminal. La situación actual muestra claramente que existe un modelo bien diverso construido sobre el presupuesto de que se persigue un interés común[239]. La aplicación del principio de bis in ídem, así como de otras garantías al mundo de la cooperación judicial, resulta un imperativo desde el propio modelo de la *progressive grotian tradition*. Aunque se han dado pasos decisivos, a raíz de la setencia Soering, todavía los individuos, las personas afectadas por la cooperación judicial, siguen estando ausentes en la construcción de este derecho que mira y tiene en exclusiva como protagonistas a los Estados[240].

En efecto, el aumento de eficacia que trae consigo la creación de esta red no puede hacerse a costa de la pérdida de garantías. Consecuencia de esta red en los últimos tiempos se han hecho frecuentes los casos de bis in ídem internacional, sobre todo en materias como el terrorismo y los delitos financieros[241].

---

[239]   Cfr. Böse M. (not. 54).

[240]   Vid. Gless S./Vervaele J., *Law Should Govern: Aspiring General Principles for Transnational Criminal Justice*, Utrecht Law Review, Vol. 9, Issue 4, 2013, p. 1 ss.; y en general todo el espíritu de las contribuciones al número especial de la Utrecht Law Review dedicado a esta cuestión. El rescate del individuo y de sus derechos en el marco de la cooperación judicial en la UE es el principal eje del Manifiesto sobre el proceso penal europeo elaborada por European Criminal Policy Initiative; Vid. A Manifesto on European Criminal Procedure Law, Juridiska Fakultanten Skriftserie Nr. 82, 2014.

[241]   En este ámbito Vervaele J., Investigaciones en los delitos económicos y financieros: cuestiones jurisdiscionales y protección del principio de ne bis in ídem, en Demetrio Crespo E./Nieto Martín A., (not. 226).

La existencia de varios procedimientos, simultáneos o no, en varios países genera para la mayoría de las personas costes inasumibles, la aparición de "pena natural" (ansiedad, stress etc.) por verse sometido a varios procesos, todo ello sin contar con las dificultades de realizar una defensa efectiva y el daño a la seguridad jurídica, en cuanto que las penas y pueden variar ostensiblemente de un ordenamiento a otro[242].

Este problema desde luego no por irresuelto es nuevo. Lo que sí es nuevo y lo hace más complejo es que, de un lado, la tipología de las sanciones es más difusa, y de otra, pueden provenir de *ius puniendi* no estatales. Así por ejemplo, una empresa puede ser sancionada por corrupción en diversos países, pero además puede verse incluida dentro del sistema de listas negras del Banco Mundial. E igual ocurre con los responsables individuales: además de las sanciones penales que les impongan en cada ordenamiento, pueden haber sido también objeto de una investigación interna por parte de la empresa y, consecuencia de la misma, objeto de una sanción disciplinaria, consistente en su destino. La existencia de sanciones privadas, mirada con el prisma del *ius puniendi* estatal clásico, no debía ser desde luego objeto de preocupación alguna desde el punto de vita del principio de *ne bis in ídem*. Los fundamentos eran totalmente diversos. Sin embargo, desde el modelo de gobernanza que auspicia el Derecho global las cosas son distintas: público y privado son parte de una red regulatoria coordinada que persigue resultados similares, es decir, son parte de una misma política pública —criminal— de lucha contra la corrupción. La responsabilidad penal de las empresas y otras formas de incentivar al cumplimiento normativo y, como parte de éste, a la imposición de sanciones disciplinarias.

Al lado de estos problemas, tampoco debe olvidarse a las víctimas de muchos de los delitos transnacionales. Los grandes fraudes financieros o las infracciones cometidas por internet son capaces de afectar a personas situadas en distintos confines del mundo. Los derechos de las víctimas, que han sido una de las grandes directrices de reformas del proceso penal, hasta el momento no han hecho objeto de aparición en el debate de los delitos transnacionales centrado en exclusiva en el aumento de la eficacia[243].

---

[242] Sobre los perjuicios que se derivan de la existencia de varios procesos vid. Zimmermann F., (not. 42), p.. También Conway G. *Ne bis in ídem in International Law*, International Criminal Law Review, 3, 2003, p. 217 ss., mostrando como los argumentos para mantener el ne bis in ídem local, coinciden con los del ne bis in ídem internacional.

[243] Cfr. Echle R. *The Passive Personality Principle and the General Principle of Ne Bis in Ídem*, Utrecht Law Review, Vol. 9, Issue 4, 56 ss. Como esta autora mantiene en su trabajo, la forma más directa de darle relevancia a las víctimas seria la utilización del principio de personalidad pasiva. Este principio nunca ha tenido sin embargo buena fama. Durante el derecho de la cooperación judicial clásico (westfaliano) se consideró que suponía una intromisión

La construcción de un principio de *ne bis in ídem* internacional no resulta sencilla por varias razones. La primera de ellas porque esta dimensión del principio no encuentra plasmación alguna en convenciones internacionales, salvo en el campo particular de la Unión Europea tras la interpretación que el TJUE ha realizado del art. 54.2 del Convenio de aplicación de Schengen[244]. En los derechos nacionales, frente a países que niegan cualquier tipo de relevancia al principio, sí que existen ciertos intentos de darle relevancia, aunque no de manera plena. Lo más frecuente en este punto es que algunos Estados reconozcan el denominado principio de cuenta. Esto es de las dos vertientes del principio *ne bis in ídem*: no doble proceso, no doble sanción, admitan la realización de otro proceso y tengan en cuenta la sanción impuesta por el primer estado en castigar, conforme al denominado principio de cuenta. Igualmente también es frecuente en las legislaciones admitir el principio de *ne bis in ídem* anudado a la extradición. Desde el Convenio de Extradición del Consejo de Europa en los años cincuenta, se ha extendido como causa admisible para denegar la extradición la circunstancia de que el sujeto haya sido ya sancionado[245]. Una dificultad ulterior para construir el principio de su esfera internacional es las diversas expresiones del *ne bis in ídem* en su faceta interna o estatal. Cuando se desciende a las regulaciones nacionales de nuevo se aprecian notables discrepancias a la hora de conformas los dos presupuestos básicos del principio: qué es un mismo hecho y qué es una misma sanción[246]. En el primer caso, existe una punga entre un concepto fáctico o histórico de hecho y otro normativo; en el segundo, nos encontramos con el debate en torno al concepto de sanción y el denominado Derecho penal en sentido amplio.

---

excesiva en el *ius* puniendi de otros soberanos ("*the most agressive basis for extraterritorial jurisdiction*"). En la actualidad es un principio totalmente olvidado por las convenciones internacionales, o por las normas europeas, autoras de la cooperación judicial en red. Por otro lado, tal como señala Echle, llevaría a un aumento aún mayor de los supuestos de *ne bis in ídem* y supone una falta de seguridad jurídica para el autor, en aquellos casos en los que no puede predecir la nacionalidad de las víctimas, falta la previsibilidad en relación a con qué ordenamiento puede ser juzgado.

[244] Sobre la complejidad regulatoria del principio de ne bis in *ídem* en la UE Vervaele J., *Ne bis in ídem: Towards a Transnational Consititutional Principle in the EU*, Utrecht Law Review, Vol. 9, Issue 4, p. 211 ss.

[245] Incluso entre los Estados que acogen esta tímida manifestación del ne bis in *ídem* algunos consideran que solo existe motivo para denegar la extradición cuando es el propio Estado al que se le solicita la ayuda el que ya ha sancionado por los mismos hechos; otros ordenamientos de manera más generosa niegan también la extradición cuando existe una sanción independientemente del Estado que la ha impuesto.

[246] El trabajo de Garcia Rivas N., *Alcance y perspectivas del principio de ne bis in ídem en el espacio europeo*, en esta obra de muestra las diversas configuraciones del principio en el plano interno, la jurisprudencia del TEDH y la del TJU.

Ante esta situación sería iluso mantener que el reconocimiento del principio de *ne bis in ídem* puede venir de la mano de una convención que reconozca su dimensión en el derecho internacional. Más bien parece que su implantación tendrá lugar de una manera paulatina y paso. Resulta un buen ejemplo en este sentido el reconocimiento del principio en el Estatuto de Roma y en los tribunales internacionales de la Ex-Yugoslavia y Ruanda. La construcción del principio que se ha realizado en este lugar responde a una ponderación singular entre los distintos intereses en juego. El *ne bis in ídem* no se ve afectado por los denominados "juicios vergonzantes" en el que un país actúa de manera rápida, imponiendo una sanción ridícula a los autores de crímenes internacionales, con el fin de bloquear la actuación del resto. Esta singular conformación del principio en el ámbito internacional debiera por ejemplo apostar por que sólo existiera "una misma sanción" cuando la sanción impuesta en el primer estado es de una naturaleza y gravedad similar. No sería razonable cerrar las puertas a un *ius puniendi* estatal por el mero hecho de que otro haya impuesto una sanción administrativa o incluso una sanción penal que se corresponde con un hecho de menor gravedad. Por idéntica razón todo parece indicar que el concepto de hecho a utilizar ha de ser el normativo: es decir, los hechos relevantes debieran ser únicamente aquellos que lo sean a la luz de la infracción que se juzgue. También cabría por ejemplo hacer excepciones al principio cuando en un estado aparecen nuevas pruebas decisivas. En este caso podría abrirse un nuevo proceso y a la hora de sancionar tener en cuenta la primera sanción impuesta de acuerdo con el principio de cuenta[247]. Estas soluciones ponderativas, a la hora de construir el principio, son igualmente las que tendrían que utilizarse cuando la sanción provenga de actores privados. La inclusión en una lista negra supranacional, ya sea por parte del Consejo de Seguridad o del Banco Mundial, debería ser tomada en cuenta en la imposición de la sanción estatal.

En realidad el principio de *ne bis in ídem* es sólo un remedio de urgencia relación a los casos de dobles (o triples) procedimientos. Una mala solución que deja la resolución del caso y el derecho aplicable en manos del azar o de factores que nada tienen que ver ni con las garantías de la persona, ni con la eficacia, ni tampoco con las víctimas. Piensen en supuestos de estafas de inversiones, si los hechos se juzgan en un Estado las víctimas situadas en este territorio tendrán mayores posibilidades de reparación. Es difícil que perjudicados situados en otros países, tanto por razones técnicas, como prácticas consigan una reparación efectiva. El derecho que va a ser aplicado y las posibilidades de éxito del proceso quedan en manos del azar: "primero en llegar, primero en servirse". La situación actual

---

[247]   Vid. para más detalles acerca de la posible configuración que habría que darle al ne bis in *ídem* internacional, Conway G., (not. 245), pp. 217 ss.

releva por tanto una desincronización entre unas normas internacionales que se consideran competentes para señalar a los ordenamientos que deben prohibir y cuándo deben ser competentes para juzgarlos, pero después siguen respetando escrupulosamente la soberanía estatal permitiendo que todos puedan entablar procedimientos.

El modelo de jurisdicción en red sería mucho más coherente sí además de establecer criterios de aplicación de la ley penal, como hacen la última hornada de convenciones internacionales, creara reglas de conflicto de jurisdicciones. Ahora bien, conseguir este objetivo resulta hoy irrealizable, al menos si lo que se pretende es una solución global establecida, por ejemplo, en un convenio internacional. Prueba de ello es el Derecho de la UE. Mientras que el TJUE ha implantado una versión muy avanzada del principio de ne bis in *ídem*, no existe ningún tipo de acuerdo para resolver el conflicto de jurisdicciones. Tampoco en el marco del Consejo de Europa, el Convenio de 1971 para la transferencia de procedimientos penales, que se ocupaba de estos aspectos, ha tenido demasiado éxito.

El punto de partida para la regulación de los conflictos de jurisdicción debe ser su distinta naturaleza, dependiendo de si se producen en relación a delitos que son expresión de una política criminal internacional o a figuras delictivas donde no existe proceso alguno de internacionalización. En el marco del Derecho penal puramente nacional los conflictos de jurisdicción pueden entrañar la colisión entre dos opciones de política criminal muy diferentes. Frente a este tipo de conflictos, los que se producen en el marco de la delincuencia transnacional o global tienen la particularidad que las orientaciones de política criminal de los Estados son similares. Por definición en materias como la criminalidad organizada, la corrupción, el blanqueo de capitales existe un grado de armonización mayor fruto de la actuación de la gobernanza global. Aquí el conflicto se debe a esa falta de sincronización, a la que antes hacíamos mención, entre la *jurisdiction to prescribe* y la *jurisdiction to adjudicate*. El autor de una de estas infracciones globalizadas cuanta normalmente que, a diferencia del primer tipo de situaciones, probablemente sea sancionada en la mayoría de los países[248].

Esta situación menos dramática para la seguridad jurídica y la previsibilidad de la sanción permite formular reglas menos complejas. De forma muy general, puede decirse que existen dos grandes modelos contrapuestos de abordar los conflictos de jurisdicción. Un primer modelo es el jerárquico: se trata de establecer prioridades entre los distintos criterios de atribución de jurisdicción. Así por ejemplo podría arbitrarse una regla que señalara que en primer lugar los hechos

---

[248]   Cfr. Zimmermann F., Conflicts of jurisdictions as a challange to Global Criminal Justice, en esta misma obra, p. 427 ss.

deben ser enjuiciados donde se realiza el comportamiento, seguido en orden de prioridad por el lugar donde tiene lugar el resultado, la residencia del autor, la víctima etc. Dependiendo del tipo de delitos y de sus peculiaridades esta rígida jerarquía podría ser flexibilizada alterando los criterios. Por ejemplo, en un convenio relativo a la corrupción el país del funcionario público —personalidad activa— podría tener un mayor peso. Un segundo modelo de resolverlos es el negociado, en donde no existirían normas rígidas, quizás sí criterios orientativos, y los diversos Estados en conflicto negociarían entre sí. Evidentemente, el primer modelo es mucho mejor para la seguridad jurídica pero no siempre es viable[249].

Conforme a cuanto a cabo de indicar no existe una regla unívoca de regular los conflictos de jurisdicción. La aproximación como en el caso del *ne bis in ídem* debiera ser sectorial, de convención en convención, con el fin de conseguir una mayor ponderación de los intereses en juego. Allí donde las normas fueran uniformes, incluyendo por ejemplo una cierta aproximación en las sanciones, podría atenderse a un modelo negociado. Es verdad que este modelo tiene más posibilidades de abuso, en cuanto que permite un mayor *forum shopping* (vgr. acordar realizar el proceso donde las normas procesales van a permitir utilizar pruebas que en otro país serían excluidas), pero estas posibilidades pueden verse reducidas si la negociación es transparente y de ella forma parte el individuo afectado y por qué no las víctimas. A medida que las divergencias son mayores debe atenderse a modelos más rígidos o jerárquicos, con el fin de aumentar las garantías y la previsibilidad.

En cualquier caso, y a modo de tercera vía, los problemas que para la seguridad jurídica del investigado plantean los conflictos de jurisdicciones también pueden mitigarse estableciendo una serie de contrapesos en los ordenamientos internos. Por ejemplo, y tal como ocurre en algunos ordenamientos a través de la aplicación de la regla del error de prohibición a los supuestos en que exista un error derivado de las reglas que establecen la aplicación del Derecho penal en el espacio, mediante la autolimitación por parte de cada derecho interno, fijando criterios más estrictos y limitados de competencia etc.[250].

---

[249] Cfr. Zimmermann F., (not. 42), p.
[250] Cfr. Zimmermann F., (not. 42), p..

Capítulo 2
¿QUÉ ES EL DERECHO GLOBAL? UNA VISIÓN DESDE EL DERECHO PÚBLICO

M. Mercè Darnaculleta Gardella
Profesora Titular de Derecho Administrativo
Universidad de Girona

I. PRESENTACIÓN

La respuesta a la cuestión sobre qué es el Derecho global entraña una enorme complejidad, tanto por la diversidad y heterogeneidad de las manifestaciones de este nuevo fenómeno como por la falta de uniformidad en su tratamiento doctrinal. Por ello, creo que es necesario advertir de antemano que el Derecho Global, si bien es claramente un concepto clave para la dogmática jurídica, no es un concepto dogmático[1].

El concepto de Derecho que manejan los autores que utilizan la expresión "Derecho global" está lejos de resultar pacífico. No existe un acuerdo sobre la extensión y los límites de esta nueva realidad y se ha puesto en duda, con fundamento, que todas las normas que resultan relevantes para el denominado Derecho global sean Derecho —a no ser que se defienda explícitamente una revitalización del derecho natural o que se acepten los postulados del pluralismo jurídico[2]—.

Los efectos de la globalización sobre el Derecho también son cuestionables y cuestionados. El Derecho global está mayoritariamente compuesto por normas que poseen una débil o nula legitimidad democrática cuyo contenido está principalmente orientado a dar respuesta a las necesidades derivadas de la apertura de los mercados[3].

---

[1]   Sobre este aspecto véase DARNACULLETA GARDELLA, M.M., "El Derecho Administrativo Global: ¿Un nuevo concepto clave del Derecho Administrativo?", *RAP* 199, 2016, pp. 11-50.

[2]   Después de un interesante debate doctrinal sobre este tema, y desde la perspectiva mayoritaria del positivismo jurídico, el profesor Sabino Cassese ha matizado las afirmaciones defendidas en *Il diritto globale. Giustizia e democrazia oltre lo Stato*, Einaudi, Torino, 2009 [*El derecho global. Justicia y democracia más allá del Estado*, Editorial Derecho Global, Global Law Press, Sevilla, 2010], reconociendo que "Global administrative law is not only law, because it also includes many types of 'soft law' and standards": CASSESE, S., "Global administrative law: The state of the art", *International Journal of Constitutional Law* 13-2, 2015, p. 466.

[3]   No obstante, comparto plenamente la visión conciliadora de este fenómeno propuesta por AUBY, J. B., en *La globalisation, le droit et l'Etat*, Paris, 2003 [*La Globalización, el Derecho y el Estado*, Editorial Derecho Global, Global Law Press, Sevilla, 2013].

En este contexto, resulta preocupante el efecto legitimador que pueda tener el uso del término "Derecho" en relación con sistemas normativos que distan mucho de responder a un ideal compartido de justicia. Es necesario, pues, realizar ciertas aclaraciones previas con el objeto de atenuar el contenido simbólico posee la expresión "Derecho global".

Las normas y principios jurídicos que configuran el espacio jurídico global no poseen un grado de integración suficiente que hagan posible sostener la existencia de un ordenamiento jurídico global. No se ha producido tampoco, por el momento, un cambio de paradigma en la dogmática jurídica que permita explicar adecuadamente, en términos de validez y de justificación, los sistemas normativos existentes más allá del Estado. El lector no va a encontrar, pues, en este texto, una respuesta a la cuestión que se plantea en el título. Y es que no falto a la verdad si sostengo que no sé qué es el Derecho Global.

Sin embargo, no pretendo desconocer, sino precisamente destacar, la enorme relevancia jurídica de los principios, las normas y las instituciones gestadas como respuesta a la globalización[4]. La necesidad de buscar una solución a problemas que desbordan las fronteras estatales ha dado lugar a la aparición de nuevas formas de producción, ejecución y control de normas de ámbito supra- y trans-nacional, que poseen un nivel de complejidad y una densidad jurídica inédita en términos históricos[5]. La sociología jurídica calificó estos nuevos fenómenos, tempranamente y con notable éxito, con la expresión anglosajona *Global Law*[6], acuñando un término de carácter expansivo que ha tenido la capacidad de integrar discursos[7] y realidades muy diversas[8].

Puesto que se me ha pedido que ofrezca una visión del Derecho global desde el Derecho Público, voy a referirme principalmente a las aportaciones doctrinales, las manifestaciones y los rasgos del denominado "Derecho Administrativo

---

[4]   A ello hemos dedicado no poco esfuerzo en DARNACULLETA GARDELLA, M.M./ESTEVE PARDO, J./SPIECKER gen. DÖHMANN, I., *Estrategias del Derecho ante la incertidumbre y la globalización*, Marcial Pons, Madrid/Barcelona/Buenos Aires/Sao Paulo, 2015 (publicado también en versión alemana en la editorial Nomos).

[5]   DARNACULLETA GARDELLA, M.M./SALVADOR ARMENDÁRIZ, M., "Nuevas fórmulas de génesis y ejecución normativa en la globalización: el caso de la regulación de la actividad financiera", *RAP* 183, 2010, pp. 139-177.

[6]   En este punto resulta de referencia obligada la obra dirigida por el jurista y sociólogo alemán Gunther TEUBNER, *Global law without a State*, Ashgate Publishing Company, 1996.

[7]   El discurso sociológico de la globalización, el discurso económico de la autorregulación, el discurso politológico de la gobernanza o el discurso del constitucionalismo cosmopolita nutren y condicionan buena parte de las aportaciones jurídicas sobre el Derecho global.

[8]   En la actualidad, la expresión Derecho global es utilizada tanto para describir sistemas normativos vigentes que, de iure o de facto, operan extramuros de los Estados, como para designar valores y principios hipotéticamente válidos a nivel universal.

Global" —*Global Administrative Law* (GAL) o *Internationales Verwaltungsrecht* (IVR), en sus versiones anglosajona y germánica, respectivamente—[9]. Sin embargo, no puedo resistir la tentación de aprovechar la libertad que me brinda el coordinador de esta obra para añadir algunas reflexiones críticas acerca del discurso y la legitimidad del Derecho Global que, en buena medida, están relacionadas con el entorno económico, político e ideológico que dio lugar a su formación.

II. EL PROTAGONISMO DE LA AUTORREGULACIÓN EN LA FORMACIÓN DEL DERECHO GLOBAL

Si bien es cierto que la globalización es un fenómeno que posee múltiples dimensiones —tecnológica, cultural, social, ambiental, entre otras—, existe un notable acuerdo en señalar que ha sido la dimensión económica y, en concreto, la apertura de los mercados de productos, de capitales y de servicios, la causante de la multiplicación exponencial del número y la intensidad de las interacciones que se producen a diario entre actores que operan en diversas partes del planeta. Este proceso ha tenido un especial desarrollo en el período comprendido entre el último tercio del siglo pasado y la primera década del presente, en un contexto político e ideológico marcado por el denominado *Consenso de Washington*, claramente contrario a la intervención pública y a la regulación de origen estatal[10]. En este período, organizaciones supranacionales como la OMC, la OCDE o la Unión Europea protagonizaron una política y un discurso claramente favorable a la apertura de los mercados, a la intervención estatal mínima y la desregulación[11].

---

[9]   Algunas de las aportaciones más relevantes del *Global Administrative Law* pueden encontrarse en la actualidad traducidas al español en KINGSBURY, B./STEWART, R. B., *Hacia el Derecho Administrativo Global: fundamentos, principios y ámbito de aplicación*, Editorial Derecho Global, Global Law Press, Sevilla, 2016. Sobre las aportaciones de la doctrina germánica puede verse DARNACULLETA GARDELLA, M.M. Recensión de MÖLLERS, C./VOSSKUHLE, A./ WALTER, C. (Eds), *Internationales Verwaltungsrecht. Eine Analyse anhand von Referenzgebieten*, Mohr Siebeck, Tübingen, 2007, 426 pp., RAP 185, 2011, pp. 422-425.

[10]   Los hitos que dieron lugar a la práctica desaparición de controles a los flujos de capitales y a la sustitución del sistema de *Bretton Woods* por el *Consenso de Washington* pueden consultarse, entre otros, en: MORÁN GARCÍA, M.E., *Derecho de los mercados financieros internacionales*, Tirant lo Blanch, Valencia, 2002, pp. 73 y ss.

[11]   Por citar algunos documentos significativos, pueden verse en el ámbito de la Unión Europea: el Libro Blanco de la Gobernanza Europea de 2001; el Plan de Acción para la Mejora de la Regulación, de junio de 2002; así como la Comunicación al Consejo Europeo de primavera de 2 de febrero de 2005, Mejora de la Regulación para el crecimiento y el empleo en la Unión Europea. Estos documentos se encuentran fuertemente influenciados por diversas recomendaciones de la OCDE, en concreto pueden citarse entre otras, las siguientes: *Recommendation of the Council of the OECD on Improving the Quality of Government Regulation*, de 9 de marzo de 1995;

La crisis financiera global desencadenada en el 2008 ha tenido como consecuencia una transformación de la retórica de estas instituciones, que han apoyado al G-20 en un renovado impulso para lograr la armonización de la regulación y la supervisión de los mercados internacionales. Este aparente cambio de rumbo no ha tenido como consecuencia, sin embargo, una transformación sustancial de los sujetos y de los instrumentos jurídicos —principalmente de origen no estatal y de naturaleza convencional— que se han adueñado de la regulación y el control del espacio jurídico global[12]. Esto es, la globalización no ha venido acompañada, ni antes ni después de la crisis de 2008, de la creación de nuevas organizaciones internacionales formales con funciones de regulación y supervisión ni de los mercados abiertos ni de las tecnologías que hacen posible su existencia[13].

Ello no quiere decir, sin embargo, que no haya existido ningún tipo de regulación. Lo que ha ocurrido es que han sido los sujetos privados —los operadores del mercado, la industria y el comercio— quienes han demostrado mayor capacidad que los Estados para alcanzar y hacer efectivos consensos normativos de alcance global, favoreciendo que la armonización internacional se haya desarrollado principalmente a través de la autorregulación[14].

The OECD Report on Regulatory Reform. Synthesis Report, de 15 de junio de 1997; y *OECD Guiding Principles for Regulatory Quality and Performance,* de abril de 2005.

[12] Sobre la relación de continuidad existente entre las estrategias reguladoras adoptadas como respuesta a la crisis financiera global, tanto a nivel internacional como a nivel europeo, véase, respectivamente: DARNACULLETA GARDELLA, M.M./LEÑERO BOHÓRQUEZ, R., "Crisis financiera y crisis democrática: la regulación financiera internacional mediante redes de supervisores", en PERDICES HUETOS, A./RECALDE CASTELLS, A./TIRADO MARTI, I. (Coords.), *Crisis y Reforma del sistema financiero,* Aranzadi, 2014, pp. 177-195; y DARNACULETA GARDELLA, M.M., "Las respuestas de la Unión Europea ante la crisis financiera global. Especial referencia a la nueva arquitectura europea de regulación y supervisión de los mercados financieros", *Noticias de la Unión Europea,* año XXVIII, febrero 2012, pp. 25 a 37.

[13] Por descontado una afirmación como esta requiere una debida matización por sectores, que desbordaría con mucho los objetivos de este trabajo. A lo largo del mismo se irán exponiendo algunos ejemplos que esperamos sean suficientemente significativos. Baste aquí como muestra señalar que la gobernanza técnica de internet, la red global por excelencia, no se ha dejado en manos de ninguna organización internacional formal, sino que ha sido asumida por una asociación privada sin ánimo de lucro, de composición mixta —pública y privada—: el ICANN (*Internet Corporation for Assigned Names and Numbers*). Aunque a día de hoy existen numerosas publicaciones sobre esta organización, me referí a ella como una manifestación del papel de la autorregulación en DARNACULLETA GARDELLA, M.M., *Autorregulación y Derecho Público: la autorregulación regulada,* Marcial Pons, Madrid/Barcelona, 2005, pp. 252 y ss.

[14] DARNACULLETA GARDELLA, M.M., "Autorregulación normativa y Derecho en la globalización", en DARNACULLETA GARDELLA, M.M./ESTEVE PARDO, J./SPIECKER GEN. DÖHMANN, I. (Coords.), *Estrategias del Derecho ante la incertidumbre y la globalización, op. cit.,* pp. 197-216.

El principal exponente de este fenómeno se encuentra, por supuesto, en el ámbito del comercio internacional, donde han conocido un especial desarrollo y consolidación los términos internacionales del comercio (*International Commercial Terms*, conocidos como INCOTERMS, por sus siglas en inglés), los créditos documentarios, la sumisión a mediación y arbitraje y las demás normas y usos comerciales que integran la denominada *lex mercatoria*[15].

La satisfacción de necesidades regulatorias a través de la autorregulación en la esfera global no se ha limitado, sin embargo, al ámbito de las relaciones y los fines estrictamente privados. Algunas asociaciones profesionales internacionales vienen desarrollando desde hace muchos años una intensa actividad de autorregulación que va más allá de sus intereses corporativos y que posee un enorme interés y reconocimiento público. Los estándares de seguridad y salud de las personas o los estándares medioambientales elaborados por los profesionales de la industria en el marco de la ISO (*International Organization for Standardization*), no solo gozan de una extraordinaria aceptación en el comercio internacional, sino que son utilizados como referencia por la OMC para determinar si existe o no una vulneración del Acuerdo sobre Obstáculos Técnicos al Comercio y tienden a integrarse, mediante remisión o incorporación, al ordenamiento jurídico interno de los Estados, con independencia de la pertenencia de éstos a dicha organización[16].

La autorregulación ha permitido, así, la articulación y desarrollo de ordenamiento privados de ámbito sectorial, que incorporan tanto incentivos económicos como normas y controles privados, con los que se pretende gestionar los riesgos propios de la globalización[17]. Entre tales riesgos se incluyen los propios del funcionamiento de los mercados financieros, los riesgos alimentarios, los riesgos ambientales, los riesgos de vulneración de derechos sociales y laborales, o incluso, los riesgos derivados del aumento exponencial de las posibilidades de comisión de delitos que ofrece la globalización[18]. Para hacer frente a todos estos riesgos, los subsistemas normativos de las empresas y, en particular de las multinacionales, están adquiriendo un notable volumen y densidad, dando lugar a ordenamientos

---

[15]   Por todos véase: FERNÁNDEZ ROZAS, J.C., *Ius mercatorum. Autorregulación y unificación del Derecho de los negocios transnacionales*, Consejo General del Notariado, Madrid, 2004.

[16]   TARRÉS VIVES, M. "El papel de las organizaciones de normalización internacional en el contexto de la seguridad y el comercio de productos" en DARNACULLETA GARDELLA, M.M./ ESTEVE PARDO, J./SPIECKER GEN. DÖHMANN, I. (Coords.), *Estrategias del Derecho ante la incertidumbre y la globalización, op. cit.*, pp. 137-153.

[17]   La vinculación entre la gestión de riesgos, la autorregulación, la globalización y el Derecho constituye la línea argumental que aúna las aportaciones contenidas en DARNACULLETA GARDELLA, M.M./ESTEVE PARDO, J./SPIECKER gen. DÖHMANN, I. (Coords.), *Estrategias del Derecho ante la incertidumbre y la globalización, op. cit.*

[18]   Sobre éste último aspecto véase NIETO MARTÍN, A./ARROYO ZAPATERO, L. (Dirs.), *El derecho penal económico en la era Compliance*, Tirant lo Blanch, Valencia, 2013.

internos cada vez más complejos[19]. Estos ordenamientos privados están integrados por las normas fundacionales de la organización —estatutos sociales—, que se desarrollan a través de diversas normas de funcionamiento —códigos de buen gobierno corporativo, códigos de conducta, reglamentos internos—, normas de desarrollo —circulares e instrucciones— y otros instrumentos de autorregulación —programas de cumplimiento normativo o manuales y procedimientos de inspección y control—[20].

El enorme desarrollo y expansión de sistemas normativos privados de alcance global no se detiene, sin embargo, en estos ejemplos. Algunas organizaciones internacionales privadas asumen incluso funciones indiscutiblemente públicas, como ocurre en el sector del deporte internacional. En este ámbito se constata la existencia de un ordenamiento jurídico de base privada, la denominada *lex sportiva*, que incluye no sólo reglas y códigos de conducta fruto de la autorregulación normativa, sino que incorpora también un sistema propio de autorregulación resolutoria, que permite garantizar la aplicación de estas normas, la imposición de sanciones por su incumplimiento y la resolución de controversias[21].

El análisis de los fenómenos someramente expuestos en este epígrafe —*lex mercatoria*, *lex esportiva*, ordenamientos internos de las multinacionales, normalización privada— dio lugar a que se constatase la formación de un "derecho global sin estado", cuya existencia solo podía ser explicada adecuadamente desde las tesis propias del pluralismo jurídico[22].

A pesar de esta certera caracterización, proveniente de la sociología jurídica alemana, es necesario reconocer que todos estos ordenamientos privados, ba-

---

[19] El nivel de complejidad de los ordenamientos internos de las empresas alcanza límites insospechados cuando éstas, con independencia de su ámbito territorial de actuación, tienen específicamente asignadas concretas funciones públicas, como ocurre en el caso de las infraestructuras de los mercados de valores. Sobre ello véase: DARNACULLETA GARDELLA, M.M./LEÑERO BOHÓRQUEZ, R., "Las fuentes del derecho en el sistema de la poscontratación del mercado de valores: internacionalización y autorregulación regulada", MARTÍNEZ FLOREZ, A./GARCIMARTÍN, F./RECALDE CASTELLS, A. (Dirs.), *La reforma del sistema de poscontratación en los mercados de valores*, Thomsom- Reuters-Aranzadi, Pamplona, 2017, pp. 107-156.

[20] La importancia de las normas y programas de cumplimiento normativo en el caso de las multinacionales ha sido señalada, entre otros trabajos del mismo autor, por NIETO MARTÍN, A., "Global law las empresas multinacionales: estrategias para la protección de bienes jurídicos globales", en *El comportamiento ético en la economía y en la sociedad*, IDOE-Instituto de Dirección y Organización de Empresas, Universidad de Alcalá, 2016.

[21] Véase, en esta misma obra, DE VICENTE MARTÍNEZ, R., "El derecho global del deporte: el *ius puniendi* de las federaciones deportivas Internacionales", pp. 283 y ss.

[22] G. TEUBNER, "Globale Bukowina: Zur Emergenz eines transnationalen Rechtspluralismus", *Rechtshistorisches Journal* 15, 1996, pp. 255-290 [popularizado en su versión inglesa, "Global Bukowina: Legal Pluralism in the World Society", en TEUBNER, G. (ed.), *Global law without a State, op. cit.*, pp. 3-28].

sados formalmente en la autorregulación y la autonomía de la voluntad, no se desarrollan completamente al margen o a espaldas de las tradicionales fuentes del Derecho y no agotan en absoluto el panorama de normas del espacio jurídico global. Los subsistemas normativos sectoriales de origen privado conviven y se relacionan con otros subsistemas jurídicos, de carácter público y/o mixto, y de ámbito estatal, regional o internacional, en un constante proceso de permeabilización, competencia y armonización entre ordenamientos[23]. En este complejo espacio jurídico tiene lugar una disolución no sólo de las fronteras territoriales, sino también de las fronteras que tradicionalmente han existido entre las distintas ramas del Derecho. Y es en esta frontera difusa, entre el Derecho Público y el Derecho Privado, y entre el Derecho Administrativo y el Derecho Internacional Público, donde emerge el Derecho Administrativo Global[24].

III. UNA VISIÓN DESDE EL DERECHO PÚBLICO: EL DENOMINADO "DERECHO ADMINISTRATIVO GLOBAL"

La presión de la globalización sobre el Derecho ha conducido, pues, al surgimiento de múltiples subsistemas normativos de carácter sectorial y de ámbito territorial supranacional, de carácter público y privado, articulados principalmente en torno a la garantía de la seguridad jurídica de las transacciones internacionales, pero también en torno a la protección de concretos bienes jurídico-globales. Cuestiones tan dispares, pero a la vez tan relevantes para el Derecho Administrativo, como la seguridad, la protección del medio ambiente, la alimentación, las telecomunicaciones o la regulación y supervisión de los mercados financieros, son objeto de una intensa regulación transnacional, que se superpone y desplaza el Derecho y la administración de origen estatal[25].

---

[23]   Dicho proceso ha sido descrito con especial acierto por J. B. AUBY, *La Globalización, el Derecho y el Estado*, *op. cit.*, pp. 127-143.

[24]   Véase, entre muchos otros: BATTINI, S., "International Organizations and Private Subjects: A Move Toward A Global Administrative Law?", IILJ Working Paper, 2005/3, pp. 2-31; y MÖLLERS, C., "Internationales Verwaltungsrecht. Eine Einführung in die Referenzanalysen", en MÖLLERS, C./VOSSKUHLE, A./WALTER, C. (Eds.), *Internationales Verwaltungsrecht. Eine Analyse anhand von Referenzgebieten*, Mohr Siebeck, Tübingen, 2007, pp. 1-7.

[25]   Esta constatación se encuentra en el origen del trabajo de KINGSBURY, B./KRISCH, N./ STEWART, R. B., "El surgimiento del Derecho Administrativo global", *Res Publica Argentina* 3, pp. 25 74 [traducción al español de "The Emergence of Global Administrative Law", Institute for International Law and Justice, New York University School of Law, Working Paper 2004/1 (disponible en http://www.iijl.org/papers/2004/2004.1.htm), publicado en *Law and Contemporary Problems* 68, 2005, pp. 15 y ss].

Este fenómeno ha sido analizado por la doctrina iuspublicista alemana desde postulados propios del positivismo jurídico[26] a través del estudio de concretos sectores de referencia del Derecho Administrativo[27]. Pueden encontrarse interesantes aportaciones sobre el Derecho Administrativo Global —o IVR, en sus siglas en alemán— en el sector de los mercados financieros[28], el medio ambiente[29], la administración del desarrollo económico[30], el derecho de la seguridad social[31], la inmigración[32] o la ciencia[33], entre otros.

La aproximación de la doctrina iuspublicista anglosajona —y los autores vinculados al proyecto del GAL— con base en un método propio del realismo jurídico, propone un análisis las manifestaciones del Derecho Administrativo Global de forma aislada, principalmente a través del estudio de casos[34].

---

[26]   Aunque Gunter Teubner en "Globale Bukowina...", *op. cit.*, abrió la puerta al análisis del Derecho Global desde la teoría luhmanniana de sistemas, proponiendo una revitalización del pluralismo jurídico, la doctrina iuspublicista alemana se ha aproximado a esta realidad sin salir de los márgenes del iuspositivismo. A pesar de ello, el impacto de la globalización en el monismo jurídico y, en concreto, en el iuspositivismo ha sido analizado por RÖHL, K./RÖHL, H. C., *Allgemeine Rechtslehre*, Köln, Carl Heymanns Verlag, 2008, pp. 522-530 y 553-560.

[27]   Véase al respecto la propuesta de SCHMIDT-AßMANN, E., en "Die Herausforderung der Verwaltungsrechtswissenschaft durch die Internationalisierung der Verwaltungsbeziehungen", *Der Staat* 25, 2006, pp. 315 y ss. [traducida al español en "La Ciencia del Derecho Administrativo ante el reto de la internacionalización de las relaciones administrativas", *RAP* 171, 2006, pp. 7-34], seguida principalmente por MÖLLERS, C./VOSSKUHLE, A./WALTER, C (Eds.), *Internationales Verwaltungsrecht. Eine Analyse anhand von Referenzgebieten*, Mohr Siebeck, Tübingen, 2007.

[28]   VAN AAKEN A., "Transnationales Kooperationsrecht Aufsichtsbehörden als Antwort auf die Herausforderung globalisierter Finanzmärkte"; y OHLER, C., "Internationale Regulierung im Bereich der Finanzmarktaufsicht", en MÖLLERS, C./VOSSKUHLE, A./WALTER, C (Eds.), *Internationales Verwaltungsrecht, op. cit.*, pp. 219-258 y 259-279.

[29]   DURNER, W., "Internationales Umweltverwaltungsrecht"; y ROSSI, M. "Europäisiertes internationales Umweltverwaltungsrecht", en MÖLLERS, C./VOSSKUHLE, A./WALTER, C (Eds.), *Internationales Verwaltungsrecht, op. cit.*, pp. 121-164 y pp. 165-180; o FISCHER LESCANO, A., "Transnationales Verwaltungsrecht. Privatverwaltungsrecht, Verbandsklage und Kollisionsrecht nach der Arhus Convention", *Juristenzeitung* 63, 2008, pp. 373-383.

[30]   DANN, P., "Grundfragen eines Entwicklungsverwaltungsrechts", en MÖLLERS, C./VOSSKUHLE, A./WALTER, C (Eds.), *Internationales Verwaltungsrecht, op. cit.*, pp. 7-48.

[31]   GLASER, M., "Internationales Sozialverwaltungsrecht", en MÖLLERS, C./VOSSKUHLE, A./WALTER, C (Eds.), *Internationales Verwaltungsrecht, op. cit.*, pp. 73-120.

[32]   BAST, J., "Internationalisierung und De-Internationalisierung der Migrationsverwaltung"; y KRISCH, N. "Das Migrationsrecht und die Internationalisierung des Verwaltungsrechts", en MÖLLERS, C./VOSSKUHLE, A./WALTER, C (Eds.), *Internationales Verwaltungsrecht, op. cit.*, pp. 279-312 y 313-318.

[33]   RUFFERT, M./STEINECKE, S. (2011): *The Global Administrative Law of Science*, Springer, Heidelberg.

[34]   Véase, por todos CASSESE, S./CAROTTI, B./CASINI, L./CAVALIERI, E./MACDONALD, E. (Eds.), *Global Administrative Law. Cases, Materials, Issues*, IILJ, 3ª Ed., 2012.
        La adopción de esta perspectiva metodológica no les impide sostener, sin embargo, que su aproximación al Derecho Administrativo Global se produce desde los postulados de un positivismo

Tanto los análisis sectoriales como el estudio de casos han puesto de manifiesto que el Derecho Administrativo Global se nutre de dos vectores de carácter complementario y de sentido inverso, ascendente y descendente. En sentido descendente la presión que ejerce la globalización sobre el Derecho destaca tanto por su intensidad como por su extensión. La penetración de contenidos normativos producidos por instancias supranacionales no afecta solamente a sectores administrativos altamente globalizados, sino que ha alcanzado también a cuestiones tradicionalmente internas o domésticas[35] y está transformando incluso los contornos de instituciones jurídico-administrativas tales como la contratación administrativa[36], la expropiación forzosa o el servicio público[37].

En sentido ascendente, es el Derecho Administrativo nacional el que pugna por extender su proyección más allá de las fronteras estatales en las que ha sido gestado, para aplicarse a la actuación de los nuevos reguladores globales. La formalización de instancias y procedimientos de revisión de las decisiones adoptadas por organismos internacionales, la exigencia de motivación de dichas decisiones, o la imposición de obligaciones de transparencia, razonabilidad y participación, son algunas de las manifestaciones de este traslado de las exigencias del Estado de Derecho —o, con mayor precisión, de las exigencias de la *rule of law*[38]— a la globalización[39].

---

crítico, basado en el "hecho social", como sostienen explícitamente, entre otros, KINGSBURY, B., "The International Legal Order", IILJ Working Paper 2003/1; y SOMEK, A., "Kelsen lives", IILJ Working Paper 2006/4. Más recientemente, KINGSBURY, B./STEWART, R. B., *Hacia el Derecho Administrativo Global...*, *op. cit.*, pp. 153 a 203.

[35] La creciente preocupación en el ámbito internacional de cuestiones tradicionalmente internas o domésticas como la sanidad, el transporte o las comunicaciones es puesto de relieve, entre muchos otros, por J. B. AUBY, *La Globalización, el Derecho y el Estado, op. cit.*, p. 156.

[36] MORENO MOLINA, J.A., *Derecho global de la contratación pública*, Ubijus, Asociación Internacional de Derecho Administrativo y Foro Mundial de Jóvenes Administrativistas, México, 2011.

[37] En este caso, principalmente a través de la interpretación de estas instituciones jurídico-administrativas derivada las resoluciones arbitrales del Centro Internacional de Arreglo de Diferencias relativas a Inversiones (CIADI): Rodríguez-ARANA MUÑOZ, J./HERNÁNDEZ G., J.I., *El Derecho Administrativo Global y el arbitraje internacional de inversiones. Una perspectiva iberoamericana en el marco del cincuenta aniversario del CIADI*, INAP, Madrid, 2016.

[38] Se ha destacado acertadamente que, especialmente en el ámbito supranacional, los principios tradicionales del Estado de Derecho propios de la cultura jurídica continental europea (*Rechtsstaat, Stato di diritto, État de droit*) están siendo sustituidos por principios propios de la *rule of law*. Sobre esta sugerente idea véase: MANNORI, L./SORDI, B. (2004): "Justicia y administración", en FIORAVANTI, M., El *Estado moderno en Europa. Instituciones y Derecho*, Madrid, pp. 65-102. Algunas de las razones por las cuáles estos principios se adaptan mejor a la esfera global que los propios de la cultura continental europea pueden verse en MCLEAN, J. (2004): "Divergent Legal Conceptions of the State: Implications for Global Administrative Law", *Law and Contemporary Problems* 68, pp. 167-187.

[39] Junto a la constatación de la efectiva aplicación de los principios del Derecho Administrativo a instancias supranacionales, la doctrina iuspublicista vinculada al Derecho Administrativo Global comparte un proyecto normativo con el que se pretende que el ejercicio de autoridad y de

IV. MANIFESTACIONES DEL DERECHO ADMINISTRATIVO GLOBAL

En un ámbito tan amplio como el que nos ocupa, la selección de los fenómenos que integran el Derecho Administrativo Global no es en absoluto neutra en términos descriptivos, taxonómicos ni valorativos. La clasificación que se ofrece en este apartado intenta recoger en apretada síntesis las manifestaciones que han sido destacadas como más relevantes por la doctrina iuspublicista en la última década[40]. Aunque se han estudiado muchos casos y se han rastreado numerosos sectores, es probable que estemos avistando solo una pequeña parcela de una realidad mucho más vasta que se encuentra, por lo demás, en permanente mutación. Lo que parece indiscutible es que, junto a las tradicionales formas de creación y aplicación del Derecho internacional Público, aparecen nuevas fórmulas de producción, ejecución y control de normas, que ponen en entredicho el monopolio atribuido convencionalmente al Estado en este ámbito[41].

1. Nuevas formas de producción normativa

Por descontado, los Tratados Internacionales celebrados entre Estados constituyen la principal fuente del Derecho de origen supranacional y muchos de ellos poseen una enorme relevancia para el Derecho Administrativo Global[42].

---

      poder público a nivel supranacional se dote de las mismas garantías que son exigibles a dicho poder en el ámbito nacional respectivo.

[40]   Diez años después de las aportaciones de Gunter Teubner al Derecho Global [TEUBNER, *Global law without a State*, *op. cit*], la doctrina iuspublicista germánica [SCHMIDT-AßMANN, E., en "Die Herausforderung der Verwaltungsrechtswissenschaft...", *op. cit*.] y anglosajona [KINGSBURY, B./KRISCH, N./STEWART, R. B., "The Emergence of Global Administrative Law", *op. cit*.] iniciaron de forma simultanea un ambicioso proyecto de investigación sobre el Derecho Administrativo Global, que recientemente ha cumplido, a su vez, una década, y que se ha nutrido de numerosas aportaciones de autores de muy diversos países. Las reflexiones de los más destacados miembros de este grupo de investigación sobre la evolución y las perspectivas de futuro de este proyecto han sido publicadas en el segundo volumen de 2015 de la revista International *Journal of Constitutional Law*, 13-2. Veáse la síntesis de C. MÖLLERS C., "Ten years of global administrative law", *International Journal of Constitutional Law*, 13-2, pp. 469-472. Para profundizar en cada una de las manifestaciones que se esbozan en este epígrafe véase, por todos: KINGSBURY, B./STEWART, R. B., *Hacia el Derecho Administrativo Global*, *op. cit*.

[41]   DARNACULLETA GARDELLA, M.M/SALVADOR ARMENDÁRIZ, M.A, "Nuevas fórmulas de génesis y ejecución normativa en la globalización...", *op. cit*.

[42]   Los Tratados Internacionales son relevantes para el Derecho Administrativo Global en la medida establecen el diseño y las reglas de juego esenciales del espacio jurídico global. Particular interés poseen: los Tratados constitutivos de las organizaciones internacionales que gestionan sectores de referencia del Derecho Administrativo; los Tratados que incorporan explícitamente

Sin embargo, tanto en términos cuantitativos como cualitativos, destaca el considerable aumento de otros instrumentos jurídicos en los que la participación y el protagonismo del Estado queda en un segundo plano, en favor de organizaciones internacionales y otros sujetos del Derecho Internacional Público —Acuerdos Internacionales Administrativos— y de la participación directa de la administración pública estatal, autonómica, local o institucional —Acuerdos Internacionales no normativos—[43]. En este proceso de desestatalización de la producción de normas en el espacio jurídico global juega asimismo un papel relevante, tanto la creciente participación de lobbies privados y ONG en la adopción de Tratados Internacionales y decisiones vinculantes, como el notable protagonismo de las Secretarías permanentes de las organizaciones internacionales[44]. Como consecuencia de ello, la doctrina internacionalista ha reconocido que los Estados y las organizaciones internacionales formales, han pasado de ser los únicos a ser los *principales* sujetos del Derecho Internacional Público[45].

La toma en consideración de los estándares internacionales como normas jurídicamente relevantes, permite mayor contundencia, si cabe, respecto de la pérdida de protagonismo del Estado en la producción normativa. Los estándares internacionales son normas, principios, recomendaciones o directrices[46] elaborados por organismos internacionales de estandarización, que carecen de carácter vinculante. Utilizando la terminología proveniente de la literatura anglosajona, se afirma acertadamente que los estándares tienen la consideración de *soft law* o derecho blando[47]. Sin embargo, muchos de estos estándares, especialmente aquellos aprobados por organizaciones que ocupan posiciones monopolísticas en la regulación de un determinado sector, son obligatorios de facto, debido a la autoridad que se les atribuye o debido a las exigencias de los mercados internacionales; y

---

principios propios del Derecho Administrativo; y los Tratados que regulan instituciones propias del Derecho Administrativo, como es el caso de los Tratados de Inversión.

[43] Esta realidad ha sido recogida recientemente en nuestra legislación, con la aprobación de la Ley 25/2014, de 27 de noviembre, de Tratados y otros Acuerdos Internacionales.

[44] VON BERNSTORFF, J., "Procedures of Decision-Making and the Role of Law in International Organizations", *German Law Journal* 9-11, 2008, 1939-1964.

[45] ORTEGA CARCELÉN, M., *Derecho global. Derecho Internacional Público en la era global*, Tecnos, Madrid, 2014, p. 97.

[46] Diversos autores utilizan indistintamente los términos "principios", "recomendaciones", "mejores prácticas" o "directrices", para referirse a los estándares internacionales. El *Financial Stability Forum* (FSF) utiliza la locución estándares internacionales como término comprensivo de los anteriores, definiéndolos como sigue: "Standards set out what are widely accepted as good principles, practices, or guidelines in a given area" [*Financial Stability Forum*, What are Standards?, 2006 http://fsforum.org/compendium/what_are_standards.html].

[47] J. BLACK, "Decentring regulation: The role of regulation and self-regulation in a 'post-regulatory' world", Current Legal Problems 54, 2005, pp. 103-146.

tienden a convertirse en normas jurídicas mediante la técnica de la remisión o la integración pura y simple al ordenamiento[48].

En la producción de estándares internacionales participan múltiples y diversos actores —caracterizados desde la Ciencia Política como los nuevos reguladores globales[49]— con escasa o nula participación estatal. En concreto, entre los organismos de estandarización internacional se encuentran organizaciones internacionales formales[50], organizaciones o redes transnacionales basadas en la cooperación de reguladores nacionales[51], organizaciones de composición mixta[52] y organizaciones genuinamente privadas[53]. El protagonismo adqui-

---

[48]   TARRÉS VIVES, M. "El papel de las organizaciones de normalización...", *op. cit.*, pp. 137-153. Hemos analizado este fenómeno en el sector financiero —mercado de valores y banca—, respectivamente, en: DARNACULLETA GARDELLA, M.M./LEÑERO BOHÓRQUEZ, R., "Las fuentes del derecho en el sistema de la poscontratación...", *op. cit.*; y DARNACULLETA GARDELLA, M.M., "Los instrumentos normativos de regulación bancaria en el sistema de fuentes del Derecho", en SALVADOR ARMENDÁRIZ, M.A. (Dir.), *Regulación bancaria: transformaciones y Estado de Derecho*, Thomson Reuters, Aranzadi, 2015, pp. 131-184.

[49]   Véase BÜTHE, T./MATTLI, W., *The new global rulers. The privatization of Regulation in the World Economy*, Princenton University Press, Princenton, Oxford, 2011.

[50]   Prácticamente todas las organizaciones internacionales formales elaboran estándares de conducta que rigen su funcionamiento interno; y algunas de ellas, como el Banco Mundial o la OCDE, elaboran estándares de conducta, en forma de Directrices o Recomendaciones, destinados a ser aplicados por las empresas multinacionales o los Estados. Es habitual que en un mismo sector convivan diversas organizaciones internacionales que compiten entre sí para lograr la aceptación de sus estándares. Sin embargo, algunas organizaciones internacionales han logrado imponerse frente a las demás, consiguiendo que sus estándares constituyan el único referente mundial en su respectivo sector de actuación. Este es el caso de la Unión Postal Universal (*Universal Postal Union*, UPU), la Organización Internacional del Trabajo (*International Labor Organization*, ILO) o el Fondo Monetario Internacional (*International Monetary Fund*, IMF).

[51]   Los organismos de estandarización internacional basados en la cooperación de autoridades reguladoras sectoriales constituyen una de las manifestaciones más interesantes de las nuevas formas de producción y aplicación normativa en la globalización, debido a la participación en la elaboración de los estándares internacionales de los mismos sujetos a los que corresponde su ejecución en el ámbito nacional. Esta fórmula ha gozado de especial éxito en la regulación de los mercados financieros, en la que operan el Comité de Basilea (*Basel Committee on Banking Supervision*, BCBS), la Asociación Internacional de Supervisores de Seguros (*International Association of Insurance Supervisors*, IAIS), la Organización Internacional de Mercados de Valores (*International Organization of Securities Commissions*, IOSCO) o el Comité de Pagos e Infraestructuras de Mercado (*Committee on Payments and Market Infrastructures*, CPMI).

[52]   Entre los organismos de estandarización de composición pública y privada pueden citarse la Comisión del Codex Alimentarius; la Corporación de Internet para la Asignación de Nombres y Números (*Internet Corporation for Assigned Names and Numbers*, ICANN), o la Agencia Mundial Antidopaje (*World Anti-Doping Agency*, WADA).

[53]   Las entidades privadas que ejercen el monopolio de la función de estandarización internacional en su respectivo sector de actuación son la Organización Internacional de estandarización (*International Organization for Standardization*, ISO), la Comisión Electrotécnica Internacio-

rido por algunos de estos organismos de estandarización y, en particular, por aquellos que han conseguido que sus estándares constituyan la única referencia armonizada en el ámbito internacional, deja abierta la cuestión acerca de si el Derecho Administrativo Global puede llegar a caracterizarse también por ser un Derecho sin Estado[54]. La respuesta a esta cuestión —que depende, por descontado, de la concreta concepción del Derecho que se sostenga—, puede ser contestada con mayor fundamento si se conocen los mecanismos a través de los cuáles pretende garantizarse la aplicación de las normas producidas en la esfera global.

2. La aparición de sistemas complejos ejecución y control de normas

La aplicación de las normas que poseen la consideración formal de fuentes del Derecho Internacional no prescinde de la ejecución a través de medios estatales. En concreto, esta aplicación puede producirse de forma descentralizada —por parte de los estados— o centralizada —por instituciones internacionales—. La aplicación descentralizada tiene lugar normalmente a través de los tribunales nacionales, pero puede producirse también a través de las administraciones públicas nacionales[55]. La aplicación centralizada puede ser, a su vez, una aplicación jurisdiccional o una aplicación ejecutiva[56]. La aplicación jurisdiccional centralizada se materializa mediante tribunales internacionales estables, como la Corte Internacional de Justicia, y mediante el arbitraje internacional[57]. La aplicación centralizada ejecutiva se materializa a través de las organizaciones internacio-

---

nal (*International Electrotechnical Commission, IEC*) y el Comité Internacional de estándares contables la International (*International Accounting Standards Board, IASB*).

54 S. CASSESE, "Administrative Law without the State? The Challenge of Global Regulation", *New York University Journal of International Law and Politics* 37, 2005, pp. 663-693; CASSESE, S., *El derecho global. Justicia y democracia más allá del Estado, op. cit.*

55 Esta modalidad de aplicación descentralizada constituye una manifestación especialmente interesante del Derecho Administrativo Global. Algunos Tratados que requieren explícitamente la intervención de las administraciones nacionales competentes para su ejecución son: la Convención sobre el Comercio Internacional de Especies Amenazadas de Fauna y Flora Silvestres; la Convención de Basilea sobre el Movimiento Transfronterizo de Desechos Peligrosos y su Eliminación; o el Protocolo de Cartagena sobre Bioseguridad.

56 Sobre los distintos mecanismos de *aplicación ejecutiva* y *aplicación jurisdiccional* centralizada, véase ORTEGA CARCELÉN, M., *Derecho global..., op. cit.*, pp. 201 y ss.

57 El arbitraje, en particular el realizado en el marco de instituciones arbitrales internacionales como la Corte Internacional de Arbitraje de la Cámara Internacional de Comercio o el Centro de Arbitraje y Mediación de la Organización Mundial de la Propiedad Intelectual, ha contribuido de manera notable al desarrollo de la *lex mercatoria*. En el ámbito del Derecho Administrativo Global tiene especial interés el Centro Internacional para la Resolución de Disputas relativas a Inversiones (CIADI), creado por iniciativa del Banco Mundial.

nales formales, dotadas de órganos especializados en la adopción de decisiones ejecutivas o en la resolución de controversias[58].

Pese a esa pluralidad de sistemas de aplicación, la exigibilidad de los Tratados presenta a menudo problemas, entre los que cabe contar con largos procesos jurisdiccionales, así como con complejos y costosos esfuerzos diplomáticos, que han conducido a que se cuestione la eficacia del derecho internacional[59]. Debido a ello, junto a estos sistemas descritos, algunos Tratados Internacionales, introducen mecanismos de cumplimiento basados en instrumentos de mercado, como ocurre en el caso del Protocolo de Kioto de la Convención Marco de Naciones Unidas sobre el Cambio Climático, que incorpora el Mecanismo de Desarrollo Limpio[60].

Los instrumentos de mercado y, en particular, los sellos, etiquetas y certificados que acreditan la adecuación de un producto, un sistema, un programa, un procedimiento o una organización a una norma constituyen el principal mecanismo de cumplimiento de los estándares internacionales[61]. La mayor parte de estos mecanismos de cumplimiento están garantizados por organizaciones privadas

---

[58]   Entre las organizaciones Internacionales formales, establecidas por un tratado constitutivo, y dotadas de órganos encargados de la aplicación de sus propias normas destaca el sistema de Naciones Unidas, que incluye organizaciones especializadas como la FAO (organización para la Agricultura y la Alimentación), la OACI (Organización de Aviación Civil Internacional), la OIEA (Organismo Internacional de Energía Atómica), la OIT (organización Internacional del Trabajo), la OMI (Organización Marítima Internacional), la OMM (Organización Meteorológica Mundial), la OMPI (Organización Mundial de Propiedad Intelectual), la OMS (Organización Mundial de la Salud), la OMT (Organización Mundial del Turismo), la UIT (Unión Internacional de Telecomunicaciones), la UNESCO (Organización de las Naciones Unidas para la Educación, la Ciencia y la Cultura) y la UPU (Unión Postal Internacional). En el ámbito de la cooperación económica y financiera destacan el FMI (Fondo Monetario Internacional), el BM (Grupo del Banco Mundial) y la OMC (Organización Mundial del Comercio).

[59]   HAAS, P., "Choosing to Comply: Theorizing from International Relations and Comparative Politics", en SHELTON, D. (Ed.), *Commitment and compliance. The role of non-binding norms in the international legal system*, New York, Oxford University Press, 2000, p. 44.

[60]   El protocolo permite la comercialización de las cuotas de reducción de emisiones de gases de efecto invernadero, debidamente certificadas por entidades acreditadas por la Junta Ejecutiva del Mecanismo de Desarrollo Limpio.

[61]   La variedad de organismos y sistemas de certificación es inmensa y el grado de reconocimiento de cada sistema es muy diverso. Entre los sistemas que gozan de especial credibilidad en el mercado cabe citar, a título de ejemplo: la certificación de conformidad a las normas ISO, que pueden emitir organizaciones públicas o privadas debidamente acreditadas; los sistemas de certificación de la Alianza Internacional de Acreditación y Etiquetado Social y Ambiental (ISEAL), que se compone de ocho organizaciones entre las que se encuentra el Consejo de Administración Forestal (FSC); o la certificación de calidad y seguridad alimentaria realizada en el marco de la *Global Food Safety Initiative* (GFSI). Con anterioridad a la crisis financiera de 2008 gozaban de igual o mayor credibilidad las calificaciones de solvencia y rating otorgadas por las agencias de calificación crediticia.

—y, por tanto, de origen no estatal—, con base a instrumentos de base consensual que formalmente poseen carácter voluntario. En los últimos años ha existido un notable consenso acerca de la mayor eficacia de los instrumentos de mercado y, en concreto, de la autorregulación —frente a los instrumentos jurídico-públicos de carácter obligatorio— como garantía del cumplimiento de normas[62]. Y ha sido precisamente la extensión de estos mecanismos voluntarios la que ha conducido a una paulatina transformación de su naturaleza. La preferencia en el mercado internacional de productos debidamente certificados ha tenido la virtualidad de transformar a los estándares internacionales voluntarios en normas obligatorias *de facto*. Esta obligatoriedad adquiere, además, carácter jurídico mediante la, cada vez más habitual, incorporación en los contratos internacionales de la obligación de operar únicamente con productos o empresas debidamente certificados. En fin, los Estados han manifestado también una creciente confianza en los estándares internacionales, y han acabado convirtiendo muchos de ellos en normas jurídicas obligatorias, mediante las técnicas de remisión —estática y dinámica— y de incorporación de normas[63].

El impulso definitivo a la generalización de los estándares internacionales, la incorporación de objetivos públicos a su contenido y el consiguiente desplazamiento de las normas jurídicas de origen nacional en favor de los estándares ha venido de la mano, como ya se ha avanzado al inicio del trabajo, de organizaciones supranacionales como la Unión Europea y la Organización Mundial del Comercio. La OMC permite a los Estados que se beneficien de una presunción *iuris tantum* de compatibilidad con sus Tratados —en concreto, con el Acuerdo sobre Obstáculos Técnicos al Comercio y con el Acuerdo sobre Aplicación de Medidas Sanitarias y Fitosanitarias— si las restricciones técnicas sobre importaciones respetan los estándares internacionales elaborados por la ISO o por la Comisión del *Codex Alimentarius*. Con ello, esta organización internacional aplica de forma centralizada, tanto sus propios Tratados y sus normas de funcionamiento, como los estándares internacionales[64].

Los estándares internacionales también pueden ser objeto de una ejecución descentralizada, como ocurre en el caso de las Recomendaciones aprobadas por el Grupo de acción financiera contra el blanqueo de capitales (*Financial Action Task Force*, FATF), que deja en manos de los Estados la responsabilidad de su

---

[62]   DARNACULLETA GARDELLA, M.M., "La autorregulación y sus fórmulas como instrumentos de regulación de la economía", en MUÑOZ MACHADO, S./ESTEVE PARDO, J. (Dirs), *Fundamentos e instituciones de la Regulación*, Iustel, Madrid, 2009, pp. 441-477.

[63]   Sobre todo ello véase: TARRÉS VIVES, M., *Normas técnicas y ordenamiento jurídico*, Tirant Lo Blanch, Valencia, 2003.

[64]   TARRÉS VIVES, M. "El papel de las organizaciones...", *op. cit.*

aplicación. Sin embargo, esa ejecución descentralizada suele venir acompañada de mecanismos adicionales de cumplimiento —como, en este caso, de la publicación de la lista de países y territorio no cooperantes (NCCT o *non cooperative countries and territories*)— dotados de una enorme eficacia[65].

La complementariedad de mecanismos diversos, centralizados y descentralizados, cada vez más complejos, de ejecución y control, es un rasgo que caracteriza la aplicación de los estándares internacionales. Un buen ejemplo de ello lo encontramos en los estándares aprobados por las redes transnacionales de regulación que operan en el ámbito de los mercados financieros —Comité de Basilea (BCBS), la Asociación Internacional de Supervisiones de Seguros (IAIS), la Organización Internacional de Mercados de Valores (IOSCO) o el Comité de Pagos e Infraestructuras de Mercado (CPMI)—. Los estándares elaborados por estas organizaciones no dejan de ser *soft law* y, por tanto, son ejecutados por las autoridades nacionales que han participado en su elaboración de forma voluntaria. Esta voluntariedad, sin embargo, se encuentra condicionada, en el caso de las autoridades nacionales que son miembros de estas redes, por su compromiso previo de "velar por su aplicación plena", tanto en el estricto ejercicio de sus competencias[66], como mediante su capacidad de influencia en los operadores privados que actúan en los mercados financieros internacionales y en el legislador de su respectivo Estado[67].

---

[65]   A pesar del carácter no vinculante de las Recomendaciones del GAFI, más de 130 países las han incorporado a su derecho interno, en buena parte presionados por el efecto de las listas NCCT. Sobre ello véase, entre otros: WESSEL, J., "The financial action task force: a study in balancing sovereignty with equality in global administrative law", *Widener L. Review*, 13, 2006, pp. 169-198; y OLESTI RAYO, A., "La actividad del Grupo de Acción Financiera Internacional contra el blanqueo de capitales y su incidencia en la UE", en ABELLÁN HONRUBIA, V./BONET PÉREZ, J. (Dirs.), *La incidencia de la mundialización en la formación y aplicación del Derecho Internacional Público: los actores no estatales: ponencias y estudios*, Bosch, Barcelona, pp. 287-316.

[66]   En este sentido, no está de más recordar que las autoridades nacionales que participan en estas redes transnacionales son, ni más ni menos, que las autoridades reguladoras nacionales de los sectores bancario, asegurador y de valores; y que dichas autoridades gozan, en el ámbito interno, de importantes potestades para el cumplimiento de los fines que tienen encomendados.

[67]   Puede tomarse como ejemplo la Carta del Comité de Basilea o BCBS, según la cual "[t]he BCBS expects full implementation of its standards by BCBS members and their internationally active bank [...] The Committee expects standards to be incorporated into local legal frameworks through each jurisdiction rule-making process within the pre-defined timeframe established by the Committee" (v. Punto 12 de la Carta del BCBS, en http://www.bis.org/bcbs/charter.htm, última visita 21.05.2017). La contundencia del compromiso que adoptan los miembros de estas redes de regulación, y que solo recientemente ha sido puesto por escrito, tiene un difícil encaje con la informalidad que caracteriza su configuración jurídica, con el reducido número miembros que integran estas organizaciones y, en suma, con la condición *club privado* que han mantenido durante años estas instituciones. Sobre ello véase el excelente trabajo de LEÑERO

La voluntariedad también preside, formalmente, la aplicación de los estándares financieros internacionales a países cuyas autoridades nacionales no son miembros de las redes transnacionales de regulación. Y, sin embargo, estos estándares han extendido su aplicación, mediante su incorporación a la legislación, a numerosos Estados que no tienen representación en las redes transnacionales mencionadas, debido, en parte, a la *auctoritas* que se reconoce a éstas, pero también a la presión que ejerce la propia dinámica de los mercados financieros[68]. Como complemento de ello, y debido a la confianza atribuida por el G-20 a los estándares financieros internacionales, se han articulado y reforzado complejos mecanismos de revisión inter-pares, supervisados y evaluados de forma centralizada por organizaciones internacionales como el Consejo de Estabilidad Financiera, el Fondo Monetario Internacional y el Banco Mundial[69].

3. La identificación del ejercicio de autoridad pública en el espacio jurídico global

Las organizaciones y redes que participan en la producción, la ejecución y el control del cumplimiento de las normas internacionales, con independencia de su naturaleza e incluso de su grado de formalización jurídica, pueden llegar a poseer, pues, una enorme capacidad de influencia tanto sobre el legislador estatal como sobre las autoridades administrativas nacionales. Dichas organizaciones, además de elaborar disposiciones normativas de carácter general pueden también adoptar, como se ha visto, decisiones singulares en ejercicio de sus competencias. Lo que resulta relevante para el Derecho Administrativo Global es que tales decisiones no tienen como destinatarios únicos a los Estados, como ha venido siendo tradicional, sino que pueden llegar a poseer concretos efectos jurídicos sobre particulares[70].

BOHORQUEZ, R., "El Comité de Basilea como poder público global para la armonización normativa bancaria. Implicaciones para el Derecho Público", en SALVADOR ARMENDÁRIZ, M.A. (Dir.), *Regulación bancaria: transformaciones y Estado de Derecho*, Thomson Reuters, Aranzadi, 2015, pp. 181-248.

[68]   En un entorno altamente liberalizado como el de los mercados financieros internacionales, las autoridades nacionales temen que, en caso de no adaptarse a las referencias globales armonizadas, los operadores nacionales no tengan acceso a los grandes centros financieros internacionales o, inversamente, puedan situarse en una posición de desventaja competitiva, con el riesgo de que se trasladen a jurisdicciones con una regulación más favorable.

[69]   Para más detalles, véase: DARNACULLETA GARDELLA, M.M./LEÑERO BOHÓRQUEZ, R., "Las fuentes del derecho en el sistema de la poscontratación...", *op. cit.*; y LEÑERO BOHORQUEZ, R., "El Comité de Basilea...", en SALVADOR ARMENDÁRIZ, M.A. (Dir.), *Regulación bancaria...*, *op. cit.* pp. 181-248.

[70]   Entre los ejemplos de decisiones adoptadas por organizaciones internacionales con concretos efectos jurídicos sobre particulares pueden citarse, entre otros: la actividad de policía llevada

Todo ello permite constatar que algunas organizaciones internacionales, tanto públicas como privadas, ejercen genuinas funciones públicas, entre las que se incluye la potestad sancionadora. Es el caso, como se analizará con mayor detalle en otros capítulos de esta misma obra, de las Federaciones deportivas internacionales, que pueden descalificar a los atletas afectados por dopaje, del Consejo de Seguridad de Naciones Unidas, que puede acordar la inmovilización de bienes o la restricción de movimientos de las personas sospechosas de financiar el terrorismo, o de los Bancos Multilaterales de Desarrollo, que pueden confeccionar listas negras de contratistas de proyectos acusados de corrupción[71].

En atención a la naturaleza y la extensión de las funciones que ejercen las estructuras encargadas de la regulación, la aplicación y el control de las normas en el ámbito supranacional, puede sostenerse que las mismas ejercen funciones de autoridad pública. Desde el Derecho Internacional Público se ha propuesto, por ello, que sean calificadas como "Autoridades Públicas Internacionales"[72].

Obsérvese que el ejercicio de autoridad pública en el espacio jurídico global supone, en no pocos casos, la atribución a una misma organización de funciones que pueden caracterizarse como cuasi-legislativas, cuasi-judiciales y cuasi-ejecutivas, con completo desconocimiento del principio de separación de poderes. Esta relativi-

---

a cabo por la Organización Internacional de Policía Criminal —Interpol—; la administración de los dominios y direcciones numéricas de protocolo de Internet por parte del ICANN; las prohibiciones de participación en competencias deportivas internacionales impuestas por la Agencia Mundial Antidoping; la atribución de un derecho o del estatus de refugiado por el Alto Comisionado de las Naciones Unidas para los Refugiados; o el reconocimiento de una marca por la Organización Mundial de la Propiedad Intelectual. También tiene consecuencias jurídicas para los particulares la ubicación de una persona, un bien, o un lugar específico, en una lista formal, como: la lista de especies en peligro de extinción bajo la Convención sobre el Comercio Internacional de Especies Amenazadas de Fauna y Flora Silvestres; o la lista de bienes que integran el Patrimonio Cultural de la Humanidad de la Organización de las Naciones Unidas para la Educación, la Ciencia y la Cultura (UNESCO). Sobre ello véanse las diversas aportaciones al número monográfico de la *German Law Journal*, 9-11, 2008.

[71] Sobre ello véanse, en esta misma obra, las aportaciones de: DE VICENTE MARTÍNEZ, R., "El derecho global del deporte: el *ius puniendi* de las federaciones deportivas internacionales"; GÓMEZ INIESTA, D., "El *ius puniendi* del Consejo de Seguridad de Naciones Unidas"; y GARCÍA, B., "El sistema de listas negras de los Bancos de Desarrollo".

[72] Para quienes proponen esta calificación, se entiende por "autoridad" la capacidad de configurar unilateralmente la situación jurídica o de facto de otro sujeto, reduciendo o ampliando sus libertades: VON BOGDANDY, A./DANN, P./GOLDMANN, M., "Developing the Publicness of Public International Law: Towards a Legal Framework for Global Governance Activities", *German Law Journal* 9-11, 2008, pp. 1375-1400. Una versión en español puede encontrarse en VON BOGDANDY, A./DANN, P./GOLDMANN, M., "El Derecho Público Internacional como Derecho Público: Prolegómeno de un Derecho de los mercados financieros", en MARTÍN Y PÉREZ DE NANCLARES, J. (Coord.), *Estados y organizaciones internacionales ante las nuevas crisis globales*, AEPDIRI, Iustel, Universidad de la Rioja, Madrid, 2010, pp. 57-79.

zación del principio de separación de poderes se encuentra más acentuada, si cabe, en la propuesta conceptual de la doctrina anglosajona, consistente en calificar tales organizaciones o autoridades como "administraciones globales"[73]. En particular, se califican de administraciones globales a todos los sujetos, públicos o privados[74], responsables de la regulación —entendida como actividad de producción y aplicación de normas— de un sector sujeto a la armonización internacional[75].

4. La aplicación de principios de Derecho Público a las administraciones globales

Una vez identificadas las administraciones globales, las manifestaciones del Derecho Administrativo global culminan con la constatación y la promoción de la aplicación de principios y valores propios del Derecho Público tales administraciones. En los términos expresados por los fundadores del GAL, el Derecho Administrativo Global comprendería los "mecanismos, principios, prácticas y acuerdos sociales" que respaldan o promueven la "accountability" de las administraciones globales, asegurando que estas cumplen unos "estándares adecuados" de transparencia, participación, razonabilidad en la toma de decisiones y legalidad, y que las normas y decisiones que aprueban están sometidas a un control efectivo[76].

---

[73]   Es necesario precisar que la doctrina germánica no utiliza esta expresión, sino que se refiere a las "administraciones internacionales" y califica de tales únicamente a organizaciones internacionales formales y a las organizaciones basadas en la cooperación transnacional de autoridades de regulación. Por todos véase: MÖLLERS, C./TERHECHTE, J. P., "Europäisches Verwaltungsrecht und Internationales Verwaltungsrecht", en TERHECHTE, J.P., *Verwaltungsrecht der Europäischen Union*, Nomos, Baden-Baden, 2011, pp. 1437-1452.

[74]   De acuerdo con la clasificación ofrecida por los fundadores del Derecho Administrativo Global, pueden calificarse de administraciones globales: las organizaciones internacionales formales; las redes transnacionales de regulación; las administraciones nacionales encargadas de aplicar de forma descentralizada las normas internacionales; las organizaciones mixtas o híbridas, de composición pública y privada; y las organizaciones privadas de estandarización. Véase: KINGSBURY, B./STEWART, R. B., *Hacia el Derecho Administrativo Global...*, op. cit., pp. 94 y ss.

[75]   La particular construcción del Derecho Administrativo estadounidense explica que se identifique, también en el contexto global, la noción de regulación con la de administración. Para entender la perspectiva de la doctrina anglosajona sobre este aspecto resulta especialmente clarificador SHAPIRO, M., "Administrative Law Unbounded. Reflections on Government and Governance", *Indiana Journal of Global Legal Studies* 8, 2001, pp. 369-377. Lo que resulta en cierta medida sorprendente es que la doctrina italiana [en particular CHITI, E. "Where does GAL find its legal grounding?", *International Journal of Constitutional Law* 13-2, 2015, p. 488] sostenga que "a growing number of international and transnational regulatory regimes exercise genuine administrative functions, such as rule-making and adjudication" cuando, precisamente, en los sistemas de Derecho Administrativo continental europeo ninguna de las dos funciones a las que se refiere este autor serian consideradas como "genuinamente" administrativas.

[76]   KINGSBURY, B./KRISCH, N./STEWART, R. B., "El surgimiento del Derecho Administrativo global", op. cit., p. 28.

Tomando en consideración que las administraciones globales ejercen funciones relativas a la elaboración, la ejecución y el control de normas, se constata y se promueve la aplicación a las mismas tanto de genuinos principios jurídico-administrativos como de principios generales del derecho. Más en concreto, se consideran aplicables a las administraciones globales, además de los principios y valores públicos vinculados a la noción anglosajona de "accountability" y a la promoción de la "buena gobernanza global" —información, transparencia, razonabilidad, participación y control— los principios generales del derecho —buena fe, audiencia, igualdad de trato, proporcionalidad- y los principios jurídicos derivados del principio de legalidad y del "due process"—[77].

Los mecanismos a través de los cuáles se produce esta extensión de las reglas, los principios y los valores propios del Derecho Público a las denominadas administraciones globales son diversos, tanto por su origen como por su grado de formalización jurídica. En algunos casos puntuales, ciertas reglas propias del Derecho Administrativo son explícitamente incorporadas a un Tratado Internacional[78]. En otros casos, son las organizaciones internacionales creadas a través de un Tratado las que —como medida de autocontrol, pero también de auto-legitimación— se dotan de reglas estables de procedimiento, incorporan progresivamente la obligación de motivación de sus resoluciones, o establecen mecanismos de resolución de conflictos y de revisión y control de sus decisiones[79]. A su vez, son precisamente estos órganos encargados de la revisión de las decisiones de las administraciones globales —como el Órgano de Apelación de la OMC o el Panel de Inspección del Banco Mundial— los que promueven, a través de sus resoluciones, la aplicación de los principios de imparcialidad, razonabilidad, proporcionalidad y del derecho a un proceso debido[80].

---

[77] HARLOW, C. (2006): "Global Administrative Law: The Quest for Principles and Values", *European Journal of International Law* 17-1, pp. 187-214.

[78] Un ejemplo característico de ello, ampliamente citado por la doctrina, lo encontramos en el Convenio de Aarhus, que fue firmado el 25 de junio de 1998, y que regula el acceso a la información, la participación pública en la toma de decisiones y el acceso a la justicia en temas medioambientales.

[79] Por citar solo algunos ejemplos, destaca: la introducción de procedimientos estables de participación y control en la elaboración de estándares por parte del Comité de Basilea; la incorporación de mecanismos de transparencia y la aplicación de códigos de conducta al personal del Fondo Monetario Internacional; o la introducción de mecanismos de revisión de las decisiones de la Organización Mundial del Comercio y del Banco Mundial.

[80] Todos estos ejemplos se encuentran debidamente expuestos y desarrollados, entre muchos otros, en: CASSESE, S./CAROTTI, B./CASINI, L./CAVALIERI, E./MACDONALD, E. (Eds.), *Global Administrative Law. Cases, Materials..*, *op. cit.*; y KINGSBURY, B./STEWART, R. B., *Hacia el Derecho Administrativo Global...*, *op. cit.*

En este sentido, las propias administraciones globales juegan un papel relevante en la extensión de los principios y valores de buen gobierno y de buena administración[81], no sólo respecto de si mismas, sino también —principalmente con el objeto de evitar la corrupción— respecto de los países que se benefician de su apoyo económico[82]. La cultura de la buena gobernanza se extiende, asimismo, a organizaciones privadas o mixtas de estandarización —como la ISO o el ICANN—, mediante la incorporación en sus estatutos internos de los valores públicos de participación, representatividad, neutralidad, transparencia, rendición de cuentas y control[83]. En fin, los mencionados principios y valores públicos, y, en general, los principios generales del derecho son aplicados, con intensidades diversas, por los tribunales nacionales, europeos o internacionales en la resolución de conflictos de carácter transnacional[84].

En suma, en atención a la autoridad ejercida por las administraciones globales, se les están empezando a imponer, en los Tratados Internacionales y en las resoluciones de los tribunales nacionales e internacionales —e incluso en los estatutos y resoluciones de las propias administraciones globales—, como respuesta a las críticas recibidas por la falta de contrapesos y controles en el ejercicio de sus funciones— los principios de actuación, organización y procedimiento que se consideran aplicables a todo ejercicio de poder público.

En el plano normativo, junto a la constatación de la efectiva aplicación de *algunos* principios generales del Derecho Administrativo a *algunas* administraciones globales, se propone una extensión de *los* principios y valores del Derecho Administrativo a *las* administraciones globales o internacionales[85].

---

[81]   Sobre ello véase: PONCE SOLÉ, J., "Procedimiento administrativo, globalización y buena administración", en PONCE SOLÉ, J. (Coord.), *Derecho administrativo global. Organización, procedimiento, control judicial*, INAP, Marcial Pons, Madrid-Barcelona-Buenos Aires, 2010, pp. 79-190; y Rodríguez-ARANA MUÑOZ, J., "Derecho Administrativo Global y Derecho Fundamental a la Buena Administración Pública" (consultado en http://www.acaderc.org.ar/derecho-administrativo-global.pdf.)

[82]   SECKELMANN, M. (2006) "Good Governance - Importe und Re-Importe", DUSS, V., el altri (Coords), *Rechtstransfer in der Geschichte*, München, pp. 108-134.

[83]   BARNES, J., "La transposición de valores públicos a los agentes privados por medio de elementos de organización y de procedimiento", en DARNACULLETA GARDELLA, M.M./ESTEVE PARDO, J./SPIECKER GEN. DÖHMANN, I. (Coords.), *Estrategias del Derecho ante la incertidumbre y la globalización*, Marcial Pons, Madrid, 2015, pp. 281-311.

[84]   Sobre ello véase: BENVESTINI, E. (2005): "The Interplay between Actors as a Determinant of the Evolution of Administrative Law in International Institutions", *Law and Contemporary Problems* 68, pp. 319-341.

[85]   En concreto, los fundadores del GAI, sostienen que "nuestro apoyo a la noción de espacio administrativo global es el producto de la observación, pero también tiene inevitablemente implicaciones potencialmente políticas y otras implicaciones de tipo normativo" KINGSBURY, B./KRISCH, N./STEWART, R. B., "El surgimiento del Derecho Administrativo global", *op.*

En nuestra cultura jurídica, esta propuesta ha abierto la puerta a una revitalización del iusnaturalismo[86].

V. RASGOS DEL DERECHO ADMINISTRATIVO GLOBAL

La identificación de los rasgos característicos del Derecho Administrativo Global depende de las concretas manifestaciones que se incluyan en el mismo y de cuáles de ellas se consideren más relevantes. Para un destacado sector de la doctrina española, que pone su enfoque en la última de las manifestaciones analizadas, esto es, en la extensión de principios de Derecho Público a las administraciones globales, el Derecho Administrativo Global sería un Derecho basado en valores y en principios[87]. Para quienes otorgan mayor relevancia a otras manifestaciones y, en particular, a los estándares internacionales, y consideran que éstos, junto con los principios jurídicos y demás normas de Derecho Internacional, deben ser tomados en consideración como elementos integrantes del denominado Derecho Administrativo Global, la caracterización es bien distinta[88]. El

---

cit., p. 11. Esta preocupación fundamental, que puede sintetizarse en el interés de la doctrina administrativista por someter el ejercicio del poder al Derecho, enlaza parcialmente con las reflexiones propias del denominado constitucionalismo internacional o global. Compárese, por ejemplo, FERRAJOLI, L., "Beyond Sovereignty and Citizenship: a Global Constitutionalism", en BELLAMY, R. (Ed.), *Constitutionalism, Democracy and Sovereignty: American and European Perspectives*, Hardcover, 1996, pp. 151-160; SLAUGHTER, A.M./BURKE-WHITE, W.W., "An International Constitutional Moment", *Harvard International Law Journal* 43-1, 2002, pp. 1-21.

[86] DOMINGO OSLE, R. (2008): *¿Qué es el derecho global?*, Consejo General del Poder Judicial, Madrid, p. 146; DOMINGO OSLE, R. (2009): "La pirámide del Derecho Global", *Persona y Derecho* 60, pp. 29-61; MEILÁN GIL, J.L. (2012): "Derecho global: Realidades y principios", *Publicaciones del VII Congreso de Academias Jurídicas y Sociales de Iberoamérica y Filipinas*, Real Academia Gallega de Jurisprudencia y Legislación, Coruña, p. 52.

[87] Rodríguez-ARANA MUÑOZ, J., "El derecho administrativo global: un derecho principal", *Revista Andaluza de Administración* Pública 76, 2010, pp. 15-68; ROBALINO ORELLANA, J./Rodríguez-ARANA, J. (Eds.), *Global Administrative Law. Towards a Lex Administrativa*, Cameron May, 2010; y MEILÁN GIL, J. L., *Una aproximación al derecho administrativo global*, Editorial Derecho Global, Global Law Press, Sevilla, 2013.

[88] Obsérvese que esta postura, que es sin duda mayoritaria, presenta un problema de difícil solución. Desde una concepción iuspositivista sería necesario reconocer que no todas las normas relevantes para el Derecho Administrativo Global son Derecho. La existencia de un Derecho Administrativo Global, que incluya los estándares internacionales solamente puede defenderse desde la aceptación previa del pluralismo jurídico. En este sentido, comparto plenamente la provocativa afirmación sostenida por AUBY, J.B., en: "Is legal globalization regulated? Memling and the business of baking camels", *Utrecht Law Review* 4-3, 2008, p. 217: "Kelseniens s'abstenir" (...) "It is clear that one can only find comfort in that kind of legal world if one accepts, as it was nearly suggested by Lou Reed, taking a walk on the pluralistic side".

Derecho Administrativo Global se caracterizaría como un Derecho heterogéneo —que incluye normas de *hard law* y de *soft law*—, enormemente fragmentado desde una perspectiva sectorial y de formación espontánea. Se trataría, en suma, de un Derecho basado en la interacción, la interconexión y la interoperatividad entre diversos sistemas, racionalidades y ordenamientos, públicos y privados, de múltiples niveles[89].

El problema que presenta esta caracterización es que estos rasgos del Derecho Administrativo Global entran en contradicción con la sistematicidad del Derecho y ponen en entredicho la vigencia del principio de seguridad jurídica. Y es que la interconexión entre sistemas normativos —jurídicos y no jurídicos— de origen nacional, regional y supra/inter y trans-nacional no tiene como resultado un sistema jurídico global. El Derecho Administrativo Global, al igual que la sociedad en la que se desarrolla, es un Derecho "sin vértice y sin centro"[90], en el que los criterios de jerarquía, especialidad y competencia propios de un sistema jurídico de inspiración kelseniana encuentran difícil encaje[91]. La pluralidad de ordenamientos existentes en el espacio jurídico global no conforman una unidad, ni están dotados de mecanismos que permitan aunar las diversas racionalidades con las que operan[92].

Los rasgos característicos del Derecho, como la sistematicidad, la racionalidad y la vigencia de un ideal compartido de justicia no están, pues, presentes en el Derecho Administrativo Global. Y, según parece, la doctrina iuspublicista está llamada a jugar un papel relevante en orden a revertir esta situación.

---

[89] Esta perspectiva se encuentra bien desarrollada en B. AUBY, *La Globalización, el Derecho y el Estado, op. cit.,* pp. 126.

[90] Como es sobradamente conocido, esta es la expresión utilizada por Niklas Luhmann para plasmar gráficamente las consecuencias de la diferenciación funcional en las sociedades contemporáneas y, en especial, su incidencia en las relaciones entre los subsistemas sociales no estatales y el poder —la política, la Administración pública y el Derecho—. Según este autor, "una sociedad organizada en subsistemas no dispone de ningún órgano central. Es una sociedad sin vértice ni centro. La sociedad no se representa a si misma por uno de sus, por así decir, propios subsistemas genuinos": N. LUHMANN, *Politische Theorie im Wohlfahrtsstaat,* G. Olzog, München, 1981 [versión española, traducida por F. Vallespín, *Teoría política en el Estado de Bienestar,* Alianza, Madrid, 1993, p. 43].

[91] Sobre las dificultades prácticas de aplicar estos principios a un caso en concreto véase DARNA-CULLETA GARDELLA, M.M./LEÑERO BOHÓRQUEZ, R., "Las fuentes del derecho en el sistema de la poscontratación...", *op. cit.*

[92] "De este modo, más que de pluralismo de ordenamientos jurídicos, cabría hablar de pluralidad ordinamental, por cuanto que los diversos ordenamientos en relación no terminan por conformar una unidad sistémica, al interactuar éstos, en gran medida, en pugna unos con otros desde sus respectivos postulados y principios en su efectiva realización": J. F. SÁNCHEZ BARRILAO, en "Derecho europeo y globalización: mitos y retos en la construcción del Derecho Constitucional Europeo", *Revista de Derecho Constitucional Europeo,* 12, 2009, p. 126.

VI. ALGUNAS REFLEXIONES ACERCA DEL DISCURSO Y DE LA LEGITIMIDAD DEL DERECHO-ADMINISTRATIVO GLOBAL

Llegados a este punto voy a intentar plasmar por escrito algunas inquietudes y contradicciones que me acechan cada vez que me enfrento a discursos relacionados con el Derecho Global. Y, para ello, voy a distinguir entre el Derecho Administrativo Global como ordenamiento y el Derecho Administrativo Global como —eventual— disciplina.

En lo que respecta al Derecho Administrativo Global como ordenamiento, debo volver necesariamente al inicio de estas páginas: o bien yo no sé qué es o bien es que como tal no existe[93]. No sé si el Derecho Global es un ordenamiento en cuya cúspide se encuentran valores y principios derivados de los derechos fundamentales[94], si es un ordenamiento jurídico que se desarrolla gracias a la actitud y la convicción de los actores jurídicos globales, más allá y con independencia del Estado[95] o si es un Derecho constituido por una pluralidad de ordenamientos[96]. En cualquiera de los tres casos, resulta imposible desconocer que se trata de un Derecho con un enorme déficit de legitimidad democrática[97]. Y es que, ni la noción de democracia deliberativa propugnada por Habermas ni la idea de participación directa vinculada al discurso de la *Governance* logran suplir el dato de la inexistencia de un *demos* global[98].

---

[93]   DARNACULLETA GARDELLA, M.M., "El Derecho Administrativo Global...", *op. cit.*

[94]   RODRÍGUEZ-ARANA MUÑOZ, J., "El derecho administrativo global...", *op. cit.*, p. 18 y ss.; y MEILÁN GIL, J. L., *Una aproximación al derecho administrativo global*, *op. cit.*

[95]   CASSESE, S., *El derecho global. Justicia y democracia más allá del Estado*, *op. cit.*, pp. 33 y ss.; KINGSBURY, B./STEWART, R. B., *Hacia el Derecho Administrativo Global...*, *op. cit.*, pp. 161 y ss.

[96]   TEUBNER, *Global law without a State*, *op. cit.*, pp. 3 y ss.

[97]   Los problemas relativos a la crisis de legitimidad del Derecho Global han sido tratados desde enfoques muy diferentes. Entre otros muchos, véase: BRUNKHOST, "Die Legitimationskrise der Weltgesellschaft. Global Rule of Law, Global Constitutionalism und Weltstaatlichkeit", en: M. ALBERT/R. STICHWEH (Eds.), *Weltstaat und Weltstaatlichkeit*, Verlag für Sozialwissenschaften, Wiesbaden, 2007, pp. 77 y ss.; y SCHIERA, P./CLAVERO, B., *Del poder legal a los poderes globales. Legitimidad y medida en política*, Fundación Coloquio jurídico Europeo, Madrid, 2013.

[98]   Los autores vinculados al proyecto del GAL han intentado relegar de algún modo el debate fundamental que supone enfrentarse al déficit democrático de la globalización, utilizando principalmente el discurso de la gobernanza. Más recientemente han decidido abordar este problema desde la propuesta habermasiana de aplicar los principios de la democracia deliberativa a la globalización. Véase KINGSBURY, B./DONALDSON, M./VALLEJO, R., "El Derecho Administrativo Global y la democracia deliberativa", en KINGSBURY, B./STEWART, R. B., *Hacia el Derecho Administrativo Global...*, *op. cit.*, pp. 687 y ss. Estas opciones han sido debidamente analizadas y desarrolladas desde ópticas diversas, principalmente desde el denominado constitucionalismo internacional o cosmopolita. Para una visión general del tema véase: OBRA-

Desde una perspectiva estructural, el Derecho Administrativo Global no conoce de la separación de poderes ni de la noción de interés general. El poder de los nuevos reguladores globales, exacerbado por una sectorialización sin apenas contrapesos, ofrece un panorama normativo con reminiscencias propias del medievo[99]. No debe extrañar, pues, que la doctrina iuspublicista se afane en postular una extensión de los principios propios del Estado de Derecho a las estructuras que operan en la esfera global, en un loable empeño de "domesticar la globalización"[100]. En este contexto, no debe tampoco sorprender que se compare el ejercicio intelectual de los administrativistas comprometidos con el desarrollo del Derecho Administrativo Global con el de los grandes "padres fundadores del Derecho Público" del siglo XIX[101].

La entrada en escena del Derecho Administrativo global como disciplina constituiría así un intento de los profesores de Derecho Público de convertir en realidad a través del lenguaje un proyecto de la globalización que integre los principios y los valores que han formado parte de su acervo conceptual. Desde una visión optimista de la convergencia de derechos[102], se considera que la intensificación del diálogo entre culturas y ordenamientos jurídico-administrativos diversos conduce necesariamente a una suerte de armonización o universalización de sus principios y valores y hacia la formación de un derecho común, cuya alma serían los derechos fundamentales[103].

Frente a esta esperanzadora propuesta, no puede desconocerse la notable preminencia de la cultura jurídica y de la doctrina anglosajona en la formación del Derecho Administrativo Global. Una preeminencia que explica, entre otros sesgos, la centralidad de la noción de regulación en la identificación de las administraciones globales, la importancia que se otorga a la aplicación de los princi-

---

CAJ, J., "La despolitización de la legitimación-Democracia entre sustitución y deliberación", en DARNACULLETA GARDELLA, M.M./ESTEVE PARDO, J./SPIECKER GEN. DÖHMANN, I. (Coords.), *Estrategias del Derecho ante la incertidumbre y la globalización, op. cit.*, pp. 331-351.

[99] Esta idea de "medievalización" o "neofeudalización" de las estructures jurídicas y sociales en la globalización ha tenido una enorme difusión, y ha sido recogida, entre otros, por: FARIA, J. E., *El Derecho en la Economía Globalizada*, Trotta, Madrid, 2011, p 264-265.

[100] Véase BARNES, J., "Nota introductoria del editor: el Derecho Administrativo Global y el Derecho Administrativo nacional. Dos dimensiones científicas hoy inseparables", en KINGSBURY, B./STEWART, R. B., *Hacia el Derecho Administrativo Global..., op. cit.*, p. 32.

[101] CASSESE, S., "Is There a Global Administrative Law?", en VON BOGDANDY, A./WOLFRUM, R./VON BERNSTOFF, J./DANN, P./GOLDMANN, M. (Eds.), *The Exercise of Public Authority by International Institutions*, Springer, Heidelberg, 2010, p. 761.

[102] Tomo la expresión de AUBY, B., *La Globalización, el Derecho y el Estado, op. cit.*, p. 63.

[103] En esta posición se sitúan, sin duda, entre muchos otros, RODRÍGUEZ-ARANA MUÑOZ, J., "El derecho administrativo global...", *op. cit.*, p. 18 y ss.; y MEILÁN GIL, J. L., *Una aproximación al derecho administrativo global, op. cit.*

pios derivados de la *accountability* y, en general, la sustitución de los principios tradicionales del Estado de Derecho, propios de la cultura jurídica continental europea, por principios propios de la *rule of law*. Aunque, por descontado, no se trata de enfrentar discursos procedentes de culturas jurídicas diversas, sino de buscar puntos de conexión entre ellos, me temo que comparto una visión más bien pesimista de la convergencia de derechos. En el estadio actual de su evolución, tanto el Derecho Administrativo Global como ordenamiento, como la comunidad científica creada en torno al mismo, están sufriendo un indiscutible proceso de americanización[104].

La influencia del discurso angloamericano en la formación del Derecho Administrativo Global ha conducido a que, sin renunciar formalmente al iuspositivismo, se utilice el término Derecho para incluir lo que no es Derecho —*soft law*—, se sustituya la democracia por la *governance*, y se acepte que los principios de la *rule of law* se adaptan mejor que los principios del Estado de Derecho a un Derecho que, por descontado, opera al margen del Estado. Con estas herramientas se ha articulado una indispensable e ilusionante propuesta de limitar y controlar el creciente poder de los nuevos reguladores globales. Y, aunque creo sinceramente que "solo la contingencia de que ello ocurra merece el esfuerzo"[105], no puedo dejar de señalar el desasosiego que me produce que un discurso excesivamente optimista y con desmesuradas pretensiones dogmáticas pueda acabar contribuyendo a la legitimación del poder que se intenta domesticar. Desde el Derecho Público es mucho lo que se puede aportar al Derecho Global, pero es imprescindible hacerlo desde unas bases conceptuales y metodológicas sólidas y rigurosas, no vaya a ser que, como el aprendiz de brujo, acabemos invocando los peligros que pretendemos conjurar.

---

[104]   Sobre la extensión de esta tendencia en el ámbito del Derecho penal véase: NIETO MARTÍN, A., "¿Americanización o europeización del Derecho penal económico?", en DELMAS-MARTY, M./PIETH, M./SIEBER, U. (Dirs.), *Los caminos de la armonización penal*, Tirant Lo Blanch, Valencia, 2009, pp. 419-459.
[105]   DARNACULLETA GARDELLA, M.M., "El Derecho Administrativo Global…", *op. cit.*, p. 49.

Capítulo 3
DEL DERECHO INTERNACIONAL PÚBLICO AL DERECHO GLOBAL

Martín Ortega Carcelén
Profesor Titular de Derecho Internacional público y Relaciones Internacionales
Universidad Complutense de Madrid

El surgimiento del Derecho Global es un parto lento y con dolor. Desde 1990 estamos asistiendo a la aparición de un nuevo orden normativo mundial, distinto a los anteriores, pero este nacimiento da lugar a resistencias y no podemos conocer todavía la configuración última de este Derecho Global. Con la suficiente perspectiva, pueden distinguirse tres fases históricas en la regulación del orden mundial. El Derecho Internacional clásico cristalizado en la Paz de Westphalia se basaba en el consentimiento de unos cuantos estados avanzados, mientras el resto del mundo quedaba sometido, lo que justificó la expansión colonial europea hasta el siglo XX. En una segunda etapa, el Derecho de Naciones Unidas, surgido en 1945 en la Carta de San Francisco, se superpuso al anterior y se desarrolló con dificultades durante la Guerra Fría, consiguiendo al menos la descolonización y la generalización de una conciencia sobre los derechos humanos. En efecto, la necesidad del respeto de estos derechos se reafirmó en el mundo Occidental, y penetró tanto en el tercer mundo como en los países comunistas de manera incontenible en los años 1980. La tercera etapa se inicia tras la caída del Muro de Berlín con un consenso global sobre principios y valores internacionales a lo largo de los años 1990, y se ha afianzado con el enérgico proceso de globalización vivido en nuestro siglo. El nuevo Derecho Global persigue objetivos comunes, ha multiplicado sus campos de actuación, el volumen y la calidad de sus normas, y se ha enriquecido con un rico entramado institucional. Puede detectarse también el inicio de una constitución global en sentido material, aceptada explícita o implícitamente por la gran mayoría de los actores internacionales, que fundamenta este nuevo Derecho. A pesar de tales avances, los estados siguen siendo los principales sujetos políticos y jurídicos del orden internacional, y se observa una tensión permanente entre la regulación jurídica internacional por un lado, y los estados, por otro, que practican el juego ambiguo de reconocer la necesidad de un orden normativo común en beneficio de todos y al mismo tiempo rechazan ese orden cuando no les conviene.

I. NACIMIENTO DEL DERECHO GLOBAL

La aparición de un nuevo Derecho Global merece algunos comentarios preliminares. En primer lugar, el orden normativo global se asienta en una estructura internacional débil, ya que los avances institucionales que podrían dar lugar a un Derecho Global más eficaz son muy tímidos todavía. Muchos de los problemas y desafíos de los ciudadanos se sitúan hoy en el plano internacional, como la seguridad y la paz, el libre comercio, las migraciones y movimientos de personas por razones de trabajo, estudio o turismo, la protección del medio ambiente, el aprovisionamiento de energía, la estabilidad financiera, la lucha contra la gran delincuencia, o el uso de los espacios comunes, incluyendo los espacios aéreo y ultraterrestre. Mientras, la política y el Derecho se siguen produciendo en la unidad básica de legitimidad política y jurídica, que sigue siendo el estado. Los sistemas democráticos se dedican a elegir gobiernos y parlamentos para tomar decisiones sobre el territorio y los ciudadanos de ese país durante un espacio corto de tiempo (una legislatura), mientras la mayor parte de los problemas reales de los ciudadanos son globales y deben abordarse en el largo plazo. Lo que está ocurriendo, por tanto, refleja una fuerte inadaptación de la institución del estado y del Derecho estatal para perseguir de manera plena los objetivos de los ciudadanos. Los sistemas políticos y jurídicos de los estados democráticos, conseguidos con gran esfuerzo tras siglos de debate y de lucha dentro, deben adaptarse ahora a las nuevas circunstancias de la globalización, sin tiempo real para hacerlo. Todavía no hemos sabido generar un sistema institucional y jurídico internacional alternativo, o que actúe como complemento y en sinergia con los estados. En Europa, hemos hecho el intento más serio para complementar a los estados con instituciones y normas supraestatales, pero sin llegar a un verdadero equilibrio, puesto que los estados mantienen una posición predominante. El fracaso del Tratado constitucional en 2005 demostró el techo de los desarrollos institucionales. Con todo, en la Unión Europea, el enfoque comunitario ha avanzado mucho hasta el Tratado de Lisboa, y después las normas de control financiero se han reforzado para responder a la crisis, pero el enfoque intergubernamental sigue siendo prioritario.

La segunda observación preliminar se refiere a la lentitud y a las dudas generadas por la aparición del Derecho Global. Este nacimiento no se produce tras una gran conmoción (como la Segunda Guerra Mundial), ni a partir de una conferencia constituyente global. Es un proceso gradual, lo que le hace tener perfiles imprecisos. La clave de este proceso es un consenso básico a partir de 1990 sobre los principios programáticos que podemos llamar constitucionales en sentido material, y sobre grandes normas. Pero el desarrollo de esos principios da lugar a avances y retrocesos, en un camino sembrado de dudas. Se producen muchas contradicciones entre los deseos expresados y las proclamaciones de los estados, por una parte, y la realidad del difícil avance de las normas y su cumplimiento, muchas veces entorpecidos por los propios estados. En este juego de pasos adelante y atrás, el liderazgo y la visión histórica son esenciales, como se observó por ejemplo en el ámbito europeo con el grupo de líderes (Delors, González, Kohl, Mitterrand) que allanaron el camino hacia la Unión, o también en las decisiones de los sucesivos presidentes de Estados Unidos, favorables o remisos a reforzar el orden mundial. Además del liderazgo, una percepción aguda de riesgo produce un alineamiento rápido y una disposición a hacer progresar las normas y su respeto. Así, el ataque a Kuwait de Saddam Hussein condujo a una rápida reacción colectiva del Consejo de Seguridad en 1991 y a iniciativas internacionales muy relevantes. Tras los ataques terroristas del 11 de septiembre de 2001 y otros posteriores, las medidas internacionales para atajar esta lacra avanzaron rápidamente. O el miedo a un colapso financiero provocó la creación instantánea del G-20 en noviembre de 2008 en Washington y la adopción urgente de una serie de actuaciones. Al contrario, un liderazgo miope o nacionalista, y la percepción de que puede continuarse el *"business as usual"* hace que los estados arrastren los pies a la hora de reforzar el Derecho Global.

Un tercer comentario previo se refiere a los diversos grados de progreso del orden jurídico mundial dependiendo de las regiones. Existe un orden normativo global común para todos y, además, en cada región existen instituciones y normas jurídicas propias, que tienen riqueza y obligatoriedad diferentes. Sin duda, el ámbito europeo es el más desarrollado, con la Unión Europea como la institución de referencia (y laboratorio) del Derecho Global. Dentro de este ámbito regional estamos habituados a concebir la creación normativa en diversos niveles, aunque haya resistencias a este esquema, como se vio en Reino Unido con el Brexit y en otros socios. Para los países que formamos parte de la Unión, la idea de un Derecho Global pasa forzosamente por el nivel intermedio del Derecho comunitario, que debemos respetar. Para los países terceros, la existencia de este Derecho también es una realidad porque, al tratar con los europeos, deben tenerlo en cuenta. Además, la experiencia europea tiene el valor de potente modelo o inspiración para otras regiones del mundo, y esto sigue siendo así a pesar del Brexit. Los avances hacia la integración y para el reforzamiento del derecho en otras regiones son más complicados, como muestra por ejemplo la situación en Oriente Medio y en el norte de África. La región con mayor grado de respeto de derechos humanos y libertades del mundo, Europa, es vecina de dos regiones fragmentadas al este y al sur, donde la existencia del Estado de Derecho es precaria. El progreso del Derecho Global requeriría una aplicación más homogénea de sus principios fundamentales en todas las regiones del mundo.

II. LAS CINCO TRANSFORMACIONES
DEL DERECHO GLOBAL

Los cambios más espectaculares que han transformado el Derecho Internacional en Derecho Global desde 1990 se han verificado en los siguientes cinco aspectos: principios constitucionales, sujetos, creación del derecho, su aplicación, y la expansión de los campos de regulación. El Derecho de Naciones Unidas estaba presidido por los propósitos y principios contenidos en los artículos 1 y 2 de la Carta de 1945, que se desarrollaron luego en la Declaración sobre los Principios de 1970, como la prohibición de la guerra, la solución pacífica de las controversias o la cooperación internacional. Pero estas normas programáticas no pudieron operar realmente debido al enfrentamiento entre las dos superpotencias. El fin de la Guerra Fría permitió una lenta puesta en marcha de aquellos principios de la Carta, su reformulación y ampliación, añadiendo el respeto a los derechos humanos, al tiempo que instituciones internacionales clave, antes inoperantes, como el Consejo de Seguridad, comenzaron a funcionar. La década de 1990 vio la expansión de otros principios, entre ellos el mantenimiento de la paz, la democracia, la protección del medio ambiente y el libre comercio surgiendo con fuerza. Un documento muy relevante en este sentido fue la Declaración del Milenio (A/RES/55/2) del año 2000, que marcó el cambio de época por lo que se refiere a la base ideológica del orden mundial. Evidentemente, no se dio una reforma textual de la Carta pero, a diferencia de la Declaración sobre los Principios de 1970, que desarrollaba el texto de San Francisco, la del milenio la suplementa en el sentido de que introduce valores y principios novedosos, ausentes en la Carta, como el libre comercio, el respeto del medio ambiente, o la democracia.

A lo largo del siglo XXI, el nuevo sustrato axiomático del Derecho Internacional es auténticamente global, ya que las potencias emergentes no han cuestionado un consenso ideológico mundial, sino que lo han reforzado. Por ejemplo, aunque China no es adalid de los valores de la democracia y los derechos humanos, mantiene un perfil bajo en este sentido, y en cambio enfatiza su apoyo al libre comercio, el mantenimiento de la paz, la solución pacífica de las controversias y participa activamente en las instituciones internacionales. No puede decirse que China u otras potencias emergentes hayan presentado una alternativa ideológica al conjunto de principios internacionales dominante en este siglo, por lo que se observa una convergencia histórica por lo que se refiere a principios y valores globales, lejos del cisma de la Guerra Fría.

La consolidación de principios globales ha supuesto una paulatina reducción del alcance de la soberanía estatal y la no intervención en asuntos internos, por la vis expansiva de principios como los derechos humanos, la prohibición del uso de la fuerza armada y el mantenimiento de la paz, pero también por la necesidad de una regulación internacional en diversas áreas, como la lucha contra los abusos financieros, el crimen organizado y el terrorismo. La soberanía y la no intervención en los asuntos internos de los estados se han visto mermadas por la acción institucional centralizada. La intromisión del Consejo de Seguridad dentro de los asuntos internos ha seguido aumentando desde los años 1990 sobre la base de una creciente lista de cuestiones que el Consejo entiende ponen en peligro la paz y la seguridad (lo que le da derecho a tomar medidas obligatorias según el capítulo VII de la Carta), desde violaciones de derechos humanos al apoyo al terrorismo, a intentos de proliferación nuclear. Una prueba de la nueva implicación fue resolución 1973 de 17 de marzo de 2011 que permitió una actuación colectiva en la guerra civil de Libia. Esta aplicación extrema del sistema de seguridad colectiva del capítulo VII fue sin duda muy atrevida, y tampoco sirvió para garantizar un país estable después. Ahora bien, es preferible en teoría una intervención colectiva para detener una guerra civil, antes que permitir que los conflictos internos se enquisten y degeneren, como ocurrió en Siria, donde se han dado también intervenciones exteriores pero menos confesables que la colectiva.

Si pasamos del área de los principios a la de los sujetos, los últimos treinta años han visto una proliferación de organizaciones y foros internacionales que se han superpuesto a los estados, pero también la aparición de otros sujetos no estatales que son relevantes para la creación del Derecho. La Unión Europea se instituyó en 1992 y fue adquiriendo numerosas competencias (una moneda común y un Banco Central para muchos de sus miembros), al mismo tiempo que se expandía. El Consejo de Seguridad autorizó numerosas operaciones de paz, acciones coercitivas, sanciones y medidas obligatorias de todo tipo según el capítulo VII de la Carta, y la OTAN se adaptó a las nuevas circunstancias. En la década de 1990 también se crearon la Organización Mundial del Comercio, la OSCE, y organizaciones de libre comercio o de asociación regional en varios continentes, a las que hay que añadir numerosos foros, diálogos y grupos de carácter informal aparecidos desde entonces. Un cambio institucional muy notable ocurrió en noviembre de 2008 con la creación súbita del G-20. Hasta ese momento las instituciones económicas y financieras estaban en proceso de reforma permanente. Desde la aparición del G-20, todas ellas se supeditaron de facto a este organismo, informal en su diseño pero con una incuestionable misión global.

Otro cambio espectacular referido a los sujetos ha sido el surgimiento de una panoplia de nuevos actores con relevancia jurídica internacional que se sitúan fueran del control de los estados. Es obvio que estos nuevos sujetos no tienen la misma naturaleza que los estados o las organizaciones internacionales, porque la heterogeneidad es inherente a la subjetividad internacional. A pesar de esa diferencia, debe aceptarse la relevancia jurídica de todos ellos y su contribución al proceso de generación normativa. Así, las Organizaciones No Gubernamentales

dialogan sobre muchos asuntos con los estados y las organizaciones internacionales y han adquirido una gran influencia en la creación y la aplicación del Derecho
Global. En concreto, las ONG se han establecido como necesarios vigilantes de
los derechos humanos, del respeto del medio ambiente, o de la lucha contra la
corrupción. Las Empresas Multinacionales son otro tipo de sujetos con enorme
influencia, obligadas a respetar no solo los derechos nacionales de los diversos
estados donde hacen sus negocios sino también las normas del Derecho Internacional. Por último, los individuos participan directamente en cuestiones jurídicas
internacionales, y no solo en el plano europeo. La historia de Julian Assange, por
ejemplo, es un verdadero caso de Derecho Internacional público. Enfrentadas
al Derecho Global, las organizaciones criminales pueden considerarse también
sujetos internacionales desde el momento en que las normas jurídicas globales
las persiguen y les imponen obligaciones y sanciones. El Consejo de Seguridad ha
dictado resoluciones específicas para condenar a Al Qaeda y sus miembros (1267
y 1989), al ISIS y a fuerzas terroristas (2178), y ha autorizado costosas operaciones militares para luchar contra la piratería (por ejemplo, misión Atalanta en el
Océano Índico, resoluciones 1814, 1816 y 1838), un fenómeno delictivo internacional que no puede ser identificado con ningún estado.

En el ámbito de la creación del Derecho Global, el cambio más relevante de
las últimas décadas es la aparición de nuevos modos de creación de normas jurídicas internacionales. La lista tradicional de las fuentes contenida en el artículo
38 del Estatuto de la Corte Internacional de Justicia se basaba en la voluntad
de los estados, y ya no sirve para explicar cómo se crea gran parte del Derecho
Global. En aquella lista no estaban los actos normativos de las organizaciones
internacionales, por ejemplo. Una proporción creciente de las normas jurídicas
internacionales se genera hoy a través de esos actos normativos de instituciones
internacionales, sean regionales o globales. En dichas instituciones, la voluntad
estatal no recae directamente sobre cada norma concreta, sino que actúa solo al
comienzo del proceso: la delegación de la capacidad normativa a la organización
que los estados hacen a través de su tratado constitutivo. Así, dentro de la Unión
Europea, los estados miembros ratifican los tratados, pero su participación en la
producción de normas específicas se diluye en un entramado donde no solo participa el Consejo (esos mismos estados se sientan en este órgano) sino también la
Comisión y el Parlamento. En el ámbito global, el Consejo de Seguridad produce
resoluciones que contienen normas vinculantes para los estados y otros sujetos,
al decidir usos de la fuerza militar, delimitación de fronteras, operaciones de paz,
cambios legislativos obligatorios en los estados, o sanciones económicas hacia
países o *ad personam*, todo ello con independencia de qué estados se sienten como miembros permanentes o rotatorios entre los quince del Consejo.

El Consejo de Seguridad produce resoluciones con consecuencias institucionales (827 y 955, que instituyeron tribunales para la ex Yugoslavia y para Ruanda); otras resoluciones con contenido cuasi-judicial (cuando sanciona *eo nomine* a personas o empresas dentro de países por apoyar el terrorismo o la proliferación); también resoluciones de naturaleza cuasi-legislativa (entre las más recientes: 2055 sobre armas de destrucción masiva, 2068 sobre los niños en conflictos armados, 2083 sobre terrorismo). A veces, las disposiciones cuasi-legislativas internacionales que dicta el Consejo de Seguridad son muy detalladas, y le convierten en un verdadero legislador global, como en la resolución 2178 de 2014, que obligó a los estados a introducir medidas legislativas para ampliar la lucha contra el terrorismo internacional. A través de la Ley Organica 2/2015 de 30 de marzo, España modificó hasta 12 artículos de su Código Penal para adaptarlos a la resolución 2178. La capacidad normativa global del Consejo de Seguridad, contenida en la Carta pero inoperante hasta 1990, se verifica sin tener en cuenta lo que establecen sus constituciones sobre la recepción del Derecho Internacional.

Además, ha surgido otro método de creación normativa en Derecho Global que se sitúa al margen del sistema de fuentes tradicional. Se trata de la capacidad normativa en materias técnicas de instituciones o redes internacionales que pueden estar creadas por tratados entre estados, o que pueden ser originadas de manera privada. A falta de un poder legislativo mundial, esta capacidad normativa es muy notable y complementa a las fuentes tradicionales del Derecho Internacional. En el siglo XX comenzó a hablarse del *soft law* o derecho blando, como la acumulación de resoluciones de organizaciones internacionales meramente recomendatorias, que daban lugar a una cierta expectativa de cumplimiento. En el momento presente, podría hablarse de este *soft law* ampliado a otros supuestos, y también de *soft sources*, o fuentes blandas del Derecho Global, para mencionar una capacidad normativa intermedia, que viene justificada por la complejidad y la riqueza de las cuestiones que deben ser reguladas.

La capacidad normativa intermedia de estas *soft sources* puede provenir, en primer lugar, de tratados internacionales, y en estos casos, la voluntad de los estados se sitúa en el origen remoto de estas normas, aunque se produzcan sin intervención o control estatal real. Un buen ejemplo son los llamados regímenes internacionales creados por tratados multilaterales, que asignan decisiones normativas fundamentales a órganos independientes. Hay diversos ejemplos. El sistema de solución de diferencias de la OMC produce decisiones vinculantes para los agentes económicos privados. La Convención sobre el Comercio Internacional de Especies Amenazadas (CITES en inglés) de 1973 prohíbe la comercialización de productos de especies en peligro de extinción, y la introducción en la lista de especies protegidas se decide teniendo en cuenta la catalogación de la Unión Internacional para la Conservación de la Naturaleza (UICN), donde participan redes de científicos. En otras ocasiones, la creación de normas con valor jurídico proviene de asociaciones e instituciones privadas, lo que acentúa el carácter atípico de estas *soft sources*, y plantea problemas de coherencia jurídica y legitimidad en el Derecho Global. La profesora Mercè Darnaculleta ha sido pionera en la detección de estos esquemas de producción normativa internacional que se basan en la autorregulación puesto que, a la hora de definir estándares, el legislador europeo o estatal utiliza los trabajos de tales asociaciones, como ha sido el caso en la regulación de la normalización contable[1]. La ventaja de este tipo de mecanismo de génesis normativa es que utiliza el "conocimiento experto que se encuentra extramuros del estado"; el inconveniente es que los poderes estatales ceden dicha parcela de creación normativa.

Por lo que se refiere a la aplicación del Derecho Global, el progreso más destacado es la aparición de mecanismos centralizados en los niveles regional y global, y en los campos judicial y ejecutivo, ocurrido en paralelo a la centralización en la creación de ese derecho. Hoy actúan órganos jurisdiccionales internacionales de los más diversos tipos, y esto no había ocurrido en ningún otro momento de la historia. Existe una Corte Penal Internacional (además de las específicas para ciertos conflictos) que ha comenzado a juzgar incluso a antiguos gobernantes por crímenes internacionales, según un principio de complementariedad con las jurisdicciones estatales. La Corte Internacional de Justicia recibe más casos que nunca y puede actuar en salas, un formato más cercano a los estados, y el arbitraje internacional también se encuentra en auge. Existe un Tribunal internacional del Mar con sede en Hamburgo para tratar litigios en este campo. El Tribunal Europeo de Derechos Humanos y la Corte Interamericana de Derechos Humanos llevan a cabo una actividad desbordante.

La aplicación de naturaleza ejecutiva del Derecho Global también conoce un momento de expansión, inspirado por las muchas medidas adoptadas por el Consejo de Seguridad. La aplicación centralizada ejecutiva de normas jurídicas internacionales estaba ausente en el Derecho Internacional anterior, mientras que hoy es moneda corriente, en campos como la persecución del terrorismo, o la lucha contra la proliferación de armas de destrucción masiva. Algunas resoluciones del Consejo de Seguridad tienen un contenido muy detallado y exigen todo un conjunto de medidas para su aplicación. Los Comités del Consejo controlan

---

[1]   Véanse entre otros trabajos, M. Mercè DARNACULLETA GARDELLA, 'La autorregulación regulada en la doctrina anglosajona y continental-europea', en Arroyo Jiménez & A. Nieto Martín (Dirs.), *Autorregulación y sanciones*, Thomson Reuters Aranzadi, Pamplona, 2015; y M. Mercè DARNACULLETA GARDELLA & M. Amparo SALVADOR ARMENDARIZ, 'Nuevas fórmulas de génesis y ejecución normativa en la globalización: el caso de la regulación de la actividad financiera', en *Revista de Administración Pública*, número 183, 2010.

su respeto por parte de los estados. En 2006 por ejemplo el Comité contra el Terrorismo de Naciones Unidas aprobó una guía técnica para el cumplimiento de la resolución 1373 (2001) párrafo por párrafo, y acordó el envío a los estados de un amplio cuestionario de evaluación del cumplimiento. Por otra parte, en algunas instituciones se han reforzado mecanismos de denuncia pública que no son exactamente una aplicación centralizada, pero equivalen a una declaración de incumplimiento que puede tener consecuencias. Por ejemplo, el Consejo de Derechos Humanos vota sobre una serie de informes que evalúan el respeto de los derechos humanos en casos concretos. En 2009, este Consejo aprobó por mayoría el Informe Goldstone sobre violaciones del Derecho Humanitario por parte de Israel y de Hamás en el conflicto de Gaza comenzado en diciembre de 2008.

Obviamente, no puede afirmarse que la suma de las aplicaciones centralizadas del Derecho Global en los campos jurisdiccional y ejecutivo, y en los ámbitos regional y mundial, produzca un resultado totalmente satisfactorio, porque muchas violaciones conocidas siguen sin contrarrestarse, como los crímenes de guerra en las guerras civiles. En cambio, puede afirmarse que la nueva aplicación centralizada es mejor que el sistema que teníamos antes. La aplicación del Derecho Internacional en el planteamiento clásico descansaba exclusivamente sobre la voluntad de los estados, y esta idea era particularmente frustrante. Ahora, la incipiente aplicación centralizada pone en cuarentena la voluntad estatal, al menos para ciertos casos de violaciones graves, en beneficio del orden jurídico internacional.

Por otra parte, la aplicación descentralizada del Derecho Global, es decir, a cargo de los estados, ha mejorado también con respecto a la etapa anterior a 1990. Los estados contribuyen hoy en mayor medida a la aplicación de normas y decisiones internacionales a través de sus sistemas jurídicos estatales. Se ha generalizado así el esquema iniciado en los Convenios de Ginebra de 1949, que obligaban a los estados a introducir en sus códigos penales tipos delictivos como los crímenes de guerra (artículos 49 y 50 del primer Convenio, y 50 y 51 del segundo). Hoy los sistemas estatales vienen obligados a incorporar normas jurídicas internacionales en los más diversos campos, de manera que los estados se convierten en piezas clave en la aplicación del Derecho Global, y esto ocurre con independencia de la naturaleza de su sistema constitucional o del grado de preparación de su sistema jurídico. Las resoluciones del Consejo de Seguridad sobre la persecución de crímenes de terrorismo son obligatorias para todos desde su aprobación en la sede Naciones Unidas, y los estados deben introducir en sus ordenamientos los cambios requeridos. Ya hemos citado el caso de la resolución 2178 y la Ley Orgánica 2/2015.

Aparte de las medidas obligatorias del Consejo de Seguridad, dentro de la Unión Europea se produce la simbiosis más clara entre la aplicación de normas de origen internacional y las normas estatales. En el ámbito europeo estamos habituados a aceptar el efecto inmediato y la primacía del Derecho de la Unión Europea, que se integra de manera natural con nuestro derecho del estado. En un estudio de referencia sobre este punto, Adán Nieto ha explicado la influencia del Derecho originado en la Unión en la evolución de tipos delictivos como el crimen medioambiental. Igualmente, ha subrayado la importancia de la cooperación judicial europea en materia penal (artículo 82 del Tratado de Funcionamiento de la UE), y de la capacidad de la Unión para establecer "normas mínimas relativas a la definición de las infracciones penales y de las sanciones en ámbitos delictivos que sean de especial gravedad y tengan una dimensión transfronteriza" (artículo 83 del TFUE). Este enfoque obliga, en palabras de Adán Nieto, a pasar de una concepción del Derecho como una pirámide a concebirlo como una estructura más rica funcionando en red, en la cual los diversos ordenamientos estatales actúan coordinados con el ordenamiento europeo[2].

El Derecho Penal es un campo muy destacado donde las normas globales y europeas han impactado en la normogénesis estatal. Pero además existen normas globales y europeas que deben ser aplicadas por los estados en muchos otros campos, como la seguridad de la aviación civil, el transporte de sustancias peligrosas, el uso civil de la energía atómica, la pesca en el mar, o la lucha contra el blanqueo de dinero y los paraísos fiscales. Otra novedad importante en la aplicación descentralizada del Derecho Global es la aplicación directa de normas internacionales referida a sujetos no estatales que actúan en una dimensión global, como las Empresas Multinacionales. Así, en ciertos casos se ha requerido el cumplimiento de normas generales de Derecho Internacional, como la prohibición del uso de la fuerza armada o el respeto de los derechos humanos, que en principio están destinadas a los estados, por parte de las empresas, en contextos donde han actuado en connivencia con regímenes corruptos o fuerzas paramilitares, por ejemplo, en el caso Saro Wiwa en Nigeria o con respecto a las FARC en Colombia[3]. En fin, por lo que refiere a las compañías multinacionales, hay que destacar también la aplicación voluntaria del Derecho Global, incluso del soft law, de principios generales y de expectativas de cumplimiento, a través de iniciativas y redes privadas muy activas: Global Compact de Naciones Unidas, Iniciativa de Transparencia de la Industria Extractiva (EITI en inglés), Global Reporting Initiative sobre el respeto de ciertos estándares del medio ambiente, Proceso de Kimberley para evitar la producción de "diamantes de sangre", etc. En estas asociaciones, las Empresas Multinacionales tienen en cuenta la necesidad de demostrar ante clientes

---

[2]   Adán NIETO MARTIN, 'Derecho Penal y Constitución en la era del *global law*', en *Revista de Derecho Penal y Criminología*, 2014, número 1.

[3]   Olga MARTIN-ORTEGA, *Empresas Multinacionales y derechos humanos en Derecho Internacional*, Bosch, Barcelona, 2008.

e inversores su responsabilidad corporativa en materias laborales, ambientales, de derechos humanos o de seguridad. De nuevo, todos estos avances no evitan incumplimientos groseros del Derecho Global que la transparencia y la prensa ayudan a denunciar.

Por último, el nuevo Derecho Global se caracteriza por una extraordinaria ampliación de los ámbitos de regulación, que se han expandido al hilo del proceso de globalización. El Derecho Internacional se ocupaba de una lista reducida de cuestiones tradicionales (tratados, relaciones diplomáticas, derecho del mar), mientras que en las últimas tres décadas el Derecho Global ha ido penetrando en los campos más diversos, acompañando las necesidades de una creciente interdependencia. Nuevos campos como el comercio (el salto del GATT a una OMC cuasi global fue crucial), las telecomunicaciones, la cooperación técnica en muy distintos sectores, las necesidades de la seguridad ciudadana, el aumento de los intercambios humanos, desde las migraciones a los negocios al turismo, o la ayuda al desarrollo por parte de diversos actores, han requerido nuevas normas internacionales, y el establecimiento de numerosas instituciones y canales de cooperación. En los campos económico y financiero, la aparición del G-20 puso en primer plano la necesidad de una regulación global de estas cuestiones ante un riesgo sistémico, sin perjuicio de que las reglas no sean suficientes en este sector.

Las normas internacionales sobre los espacios terrestre, marítimo, aéreo y ultraterrestre se han reforzado también en la etapa del Derecho Global. La regulación del uso de satélites para posicionamiento, observación y comunicaciones es un buen ejemplo de expansión de campos normativos. La preocupación por el medio ambiente, otro sector novedoso del Derecho Global, ha dado lugar a un principio fundamental reconocido por todos. Sin embargo, aquí el derecho va perdiendo la partida. La actividad humana y la sobre-explotación de recursos están dando lugar a un deterioro irreparable del planeta, mientras que no existen desarrollos normativos que puedan ponerle freno. El consumo de recursos fósiles se sigue realizando a escala global sin ninguna intervención moderadora de la comunidad internacional. La Conferencia de París de 2015 sobre el cambio climático y su secuela de Marrakech fueron demostraciones retóricas que no estuvieron acompañadas de normas eficaces. La tragedia del uso excesivo de esos recursos y su impacto negativo sobre el medio ambiente de un modo de vida consumista, tanto en los países ricos como los emergentes, es un problema que se agravará en el futuro y frente al que el Derecho Global no tiene respuesta. Quizás el siguiente reto de este derecho consista en la creación de una institución o foro global que trate de las cuestiones de la energía y el medio ambiente, como ya existen un órgano global para el mantenimiento de la paz (el Consejo de Seguridad que, no obstante, está pendiente de reforma), y como existe también un diálogo global para los asuntos económicos y financieros (el G-20, que debe ganar en operatividad).

A estos nuevos campos de regulación, hay que añadir la aparición del espacio virtual de internet, necesitado de más atención. El uso de este espacio se ha desarrollado de manera acelerada y el Derecho Global no ha tenido tiempo de introducir normas generales. Por el momento se da una auto-regulación internacional de la asignación de dominios y se asegura el mantenimiento técnico, a través de la asociación ICANN, donde se sientan estados, organizaciones internacionales y entidades privadas. Por su parte, algunos países manejan los filtros que estiman pertinentes para limitar los contenidos en internet. El problema de este espacio virtual es que se ha convertido en un soporte estratégico sobre el que nuestras sociedades se han acostumbrado a descansar, desde los bancos al transporte a las telecomunicaciones. Pero ese espacio es muy vulnerable, y los ataques provenientes del crimen organizado, del terrorismo o incluso de países con intenciones disruptivas, a través del ciber-terrorismo o la ciber-guerra, son una amenaza que el Derecho Internacional no puede ignorar.

III. LEGITIMIDAD Y CONSTITUCIÓN GLOBAL

La amplitud y la profundidad de los cambios en las cinco esferas señaladas (principios, sujetos, creación y aplicación de normas, y campos de regulación) demuestran que el Derecho Global es un nuevo ordenamiento internacional, aunque su aparición sea gradual, y a pesar de que sus contenidos sean a veces disputados. El surgimiento del Derecho Global viene acompañado de retos políticos y jurídicos muy importantes que debemos considerar. Tres de estos desafíos, que afectan directamente al Derecho Penal, pueden comentarse aquí a modo de conclusión: (1) las relaciones del Derecho Global con las constituciones de los estados, (2) la legitimidad de las normas del nuevo ordenamiento, y (3) la necesidad de un estudio académico más consecuente del nuevo fenómeno global.

Primero, hay que reconocer que existe un problema de encaje del nuevo orden jurídico global en las constituciones de los estados. En general, estas constituciones no están preparadas para integrar las transformaciones sucedidas en el orden global, y esto es particularmente visible por lo que se refiere a la génesis de normas jurídicas. Por tanto, los sistemas constitucionales utilizan mecanismos existentes para conseguir un resultado armónico sin resolver el problema de fondo. Veamos el caso de la Constitución española. Nuestra Constitución está redactada en tiempos de la Guerra Fría, y en 1978 nadie podía imaginar que el Consejo de Seguridad fuese a adoptar medidas cuasi-gubernamentales (acciones militares, operaciones de paz, sanciones), y cuasi-legislativas (definición de tipos delictivos, control de la proliferación de armas) vinculantes para los estados. La Constitución no menciona ni una sola vez las Naciones Unidas ni la Carta, un texto jurídico de mucha mayor relevancia que la Declaración Universal de Derechos Humanos citada en el artículo 10.2. El artículo 93 de la Constitución (según el cual los tratados que trasfieran competencias constitucionales a organismos internacionales deben ser aprobados previamente por Ley Orgánica) estaba previsto para la entrada en las Comunidades Europeas. La transformación del orden global, realizada a partir de 1990, que supuso la activación del Consejo de Seguridad, no fue autorizada ni por el artículo 93 ni por ningún otro mecanismo constitucional. En consecuencia, la Constitución de 1978 guarda un silencio absoluto sobre el orden jurídico global que se sobrepone a los poderes legislativo, ejecutivo y judicial descritos en ella.

Ante las medidas vinculantes del Consejo de Seguridad, que se ha convertido en un poder ejecutivo y legislativo global en aquellas materias que el Consejo decide que ponen en peligro la paz internacional, es justo decir que nuestro sistema constitucional ha integrado con naturalidad esas normas, pero lo ha hecho de manera improvisada. A veces las resoluciones obligatorias del Consejo adoptadas según el capítulo VII de la Carta han sido publicadas íntegramente en el BOE como un mero acto administrativo de la Secretaría General Técnica del Ministerio de Asuntos Exteriores (resolución 1373 de 2001 sobre medidas para combatir el terrorismo), otras veces la resolución no ha sido publicada sino que ha dado lugar a una transposición similar a la de las directivas comunitarias, a través de un acto legislativo posterior (resolución 2178 de 2014 que dio lugar a la Ley Orgánica 2/2015 de reforma del Código Penal), y en otras ocasiones las resoluciones obligatorias del Consejo de Seguridad no han sido publicadas sino que han sido tenidas en cuenta para la actividad política, legislativa y administrativa. Las resoluciones 1540 de 2004 y 1977 de 2011 sobre seguridad nuclear no fueron publicadas ni transpuestas como tales sino que dieron lugar al Plan Nacional para la completa aplicación de la resolución 1540, aprobado por el Consejo de Seguridad Nacional de España el 24 de abril de 2015, e inspiraron igualmente legislación conexa, como la Ley sobre control de comercio exterior de material de defensa (Ley 53/2007) o la relativa a la protección de instalaciones nucleares (R.D. 1086/2015). Hay que subrayar que España tuvo una participación muy destacada en el Comité 1540 del Consejo de Seguridad de Naciones Unidas (lo presidió durante su bienio como miembro electivo) y en la Iniciativa Global de Seguridad Nuclear y ha seguido un enfoque *whole of the government* que le ha llevado a una aplicación avanzada del contenido de las resoluciones[4], pero no consideró necesario publicar sus textos. Todo esto significa que el criterio para la

---

[4]   Instituto Español de Estudios Estratégicos, *Actores no estatales y proliferación de armas de destrucción masiva. La resolución 1540: una aportación española*, Ministerio de Defensa, Madrid, 2016.

incorporación de las resoluciones obligatorias del Consejo de Seguridad en nuestro ordenamiento varía según los casos, lo que no impide que estas disposiciones sean consideradas vinculantes a pesar del silencio de nuestra Constitución.

Por lo que se refiere al Derecho de la Unión Europea, la situación es más clara en lo que toca a su publicación y a su primacía. Ahora bien, el problema constitucional de la relación entre los Tratados de la Unión y nuestra Constitución sigue abierto. En dos ocasiones el Tribunal Constitucional ha debido pronunciarse sobre este asunto: en 1992 con respecto al Tratado de Maastricht, y en 2004 ante el Tratado que preveía una constitución para la Unión Europea. El artículo 95 de la Constitución establece que no puede ser reformada por tratado, guardando así el poder constituyente para la nación española, y exige una reforma previa antes de ratificar tratados que sean contrarios a la Ley Fundamental. En 1992, el Tribunal Constitucional entendió que el Tratado de Maastricht requería una escueta reforma del artículo 13.2 de la Constitución, mientras que en 2004, el mismo Tribunal interpretó que la ratificación del Tratado sobre una constitución europea no requería ningún cambio constitucional, porque bastaba la autorización previa del artículo 93. Con esto se afirmaba la preeminencia de la Constitución pero de hecho se aceptaba la entrada de todo aquel Tratado en nuestro ordenamiento, con claras consecuencias constitucionales. En 2009, el Tribunal Constitucional alemán llegó también a la conclusión de que el Tratado de Roma era compatible con la Ley Fundamental alemana, pero fue mucho más explícito a la hora de insistir sobre el hecho de que el poder constituyente seguía residiendo en la República Federal. En todo caso, como ha indicado el constitucionalista Germán Gómez Orfanel, el Tribunal Constitucional alemán ha insistido sobre la primacía de la Ley Fundamental en ese caso y en las sucesivas reformas de la Unión Europea para reforzar el control financiero y presupuestario, pero siempre ha amagado el golpe sin terminar de declarar inconstitucionalidad, aceptando así los diversos avances que venían de Bruselas[5].

Estos antecedentes muestran que los estados quieren reafirmar la posición superior de su Constitución sobre los Tratados de la Unión, pero esta proclamación es más retórica que real. La historia reciente demuestra que la Unión tiene una capacidad política y jurídica por encima de los estados, aunque no se reconozca en las constituciones nacionales. La fuerza del Derecho de la Unión Europea es enorme, y la capacidad de los acuerdos del Consejo Europeo para imponerse a los poderes del estado deja en entredicho la declaración ocasional

---

[5]   Germán GÓMEZ ORFANEL, 'La identidad constitucional alemana y los contenidos intangibles de la Ley Fundamental en relación con la Unión Europea', en A. PÉREZ MIRAS, E. RAFFIOTTA & G. TERUEL (Dirs.), *Constitución e integración europea: derechos fundamentales y sus garantías jurisdiccionales*, Dykinson, Madrid, 2017.

de la prevalencia de la Constitución. Esto se observa en las decisiones europeas sobre los presupuestos nacionales (el llamado "semestre europeo"), como bien puede atestiguarlo el Gobierno de Grecia, pero también es aplicable a los países más poderosos. En España, la reforma del artículo 135 de nuestra Constitución, adoptada por amplio consenso el 27 de septiembre de 2011, fue una prueba de esa fuerza incontenible de las decisiones de la Unión. Durante mucho tiempo (entre 1978 y 2011), la Constitución guardó silencio sobre la realidad jurídica de la Unión Europea. Al hilo de la crisis económica y financiera, esta situación cambió súbitamente con la reforma del artículo 135 de la Constitución que establece nuevas reglas para la estabilidad presupuestaria y la deuda pública de acuerdo con los criterios europeos. El nuevo artículo contiene las únicas referencias a la Unión Europea en nuestra Ley Fundamental, en concreto refiriéndose al Tratado de Funcionamiento de la UE, cuando el Tratado de la Unión, con muchos aspectos más propios de la Constitución, sigue sin mencionarse. En realidad, esta reforma fue una anticipación de España, para mostrar que teníamos una voluntad de reducir el déficit presupuestario. Pero esto fue ratificado poco después en el Tratado de Estabilidad Financiera (o Pacto Fiscal Europeo) acordado en marzo de 2012, con un contenido similar: el respeto a la "regla de oro" presupuestaria. España podría haberse obligado a los mismos criterios europeos a través de este Tratado, que fue aprobado por el artículo 93 de la Constitución (con 311 votos a favor en el Congreso), pero prefirió obligarse a sí misma a través de una reforma constitucional del artículo 167. Al final la reforma del artículo 135 no fue técnicamente necesaria, al venir España obligada por el Pacto Fiscal Europeo unos meses después. Esto demuestra que la Unión Europea y sus normas fundamentales tienen una vis normativa que penetra en nuestro ordenamiento, estén o no explícitamente recogidas en el texto constitucional.

En suma, tanto la creación normativa proveniente del Consejo de Seguridad como la que se origina en la Unión Europea penetran en nuestro ordenamiento y son jurídicamente eficaces a pesar del silencio de nuestra Constitución. En una futura reforma constitucional quizás sería deseable reconocer esta realidad jurídica global para hacer más coherente nuestro sistema constitucional con el nuevo Derecho Global.

El segundo gran desafío jurídico que presenta este derecho es la legitimidad de sus distintas evoluciones. Dentro de los estados existen pautas estrictas para verificar la legitimidad de las normas y las instituciones. En concreto, la regla de reconocimiento de las normas jurídicas está muy clara en las constituciones. En cambio, en el orden global es más complicado identificar la legitimidad política y jurídica sobre todo en una etapa de grandes cambios como esta de la globalización. Un caso de estudio por lo que se refiere a las instituciones es el G-20, pues no se creó a través de un tratado internacional sino de manera informal. Aunque los países que lo componen representan una proporción muy alta de la economía mundial, algunos ausentes y algunas voces académicas y de ONGs han criticado su papel auto-asignado de autoridad global en materia económica y financiera.

La producción normativa internacional también puede presentar cuestiones espinosas en cuanto a su legitimidad. Tradicionalmente, la legitimidad de las normas jurídicas internacionales provenía de la voluntad expresada por los estados. En algunos procesos de creación normativa en la etapa global, sin embargo, la presencia de esa voluntad no es tan evidente, e incluso a veces participan sujetos internacionales que no tienen la legitimidad típica de los estados. Esto plantea dudas sobre la recepción dentro de los sistemas jurídicos estatales de normas internacionales producidas sin atender a los procedimientos tradicionales. La falta de control, responsabilidad y *accountability* de esos mecanismos normativos ha sido analizada por los profesores Mercè Darnaculleta, José Esteve e Indra Spiecker, entre otros[6].

Una forma de resolver los problemas apuntados en las instituciones y en la creación de normas del Derecho Global es reconocer que los criterios de legitimidad son menos estrictos en el ámbito internacional que en el estatal. Observando la práctica internacional, la legitimidad no es siempre fruto de procedimientos establecidos previamente sino, más bien, proviene de la aceptación de los actores de normas e instituciones que son necesarias para sus relaciones internacionales. Podría decirse que una *legitimidad por decisión* (una voluntad previamente expresada por los estados) se ve remplazada por una *legitimidad por aceptación*, que se verifica a posteriori. Pero si esta aceptación es generalizada y refleja una efectividad, entonces deben aceptarse las instituciones, sus decisiones y las normas creadas, y atribuirles un valor jurídico. Al final ese valor es reconocido en el plano internacional y también, en su caso, en el orden interno, y esta es la prueba definitiva de su validez. Es obvio que esta forma más flexible de comprender la legitimidad resulta extraña para los parámetros estrictos que se aplican dentro de los estados, pero criterios similares a los estatales no podrían exigirse al orden internacional por la sencilla razón de que no tenemos ni legislativo ni ejecutivo globales. A falta de esos poderes centralizados, las soluciones institucionales informales y la creación normativa deben ser tratadas con más tolerancia, si son eficaces y aceptadas generalmente. Este enfoque más abierto permite una comprensión dinámica de la misma legitimidad, que es fundamental en un orden sometido a cambios acelerados.

Esta idea de la legitimidad como aceptación y eficacia conduce al punto más importante de la definición del Derecho Global. Este derecho no existe como una

---

6   M. Mercè DARNACULLETA, José ESTEVE & Indra SPIECKER (eds.), *Estrategias del derecho ante la incertidumbre y la globalización*, Marcial Pons, Madrid-Barcelona, 2015.

entelequia o como una construcción académica, sino que es un sistema normativo coherente que responde a las necesidades sentidas por la comunidad internacional. Anterior a este derecho y por encima de él hay que situar la constitución en la que se asienta, que es la clave de bóveda del orden internacional. En anteriores publicaciones, he explicado cómo el Derecho Global hace descansar su legitimidad en una constitución incipiente en sentido material aceptada por los estados y los demás sujetos internacionales[7]. Aunque no esté formulada en un único documento solemne, ni sea producto de un acto constituyente, esta constitución es la que da sentido al orden mundial del momento presente. La constitución global contiene un conjunto de principios y valores relacionados entre sí. Esta constitución incipiente, no escrita y dinámica introduce y da coherencia a los distintos principios programáticos aceptados por la comunidad internacional, desde el mantenimiento de la paz, al libre comercio, a los derechos humanos, a la protección del medio ambiente. También establece un sistema institucional por muy imperfecto que sea, y define los sujetos y sus poderes. Igualmente, define la forma de crear normas jurídicas en los planos global, regional y estatal, y regula su aplicación. Es la que establece entre otras cosas que el Consejo de Seguridad puede adoptar decisiones vinculantes para mantener la paz, que la Unión Europea produce normas obligatorias para sus estados miembros, y que los estados deben aceptar en sus ordenamientos esas normas originadas en el ámbito europeo y global. Igualmente, esta constitución introduce campos novedosos de regulación y una multiplicidad de normas válidas que superan la antigua estructura del Derecho Internacional. En particular, un contenido clave del Derecho Global es la regulación de los crímenes y delitos de alcance internacional, y de las ofensas más graves contra la humanidad, y la introducción de un sistema de cooperación internacional para perseguir estas ofensas. De esta forma, la constitución tiende a realizar los objetivos globales aceptados en cada momento, y trata de frenar las amenazas y riesgos que afectan a todos. Al ser un proceso que no ha finalizado, los perfiles de tal constitución son imprecisos y a veces sus normas no tienen la eficacia deseable, pero al menos ha producido hoy un Derecho Global que sirve para mantener una relativa paz y seguridad en vastas zonas del planeta, para garantizar los intercambios, y para fomentar la cooperación entre los diversos sujetos globales.

Una última observación debe referirse al estudio científico de esta nueva realidad del Derecho Global. El surgimiento de este sistema normativo no ha venido acompañado de una reflexión académica en consecuencia. Los profesores e investigadores tendemos a mirar la realidad con gafas de especialista, y cultiva-

---

7   Martín ORTEGA CARCELÉN, *Derecho Global*, Tecnos, Madrid, 2014.

mos una forma de pensar unitaria y homogénea (que en inglés se denominaría *groupthink*). Los trabajos científicos siguen produciéndose en compartimentos estancos y el Derecho Internacional parece todavía una disciplina separada de las otras, mientras que la realidad del mundo es bien distinta. Las grandes transformaciones vividas en los últimos años merecen un tratamiento diferente. Sería preciso que expertos con formación en materias como Derecho Penal, Derecho Constitucional, Derecho Administrativo, Economía Internacional o Relaciones Internacionales reflexionaran más frecuentemente de forma interdisciplinar junto con expertos en Derecho Internacional y Derecho Europeo para comprender la nueva realidad. Los procesos históricos actuales constituyen también un auténtico reto para la Teoría del Derecho, que ya no puede centrarse en el derecho producido dentro del estado sino que debe volver sus ojos a fenómenos globales.

Capítulo 4
EL *IUS PUNIENDI* DEL CONSEJO DE SEGURIDAD DE NACIONES UNIDAS

Diego J. Gómez Iniesta
Profesor Derecho Penal
Universidad de Castilla la Mancha

I. LA INTERNACIONALIZACIÓN DEL *IUS PUNIENDI*

En un ámbito de globalización económica y cultural la soberanía estatal va perdiendo su carácter absoluto, al igual que su manifestación más contundente, el *ius puniendi*. Esto puede comprobarse con la incorporación de los Estados a organizaciones internacionales o supranacionales, así como su relación con las mismas, que supone una notable disminución, incluso pérdida en determinados temas, de la soberanía interna, sin que ello comporte un menoscabo de la identidad, en paralelo al alargamiento de las competencias de organización.

En efecto, con la construcción del derecho penal internacional se supera la concepción del *ius puniendi*, entendido como la potestad del Estado para imponer sanciones penales por la comisión de hechos delictivos y su sometimiento a la salvaguarda y garantía de los derechos humanos, teniendo en cuenta el conjunto de materias que regula, los crímenes internacionales[1], fundamentalmente a través de los tratados y la creación de un órgano de justicia, la Corte penal internacional, que es la expresión de dicha internacionalización. Esta perspectiva se explica centrando la atención en el Estado al que le atañe el ejercicio del *ius puniendi* y solo el caso de que sea imposible la resolución interna del conflicto con sus nacionales o extranjeros a través del Derecho penal, marcaría el momento de la intervención subsidiaria de la justicia internacional.

Mucho antes, y en el entorno de Naciones Unidas, el artículo 22 de la Carta consagró el principio de soberanía, prohibiendo a los Estados que intervinieran en los asuntos internos de otros. Este principio, que fue recogido en la Carta tras la segunda guerra mundial y confirmado con posterioridad en varias resoluciones, a su vez, debe ponerse en relación con la obligación de los Estados de adoptar medidas que garanticen el respeto de los derechos humanos, según lo previsto en

---

[1]   BLANC ALTEMIR, A., *La violación de los derechos fundamentales como crimen internacional*, Bosch, Barcelona, 1990, pp. 23 y ss.

el artículo 12 de la Carta, cuando al referirse a sus propósitos dice que le corresponde "realizar la cooperación internacional en (...) el desarrollo y estímulo del respeto a los derechos humanos y a las libertades fundamentales de todos, sin hacer distinción por motivos de raza, sexo, idioma o religión", y sin olvidar tampoco el artículo 2.7 por el que "ninguna disposición de esta Carta autorizará a las Naciones Unidas a intervenir en los asuntos que son esencialmente de la jurisdicción interna de los Estados, ni obligará a los Miembros a someter dichos asuntos a procedimientos de arreglo conforme a la presente Carta; pero este principio no se opone a la aplicación de las medidas coercitivas prescritas en el Capítulo VII".

A los preceptos anteriores deben sumarse otros, como el artículo 24 de la Carta cuando afirma que "a fin de asegurar acción rápida y eficaz por parte de Naciones Unidas, sus miembros confieren al Consejo de Seguridad la responsabilidad primordial de mantener la paz y seguridad internacionales, y reconocen que el Consejo de Seguridad actúa a nombre de ellos al desempeñar las funciones que le impone aquella responsabilidad". No solo este artículo, sino también el artículo 7 establece al Consejo como uno de sus órganos principales y el artículo 39 le atribuye el mantenimiento de la paz y la seguridad, adoptando las decisiones necesarias y vinculantes cuando exista una amenaza o quiebre la paz y seguridad. Al mismo tiempo, no hay que olvidar que el principio de supremacía de la Carta y de las resoluciones del Consejo sobre los Tratados se encuentra recogido en el artículo 103: "en el caso de conflicto entre las obligaciones contraídas por los Miembros de las Naciones Unidas en virtud de la presente Carta y sus obligaciones contraídas en virtud de cualquier otro convenio internacional, prevalecerán las obligaciones impuestas por la presente Carta". Pero, además, en su art. 55 se especifica que "la Organización promoverá: (...) el respeto universal a los derechos humanos y a las libertades fundamentales de todos, sin hacer distinción por motivos de raza, sexo, idioma o religión, y la efectividad de tales derechos y libertades", esto es, viene a imponer a los Estados la adopción de medidas para lograr el respeto y cumplimiento de los derechos humanos, previendo el uso de la fuerza solo por motivos de legítima defensa, individual o colectiva, frente a la agresión (artículo 51) o bien una resolución del Consejo autorizando dicha intervención, siguiendo el proceso descrito en el capítulo VII de la Carta, por el que el Consejo de Seguridad podría determinar que ciertas situaciones internas que lesionan masivamente derechos fundamentales de las personas, constituyen una amenaza a la paz y seguridad internacionales, y, en consecuencia, recomendar o decidir "la acción que sea necesaria" para hacer cesar esa situación y así mantener o restablecer la paz y seguridad[2].

---

[2]   Vid. SCHWEIGMAN, D., *The Authority of the Security Council under Chapter VII of the UN Charter*, Kluwer Law International, La Haya, 2001, pp. 108 y ss. y 131 y ss. Vid. Capítulo XI

A la luz de estos artículos y otros, la Carta define en el Capítulo VI los poderes que se le otorgan al Consejo, como es el arreglo pacífico de las controversias, no solo en caso de amenaza contra la paz que se ha generado por un conflicto entre Estados, sino también cuando una situación interna supone una amenaza por sus repercusiones internacionales, una ruptura o un acto de agresión[3]; o en el Capítulo VII, que lleva por título "la acción en el caso de amenaza a la paz, quebrantamiento de la paz o actos de agresión". Estos preceptos, además, hay que ponerlos en relación con el artículo 11 de la Carta, que da a la Asamblea General la responsabilidad en el mantenimiento de la paz y que "podrá considerar los principios generales de la cooperación en el mantenimiento de la paz y seguridad internacionales" y podrá hacer también recomendaciones a tales principios a los miembros, o al Consejo de Seguridad, o a éste y a aquéllos, con lo que se evita cualquier forma de entorpecer la labor del Consejo, y con el párrafo 2 del mismo artículo cuando al hablar de la Asamblea General dice que podrá discutir "toda cuestión de esta naturaleza con respecto a la cual se requiera acción será referida al Consejo de Seguridad por la Asamblea General antes o después de discutirla". Por tanto, la Asamblea General no puede adoptar ninguna acción determinada, sino que, en su caso, debe transferirla al Consejo, a la manera de recomendación, teniendo en cuenta además que solo podrá hacerlas cuando lo solicite el Consejo, por lo que está cumpliendo un papel de mero espectador en el mantenimiento de la paz. En este sentido, como subraya BERMEJO GARCÍA, a través de la Resolución Unión pro paz (A/RES/377) se estableció el recurso por parte del Consejo a la Asamblea General para el examen de la situación peligrosa para la paz, así como para ocuparse de la situación cuando no sea posible garantizar la paz y seguridad, ante la falta de unanimidad del Consejo. Recalca acertadamente que esta resolución entra en contradicción con lo dispuesto en el artículo 12 de la Carta al poder ocuparse de un asunto sin la previa petición del Consejo, pero también el 11.2 del mismo cuerpo normativo, con lo que se pondría en peligro el sistema establecido, y no han faltado desde entonces pronunciamientos de la Asamblea con relación a otros conflictos[4].

---

del *Repertorio de la práctica del Consejo de Seguridad*, suplemento 1989-1992, pp. 864 y ss. (disponible en: www.un.org/es/sc/repertorie/93_95/93_95_11.pdf).

3   Por todos, LÓPEZ MARTÍN, A.G., "Embargo y bloqueo aéreo en la práctica reciente del Consejo de Seguridad: del conflcto del golfo al caso de Libia", disponible en: http://eprints.ucm.es/6995/1/SANCIONES.pdf; y, CONSIGLI, J.A., "La intervención humanitaria a la luz del derecho internacional actual", en *Anuario Argentino de Derecho Internacional*, XIII, 2004, p. 175 y ss.

4   BERMEJO GARCÍA, R., "Algunos comentarios sobre las sanciones del Consejo de Seguridad de las Naciones Unidas y la protección de los derechos humanos: luces y sombras", en *Revista*

II. LA POTESTAD SANCIONADORA DEL CONSEJO DE SEGURIDAD

La crisis del principio de soberanía aparece de manera evidente y manifiesta a través del derecho penal internacional[5], ejercido desde Núremberg, y especialmente, en 1993 y 1994, a partir de las violaciones graves y flagrantes de principios y reglas internacionales de carácter taxativo, momento en el que se tuvo la iniciativa de crear tribunales penales internacionales *ad hoc* y *ex post* para enjuiciar dichas conductas infractoras[6]. De esta manera, el Consejo de Seguridad mostraba su poder a través de dos resoluciones a la luz del capítulo VII de la Carta, para el enjuiciamiento de las violaciones del derecho internacional humanitario cometidas en la antigua Yugoslavia[7] y Ruanda[8], y que luego serían el germen para la adopción del Estatuto de Roma[9], en la construcción de una jurisdicción universal que responsabiliza individualmente por la comisión de crímenes internacionales

---

    electrónica iberoamericana, vol. 7, núm. 2, 2013 (disponible en: https://www.urjc.es/images/ceib/revista_electronica/vol_7_2013_2/REIB_07_02_Romualdo%20Bermejo.pdf).

[5]   FAGGIANI, V., "Hacia un sistema penal común: soberanía versus justicia universal", en *Anales de Derecho, Universidad de Murcia*, 1/2015, pp. 1 y ss.

[6]   Al respecto, TORRECUADRADA GARCÍA-LOZANO, S., "La expansión de las funciones del Consejo de Seguridad de Naciones Unidas: problemas y posibles soluciones", en *XII Anuario Mexicano de Derecho Internacional* (2012), pp. 365-406 (disponible en: http://biblio.juridicas.unam.mx/revista/pdf/DerechoInternacional/12/art/art11.pdf).

[7]   Resolución del Consejo de Seguridad de las Naciones Unidas 827/1993, de 25 de mayo, por la que se instituye el Tribunal Internacional para el enjuiciamiento de los presuntos responsables de violaciones graves del Derecho internacional humanitario cometidas en el territorio de la ex-Yugoslavia, aprobando al mismo tiempo su Estatuto, U.N. DOC S/25704 (1993). Vid. PIGNATELLI Y MECA, F., "Consideraciones acerca del Establecimiento del Tribunal Internacional para el Enjuiciamiento de los Presuntos Responsables de Violaciones Graves del Derecho Internacional Humanitario en el Territorio de la ex-Yugoslavia a partir de 1991", *REDMil*, n. 64, 1994, pp. 41-146.

[8]   Críticamente, COMELLAS AGUIRREZÁBAL, M.T., *La incidencia de la práctica del Consejo de Seguridad en el Derecho Internacional Humanitario*, Pamplona, Thomson-Aranzadi, 2007, p. 304.

[9]   Entre otros, PIGRAU SOLÉ, "Hacia un sistema de justicia internacional penal: cuestiones todavía abiertas tras la adopción del Estatuto de Roma de la Corte penal internacional", en *Creación de una jurisdicción penal internacional. Colección escuela diplomática*, núm. 4, Madrid, 2000, p. 69; TORRES CAZORLA, M.I., "Consejo de Seguridad, Libia y la Corte penal internacional: un análisis a la luz de la práctica reciente", en BOEGLIN N., HOFFMANN, J., SAINZ-BORGO, J.C. (ed.), *La Corte Penal Internacional: una perspectiva latinoamericana*, Open Knowledge Network Collection, Universidad para la Paz, 2012, pp. 332 y ss.; y, ESCOBAR HERNÁNDEZ, C., "Construyendo un sistema de justicia penal internacional: desarrollos recientes", en XXXIX Curso de Derecho Internacional 2012, *El derecho y las relaciones internacionales actuales*, Sede del Comité Jurídico Interamericano, 2013, pp. 97 y ss.

por graves violaciones de derechos humanos[10]. De hecho, con la entrada en vigor del Estatuto de Roma en 2002, se crea la Corte penal internacional, que es concebida como un tribunal de emergencia con competencia para perseguir crímenes con transcendencia internacional, sin tener en cuenta la nacionalidad del acusado o el lugar de comisión del delito, pero que, a diferencia de los tribunales *ad hoc*, su competencia reside en el consentimiento de los Estados, pero al mismo tiempo, en virtud del artículo 13, b) del Estatuto, se establece que la Corte puede actuar cuando el Consejo, en virtud del capítulo VII de la Carta, le remita una situación en la que parece que se han cometido uno o varios crímenes con dimensión internacional[11]. De esta manera, vuelven a ser los Estados con derecho de veto en Naciones Unidas los que pueden ejercer discrecionalmente dicho poder; además, el artículo 16 del Estatuto obliga a suspender la investigación o el enjuiciamiento que haya iniciado, a requerimiento del Consejo conforme a una resolución adoptada a la luz del capítulo VII[12].

Teniendo en cuenta lo anterior, la Carta asigna al Consejo de Seguridad un gran poder, casi en exclusiva, en la protección de intereses que van más allá de los Estados, en el mantenimiento de la paz y la seguridad internacionales, el fomento de las relaciones de amistad entre los Estados, la cooperación en la solución de los asuntos internacionales y el respeto de los derechos humanos, a través de la potestad de sancionar. En efecto, cuando pensamos en el Consejo de Seguridad de Naciones Unidas, y más concretamente en el sistema de seguridad colectiva, se supera la perspectiva clásica ante la existencia de un orden internacional y de un órgano administrativo con poder para usar el derecho y para sancionar a Estados, "donde los intereses de la colectividad prevalecen sobre los intereses unilaterales

---

[10]   FAGGIANI, V., *ob. cit.,* pp. 1 y ss. Vid. también RAGUÉS I VALLÉS, R., "El Tribunal penal internacional. La última gran institución del siglo XX", en *La Ley,* año XXIII, núm. 5289, 17 de abril de 2001, pp. 2 y 3; GIMENO SENDRA, V., "La experiencia de los juicios de Nuremberg y la necesidad de crear el Tribunal Penal internacional", en *La Ley,* año XIX, núm. 4457, 14 de enero 1998, pp. 1-3.

[11]   Sobre la relación entre el Consejo de Seguridad y la Corte, vid. GUTIERREZ ESPADA, C., "Valoración crítica de las críticas y temores suscitados por el Tribunal Penal Internacional", en *Hacia una Justicia Internacional,* Ministerio de Justicia: XXI Jornadas de Estudio, Madrid, 2000, p. 567; WILLIAMS, W.A. y SCHABAS, W.A., TRIFFTERER, O. (ed.), *Commentary on the Rome Statute of the International Criminal Court-Observer's Notes, Article by Article,* Triffterer ed., 2ª edición, Munich, 2008, pp. 569-574; y, YEE, L., "The International Criminal Court and the Security Council", en *The ICC. The Making of the Rome Statute. Issues, Negotiations, Results,* R. Lee (ed), Kluwer, La Haya, Boston, Londres, 1999, pp. 143-152.

[12]   ABELLÁN HONRUBIA, V., "Internacionalización de los derechos humanos y dimensión internacional de su violación", Conferencia impartida con motivo del acto que se celebró en homenaje a la memoria del Prof. Dr. D. Alejandro J. Rodríguez Carrión, *Estudios de Derecho Internacional y Relaciones Internacionales en Homenaje al Dr. D. Alejandro J. Rodríguez Carrión,* SPICUM, Universidad de Málaga, 2012, p. 70.

o bilaterales de los Estados"[13]. A este órgano le compete la importante función de control del uso de la fuerza para garantizar la paz y la seguridad en el mundo, como los grandes principios que aparecen entre los valores expresamente previstos en la Carta de las Naciones Unidas en el ámbito de su capítulo VII de la Carta. De ahí la necesidad de proteger, con merma de la soberanía de los Estados miembros, lo que legitima, a su vez, la necesidad de intervenir en aquellos países que estuvieran cometiendo crímenes internacionales como garantía del orden internacional. En estos casos, no se trata de una intervención de carácter unilateral, sino que es la comunidad internacional la que responde para el restablecimiento del orden vulnerado, haciendo uso de la solución diplomática o de la fuerza, siendo imprescindible una resolución autorizadora del Consejo de Seguridad[14].

En fin, el tema central de la discusión es la producción normativa del Consejo de Seguridad, cuya legitimidad se sostiene por la convicción de los Estados miembros, que sin ser un órgano aplicador del derecho internacional asume el papel de legislador con discrecionalidad y necesidad de unanimidad en la toma de decisiones, que ha otorgado competencia jurisdiccional a tribunales *ad hoc* y cuyas Resoluciones suponen una reacción frente a los crímenes internacionales y producen efectos sobre Estados e individuos. Dejando a un lado el papel del Tribunal penal internacional y superando el modelo de los tribunales especiales, la internacionalización del *ius puniendi* se refleja perfectamente, por ejemplo, cuando el Consejo de Seguridad, en su Resolución 688 (1991), mostró la preocupación por los actos de represión contra la población civil iraquí, como en zonas kurdas, poniendo en peligro la paz y la seguridad internacional. Asimismo, y como una clara manifestación del derecho de injerencia, se produjo la llamada a todos los Estados miembros y organizaciones humanitarias en los esfuerzos para asistir humanitariamente a Irak tomando "todas las medidas necesarias"; en particular, a través de aquellas cuya finalidad era la de infligir un castigo al Estado que viola el derecho internacional, con el fin de restaurar la paz y que también generaban obligaciones para todos los Estados miembros, en el sentido de adaptación de su normativa interna aplicable tanto a Estados como a individuos y grupos al dictado de sus Resoluciones, siguiendo un modelo de lucha contra la criminalidad global, fundamentalmente en lo relativo a la lucha contra el terrorismo internacional.

---

[13]   AMBOS, K., "¿Castigo sin soberano? La cuestión del *ius* puniendi en derecho penal internacional. Una primera contribución para una teoría del derecho penal internacional consistente", en *Persona y Derecho*, vol. 68, 2013, p. 22.

[14]   AMBOS, K., *ob. cit.*, pp. 13 y ss. Sobre las medidas adoptadas por el CS, su actuación y poderes, vid. FERNÁNDEZ CASADEVANTE, C., "El poder y el Derecho en las NU: la discrecionalidad del Consejo de Seguridad", en C. Fernández de Casadevante y J. Quel (coord.), *Las Naciones Unidas y el Derecho Internacional*, Ariel, 1997, pp. 40 y ss.

1. Las medidas coercitivas

Los mecanismos de reacción sancionadora que se establecen, en determinados supuestos, son las sanciones internacionales o, en términos de la Carta, las medidas de carácter coercitivo, de las que se ha hecho uso en numerosas ocasiones, autorizando el uso de la fuerza contra Estados o imponiendo sanciones a Estados para el mantenimiento de la paz y seguridad internacionales.

En este sentido, la Carta dispone en su capítulo VII los casos en los que se pueden aplicar sanciones; esto es, cuando exista una amenaza a la paz, el quebrantamiento de la paz y los actos de agresión, en cuyo caso corresponde al Consejo de Seguridad la determinación del supuesto, así como hacer recomendaciones, debiendo adoptar las medidas que considere necesarias o aconsejables e instar a los Estados miembros a que las apliquen. Lo primero que hay que resaltar es que estas medidas no tienen nada que ver con lo preceptuado en los artículos 5 y 6 de la Carta, por los que nuevamente se va más allá del *ius puniendi* estatal a partir de los grandes principios que la inspiran. Más específicamente, se trata de sanciones disciplinarias, las relativas a la suspensión y a la expulsión, aplicadas a Estados miembros, ya que, de acuerdo con el artículo 5: "Todo Miembro de las Naciones Unidas que haya sido objeto de acción preventiva o coercitiva por parte del Consejo de Seguridad podrá ser suspendido por la Asamblea General, a recomendación del Consejo de Seguridad, del ejercicio de los derechos y privilegios inherentes a su calidad de Miembro. El ejercicio de tales derechos y privilegios podrá ser restituido por el Consejo de Seguridad"; es decir, un Estado podrá ser suspendido temporalmente de la Organización cuando se le hayan aplicado sanciones del capítulo VII. Por otra parte, el artículo 6 indica que "todo Miembro de las Naciones Unidas que haya violado repetidamente los Principios contenidos en esta Carta podrá ser expulsado de la Organización por la Asamblea General a recomendación del Consejo de Seguridad". En estos casos, la facultad de sancionar no es exclusiva del Consejo, sino que corresponde a la Asamblea General, aunque el Consejo participa a través de las recomendaciones a la Asamblea.

Cabe destacar que se habla de medidas, y aunque no emplea el vocablo "sanción", tienen sus mismas consecuencias jurídicas, que derivan de la potestad sancionadora de las Naciones Unidas, ya que se prescriben como un gravamen en respuesta a la violación de un deber u obligación y, conforme a las reglas que rigen dicha actividad sancionadora, su finalidad es la de defender o garantizar el *status quo* ante el incumplimiento de una obligación grave por parte de uno o más Estados. Estas medidas son la forma a través de la cual se ponen en práctica las decisiones del Consejo de Seguridad, a las que la Carta se refiere bajo la idea de la seguridad colectiva, en contraposición a las medidas unilaterales de autodefensa, cuyo poder se otorga a dicho órgano, que es al que le corresponderá comprobar la existencia de una amenaza o un incumplimiento de la paz, que se desencadenan por violación del derecho internacional, y luego decidir las medidas a adoptar. Antes de que el Consejo las acoja, teniendo en cuenta lo dispuesto en el artículo 39 de la Carta, si se determina la existencia de una amenaza a la paz, quebrantamiento de la paz o acto de agresión, podrá hacer recomendaciones, pero, con el fin de evitar que la situación se agrave, instará a las partes para que cumplan las medidas provisionales que estime aconsejables, conforme a lo previsto en su artículo 40.

A partir de aquí la Carta establece las medidas "que no impliquen el uso de la fuerza" contra el Estado que ha infringido la normativa, de entre las cuales el Consejo elegirá libremente, facultándole para tomar acciones si considera que las medidas son inadecuadas, con excepción del artículo 51 por el que "ninguna disposición de esta Carta menoscabará el derecho inmanente de legítima defensa, individual o colectiva, hasta tanto que el Consejo de Seguridad haya tomado las medidas necesarias para mantener la paz y la seguridad internacionales. Las medidas tomadas por los miembros en ejercicio del derecho de legítima defensa serán comunicadas inmediatamente al Consejo de Seguridad, y no afectarán en manera alguna la autoridad y responsabilidad del Consejo conforme a la presente Carta para ejercer en cualquier momento la acción que estime necesaria con el fin de mantener o restablecer la paz y seguridad internacionales". Particularmente, con relación a las medidas que puede disponer el Consejo estarían las directivas de alto el fuego o el envío de observadores militares o una fuerza para el mantenimiento de la paz, cuando exista una denuncia que se refiera a la amenaza de la paz o cuando haya una confrontación que da lugar a hostilidades; también las medidas de bloqueo, decretadas en virtud del capítulo VII, que suponen la autorización a los Estados miembros para que las apliquen, pero por su carácter coercitivo se alejan de los previsto en el artículo 41 y se aproximan a los establecido en el artículo 42, esto es, el uso de la fuerza que se delega por el Consejo a los Estados miembros u organismos regionales que escapa a su control directo[15].

Pues bien, de acuerdo con el artículo 42 de la Carta, si el Consejo estima que la adopción de alguna medida del artículo 41 no es adecuada o no está siendo efectiva, "podrá ejercer, por medio de fuerzas aéreas, navales o terrestres, la acción que sea necesaria para mantener o restablecer la paz y la seguridad internacionales", sin olvidar que el artículo 43 textualmente dice al respecto que "todos los Miembros de las Naciones Unidas, con el fin de contribuir al mantenimiento de la paz y la seguridad internacionales, se comprometen a poner a disposición

---

15   SÁNCHEZ MARÍN, A.L., "Establecimiento de un sistema de seguridad colectiva", en 5cam-pus.org, *Derecho económico*, 2002, pp. 9 y ss. (disponible en: http://ciberconta.unizar.es/lec-cion/der025/der025.pdf).

del Consejo de Seguridad, cuando éste lo solicite, y de conformidad con un convenio especial o con convenios especiales, las fuerzas armadas, la ayuda y las facilidades, incluso el derecho de paso, que sean necesarias para el propósito de mantener la paz y la seguridad internacionales". Sin embargo, en sentido estricto, solo serían sanciones las comprendidas en el artículo 41, cuando se establece que el Consejo puede imponer medidas que no impliquen el uso de la fuerza armada para dar efectividad a sus decisiones e instar a los Estados para que las apliquen. Enumerándolas a título de ejemplo pueden "comprender la interrupción total o parcial de las relaciones económicas y de las comunicaciones ferroviarias, marítimas, aéreas, postales, telegráficas, radioeléctricas, y otros medios de comunicación, así como la ruptura de relaciones diplomáticas", que son sanciones genéricas, frente a otras más específicas, también llamadas, inteligentes o selectivas, pero igualmente restrictivas como el embargo de armas, la prohibición de viajar u otro tipo de restricción diplomática o financiera.

De esta manera, por el artículo 41 de la Carta el Consejo ha adoptado medidas de presión económica, en muchas ocasiones con el fin de que el Estado cumpla una obligación o realizar una prestación que asegure las normas internacionales; por ejemplo, porque mantiene una postura pasiva ante infracciones graves del derecho internacional o para que se abstenga de realizar una determinada actividad, debiéndose amoldar a la decisión aprobada en el ámbito de poderes del Consejo de Seguridad, involucrando a los Estados miembros y, en ocasiones, también apelando a acuerdos y organismos regionales. Otro ejemplo ilustrativo es en el supuesto de sanciones económicas impuestas a Iraq por Resolución 687 (1991), por la que se prohibió cualquier tipo de relación económica o de cooperación. En este sentido, si tuviéramos que realizar una valoración de las medidas deberíamos partir de lo dispuesto en el artículo 3 de la Carta, es decir, debe quedar acreditado que existe una amenaza para la paz o no, si se ha producido o no un quebrantamiento de la paz o un acto de agresión y si la intención a la hora de imponer la medida ha sido mantener o restaurar la paz perturbada. Igualmente, debería analizarse desde el derecho internacional humanitario si la aplicación de dichas medidas tiene efectos negativos en la población del Estado que se busca castigar. Lo que parece claro es que se trata de sanciones aflictivas, ya que restringen derechos, y no necesariamente punitivas, con efectos preventivos en algunos casos, que se justifican por la necesidad de mantener la paz y la estabilidad mundial, teniendo en cuenta que, bajo la cubierta de la amenaza para la paz, pueden incluso anticiparse a la violación que todavía no se ha cometido; pero, al mismo tiempo, se destaca su contingencia, porque no siempre una violación conlleva una medida, y pueden adoptarse por otras razones e incluso cuando se activa puede ser paralizada por el veto de uno de los miembros permanentes.

No es de extrañar que este tipo de sanciones hayan sido objeto de numero-sas críticas por los efectos dañinos sobre la población civil, al no fijar ninguna excepción que asegure el respeto de los derechos humanos[16]. El problema es que no decía cómo se habían de implementar sin violarlos; no hacía frente a los pro-blemas que planteaba la adopción de medidas coercitivas, como el embargo de armas o el boicot económico, que no constituían uso de la fuerza, por ejemplo, creando mecanismos de vigilancia y seguimiento en la aplicación de las medidas o creando un órgano judicial al que los Estados e individuos podían recurrir para cuestionar las decisiones del Consejo ante una clara contradicción entre la medida y los derechos humanos, dando la sensación de que no correspondía al Consejo el respeto de los mismos y que su función finalizaba con obligar a los Es-tados a respetarlos. Es por ello por lo que empezó a surgir un reconocimiento de que al imponerse estas sanciones a través de las resoluciones del Consejo debían tipificarse claramente por los efectos negativos que podía tener un embargo co-mercial; además, los Estados debían de tener en cuenta los efectos perniciosos que estas sanciones acarreaban en la ciudadanía, en el disfrute de sus derechos eco-nómicos, sociales y culturales del país afectado, debiendo vigilar activamente las consecuencias de esas sanciones en la realización de dichos derechos y tomando medidas para abordar cualquier repercusión negativa en la población del Estado afectado[17]. Ante ello, y teniendo en cuenta que el Consejo está sometido también a los principios del derecho internacional humanitario y de derechos humanos, comenzó a mostrar cierta comprensión al reconocer que las medidas a la hora de ser implementadas por los Estados debían respetar los derechos humanos por los efectos indeseados en la población de los Estados sometidos a estas medidas, así como perjuicios a terceros Estados vinculados económica o comercialmente con ellos, y de ahí, que se empezaran a recoger excepciones humanitarias en protec-ción de la población civil y grupos más vulnerables[18].

---

[16]   Por todos, REINISH A., "Developing Human Rights and Humanitarian Law Accountability of the Security Council for the Imposition of Economic Sanctions", en *The American Journal of International Law*, núm. 95 (2001), p. 852; y, TORRECUADRADA GARCÍA-LOZANO, S., "Los límites a los poderes del Consejo de Seguridad. El caso de la Comisión de Compensación de Naciones Unidas", pp. 228 y ss.

[17]   NACIONES UNIDAS, *Protección jurídicas internacional de los derechos humanos durante los conflictos armados*, Nueva York-Ginebra, 2011, pp. 104 y ss.

[18]   Aunque muchas veces estos argumentos han servido para justificar aún más si cabe el uso de las medidas, CRAVEN, M., "Humanitarism and the Quest for Smarter Sanctions", en *Euorpean Journal of International Law*, vol. 13, núm. 1, 2002, p. 60; HAMID, S., Guerra y sanciones a Iraq. Naciones Unidas y el ´nuevo orden mundial´. Valoración legal de las sanciones de NNUU sobre Iraq (disponible en: https://www.nodo50.org/csca/iraq/trib_int-96/legal.html), señalando además el fracaso del Consejo a la hora de reconocer su responsabilidad en la protección de los derechos de los civiles, como en el cumplimiento de sus obligaciones procesales, al no haber

2. Las medidas inteligentes o selectivas: el Consejo de Seguridad y la lucha contra el terrorismo

A partir de los atentados del 11-S, el terrorismo pasó a formar parte de las agendas de la mayoría de los países, con una clara repercusión en sus legislaciones penales, creando nuevas tipologías de delito, reformando las existentes e incrementando las penas, etc. como garantía de la seguridad y en detrimento de las libertades y derechos fundamentales. No solo en la de ellos, sino también en la de Naciones Unidas, ya que, de la Sexta Comisión, y, por tanto, competencia de la Asamblea General, pasó a considerarse una amenaza para la paz y la seguridad internacionales, esto es, por Resolución 1267 (1999) se enmarcó en el Capítulo VII de la Carta y competencia del Consejo de Seguridad[19]. Esta resolución marca un antes y un después en el régimen de medidas adoptadas por el Consejo de Seguridad, porque a partir de ese momento, al abanderar la guerra contra el terrorismo internacional, las medidas se adaptarán a las circunstancias; sobre la base de que es necesario restaurar la legalidad internacional, el Consejo comenzó a manejar a la perfección un concepto tan elástico como es la amenaza para la paz, sirviéndole para ampliar la categoría de sujetos afectados por las medidas y, en consecuencia, considerar que es posible que la violación del derecho internacional sea atribuible a un Estado y también a los individuos o grupos, que pueden violar la ley internacional y ser sujetos a los que se dirigen las medidas.

Si antes las circunstancias aconsejaban el embargo comercial o restricciones financieras y comerciales y los individuos o grupos debían tener vínculo con un Estado o territorio, ahora se adopta en todas las resoluciones en materia de lucha antiterrorista el sistema de Listas de nombres de personas y entidades sospechosas de terrorismo, con lo que el régimen sancionador ya no se conecta a un determinado territorio; en otras palabras, la relación entre la adopción de la sanción y el Estado se rompe[20], fundamentalmente, mediante lo que se denominan sanciones selectivas o inteligentes de carácter preventivo. La medida por excelencia es la congelación de fondos o activos, cuyo objetivo es privar a los actores de medios de acción o recursos y presionar a las partes en un proceso de solución pacífica del conflicto, aplicables a todos aquellos que forman parte o se asocian a la organización terrorista; en estos supuestos, la determinación de la infracción y la decisión sobre las medidas que se van a adoptar corresponde al Consejo en exclusiva,

---

hecho un seguimiento y control del impacto de las sanciones impuestas. Críticamente, FREMUTH, M. y GRIEBEL, J., "On the Security Council as a Legislator: A Blessing or a Curse for the International Community?", en *Nordic Journal International Law*, 76 (2007), pp. 339-361.

19   Vid. también Resoluciones del Consejo de Seguridad 1333 (2000), 1390 (2002) y 1822 (2008).
20   BERMEJO GARCÍA, *ob. cit.*, p. 17 y bibliografía allí *cit.*

si bien, la aplicación de las medidas corresponderá o a cada Estado miembro, en el caso de los artículos 40 y 41 de la Carta, o al mismo Consejo en el supuesto del artículo 42, y el artículo 48 autoriza al Consejo para determinar qué miembros, si no todos, tomen las acciones necesarias para cumplir con sus decisiones[21].

Ciertamente con el sistema de Listas se reduce el margen de apreciación, ya que las resoluciones, utilizando la expresión: "todos los Estados deben tomar medidas…", hacen un llamamiento a los Estados miembros, pero también a organismos regionales, como la UE[22], que tienen la obligación de implementarlas, porque ellos son realmente sus destinatarios, ante un sistema por el que, en supuesto de que proceda, ante la incompetencia de la organización para imponer directamente sanciones penales, les corresponde fijar los procedimientos que van a seguir contra las personas o entidades de su jurisdicción incluidos en las Listas, cuando hayan cometido la infracción de la medida impuesta e imponer las correspondientes sanciones y, de la misma manera, obligando a la participación de otros sujetos para hacer efectiva su ejecución, como son las entidades bancarias, las compañías de viajes, etc. Por otro lado, el sistema de Listas tampoco deja margen de maniobra en cuanto a la determinación de la clase y las personas afectadas por las medidas. En este sentido, son bastante ejemplificativas de este tipo de sanciones, donde se concretan los individuos o entidades públicas o privadas destinatarias de la sanción, la Resolución 864 (1993), relativa a la situación en Angola y por la que se acuerda un embargo comercial, porque es la primera ocasión en la que una decisión del Consejo designa a un sujeto no estatal como afectado por la sanción, la Unión Nacional para la Independencia Total de Angola (UNITA). Igualmente, en otra de sus Resoluciones, la 917 (1994), el Consejo siguiendo con el sistema de Listas identifica los nombres de personas concretas sobre las que recaen las medidas, con motivo de la crisis de Haití, refiriéndose a los oficiales y sus empleados, la policía, y sus familias. Más tarde, en la Resolución 2253 (2015), el Consejo impone sanciones selectivas individuales (congelación de activos, prohibición de viajar y embargo de armas) a personas, grupos, empresas y entidades que figuran en la Lista de Sanciones contra el Daesh y Al-Qaida, que incluye nombres de personas y entidades que se actualizan periódicamente, a propuesta de cualquier Estado miembro, subrayando que lo importante era impedir que obtuvieran fondos y planificaran y facilitaran los atentados[23].

---

[21]   Sobre la actividad antiterrorista del Consejo, vid. RUPÉREZ, J., "Las Naciones Unidas en la lucha contra el terrorismo. Primer balance", en *Cuadernos de pensamiento político*, enero/ marzo 2005, pp. 65 y ss.

[22]   Así se adoptó la Posición Común 2001/931/PESC y la Posición Común 2002/402/PESC, incorporada en el Reglamento (CE) núm. 881/2002.

[23]   Vid. el Tercer informe del Secretario General sobre la amenaza que plantea el Estado Islámico en el Iraq y el Levante (Daesh) para la paz y la seguridad internacionales y la gama de activi-

Como era de esperar, si el régimen de sanciones impuestas a los Estados había sido objeto de enormes críticas por las nefastas consecuencias sobre la población civil, con el nuevo sistema, aunque más preciso, porque poco a poco se han ido fijado más claramente el objeto de las medidas, sus sujetos y su duración, las reacciones políticas y doctrinales tampoco se han dejado esperar, centrándose en cuestionar nuevamente la legalidad de las decisiones del Consejo y su control, así como por la adopción de unas medidas que cualquier Estado miembro estaba obligado a adoptar para cumplir con lo impuesto, fundamentalmente, en caso de violaciones de derechos humanitarios, así como por violaciones de derechos fundamentales[24]. Y es que la inclusión de personas y entidades se hacía sin tener en cuenta los derechos fundamentales de las personas y entidades afectadas, sin saber el origen de la denuncia, sin estar informadas de su inclusión, sin tener la oportunidad de ser oídos y sin posibilidad alguna de recurso en defensa de sus derechos[25].

Con relación a estas sanciones selectivas existe cierta sensibilidad por el respeto a los derechos humanitarios. En la Resolución 1452/2002 se fijó una lista de excepciones a la congelación de fondos y recursos económicos por motivos humanitarios cuando fueran "necesarios para sufragar gastos básicos, incluido el pago de alimentos, alquileres o hipotecas, medicamentos y tratamientos médicos, impuestos, primas de seguros y gastos de agua y electricidad, o exclusivamente para pagar honorarios profesionales razonables y el reembolso de gastos asociados con la prestación de servicios jurídicos o tasas o cargos por servicios de mantenimiento de fondos congelados u otros activos financieros o recursos económicos, tras la notificación por el Estado de que se trate al Comité establecido en virtud de la resolución 1267 (1999) de la intención de autorizar, cuando corresponda, el acceso a esos fondos, activos o recursos y en ausencia de una decisión negativa del Comité en el plazo de 48 horas después de dicha notificación; b) Necesarios para sufragar gastos extraordinarios, siempre que el Estado de que se trate haya notificado esa determinación al Comité y éste la haya aprobado". En

---

dades que realizan las Naciones Unidas en apoyo de los Estados Miembros para combatir la amenaza, S/2016/830 (disponible en: http://www.refworld.org/cgi-bin/texis/vtx/rwmain/opendocpdf.pdf?reldoc=y&docid=57f78e6e4).

[24] Cfr. GALLO COBÍAN, V., GAUCHÉ MARCHETTI, X./HUERTAS JIMÉNEZ, M.J., "Las sanciones del Consejo de Seguridad de las Naciones Unidas y los derechos humanos. Relaciones Peligrosas", en *Anuario Mexicano de Derecho Internacional*, vol. 8, enero 2008, pp. 157 y ss.

[25] REINISH, *cit.*, p. 852. BROXMEYER, E., "The Problems of Security and Freedom: Procedural Due Process and The Designation of Foreig n Terrorist Organizations Under the Anti-Terrorism and Effective Penalty Act", en *22 Berkeley Journal Int'l L.*, 439 (2004); MIRON, A., "Les ´sanctions ciblées´du Conseil de sécurité des Nations unies. Réflexions sur la qualification juridique des listes du Conseil de sécurité", en *Revue du Marché Commune de l´Union Européenne*, núm. 529 (2009), pp. 355 y ss.

otro supuesto, la Resolución 1566 (2004), en sus párrafos 9 y 10, se encomendó al Grupo de Trabajo que examinara: a) "medidas prácticas que se han de imponer contra las personas, los grupos y las entidades involucrados en actividades terroristas o asociados con ellas, además de las ya enunciadas por el Comité de Sanciones contra Al-Qaida y los Talibanes"; b) "la posibilidad de establecer un fondo internacional para indemnizar a las víctimas de actos de terrorismo y sus familias". En fin, la Resolución 2140 (2014) también establece excepciones con fines humanitarios en el párrafo 11, pues no se aplicarán a los fondos, otros activos financieros o recursos económicos cuando los Estados Miembros que corresponda hayan determinado que: "a) Son necesarios para sufragar gastos básicos, entre ellos, el pago de alimentos, alquileres o hipotecas, medicamentos y tratamiento médico, impuestos, primas de seguros y tarifas de servicios bélicos o exclusivamente para el pago de honorarios profesionales de monto razonable y el reembolso de gastos efectuados en relación con la prestación de servicios jurídicos u honorarios o tasas, de conformidad con la legislación nacional, por servicios de administración o mantenimiento ordinario de fondos congelados, otros activos financieros y recursos económicos, previa notificación de esos Estados al Comité de la intención de autorizar, cuando proceda, el acceso a esos fondos, otros activos financieros o recursos económicos y de no haber una decisión negativa del Comité en el plazo de cinco días laborables a partir de la notificación; b) Son necesarios para sufragar gastos extraordinarios, a condición de que el Estado o los Estados Miembros pertinentes hayan notificado esa determinación al Comité y que este la haya aprobado; c) Sean objeto de un gravamen o dictamen judicial, administrativo o arbitral, en cuyo caso los fondos y otros activos financieros y recursos económicos podrán utilizarse con tal fin, a condición de que el gravamen o dictamen sea anterior a la fecha de la presente resolución, no beneficie a una persona o entidad designada por el Comité y haya sido notificado al Comité por el Estado o los Estados Miembros pertinentes; o con relación a la prohibición de viajar que no se apliquen la medida cuando en un caso concreto el viaje esté justificado por motivos humanitarios, incluidas las obligaciones religiosas, o cuando sea necesario para dar cumplimiento a una decisión judicial, o porque el Comité considere que la exención promovería la paz y la reconciliación".

Unos años después, en diciembre de 2004, el Informe del grupo de alto nivel sobre las amenazas, los desafíos y el cambio, titulado "Un mundo más seguro: la responsabilidad que compartimos"[26], hace hincapié diciendo expresamente que "Las sanciones selectivas (sanciones en los ámbitos de las finanzas, los viajes o la aviación, o embargos de armas) permiten ejercer presión sobre los dirigentes y las

---

[26]   Disponible en: http://www.un.org/es/comun/docs/?symbol=A/59/565.

élites con consecuencias humanitarias insignificantes, constituyen una alternativa menos costosa que otras y pueden adaptarse a circunstancias concretas. Al aislar a los infractores de las normas y las leyes internacionales, incluso unas sanciones de alcance limitado (como un embargo deportivo) pueden desempeñar un importante papel simbólico. La amenaza de sanciones puede ser un medio poderoso de disuasión y prevención" y añade que "los comités de sanciones deberían mejorar los procedimientos para conceder exenciones por motivos humanitarios y evaluar periódicamente los efectos humanitarios de las sanciones", así como en caso de sanciones impuestas a personas o entidades se establezcan "procedimientos para revisar los casos de quienes afirmen que sus nombres se han incluido o mantenido por error en esas listas".

a) Los Comités de Sanciones

A los Comités de Sanciones, creados sistemáticamente por el Consejo de Seguridad para asegurarse la implementación de las sanciones, se les delega el poder de la designación de las personas y entidades que cumplan los requisitos para ser incluidos o suprimidos de las Listas, así como actualizarlas, de sujetos sancionados conforme a los criterios previstos en la correspondiente resolución, a la luz de las solicitudes presentadas por los Estados, atendiendo y examinando sus demandas; el seguimiento y supervisión de la aplicación de las sanciones por los Estados miembros, teniendo en cuenta los informes presentados por el Equipo de Apoyo Analítico y Vigilancia de las Sanciones, y atendiendo a los obstáculos que se den en su aplicación; y la comprobación de que existen los procedimientos necesarios para garantizar la transparencia a la hora de aplicar las sanciones[27].

De todas formas, su existencia, que se justifica para vigilar el cumplimiento y eficacia de las medidas, no ha significado un gran avance en la defensa de los derechos humanitarios[28], porque el Comité se limita a resumir los motivos por los que las personas o grupos son incluidos en la Lista, recibiendo el apoyo del Equipo Analítico y Vigilancia de las Sanciones, de acuerdo con lo que establezca la correspondiente resolución. Aunque algunos pasos se han dado en la mejora de los procesos ante la imposición de medidas tan restrictivas, estos se instituyen de manera limitada; por ejemplo, cuando se estipula la revisión periódica de las

---

[27]   CAMERON, I., "UN Targeted Sanctions, Legal Safeguards and the European Convention of Human Rights", en *Nordic Journal of International Law*, 2003, pp. 163-167 y 186 y ss.

[28]   Vid. GUTIÉRREZ ESPADA, C. y CERVELL HORTEL, M.J., *El Derecho internacional en la encrucijada...*, *ob. cit.*, pp. 616-619; y, ANDRÉS SÁENZ DE SANTAMARIA, P.: "Derecho, moral y eficacia en la práctica de sanciones del Consejo de Seguridad", en *Soberanía del Estado y Derecho internacional. Homenaje al Profesor Juan Antonio Carrillo Salcedo*, Universidad de Córdoba, Málaga y Sevilla, 2005, pp. 156-176.

Listas, así como la obligación de motivación por parte de los Estados al proponer la inclusión de un nombre en la Lista o cuando se les impone que den la debida publicidad de las Listas en sus webs o la obligación de los Estados de notificar la inclusión. Del mismo modo, ni siquiera la creación de un control independiente e imparcial, el *ombudsman*, como órgano intermediario entre el Comité y las personas o grupos afectados, ha venido a mejorar la situación, porque aunque es el encargado de recibir las solicitudes de personas, grupos, empresas y entidades que desean ser excluidas de la Lista [Resoluciones 1267 (1999), 1904 (2009) 2253 (2015), entre otras] y de dirigirlas al respectivo Comité, en el caso de no aceptar la recomendación de exclusión, deberá remitirlas al Consejo[29]. Por consiguiente, a pesar de los intentos de mejora del régimen sancionador, buena parte de las deficiencias que han ido surgiendo desde su implantación continúan, puesto que no se cumple con los estándares mínimos que exigen las normas internacionales referidas a las garantías procesales; en particular, aunque se han dado importantes pasos para conseguir la independencia institucional del *ombudsman* y dotar de eficacia a su gestión, su margen de actuación es muy limitado, ya que sus informes no vinculan jurídicamente al Comité, además de que falta transparencia en su gestión y, lo que es más importante, porque tiene acceso muy limitado a la información confidencial.

b) *El control judicial de las decisiones que implementan las resoluciones del Consejo de Seguridad*

La existencia de un organismo como el Consejo de Seguridad, cuya legitimidad se fundamenta en que los Estados miembros aceptan su existencia en el gobierno mundial, sin ningún tipo de límite jurídico y sin control jurisdiccional en el momento que se extralimita en sus funciones legislativas y judiciales, es inaceptable. Ante ello, a la hora de implementar los Estados las decisiones del Consejo, sucede que individuos y grupos han recurrido a los sistemas de protección de los derechos humanos y tribunales regionales para impugnar las medidas[30].

Puede traerse a este lugar el archiconocido caso Sayadi and Vinck v. Bélgica ante el Comité de Derechos Humanos[31], en el que los afectados interpusieron un recurso contra la decisión del gobierno belga implantando las Resoluciones del

---

[29]   Sobre su funcionamiento, PELLET, A. y MIRON, A., "Sanctions", *The Max Planck Encyclopedia of Public International Law*, vol. IX, Oxford University Press, julio 2011, p. 1 y ss.

[30]   Vid. MÉNDEZ ROYO, D., "La posibilidad de revisión de las fuentes y órganos internacionales de producción del derecho: el caso de las resoluciones del Consejo de Seguridad de Naciones Unidas", *en La internacionalización del Derecho Público: Actas XLII Jornadas Chilenas de Derecho Público*, NÚÑEZ POBLETE, M., ed., Thomsom Reuters, pp. 189-204.

[31]   Comité de Derechos Humanos, CCPR/C/94/D/1472/2006, de 29 de diciembre de 2008 (disponible en: http://www.bayefsky.com/pdf/belgium_t5_iccpr_1472_2006.pdf).

Consejo de Seguridad, por la que veían afectados sus intereses financieros y su libertad de movimientos. La resolución del Comité vino a determinar que la imposición de dichas medidas constituía una clara infracción de los artículos 2, 12 y 17 del Pacto Internacional de Derechos Civiles y Políticos. Lo más destacable de esta decisión fue que, sin objetar al respecto de las sanciones del Consejo de Seguridad, sí que obligó al gobierno belga a que tomara las medidas necesarias para que se respetaran los derechos humanos, de manera que ordenó que de inmediato las personas afectadas fueran excluidas de las listas. Como afirman KELLER y FISCHER, con relación a este asunto, una cosa es el análisis de las sanciones del Consejo de Seguridad a la luz de los derechos humanos y otra distinta es que los Estados, en el momento de implementar las medidas, no respeten el Estado de Derecho[32]. Con esta resolución, el Comité vino a subrayar que no había razones para que los Estados miembros de Naciones Unidas pudieran vulnerar los derechos humanos.

De la misma forma, el Tribunal de Justicia de la UE ha tenido un papel esencial a través de sus pronunciamientos, considerando su competencia para conocer de cualquier resolución adoptada en virtud del capítulo VII de la Carta y ser objeto de control judicial, analizando su legalidad desde el derecho de la UE y la protección de los derechos humanos[33]. Cuando lo ha hecho, ha sido para plantearse la conformidad de la trasposición comunitaria de las Listas, en aplicación de las resoluciones elaboradas por el Comité de Sanciones, a la luz del derecho comunitario[34]. Como ha sido puesto de relieve por la práctica totalidad de la doctrina, aunque en un primer momento se sostuvo la incompetencia del Tribunal, a partir de 2008, en los asuntos Kadi y Al Barakaat y otros, afirmó su competencia a la luz del derecho comunitario, por cuanto que el control de la legalidad se realiza sobre un acto comunitario que viene a aplicar un acto internacional; en

---

[32] KELLER H. y FISHER A., "The UN anti-terror sanctions regime under pressure", en *Human Rights Law Review*, núm. 9(2), 2009, p. 264.

[33] Así se adoptó la Posición Común 2001/931/PESC y la Posición Común 2002/402/PESC, incorporada en el Reglamento (CE) núm. 881/2002. Sobre los problemas que plantea el control jurisdiccional del acto por el que una persona física o jurídica es incluida en la lista antiterrorista de la UE, analizando los casos Segi y Ayadi, vid. RODRÍGUEZ-VERGARA DÍAZ, A., "Derechos fundamentales, lucha antiterrorista y Espacio Europeo de libertad, seguridad y justicia (de nuevo en torno a las listas antiterroristas y la intimidad de los usuarios de las líneas aéreas", en *Revista de Derecho de la Unión Europea*, núm. 10, 2006, p. 229 y ss.

[34] Sobre la competencia de los tribunales europeos para pronunciarse sobre la legalidad de un Reglamento que se utilizaba para trasponer las Listas del Comité de Sanciones 1267 y, derivado de ello, la posible vulneración de derechos fundamentales en el proceso de trasposición, vid., entre otros, EECKHOUT, P., "Community Terrorismo Listings, Fundamental Rights, and UN Security Council Resolutions. In Search of the Right Fit", en *European Constitutional Law Review*, 3 (2007), pp. 183 y ss.; y, RODRÍGUEZ-VERGARA DÍAZ, A., *ob. cit.*, pp. 219-234.

concreto, una resolución del Consejo adoptada en el ámbito del capítulo VII de la Carta. Además, sostuvo que la autoridad comunitaria debía comunicar los motivos en que se basa la decisión de congelar los fondos y recursos económicos de una persona o de una entidad conforme a lo previsto en el Reglamento (CE) núm. 881/2002, con el fin de garantizar los derechos de defensa, en especial el derecho a ser oído y el derecho a recurrir a los tribunales. También es especialmente interesante el asunto Kadi II, de 18 de julio de 2013, cuando la Gran Sala del Tribunal de Justicia de la UE se enfrenta a la búsqueda del equilibrio entre la necesidad de combatir el terrorismo para mantener la seguridad en la Unión Europea y los derechos procesales de los presuntos terroristas. De manera sucinta, en el recurso de casación interpuesto declaró que la autoridad competente de la Unión Europea no había puesto a disposición del Sr. Kadi y de los órganos jurisdiccionales de la Unión Europea informaciones o pruebas que estaban en poder del Comité de Sanciones o del país que propuso su inscripción con lo que no se habían ofrecido las suficientes garantías judiciales como el derecho de defensa con un control judicial efectivo y en un marco procesal preestablecido (apartado 137), y que, contrariamente a lo que afirmaba el Tribunal General, no todas las razones expuestas en el resumen presentado por el Comité de Sanciones eran insuficientemente detalladas y específicas. Aunque los recursos finalmente fueron desestimados, el Tribunal consideró que la parte dispositiva de la sentencia recurrida era fundada por razones jurídicas, distintas de las que el Tribunal General mantuvo con relación a la información o a las pruebas que justificaron las razones por las que se congeló los activos del demandante (apartado 163).

Esta misma línea es la seguida por el Tribunal General de la UE, en su sentencia de enero de 2015[35], si bien en este caso la documentación presentada por las autoridades ante el Tribunal era posterior a la inclusión en la Lista, con las que se venía a respaldar su decisión de incluir al demandante en ella, e insuficiente en el momento de ser tomada en cuenta para aplicarle la medida de congelación de fondos. Estas y otras resoluciones judiciales son un claro ejemplo por el que, ante la falta de parámetros jurídicos claros, son los tribunales los que vienen a salvaguardar algunas derechos fundamentales en el ámbito del régimen mundial de sanciones contra el terrorismo liderado por el Consejo de Seguridad, sin que falten otras propuestas como las que ven en la Corte Internacional de Justicia, otro órgano que podría examinar sus decisiones y resoluciones, aunque con las consabidas dificultades, junto al control político[36].

---

[35]   Asunto T-127/09 RENV, *Abdulrahim c. Consejo y Comisión ("sentencia Abdulrahim")*, 14 de enero de 2015.

[36]   BAENA SOARES, J.C., "La acción del Consejo de Seguridad de las Naciones Unidas" (disponible en: http://www.oas.org/es/sla/ddi/docs/publicaciones_digital_XXXIII_curso_derecho_internacional_2006_Joao_Clemente_Baena_Soares.pdf, p. 42-44).

Merece destacarse que en respuesta a la decisión en el asunto Kadi II, se establece un procedimiento en el reciente Reglamento del Tribunal General[37] por el que se prevé la posibilidad de que el Tribunal pueda en determinadas circunstancias, examinar información confidencial sin comunicárselo a la parte interesada; por ejemplo, al recurrir la imposición de una sanción, con lo que se facilita que las autoridades europeas puedan defender sus decisiones en casos de sanciones. Con ello se institucionaliza que en ciertos casos la parte interesada no reciba la información necesaria, negándoles el acceso, con lo que le será muy complicado para realizar alegaciones y presentar la prueba que considere pertinente.

c) *Las mejoras en el régimen de sanciones*

Las decisiones judiciales, junto a la lluvia de críticas ante una manera de actuar que antepone la seguridad a las garantías y los derechos humanos, ha motivado que el Consejo haya ido adaptando y reformando el régimen de sanciones y perfeccionando el sistema de Listas con un conjunto de garantías en el procedimiento de sanciones de respeto de los derechos fundamentales de los afectados.

Los primeros intentos se produjeron cuando en la Resolución 1526/2004 se dispuso que las informaciones sobre los vínculos entre las personas sospechosas y los talibanes o Al-Qaida fueran detalladas, aunque hay que esperar al informe del Equipo de Vigilancia del Comité contra Al-Qaida S/2005/83 para que se reconociera la necesidad de mejorar la transparencia de procedimientos de registro y eliminación de nombres de la Lista, e igualmente los relativos a excepciones de carácter humanitario. Con la misma sintonía, a través de la Resolución 1617/2005, se ordenó la descripción precisa de los grupos y personas concernidas por las sanciones, la presentación de motivos exactos de sanción y la información debida a la persona afectada acerca de las sanciones y procedimientos de inscripción y de exclusión de la Lista[38]. Por su parte, en la Resolución 1822/2008, se expresaron las dificultades prácticas para aplicar el mecanismo de sanciones, anunciándose la necesidad de mejorar en la protección de los derechos de las personas y entidades afectadas, con la que se ofrecieron garantías de publicidad de la información, obligación de información y control periódico de la validez de las personas y

---

[37]   Vid. Art. 105, sobre información y documentos relacionados con la seguridad de la Unión o de uno o varios Estados miembros o con la gestión de sus relaciones internacionales, del Reglamento de procedimiento del Tribunal General (disponible en: https://www.boe.es/doue/2015/105/L00001-00066.pdf).

[38]   Ampliamente, ESTUPIÑAN SILVA, R., "Las listas negras del terrorismo y el respeto de los derechos fundamentales: reacciones judiciales europeas y respuesta de las Naciones Unidas", en *Criterio jurídico garantista*, núm. 4, enero-junio 2011, pp. 134 y ss. MANGAS MARTÍN, A., "Evolución del respeto a los derechos humanos en la Unión Europea (teoría y práctica ante los nuevos desafíos del terrorismo)", en *Agenda Internacional*, núm. 26, 2008, pp. 31-33.

entidades inscritas en la Lista. Por ella, los Estados miembros debían revelar toda la información disponible y que sirviera para inscribir a una persona o entidad en la Lista, correspondiéndole al Comité de Sanciones la inclusión de una nota explicativa con indicaciones relativas a los motivos de inscripción; además, los Estados de residencia de las personas mencionadas debían adoptar medidas de publicidad para que las personas tengan acceso a dichas informaciones.

En las últimas Resoluciones del Consejo, en la senda del perfeccionamiento del régimen, se vienen a especificar los elementos más importantes, como son el objeto de la sanción, la determinación del círculo de sujetos destinatarios de la sanción, así como el control y seguimiento de su aplicación[39]. Como muestra de ello merece destacarse la Resolución 2083 (2012), en la que se reconoce la necesidad de adoptar medidas para prevenir y reprimir la financiación del terrorismo y sus organizaciones, mostrando su preocupación por la amenaza que supone para la paz y la seguridad internacionales Al-Qaida y otras personas, empresas y entidades asociadas a ella, destacándose que "las sanciones son un instrumento importante, con arreglo a la Carta de las Naciones Unidas, para el mantenimiento y el restablecimiento de la paz y la seguridad internacionales" y la necesidad de que las medidas (congelación de fondos y activos financieros o recursos económicos, incluidos los fondos derivados de bienes que directa o indirectamente pertenezcan a Al-Qaida o a personas que actúen en su nombre o siguiendo sus indicaciones o que estén bajo su control; impedir la entrada en su territorio o el tránsito por él; e impedir el suministro, la venta o la transferencia, directos o indirectos desde su territorio o por sus nacionales fuera de su territorio o mediante buques o aeronaves de su pabellón, de armas y materiales conexos, municiones, vehículos y pertrechos militares o paramilitares y piezas de repuesto, así como el asesoramiento técnico, asistencia o adiestramiento) sean aplicadas rigurosamente

---

[39] En el ámbito de la UE, con relación al bloqueo de capitales y recursos económicos, la decisión de incluir a una persona o entidad requiere que se adopten criterios claros para determinar qué personas o entidades deben figurar, y lo mismo vale para que sean retirados de la lista: en el momento de la identificación se deberá disponer del mayor número posible de datos de identificación específicos, los cuales se deberán publicar en el momento de la adopción de las medidas restrictivas. Los datos de identificación para individuos y entidades deberían estar tan normalizados como sea posible. Respecto de las personas físicas incluidas en la lista, entre esos datos se procurará incluir, en particular, los nombres (también en la lengua original, si los hay) con su adecuada transliteración según conste en los documentos de viaje, o transliterados de acuerdo con la norma de la Organización de Aviación Civil Internacional (OACI), alias, sexo, fecha y lugar de nacimiento, nacionalidad y domicilio actual, número de tarjeta de identidad o pasaporte. Respecto de grupos, personas jurídicas o entidades, entre esos datos se procurará incluir, en particular, la denominación completa, la sede de la empresa, el lugar de registro de la oficina, la fecha y el número de registro. Vid. *Orientaciones sobre la aplicación y evaluación de las medidas restrictivas (sanciones) en el marco de la Política Exterior y de Seguridad Común de la UE*, Bruselas, 15 de junio de 2012.

como un importante instrumento para combatir el terrorismo. Igualmente, determina las acciones que conllevan la inclusión en la Lista y la aplicación de las medidas: participación en la financiación, planificación, facilitación, preparación o comisión de actos o actividades ejecutados por Al-Qaida, el suministro, venta o transferencia de armas y material conexo, así como el reclutamiento. En cuanto a la pérdida de vigencia de las medidas, cuando las personas y entidades hayan dejado de cumplir con los criterios para figurar en la Lista, deberán ser excluidos de dicha resolución quedando "sin efecto respecto de la persona, grupo, empresa o entidades de que se trate sesenta días después de que el Comité concluya el examen del informe exhaustivo correspondiente del *ombudsman*, de conformidad con el anexo II de la presente resolución, incluido su párrafo 6 h), cuando el *ombudsman* recomiende que el Comité considere la posibilidad de suprimir un nombre de la Lista, salvo que el Comité decida por consenso, antes del fin de ese período de sesenta días, que se mantenga la obligación respecto de esa persona, grupo, empresa o entidad, entendiéndose que, en los casos en que no haya consenso, el Presidente, a solicitud de un miembro del Comité, someterá la cuestión de si procede suprimir de la Lista el nombre de esa persona, grupo, empresa o entidad al Consejo de Seguridad para que este adopte una decisión al respecto en un plazo de sesenta días, y entendiéndose también que, en caso de que exista tal solicitud, la obligación de que los Estados adopten las medidas descritas en el párrafo 1 de la presente resolución se mantendrá durante ese período en relación con esa persona, grupo, empresa o entidad hasta que el Consejo de Seguridad adopte una decisión sobre la cuestión". Por último, tomará en cuenta los casos en los que las personas o entidades estén considerando la impugnación o hayan iniciado el proceso para impugnar su inclusión en la lista ante los tribunales nacionales o regionales, para que los Estados miembros y las organizaciones y organismos internacionales procuren que el nombre se suprima de la Lista, presentando solicitudes de supresión de nombres a la oficina del *ombudsman*.

En otra de sus resoluciones, la 2140 (2014), se establece, con relación al tipo de sanción, el embargo de armas selectivo, la prohibición de viajar y la congelación de activos financieros y recursos económicos y se fija el cuadro de sujetos destinatarios, que serían las personas o entidades que realicen actos amenazando la paz, seguridad o estabilidad en Yemen o les presten apoyo, y en especial, los que obstruyen la conclusión con éxito del proceso de transición, planificando, dirigiendo o cometiendo actos que infringen las disposiciones de derecho internacional en la defensa de los derechos humanos o el derecho internacional humanitario, o violar el embargo de armas selectivo, o la obstrucción del suministro de asistencia humanitaria al Yemen. Específicamente, su párrafo 11 puntualiza que "por un período inicial de un año a partir de la fecha de aprobación de la presente resolución, todos los Estados Miembros deberán congelar sin demora todos los fondos y otros activos financieros y recursos económicos que se encuentren en sus territorios y que sean de propiedad o estén bajo el control directo o indirecto de las personas o entidades designadas por el Comité establecido en virtud del párrafo 19 *infra*, o de personas o entidades que actúen en su nombre o bajo su dirección, o de entidades que sean de propiedad o estén bajo su control". La Resolución 2206 (2015) comparte una estructura similar ante el mismo problema que en el caso anterior e impone la prohibición de viajar y la congelación de activos, designando como destinatarios de las medidas, a las personas o entidades designadas por el Comité establecido en virtud de dicha resolución, que participen o presten apoyo a los actos que amenazan la paz, la seguridad y la estabilidad de Sudán del Sur. Por lo que respecta a su duración, expresa la intención de ajustar las medidas establecidas, incluso reforzarlas mediante medidas adicionales (embargo de armas y designación de los funcionarios superiores responsables de los actos o políticas que supongan una amenaza para la paz, la seguridad o la estabilidad de Sudán del Sur), así como a modificar, suspender o levantar tales medidas "según resulte necesario en cualquier momento en función de los avances logrados en el proceso de paz, rendición de cuentas y reconciliación, y a la luz del cumplimiento de los compromisos asumidos por las partes y de la resolución".

Por último, la Resolución 2253 (2015) hace constar tanto el objeto de la sanción al decidir que todos los Estados deben adoptar como medidas la congelación de activos, la prohibición de viajar y el embargo de armas, como sus destinatarios, esto es, personas, grupos, empresas o entidades asociados con el EIIL o Al-Qaida, y los actos que determinarán la sanción: "la participación en la financiación, planificación, facilitación, preparación o comisión de actos o actividades ejecutados por las organizaciones, célula, entidad afiliada o grupo escindido o derivado de ellos, o realizados bajo su nombre, junto con ellos o en su apoyo, el suministro, la venta o la transferencia de armas y material, así como el reclutamiento". Lo mismo hay que decir en lo que se refiere a la duración de la medida, por cuanto según el punto 56 quedará sin efecto respecto de la persona, grupo, empresa o entidad de que se trate sesenta días después de que el Comité concluya el examen del informe exhaustivo correspondiente del *ombudsman*, especialmente, cuando recomiende que el comité considere la posibilidad de excluir el nombre de la Lista, salvo que decida por consenso, y antes de los sesenta días, que se mantenga la obligación "respecto de esa persona, grupo, empresa o entidad, entendiéndose que, en los casos en que no exista consenso, el Presidente, a solicitud de un Miembro del Comité someterá al Consejo de Seguridad la cuestión de si procede excluir de la Lista el nombre de esa persona, grupo, empresa o entidad, para que este adopte una decisión al respecto en un plazo de 60 días, y entendiéndose también que, en ese caso, la obligación de que los Estados adopten las medidas descritas en el párrafo 2 de la presente resolución se mantendrá durante ese período en relación con la persona, grupo, empresa o entidad de que se trate hasta que el Consejo de Seguridad adopte una decisión sobre la cuestión".

A la vista de lo anterior, el respeto por los derechos humanos debe aparecer indisolublemente ligado a la ampliación de las medidas para mantener y construir la paz. Como se mencionó con anterioridad, se establecen excepciones o exenciones a las medidas del Consejo y se concretan exhaustivamente los sujetos destinatarios de la medida, pero también se recuerda la necesidad de que los Estados velen por la aplicación estricta de las disposiciones relativas a los derechos humanos, que incluyen el derecho a un juicio independiente e imparcial, el derecho a las debidas garantías procesales y, el principio de legalidad, de manera que las definiciones contenidas en la ley penal deben formularse con precisión y respetar el principio de seguridad jurídica.

III. EL CONSEJO DE SEGURIDAD ANTE LOS COMBATIENTES EXTRANJEROS

Últimamente han surgido nuevas preocupaciones sobre el impacto de las medidas de prevención utilizadas con fines antiterroristas en la regulación del fenómeno de los llamados combatientes extranjeros. Como ha señalado la doctrina, se trata de un claro ejemplo por el que resurge la idea de justicia preventiva en el campo de las sanciones antiterroristas a través del derecho administrativo global[40], centrándose básicamente en la prevención, y además de castigar el reclutamiento, que es una conducta preparatoria, el foco se centra en la libertad de movimientos, que son conductas que pertenecen al ámbito de las leyes de inmigración, pero también en el registro de pasajeros, el refuerzo del control de armas de fuego y el control de los entornos virtuales utilizados para la financiación del terrorismo[41].

---

[40] MEILÁN GIL, J.L., *Una aproximación al Derecho administrativo global*, Ed. Derecho Global, Sevilla, 2011, p. 15; BIRKHÄUSER, N., Adress at the European Society of International Law Research Forum: Sanctions of the Security Council Against Individuals-Some Human Rights Problems, 2005 (disponible en: htttp://www.esil-sedi.eu/sites/default/files/Birkhauser. PDF); LA ROSA, A-M., "Sanctions as a Means of Obtaining Greater Respect for Humanitarian Law: a Review of their Effectiveness", en *International Review of the Road Cross*, 90 (2008), pp. 221 y ss.

[41] MITSILEGAS, V., *EU Criminal Law After Lisbon. Rights, Trust and the Transformation of Justice in Europe*, Bloomsbury, Oxford and Portland, Oregon, 2016, en pp. 236 y ss.; KINGSBURY, B., KRISH, N. y STEWART, R.B., "El surgimiento del Derecho Administrativo Global", en *Revista de derecho público*, núm. 24, marzo 2010, p. 25.

Este camino se inició con la Resolución 1373 (2001)[42], imponiendo obligaciones genéricas sobre los Estados, decidiendo las conductas que los Estados debían observar en la lucha antiterrorista, con la obligación de criminalizar el terrorismo, sus cómplices y financiadores, velando por el enjuiciamiento de todas persona que participe en la financiación, planificación, preparación o comisión de actos de terrorismo o preste apoyo a estos actos, y acordando que todos los Estados se cercioren de que sus leyes y otros instrumentos legislativos internos tipifiquen delitos graves que sean suficientes para que se pueda enjuiciar y sancionar de modo que quede debidamente reflejada la gravedad del delito.

Posteriormente, en la Resolución 2178 (2014), aunque contiene una cláusula específica y completa relativa a los derechos humanos, destaca por la importancia que tiene para el Consejo de Seguridad que los Estados miembros cumplan con sus obligaciones internacionales, al requerirles que tipifiquen como delitos graves los viajes al extranjero con fines terroristas y la financiación y favorecimiento de dichos viajes, de manera que se puedan enjuiciar y sancionar a los responsables y quede reflejada su gravedad; en este sentido, en el párrafo 5 se recuerda la obligación internacional de prevenir y reprimir el reclutamiento, la organización, el transporte o el equipamiento de combatientes extranjeros, de los que viajan a un Estado distinto de sus Estados de residencia o nacionalidad para cometer, planificar o preparar actos terroristas o participar en ellos, o para proporcionar adiestramiento con fines de terrorismo, y la financiación de sus viajes y actividades[43]. Por último, recordando esta Resolución, en la 2253 (2015) el Consejo de Seguridad reitera su preocupación no solo por la financiación de los actos terroristas, sino también la obligación de los Estados de prevenir y reprimir el

---

[42]   Ampliamente, ROSAND, E., "Security Council Resolution 1373, the Counter-Terrorism Commitee, and the Fight against Terrorism", en *The American Journal of International Law*, vol. 97 (2), 2003, pp. 333-341.

[43]   "a) A sus nacionales que viajen o intenten viajar a un Estado distinto de sus Estados de residencia o nacionalidad, y demás personas que viajen o intenten viajar desde sus territorios a un Estado distinto de sus Estados de residencia o nacionalidad, con el propósito de cometer, planificar o preparar actos terroristas o participar en ellos, o proporcionar o recibir adiestramiento con fines de terrorismo; b) La provisión o recaudación intencionales de fondos, por cualquier medio, directa o indirectamente, por sus nacionales o en sus territorios con intención de que dichos fondos se utilicen, o con conocimiento de que dichos fondos se utilizarán, para financiar los viajes de personas a un Estado distinto de sus Estados de residencia o nacionalidad con el propósito de cometer, planificar o preparar actos terroristas o participar en ellos, o proporcionar o recibir adiestramiento con fines de terrorismo; y, c) La organización u otro tipo de facilitación deliberadas, incluidos actos de reclutamiento, por sus nacionales o en sus territorios, de los viajes de personas a un Estado distinto de sus Estados de residencia o nacionalidad con el propósito de cometer, planificar o preparar actos terroristas o participar en ellos, o proporcionar o recibir adiestramiento con fines de terrorismo".

reclutamiento de miembros de grupos terroristas, la organización y transporte o el equipamiento de combatientes extranjeros y la financiación de sus bienes.

Todo esto llevó a que muchos Estados actualizaran sus marcos jurídicos con la ampliación de la lista de delitos de terrorismo y, de esa manera, hacer frente a la amenaza de los combatientes extranjeros[44]. No obstante, se ha expresado una gran preocupación en relación con la protección deficitaria de los derechos humanos y las libertades fundamentales, porque la decisión sobre las medidas nacionales que han de adoptarse en aplicación de las resoluciones son tomadas por el ejecutivo y suponen que varios derechos fundamentales puedan verse afectados, como la libertad de circulación, la privación de la nacionalidad, el derecho al trabajo, la libertad, etc., en muchos casos, a partir de una información confidencial; porque no se especifican los criterios que servirán al Estado para considerar que una persona participará en los actos previstos en la resolución, con lo que se les estaría dando un gran margen de interpretación y la posibilidad de que se adopten soluciones arbitrarias indeseables; y porque buena parte de sus disposiciones son muy amplias y tampoco se han fijado claramente las pautas que se van a utilizar para determinar a quién se va a aplicar las medidas, si únicamente a los miembros de grupos armados no estatales o a los que se ajustan a la definición de organización o grupo terrorista, según la legislación del Estado miembro o atendiendo al derecho internacional, y, ante la falta de definición de términos como "terrorismo" o "extremismo", es posible que algunos gobiernos se sientan tentados de ampararse en la resolución para justificar ciertas medidas represivas contra la disidencia política; y todo ello bajo la cobertura del todopoderoso Consejo de Seguridad[45].

IV. REFLEXIÓN FINAL

La actividad del Consejo de Seguridad se inscribe en el proceso de internacionalización del Derecho penal, por el que la justicia preventiva tiende a la uniformidad del sistema penal, lo cual podría tener su lógica cuando las amenazas a la paz no son consecuencia de una crisis territorial, sino de una forma de criminalidad global, como es el terrorismo. Hay que reconocer las importantes mejoras que se han introducido en el régimen sancionador en el marco de Naciones Unidas, a la luz de la jurisprudencia europea, como la claridad y transparencia

---

[44]   Vid. LO 2/2015, de 30 de marzo, por la que se modifica el Código penal en materia de delitos de terrorismo.

[45]   Así se expresa el *Informe del Relator Especial sobre la promoción y protección de los derechos humanos y las libertades fundamentales en la lucha contra el terrorismo*, A/HRC/29/51, de 16 de junio de 2015 (disponible en: http://undocs.org/sp/A/HRC/29/51).

de los criterios para que el nombre de las personas o entidades sean incluidos o excluidos de las Listas o que ya no se requiera consenso en el Consejo para eliminar un nombre de la Lista. Sin embargo, desde el punto de vista jurídico se siguen planteando problemas en su puesta en práctica; por ejemplo, cuando se establece la sanción por excelencia, el bloqueo de activos en la lucha contra el terrorismo, se hace sin ordenar el adecuado procedimiento judicial en el que las partes vean protegidos sus derechos, como el debido proceso y la revisión judicial, o bien cuando se prevé dicho procedimiento no se recibe la información necesaria o esta se califica de confidencial, negándoles el acceso, con lo que se está impidiendo que puedan alegar lo que a su interés convenga.

Y es que en el marco de las sanciones antiterroristas hay una interpretación extensiva de las competencias que le atribuye la Carta al Consejo y enormes dudas sobre su adopción por su alto grado de politización, al imponer "normas generales a los Estados miembros frente a fenómenos que, siendo de gran importancia, exceden de lo previsto en la Carta, como el terrorismo internacional"[46]. Ante ello, el panorama es bastante sombrío y poco alentador, ya que a pesar de las reformas para adaptar su régimen sancionador y que se respeten las garantías individuales, está actuando como si fuera un legislador, arrebatando estos temas de los ordenamientos jurídicos nacionales, y aunque por el momento el tema sobre el que se ha centrado es el terrorismo, nada impide que su competencia se extienda en el futuro a otros fenómenos globales[47]. Esto último ha sido puesto de relieve por el Relator Especial al realizar un completo análisis de las insuficiencias del régimen de sanciones que las Naciones Unidas ha establecido para Al-Qaida; en particular, las funciones "cuasilegislativas" y "cuasijudiciales" del Consejo en la administración de dicho régimen con un procedimiento deficitario que termina por lesionar los derechos de las personas, ante la ausencia de una revisión judicial independiente que garantice el efectivo recurso en el ámbito de Naciones Unidas[48].

---

[46] TORRECUADRADA GARCÍA-LOZANO, S., Los límites a los poderes del Consejo de Seguridad. El caso de la Comisión de Compensación de Naciones Unidas, *Cursos de Derecho Internacional y Relaciones Internacionales de Vitoria_Gasteiz*, Universidad del País Vasco, Vitoria, 2010, pp. 232 y 233.

[47] TORRECUADRAGA GARCÍA-LOZANO, S. "La expansión de las funciones del Consejo de Seguridad de Naciones Unidas: problemas y posibles soluciones", en *Anuario mexicano de Derecho internacional*, vol. XII, 2012, pp. 382 y 383 (disponible en: http://www.scielo.org.mx/pdf/amdi/v12/v12a11.pdf).

[48] Informe del Relator Especial, *cit.* nota pie 43.

Detrás de todo ello subyacen temas de falta de legitimidad, transparencia, racionalidad, representación y democracia[49], sin que sea de recibo que su exigencia pondría en juego la misión y objetivo institucional del Consejo, precisamente porque si el Derecho tiende a expandirse y a universalizarse en un sistema de regulación global, la actuación del organismo internacional debe regirse por principios básicos, como la necesidad de que se establezcan criterios eficaces que consideren los intereses en juego con relevancia y significación, que las personas afectadas obtengan tutela y que su legitimidad esté amparada en un sistema democrático de producción de normas que respeten los derechos humanos.

---

[49]   Vid. AMAN, A.C., Jr., "Globalization, democracy, and the need for a new administrative law", en *Ucla Law Review*, vol. 49, núm. 6, pp. 1687 y ss.; SAVINO, M., "The war on terror and the rule of law", en *Global Administrative Law, Cases, Materials, issues*, AA.VV., Institute for International Law and Justice, NY, 2ª ed., 2008, pp. 109 y ss.; RODRÍGUEZ-ARANA, J., "Derecho Administrativo Global y derecho fundamental a la buena Administración Pública", en pp. 5 y 6. Sobre las políticas de seguridad y la adopción de medidas vulneradoras de las libertades bajo la supuesta justificación de las medidas de protección de los derechos humanos, PALACIOS VALENCIA, Y., "Derecho penal y castigo. Una excusa para la protección de los derechos humanos en la sociedad del riesgo", en *Díkaion* 22-1 (2013), pp. 131 y ss.

Capítulo 5

SANCTION REGIMES BY THE EUROPEAN CENTRAL BANK, EUROPEAN SECURITIES AND MARKETS AUTHORITY AND WORLD BANK -EXAMPLES FOR AN EMERGING GLOBAL CRIMINAL JUSTICE?

Dominik Brodowski
Junior Professor of Criminal Law and Criminal Procedure,
Saarland University, Germany[1]

Three notable regimes aim at the regulation of financial and business entities acting in a globalized world by providing for sanctioning opportunities: The European Central Bank' s (ECB) Single Supervisory Mechanism (SSM), the European Securities and Markets Authority and its regulation of credit rating agencies, and the World Bank debarment procedure. In this contribution, which puts a particular emphasis on the ECB SSM, the core features of these pioneers of a Global Criminal Justice will be discerned and analyzed.

I. INTRODUCTION

1. What is "criminal law"? A multi-dimensional approach

Allegedly, some individuals who are sought for war crimes fear black helicopters the most: black helicopters bearing the banner of the International Criminal Court (ICC), with special police forces of the ICC on board, on the lookout to apprehend war criminals, transfer them to The Hague, where they will face charges and may be sanctioned up to life imprisonment. Alas, international criminal justice has proven to be much more complicated, even though it addresses the most serious crimes of mankind. But can we call a phenomenon

---

[1] Parts I.2. and II.1. of this contribution are based on, or equivalent to, *Dominik Brodowski, El "Mecanismo Único de Supervisión" del Banco Central Europeo sobre las Instituciones de Crédito, ¿Una Transformación de la Responsabilidad Criminal Corporativa e Indivual en el Sector Financiero?*, in: Saad-Diniz/Sabadini/Broodwski/Espinoza de los Monteros de la Parra (eds.) Regulación del abuso en el ámbito corporativo: el rol del derecho penal en la crisis financiera, ConTexto: Resistencia, 2016, pp. 235 ff.

"criminal justice" even if the most severe sanctions are fines, debarment as well as naming and shaming? If imprisonment is not an option, and the actors involved do not consider the legal basis for their actions to be "criminal law"? Indeed we can, and we should:

To begin with, the terms "criminal law" (for the legal basis) and "criminal justice" (for both the legal basis and its implementation and actions in practice) span over multiple dimensions, and what may be "criminal law" in one dimension may be outside of the sphere of "criminal law" in another dimension[2]: For example, the procedural dimension – i.e. the question whether proceedings may be brought to "criminal courts" – may distinguish based on formal criteria, such as the specific legal basis. In the dimension of fundamental rights, however, the severity of (possible) sanctions is a decisive factor to trigger the applicability of the fundamental rights and guarantees specific to "criminal" proceedings, independent of whether the court deciding on the sanction is a "criminal court", an "administrative court", or a "special tribunal".

Moreover, functional equivalents to "criminal law" and "criminal justice" might be overlooked if one only looks through the lens of what historically and traditionally is meant by these terms. Instead, we should address the legal aspects (such as procedural rights and guarantees; questions of attribution, justification and exculpation, etc.) of new, functional equivalents by building upon the inventory of traditional legal scholarship.

2. *"Global Criminal Law" in the field of the economy-an introduction*

One area where new, supranational or even global approaches are necessary to regulate the "global players" of today is the field of the economy, where the regulation of financial markets and institutions is often at the forefront of developments in criminal justice systems[3]: In the continuing struggle between national states and a globalized economy, purely national solutions to regulate economic actors and to inhibit rule-breaking behavior oftentimes are not sufficient, as the national states often lack either jurisdiction *or* lack the power to enforce their jurisdiction. For example, in the financial crisis which has hampered us after 2007, severe shortcomings were evident in the regulation of the financial markets – and of several key players active therein. National

---

[2]   For a detailed discussion of the multiple dimensions of criminal justice, see *Dominik Brodowski*, in: Tiedemann/Sieber/Satzger/Burchard/Brodowski (eds.), Die Verfassung moderner Strafrechtspflege. Erinnerung an Joachim Vogel, Nomos: Baden-Baden, 2016, pp. 141 (154 ff.).
[3]   See *Joachim Vogel*, Wertpapierhandelsrecht-Vorschein eines neuen Strafrechtsmodells? In: Pawlik/Zaczyk (eds.), Festschrift für Günther Jakobs, Carl Heymanns: Köln 2007, pp. 731 ff.

approaches in regulating these actors oftentimes are limited due to the subjects of regulation being multinational corporations[4], and for them being "too big to fail"[5], possibly even "too big to punish"[6]. To level the playing field, the EU has shifted regulatory including sanctioning powers from the national level to a concerted approach ("Verwaltungsverbund"[7]), but also to a supranational level: Rating agencies are regulated —and face fines— by the European Securities and Markets Authority (ESMA) founded in 2011[8]; the resolution of failing credit institutions is regulated —and faces fines— by the Single Resolution Board[9]; and within the other main pillar of the so-called European Banking Union[10], the Single Supervisory Mechanism (SSM)[11], the European Central

---

4   See *Ulrich Beck*, Was ist Globalisierung? Irrtümer des Globalismus-Antworten auf Globalisierung, Suhrkamp: Frankfurt am Main, 1997.

5   This theme actually goes back at least to 1984, cf. *Arthur E. Wilmarth Jr.*, Too big to fail, too few to serve? The potential risk of nationwide banks. 77 Iowa Law Review (1992) 957, pp. 994 ff.

6   See *James Saft*, Column: UBS and too-big-to-punish, Reuters, 26.12.2012, available at http:// blogs.reuters.com/james-saft/2012/12/26/column-ubs-and-too-big-to-punish-james-saft/ (20.2.2017).

7   On the theory of a concerted approach of European regulators ("Europäischer Verwaltungsverbund"), see *Wolfgang Kahl*, Der Europäische Verwaltungsverbund, Der Staat 50 (2011), pp. 352 ff. This approach is utilized in the financial sector e.g. in the Market Abuse Regulation (OJ L 173 of 12.6.2014, pp. 1 ff.).

8   Regulation (EU) No 1095/2010 of the European Parliament and of the Council of 24 November 2010 establishing a European Supervisory Authority (European Securities and Markets Authority), OJ L 331 of 15.12.2010, pp. 84 ff.

9   Regulation (EU) No 806/2014 of the European Parliament and of the Council of 15 July 2014 establishing uniform rules and a uniform procedure for the resolution of credit institutions and certain investment firms in the framework of a Single Resolution Mechanism and a Single Resolution Fund and amending Regulation (EU) No 1093/2010; OJ L 225 of 30.7.2014, pp. 1 ff.

10   The European Banking Union is founded on the "single rulebook" laying down basic requirements for financial institutions in all member states. In the following context, most important parts of this "single rulebook" are the the Regulation (EU) No 575/2013 of the European Parliament and of the Council of 26 June 2013 on prudential requirements for credit institutions and investment firms (CRR, OJ L 176 of 27.6.2013, pp. 1 ff.) and the Directive 2013/36/EU of the European Parliament and of the Council of 26 June 2013 on access to the activity of credit institutions and the prudential supervision of credit institutions and investment firms (CRD IV, OJ L 176 of 27.6.2013, pp. 338 ff.). On the European Banking Union generally, see *Bernd Krauskopf, Julian Langer, Michael Rötting*, Some Critical Aspects of the European Banking Union, 29 Banking & Finance Law Review (2014), pp. 241 ff.; *Jens-Heinrich Binder*, Auf dem Weg zu einer europäischen Bankenunion? ZBB 2013, 297 ff.

11   The normative foundations of this Single Supervisory Mechanism are the Council Regulation (EU) No 1024/2013 of 15 October 2013 conferring specific tasks on the European Central Bank concerning policies relating to the prudential supervision of credit institutions (SSM Regulation, OJ L 287 of 29.10.2013, pp. 63 ff.) and the accompanying Regulation (EU) No 1022/2013 of the European Parliament and of the Council of 22 October 2013 amending Regulation (EU) No 1093/2010 establishing a European Supervisory Authority

Bank (ECB) can regulate —and, in cases of breaches, sanction— many of the most important European credit institutions[12] since November 2014. Even though these regulatory approaches are not labeled to be "criminal" —be it to avoid fundamental rights protections, be it to avoid constitutional problems[13], be it to sound modern—, especially the ECB SSM sanctioning regime (*infra* II.1.), the ESMA sanctioning regime (*infra* II.2.), and —a less European but more "global" approach— the debarment sanctioning regime by the World Bank (*infra* II.3.) warrant a close look from the perspective of criminal law and criminal justice. For each of these three pioneers towards a Global Criminal Justice, I will address aspects of both *substantive* and *procedural* laws.

(European Banking Authority) as regards the conferral of specific tasks on the European Central Bank pursuant to Council Regulation (EU) No 1024/2013 (OJ L 287 of 29.10.2013, pp. 5 ff.). On the Single Supervisory Mechanism, see additionally, inter alia, *Tim Oliver Brandi, Konrad Gieseler*, Vorschläge der EU-Kommission zur einheitlichen Bankenaufsicht in der Eurozone, BB 2012, pp. 2646 ff.; *Tobias Tröger*, Der Einheitliche Aufsichtsmechanismus (SSM)-Allheilmittel oder quacksalberische Bankenregulierung?, ZBB 2013, pp. 373 ff.; *Matthias Lehmann, Cornelia Manger-Nestler*, Einheitlicher Europäischer Aufsichtsmechanismus: Bankenaufsicht durch die EZB, ZBB 2014, pp. 2 ff.; *Kerstin Peters*, Die geplante europäische Bankenunion-eine kritische Würdigung, WM 2014, pp. 396 ff.; *Eva Maryskova*, 33 Review of Banking and Financial Law (2014) pp. 525 ff.; *Mona Philomena Ladler*, Finanzmarktregulierung in der Krise oder Krise der Finanzmarktregulierung?, GPR 2013, pp. 328 ff.; *Jan Ceyssens*, Teufelskreis zwischen Banken und Staatsfinanzen-Der neue Europäische Bankenaufsichtsmechanismus, NJW 2013, pp. 3704 ff.; *Laura Wissink, Ton Duijkersloot, Rob Widdershoven*, Shifts in Competences between Member States and the EU in the New Supervisory System for Credit Institutions and their Consequences for Judicial Protection, 10 Utrecht Law Review (2014) pp. 92 ff.; and, from a comparative perspective, *Franz C. Mayer*, Kompetenzverschiebungen als Kriesenfolge?, JZ 2014, pp. 593 ff. For a criminal-law perspective on the SSM, see *Raffaele D'Ambrosio*, Due process and safeguards of the persons subject to SSM supervisory and sanctioning proceedings, 74 Quaderni di Ricerca Giuridica della Consulenza Legale (2013), pp. 1 ff.; *Antonio Luca Riso*, The power of the ECB to impose sanctions in the context of the SSM, 63 Bancni vestnik (2014), pp. 32 ff., available at http://ssrn.com/abstract=2526380 (20.2.2017); *Silviana Allegrezza, Olivier Voordeckers*, Investigative and Sanctioning Powers of the ECB in the Framework of the Single Supervisory Mechanism, eucrim 2015, pp. 151 ff.; *Konstsantina Panagiannaki*, The "Europeanization" of Financial Supervision in the Aftermath of the Crisis, eucrom 2015, pp. 161 ff.

12   The SSM is limited to EU member states whose currency is the Euro or to those member states who opted in according to Art. 7 SSM Regulation; see Art. 2 (1) SSM Regulation. Furthermore, the SSM is limited by a complementary mechanism with regard to less significant financial institutions. See *infra* at II. 1. a. for details.

13   These arise, for example, in Germany, where the Federal Constitutional Court considers "criminal law" to be at the core of national sovereignty: Federal Constitutional Court of Germany, Judgment of 30 June 2009 – 2 BvE 2, 5/08, 2 BvR 1010, 1022, 1259/08, 182/09 –, § 253.

II. THREE PIONEERS FOR A "GLOBAL CRIMINAL JUSTICE" IN THE FIELD OF ECONOMIC REGULATION

1. The European Central Bank's Single Supervisory Mechanism

The most prominent —and possibly most powerful— example to be analyzed in the following relates to the ECB SSM. In the following analysis of the ECB's sanctioning powers and procedures with regard to financial institutions in Euro-states[14], I will leave aside the issue whether the SSM is in accordance with EU primary law[15] and whether it adheres to the principles to democracy[16].

a) Exclusive and complementary supervision of credit institutions

In its Art. 1, the landmark SSM Regulation[17] of 15 October 2013 "confers on the ECB specific tasks concerning ... the prudential supervision of credit institutions". This includes the "exclusive" competence regarding the tasks.

–   to "ensure compliance with ... acts ... which impose prudential requirements ... in the areas of own funds requirements, securitisation, large exposure limits, liquidity, [and] leverage" (Art. 4 para. 1 lit. d SSM Regulation),

–   to "ensure compliance with... acts ... which impose requirements to have in place robust governance arrangements" including risk management (Art. 4 para. 1 lit. e SSM Regulation), and,

–   to "carry out supervisory reviews ... in order to determine whether ... a sound management and coverage of their risks" exists (Art. 4 para. 1 lit. f SSM Regulation).

The ECB directly supervises credit institutions of significant relevance, as far as it concerns these matters[18]. For less significant credit institutions, however, the

---

[14]   For other member states having opted into the SSM, see the cooperation mechanism in Art. 7 SSM Regulation.

[15]   On this matter, see *Matthias Herdegen*, Bankenunion: Wege zu einer einheitlichen Bankenaufsicht, WM 2012, pp. 1889 ff.; *Benedikt Wolfers, Thomas Voland*, Europäische Zentralbank und Bankenaufsicht, BKR 2014, pp. 177 (178 ff.); *Kerstin Peters*, (*supra* footnote 10), p. 396 (399); *Mona Philomena Ladler* (*supra* footnote 10), GPR 2013, pp. 328 (329 f.); *Stanyo Dinov*, Europäische Bankenaufsicht im Wandel?, EuR 2013, p. 593 (559).

[16]   On this matter, see *Benedikt Wolfers, Thomas Voland*, (*supra* footnote 14), BKR 2014, pp. 177 (181 ff.) and the discussion by *Bernd Krauskopf, Julian Langer, Michael Rötting* (*supra* footnote 9), 29 Banking & Finance Law Review (2014) pp. 241 (253 f.).

[17]   See *supra* footnote 10.

[18]   Notable matters not covered by the supervision of the ECB include consumer protection and the prevention of money laundering, see *Tim Oliver Brandi, Konrad Gieseler* (supra footnote 10), BB 2012, p. 2646 (2648).

ECB' s role is at first limited to the issuing of "regulations, guidelines or general instructions" (Art. 6 para. 5 lit. a SSM Regulation), but it nonetheless retains the right to "decide to exercise directly itself all the relevant powers" if so "necessary to ensure consistent application of high supervisory standards" (Art. 6 para. 5 lit. b SSM Regulation). In other words: for less significant credit institutions, there is a principle of complementary.

The SSM Regulation does not contain rules on the *material* and *procedural* requirements regarding liquidity, robust governance and risk management; instead, the Art. 4 para. 3 SSM Regulation refers to "all relevant Union law". However, much EU law is not directly applicable to financial institutions. Instead, by means of Directives, the EU instructs member states to enact —at least— minimum standards in national legislation[19]. Therefore, the ECB is to apply the "the *national legislation* transposing those Directives"[20], and also to honor any options left to member states in EU Regulations (Art. 4 para. 3 subpara. 1 SSM Regulation, emphasis added). Such "relevant Union law" is, most notably, the so-called CRR Regulation[21], which contains e.g. specific rules on own funds, liquidity, and on risk management, but also the accompanying CRD IV Directive[22], which contains minimum requirements on the structure, initial capital, but also on the supervision of credit institutions.

The CRD IV Directive stipulates that the EU member states must provide either for administrative or criminal sanctions-including at least,

- "naming & shaming" (Art. 66 para. 2 lit. a, Art. 67 para. 2 lit. a CRD IV)[23],
- pecuniary penalties of up to 5.000.000 EUR for natural persons (Art. 66 para. 2 lit. d; Art. 67 para. 2 lit. f CRD IV), or up to 10 % of the total annual net turnover for legal persons (Art. 66 para. 2 lit. c; Art. 67 para. 2 lit. e CRD IV), and a forfeiture of profits derived from the breach; but actually not only of the profits, but "twice the amount of the benefit" (Art. 66 para. 2 lit. e; Art. 67 para. 2 lit. g CRD IV) for the breaches spelled out in Art. 66 para. 1, Art. 67 para. 1 CRD IV, which include:

---

[19]   For an overview of EU legislative modes of governance from a criminal law perspective, see *Helmut Satzger*, International and European Criminal Law, 2012, pp. 43 ff.

[20]   Critically *Enrico Peuker*, Die Anwendung nationaler Rechtsvorschriften durch Unionsorgane-ein Konstruktionsfehler der europäischen Bankenaufsicht, JZ 2014, 764 ff.

[21]   See *supra* footnote 9. The CRR —which is "directly applicable in all Member States" (Art. 521 CRR)— as well as the CRD IV implement Basel III into EU law; see additionally *infra* II. 1. b.

[22]   See *supra* footnote 9.

[23]   On this topic and judicial oversight on "naming and shaming", see *Pilipp Irmscher*, Rechtsschutz gegen "naming and shaming" im EU-Rechtsschutzsystem – eine Analyse anhand des Single Supervisory Mechanism (SSM), EWS 2016, pp. 318 ff.

- failing "to have in place governance arrangements required ... in accordance with the national provisions transposing Article 74" (lit. d),
- failing to inform or provides incomplete information about certain regulatory aspects (lit. b, lit. e to lit. i),
- "repeatedly or persistently fail [ing] to hold [sufficient] liquid assets" (lit. j),
- "incur [ring] an exposure in excess of the limits set out in Article 395 of Regulation (EU) No 575/2013" (lit. k), or
- allowing an ineligible person "to become or remain a member of the management body" (lit. p).

b) The genesis of CRR and CRD IV: Basel III and the BCBS

While the CRR and CRD IV are —*prima facie* and *de iure*— EU secondary law, enacted in the ordinary legislative procedure with a qualified majority decision in both the Council of the European Union and the European Parliament, they root in the so-called *Basel III* standard[24]. As market stability requires a common approach to market regulation in all interconnected markets, ten of the most important industrial countries founded the *Basel Committee on Banking Supervision (BCBS)* in 1974, which is co-located with the *Bank for International Settlements (BIS)* in Basel[25]. Nowadays, 27 countries —from Argentina to the United States, from China to Luxembourg— as well as the European Union are members of the BCBS, each represented by the central bank and, if this is a different institution, the lead authority on banking supervision[26]. The BCBS aims at converging standards of banking supervision, and issues recommendations to its members (and beyond) on how prudential banking supervision is to be structured. The most recent such recommendation bears the name of "Basel III", which was adopted in 2010[27]. In recent years, updates to Basel III have been decided upon; the current focus of the BCBS rests, however, on the monitoring of the correct implementation of Basel III[28].

Although the recommendations issued by the BCBS may only, from a legal perspective, be classified as "soft law", its influence on the "hard law" of the CRD IV and the CRR is obvious. Nonetheless, directly binding to individuals (and to

---

24   See *supra* footnote 20.
25   See http://www.bis.org/bcbs/history.htm (20.2.2017); *Charles Goodhart*, The Basel Committee on Banking Supervision, OUP: Oxford, 2011, *pássim*.
26   For example, the EU is represented by the ECB, Germany by the Bundesbank and the BaFin, and Spain by the Bank of Spain.
27   Just see http://www.bis.org/bcbs/basel3.htm, http://www.bis.org/publ/bcbs188.pdf and http://www.bis.org/publ/bcbs189_dec2010.pdf (20.2.2017).
28   Cf. http://www.bis.org/bcbs/implementation.htm (20.2.2017).

individual financial institutions) is only the formal legislation at the EU and at the national level, where the legislature has —not only in theory— the opportunity to implement, to modify or to disregard the recommendations by the BCBS. Furthermore, with the EU and some of its member states being represented in the BCBS, and decisions taken by the BCBS requiring consensus[29], there is already an —albeit indirect— democratic *input* legitimacy to the recommendations issued by the BCBS. Finally, it should be noted that the recommendations by the BCBS do not address the sanctioning powers and procedures, leaving these questions solely to the EU and the national level.

c) Sanctioning powers and mechanisms

(1) Overview

Concerning the sanctioning powers and procedures available to the ECB, we need to distinguish two models of sanctioning powers, a direct sanctioning model in Art. 18 para. 1 SSM Regulation, and an indirect sanctioning model in Art. 18 para. 5 SSM Regulation: Under the direct sanctioning model, intentional or negligent breaches of directly applicable Union laws —such as the CRR— "in relation to which administrative pecuniary penalties shall be made available to competent authorities under the relevant Union law" —such as the CRD IV— shall be sanctioned by the ECB by imposing "administrative pecuniary penalties" on financial institutions —and thus *legal persons* – "of up to twice the amount of the profits gained or losses avoided because of the breach where those can be determined, or up to 10 % of the total annual turnover" (Art. 18 para. 1 SSM Regulation)[30]. In other cases, the ECB may require national competent authorities to open administrative or criminal[31] proceedings, which may be targeted on financial institutions but also on "members of the management board ... who under national law are responsible for a breach" (Art. 18 para. 5 SSM Regulation). Furthermore, another clause grants the ECB the power to "require, by way of instructions, those national authorities to make use of their powers, under and in accordance with the conditions set out in national law" (Art. 9 para. 1 subpara. 3 SSM Regulation).

---

[29]   Basel Committee Charter, 8.4, available at http://www.bis.org/bcbs/charter.htm (20.2.2017).

[30]   In a similar vein, and relating to ECB regulations or decisions-e.g. concerning minimum reserves to be deposited with the ECB (Regulation (EC) No 1745/2003-ECB/2003/9, OJ L 250 of 2.10.2003, p. 10, as amended)-the ECB is conferred sanctioning powers in Council Regulation (EC) No 2532/98, OJ L 318 of 27.11.1998, p. 4, as amended.

[31]   Art. 18 para. 5 SSM Regulation only speaks of "appropriate penalties" in this context and refers to the national implementation of the applicable Union law. As the applicable Union law-especially CRD IV-gives member states the option to choose between administrative and criminal sanctions, this reference must be read as to refer both to administrative and criminal sanctions.

(2) Investigatory and sanctioning procedures

Only a patchwork of procedural rules is spelled out in the SSM Regulation itself —which caused quite a lot of criticism from legal literature[32]—, many more procedural rules are found in a norm enacted by the ECB itself, the so-called SSM Framework Regulation[33]: When the ECB "considers that there is reason to suspect" that rules falling under its sanctioning power have been breached, also in cases of "whistle-blowing" (Art. 23 SSM Regulation), it refers the matter to an "internal independent investigating unit". This unit is composed of ECB personnel who must not have been involved in the supervision of financial institutions in the past two years (Art. 123, Art. 124 SSM Framework Regulation). It may "access... all documents and information gathered by the ECB" and the national competent authorities (Art. 125 para. 3 SSM Framework Regulation); and it may also issue *production orders*[34] to credit institutions and to "persons belonging to" them (Art. 10 para. 1 SSM Regulation; Art. 125 para. 1 SSM Framework Regulation), as well as to interview such persons (Art. 11 para. 1 lit. c SSM Regulation; Art. 125 para. 1 SSM Framework Regulation). Third parties may only be interviewed by the ECB if they consent (Art. 11 para. 1 lit. d SSM Regulation; Art. 125 para. 1 SSM Framework Regulation). In relation to the legal persons under its investigation, the ECB and its investigating unit may also conduct "on-site inspections", which may include the ECB "examin[ing] the books and records" of the legal persons, and the "tak[ing of] copies or extracts from such books and records" (Art. 12 para. 2, Art. 11 para. 1 lit. b SSM Regulation). If necessary for such an "on-site inspection" —which may be, in fact, a search and seizure operation—, an authorization by a national judicial authority shall be applied for; the judicial authority only has to verify the authenticity of the measure and that it is "neither arbitrary nor excessive" (Art. 13 SSM Regulation).

Once the investigation is completed, the subject of the investigation is to be notified in writing and be given the chance to submit comments in writing; also, a non-public oral hearing may be held (Art. 126 SSM Framework Regulation, Art. 22 para. 1 SSM Regulation). "If an investigating unit considers that an administrative penalty should be imposed", it submits a draft decision to the Supervisory Board (Art. 127 SSM Framework Regulation). This body is composed of representatives of the member states, the ECB, and a Chair and Vice-Chair being

---

32   See *Frederic Gerber*, Bankenaufsicht ohne Verwaltungsverfahrensrecht?, EuZW 2013, pp. 298 ff.

33   Regulation (EU) No 468/2014 of the European Central Bank of 16 April 2014 establishing the framework for cooperation within the Single Supervisory Mechanism between the European Central Bank and national competent authorities and with national designated authorities (SSM Framework Regulation) (ECB/2014/17), OJ L 141 of 14.5.2014, pp. 1 ff.

34   Whether production orders also may extend to telecommunications data retained by the credit institutions-e.g. based on § 16b para. 1 Wertpapierhandelsgesetz in Germany-is not clear.

appointed by the Council with the European Parliament' s approval (Art. 26 SSM Regulation), and it also has some regulatory powers on its own. The Supervisory Board may return the case for further investigations, may close the case, modify the "recommendation concerning administrative penalties" (i.e. the sentence), or submit the draft decision unaltered to the ECB' s Governing Council. Unless the Governing Council objects in writing within ten working days, the draft decision is deemed adopted (Art. 26 para. 8 SSM Regulation), and the sanction is imposed.

Besides judicial review by the Court of Justice of the EU (Art. 263 TFEU[35]; Art. 35 para. 1 ECB Statue[36]; Art. 24 para. 11 SSM Regulation), an internal administrative review process is established concerning the "procedural and substantive conformity" of decisions (Art. 24 SSM Regulation).

Besides this "administrative" process relating to the breaches of Union law specified above, there is also an opening clause when "the ECB has reason to suspect that a criminal offence may have been committed": Then, "it shall request" the national competent authority "to refer the matter to the appropriate authorities for investigation and possible criminal prosecution" (Art. 136 SSM Framework Regulation)[37].

d) *Analysis*

(1) Common concepts

Several key elements of the sanctioning powers and procedures of the ECB are therefore quite similar to what is already known in supranational administrative sanctioning[38], especially in comparison to EU competition proceedings[39]: Be it the maximum sanction available against legal persons —10 % of the annual

---

[35] Treaty on the Functioning of the European Union, as amended. Consolidated version in OJ C 326 of 26.10.2012, pp. 47 ff.

[36] Protocol (No 4) on the statute of the European System of Central Banks and of the European Central Bank, as amended. Consolidated version in OJ C 326 of 26.10.2012, pp. 230 ff.

[37] Regarding information sharing, see Decision (EU) 2016/1162 of the European Central Bank of 30 June 2016 on disclosure of confidential information in the context of criminal investigations (ECB/2016/19), OJ L 192 of 16.7.2016, pp. 73 ff.

[38] See generally, *Dominik Brodowski*, § 5 Allgemeiner Teil des supranationalen Sanktionenrechts (Überblick), in: Sieber/Satzger/von Heintschel-Heinegg (eds.), Europäisches Strafrecht, Nomos: Baden-Baden, 2nd ed. 2014; *Adrienne de Moor-van Vugt*, Administrative Sanctions in EU law, in: Jansen (ed.), Administrative sanctions in the European Union, Intersentia: Mortsel, 2013, pp. 607 ff.; *Anne Heitzer*, Punitive Sanktionen im Gemeinschaftsrecht, Nomos: Baden-Baden, 1996.

[39] Council Regulation (EC) No 1/2003 of 16 December 2002 on the implementation of the rules on competition laid down in Articles 81 and 82 of the Treaty, OJ L 1 of 4.1.2003, pp. 1 ff. See generally, *Thomas Wahl*, § 7 Kartellverfahren, in: Sieber/Satzger/von Heintschel-Heinegg (eds.), Europäisches Strafrecht, Nomos: Baden-Baden, 2nd ed. 2014.

turnover—, be it the key actors —*administrative* bodies (here the ECB, there the Commission)—, be it the discretion given to these actors implicitly when deciding whether to initiate sanctioning proceedings[40], be it the (limited) investigation powers and the limited judicial authorization of on-site inspections, or be it the lack of (explicit) *nemo tenetur* protection for legal and natural persons alike.

(2) Lacunae

Striking, though, are some *lacunae* of the new ECB SSM mechanism: Firstly, there are no provisions relating to transactions[41], deferred or non- prosecution agreements (DPA/NPA) which are common features of contemporary sanctioning regimes. That does all but mean that these mechanisms are not available to the ECB: Because of the discretion given to the ECB and because of the other supervisory tools available under Art. 16 SSM Regulation, such alternative methods are likely to be taken by the ECB, but with hardly any normative bounds[42]. Secondly, in contrast to competition proceedings, the *burden of proof* is not specified explicitly[43]; however, as Art. 48 CFR[44] is now part of the Union primary law, it may be derived that the burden of proof rests with the ECB[45], unless specified otherwise. Thirdly and again in contrast to competition proceedings, there is no provision allowing for search and seizure operations ("inspections") of other premises[46], e.g. the homes of the financial institution's managers. However, as insufficient record-keeping may by itself be a sanctionable offense under Art. 67 para. 1 CRD IV, this omission may prove to be not as dangerous as it seems at first sight. Last but not least, the protection of defense rights is a mere patchwork: References to defense rights are made in general terms[47], and only spelled out in more detail regarding the (limited) access to the case file (Art. 32 SSM Framework Regulation), the right to be heard (Art. 126 SSM Framework Regulation), and the right to be "represented and/or assisted by lawyers or other qualified persons

---

[40]　This may be inferred by Art. 18 para. 3 sentence 2 SSM Regulation, as it speaks of the question on "whether to impose a penalty". For competition matters, see *Wahl* (*supra* footnote 38), § 7 at 13.

[41]　In contrast, see Art. 29 Proposal for a Council Regulation on the establishment of the European Public Prosecutor's Office, COM(2013) 534 of 17.7.2013.

[42]　In contrast, see the Commission Regulation (EC) No 622/2008 of 30 June 2008 amending Regulation (EC) No 773/2004, as regards the conduct of settlement procedures in cartel cases (OJ L 171 of 1.7.2008, pp. 1 ff.).

[43]　In contrast, see Art. 2 Council Regulation (EC) No 1/2003 (*supra* footnote 38).

[44]　Charter of Fundamental Rights of the European Union, OJ C 83 of 30.3.2010, pp. 389 ff.

[45]　Of course, this argument depends on Art. 48 CFR being applicable to administrative sanctions.

[46]　In contrast, see Art. 21 Council Regulation (EC) No 1/2003 (*supra* footnote 38).

[47]　Recital 40 CRD IV; Art. 22 para. 2 sentence 1 SSM Regulation; Art. 132 para. 1 sentence 1, Article 126 SSM Framework Regulation.

at [an oral] hearing" (Art. 126 para. 3 SSM Framework Regulation). Besides the long-lamented lack of protection of in-house counsel[48], this also affects "chance finds" of information relating to crimes committed by the financial institutions, its personnel, but also its crimes: There is no limitation based on the gravity of the offense or no data-protection clause limiting the forwarding of information to national criminal justice systems under Art. 136 SSM Framework Regulation.

(3) New features: An internal separation of powers and an internal review process, the "pooling" of investigation and sanctioning powers and the sanctioning of natural persons

Even more interesting, though, are the differences, of which I will highlight three in the following analysis:

The ECB sanctioning regime will provide for an operational division between investigation, adjudication, and (internal) review, all within the ECB. But why is there such a strive for a separation of powers already within the ECB and in addition to judicial review by the ECJ? One reason may be to enhance the *due process* of the proceedings[49]. Another reason may well be to avoid publicity and a public sanctioning mechanism – which could risk the stability of a financial institution, as it depends so largely on the trust of its customers. Therefore, the additional review stages – first automatically by the Supervisory Board, then the opportunity given to the Governing Council to intervene, and then, on request of the supervised body, by the Administrative Board of Review – may serve to enhance the validity of sentencing decisions. But it may also mitigate some of the problems of today's criminal justice systems, where the indictment alone may prove to ruin one's business and even one's life[50]. Nonetheless, this change does provide for yet another alternative settlement mechanism, even in addition to NPAs and DPAs, and works against the publicity of sanctioning proceedings which are seen by *Tiedemann* and others as a core feature of a functioning corporate criminal liability[51].

---

[48] In relation to competition matters, see EU Court of Justice (Grand Chamber), judgment of 14.9.2010, C-550/07 P (Akzo Nobel Chemicals Ltd and Akcros Chemicals Ltd v European Commission); *Wahl* (*supra* footnote 38), § 7 at 63.

[49] *Klaus Tiedemann*, Gegenwart und Zukunft des Europäischen Strafrechts, ZStW 116 (2004), pp. 945 (948 f.) already called for independent administrative institutions modeled after judicial institutions long ago.

[50] See also Art. 68 para. 2 lit. b and lit. c SSM Directive, which allows for the subject of penalties to remain anonymous "where publication would jeopardise the stability of financial markets or an ongoing criminal investigation" or "where publication would cause… disproportionate damage to the institutions or natural persons involved".

[51] *Klaus Tiedemann*, Corporate Criminal Liability as a Third Track, In: Dominik Brodowski, Manuel Espinoza de los Monteros de la Parra, Klaus Tiedemann, Joachim Vogel (eds.), Regulating Corporate Criminal Liability, Springer: Cham, 2014, p. 11 (17).

Another distinct feature of the ECB SSM mechanism is the extent how investigation and sanctioning powers are "pooled"[52]. The ECB may "require, by way of instructions,... national authorities to make use of their powers, under and in accordance with the conditions set out in national law", including the opening of sanctioning proceedings (Art. 9 para. 1 subpara. 3, Art. 18 para. 5 EU Regulation 1024/2013). While the legal framework of the national actors remains the *national law*[53], it is supranationalized under a new[54] and distinct type of multi-level governance: First of all, matters of discretion may now be decided at the supranational instead of the national level. Secondly, the supranational level may influence or even direct the interpretation of national rules. Thirdly, the question of whether national authorities sufficiently fulfilled a request by the ECB is a matter for the European courts to decide – whereas the interpretation of national rules is usually a matter for the national courts to decide. It remains to be seen whether the ECB will grant national authorities a "margin of appreciation" on their own national rules, or whether it will demand authority on the interpretation of the supervisory methods available under national laws. Another feature of multi-level governance by sanctioning is not as new, but becomes more pressing whenever investigation and sanctioning powers are pooled: *ne bis in idem* protection[55] and the allocation of jurisdiction. While the first issue is not addressed by the SSM legislation at all, especially insofar it concerns criminal sanctions at the national level against the same legal person, or sanctions against both legal and natural persons, the latter questions is somewhat improved: With the ECB having —within its *ratione materiae*— "exclusive competence" over the supervision and related "administrative" sanctioning of financial institutions, and merely sharing this competence with national authorities in cases of lesser importance and under a principle of complementarity, there is a pre-defined allocation of jurisdiction in terms of *administrative sanctioning*.

---

[52]   See additionally *Allegrezza/Voordeckers* (supra footnote 10), eurocrim 2015, 151 (153 f.).

[53]   Which may or may not be harmonized under (other) EU law, such as under CRD IV.

[54]   In competition matters, Art. 22 para. 2 Council Regulation (EC) No 1/2003 (*supra* footnote 38) allows the Commission to request national authorities to conduct investigations on its behalf and thus is less far-reaching than the SSM Regulation.

[55]   On *ne bis in idem* protection in competition law, see *Martin Böse*, Der Grundsatz "ne bis in *idem*" im Wettbewerbsrecht der Gemeinschaft und Art. 54 SDÜ, EWS 2007, pp. 2002 ff.; *Thomas Streinz*, "Ne bis in *idem*" bei Sanktionen nach deutschem und europäischem Kartellrecht, JURA 2009, pp. 412; *Aikaterini Tzouma*, Transnational "Ne Bis In *Idem*" Principle and European Competition Law with Regard to the Different Approaches to Corporate Criminal Liability Among EU Member States, in: Brodowski/Espinoza de los Monteros de la Parra/Tiedemann/Vogel (eds.), Regulating Corporate Criminal Liability, Springer: Cham, 2014, pp. 261 ff.

Last but not least: Leaving some special? – cases like the field of civil aviation aside[56], previous EU law only called for supranational administrative sanctions[57] against legal persons and/or "undertakings" – while the latter term may also extend to natural persons, it merely does so with regard to their business activities. In contrast, the SSM legislation differentiates between legal persons and natural persons. And while it does not grant the ECB the power to directly sanction natural persons, the ECB may "require" national authorities to initiate criminal[58] or non-criminal proceedings under Art. 18 para. 5 SSM Regulation. This constitutes an intermediate step between national and supranational criminal proceedings and is also foreseen for Eurojust in EU primary law (Art. 85 para. 1 lit. a TFEU)[59] ; but it even goes beyond this (hypothetical[60]) Eurojust model due to the power given to the ECB to require specific actions by national authorities (Art. 9 para. 1 subpara. 3 SSM Regulation).

2. The Regulation of Rating Agencies by the European Securities and Markets Authority

A comparatively similar regulatory model may be found in relation to the regulation of rating agencies by the European Securities and Market Authority (ESMA). Again, the roots of the "hard law" enacted by the EU – the Regulation (EC) 1060/2009, as amended[61], – may be found at a global level, here at the *Financial Stability Board* (FSB) established by the G-20 and the recommendations it issues. In this FSB, three institutions of each member are represented, namely the ministry of finance, the central bank and (if distinct) the lead authority on banking supervision. Represented are, at present, 24 leading industrial nations

---

[56] Regulation (EC) 216/2008 allows for fines of up to 4 % of the annual turnover against *natural* persons relating to aviation safety. For details see *Dominik Brodowski*, § 6 Besonderer Teil des supranationalen Sanktionenrechts (Überblick), in: Sieber/Satzger/von Heintschel-Heinegg (eds.), Europäisches Strafrecht, Nomos: Baden-Baden, 2nd ed. 2014, at 41.

[57] In this context, this shall refer to the *jurisdiction to enforce* resting with EU and not member states' authorities.

[58] See *supra* footnote 30.

[59] On this matter, see *Joachim Vogel*, in: Grabitz/Hilf/Nettesheim (eds.), Das Recht der Europäischen Union, Art. 85 TFEU at 19.

[60] Neither the Council Decision of 28 February 2002 setting up Eurojust with a view to reinforcing the fight against serious crime, as amended (CONSLEG 2002D0187 of 4.6.2009) nor the Proposal for a Regulation of the European Parliament and of the Council on the European Union Agency for Criminal Justice Cooperation (Eurojust), COM(2013) 535 of 17.7.2013, grants Eurojust such powers.

[61] Regulation (EC) No 1060/2009 of the European Parliament and of the Council of 16 September 2009 on credit rating agencies, OJ L 302 of 17.11.2009, pp. 1 ff., as amended.

(including Spain, Germany and the United States) as well as the EU and international institutions such as the BIS, the IMF, the OECD and the World Bank.

The most recent sanctioning decision published by the ESMA may serve as a prime example on the scope of the regulation of rating agencies: One of the largest credit rating agencies in the world was fined by ESMA for three infringements: Firstly, it did not inform Slovakia at least 12 hours in advance of a new credit rating, contrary to Annex III, Section III, point 7 Regulation (EC) 1060/2009, and was fined with 60,000 EUR for this infringement. Secondly, it incurred a fine of 825,000 EUR for not having a sound internal control system (Annex III, Section I, point 12). Thirdly, it was fined 495,00 EUR for unauthorized disclosure of the new credit rating (Annex III, Section I, point 34)[62]. This highlights the prevention-oriented approach and self-regulatory approach taken by the ESMA, and the procedural-oriented infringements prescribed in Annex III of Regulation (EC) 1060/2009.

The sanctioning procedures are much more streamlined compared to the ECB SSM, owing to the fact that the ESMA does not have a double task of supervision and monetary policy, and that the supervision relates to the less sensitive credit rating agencies only. Therefore, the sanctioning procedures spelled out in Regulation (EC) 1060/2009 rests on an "Independent Investigating Officer" investigating an incident and preparing a case file for the "Board of Supervisors" deciding the matter. Its decision may (only) be reviewed externally by the ECJ.

3. Regulation by Debarment-an approach taken by the World Bank

In contrast to the previously mentioned sanctioning regimes acting under the umbrella of the European Union, the World Bank has neither direct or indirect sanctioning powers *proprio motu*, or, in terms of jurisdiction, a jurisdiction to prescribe, to enforce and/or to adjudicate. It has, however, influence over whom it conducts business with, and how to shape the contractual relationships with its partners and their subcontractors. As the World Bank debarment procedures and features are discussed extensively elsewhere[63], let me briefly touch the most important aspects here:

---

62   ESMA Board of Supervisors, Decision ESMA/2016/1131 of 21.7.2016, and public notice ESMA/2016/1159, available at https://www.esma.europa.eu/sites/default/files/library/2016-1159_public_notice.pdf (20.2.2017).

63   See, inter alia, *Sope Williams*, The Debarment of Corrupt Contractors from World Bank-Financed Contracts, 36 Public Contract Law Journal (2007), pp. 277 ff.; *Courtney Hostetler*, Going from Bad to Good: Combating Corporate Corruption on World Bank-Funded Infrastructure Projects,14 Yale Hum. Rts. & Dev. L.J. (2011), pp. 231 ff.; *Laurence Boisson de Chazournes, Edouard Fromageau*, Balancing the Scales: The World Bank Sanctions Process and

Based on its founding statutes which call for "arrangements to ensure that the proceeds of any loan are used only for the purposes for which the loan was granted"[64], the World Bank has set out internal procurement standards setting out consequences of "corrupt, fraudulent, collusive, or coercive practices"[65]. In particular, it will neither directly nor indirectly conduct business with anyone on a list of debarred entities (*debarment*). The debarment is effective either indefinitely or for a specified period of time; in both cases, however, it is possible that "good conduct" by the offender leads to a reduction or cancellation of the debarment. A debarment occurs in reaction to past wrongdoing in relation to a World Bank contract or subcontract. After a proceeding is launched by the Integrity Vice President (INT), an Evaluation Officer conducts the investigation and submits his or her findings and sanctioning proposal to the World Bank Sanctions Board. If the affected entity does not object to this draft, it becomes binding, otherwise the Sanctions Board decides on the debarment[66]. An internal or external judicial review is not foreseen in the debarment framework of the World Bank.

A notable feature added to the World Bank sanctioning regime in 2010 is an *Agreement for Mutual Enforcement of Debarment Decisions* signed by the World Bank and four regional development banks. Any significant debarment decision made by *any* of these institutions, which adheres to a set of common material and procedural standards, is to be enforced by *all* of these institutions, meaning the sanctioned entity is debarred from conducting business with *all* of these institutions[67].

III. GLOBAL CRIMINAL JUSTICE AND PRINCIPLES AND FEATURES OF CRIMINAL JUSTICE

On the basis of the previous description and analysis of three pioneers for a Global Criminal Justice, let me briefly conclude with a short analysis of their

---

Access to Remedies, 23 Eur J Int Law (2012), pp. 963 ff.; *Nicola Selvaggi*, Las Listas Negras del Banco Mundial: ¿Hacia un Sistema Global de Sanciones?, in: Nieto Martín/Maroto Calatayud (eds.), Public Compliance, Cuenca, 2014, pp. 115 ff.

[64]   In particular Art. 3 (5) (b) IBRD Articles of Agreement; Art. 5 (1) (g) IDA Articles of Agreement. See further *Hostetler* (*supra* footnote 62), 14 Yale Hum. Rts. & Dev. L.J. (2011), 231 (248).

[65]   *Hostetler* (*supra* footnote 62), 14 Yale Hum. Rts. & Dev. L.J. (2011), 231 (248).

[66]   The procedures are set out in World Bank Sanctions Procedures, as adopted by the World Bank as of April 15, 2012, available at http://siteresources.worldbank.org/EXTOFFEVASUS/Resources/WBGSanctions_Procedures_April2012_Final.pdf (20.2.2017).

[67]   Available at http://www.ebrd.com/downloads/integrity/Debar.pdf (20.2.2017). See additionally http://siteresources.worldbank.org/INTDOII/Resources/Bank_paper_cross_debar.pdf (20.2.2017).

adherence to some of the most fundamental principles of criminal justice, and of some core features common to these pioneers.

1. Principles

Of fundamental importance to a modern criminal justice is its foundation in constitutional law, and criminal justice being bound by fundamental rights law. While the ECB and ESMA are directly bound by the EU Charter of Fundamental Rights (CFR), as is the EU legislature in relation to the legal basis for the ECB and ESMA and its conduct, the World Bank is not bound —neither directly nor indirectly— to any enforceable international human rights standard. But even regarding the EU and its institutions, it is a —continuing— sad story of how the EU, including the ECJ, has failed to accede to the European Charter of Human Rights (ECtHR), despite the clear obligation in primary law to do so.

An even more classic principle of criminal justice is adherence to *nullum crimen, nulla poena sine lege*. In terms of the first two models described above, the *de jure* basis for sanctioning decisions lies in EU secondary law, and is bound —in particular by Art. 49 para. 1 CFR— by *nullum crimen, nulla poena sine lege*, including *nullum crimen, nulla poena sine lege parlamentaria* (considering the EU parliament as a co-legislator). Nonetheless, the *de facto* material rule-setting occurs at a different level, with only indirect and dispersed democratic representation, namely in the BCBS and the FSB. For the World Bank, its standard setting and procedures are a wholly internal affair, and neither directly nor indirectly bound by a principle of *nullum crimen, nulla poena sine lege*, merely of *pacta sunt servanda*.

In terms of judicial oversight, its core functional feature is that an independent body decides on the matter at stake based on the applicable legal standards. On the basis of such a broad understanding of judicial oversight and leaving its labeling aside, such a feature may be found in all of the models discussed above, either (and strongest) externally by the ECJ for sanctioning decisions by the ECB and the ESMA. However, also "internal" control structures may, at least in this context, provide for a sufficiently independent review, be it the internal administrative review process for the ECB SSM, or the World Bank Sanctions Board, which notably is involved only if the accused entity objects to the recommendations by the Evaluation Officer.

2. Features

The common theme of all three pioneers is *prevention*, or in the words of Cesare Beccaria's battle cry: *punitur ne peccetur*[68]. This is exemplified by the

---

[68]   *Cesare Beccaria*, Von den Verbrechen und den Strafen, p. 74.

compliance-based and procedure-based focus of the ECB SSM and the ESMA sanctioning regime, and by the often-used reduction of debarment by the World Bank in case of "good conduct". At least in relation to these three examples, "Global Criminal Justice" is not about retribution or *punitur quia peccatum*[69].

Another common theme to be found is the pooling of investigation and sanctioning powers, be it by the mutual recognition of debarment decisions, or the intertwining of national and international sanctioning authorities in the case of the ECB. This goes beyond the classical but increasing flow of information between different authorities and jurisdictions involved with criminal justice: in the latter case, such information usually derives from parallel or shadow proceedings which occur randomly or on a case-by-case basis. Relating to the ECB and the World Bank, however, such a "pooling of powers" occurs by design, and —at least in relation to the ECB— is steered by a central authority, the ECB.

Most important, however, is that the emergence of a Global Criminal Justice leads to a dynamic, volatile situation, often to be found in situation where supra-and international actors try to assert governing powers in vacuums of the criminal function. In these dynamics, the fundamental protections of criminal justice must not be forgotten, even though these protections may need to be rethought from a functional perspective.

---

[69] See *Immanuel Kant*, Metaphysik der Sitten, p. 196.

Capítulo 6
ESTRATEGIAS DE COOPERACIÓN EN LA LUCHA CONTRA LA PIRATERÍA MARÍTIMA. UN EJEMPLO DE GOBERNANZA GLOBAL

Beatriz López Lorca
Profesora de Derecho Penal
Universidad de Castilla la Mancha

I. INTRODUCCIÓN

Después de muchas décadas desaparecida de las grandes rutas de la navegación y también del ámbito académico, la piratería irrumpió con gran fuerza a mediados del año 2000 con la activación de lo que podría denominarse el ciclo de la piratería somalí. Este fenómeno no solo pasó a ser uno de los temas principales de la agenda internacional (por ejemplo, la Conferencia de Naciones Unidas sobre Comercio y Desarrollo (UNTACD) indicó que la piratería era una de las principales "tendencias emergentes" que amenazaban la sostenibilidad del comercio marítimo entre los años 2009 y 2012[1]), sino que, igualmente, puede decirse que existan pocas materias que a nivel académico hayan tenido (y continúen teniendo) un impacto tan significativo. La proliferación de trabajos sobre las distintas perspectivas desde las cuales puede abordarse la piratería es verdaderamente sorprendente[2] y, en este sentido, puede afirmarse que la piratería marítima es un fenómeno que se conoce razonablemente bien. Sin embargo, un análisis de la piratería desde la perspectiva del denominado *Global Law* no es hasta el momento un enfoque muy extendido.

---

[1]   Vid. CONFERENCIA DE NACIONES UNIDAS SOBRE COMERCIO Y DESARROLLO (UNTACD): *El Transporte Marítimo 2012*. UNCTAD/RMT/2012, p. 24, *El Transporte Marítimo 2011*. UNCTAD/RMT/2011, pp. 28, 33 y 133-135, *El Transporte Marítimo 2010*. UNCTAD/RMT/2010, pp. 7 y144-145, y *El Transporte Marítimo 2009*. UNCTAD/RMT/2009, pp. 11-12 y 146-149.

[2]   Vid., para una revisión bibliográfica, STOCKBRUEGGER, J. and BUEGER, C.: "Contemporary Piracy as an Issue of Academic Inquiry. A Bibliography". Versión de 3 de septiembre de 2015. Documento electrónico: http://piracy-studies.org/literature (15 de marzo de 2017), BUEGER, C.: "Piracy studies: academic responses to the return of an ancient menace". *Cooperation and Conflict*, vol. 49, 2014, y MENEFEE, S. P. and MEJIA, M. Q.: "A 'rutter for piracy' in 2012". *WMU Journal of Maritime Affairs*, vol. 11 (I), 2012.

Aunque, como tema, la piratería marítima presenta alguna característica que permite conectarla con el ámbito del *Global Law*, siendo la más significativa el que la cooperación internacional se orienta (al menos, desde el punto de vista teórico) a la protección de un bien jurídico global (la seguridad de la navegación marítima), en contraste, existen otros elementos que la alejan de este nuevo paradigma, fundamentalmente, el que su represión sea una cuestión que compete exclusivamente a los Estados y, en consecuencia, que exista una enorme variabilidad sancionadora, y que sea cuestionable que exista un delito internacional de piratería. Esta dualidad se aprecia también en la dimensión criminológica de la piratería. Desde principios del siglo XX, la piratería es, por lo general, un fenómeno de carácter interno o local (se concentra principalmente en las aguas territoriales y archipielágicas de áreas geográficas muy concretas) que únicamente en determinados casos y de manera puntual se convierte en un fenómeno de criminalidad organizada transnacional que pueda ser considerado una amenaza global. Esta situación, esencialmente coyuntural, tal y como la ha descrito la UNTACD, se caracterizaría por el paso de la piratería "from a localized maritime transport concern to a cross-sectoral global challenge with humanitarian and security implications and with a range of important repercussions for the development prospects of affected regional economies as well as for global trade"[3] o, alternativamente, como ha señalado algún autor, "the governance of maritime piracy appears more and more influenced by momentary interests and by geopolitical dynamics, than by the actual dimension and dangerousness of modern day pirates"[4]. Es decir, si bien puede afirmarse que, indudablemente, la piratería tiene "cierta relevancia", no siempre se percibe como un problema "tan importante" para la comunidad internacional, por lo que, de acuerdo a los escasos autores que han trabajado sobre este aspecto en relación a la piratería, resulta complejo visualizar este fenómeno como parte integrante del *Global Law* sin vaciar de contenido a este concepto[5].

Sin embargo, el complejo mecanismo que la comunidad internacional ha desarrollado para cooperar en la lucha contra un caso específico de piratería en la última década sí permite conectar este fenómeno con la gobernanza glo-

[3]   UNITED NATIONS CONFERENCE ON TRADE AND DEVELOPMENT: *Maritime Piracy: an overview of the international legal framework and of multilateral cooperation to combat piracy.* Studies in Transport Law and Policy, 2014, n. 2. UNCTAD/DTL/TLB/2013/3, par. 1.

[4]   CAMPANELLI, O.: "The Global Governance of Maritime Piracy". *Journal of Global Policy Governance*, vol. 1, 2012, p. 81.

[5]   Vid. KLUBBERS, J.: "Piracy in Global Law and Global Governance", y EVANS, M. D. and GALANI, S.: "Piracy and the development of International Law", ambos en KOUTRAKOS, P. and SKORDAS, A.: *The Law and Practice of Piracy at Sea. European and International Perspectives.* Hart Publishing, 2014, pp. 333 y 341 y 365, respectivamente.

bal[6] (que es uno de los rasgos principales del *Global Law*[7]) en la medida en que, fundamentalmente, existe un claro enfoque basado en la cooperación a la hora de abordar la piratería, se observa claramente la coexistencia del derecho convencional con otra clase de normas no vinculantes (*soft law*), y existe un amplio conjunto de actores que participan en las estrategias de cooperación, conformando un modelo de gobernanza global multinivel en el que los límites entre lo público y lo privado se difuminan.

La piratería marítima (y más ampliamente, la seguridad marítima, de cuyo contexto no puede deslindarse la cuestión que aquí se analiza) constituye, efectivamente, un ámbito en el que la interdependencia de los actores públicos y privados que cooperan, a diversos niveles, en la contención de este fenómeno se percibe con nitidez, convirtiéndolo en especialmente idóneo para comprender la dinámica de la gobernanza global[8]. En esta línea, este trabajo tiene como finalidad mostrar la compleja y densa red de mecanismos y estrategias puestos en marcha por un amplio conjunto de actores de carácter público y privado que, desde sus respectivos ámbitos, han cooperado en la lucha contra la piratería.

Para ello, en primer lugar, se lleva a cabo una aproximación al marco jurídico internacional de referencia en la lucha contra este fenómeno para comprender cuáles eran los instrumentos de los que disponía la comunidad internacional. En este sentido, es fundamental conocer cuál fue el contexto de elaboración de la Convención de Naciones Unidas de Derecho del Mar (CNUDM) en el que se insertan las disposiciones relativas a la represión de la piratería para comprender la razón de sus limitaciones (ausencia de mecanismos específicos de cooperación) y, del mismo modo, el contenido de los mecanismos básicos previstos en este texto para implementar la obligación de cooperar en la represión de la piratería. A continuación, puesto que, como se ha indicado, la piratería marítima es una cuestión interna que únicamente en determinados contextos forma parte de la agenda internacional, en el tercer apartado se hace referencia al punto de inflexión que originó que la piratería somalí, documentada en la zona desde los años ochenta, se convirtiera en una de las principales amenazas para la seguridad de la navegación marítima. Determinadas las coordenadas en las que ha de situarse este caso

---

6   En el mismo sentido, vid. KLUBBERS, J.: "Piracy in Global Law and Global Governance", p. 334, BUEGER, C.: "Security Communities, Alliances, and Macrosecuritization: The Practices of Counter-Piracy Governance". STRUETT, M. J. et al.: *Maritime Piracy and the Construction of Global Governance*. Routledge, 2013, pp. 99-124, y, desde un punto de vista más genérico, vid., igualmente, JAKOBI, A. P.: *Common Goods and Evils? The Formation of Global Crime Governance*. Oxford University Press, 2013

7   Vid. ZICCARDI CAPALDO, G.: *The Pillars of Global Law*. Ashgate, 2008, pp. 45-92.

8   Vid. AARSTAD, A. K.: "Maritime security and transformations of global governance". *Crime, Law and Social Change*, vol. 67, 2017, pp. 314-315.

específico de piratería, se pasa a abordar los diferentes mecanismos y estrategias de cooperación que componen el modelo de gobernanza global de la piratería marítima en un análisis en el que se combina el carácter público o privado de los actores intervinientes con sus respectivos niveles de influencia para así "mapear" este modelo de gobernanza multinivel. Por último, el trabajo se cierra con un apartado final en el que, a modo de conclusión, se evalúa la eficacia de la gobernanza global en el caso de la piratería somalí, señalando los principales retos que todavía quedan por abordar.

II. EL MARCO JURÍDICO INTERNACIONAL PARA LA LUCHA CONTRA LA PIRATERÍA Y LA AUSENCIA DE MECANISMOS ESPECÍFICOS DE COOPERACIÓN

El punto de partida para comprender cómo se ha articulado en la actualidad la cooperación internacional en la lucha contra la piratería marítima son las disposiciones de la CNUDM de 1982 que, entre otras cuestiones, imponen el deber de cooperar en la represión de este fenómeno previendo, para ello, un conjunto de competencias de policía y jurisdicción que permite a los Estados intervenir embarcaciones piratas en alta mar y proceder al enjuiciamiento de los piratas detenidos. A pesar de que estos mecanismos tienen como finalidad favorecer o garantizar una represión de la piratería lo más universal posible para solventar los posibles problemas de impunidad que pudieran derivarse del hecho de que los actos de piratería se comenten en alta mar, un lugar no sometido a la jurisdicción de ningún Estado[9], las circunstancias que condicionaron la elaboración de las disposiciones de la CNUDM relativas a la piratería determinaron que éstas únicamente hicieran referencia a cuestiones básicas, por lo que ante un problema criminológico de envergadura, como lo ha sido el ciclo de la piratería somalí, los Estados han tenido que consensuar nuevos mecanismos e instrumentos para abordar de manera efectiva este tipo de violencia en el mar.

---

[9]   Esta idea ya fue expuesta por PELLA en su conocido artículo a principios del siglo XX: "Le caractère spécifique de la piraterie [...] est l'universalité de la répression. Cette universalité est justifiée non pas par le caractère maritime du crime, mais par le lieu d'exécution du crime, lieu qui doit se trouver en dehors de la juridiction exclusive d'un Etat déterminé". PELLA, V.: "La répression de la piraterie". *Recueil de Courses*, t. 15, 1926, p. 167. Más recientemente, vid. SÁNCHEZ LEGIDO, A.: *Jurisdicción universal penal y Derecho internacional*. Ed. Tirant Lo Blanch, 2003, p. 44.

1. El contexto de elaboración del derecho convencional relativo a la lucha contra la piratería marítima

Aunque el marco jurídico de referencia para la cooperación contra la piratería es la CNUDM, un instrumento jurídico relativamente moderno elaborado a principios de la década de los años ochenta, las disposiciones relacionadas con la represión de la piratería son un trasvase en bloque de las disposiciones ya existentes en la Convención de Naciones Unidas de la Alta Mar (CNUAM) de 1958, que, en realidad, son una copia de la *Harvard Draft Covention on Piracy* de 1932, la cual, a su vez, tiene evidentes puntos de contacto con el conocido como Proyecto Matsuda elaborado para la Sociedad de Naciones en 1926. Es decir, que las disposiciones que actualmente integran el derecho convencional relativo a la lucha contra la piratería están construidas con la lógica y la sistemática de un proyecto, que, en el mejor de los casos, data de principios de los años treinta[10]. Esta particularidad del proceso de codificación de las normas relativas a la piratería se explica porque la trascendencia de este fenómeno tanto durante la elaboración de la CNUAM como de la CNUDM fue escasa. En las respectivas conferencias internacionales en las que se aprobaron sendos instrumentos, los problemas derivados de los nuevos usos del mar y la necesidad de adaptar la regulación de este espacio a un nuevo contexto geopolítico eclipsaron por completo una problemática que, por otra parte, se percibía como extemporánea. Las distintas delegaciones que participaron en los debates sobre la codificación de las normas de carácter consuetudinario que, hasta el momento, habían guiado la acción de los Estados en la represión de la piratería, mostraron una notable indiferencia hacia este fenómeno, lo cual ha de interpretarse como el reflejo de una opinión generalizada a nivel internacional que puede rastrearse ya desde principios del siglo XX[11]. En este sentido, por ejemplo, resulta significativo que cuando en 1924 la Asamblea de la Sociedad de Naciones solicitó al Comité de Expertos para la Codificación Progresiva del Derecho Internacional que seleccionase aquellos ámbitos "suficientemente maduros" (*sufficiently ripe*) para su codificación con la finalidad de abordar su regulación en la Conferencia de La Haya de 1930, la piratería maríti-

---

[10]	Sobre el proceso de codificación de las disposiciones de derecho convencional relativas a la represión de la piratería y del *continuum* que puede establecerse a lo largo de cada uno de estos textos, vid. LÓPEZ LORCA, B.: *La piratería y otros delitos contra la seguridad de la navegación marítima*. Ed. Tirant Lo Blanch, 2015, pp. 179-195.

[11]	Vid. DICKINSON, E. D.: "Is the Crime of Piracy Obsolete?". *Harvard Law Review*, núm. 38, 1924-1925, pp. 334-360, y la obra clásica sobre la historia de la piratería de GOSSE, en la que afirmaba que "The modern age seems to have done away with piracy [...] It is likely that the disappearance is permanent. It is hard to conceive that [...] the pirate will emerge again". GOSSE, P.: *The History of Piracy*. Ed. Longmans, 1932, pp. 297-298.

ma quedase finalmente fuera de las materias inicialmente examinadas por la falta de interés en abordar un fenómeno de escasa incidencia[12].

La percepción de la piratería como un fenómeno obsoleto propio de otros tiempos se sustentaba en que, desde principios del siglo XX, este tipo de violencia en el mar había prácticamente desaparecido de las principales rutas de navegación internacionales y se concentraba en focos aislados de las costas de África y el Golfo Pérsico y, sobre todo, en el Mar del Sur de China[13], restándose, con ello, toda visibilidad al fenómeno hasta bien avanzada la década de los años ochenta. Así, el pirata ya no era el "enemigo de toda la humanidad" (*hostes humani generis*), como había sido conceptualizado durante siglos[14], sino el enemigo de unos pocos. De esta manera, un problema que durante varios siglos fue de alcance prácticamente global se convirtió en una cuestión de carácter estrictamente local cuya eventual solución correspondía a los Estados y no a la comunidad internacional, lastrándose, con ello, toda posibilidad de redactar un marco jurídico eficaz para la represión del fenómeno. En este sentido, por ejemplo, llegó a haber propuestas que solicitaban la eliminación de toda referencia a la piratería en la CNUAM o, alternativamente, que su tratamiento jurídico se dispensase a través de un artículo único[15]. Y, del mis-

---

[12] Vid. resolución de la Asamblea de la Sociedad de Naciones de 22 de septiembre de 1924, publicada en AMERICAN SOCIETY OF INTERNATIONAL LAW: "Supplement: Research in International Law, Competence of Courts in Regard to Foreign States. General Introduction". *American Journal of International Law*, vol. 26, 1932, p. 1.

[13] Vid. MENEFEE, S. P.: *Trends in Maritime Violence*. Jane's Information Group, 1996.

[14] Esta caracterización se inicia con CICERÓN, que describió al pirata como el enemigo de toda la comunidad (*communis hostis omnium*) (CICERÓN: *De Officiis*, 3.29.107), como, posteriormente, también lo hizo el jurista BARTOLO DE SASOFERRATO en el siglo XIV. Esta conceptualización fue igualmente adoptada por GENTILI (GENTILI, A.: *De Iure Belli Libris Tres*, 1612, 1.3) y por GROTIUS (GROTIUS, H.: *De Iure Praede*, 1604), quien contribuyó definitivamente a popularizar este calificativo.

[15] En concreto, debe destacarse la conocida intervención de la delegación uruguaya en la Conferencia de Ginebra, que abogó por "the deletion in toto of articles 38 to 45 because piracy no longer constitutes a general problem", así como la propuesta conjunta de Checoslovaquia y Albania de reducir la piratería a una única disposición por entender que sería desproporcionado incorporar una cuestión del siglo XVIII a una convención moderna. Esta propuesta fue también compartida por otras delegaciones que opinaban que "The International Law Commission's draft provisions on piracy were equally anachronistic. Piracy in the strict sense of the word was hardly known in modern times". UNITED NATIONS CONFERENCE ON THE LAW OF THE SEA: *Official records: Volume IV. Second Committee (High Seas: General Regime)*. A/CONF. 13/40, 1958, pp. 21, 25, 32 y 78. No obstante, también ha de subrayarse que otras delegaciones se opusieron a estas propuestas como, por ejemplo, Yugoslavia o Reino Unido, cuyo delegado consideró inaceptable la propuesta de eliminar toda referencia o referencia parcial al fenómeno de la piratería: "any comprehensive convention on the law of the sea must deal with the important issue of piracy and should be explicit". *Ibidem*, p. 78.

mo modo, con ocasión de la elaboración de la CNUDM, RUBIN indicó muy significativamente que "This provision [artículo 15 de la CNUAM] is relatively unimportant among the major issues now being negotiated by the Third United Nations Law of the Sea Conference, and it would be unreasonable to expect the negotiators to spend much time on it"[16] ; constatando algo que, como ya se ha indicado, ya se había puesto de manifiesto previamente en el seno de la Sociedad de Naciones a finales de los años veinte: "It is perhaps doubtful whether the question of piracy is of sufficient real interest in the present state of the world to justify its inclusion in the programme of the proposed conference [...] The subject is in any case not one of vital interest for every State, or none the treatment of which can be regarded as in any way urgent [...] there are difficulties in the way of concluding a universal agreement"[17].

En definitiva, el punto de partida para la elaboración del derecho convencional que sirve de base para la puesta en marcha de estrategias de cooperación contra la piratería marítima no pudo haberse situado en un plano más opuesto al actual, en el que ésta, lejos de considerarse un comportamiento delictivo caduco, se ha enfocado como un problema de gobernanza global.

Por otra parte, ha de subrayarse que, bajo este desinterés hacia la piratería, de carácter puramente coyuntural, subyace una problemática más compleja acerca de las razones por las que la comunidad internacional desaprovechó varias conferencias internacionales para sentar las bases de una regulación moderna y eficaz. Las normas para la represión de la piratería hunden sus raíces en el derecho consuetudinario, moldeado por siglos de intensa lucha para contener este fenómeno, de forma que abordar su tratamiento jurídico hubiera requerido una intensa y, muy probablemente, larga negociación, situación que, unida a la contenida incidencia criminológica del fenómeno, acabó originando el desinterés de los Estados por un eventual proceso de codificación y que el régimen jurídico internacional finalmente se centrase en aquellos aspectos más básicos sobre los que era factible recabar un mínimo de acuerdo[18].

---

[16]　RUBIN, A.: "Is Piracy Illegal?". *American Journal of International Law*, vol. 70, 1976, p. 92. En el mismo sentido, MENEFEE, S.P.: *Contemporary Piracy and International Law*. Institute of Marine Law-University of Cape Town, núm. 19, 1995, p. 31.

[17]　Intervención del representante del gobierno polaco, M. ZALESKI, ante el Consejo de la Sociedad de Naciones en junio de 1927, *cit.* por RUBIN, A.: *The Law of Piracy*. Transnational Publishers, 1998, p. 334.

[18]　En el mismo sentido, vid., entre otros, ODIER, F.: "Piraterie, Terrorisme: Une menace pour les navires, un défi pour le droit de la mer". *Annuaire du Droit de la Mer*, vol. 10, 2005, p. 265, GIRERD, P.: "De l'utilité du concept de 'piraterie'". *Annuaire du Droit Maritime et Océanique*, vol. 23, 2005, p. 163; y JORGE URIBINA, J.: "La cooperación internacional en la prevención y control de los actos de piratería en el actual Derecho del Mar". PUEYO LOSA, J. y JORGE

De esta manera, la técnica utilizada para redactar las disposiciones que finalmente se incorporaron a la CNUAM y, posteriormente, a la CNUDM, consistió
en, tomando como referencia el derecho consuetudinario, establecer un mínimo
común aceptable para todo los Estados sin que se llevase a cabo ninguna innovación, desarrollo o adaptación de las normas consuetudinarias a los nuevos
tiempos, que fue, precisamente, la sistemática utilizada en la elaboración de la
Harvard Draft Covention on Piracy de 1932. Con ello, por ejemplo, como se verá
en el siguiente apartado, los mecanismos de cooperación previstos para la represión de este fenómeno carecen de un desarrollo normativo concreto que hubiera
facilitado su implementación, y, del mismo modo, un elemento de vital trascendencia para la represión del fenómeno, como lo es la propia definición de qué
actos pueden ser considerados piratería marítima, se acabó resolviendo a través
de una simple reducción del concepto consuetudinario de piratería[19].

A este respecto, es preciso subrayar que la ausencia de un verdadero debate
acerca de qué tipo de actos violentos en el mar debían quedar subsumidos
dentro del concepto de piratería ha tenido dos consecuencias fundamentales.
Por un lado, no ha sido posible alcanzar un consenso acerca de si los actos
de piratería definidos en el art. 101 de la CNUDM constituyen o no un delito
internacional[20]. Si bien un sector doctrinal considera que, efectivamente, la
piratería es un delito internacional[21] que, incluso, según BASSIOUNI, se ha

---

URBINA, J. (coord.): *La cooperación internacional en la ordenación de los mares y océanos*.
Ed. Iustel, 2009, p. 327.

[19] Vid. SOBRINO HEREDIA, J.M.: "Piratería y terrorismo en el mar". *Cursos de derecho internacional y relaciones internacionales de Vitoria-Gasteiz*, núm. 1, 2008, p. 100.

[20] El art. 101 de la CNUDM, que, en esencia, reproduce el art. 15 de la CNUAM, define los "Actos
de piratería" como "a) Todo acto ilegal de violencia o de detención o todo acto de depredación
cometidos con un propósito personal por la tripulación o los pasajeros de un buque privado o
de una aeronave privada y dirigidos: i) Contra un buque o una aeronave en la alta mar o contra
personas o bienes a bordo de ellos; ii) Contra un buque o una aeronave, personas o bienes
que se encuentren en un lugar no sometido a la jurisdicción de ningún Estado; b) Todo acto
de participación voluntaria en la utilización de un buque o de una aeronave, cuando el que lo
realice tenga conocimiento de hechos que den a dicho buque o aeronave el carácter de buque o
aeronave pirata; c) Todo acto que tenga por objeto incitar a los actos definidos en el apartado
a) o en el apartado b) o facilitarlos intencionalmente".

[21] Vid., por ejemplo, RODRÍGUEZ-VILLASANTE Y PRIETO, J. L.: "Problemas jurídico-penales
e internacionales del crimen de piratería. Una laguna imperdonable de nuestro Código Penal
y, ¿por qué no decirlo?, un crimen de la competencia de la Corte Penal Internacional". *Revista
Española de Derecho Militar*, núm. 93, enero-junio de 2009, p. 222, SOBRINO HEREDIA, J.
M.: "La piratería marítima: un crimen internacional y un galimatías nacional". *Revista Electrónica de Estudios Internacionales*, vol. 17, 2009, pp. 2-3; SUNDBERG, J. W. F.: "Piracy: Air
and Sea". BASSIOUNI, M. C. and NANDA V. P.: *A Treatise on International Criminal Law*.
Volume I. Thomas, 1973, p. 455; y BASSIOUNI, C.: "International Crimes: *Ius* Cogens and
Obligatio *Erga omnes*". *Law and Contemporary Problems*, vol. 4, 1996, p. 68.

convertido en una norma de *ius cogens*[22], otro sector doctrinal (quizá menos significativo pero no por ello minoritario) entiende que el art. 101 únicamente establece las condiciones a partir de las cuales pueden ejercitarse las competencias de policía y jurisdicción reguladas en la CNUDM para articular la represión de la piratería[23] (tal y como consideraban los propios redactores de la *Harvard Draft Covention on Piracy*[24]), lo cual, por otro lado, permite conectar este fenómeno con el concepto del Derecho penal transnacional[25]. Más allá de las discusiones de carácter doctrinal, esta situación ha desencadenado, como se indicará más adelante, que no todos los Estados hayan tipificado un delito de piratería en el derecho interno y, al mismo tiempo, que su tratamiento sea enormemente heterogéneo, afectando, con ello, a la represión del fenómeno. Y, por otro lado, como consecuencia de la reducción del concepto consuetudinario de piratería (piratería *iuris gentium*), el art. 101 de la CNUDM ha sido muy criticado por su falta de adaptación a las nuevas formas de violencia en el mar, especialmente el terrorismo marítimo o los denominados robos a mano armada que se producen en las aguas territoriales de los Estados[26]. A pesar de que durante la Conferencia de Ginebra y de Montego Bay se habían producido diversos incidentes que habían puesto de manifiesto las limitaciones derivadas de un concepto demasiado restringido de actos de piratería (por ejemplo, los casos del *Santa María*, en 1962, o el *Sheiru Maru*, en 1975), ninguna delegación propuso abordar de manera comprensiva los actos ilícitos contra la seguridad de la navegación marítima y elaborar un marco jurídico adecuado para dar respuesta a la nueva tipología de actos que ya se habían comenzado a detectar. Hubo que esperar al caso del *Achille Lauro* para que la comunidad

22　BASSIOUNI, C.: *Ob. cit.*, p. 68.
23　Vid., entre otros, GEIß, R. and PETRIG, A.: *Piracy and Armed Robbery at Sea. The Legal Framework for Counter-Piracy Operations in Somalia and the Gulf of Aden*. Oxford University Press, 2011, p. 80; KAVANAGH, J.: "The Law of Contemporary Piracy". *Australian International Law Journal*, vol. 127, 1999, p. 145; y CHANG, D.: "Piracy Laws and the Effective Prosecution of Pirates". *Boston College International & Comparative Law Review*, vol. 33, 2010, pp. 283-284 y LÓPEZ LORCA, B.: *La piratería y otros delitos contra la seguridad de la navegación marítima*, pp. 195-198.
24　"Properly speaking, then, piracy is not a legal crime or offence under the law of nations". AMERICAN SOCIETY OF INTERNATIONAL LAW: "Supplement: Research in International Law, Competence of Courts in Regard to Foreign States. Part IV-Piracy". *American Journal of International Law*, vol. 26, 1932, p. 741.
25　Vid. KLUBBERS, J.: "Piracy in Global Law and Global Governance", p. 333 y BOISTER, N.: *An Introduction to Transnational Criminal Law*. Oxford University Press, 2012, p. 29.
26　Vid., por ejemplo, RUBIN, A.: *The Law of Piracy*, p. 346, O'CONNELL, D.: *The International Law of the Sea*. Clarendon Press, 1984, p. 970, HALBERSTAM, M.: "Terrorism on the High Sea: The Achille Lauro, Piracy, and the IMO Convention on Maritime Safety". *American Journal of International Law*, vol. 82, 1988, p. 273.

internacional reaccionase ante las nuevas amenazas y se sectorializase parcialmente este ámbito del Derecho internacional[27].

2. La obligación de cooperar en la represión de la piratería

Como se ha indicado, el art. 100 de la CNUDM (de manera análoga al art. 14 de la CNUAM) establece la obligación de cooperar en la represión de la piratería, la cual se caracteriza por dos aspectos fundamentales. Se trata de una obligación de alcance general dirigida a todos los Estados de la comunidad internacional cuyo ámbito de aplicación se extiende a la alta mar[28] que, además, tiene un carácter "flexible" en la medida en que el tenor literal de este artículo establece que la cooperación para la represión de la piratería se llevará a cabo "en toda la medida de lo posible", lo que remite a un modelo de cooperación clásico anclado en el respeto a la soberanía estatal como principio rector básico. Como ya indicaron los redactores de la *Harvard Draft Convention on Piracy*, "The effect of the convention would be like the effect of the traditional law of nations-the draft convention defines only the jurisdiction (the powers and rights) and the duties of the several states *inter se*, leaving to each state the decision how and how far through its own law it will exercise its powers and rights", de forma que el art. 100 de la CNUDM (art. 18 de la *Harvard Draft Convention on Piracy*) unicamente establece una "general discretionary obligation to discourage piracy"[29]. En definitiva, el art. 100 impone únicamente una obligación de comportamiento que no garantiza la puesta en marcha de ningún tipo de medida de manera efectiva[30], y, con independencia de que esto sea una problemática recurrente que se explica por lo que ABAD CASTELOS ha denominado el carácter primitivo o rudimentario del Derecho internacional[31], ha constituido un obstáculo fundamental a la hora de poner en marcha las estrategias de cooperación para la lucha contra la piratería

---

[27]   Vid. ABAD CASTELOS, M.: "El avance sectorial, la fragmentación del orden jurídico y sus riesgos: ¿está a salvo la unidad del Derecho internacional?". *Anuario da Facultade de Dereito da Universidade da Coruña*, núm. 5, 2001.

[28]   En realidad, el art. 100 incluye también dentro de su ámbito de aplicación "cualquier otro lugar que no pertenezca a la jurisdicción de ningún Estado" pero, dado que en la actualidad no existe ningún área que no pertenezca al territorio de algún Estado con la única excepción del territorio antártico, el art. 100 se proyecta únicamente en las aguas internacionales, espacio al que, por otro lado, se circunscribe el concepto jurídico internacional de piratería.

[29]   AMERICAN SOCIETY OF INTERNATIONAL LAW: "Supplement: Research in International Law, Competence of Courts in Regard to Foreign States. Part IV-Piracy", pp. 741 y 760.

[30]   TREVES, T.: "Piracy, Law of the Sea and the Use of Force: Developments off the Coast of Somalia". *The European Journal of International Law*, vol. 20-2, 2009, p. 402.

[31]   ABAD CASTELOS, M.: *La toma de rehenes como manifestación del terrorismo y el Derecho internacional*. Ministerio del Interior, 1997, pp. 120-121.

somalí que se ha manifestado concretamente con el denominado problema del enjuiciamiento al que posteriormente se hará referencia. El alcance real del art. 100 y su significado originario contrasta con la contundencia con la que la Comisión de Derecho Internacional se pronunció sobre los efectos de esta disposición durante el proceso de codificación de la CNUAM al afirmar que "Any State having the opportunity of taking measures against piracy, and neglecting to do so, would be failing in a duty laid upon it by international law"[32]. No obstante, más realista se mostró en su momento el Asesor Especial del Secretario General de Naciones Unidas sobre cuestiones jurídicas relacionadas con la piratería frente a las costas de Somalia que, en relación al problema de enjuiciamiento generado en el contexto de la piratería somalí, indicó que "Este elemento de flexibilidad [en referencia al art. 100 de la CNUDM] no debe utilizarse como pretexto para no enjuiciar"[33], situación que explicaría porqué el Consejo de Seguridad ha instado repetitivamente a los Estados partes de la CNUDM "a que cumplan las obligaciones pertinentes que les incumben"[34]. Esta tensión entre el contenido de la norma y aquellas posturas que han reclamado un compromiso real de los Estados en la cooperación contra la piratería también se ha puesto de manifiesto a nivel doctrinal. Por ejemplo, WOLFRUM, ex-Presidente del Tribunal Internacional de Derecho del Mar, indicó que "a ship entitled to intervene in cases of piracy may not, without good justification, turn a blind eye to such acts" y que "turning a blind eye to the activities of pirates is in itself an act of piracy", llegando, por ello, incluso a sugerir la posibilidad de que se adoptasen medidas coercitivas contra los Estados que permitiesen o tolerasen la práctica de la piratería en sus aguas[35].

La CNUDM regula dos tipos de competencias (de acuerdo a la terminología clásica utilizada por GIDEL[36]) que conforman la base jurídica de la cooperación internacional. Por un lado, se establecen unas competencias de carácter policial que permiten a los Estados intervenir buques piratas en la alta mar (arts. 105, 110

32　INTERNATIONAL LAW COMMISSION: *Yearbook of the International Law Commission. Volume II*. A/CN. 4/SER.A/1956/Add. 1, 1956, p. 282.

33　CONSEJO DE SEGURIDAD DE NACIONES UNIDAS: *Carta de fecha 24 de enero de 2011 dirigida al Presidente del Consejo de Seguridad por el Secretario General. Anexo de la Carta de fecha 24 de enero de 2011 dirigida al Presidente del Consejo de Seguridad por el Secretario General. Informe del Asesor Especial del Secretario General sobre cuestiones jurídicas relacionadas con la piratería frente a las costas de Somalia*. S/2011/30, 25 de enero de 2011, par. 49.

34　Vid., por ejemplo, resolución del Consejo de Seguridad 1897 (2009), par. 19.

35　WOLFRUM, R.: "Fighting Terrorism at Sea: Options and Limitations under International Law". *Twenty-Eighth Doherty Lecture. Center for Oceans Law and Policy*. Washington, 13 de abril de 2006, pp. 6-7.

36　GIDEL, G.: *Le Droit International Public de la Mer. Le temps de paix*. Librairie Edouard Duchemin, 1981, t. I, pp. 288-300.

y en su caso, 111), y, por otro, una competencia jurisdiccional que legitima a todos Estados a enjuiciar a los piratas detenidos (art. 105). Estas competencias, que como consecuencia de la obligación del art. 100 de la CNUDM son de carácter potestativo, tienen como finalidad garantizar el principio de la libertad de los mares (art. 87 de la CNUDM), expresión del carácter de *res communis* de la alta mar, y el principio de utilización exclusiva para fines pacíficos (art. 88 de la CNUDM) así como restablecer los derechos de navegación (art. 90), comercio y pesca (art. 116)[37]. En la medida en que los actos de piratería suponen un uso de las aguas internacionales contrario a los principios jurídicos que lo ordenan y, al mismo tiempo, un uso ilegítimo de los derechos reconocidos a todos los Estados en este espacio, se trata de una actividad ilícita (y de ahí que el art. 101 de la CNUDM haga referencia a la piratería como un acto ilícito) que violenta el marco jurídico de referencia "dentro del cual deben desarrollarse todas las actividades en los océanos y mares", tal y como ha indicado la Asamblea General de Naciones Unidas, por ejemplo, en la resolución 62/215. Si, además, como indica PETERS, los bienes jurídicos globales son aquellos "moldeados o incluso constituidos por el derecho, y cuya existencia y forma interesan y benefician a todos los Estados o a toda la humanidad y están a su disponibilidad"[38], no cabe duda de que, desde esta perspectiva, la lucha contra la piratería está orientada a la protección de un bien jurídico global con un marcado componente de seguridad pública al reunir las notas de no rivalidad y no exclusividad[39] y porque los beneficios derivados de su mantenimiento se extienden a todos los Estados y ciudadanos por igual[40].

Sin embargo, el que las normas relativas a la represión de la piratería se orienten a salvaguardar el orden jurídico de la alta mar establecido en la CNUDM, considerada la "constitución de los mares"[41], no significa que éstas puedan ser

---

[37]   *Ibidem*, pp. 213-224, CHURCHILL, R. R. and LOWE, A. V.: *The Law of the Sea*. Iuris Publishing-Manchester University Press, 2002, pp. 164-185, y O'CONNELL, D.: *Ob. cit.*, pp. 792-830.

[38]   PETERS, A.: "Bienes jurídicos globales en un orden mundial constitucionalizado". *Anuario de la Facultad de Derecho de la Universidad Autónoma de Madrid*, núm. 16, 2012, p. 79.

[39]   KAUL, I. and MENDOZA, R. U.: "Advancing the concept of public goods". KAUL, I. (ed.): *Providing Global Public Goods: Managing Globalization*. Oxford University Press, 2003, p. 80.

[40]   KAUL, I., GRUNBERG, I. and STERN, M. A. (eds.): *Global Public Goods. International Cooperation in the 21st Century*. Oxford University Press, 1999, p. 95.

[41]   KOH, T. T. B.: "Statement by T. T. B. Koh". NORDQUIST, M. H. (ed.): *United Nations Convention on the Law of the Sea 1982. A commentary. Volume I*. Martinus Nijhoff Publishers, 1985, pp. xxxiii. En concreto, KOH, Presidente de la Tercera Conferencia de Naciones Unidas sobre el Derecho del Mar indicó de manera muy significativa: "The question is whether we achieved our fundamental objective of producing a comprehensive constitution for the oceans which will stand the test of time. My answer is the affirmative [...]".

consideradas como una parte integrante del denominado *Global Law*, un concepto problemático y excesivamente difuso e indeterminado[42]. A pesar de que el origen consuetudinario de las disposiciones recogidas en la CNUDM en relación a la piratería, en tanto expresión del clásico Derecho de gentes, podría haber sido un factor que hubiera favorecido que la universalidad de la represión de la piratería se hubiera construido sobre normas universalmente aceptadas, la problemática ya mencionada en relación a su proceso de codificación, y fundamentalmente, el que el art. 15 de la CNUAM y el art. 101 de la CNDM no estén estableciendo un delito internacional de piratería en sentido estricto, no permiten incluir a la piratería dentro de la categoría del Derecho global sin flexibilizar todavía más este término.

Las competencias de policía incluyen el derecho de visita (art. 110 de la CNUDM) y el derecho de apresamiento (art. 105 de la CNUDM). La finalidad del derecho de visita consiste en comprobar si los indicios que han llevado a sospechar que el buque se dedica a la piratería son efectivamente ciertos. Para ello, en primer lugar, se ha de verificar el derecho del buque sospechoso a enarbolar su pabellón, acreditación que se realiza por parte del personal del buque de guerra que se traslada a bordo del buque sospechoso para examinar los documentos oficiales y realizar una inspección ocular del barco sospechoso. Si, realizada la visita, las sospechas iniciales no resultan confirmadas, los oficiales del buque de guerra han de retirarse para que el buque pueda continuar la navegación pero, si, por el contrario, se encuentran elementos fundados que confirmen que se trata de un buque pirata, el buque puede ser registrado. Y si, finalmente, la visita permite constatar que efectivamente el buque sospechoso es un buque pirata de acuerdo a lo establecido por el art. 103 de la CNUDM, el art. 105 habilita al buque de guerra a ejercer el derecho de presa, a detener a las personas a bordo y a incautar los bienes que se hayan utilizado para la comisión de los actos de piratería[43].

Como se observa de la redacción de los arts. 105 y 110, más allá de establecer qué se puede hacer (intervenir y detener), la CNUDM no específica cómo deben ejercerse los derechos de visita y de presa (lo que contrasta, por ejemplo, con la redacción de los arts. 6 y 7 del Convenio para la represión de los actos ilícitos contra la seguridad de la navegación marítima (Convenio SUA) redactado únicamente tres años después que la CNUDM), generándose un importante problema de inseguridad jurídica que puede llegar a afectar al efectivo enjuiciamiento de

---

[42]   En el mismo sentido, vid. TWINING, W.: *General Jurisprudence: Understanding Law from a Global Perspective.* Cambridge University Press, 2009, p. 4, y KLUBBERS, J.: "Piracy in Global Law and Global Governance", p. 331.

[43]   Sobre las competencias de policía para la represión de la piratería marítima, vid. LÓPEZ LORCA, B: *La piratería y otros delitos contra la seguridad de la navegación marítima*, pp. 126-135.

los piratas. Por ejemplo, piénsese en la ausencia de toda referencia a qué tipo de estándares han de ser utilizados en la recogida y custodia de pruebas o qué tipo de indicios han de entenderse suficientes para poner en marcha el derecho de visita. Junto a los problemas derivados de la falta de desarrollo normativo de las medidas previstas en los arts. 110 y 105, el ámbito de aplicación de las competencias de policía, que queda delimitado por el ámbito de aplicación del art. 101 de la CNUDM (la alta mar), impide que éstas pueden ser aplicadas en la represión de otro tipo de actos de contenido análogo a la piratería pero que se desarrollan en las aguas territoriales de los Estados, como ocurrió con los llamados robos a mano armada en las aguas territoriales somalíes. Y, del mismo modo, estas competencias tampoco son aplicables en aquellos casos en los que los actos de violencia no se cometan por motivos de carácter privado o en aquéllos en los que no se cumpla el denominado *two-ship requirement* exigido por el art. 101 de la CNUDM.

En cuanto a la competencia jurisdiccional, el art. 105 de la CNUDM reconoce a los Estados una jurisdicción universal para el enjuiciamiento de los piratas. No obstante, la CNUDM no especifica cuáles deben ser los estándares de las condiciones materiales de la detención, las garantías o derechos de los detenidos, si pueden o no ser interrogados sin asistencia letrada, cuánto tiempo puede pasar hasta que el pirata detenido sea puesto a disposición judicial, cómo se articula la entrega de los piratas al Estado que decida custodiarlos o enjuiciarlos, o si el Estado que ha ejercido el derecho de presa es el que tiene que juzgar a los piratas; cuestión esta última que plantea la discusión de si el art. 105 de la CNUDM regula una jurisdicción de carácter absoluto o relativo[44]. Del mismo modo, y diferencia de otros instrumentos aplicables a la represión de la piratería, como el

---

[44]   El tenor literal de este artículo sugiere que el enjuiciamiento de los piratas detenidos sólo puede ser llevado a cabo por los Estados que realizan el apresamiento, lo cual ha sido interpretado como un indicio de que el art. 105 está configurando una jurisdicción universal reducida de acuerdo al comentario realizado por la Comisión de Derecho Internacional durante la I Conferencia al proyecto de artículo sobre el derecho de presa ("This article gives any State the right to seize pirate ships (and ships seized by pirates) and to have them adjudicated upon by its courts. This right cannot be exercised at a place under the jurisdiction of another State. The Commission did not think it necessary to go into details concerning the penalties to be imposed and the other measures to be taken by courts". INTERNATIONAL LAW COMMISSION: *Ob. cit.*, p. 283). Vid., en este sentido, LAGONI, R.: "Piraterie und widerrechtliche Handlungen gegen die Sicherheit der Seeschiffahrt". IPSEN, J. und SCHMIDT-JORTZIG, E. (eds.): *Recht-Staat-Gemeinwohl, Festschrift für Dietrich Rauschning*. Carlo Heymanns, 2001, p. 521, y KONTOROVICH, E.: "Case Report: United States v. Shi". *American Journal of International Law*, vol. 102, 2009, p. 739. En contraste, la práctica actual de los Estados que cooperan en la represión de la piratería indica que todos ellos, y no solo el que efectúa el apresamiento, están igualmente legitimados para ejercer la jurisdicción universal y proceder al enjuiciamiento de los piratas, lo que indicaría que el art. 105 de la

Convenio internacional contra la toma de rehenes de 1979 o el Convenio SUA, la CNUDM no contiene ninguna disposición en la que se prevean cuestiones tan relevantes como la obligación de establecer un delito de piratería en el derecho interno de los Estados parte y la aplicación de penas adecuadas a su gravedad, lo que ha originado que la respuesta normativa de los Estados que cooperan en la represión de la piratería sea enormemente heterogénea[45] ni tampoco se prevé una cláusula *aut dedere, aut iudicare*. Con ello, de manera análoga a lo que ocurre con las competencias de policía, la CNUDM únicamente establece qué se puede hacer pero sin detallar ninguna de las cuestiones que precisamente tienen una gran relevancia en el ámbito de la cooperación, de manera que, como muy acertadamente ha indicado BASSIOUNI, las "expectativas legales" que genera una obligación de Derecho internacional es una cuestión muy distinta a lo que ocurre con su aplicación[46].

III. EL PUNTO DE INFLEXIÓN: EL CASO ESPECÍFICO DE LA PIRATERÍA SOMALÍ

Tras permanecer en letargo durante buena parte del siglo XX, hacia la década de los años ochenta y sobre todo a mediados de la década de los noventa comienza a registrarse un ascenso en el número de ataques piratas a nivel global (tendencia que, por otro lado, se mantiene hasta la actualidad). Desde que en 1983 se registrase el primer ataque, a principios de 2019, los actos de piratería han superado los 8.000 aunque se considera que la cifra puede ser sensiblemente superior puesto que no todos los ataques son, por diversas razones, comunicados[47].

Hasta finales de la década de los ochenta, la piratería se mantuvo en niveles bajos a nivel global hasta que en 1990 se registró un aumento significativo de los ataques en el Mar del Sur de China marcando el inicio de una tendencia alcista sostenida hasta la actualidad, de manera que, desde 1996, el número de actos de piratería en esta zona supera o se encuentra muy cercano a los 100 cada año. A pesar de que, por ejemplo, en el año 2000 se registraron más de 140 ataques en

---

CNUDM regula una jurisdicción universal de carácter absoluto. Vid. GEIß and PETRIG, A.: *Ob. cit.,* p. 150.

[45] Sobre este aspecto, vid. LÓPEZ LORCA, B.: "Harmonization of national criminal laws on maritime piracy: a regulatory proposal for the crime of piracy and its penalties". *European Journal on Criminal Policy and Research,* 2017.

[46] BASSIOUNI, M. C.: *Ob. cit.,* p. 66.

[47] Vid. INTERNATIONAL MARITIME ORGANIZATION. MARITIME SAFETY COMMITTEE: *Reports on Acts of Piracy and Armed Robbery Against Ships. Annual Report-2018.* MSC. 4/Circ. 263, 1 April 2019.

esta área e incluso más de 150 en el 2003, la intensificación de la piratería en el Mar del Sur de China no ha generado la puesta en marcha de estrategias de cooperación internacional comparables a las desarrolladas con ocasión del ciclo de la piratería somalí, lo que sugiere que el dato cuantitativo no es suficiente como para desencadenar un mecanismo de gobernanza global. Efectivamente, como lo demuestra, además de este último caso, la piratería somalí o la localizada en el Estrecho de Malaca, únicamente cuándo este fenómeno se enquista en rutas de navegación internacionales, afectando al transporte y comercio marítimo, pasa a ser percibido como un problema de trascendencia internacional y, en su caso, de gobernanza global.

La piratería no era un fenómeno nuevo en las costas somalíes. A finales de 1980, durante el Gobierno de Siyad Barre, ya se detectaron grupos de piratas que se hacían pasar por oficiales de las fuerzas del orden para abordar barcos. La situación se tornó más compleja cuando, tras la caída de Barre, la actividad pesquera quedó en manos de grupos de poder y autoridades locales que se servían de milicias armadas para proteger los recursos costeros de la pesca ilegal y de los vertidos tóxicos realizados por barcos extranjeros. A partir de mediados de la década del año 2000, la perspectiva de enriquecimiento que ofrecía la piratería originó que algunas milicias locales se organizaran en grupos armados más eficientes y que, paulatinamente, se tejieran redes de piratería (al menos cuatro grupos diferenciados) que operaron a lo largo de toda la costa del país, con la única excepción de Somalilandia, evolucionando hacia un modelo de criminalidad organizada transnacional[48]. En el año 2007, los piratas comenzaron a atacar los buques fletados por el Programa Mundial de Alimentos de Naciones Unidas (UNDP) que transportaban ayuda humanitaria a Somalia, lo que llevó al Consejo de Naciones Unidas a autorizar la puesta en marcha de operaciones navales contra la piratería, y, a partir de ese año, los ataques se incrementaron de forma exponencial hasta el año 2012. Durante el periodo 2007-2012, Somalia se convirtió en un caso paradigmático de cómo en un Estado fallido pueden combinarse la práctica totalidad de factores que contribuyen a explicar la incidencia de la piratería[49], logrando situar un problema interno en la agenda internacional; fac-

---

[48]   Vid. COMITÉ 751/1907 DEL CONSEJO DE SEGURIDAD DE NACIONES UNIDAS: *Informe del Grupo de Supervisión para Somalia establecido en virtud de la resolución 1630 (2005) del Consejo de Seguridad*. S/2006/229, 4 de mayo de 2006, pp. 26-29.

[49]   Para una sistematización de qué elementos contribuyen a explicar el fenómeno de la piratería, vid. MURPHY, M.: *Contemporary Piracy and Maritime Terrorism. The Threat to International Security*. Adelphi Paper 388, The International Institute for Strategic Studies, 2007, y CHALK, P.: "The Maritime Dimension of International Security: Terrorism, Piracy and Challenges for the United States". *RAND Corporation*, 2008. Y, más concretamente, sobre qué factores explican la piratería somalí, vid. BUEGER, C.: "Learning form piracy: future challenges of mari-

tores que, por otro lado, MUELLER y ADLER, en su clásica obra, resumen de una manera muy expositiva: "Take a maritime geography, which favours local outlaws and disfavours distant law enforcers. Add the chance of enormous profit and little risk. Mix it generously with strife, internal and external. Avoid maritime law enforcement capacity, and do not add common law! Corruption helps for spicing! Make it hot"[50].

Desde el punto de vista cuantitativo, mientras que durante el periodo 2005-2007, los actos de piratería se mantuvieron por debajo de los 50 ataques (44, 22 y 50, respectivamente), en el año 2008 la cifra se duplicó, alcanzado los 117 ataques y llegando a escalar hasta los 215, 224 y 282 en los años más intensos (2009-2011), de forma que para este periodo se registraron 954 ataques[51]. No obstante, IBÁÑEZ GÓMEZ y ESTEBAN han considerado que la cifra real puede llegar a ser hasta un 31% más para el mismo periodo (2005-2011), de forma que podrían haber llegado a producirse un total de 1.190 ataques. En concreto, estos autores estiman que en el año 2005 se produjeron 51 actos de piratería, 39 en 2006, 63 en 2007, 197 en 2008, 247 en 2009, 290 en 2010, y, finalmente, 303 ataques en el año 2011[52]. En cualquier caso, resulta significativo que, en el año 2011, las cifras alcanzadas por la piratería somalí originaran que, a nivel global, el 75% de los actos de piratería se distribuyesen en dos únicas áreas, siendo una de ellas, precisamente, el área en el que operaban los piratas somalíes[53].

Además de la intensidad de los ataques, la piratería somalí se ha caracterizado, por un lado, por abarcar un ámbito espacial de actuación tan extenso como

---

time security governance". *Global Affairs*, vol. 1, 2011, pp. 34-36; y, para una revision de los distintos enfoques adoptados doctrinalmente a este respecto, vid., del mismo, "Piracy studies: academic responses to the return of an ancient menace", pp. 408-410. Del mismo modo, resulta interesante el informe del Banco Mundial sobre esta cuestión, WORLD BANK: *The pirates of Somalia: Ending the threat, rebuilding a nation*. The World Bank, 2013, pp. 83-154.

[50] MUELLER, G. O. W. and ADLER, F.: *Outlaws of the Ocean: The Complete Book of Contemporary Crime on the High Seas*. Hearst Marine Books, 1985, p. 288.

[51] INTERNATIONAL MARITIME ORGANIZATION. MARITIME SAFETY COMMITTEE: *Reports on Acts of Piracy and Armed Robbery Against Ships. Annual Report-2015*, Anexo 4.

[52] IBÁÑEZ GÓMEZ, F.: *La amenaza de la piratería marítima a la seguridad internacional: el caso de Somalia*. Ministerio de Defensa, 2012, p. 246, e IBÁÑEZ GÓMEZ, F. y ESTEBAN, M. A.: "Analysis of the Somali pirate attacks in the Indian Ocean (2005-2011): evolution and modus operandi". *Revista Española del Instituto Español de Estudios Estratégicos*, 1/2013, p. 5. Esta diferencia de cifras se debe a varios factores, entre ellos, fundamentalmente, la tipología de actos que cada organismo internacional incluye dentro de las estadísticas de la piratería y la atribución o no de dichos actos piratas somalíes.

[53] Vid. INTERNATIONAL CHAMBER OF COMMERCE-INTERNATIONAL MARITIME BUREAU: *Piracy and Armed Robbery Against Ships-2011 Annual Report*. January 2012, pp. 6 y 24. El segundo gran foco de la piratería se localizaba en esos momentos en el Estrecho de Malaca e Indonesia, otra de las áreas tradicionalmente más activas.

poco usual, y, por otro, por recurrir de manera sistemática a los secuestros de la tripulación de los barcos abordados. Lejos de concentrar sus ataques en el mar territorial y en las inmediaciones de las aguas internacionales frente a las costas de Somalia, estos piratas lograron lanzar ataques en zonas muy alejadas, lo que contribuyó decisivamente a convertir una cuestión de seguridad interna en un problema de trascendencia internacional. Desde las aguas territoriales de Somalia hasta la costa oeste de India y desde el Mar Rojo y el Golfo de Adén hasta las aguas internacionales frente a las costas de Mozambique y Madagascar, los piratas somalíes llegaron a realizar ataques incluso a más de 1.100 millas náuticas de la costa somalí, proyectándose, con ello, en la práctica totalidad del Océano Índico occidental[54]. Por su parte, el secuestro fue un factor determinante a la hora de consolidar la práctica de la piratería en la zona, como ha indicado el Consejo de Seguridad de Naciones Unidas, por ejemplo, en la resolución 2020 (2011), principalmente por perfilarse como una práctica de riesgo reducido con la que las milicias locales y los grupos de piratas obtenían tanto financiación para continuar lanzando sus ataques como un beneficio económico directo. Por ejemplo, se calcula que en el año 2009 se llegaron a pagar 177 millones de dólares en rescates, 238 millones en 2010 y casi 160 en el año 2011. Es decir, en apenas tres años se pagaron rescates por un valor de 575 millones de dólares, lo que resulta suficientemente ejemplificativo de lo lucrativo que llegó a ser la piratería en un entorno devastado durante más de dos décadas por la violencia y la pobreza. Y, a pesar de que en el 2012 el número de actos de piratería descendió significativamente, todavía en este año se verificaron rescates por un valor de más de 31 millones de dólares, y, a finales del año 2015, quedaban aún retenidas aproximadamente 30 personas esperando el pago de un rescate para su liberación[55].

Este amplísimo radio de acción junto con el secuestro de las tripulaciones de los barcos atacados terminó por convertir a la piratería somalí en un serio problema para la comunidad internacional en gran medida por el impacto económico directo que tuvo en el transporte y el comercio marítimo. A este respecto, resultan especialmente interesantes los estudios que se han centrado en analizar el denominado "coste de la piratería" desde una perspectiva integral. Así, por un lado, deben distinguirse aquellos costes directamente soportados por la industria del sector, entre los que ha de incluirse, entre otros, los sobrecostes derivados del incremento de las primas de

---

[54] Para un análisis detallado sobre las características de estos ataques, vid. IBÁÑEZ GÓMEZ, F.: *Ob. cit.*, pp. 235-408.

[55] Vid. BOWDEN, A.: "The Economic Cost of Maritime Piracy. 2010". *One Earth Future Working Paper*, December 2011, pp. 9-10, BOWDEN, A.: "The Economic Cost of Maritime Piracy. 2011". *One Earth Future Working Paper*, 2012, pp. 11-13, y BELLISH, J.: "The Economic Cost of Maritime Piracy. 2012". *One Earth Future Working Paper*, 2013, pp. 10-13.

seguros, del trazado de rutas alternativas para evitar las zonas del Índico Occidental más peligrosas, de la adopción de medidas de protección adicionales en los buques para repeler posibles ataques piratas, del aumento de combustible tanto por transitar vías alternativas más largas como por la utilización de una mayor velocidad al atravesar zonas especialmente peligrosas, y, fundamentalmente, los gastos derivados de la contratación de la seguridad privada, que supone la partida fundamental para el sector privado. Y, por otro, en relación a los costes que ha soportado la comunidad internacional y, en concreto, los gobiernos, han de contabilizarse las operaciones navales, que supone el mayor gasto de carácter público, y los gastos a nivel judicial relativos a la persecución, enjuiciamiento y ejecución de la pena de los piratas capturados; y, finalmente, los costes soportados por la sociedad civil.

Con todo, la cifra global para los años 2010-2015 no dejan de ser sorprendentes. En total, la gobernanza global de la piratería somalí generó unos costes de 7 billones de dólares en el año 2010, 6.6 billones en el año 2011, 5.7 billones en el 2012, 3 billones en 2013, 2.3 billones en 2014 y casi 1.3 billones de dólares en el año 2015; último año para el que se ha realizado, por el momento, un estudio global de estas características. En definitiva, casi 26 billones de dólares[56], en su amplia mayoría a cargo del sector privado (por ejemplo, en el año 2015, el 73 % de los costes de la piratería corrieron a cargo de este sector, y, en el año 2014, el 64 %, una tendencia que, con independencia de la variación de los porcentajes totales, se ha mantenido desde el año 2010), a los que, en todo caso, no debe dejar de sumarse las implicaciones que a nivel humano ha supuesto y todavía supone esta actividad ilícita tanto en relación a las propias tripulaciones que experimentan de manera directa los ataques y secuestros[57] como respecto a la propia población somalí[58].

---

[56]　Además de los informes elaborados por la fundación One Earth Future citados en la nota inmediatamente anterior, vid. MADSEN, J. V. et al.: "The State of Maritime Piracy. 2013". *Oceans Beyond Piracy Report*, 2014, WALJIE, M. R. et al.: "The State of Maritime Piracy. 2014. Assessing the Economic and Human Cost". *Oceans Beyond Piracy Report*, 2015, WALJIE, M. R. et al.: "The State of Maritime Piracy. 2015. Assesing the Economic and Human Cost", informe por el momento únicamente disponible en la página oficial del proyecto http://oceansbeyondpiracy.org/reports/sop2015 (20 de marzo de 2017). Para un análisis en profundidad de los costes de la piratería para la industria del sector del transporte marítimo, vid. UNITED NATIONS CONFERENCE ON TRADE AND DEVELOPMENT: *Maritime Piracy. Part I: an overview of trends, costs and trade related implications.* Studies in Transport Law and Policy, 2014, n. 1. UNCTAD/DTL/TLB/2013/1, e, igualmente, de gran interés resulta en este punto el ya mencionado informe del Banco Mundial, WORLD BANK: *Ob. cit.,* pp. 15-72.

[57]　Vid. HURLBURT, K: "The Human Cost of Somali Piracy. 2012". *Oceans Beyond Piracy Working Paper*, 2013, HURLBURT, K.: "The Human Cost of Somali Piracy. 2011". *Oceans Beyond Piracy Working Paper*, 2012, y HURLBURT, K · "The Human Cost of Somali Piracy. 2010". *Oceans Beyond Piracy Working Paper*, 2011.

[58]　En este sentido, el Consejo de Seguridad ya ha mostrado su preocupación por la implicación de niños en las actividades piratas y por la explotación sexual de menores y mujeres en las zonas

Si a mediados de la década de los ochenta el secuestro del crucero *Achille Lauro* ya puso de manifiesto que la CNUDM era un instrumento jurídico que no permitía ofrecer una respuesta satisfactoria a supuestos de terrorismo marítimo y, por ello, se redactó un convenio que permitiera actuar contra las más amplias manifestaciones de violencia en el mar (Convenio SUA)[59], el ciclo de la piratería somalí terminó por evidenciar que la CNUDM tampoco posibilitaba articular una estrategia represiva eficaz para el tipo de actos ilícitos para el que fue inicialmente elaborada.

Por un lado, se planteó un problema en relación al ámbito de aplicación de las disposiciones de la CNUDM relativas a la piratería. Como ya se ha indicado, los piratas somalíes lograron operar en un espacio muy significativo del Océano Índico occidental y aunque un gran número de sus ataques se localizaban en aguas internacionales, solían escapar hacia al mar territorial de Somalia y utilizar su costa como refugio seguro para así eludir una posible captura, lo cual se veía favorecido por la falta de capacidad del Estado somalí para vigilar y patrullar sus costas. En consecuencia, las competencias de policía y jurisdicción previstas en la CNUDM, cuyo ámbito de aplicación está circunscrito a la alta mar en concordancia con el concepto jurídico-internacional de piratería, no podían ser implementadas para actuar ni contra los ataques que se producían en las aguas territoriales somalíes ni tampoco para perseguir a los piratas hasta sus refugios en tierra firme. Por ello, como se explicará en el siguiente epígrafe, una de las primeras medidas que se adoptaron por parte del Consejo de Seguridad de Naciones Unidas fue la de elaborar un conjunto de resoluciones en las que se ampliaba el ámbito de aplicación de los arts. 105, 110 y también 111 de la CNUDM con la finalidad de que las operaciones militares que se estaban organizando para contener la piratería en la zona pudieran actuar también en las aguas territoriales somalíes e incluso lanzar operaciones en tierra firme. Como ya había avanzado la Organización Marítima Internacional (OMI) en la década de los ochenta[60] y la piratería somalí puso definitivamente de manifiesto, los denominados robos a mano armada a bordo de buques (en esencia, actos de piratería cometidos en aguas territoriales y archipielágicas) constituyen uno de los principales desafíos para la seguridad de la navegación marítima que precisa de una respuesta normativa específica[61].

---

controladas por los clanes piratas. Vid., por ejemplo, resolución 2246 (2015) del Consejo de Seguridad de naciones Unidas.

[59] Sobre la elaboración del Convenio SUA, vid. LÓPEZ LORCA, B.: *La piratería y otros delitos contra la seguridad de la navegación marítima*, pp. 214-241.

[60] Vid. INTERNATIONAL MARITIME ORGANIZATION. ASSEMBLY: *Measures to prevent acts of piracy and armed robbery against ships*. A 13/res. 545, 29 February 1984.

[61] El robo a mano armada a bordo de buques, denominación acuñada por la OMI cuyo uso está generalizado, está definido en el art. 2.2 del Código de prácticas para la investigación de

Por otra parte, la gran problemática en torno a cómo abordar la piratería somalí se evidenció con la denominada práctica del "catch and release", que escondía dos realidades de distinta naturaleza. Como ya se ha indicado anteriormente, las competencias de policía y jurisdicción reguladas en la CNUDM únicamente establecen qué pueden hacer los Estados en la alta mar para reprimir la piratería pero sin especificar ni proveer mecanismos concretos que indiquen cómo ha de materializarse la cooperación internacional. Es decir, la ausencia de disposiciones que regulen qué tipo de medidas post-delictuales han de adoptar los Estados desde el momento de la comisión del delito y la detención del pirata hasta la celebración del procedimiento penal y posterior cumplimiento de la pena originó una serie de obstáculos de gran trascendencia práctica que dificultaron el efectivo enjuiciamiento de los piratas. Así, a pesar del relativamente rápido despliegue de operaciones militares en la zona, el potencial preventivo y represivo de la cooperación internacional, en la práctica, se dilapidaba. Ante la ausencia de mecanismos específicos, lo único que podía hacerse era capturar a los piratas en la alta mar, desarmarles y volverles a poner en libertad, situación con la que el Consejo de Seguridad se ha mostrado siempre muy crítico porque, tal y como ha señalado insistentemente en sus resoluciones, se trata de una práctica que menoscaba gravemente la lucha y el esfuerzo de la comunidad internacional contra la piratería[62].

Sin embargo, pronto se verificó que el "catch and release" también era consecuencia del cumplimiento parcial de la obligación de cooperar en la lucha contra la piratería establecida en el art. 100 de la CNUDM. Como ya se ha indicado previamente, esta obligación de carácter flexible posibilita que los Estados modulen su compromiso en la represión ante la piratería, por ejemplo, dependiendo del número o intensidad de los ataques piratas que experimentan los buques de

---

los delitos de piratería y robo a mano armada perpetrados contra los buques ("cualesquiera actos ilícitos de violencia o de detención, o cualesquiera actos de depredación o de amenaza de depredación, que no sean actos de piratería, dirigidos contra un buque o contra personas o bienes a bordo de éste dentro de la jurisdicción de un Estado respecto de tales delitos"); un instrumento de *soft law* elaborado por la OMI en el año 2001 (vid. INTERNATIONAL MARITIME ORGANIZATION. ASSEMBLY: *Code of Practice for the investigation of crimes of piracy and armed robbery against ships*. A 22/Res. 22, 22 January 2002). Como consecuencia de la adopción del Regional Cooperation Agreement on Combating Piracy and Armed Robbery against Ships in Asia (ReCAAP), otro instrumento de *soft law* elaborado por Estados afectados principalmente por la piratería localizada en el Estrecho de Malaca, el concepto adoptado en el Código de prácticas se modificó para incorporar el elemento del propósito privado. Vid. INTERNATIONAL MARITIME ORGANIZATION. ASSEMBLY: *Code of Practice for the investigation of crimes of piracy and armed robbery against ships*. A 26/Res. 1025, 18 January 2010.

[62]   El Consejo de Seguridad se refiere por primera vez a esta cuestión en la resolución 1851 (2008); y, posteriormente, entre otras, en las resoluciones 1918 (2010), 1976 (2011), 2015 (2011), 2020 (2011 y 2316 (2016).

su pabellón, de los intereses económicos y comerciales del Estado en la región en la que se producen los ataques o del número de buques mercantes que operan en ella, de la presencia en la zona de buques operativos de su pabellón dispuestos a intervenir e, incluso, un Estado puede mostrarse reacio a juzgar a un pirata en su territorio para evitar que tras el cumplimiento de la pena éste pueda solicitar asilo político, permanecer en ese país y emprender un proceso de reagrupación familiar[63]. Y esto fue, precisamente, lo que ocurrió, de manera que si bien la práctica del "catch and release" comenzó siendo un síntoma de la falta de mecanismos para luchar contra la piratería somalí, subrayando lo obsoleto que habían quedado las disposiciones de la CNUDM relativas a la represión de la piratería, acabó siendo utilizada para esconder la falta de compromiso de los Estados a la hora de cooperar en la lucha contra este fenómeno, como ya advirtió el Asesor Especial del Secretario General de Naciones Unidas sobre cuestiones jurídicas relacionadas con la piratería en Somalia ("No basta con establecer una jurisdicción universal, sino que hace falta que los Estados acepten enjuiciar efectivamente a los piratas"[64]) y también cierto sector doctrinal[65].

IV. LAS ESTRATEGIAS DE COOPERACIÓN EN MATERIA DE PIRATERÍA MARÍTIMA. UN MODELO DE GOBERNANZA GLOBAL

El modelo de gobernanza global desarrollado por la comunidad internacional para combatir la piratería somalí se articula sobre tres líneas fundamentales establecidas por el Consejo de Seguridad de Naciones Unidas. En primer lugar, si bien la piratería se considera un factor que amenaza la paz, la seguridad y la estabilidad de Somalia en ningún momento ha sido calificada como una amenaza para la paz y la seguridad internacional. En este sentido, el Grupo de Supervisión para Somalia, ya desde los primeros informes en los que incorporó un análisis

---

[63] Vid. DUTTON, Y.M.: "Pirates and Impunity: Is the Threat of Asylum Claims a Reason to Allow Pirates to Escape Justice?". *Fordham International Law Journal*, vol. 34, 2011.

[64] CONSEJO DE SEGURIDAD DE NACIONES UNIDAS: *Carta de fecha 24 de enero de 2011 dirigida al Presidente del Consejo de Seguridad por el Secretario General. Anexo de la Carta de fecha 24 de enero de 2011 dirigida al Presidente del Consejo de Seguridad por el Secretario General. Informe del Asesor Especial del Secretario General sobre cuestiones jurídicas relacionadas con la piratería frente a las costas de Somalia*, par. 51.

[65] Por ejemplo, expositivas son las palabras de CAMPANELLI al respecto: "as far as global governance is concerned, piracy may be considered a non-problem, in that it is the absence of willingness to eradicate piracy by the States that determines the current situation. The juridical shortcomings may be seen as a consequence and as a symbol of this unwillingness, not as its cause". CAMPANELLI, O.: *Ob. cit.*, p. 82.

relativo a esta cuestión, ha incluido la piratería y también lo que, desde el año 2013, denomina "secuestros extorsivos" dentro del apartado en el que engloba los "Actos que amenazan la paz, la seguridad y la estabilidad de Somalia", donde todavía en el último informe disponible queda incluida la piratería[66]. El Grupo de Supervisión se ocupa por primera vez de la piratería en su informe del año 2003, en el que la consideraba un fenómeno incipiente pero que ya se perfilaba como una actividad "rentable y de relativamente poco riesgo"[67], y, posteriormente, en su informe del año 2006, justo en el año en el que ya se empieza a detectar una intensificación de los ataques, vuelve a retomar la cuestión de la piratería, incorporando a este informe un análisis más amplio de cuál había sido el desarrollo del fenómeno en la zona desde finales de los años ochenta y cuál era la situación en ese momento[68]. No obstante, hasta el año 2010, cuando el número de ataques ya habían puesto claramente de manifiesto la incidencia del fenómeno en las costas somalíes, la piratería no se incluye por primera vez dentro de los actos que suponen una amenaza para la paz y la seguridad del país[69].

Por su parte, el Consejo de Seguridad, que, lógicamente, coincide con el grupo de Supervisión a la hora de considerar la piratería como un factor que agrava la frágil situación de Somalia, ha evitado calificarla como una amenaza para la paz y la seguridad internacional desde sus primeras resoluciones. En concreto, en la resolución 1816 (2008), la primera en la que se abordó de manera específica esta cuestión como una problemática distinta a las que surgen en relación al desarrollo de la Misión de la Unión Africana para Somalia (AMISOM) y a la supervisión del embargo de armas impuesto desde 1992, el Consejo afirmaba que "los incidentes de piratería y robo a mano armada contra buques en las aguas territoriales de Somalia y en alta mar frente a la costa de Somalia agravan la situación de Somalia", matizando que es esta situación interna de Somalia la que sí constituye "una amenaza para la paz y la seguridad internacionales en la región". Esta cláusula, con independencia de las ligeras modificaciones efectuadas en su redacción, ha

---

[66]   Vid. COMITÉ 751/1907 DEL CONSEJO DE SEGURIDAD DE NACIONES UNIDAS: *Informe del Grupo de Supervisión para Somalia y Eritrea presentado de conformidad con la resolución 2385 (2017) del Consejo de Seguridad: Somalia.* S/2018/1002, 9 de noviembre de 2018, p. 39.

[67]   COMITÉ 751/1907 DEL CONSEJO DE SEGURIDAD DE NACIONES UNIDAS: *Informe del Grupo de Expertos sobre Somalia presentado de conformidad con la resolución 1425 (2002) del Consejo de Seguridad.* S/2003/223, 25 de marzo de 2003, pp. 47 y 48.

[68]   COMITÉ 751/1907 DEL CONSEJO DE SEGURIDAD DE NACIONES UNIDAS: *Informe del Grupo de Supervisión para Somalia establecido en virtud de la resolución 1630 (2005) del Consejo de Seguridad*, pp. 26-31.

[69]   COMITÉ 751/1907 DEL CONSEJO DE SEGURIDAD DE NACIONES UNIDAS: *Informe del Grupo de Expertos sobre Somalia presentado de conformidad con la resolución 1853 (2008) del Consejo de Seguridad.* S/2010/91, 10 de marzo de 2010, pp. 41-48.

sido incluida en la totalidad de las resoluciones del Consejo sobre la piratería en Somalia, sin que, hasta el momento, se haya modificado su caracterización como una amenaza para la situación interna de Somalia pero, en contraste, no para la paz y la seguridad internacional. Así, en la resolución 2316 (2016), por ejemplo, se reitera que "los incidentes de piratería y robo a mano armada en el mar frente a las costas de Somalia, así como la actividad de grupo s de piratas en Somalia, son un factor importante que agrava la situación imperante en Somalia, que sigue constituyendo una amenaza para la paz y la seguridad internacionales en la región". Con ello, el tipo de actuaciones que los diversos actores que cooperan en la lucha contra la piratería pueden poner en marcha en el marco de la gobernanza global del fenómeno excluyen respuestas de carácter unilateral basadas en la existencia de un conflicto asimétrico. A este respecto, es preciso descartar la posibilidad de considerar a los piratas una suerte de fuerzas o combatientes irregulares a los que correspondería aplicar el Derecho internacional humanitario, como ha llegado a proponer algún autor[70], ya que la piratería no constituye un acto de guerra conforme al Derecho internacional. Del mismo modo, resulta igualmente cuestionable que pueda aplicarse la legítima defensa del art. 51 de la CNU porque supondría la extensión del derecho de autodefensa a la represión de una actividad realiza por particulares[71], e, igualmente, la falta de capacidad del Estado somalí para vigilar de manera efectiva sus aguas territoriales tampoco permite asimilar este espacio a un "mar fallido" para aplicar las facultades coercitivas previstas en la CNUDM sin el permiso expreso del gobierno somalí[72].

---

[70] Vid. KONTOROVICH, E.: "A Guantánamo on the Sea. The Difficulty of Prosecuting Pirates and Terrorists". *California Law Review*, vol. 98, 2010, p. 259. En sentido contrario, vid. GUILFOYLE, D.: "The Laws of War and the Fight against Somali Piracy: Combatants or Criminal?". *Melbourne Journal of International Law*, vol. 11, 2010, BLANCO BAZÁN, A.: "War Against Piracy? Some Misconceptions and Oversights in the Repression of Crimes at Sea". *Il Diritto maritimo*, vol. 111(1), 2009, p. 266, TREVES, T: "Piracy, Law of the Sea and the Use of Force: Developments off the Coast of Somalia", p. 412, y JENISCH, U.: "Piracy, Navies and the Law of the Sea: the Case of Somalia". *WMU Journal of Maritime Affairs*, vol. 8, 2009, p. 130.

[71] Vid. SÁNCHEZ PATRÓN, J. M.: "La legítima defensa ante la piratería marítima". *Revista Electrónica de Estudios Internacionales*, vol. 28, 2014, y BARRY, P. I.: "The right of visit, search and seizure of foreign flagged vessels on the high seas pursuant to customary international law: a defense of the proliferation security initiative". *Hofstra Law Review*, vol. 33, 2004, pp. 318-327. Ambos autores consideran posible aplicar la legítima defensa en el contexto de la lucha contra la piratería.

[72] MARÍN CASTÁN ha apuntado la posibilidad de que la persecución de los piratas somalíes podía llevarse a cabo de forma inversa sin el permiso estatal. Partiendo de la noción de "Estado fallido", sugiere la posibilidad de que las aguas jurisdiccionales pertenecientes a Estados que, como Somalia, carecen de gobierno efectivo y de medios para ejercer sus facultades de policía marítima, deberían ser equiparadas a la categoría de lugares no sometidos a la jurisdicción de ningún Estado o una suerte de "mares fallidos" en los que podría aplicarse el régimen previsto

En segundo término, el marco jurídico de referencia en la lucha contra la piratería es, con independencia de las limitaciones derivadas de su regulación, las disposiciones de la CNUDM (la constitución de los mares), la cual se constituye, por tanto, en el límite de cualquier tipo de estrategia de carácter preventivo o represivo. Así se desprende del contenido de las resoluciones del Consejo de Seguridad, en las que se precisa que los Estados han de actuar "en forma compatible con las acciones [...] permitidas en alta mar con respecto de la piratería", y, en relación con los robos a mano armada, utilizando igualmente "todos los medios necesarios para reprimir los actos de piratería y robo a mano armada en el mar [...] en forma compatible con las acciones de esa índole permitidas en alta mar con respecto de la piratería"[73]. En el mismo sentido se ha pronunciado también la Asamblea General de Naciones Unidas al recordar que "todas las medidas que se adopten para combatir las amenazas a la seguridad marítima deben ajustarse al derecho internacional, incluidos los principios consagrados en la Carta de las Naciones Unidas y la Convención"[74]. Con ello, la base del modelo de gobernanza global desarrollado en relación a la piratería somalí continúan siendo las competencias de policía y jurisdicción reguladas en los arts. 105, 110 y 111 de la CNUDM, es decir, la persecución, también inversa, detención, registro, visita y captura del buque pirata así como en la detención y enjuiciamiento de los piratas que se encuentren a bordo.

Y, en tercer y último lugar, las diferentes medidas y estrategias que integran el modelo de gobernanza global contra la piratería somalí, en la medida en que están basadas en las resoluciones del Consejo de Seguridad, que tienen carácter excepcional, son sólo aplicables a la cuestión de la piratería somalí. Esta interpretación se ve confirmada por el contenido de las propias resoluciones, en las que repetidamente se señala que las autorizaciones concedidas para luchar contra la piratería y el robo a mano armada en Somalia sólo son de aplicación "a la situación en Somalia y no afectará a los derechos, obligaciones o responsabilidades que incumban a los Estados Miembros en virtud del derecho internacional, in-

---

en la CNUDM para la represión de la piratería. Vid. MARÍN CASTÁN, F.: "Marco jurídico de la seguridad marítima". *Impacto de los riesgos emergentes en la seguridad marítima. Cuadernos de Estrategia*, núm. 140, 2008, p. 193. No obstante, esta analogía vulnera algunas de las normas más elementales del Derecho del mar puesto que el Estado ribereño posee soberanía exclusiva y jurisdicción penal plena sobre sus aguas jurisdiccionales (arts. 2 y 27 de la CNUDM), sin perjuicio de lo que pueda pactarse en contrario, pero, en todo caso, con la expresa autorización del Estado costero.

[73]   Vid., a modo de ejemplo, las resoluciones 1816 (2008), 1897 (2009), 2015 (2011) y 2316 (2016).

[74]   Vid. resolución sobre "Los océanos y el derecho del mar", resolución 70/235 (2015), par. 108, e igualmente, por ejemplo, la resolución 66/231 (2011), par. 80.

cluidos cualesquiera derechos y obligaciones en virtud de la Convención, respecto de ninguna otra situación", subrayándose que ninguna de estas medidas podrá ser considerada un precedente de derecho consuetudinario para extender este tipo de medidas a la lucha contra otro tipo de fenómenos delictivos[75]. En este sentido, el Consejo se ha mostrado cauteloso a la hora de incorporar a las diversas resoluciones sobre la piratería somalí varias cláusulas en las que, por un lado, manifiesta de manera expresa su respeto por la soberanía e independencia de Somalia[76], y, por otro, subraya la existencia de un consentimiento previo y expreso del gobierno somalí como presupuesto habilitante para desarrollar las diversas estrategias de cooperación, especialmente aquellas que implican la actuación de terceros Estados tanto en aguas territoriales como en propio territorio somalí.

1. Estrategias de cooperación de carácter público. El liderazgo de Naciones Unidas

Como ya se ha señalado, uno de los primeros problemas que se puso rápidamente de manifiesto a la hora de abordar la piratería somalí era que las disposiciones de la CNUDM no permitían reprimir las nuevas formas de violencia en el mar de manera efectiva, situación ante la cual Naciones Unidas disponía de dos opciones: bien intentaba elaborar un instrumento jurídico diseñado *ad hoc* para luchar contra estas nuevas formas de piratería bien tomaba como referencia la CNUDM, adaptándola al contexto de la piratería somalí[77]. La primera de las opciones quedó rápidamente descartada simplemente porque no era realista. A pesar de la intensidad que comenzaba a adquirir la piratería somalí, no parecía que este ciclo concreto de piratería fuera a generar un consenso tan unánime y claro como el que se produjo con ocasión del secuestro del *Achille Lauro*, posibilitando la elaboración del Convenio SUA. Además, como iría indicando el Consejo de Seguridad en sus sucesivas resoluciones, la comunidad internacional disponía de un conjunto lo suficientemente amplio de normas convencionales sobre las que articular la represión de la piratería: el propio Convenio SUA y también el Convenio internacional contra la toma de rehenes, que permitía abordar la cuestión de los secuestros. No obstante, si bien la posibilidad de redactar un instrumento

---

[75]   Vid., por ejemplo, las resoluciones 1816 (2008), 1897 (2009), 2015 (2011) y 2316 (2016).

[76]   Esta cláusula, que desde su incorporación al conjunto de resoluciones del año 2008 ha presentado una redacción prácticamente análoga, en la resolución 2316/2016 se ha expresado de la siguiente manera: "[El Consejo de Seguridad] *Reafirmando* su respeto por la soberanía, la integridad territorial, la independencia política y la unidad de Somalia, así como por los derechos soberanos de Somalia de conformidad con el derecho internacional en relación con los recursos naturales costa afuera, incluidas las pesquerías".

[77]   Vid. GEIß, R. and PETRIG, A.: *Ob. cit.*, pp. 71-75.

internacional *ad hoc*, tal y como ha propuesto algún autor[78], no se perfilaba como plausible, la elaboración de un instrumento de *soft law* de carácter regional sí pareció una opción adecuada, por lo que la OMI ya se dispuso a elaborar este nuevo instrumento que sería aprobado unos años más tarde (el futuro Código de Conducta de Djibouti, al que se hará referencia más adelante).

Con ello, la opción más realista en ese momento, dada la magnitud que comenzaba a alcanzar este fenómeno en la costa somalí, fue intentar suplir las limitaciones de la regulación de la CNUDM mediante su adaptación *ad hoc* al contexto de la piratería somalí. De esta forma, es la CNUDM, al fin y al cabo, la "constitución de los mares", la base jurídica sobre la que se construye el modelo de gobernanza global para la lucha contra la piratería somalí. Una vez delimitado el marco jurídico de referencia, las distintas estrategias se fueron perfilando conforme se planteaban necesidades específicas, logrando no solo superar las limitaciones de la CNUDM sino construir un buen ejemplo de gobernanza global en casos de criminalidad transnacional.

1.1. La modificación de las disposiciones de la CNUDM relativas a la represión de la piratería

Una de las primeras medidas que se adoptaron a nivel internacional para intentar contener la piratería somalí fue adaptar las disposiciones de la CNUDM aplicables a la represión de la piratería al contexto de los actos de violencia en el mar que se localizaban en las aguas jurisdiccionales somalíes y en las aguas internacionales frente a las costas de Somalia mediante la modificación del ámbito de aplicación de las competencias de policía y jurisdicción y autorizando acciones en tierra firme de acuerdo, en este caso, a las normas de Derecho internacional humanitario y de derechos humanos aplicables a intervenciones armadas en un tercer Estado[79].

Así, en la Resolución 1816 (2008), el Consejo de Seguridad autorizó dos tipos de medidas que, en la práctica, por un lado, suponían la posibilidad de que las operaciones navales contra la piratería penetraran en el mar territorial somalí para reprimir tanto aquellos ataques que se producían en este espacio como para

---

[78] SOBRINO HEREDIA se ha pronunciado a favor de una revisión de la CNUDM e, incluso, ha propuesto la celebración de una conferencia internacional centrada específicamente en la cuestión de la violencia en el mar a partir de la cual elaborar una convención internacional sobre represión y persecución de la piratería marítima. SOBRINO HEREDIA, J.M.: "La piratería marítima: un crimen internacional y un galimatías nacional", p. 2. Vid., igualmente, BENTO, L.: "Towards an International Law of Piracy *Sui Generis*: How the Dual Nature of Maritime Piracy Law Enables Piracy to Flourish". *Berkeley Journal of International Law*, vol. 29, 2011, pp. 439-452.

[79] Vid. LÓPEZ LORCA, B.: *La piratería y otros delitos contra la seguridad de la navegación marítima*, pp. 136-144.

perseguir a las embarcaciones piratas que, una vez realizado el ataque en alta mar, se adentraban en aguas jurisdiccionales para refugiarse (el denominado derecho de persecución en caliente inverso del art. 110 de la CNUDM[80]), y, por otro, permitían la utilización de las disposiciones relativas a la represión de la piratería previstas en los arts. 105 y 111 de la CNUDM en este espacio[81]. En concreto, en el marco del Capítulo VII de la CNU y recabado el consentimiento del Estado somalí, el Consejo autorizó a los Estados que decidiesen cooperar en la represión de la piratería a "Entrar en las aguas territoriales de Somalia con el fin de reprimir la piratería y el robo a mano armada en el mar en forma compatible con las acciones de esa índole permitidas en alta mar con respecto de la piratería con arreglo a las disposiciones pertinentes del Derecho internacional" y a "Usar, en las aguas territoriales de Somalia, en forma compatible con las acciones permitidas en alta mar con respecto de la piratería con arreglo a las disposiciones pertinentes del Derecho internacional, todos los medios necesarios para reprimir los actos de piratería y robo a mano armada". Posteriormente, de manera paralela a estas actuaciones, a finales del año 2008, el Consejo de Seguridad adoptó la Resolución 1851 (2008) en la que autorizó las actuaciones en tierra firme con la finalidad de posibilitar acciones armadas contra los campamentos y bases de los piratas somalíes. De nuevo en el marco del Capítulo VII y previo consentimiento expreso del gobierno somalí, se legitimó a "los Estados y las organizaciones regionales que cooperan en la lucha contra la piratería y el robo a mano armada en el mar frente a las costas de Somalia [...] [a] adoptar todas las medidas necesarias que sean apropiadas en Somalia" con el propósito de reprimir tales actos "siempre y cuando toda medida que adopten en virtud de este párrafo sea compatible con el derecho internacional humanitario y las normas internacionales de derechos humanos aplicables"[82].

Tanto las medidas autorizadas en la resolución 1816 (2008) como en la resolución 1851 (2008) fueron inicialmente previstas para un periodo anual pero la persistencia de la piratería en la zona, primero, y, posteriormente, su efectividad, determinaron que sendas autorizaciones se hayan prorrogado anualmente por periodos de doce meses hasta, por el momento, finales del año 2019[83].

---

[80]   *Ibidem*, pp. 138-140, nota 292.

[81]   Vid. GUILFOYLE, D.: "Piracy Off Somalia: UN Security Council Resolutions 1816 and IMO Regional Counter-Piracy Efforts". *International & Comparative Law Quarterly*, vol. 57, 2008, y VOECKEL, M.: "La piraterie entre charte et convention: a propos de la résolution 1816 du Conseil de Sécurité". *Annuaire du droit de la mer*, vol. 12, 2008.

[82]   Vid. DALTON, J., ROACH, A.J. & DALEY, J.: "Introductory Note to United Nations Security Council: Piracy and Armed Robbery at Sea. Resolutions 1816, 1846 & 1851". *International Legal Materials*, vol. 48, 2009.

[83]   Las resoluciones del Consejo de Seguridad emitidas hasta la fecha en relación con la piratería somalí son las siguientes: 1814 (2008); 1816 (2008), 1838 (2008); 1844 (2008); 1846 (2008), 1851

1.2. Las operaciones navales contra la piratería

Junto a la modificación del ámbito de aplicación de las disposiciones de la CNUDM relativas a la piratería y a la autorización de las actuaciones en territorio somalí, la puesta en marcha de una respuesta militar contra la piratería fue la segunda gran estrategia adoptada por la comunidad internacional para implementar la obligación de cooperar en la represión de este fenómeno. Ya en la resolución 1814 (2008), el Consejo de Seguridad instaba a los Estados y a las diversas organizaciones implicadas a que, de manera coordinada, se tomasen medidas para proteger los buques que transportaban ayuda humanitaria a Somalia y, de una forma más genérica, para garantizar la seguridad de la navegación marítima en la zona, petición que se reiteró en la resolución 1816 (2008). Meses después, con ocasión de la adopción de la resolución 1838 (2008), el Consejo valoraba positivamente la iniciativa tomada por varias organizaciones de lanzar operaciones navales *ad hoc*. En concreto, la *Combined Task Force*, la OTAN y la Unión Europea pondrían en marcha sus respectivas operaciones que, con independencia de sus mandatos específicos, tuvieron en común "disuadir y prevenir la piratería y el robo a mano armada en el mar frente a las costas de Somalia, garantizar la entrega de asistencia humanitaria a la región en condiciones de seguridad y facilitar la navegación sin riesgos para todos los buques mercantes"[84]. La primera fuerza multinacional que intervino militarmente fue la *Combined Task Force* 150, perteneciente a la *Combined Task Force*, una coalición militar de carácter multilateral liderada por Estados Unidos. No obstante, en la medida en que esta fuerza no fue específicamente creada para la lucha contra la piratería (fue puesta en marcha en septiembre del año 2001 en el marco de la lucha contra el terrorismo internacional como apoyo a la denominada Operación *Libertad Duradera*), en enero de 2009, se puso en marcha la *Combined Task Force* 151 (CTF 151) que continúa operando en el Índico occidental, incluido el Mar Rojo y el Golfo de Adén. Además de vigilar este espacio marítimo y contribuir a la disuasión y prevención de ataques piratas, también contribuye a la creación de capacidad marítima en los Estados afectados por la piratería.

(2008); 1897 (2009); 1918 (2010); 1950 (2010); 1976 (2011); 2015 (2011); 2020 (2011); 2077 (2012); 2125 (2013); 2184 (2014); 2246 (2015), 2316 (2016), 2383 (2017) y 2442 (2018). Nótese que las medidas primeramente autorizadas en la resolución 1816 (2008) tenían un periodo de vigencia de seis meses porque esta resolución fue adoptada en junio de 2008 pero ya en la resolución 1846 (2008), de diciembre de dicho año, se establecen periodos de prórroga de doce meses.

[84] Vid. CONSEJO DE SEGURIDAD DE NACIONES UNIDAS: *Informe del Secretario General presentado de conformidad con la resolución 1846 (2008) del Consejo de Seguridad.* S/2009/590. 13 de noviembre de 2009, par. 18.

Junto a las *Combined Task Force*, incluida la CTF 152, las operaciones navales contra la piratería se lideraron desde la OTAN y desde la Unión Europea. La primera misión militar de la OTAN fue la Operación *Allied Provider*, que se lanzó en octubre de 2008. La misión principal de esta operación fue la de escoltar y proteger a los buques que transportaban ayuda humanitaria a Somalia, mandato que se transfirió a la Unión Europea a finales de ese mismo año. Posteriormente, en marzo de 2009, se lanzó otra operación militar, la *Allied Protector*, que perseguía fundamentalmente vigilar el Golfo de Adén y el Cuerno de África, disuadiendo y previniendo posibles ataques, y, finalmente, en agosto de ese mismo año, justo cuando acababa de concluir la Operación *Allied Protector*, la OTAN lanzó su última misión militar contra la piratería somalí, la Operación *Ocean Shield*, que estuvo operativa hasta finales de 2016[85]. Por su parte, la Unión Europea también puso en marcha su propia operación militar. En diciembre de 2008, lanzó la *European Union Naval Force* (EUNAVFOR) Somalia-Operación Atalanta[86] (la primera operación naval que se establecía en el marco de la Política Europea de Seguridad y Defensa), que se prolongará, por el momento, hasta finales del año 2020. Esta Operación que, como las anteriores, se establece al amparo de las resoluciones emitidas por el Consejo de Seguridad de Naciones Unidas en el año 2008, tiene como misión la protección de los buques que transitan por la zona afectada por la piratería somalí, en especial, los buques del UNDP que suministran ayuda alimentaria a la población civil, la disuasión, prevención y represión, por tanto, la puesta en marcha de una estrategia integral para la lucha contra la piratería y los robos a mano armada que se localizan en el mar territorial de Somalia, e, igualmente, en la medida en que la explotación ilegal de los recursos costeros de Somalia es una de las causas subyacentes a la intensificación del fenómeno en la zona, la Operación Atalanta también se encarga de supervisar las actividades pesqueras en las costas y aguas territoriales somalíes (art. 1 de la Acción Común 2008/851/PESC).

Además de la puesta en marcha de operaciones militares de manera conjunta, algunos Estados (entre otros, Japón, China, Rusia, Arabia Saudí, Corea del Sur,

---

[85] Vid. GEIß, R. and PETRIG, A.: *Ob. cit.,* pp. 22-24.

[86] Vid. Acción Común 2008/851/PESC del Consejo, de 10 de noviembre de 2008, relativa a la Operación Militar de la Unión Europea destinada a contribuir a la disuasión, prevención y la represión de los actos de piratería y del robo a mano armada frente a las costas de Somalia. Por otro lado, ha de subrayarse que las Fuerzas Armadas españolas ha tenido un papel muy destacado en el desarrollo de la Operación Atalanta desde que, en enero de 2009, el Congreso de los Diputados autorizase la participación de España en esta operación. Por ejemplo, además de contribuir decisivamente a la creación de esta operación y su participación mediante el despliegue de diversos buques, ha asumido el mando de esta operación en seis ocasiones, el cual ha detentado y ha vuelto a ocupar en marzo de 2019 suprimir hasta finales de julio de 2017.

Yemen, India, Irán y Malasia así como Sudáfrica en el marco de la *South Africa Development Community*), a título individual, también intervinieron (y, en determinados casos continúan colaborando) en la vigilancia del Índico occidental, tal y como, por otra parte, exigía el Consejo de Seguridad en sus resoluciones a aquellos Estados que tenían fuerzas navales y aéreas en la zona o que presentaban interés en el uso de las rutas comerciales situadas frente a las costas de Somalia[87].

1.3. Los acuerdos de transferencia

Una vez que los Estados comenzaron a cooperar en la prevención y represión de la piratería a través de las diversas operaciones navales, se puso de manifiesto la trascendencia de una de las principales limitaciones de la CNUDM. A pesar de que el art. 105 de la CNUDM establece el principio de jurisdicción universal, este texto no incluye ninguna disposición que indique que los Estados están obligados a juzgar o a extraditar a los piratas detenidos (cláusula *aut dedere, aut iudicare*, que sí regula, por ejemplo, el Convenio internacional contra la toma de rehenes o el Convenio SUA). Como consecuencia de este vacío legal, los Estados captores, reacios en la mayoría de los casos a trasladar a los piratas detenidos a sus respectivas jurisdicciones, recurrían a la práctica del "catch and release", socavando en gran medida el esfuerzo militar en la lucha contra la piratería. Para solventar esta ausencia de mecanismos de carácter post-delictual, y, en definitiva, para articular el modelo de enjuiciamiento regional adoptado en el caso de la piratería somalí, los posibles cambios de jurisdicción entre los Estados captores de las coaliciones navales y los Estados finalmente encargados del enjuiciamiento y/o de la ejecución de la pena se acabaron articulando a través de un mecanismo simplificado de *soft law* denominado acuerdo de transferencia[88] (ya utilizado en el contexto de la lucha internacional contra el terrorismo) que permitía obviar el complejo proceso de suscribir acuerdos de extradición (un instrumento de carácter vinculante entre las partes sujeto a cierto formalismo), sobre todo ante la intensidad de un fenómeno que precisaba de medidas de carácter inmediato.

Aunque el contenido de los acuerdos de transferencia puede variar de un instrumento a otro, suelen incorporar principalmente cláusulas que especifican los derechos y las responsabilidades del Estado que realiza las patrullas navales y efectúa el apresamiento y del Estado que se encargará del enjuiciamiento y/o de la ejecución de la pena, o el trato que debe conferirse a los sospechosos durante el procesamiento y enjuiciamiento que, normalmente, se exige que sea equiparable al estándar establecido por el Derecho internacional de los derechos humanos (por ejemplo, excluyendo

---

[87]   Vid. IBÁÑEZ GÓMEZ, F.: *Ob. cit.*, pp. 161-164.
[88]   Vid. resoluciones del Consejo de Seguridad 1850 (2010), 1976 (2011) y 2015 (2012).

la posibilidad de que los piratas detenidos sean condenados a una pena de muerte)[89].
Especial referencia merece la introducción de cláusulas en las que se posibilita la participación de los denominados *shipriders officials*, una fórmula recomendada por el Consejo de Seguridad en diversas resoluciones como solución temporal al problema del enjuiciamiento en la medida en que simplifica los eventuales problemas derivados de la detención del pirata, la práctica de la prueba y su traslado a un tercer Estado[90]. Mientras que la práctica habitual a la hora de transferir un pirata a un tercer Estado dispuesto a asumir su enjuiciamiento y/o ejecución de la pena es una decisión que se adopta después de que se ha realizado la detención y en base a las características del caso concreto, también existe la posibilidad de que esta decisión se tome de manera genérica con anterioridad al hecho material de la detención. En este sentido, la figura del *shiprider official*, un agente de la ley de un Estado determinado que se embarca en un buque de guerra de algún Estado que participe en las operaciones navales contra la piratería y que realiza una acusación formal aplicando el estándar normativo de su Estado de origen, posibilitaría que, por ejemplo, las autoridades somalíes u otros Estados ribereños asumiesen de manera directa el enjuiciamiento y ejecución de la pena de los piratas detenidos, evitando tener que recurrir a mecanismos de *soft law* o eventuales convenios de extradición para articular posibles cambios de jurisdicción[91].

En la práctica, solo algunos Estados han formalizado acuerdos de transferencia (lo que subraya la magnitud del problema del enjuiciamiento de los piratas) con cinco Estados costeros (Kenia, Seychelles, Mauricio, Maldivas y Tanzania). En concreto, la Unión Europea suscribió acuerdos de esta naturaleza con Seychelles[92],

---

[89]   Efectivamente, uno de los principales problemas que plantean los acuerdos de transferencia es la posible violación de los derechos humanos del pirata en el Estado al que es entregado para su enjuiciamiento y/o cumplimiento de la pena, cuestión de gran trascendencia que no es posible abordar en este trabajo. En este sentido, por ejemplo, para evitar, en la medida de lo posible, situaciones de tratos inhumano y degradantes, el art. 12 de la Acción Conjunta 2008/851/PESC dispone que ninguna de las personas capturadas por los buques de guerra que participan en la Operación Atalanta "podrá ser entregada a un tercer Estado, si las condiciones de dicha entrega no han sido acordadas con ese tercer Estado de manera conforme al Derecho internacional aplicable, especialmente el Derecho internacional sobre derechos humanos, para garantizar en particular que nadie sea sometido a la pena de muerte, a tortura ni a cualquier otro trato cruel, inhumano o degradante".

[90]   Vid., por ejemplo, resoluciones 1851 (2008) y 1897 (2009). El Código de Djibouti también contiene una cláusula específica en la que se hace referencia a este tipo de agentes de la ley. En concreto, en el art. 7 de este instrumento de *soft law* se incorpora la figura del *embarked officer*.

[91]   Para un estudio en profundidad sobre los acuerdos de transferencia y su problemática específica, vid. PETRIG, A.: *Human Rights and Law Enforcement at Sea: Arrest, Detention and Transfer of Piracy Supects*. Martinus Nijhoff, 2014.

[92]   Vid. Canje de Notas entre la Unión Europea y la República de Seychelles sobre las condiciones y modalidades de entrega de sospechosos de piratería y robo a mano armada por EUNAVFOR

Mauricio[93], Kenia[94] y Tanzania; Estados Unidos, Reino Unido y Dinamarca, con Kenia y Seychelles, y el propio gobierno somalí, con Maldivas. No obstante, Kenia denunció sus respectivos acuerdos en el año 2010 aunque continúa aceptando la entrega de piratas en función de las características del caso concreto para ser enjuiciados en su territorio.

1.4. La armonización de los derechos internos

Otro de obstáculos a los que se ha tenido que dar respuesta para materializar las estrategias represivas contra la piratería somalí ha sido lo que puede denominarse la problemática de la armonización de los derechos internos. Como ya se ha indicado con anterioridad, a diferencia de otros instrumentos jurídicos internacionales aplicables a la represión de este fenómeno, la CNUDM no establece el deber de tipificar un delito de piratería en el derecho interno de los Estados (de hecho, ha de recordarse que incluso ciertos sector doctrinal discute que el art. 101 de la CNUDM tipifique un delito internacional) y tampoco el de imponer penas adecuadas a la gravedad de dicho delito, como, por ejemplo, sí lo hacen el Convenio SUA (arts. 3 y 5) y el Convenio internacional contra la toma de rehenes (art. 2), lo que, unido a la gran tradición legislativa que este ilícito tiene en muchos ordenamientos jurídicos, ha originado que, en la práctica, existan grandes diferencias a la hora de trasladar el contenido del art. 101 de la CNUDM al derecho interno[95].

No obstante, como se ha reconocido a diversos niveles, la falta de armonización del derecho interno ha dificultado una efectiva represión del fenómeno puesto que son los Estados los que, en última instancia, una vez descartadas otras soluciones de enjuiciamiento, deben encargarse de los piratas apresados y dete-

---

a la República de Seychelles y de su trato después de dicha entrega. Diario Oficial de la Unión Europea, L315/37, 30.9.2011.

[93]   Vid. Acuerdo entre la Unión Europea y la República de Mauricio sobre las condiciones de entrega, por la fuerza naval dirigida por la Unión Europea a la República de Mauricio, de sospechosos de piratería y de los bienes incautados relacionados, y sobre las condiciones de trato de tales sospechosos después de su entrega. Diario Oficial de la Unión Europea, L254/1, 14.7.2011.

[94]   Vid. Canje de Notas entre la Unión Europea y el Gobierno de Kenia sobre las condiciones y modalidades de entrega de personas sospechosas de haber cometido actos de piratería, y detenidas por la fuerza naval EUNAVFOR dirigida por la Unión Europea, así como de las propiedades incautadas en posesión de EUNAVFOR, de EUNAVFOR a Kenia y con vistas a su trato después de la entrega. Diario Oficial de la Unión Europea, L79/49, 25.3.2009.

[95]   Vid. LÓPEZ LORCA, B.: "Harmonisation of National Criminal Laws on Maritime Piracy: a Regulatory Proposal for the Crime of Piracy and its Penalties", pp. 5-9.

nidos en el marco de las operaciones navales[96]. Tal y como ha indicado el Asesor Especial sobre cuestiones jurídicas relacionadas con la piratería en Somalia, "Para poder juzgar a los detenidos, todos los Estados, que están sujetos a la obligación de cooperar, deben, en primer lugar, verificar la solidez de su legislación y adaptarla según sea necesario, tanto en los aspectos sustantivos como en los procesales"[97]. Por ello, el Consejo de Seguridad de Naciones Unidas, consciente de este hecho, ha reiterado insistentemente desde sus primeras resoluciones la necesidad de que los Estados que cooperan en la represión de la piratería cuenten con normas adecuadas en el derecho interno, en este caso concreto, con un delito de piratería[98]. Así también lo ha hecho en la resolución 2442 (2018), última sobre la piratería en Somalia, al afirmar que continúa observando "con preocupación que la capacidad y la legislación nacional para facilitar la custodia y el enjuiciamiento de los presuntos piratas tras su captura siguen siendo limitadas, lo cual ha impedido emprender acciones internacionales más firmes contra los piratas frente a las costas de Somalia y ha dado lugar a que los piratas sean puestos en libertad sin comparecer ante la justicia [...] [por lo que] Exhorta también a todos los Estados a que tipifiquen como delito la piratería en su legislación interna", requerimiento que, dada la evolución criminológica de la piratería, también se extiende a la adopción de medidas contra el blanqueo de capitales[99].

---

[96]   Vid. entre el significativo grupo de especialistas que han llamado la atención sobre esta cuestión, entre otros, MENEFEE, S. P.: "Anti-piracy law in the year of the ocean: problems and opportunity". *ILSA Journal of International & Comparative Law*, vol. 18, 1999, pp. 309-318, TRIBELLI, C.: "Time to update the 1988 Rome convention for the suppression of unlawful acts against the safety of maritime navigation". *Oregon Review of International Law*, 2006, vol. 8, pp. 133-156, BLANCO BAZÁN, A.: *Ob. cit.*, pp. 264-271, y DUTTON, Y.: "Maritime Piracy and the Impunity Gap: Domestic Implementation of International Treaty Provisions". STRUETT, M. J. *et al.*: *Maritime Piracy and the Construction of Global Governance*, pp. 71-98.

[97]   CONSEJO DE SEGURIDAD DE NACIONES UNIDAS: *Carta de fecha 24 de enero de 2011 dirigida al Presidente del Consejo de Seguridad por el Secretario General. Anexo de la Carta de fecha 24 de enero de 2011 dirigida al Presidente del Consejo de Seguridad por el Secretario General. Informe del Asesor Especial del Secretario General sobre cuestiones jurídicas relacionadas con la piratería frente a las costas de Somalia*, par. 45.

[98]   Resulta especialmente significativo que Somalia no contase con un delito de piratería en su derecho interno y que, incluso en las resoluciones 2067 (2012) y 2125 (2013), adoptada cuando el número de ataques ya había decrecido significativamente, el Consejo de Seguridad continuase instando a las autoridades somalíes a que aprobasen un conjunto completo de leyes contra la piratería "para enjuiciar a quienes financien, planeen, organicen y faciliten ataques de piratas o se beneficien de ellos y las personas relacionadas con los robos a mano armada frente a las costas de Somalia".

[99]   A este respecto, ha de subrayarse que la Oficina de Naciones Unidas contra la Droga y el Delito (UNODC) y la OMI han prestado asistencia técnica no solo a Somalia sino también a Kenia, Mauricio, Seychelles y Tanzania para revisar y modificar su legislación interna aplicable a la piratería.

1.5. Cuestiones procesales: la práctica de la prueba y el intercambio de información

Desde el punto de vista procesal, la problemática más relevante ha afectado (y continúa haciéndolo) a la práctica de la prueba. Con la excepción de aquellos casos en los que se lograba frustrar un ataque o detener a los autores del mismo, la dificultad de identificar a los piratas, recoger el testimonio de las víctimas y encontrar pruebas sólidas con las que construir un proceso con unas mínimas garantías (sobre todo teniendo en cuenta que, en muchos casos, las únicas pruebas disponibles eran circunstanciales e indiciarias) solía derivar en un "catch and release" o en la frustración del proceso penal, generando cierta sensación de impunidad que retroalimentaba la intensificación de la piratería[100]. En consecuencia, otra de las cuestiones sobre las que el Consejo de Seguridad ha insistido a lo largo de sus resoluciones ha sido, precisamente, la necesidad de que los Estados cooperasen más activamente para elaborar instrumentos que mejorasen la práctica de la prueba y evitaran fallos en los procedimientos, lo que ha acabado derivando en el diseño de diversos mecanismos basados en el intercambio de información[101]. En este punto, especial referencia merecen el *Global Integrated Shipping Information System* (GISIS), puesto en marcha por la OMI, la *Global Maritime Piracy Database* de INTERPOL, creada en julio de 2011, y su proyecto *Evidence Exploitaion Iniciative* (*Project EVEXIS*), el *Regional Anti-Piracy Prosecutions and Intelligence Coordination Centre* (REFLECTS3), la Iniciativa de Intercambio de Información y Coordinación de Operaciones dentro del *Shared Awareness and Deconfliction* (más conocido por sus siglas en inglés, SHADE), el proyecto *Maritime Piracy* de EUROPOL, y, finalmente, el *Maritime Piracy Judicial Monitor*

---

[100]   Vid. CONSEJO DE SEGURIDAD DE NACIONES UNIDAS: *Informe del Secretario General sobre las posibles opciones para lograr el objetivo de enjuiciar y encarcelar a las personas responsables de actos de piratería y robo a mano armada en el mar frente a las costas de Somalia, incluidas, en particular, opciones para crear salas nacionales especiales, posiblemente con componentes internacionales, un tribunal regional o un tribunal internacional, y las correspondientes disposiciones en materia de encarcelamiento, teniendo en cuenta la labor del Grupo de Contacto sobre la piratería frente a las costas de Somalia, la práctica vigente sobre el establecimiento de tribunales internacionales y mixtos, y el tiempo y los recursos necesarios para obtener resultados sustantivos y mantenerlos.* S/2010/394, 26 de julio de 2010, p. 4.

[101]   Vid. resoluciones 1897 (2009), 1950 (2010) y, sobre todo, las resoluciones 1976 (2011), 2015 (2011) y 2020 (2011). De igual manera, el Consejo también ha insistido en la necesidad de prestar asistencia a las víctimas y facilitar su participación en los procesos penales a través de mecanismos alternativos que no precisen su presencia física (videoconferencias) así como la necesidad de que la industria del sector ponga a disposición de los investigadores los barcos abordados para ser examinados, dos problemáticas específicas para las que, de momento, no se han previsto medidas concretas fundamentalmente por el coste que ello supone para la industria del transporte marítimo. Vid., por ejemplo, resoluciones 1897 (2009) y 1950 (2010).

y el *JIT Nemesis* de EUROJUST. Además, debe tenerse igualmente en cuenta los diversos canales de intercambio de información que se han establecido a nivel militar entre las distintas operaciones navales contra la piratería y de forma multilateral entre los propios Estados. Estas redes de intercambio de información se han hecho especialmente necesarias conforme las ganancias obtenidas por el pago de los rescates han dado paso a una criminalidad transnacional especialmente orientada al blanqueo de capitales[102] que, como ya se ha indicado, no solo ha generado un sustanciosos enriquecimiento ilícito que ha hecho de la piratería una actividad atractiva durante mucho tiempo sino que también ha facilitado la financiación de esta actividad, lo que, según la UNTACD, plantea la conveniencia de aplicar el Convenio de Naciones Unidas contra el crimen organizado transnacional de 2000[103].

1.6. Construcción e implementación de capacidad judicial y penitenciaria

Por último, resta hacer referencia a una última cuestión que, a diferencia de los distintos problemas mencionados hasta ahora, no está originada por las limitaciones derivadas de las disposiciones de la CNUDM. Con independencia de que los Estados que participan en las operaciones navales contra la piratería normalmente se inhiban en la fase represiva cuando no existe una conexión o interés nacional directo en el ataque, lo cierto es que el problema del enjuiciamiento, al que se hizo referencia en la ya mencionada Carta al Presidente del Consejo de Seguridad de enero de 2011, ha estado motivado, en última instancia, por la falta de capacidad judicial y penitenciaria de Somalia. A pesar de que el Consejo de Seguridad, desde el año 2011, ha indicado en sus resoluciones que la responsabilidad final de contener el fenómeno de la piratería corresponde al propio Estado somalí, la situación interna del país (un Estado fallido en situación muy crítica desde hace una década[104]) ha impedido que Somalia asumiera su responsabilidad a la hora de perseguir y enjuiciar a los piratas que actuaban desde sus costas. Por ello, otra de las principales líneas de actuación que han vertebrado la cooperación

[102]   Sobre los flujos financieros de la piratería, véase el estudio más completo realizado hasta la fecha por el Banco Mundial en colaboración con otras organizaciones, como la EUROPOL o la UNODC, CASAL, J. *et al.: Pirate trails. Tracking the illicit financial flows from pirate activities off the Horn of Africa.* A World Bank Study. World Bank, 2013.
[103]   Vid. UNITED NATIONS CONFERENCE ON TRADE AND DEVELOPMENT: *Maritime Piracy: an overview of the international legal framework and of multilateral cooperation to combat piracy,* par. 90-104.
[104]   Véase el último informe elaborado por *The Fund for Peace*, organización que creó el índice de Estados fallido, MESSNER, J. J. *et al.: Fragile States Index 2016: The Book.* The Fund For Peace, 2016.

internacional contra la piratería somalí se han centrado, por un lado, en prestar asistencia técnica, jurídica y financiera a Somalia para contribuir a la construcción de capacidad judicial y penitenciaria sostenible a largo plazo, y, por otro, y de manera paralela, en articular un sistema de enjuiciamiento basado en un modelo regional en el que varios Estados del Índico occidental, a los que también se presta asistencia internacional, asumen temporalmente el enjuiciamiento y, en su caso, la ejecución de la pena de los piratas[105].

A pesar de que, al menos desde el punto de vista teórico, un acto de piratería origina múltiples vínculos de jurisdicción que, en principio, deberían ser suficientes para evitar la creación de espacios de impunidad[106] (muy al contrario, la situación más frecuente sería una concurrencia de jurisdicciones), la flexibilidad de la obligación de cooperar en la represión de la piratería del art. 100 de la CNUDM y las deficiencias de este texto a la hora de establecer qué tipo de medidas de carácter post-delictual deben implementarse han posibilitado que (por diversas razones, algunas ya mencionadas) los Estados con mayor capacidad judicial y penitenciaria hayan rechazado ocuparse de los piratas que ellos mismos detenían en el marco de las operaciones navales contra la piratería. Esta situación generó que tuvieran que buscarse alternativas de enjuiciamiento y subraya cómo el reconocimiento de la jurisdicción universal es más "una cuestión teórica" que con impacto real en la práctica[107]. Las diversas opciones posibles fueron examinadas en un informe específico presentado por el Asesor Especial del Secretario General para asuntos legales relacionados con la piratería en el año 2010[108]. En la medida

---

[105]   Por otro lado, también ha de tenerse en cuenta aquellas estrategias de cooperación orientadas a la construcción de capacidad de policía marítima en Somalia y otros Estados de la región así como las medidas adoptadas para fortalecer el Estado de derecho y la seguridad en la zona, igualmente lideradas por Naciones Unidas.

[106]   Por ejemplo, además de que cualquier Estado puede ejercitar la jurisdicción universal reconocida en el art. 105 de la CNUDM (teniendo en cuenta en este punto la problemática derivada, en primer lugar, del reconocimiento de la jurisdicción universal en los derechos internos para el delito de piratería, y, en segundo término, de la configuración de la jurisdicción universal como una jurisdicción de carácter ilimitado o relativo), los Estados ribereños pueden ejercer su competencia penal para castigar los robos a mano armada cometidos en sus aguas territoriales, Somalia podría poner en marcha la jurisdicción personal activa o de nacionalidad para juzgar a sus nacionales, el Estado o Estados al que pertenecen las víctimas podrían aplicar el principio de personalidad pasiva, y el Estado del pabellón del buque atacado también podría aplicar, según el caso, el principio de territorialidad.

[107]   Vid. KONTOROVICH, E.: "The piracy analogy: modern universal jurisdiction's hollow foundation". *Harvard International Law Journal*, vol. 45, 2004.

[108]   Vid CONSEJO DE SEGURIDAD DE NACIONES UNIDAS: *Informe del Secretario General sobre las posibles opciones para lograr el objetivo de enjuiciar y encarcelar a las personas responsables de actos de piratería y robo a mano armada en el mar frente a las costas de Somalia, incluidas, en particular, opciones para crear salas nacionales especiales, posiblemente*

en que, como se ha indicado, quedaba *de facto* descartado que los Estados captores se hicieran cargo de los piratas detenidos, las únicas opciones posibles era un modelo de enjuiciamiento regional o, alternativamente, la puesta en marcha de un modelo de enjuiciamiento internacional.

En el primer caso, las opciones sugeridas se concretaban en cinco propuestas que incluían el aumento de la asistencia de Naciones Unidas para fomentar la capacidad de los Estados de la región, la creación de un tribunal somalí con sede en el territorio de un tercer Estado de la región, con o sin la participación de las Naciones Unidas, con la finalidad principal de proporcionar una ubicación segura para la celebración de los procedimientos por piratería, el establecimiento de una sala especial en la jurisdicción nacional de uno o varios Estados de la región sin la asistencia de las Naciones Unidas o con la asistencia de esta organización, y, finalmente, la creación de un tribunal regional sobre la base de un acuerdo multilateral entre Estados con la participación de Naciones Unidas. En cuanto al modelo de enjuiciamiento internacional, se analizó la posibilidad de crear un tribunal internacional sobre la base de un acuerdo entre un Estado de la región y las Naciones Unidas o establecer un tribunal internacional *ad hoc* mediante una resolución del Consejo de Seguridad aprobada en virtud del Capítulo VII de la CNU. Además, el Grupo de Contacto sobre la piratería frente a las costas de Somalia propuso otra alternativa, que se endosó a este informe, consistente en la posibilidad de ampliar la jurisdicción de un tribunal internacional ya existente (la Corte Penal Internacional, el Tribunal Internacional del Derecho del Mar o la Corte Africana de Derechos Humanos y de los Pueblos) para incorporar los actos de piratería a los delitos propios de su competencia. El hecho de que, en el momento de presentación del informe, ya se había desarrollado *de facto* un modelo de enjuiciamiento regional fue decisivo para que, finalmente, fuera ésta la solución adoptada a largo plazo. Desde el punto de vista práctico, esta opción presentaba un conjunto de ventajas que favorecían no solo la represión efectiva del fenómeno sino también la construcción e implementación de la capacidad judicial de los países del entorno a nivel global. Además, al tratarse de una solución que ya estaba en marcha, no sería necesario diseñar un mecanismo específico *ex novo*, con lo que no era necesario invertir tiempo en negociaciones multilaterales, podían utilizarse infraestructuras previas y la experiencia de los sistemas judiciales y penitenciarios nacionales de algunos Estados de la región que ya habían cele-

---

con componentes internacionales, un tribunal regional o un tribunal internacional, y las correspondientes disposiciones en materia de encarcelamiento, teniendo en cuenta la labor del Grupo de Contacto sobre la piratería frente a las costas de Somalia, la práctica vigente sobre el establecimiento de tribunales internacionales y mixtos, y el tiempo y los recursos necesarios para obtener resultados sustantivos y mantenerlos.

brado procedimientos por piratería, la proximidad de estos tribunales al espacio marítimo en el que se realizan los ataques permitía que el tiempo empleado entre la detención y la entrega de los sospechosos se redujera y que los procedimientos se llevasen a cabo en un plazo razonable. Todo ello unido a que el coste financiero de esta vía era sensiblemente inferior a cualquiera de las otras propuestas fue decisivo para que el modelo de enjuiciamiento regional se consolidase.

Paralelamente, Naciones Unidas ponía en marcha, en colaboración con otros actores, un amplio paquete de medidas para la construcción de capacidad judicial y penitenciaria a través de dos de sus agencias especializada. En primer lugar, dentro del Subprograma I sobre Prevención del Crimen Organizado Transnacional, Tráfico de Personas y Tráfico Ilícito de Drogas (*Countering Transnational Organized Crime, Illicit Trafficking and Illicit Drug Trafficking*) de la UNODC, se creó el *Maritime Crime Programme* en el año 2009, que es conocido como el *Counter Piracy Programme* de Naciones Unidas[109]. La finalidad de este programa es asistir a los Estados del Índico occidental a implementar su capacidad judicial para que puedan garantizar la seguridad marítima en sus aguas jurisdiccionales. Para ello, el *Maritime Crime Programme*, que continúa activo, se articula en base a varios programas específicos: el *Hostage Support Programme*, que, en líneas generales, se encarga de garantizar el retorno seguro de las tripulaciones secuestradas y de ofrecer asistencia a las víctimas[110], el *Piracy Prisoner Transfer Programme*, un programa amplio en el que se trabaja, entre otros aspectos, en la firma de acuerdos de transferencia, en la capacitación del personal judicial, en la educación de los piratas que cumplen una pena en prisión y en su posterior proceso de reintegración en la sociedad o la construcción de prisiones en Somalia[111], y, finalmente, el *Horn of Africa Programme*, en el que se han desarrollado, por ejemplo, el *Regional Maritime Coordination Mechanism*, el *Assistance to Somali Law Enforcement Programme*, el *Somalia Prison Development Programme* y *Mogadishu Prison and Major Crimes Complex Programme*. Del mismo modo, este *Counter Piracy Programme* ha tenido un papel fundamental a la hora de diseñar el denominado *Regional Piracy Prosecution Model*, un protocolo (de nuevo, *soft law*)

---

[109] La información básica sobre este programa puede ser consultada en http://www.unodc.org/unodc/en/piracy/indian-ocean.html (29 de julio de 2019). Vid., igualmente, UNITED NATIONS OFFICE ON DRUGS AND CRIME: *Global Maritime Crime Programme. Annual Report 2016*. United Nations, 2017.

[110] Vid. http://www.lessonsfrompiracy.net/files/2014/06/Hostage-Support-Programme-Lessons-Learned-Report-14-Apr-14.pdf (29 de julio de 2018).

[111] Por otro lado, para un estudio sobre como la labor del UNODC en la creación de capacidad penitenciaria está modificando la forma de entender las prisiones en algunos Estados del Índico occidental, vid. GILMER, B. V.: "Somali piracy prisoners and biopolitical penal aid in East Africa" *Punishment and Society*, vol. 19 (I), 2017.

acerca de qué tipo de medidas deben adoptar los Estados de la región que se ofrecen a encargarse de los piratas una vez detenidos por las coaliciones navales, como por ejemplo, comprobar la existencia de una legislación adecuada, la firma de acuerdos de transferencia, estándares para la investigación de las pruebas obtenidas. Por lo demás, en el marco del *Maritime Crime Programme*, del que se han beneficiado Kenia, Tanzania, Mauricio y Seychelles, los Estados también reciben asistencia financiera.

En segundo lugar, aunque el UNDP es una agencia que no se centra específicamente en la lucha contra la piratería, el carácter marcadamente transversal de los objetivos de sus diversos programas contribuye, igualmente, a la creación de capacidad judicial y penitenciaria en Somalia. Paralelamente, en el año 2013, la UE puso en marcha el denominado *The Somali Compact*, un acuerdo con el que se persigue reconstruir las instituciones somalíes, buscar la estabilidad y la paz y ofrecer un nuevo horizonte vital de estabilidad para la población civil y en el que, a modo de hoja de ruta, se establecieron las prioridades para Somalia durante el periodo 2013-2016 (*Peacebuilding and Statebuilding Goals*)[112]. Dentro de este nuevo modelo de cooperación para Somalia, se desarrolló, por ejemplo, el proyecto *Alternative Livelihoods to Piracy*, con el que se pretendía desarrollar actividades y sectores productivos que ofrecieran una alternativa a la piratería, prestando especial atención a los jóvenes somalíes[113].

Finalmente, queda por recordar aquellas otras intervenciones de Naciones Unidas en Somalia que, si bien no están directamente relacionadas con la lucha contra la piratería, en la medida en que buscan, desde un punto de vista genérico, el fortalecimiento del país, redundan en aquel objetivo al intentar construir e implementar la capacidad regional de Somalia en sentido amplio. En concreto, ha de mencionarse a la AMISOM (puesta en marcha por la Unión Africana con la aprobación y autorización del Consejo de Seguridad en 2007 y todavía en vigor) tiene una dimensión marítima que persigue aumentar la capacidad costera de Somalia, en colaboración con la EUNAVFOR, e, igualmente, las oficinas políticas para apoyar la consolidación de la paz en Somalia, la Oficina Política de Naciones Unidas para Somalia (UNPOS, que se estableció en 1995 para contribuir al proceso de paz y reconstrucción y que completó su mandato en junio de 2013) y

---

[112] Vid. último informe disponible sobre este programa, UNITED NATIONS DEVELOPMENT PROGRAMME: *Somalia Annual Report. A New Deal for a New Somalia*. UNDP, 2013. El texto de *The Somali Compact* está disponible en http://eeas.europa.eu/archives/new-deal-for-somalia-conference/home.html (29 de julio de 2019).

[113] Este proyecto se inscribe en los *Economic Foundation Peacebuilding and Statebuilding Goals* (PSG5). De forma transversal, también pueden encontrarse proyectos relevantes en la lucha contra la piratería en los *Security Peacebuilding and Statebuilding Goals* (PSG2) y en los *Justice Peacebuilding and Statebuilding Goals* (PSG3).

la Misión de Naciones Unidas de Asistencia en Somalia (UNSOM, que se estableció por la resolución 2102 (2013) para asumir las funciones de la oficina anterior y tiene como función específica la coordinación de la ayuda internacional en el ámbito de la seguridad y la seguridad marítima).

2. *Otros actores internacionales*

Como se deriva de lo hasta ahora indicado, la cooperación de carácter público orientada hacia la lucha contra la piratería tiene un punto de referencia ineludible en Naciones Unidas que no solo ha construido la base normativa para la gobernanza global de este fenómeno a través de sus resoluciones sino porque la iniciativa y coordinación de las diferentes medidas y estrategias han correspondido al Consejo de Seguridad. Sin embargo, otros actores internacionales también han contribuido decisivamente en las estrategias de cooperación públicas desde sus respectivas áreas de influencia.

En primer lugar, resulta obligado hacer referencia a la ya mencionada OMI, una agencia especializada de Naciones Unidas creada en 1948 que tiene como principal finalidad trabajar por la seguridad marítima y la protección del transporte marítimo internacional así como prevenir la contaminación marina originada por el tránsito marítimo. Además de liderar la redacción del también ya mencionado Convenio SUA, despliega una intensa actividad en relación a la lucha contra la piratería. En este sentido, cabe destacar la publicación, desde principios de la década de los ochenta, de informes sobre los actos de piratería y robos a mano armada que se producen a nivel mundial, que, junto a los informes de la *International Maritime Bureau Piracy Reporting Centre*, constituyen una fuente de información fundamental en este ámbito que se complementa con la documentación disponible en el *Global Integrated Shipping Information System* (GISIS). Del mismo modo, ha de resaltarse el conjunto de resoluciones y recomendaciones en los que se establecen orientaciones y mejores prácticas para la lucha contra la piratería. Por ejemplo, en relación a la problemática de la armonización del derecho interno, se han elaborado varias recomendaciones en las que se establecen líneas clave para la tipificación del delito de piratería "con la finalidad de asistir a los Estados en una aplicación uniforme y consistente de las disposiciones de estas convenciones [la CNUDM y el Convenio SUA]"[114]. También se han redactado recomendaciones y buenas prácticas relacionadas con las medidas que pueden adoptarse por parte de los armadores de buques, capitanes y tripulación para

---

[114] INTERNATIONAL MARITIME ORGANIZATION. LEGAL COMMITTEE: *Circular letter concerning information and guidance on elements of international law relating to piracy*. Circular letter No. 3180, 17 May 2011.

Beatriz López Lorca

prevenir y reprimir ataques, y líneas básicas para una mejor práctica de la prueba e investigación[115]. En el ámbito regional, la OMI también ha puesto en marcha un significativo conjunto de medidas entre las que cabe destacar especialmente la elaboración del Código de conducta relativo a la represión de la piratería y los robos a mano armada contra los buques en el Océano Índico occidental y el Golfo de Adén, más conocido como el Código de Conducta de Djibouti, un instrumento de *soft law* que, inspirado en los buenos resultados del modelo de cooperación regional también creado en el marco del Acuerdo de cooperación regional para la lucha contra los actos de piratería y robos a mano armada contra los buques en Asia (RECAAP) de 2004 (y cuya elaboración también estuvo liderada por la OMI) adapta las disposiciones de la CNUDM a los condicionantes de la piratería en esta zona y prevé mecanismos de cooperación adicionales que, en última instancia, persiguen la creación de capacidad de policía marítima en la región[116].

Por último, en relación a la amplia labor que desarrolla Naciones Unidas, debe igualmente tenerse en cuenta al *International Contact Group on Somalia* (ICG), una iniciativa que partió de un grupo de embajadores de Naciones Unidas en el año 2006 con la que, en coordinación con el Enviado Especial de Naciones Unidas para Somalia y la UNPOS, colaboran en la construcción de capacidad y asistencia para la paz (esta iniciativa no debe confundirse con el *Contact Group on Piracy off the Coast of Somalia*, al que se hará referencia más adelante), y a la *United Nations Interregional Crime and Justice Research Institute* (UNICRI),

---

[115] Vid. INTERNATIONAL MARITIME ORGANIZATION MARITIME SECURITY COMMITTEE: *Piracy and Armed Robbery Against Ships. Recommendations to Governments for preventing and suppressing piracy and armed robbery against ships.* MSC. 1/Circ. 1333.Rev. 1, 12 June 2015; *Interim guidance for flag states on measures to prevent and mitigate Somalia based piracy.* MSC. 1/Circ. 1444, 25 May 2012; *Piracy and Armed Robbery Against Ships in Waters off the Coast of Somalia. Best Management Practices for Protection against Somalia Based Piracy.* MSC. 1/Circ. 1339, 14 September 2011; *Guidelines to assist in the investigation of the crimes of piracy and armed robbery against ships.* MSC. 1/Circ. 1404, 23 May 2011; y *Guidance to shipowners and ship operators, shipmasters and crews on preventing and suppressing acts of piracy and armed robbery against ships.* MSC. 1/Circ. 1334, 23 June 2009. Y, entre las diversas resoluciones adoptadas por la Asamblea en relación a la piratería en Somalia, vid. especialmente, INTERNATIONAL MARITIME ORGANIZATION. ASSEMBLY: *Piracy and armed robbery against ships in waters off the coast of Somalia.* A 27/Res. 1044, 20 December 2011; y *Code of Practice for the investigation of crimes of piracy and armed robbery against ships.*

[116] Vid. LÓPEZ LORCA, B.: *La piratería y otros delitos contra la seguridad de la navegación marítima*, pp. 243-252. Junto a estos dos acuerdos regionales para la lucha contra la piratería, la OMI también elaboró el Código de conducta relativo a la represión de los actos de piratería, los robos a mano armada contra buques y la actividad marítima ilícita en África occidental y central en el año 2013, para intentar contener el fenómeno en el Golfo de Guinea que se estaba intensificando en los últimos años.

que ha establecido una base de datos (no muy extensa) en la que pueden consultarse las sentencias sobre algunos casos de piratería ya juzgados[117].

El siguiente gran actor en la gobernanza de la piratería somalí es la Unión Europea[118], que, con un enfoque integral, desarrolla un amplio paquete de medidas y programas dentro del Marco Estratégico para el Cuerno de África, elaborado por el Consejo de Ministros de la Unión en 2011 y revisado para el periodo 2015-2020[119]. Es en este contexto donde debe situarse la puesta en marcha de la EUNAVFOR así como la labor que realiza la Comisión Europea. Entre otras actuaciones y en estrecha colaboración con otros socios internacionales y regionales, como la *Indian Ocean Commission* (IOC) o la *Intergovermental Authority on Development* (IGAD), debe destacarse el *Critical Maritime Routes Programme* (CMR)[120], que incluye, entre otros, sendos proyectos centrados en la construcción de capacidad regional e intercambio de información (CRIMARIO) y en la implementación de la capacidad judicial (CRIMLEA) en los países del Índico occidental, y el *Programme to Promote Regional Maritime Security in the Eastern and Southern Africa-Indican Ocean Region* (MASE), vigente hasta 2018. Del mismo modo, especial referencia merece la Misión EUCAP Nestor, una misión de gestión de crisis creada en 2012 en el marco de la Política de Seguridad y Defensa Común con la finalidad de contribuir al desarrollo de Somalia y otros Estados del Índico occidental (Djibouti, Kenia, Seychelles) "de capacidades autosostenibles para la mejora continuada de su seguridad marítima, incluida la lucha contra la piratería, y la gobernanza marítima", para lo cual se reguló un amplio conjunto de cometidos de amplia proyección[121]. Desde marzo de 2017, esta misión se denomina EUCAP Somalia y el mandato originario ha sido prorrogado hasta finales de 2020[122].

---

[117]   Esta base de datos está disponible en http://unicri.it/topics/piracy/database/(29 de julio de 2019).

[118]   Vid. SALAMANCA AGUADO, E.: "La represión de la piratería y el robo a mano armada en el mar frente a las costas de Somalia: la acción de la Unión Europea en el marco de la Política Común de Seguridad y Defensa". *Revista de Estudios Europeos*, núm. 55, 2010, pp. 57-86, y BUEGER, C.: "Doing Europe: agency and the European Union in the field of counter-piracy practice". *European Security*, vol. 25 (4), 2016, 407-422.

[119]   Vid. COUNCIL OF THE EUROPEAN UNION: *Council Conclusions on the EU Horn of Africa Regional Action Plan 2015- 2020*. 13363/15, 26 October 2015.

[120]   Sobre este programa y sus diferentes proyectos, vid. https://criticalmaritimeroutes.eu/(29 de julio de 2019).

[121]   Vid. arts. 2 y 3 de la Decisión 2012/389/CFSP del Consejo de 16 de julio de 2012 sobre la Misión de la Unión Europea de desarrollo de las capacidades marítimas regionales en el Cuerno de África (EUCAP NESTOR). Diario Oficial de la Unión Europea, L187/40, 17.7.2012.

[122]   Vid. Decisión (PESC) 2017/114 del Comité Político y de Seguridad de 10 de enero de 2017, por la que se prorroga el mandato de la jefa de la Misión de la Unión Europea de desarrollo de las

Por lo demás, como ya se ha indicado, en relación a la Unión Europea, resta recordar la puesta en marcha de la EUNAVFOR-Operación Atalanta, que, actualmente, es la principal fuerza de carácter militar en la zona, y a su activa colaboración en iniciativas y actividades desarrolladas por la UNODC, el UNDP, la OTAN así como por INTERPOL, EUROJUST, EUROPOL, y otras entidades como el *Contact Group on Piracy off the Coast of Somalia* (CGPCS) así como, en conexión a esta operación, al Centro de Operaciones de la UE para las misiones y la operación de la política común de seguridad y defensa en el Cuerno de África[123].

Dentro del ámbito europeo, también han de incluirse las respuestas específicas desarrolladas por EUROPOL y EUROJUST, a las que se ha hecho sucinta referencia anteriormente. En el primer caso, debe destacarse el proyecto *Maritime Piracy* desarrollado por el *European Counter Terrorism Centre* en estrecha colaboración con INTERPOL y EUROJUST así como su colaboración con otras entidades internacionales (OMI, UNODC) y asistencia a la EUNAVFOR[124]. Y, en el caso de EUROJUST, además del Equipo de Investigación Conjunta creado *ad hoc* para la piratería (JIT Nemesis), ha de hacerse referencia al *Maritime Piracy Judicial Monitor*, un documento de buenas prácticas redactado por primera vez en 2013, y actualizado en 2015, con el que se pretende implementar la investigación y el desarrollo de los procesos penales por piratería[125].

Finalmente, a nivel global, resta por volver a subrayar el papel de la OTAN, que además de haber puesto en marcha varias operaciones navales contra la piratería, presta asistencia técnica a los Estados que lo solicitan para desarrollar su capacidad de policía marítima y participa en otras iniciativas y mecanismos de gobernanza global, como el SHADE; y de la INTERPOL, que ha definido sus líneas de actuación en este ámbito en base a tres áreas principales: la mejora en el proceso de recogida de pruebas, donde habría que situar la *Global Maritime Piracy Database*, el *Project EVEXIS* o los *Incident Response Team* (IRT), implementar mecanismos de intercambio de información, por ejemplo, a través del sistema global de comunicación policial protegida I-24/7; y, finalmente, la creación de capacidad judicial mediante procesos de capacitación de las unidades de investigación policial[126].

---

capacidades en Somalia (EUCAP Somalia/1/2017). Diario Oficial de la Unión Europea, L18/49, 24.1.2017.

[123] Vid. Decisión 2012/173/PESC del Consejo de 23 de marzo de 2012 relativa a la puesta en marcha del Centro de Operaciones de la UE para las misiones y la operación de la política común de seguridad y defensa en el Cuerno de África. Diario Oficial de la Unión Europea, L89/66, 27.3.2012.

[124] Vid. https://www.europol.europa.eu/crime-areas-and-trends/crime-areas/maritime-piracy (29 de julio de 2019).

[125] Vid. EUROPOL: *Annual Report 2015*. 7492/16, 4 April 2016, p. 43.

[126] Una descripción más detallada de las distintas iniciativas desarrolladas por INTERPOL puede encontrarse en https://www.interpol.int/Crimes/Maritime-crime (29 de julio de 2019).

Además de la densa red de estrategias de cooperación derivadas de los anteriores actores, existe todavía otro nivel más de cooperación de carácter público que engloba las iniciativas y mecanismos desarrollados por los propios Estados de forma multilateral. En concreto, cabe destacar, por un lado, al *Regional Anti-Piracy Prosecutions and Intelligence Coordination Centre* (REFLECTS3), al que ya se ha hecho referencia anteriormente, y, por otro, al *Regional Maritime Coordination Mechanism* (RMCM), que sustituye al denominado Proceso de Kampala, un comité establecido por el Gobierno Federal de Transición de Somalia y las autoridades de Puntlandia y Somalilandia en el año 2010, al que posteriormente también se unió Galmudug. El REFLECTS3 sustituye al *Regional Anti-Piracy Prosecutions and Intelligence Coordination Centre* (RAPPICC), una iniciativa multinacional de carácter multidisciplinar creado en 2012 que, en colaboración con Seychelles y otros Estados del Índico occidental, pretendía contribuir a la lucha contra la piratería. Sin embargo, en la medida en que el REFLECTS3 se creó sobre la base de la Convención de Naciones Unidas contra la delincuencia organizada transnacional de 2013 (de forma que para formar parte de este centro los Estados han de suscribir esta Convención), su ámbito de actuación ya no queda circunscrito a la piratería marítima sino que se amplía al crimen organizado transnacional que se desarrolla en el ámbito marítimo, como, por ejemplo, el tráfico de drogas o delitos medioambientales. Este centro trabaja en estrecho contacto, entre otros, con socios de Estados Unidos (*Steering Group*, FBI), INTERPOL, EUROPOL, la UNODC y la OMI, prestando especial atención al desarrollo de mecanismos de intercambio de información[127]. Por su parte, el RMCM es un mecanismo de coordinación que trabaja en colaboración con la Unión Africana, la UNPOS y la IGAD, con la finalidad de desarrollar medidas contra la piratería en Somalia y desarrollar su capacidad de policía marítima y judicial.

Junto a estos mecanismos, debe mencionarse también a la *Financial Actions Task Force* (FATF), que, a pesar de no estar relacionada con cuestiones relativas a la piratería o seguridad marítima (se creó en 1989 en el marco de la cumbre del entonces G7), creó un grupo de trabajo en 2010 que analizó los flujos financieros de la piratería[128].

Para concluir este apartado, dentro del ámbito de la cooperación de carácter público resta por incluir las acciones desarrolladas a título individual por los propios Estados así como las estrategias nacionales de seguridad marítima que, en determinados casos, han incluido una línea de actuación o un plan específico de lucha contra la piratería. Éste es el caso, por ejemplo, de Estados Unidos (Uni-

---

[127] Vid. http://www.rappicc.sc/index.html (29 de julio de 2019).
[128] Vid. FINANCIAL ACTIONS TASK FORCE: *Organised Maritime Piracy and Related Kidnapping for Ransom.* FATF Report, July 2011.

ted States Counter Piracy and Maritime Security Action Plan[129]), Reino Unido (United Kingdom Policy on Preventing and Reducing Piracy off the Coast of Somalia[130]) o Dinamarca (Strategy for the Danish Counter-Piracy Effort 2011-2014 y 2015-2018[131]).

3. La colaboración público-privada

En el modelo de gobernanza global articulado para contener el fenómeno de la piratería en Somalia, también existen estrategias de cooperación basadas en la colaboración público-privada, que es uno de los niveles de cooperación fundamentales en la gobernanza global de la piratería[132]. En este sentido, en primer lugar, han de destacarse aquellos mecanismos o iniciativas que se han desarrollado en directa conexión con las operaciones navales contra la piratería con la finalidad de evitar solapamientos o posibles conflictos entre las distintas fuerzas y coaliciones. Así, en el año 2008 se constituyó el denominado grupo SHADE, codirigido por la *Combined Maritime Forces*, la EUNAVFOR y la OTAN, un foro o conferencia en el que se celebran reuniones periódicas (en Bahrein) en los que, además de intentar evitar posibles conflictos en el desarrollo de las operaciones navales que se encuentran activas, se discuten propuestas y medidas con otros actores internacionales (por ejemplo, la OMI o el UNDP) y gobiernos así como con representantes de la industria del sector del transporte marítimo y organizaciones como el CGPCS u *Oceans Beyond Piracy*[133]. Y, posteriormente, en el año 2010, se creó el *Training Awareness and Deconfliction* (TRADE), otro foro internacional presidido por la OTAN y la EUNAVFOR que cuenta con la participación, entre otros, de la OMI, las *Combined Maritime Forces* y la Unión Europea así como representantes de la industria del sector que tiene como finalidad entrenar las capacidades tácticas de los Estados del Índico occidental y servir como espacio en el que discutir y solucionar posibles conflictos entre los Estados que cooperan militarmente en la contención de la piratería.

---

[129]   Plan adoptado en el marco de la Presidential Policy Directive 18 (PPD-18)1. National Strategy for Maritime Security.

[130]   La estrategia de Reino Unido puede consultarse en https://www.gov.uk/government/policies/piracy-off-the-coast-of-somalia (20 de marzo de 2017).

[131]   El texto de la estrategia 2011-2014 puede consultarse en http://www.netpublikationer.dk/um/11145/index.htm (29 de julio de 2019).

[132]   Vid. BUEGER, C.: "Learning form piracy: future challenges of maritime security governance", p. 40.

[133]   Vid. CONSEJO DE SEGURIDAD: *Informe del Secretario General presentado de conformidad con la resolución 1846 (2008) del Consejo de Seguridad*, pp. 7 y 8.

Junto a estos dos foros ha de destacarse especialmente el *Maritime Security Centre-Horn of Africa* (MSC-HOA), que recogiendo el testigo del *Maritime Security Patrol Area* establecido en 2008 en el Mar Rojo, supone una colaboración exitosa entre la EUNAVFOR y la industria del sector. El MSC-HOA es una iniciativa que forma parte del enfoque integral de la Unión Europea para el Cuerno de África que se encarga de vigilar de manera constante el tránsito de buques a través del Golfo de Adén y de comunicar a las compañías navieras y demás operadores marítimos los últimos avances en medidas preventivas para repeler ataques piratas, y, al mismo tiempo, también se encarga de registrar los incidentes producidos en su ámbito de operaciones. En de 2009, se estableció un corredor internacional de tránsito recomendado en esta zona (*Internationally Recommended Transit Corridor*, IRTC), en el que se sitúan diferentes fuerzas navales y áreas de la EUNAVFOR o de otros Estados de la región para garantizar un tránsito seguro. Se suele recomendar que los buques atraviesen el Mar Rojo en grupos conformados en base a la velocidad de navegación, así como, por ejemplo, prestar atención constante a los canales de radio a través de los cuales las autoridades de la zona informan sobre la posición de las fuerzas navales y de los últimos ataques registrados. Posteriormente, se introdujeron los denominados *Group Transits*, que consiste en la organización de grupos de buques que atraviesan de manera conjunta el IRTC.

Otra de las iniciativas de colaboración público-privada que ha tenido unos excelentes resultados es el ya mencionado CGPCS, creado en 2009 en base al llamamiento realizado por el Consejo de Seguridad a la comunidad en la resolución 1851 (2008) para que pusiera en marcha un mecanismo global de coordinación que sirviera como punto de contacto para el amplio conjunto de actores que cooperaban en la lucha contra la piratería. Aunque en el momento de su constitución únicamente participaron una veintena de Estados, actualmente es el organismo de coordinación más representativo en la gobernanza global de la piratería[134]. El CGPCS, además de celebrar reuniones periódicas con sus diversos socios y colaboradores, se articula en base a grupos de trabajo que desarrollan un trabajo más técnico en el ámbito de la construcción de capacidad regional (WG1), coordinación marítima (WG2) y asuntos relacionados con los flujos financieros de la piratería (WG3)[135].

---

[134]   Vid. JAKOBI, A.: "Global Governance and Transnational Crime. Situating the Contact Group". *Working Paper of the Lessons Learned Project of the Contact Group on Piracy off the Coast of Somalia*, 2014, ZACH, D. A. *et al.*: *Burden-Sharing Multi-level governance: A Study of the Contact Group on Piracy off the Coast of Somalia*. A One Earth Future and Oceans Beyond Piracy Report, 2013, y TARDY, T. (ed.): *Fighting piracy off the coast of Somalia. Lessons learns from the Contact Group.* EU Institute for Security Studies, 2014.

[135]   La actividad de este Grupo de Contacto puede consultarse en http://www.lessonsfrompiracy. net/ (29 de julio de 2019), una página web dirigida por un consorcio internacional liderado por la Universidad de Cardiff.

Del mismo modo, también ha de tenerse en cuenta el trabajo realizado por *Oceans Beyond Piracy*, un programa de la *One Earth Future Foundation*, que, precisamente, tiene entre sus cometidos el desarrollo de colaboraciones público-privadas entre los diversos actores interesados en la contención de la piratería[136]. En este sentido, por ejemplo, en el año 2015, en el marco del *Maritime Crime Programme* de la UNODC, llevó a cabo un estudio con los piratas que cumplían una pena de prisión para buscar posibles alternativas a esta actividad ilícita[137].

Por último, resta hacer referencia a otras organizaciones que, desde el ámbito privado, participan activamente con los actores internacionales y gubernamentales en la lucha contra la piratería. Éste sería el caso de la *International Maritime Bureau*, una sección de la *International Chamber of Commerce*, que, como ya se ha indicado, desde su *Piracy Reporting Centre* (IMB-PRC) elabora informes sobre los actos de piratería a nivel global y colabora principalmente con la OMI; la *United Kingdom Maritime Trade Organization Office*, creada en el año 2001, cuya finalidad es servir de punto de contacto para la industria del sector y trabaja en colaboración con el MSC-HOA; y la *Maritime Liaison Office* (MARLO), otro punto de contacto para la industria del sector dirigido, en este caso, por Estados Unidos.

4. Estrategias de cooperación de carácter privado

Finalmente, junto a las estrategias de cooperación de carácter estrictamente público y las de naturaleza público-privada, debe hacerse referencia a las medidas puestas en marcha desde el ámbito privado, especialmente por parte de la industria del sector del transporte marítimo. Estas medidas, decididamente orientadas hacia la auto-protección de los buques[138], son esencialmente de dos tipos. Por un lado, la adopción y puesta en marcha de medidas preventivas y defensivas en los propios buques para repeler eventuales ataques, fundamentalmente, implementando las recomendaciones y buenas prácticas de la OMI, que en este aspecto desarrolla un papel fundamental[139], y, por otro, la utilización de seguridad armada

---

[136]   La página web de este programa puede consultarse en http://oceansbeyondpiracy.org/ (29 de julio de 2019).

[137]   UNITED NATIONS OFFICE ON DRUGS AND CRIME and OCEANS BEYOND PIRACY: *Somali Prison Survey report: Piracy Motivations & Deterrents*. 2015. Documento electrónico: http://oceansbeyondpiracy.org/sites/default/files/attachments/SomaliPrisonSurveyReport.pdf (29 de julio de 2019).

[138]   Vid. GUILFOYLE, D.: "Piracy off Somalia and counter piracy efforts". GUILFOYLE, D. (ed.), *Modern Piracy. Legal challenges and Responses*. Edward Elgar, 2013, pp. 55-58.

[139]   A este respecto ha de tenerse en cuenta el Código internacional para la protección de los buques y de las instalaciones portuarias y, específicamente (ISPS CODE), que se endosó en el año 2004 al Convenio internacional para la seguridad de la vida humana en el mar (Convenio SOLAS) y constituye el instrumento de buenas prácticas general para la protección marítima; y el BMP4.

a bordo, una opción a todas luces controvertida aunque, ciertamente, no tanto como otras propuestas alternativas que finalmente han sido por completo descartadas (por ejemplo, algún autor ha sugerido la contratación de caza-recompensas dedicados a detener piratas y ponerlos a disposición judicial del Estado contratante[140] e, incluso, volver a practicar una nueva modalidad de corso adaptada a la normativa internacional[141]).

Si bien el sector del transporte marítimo se mostró inicialmente contrario a adoptar este tipo de medidas por considerar que la lucha contra la piratería era responsabilidad de los Estados, actualmente se trata de una opción ampliamente utilizada. En el mismo sentido, la OMI, que ha desaconsejado tradicionalmente el uso de la fuerza armada para la protección de los buques (1993-2009)[142], en la actualidad, asumiendo que se trata de una práctica común en el sector, elaboró un conjunto de recomendaciones y buenas prácticas precisando que, en cualquier caso, la seguridad armada a bordo no debería nunca sustituir a la implementación del BMP4[143]. La incorporación de seguridad armada a bordo puede materializar-

---

Best Management Practices for Protection against Somalia Based Piracy, adoptado por la OMI en el año 2011 en la ya citada Circular MSC. 1/Circ. 1339. Este texto, que se revisa periódicamente para perfeccionar sus medidas y recomendaciones, constituye actualmente un código de conducta ampliamente aceptado por la industria del sector cuya implementación puede generar, incluso, una prima de seguro inferior a la establecida para los buques que no aplican este código.

140 Vid. BORNICK, B. A.: "Bounty Hunters and Pirates: Filling the Gaps of the 1982 U.N. Convention on the Law of the Sea". *Florida Journal of International Law*, vol. 17, 2005, pp. 263-270, y STILES, E. C.: "Reforming Current International Law to Combat Modern Sea Piracy". *Suffolk Transnational Law Review*, vol. 27, 2003-2004, pp. 313-319.

141 Vid. HUTCHINS, T. E.: "Structuring a Sustainable Letters of Marque Regime: How Commissioning Privateers Can Defeat the Somali Pirates". *California Law Review*, vol. 99, 2011.

142 Vid. MSC/Circ. 623, 18 June 1993 e INTERNATIONAL MARITIME ORGANIZATION. MARITIME SECURITY COMMITTEE: *Piracy and Armed Robbery Against Ships. Recommendations to Governments for preventing and suppressing piracy and armed robbery against ships*. MSC. 1-Circ. 1333.Rev. 1, 26 June 2009, sustituida por la ya mencionada MSC. 1/Circ. 1333.Rev. 1, 12 June 2015.

143 INTERNATIONAL MARITIME ORGANIZATION. MARITIME SECURITY COMMITTEE: *Revised interim recommendations for flag States regarding the use of privately contracted armed security personnel on board ships in the High Risk Area*. MSC. 1/Circ. 1406/Rev. 3, 12 June 2015; *Interim guidance to private maritime security companies providing privately contracted armed security personnel on board ships in the High Risk Area*. MSC. 1/Circ. 1443, 25 May 2012; *Revised interim guidance to shipowners, ships operator and shipmasters on the use of the use of privately contracted armed security personnel on board ships in the High Risk Area*. MSC. 1.Circ. 1405-Rev. 2, 25 May 2012; *Revised interim recommendations for Port and Coastal States regarding the use of privately contracted armed security personnel on board ships in the High Risk Area*. MSC. 1-Circ. 1408-Rev. 1, 25 May 2012. Por otro lado, ha de tenerse en cuenta la ISO/PAS 28007:2012, un documento elaborado por la Organización Internacional de Normalización en base a las orientaciones facilitadas por la OMI en 2012 cuando

se bien en el embarque de miembros de las fuerzas armadas del Estado del pabellón (*Vessels Portection Detachments*, VPDs) bien en la contratación de empresas
se seguridad privada (*Privately Contracted Armed Security Personnel*, PCASP).
Aunque inicialmente algunos Estados optaron por proteger a su flota mercante
a través de VPDs, como, por ejemplo, Italia, Francia, o Holanda, y éste fue un
debate que se abrió en muchos otros Estados, como en España, donde finalmente
se rechazó esta posibilidad[144], se trata de una opción actualmente prácticamente
descartada en comparación con la utilización de seguridad privada; solución que,
por otro lado, ya había sido previamente testada en el contexto de la piratería en
el sudeste asiático[145].

La contratación de personal armado a bordo de buques mercantes como estrategia en la lucha contra la piratería es una manifestación más de la creciente
privatización del uso de la fuerza tanto en conflictos armados como en la lucha
contra otros fenómenos de criminalidad transnacional que plantea un significativo conjunto de interrogantes desde el punto de vista teórico pero también una
amplia problemática en sus aspectos más prácticos[146]. Por ello, algunas de las

el *Maritime Safety Committee* rechazó apoyar la autocertificación y autorreglamentación de las compañías privadas de seguridad. Actualmente, esta ISO ha sido sustituida por la ISO/PAS 280007-1:2015. *Ships and marine technology. Guidelines for Private Maritime Security Companies (PMSC) providing privately contracted armed security personnel (PCASP) on board ships (and pro forma contract)*.

[144] A pesar de que el Parlamento vasco aprobó una resolución en la que apoyaba el embarque de infantes de Marina a bordo de buques mercantes y que, en octubre de 2009, se presentó una Proposición No de Ley para "Despejar los impedimentos técnicos y jurídicos que pudiesen dificultar la necesaria protección de los buques españoles en aguas internacionales por parte de miembros de las Fuerzas Armadas", esta propuesta fue rechazada porque, fundamentalmente, se consideró que era una opción incompatible con la Ley de Defensa Nacional del año 2005. Vid. Boletín Oficial de las Cortes Generales. Congreso de los Diputados, Serie D, núm. 273 de 16 de octubre de 2009, p. 15.

[145] Vid., entre otros, LISS. C.: "The privatisation of maritime security in Southeast Asia: the impact on regional security cooperation". *Australian Journal of International Affairs*, vol. 68, 2014, pp 194-209, y, del mismo, "Private security companies in the fight against piracy in Asia". *Asia Research Centre Working Paper*, n. 120, June 2005, pp. 1-19.

[146] No obstante, la amplitud y la complejidad del debate en torno a esta cuestión no puede ser abordada en este trabajo, por lo que, para una discusión más en profundidad, vid., especialmente, AARSTAD, A. K.: "Maritime security and transformations of global governance", PETRIG, A.: "The Use of Force and Firearms by Private Maritime Security Companies against Suspected Pirates". *International and Comparative Journal of Law Quaterly*, 2013, vol. 62, KRASKA, J.: "International and Comparative Regulation of Private Maritime Security Companies Employed in Counterpiracy". GUILFOYLE, D. (ed.), *Ob. cit.*, pp. 219-249, LISS, C.: "Private Military and Security Companied in Maritime Security Governance". JAKOBI, A. P. and WOLF, K.D. *The Transnational Governance of Violence and Crime. Non-State Actors in Security*. Springer, 2013, pp 193-213, SÁNCHEZ PATRÓN, J. M.: "Piratería marítima, fuerza armada y seguridad privada". *Revista Electrónica de Estudios Internacionales*, 2012, núm. 23, SOBRINO HEREDIA, J.M.: "El uso de

cautelas adoptadas por la comunidad internacional para intentar contener una posible escalada de la violencia o un uso inadecuado y desproporcionado de la fuerza han sido, por una parte, a nivel internacional, establecer un conjunto de recomendaciones y buenas prácticas, donde, como se ha indicado, la OMI posee de nuevo un papel fundamental, y, por otro lado, a nivel interno, algunos Estados han autorizado el uso de personal armado a bordo de buques bajo estrictas condiciones que, en muchos casos, se han plasmado en una normativa *ad hoc*. Éste sería el caso de Italia, Francia, Bélgica, Alemania, Noruega o España, que han aprobado leyes específicas en las que regulan el uso privado de la fuerza en el contexto de la lucha contra la piratería somalí[147].

V. CONCLUSIÓN. ¿ES LA GOBERNANZA GLOBAL UN MECANISMO EFICAZ A LARGO PLAZO?

Una vez establecidas las distintas estrategias y mecanismos sobre los que se ha construido la gobernanza global de la piratería somalí, a modo de conclusión, la cuestión más inmediata que debe abordarse es si ésta ha sido efectiva. Desde el punto de vista estrictamente cuantitativo, la respuesta es clara. Efectivamente, la gobernanza global ha logrado disminuir de manera muy notable la intensidad del fenómeno en la zona de forma que, si bien durante el periodo más activo se llegaron a producir casi 1.000 ataques en el Índico occidental (2009-2011), a partir del año 2012 se registró un descenso espectacular en el número de actos de piratería (99 ataques en 2012, 20 en 2013, 12 en 2014 y 15 en 2015[148]), situando la incidencia de este fenómeno entre las cotas más baja de toda la serie registrada

---

la fuerza en la prevención y persecución de la piratería marítima frente a las costas de Somalia". *Anuario da Facultade de Dereito da Universidade da Coruña*, núm. 15, 2011, y BERUBE, C. and CULLEN, P. (eds.): *Maritime Private Security. Market responses to piracy, terrorism and waterborne security risks in the 21st century*. Routledge, 2012.

[147] Vid., por ejemplo, Orden PRE/2914/2009, de 30 de octubre, que desarrolla lo dispuesto en el Real Decreto 1628/2009, de 30 de octubre, por el que se modifican determinados preceptos del Reglamento de Seguridad Privada, aprobado por Real Decreto 2364/1994, de 9 de diciembre, y del Reglamento de Armas, aprobado por Real Decreto 137/1993, de 29 de enero, Legge n. 130/2011: Cooperazione allo sviluppo e a sostegno dei processi di pace e di stabilizzazione, missioni internazionali e misure urgenti antipirateria (Gazzetta Ufficiale n. 181 del 05 agosto 2011), en el caso de Italia, y Loi n. 2014-742 du 1er juillet 2014 relative aux activités privées de protection des navires (Journal Officiel de la République Française n. 0161 du 2 juillet 2014), en el caso de Francia.

[148] Vid. INTERNATIONAL MARITIME ORGANIZATION. MARITIME SAFETY COMMITTEE: *Reports on acts of piracy and armed robbery against ships. Annual Report 2012*. MSC. 4/Circ. 193, 2 April 2013, p. 2; *Reports on acts of piracy and armed robbery against ships. Annual Report 2013*. MSC. 4/Circ. 208, 1 March 2013, p. 2; *Reports on acts of piracy and*

en la zona y, en todo caso, en niveles anteriores a la activación de este foco en la década de los noventa. Así lo han afirmado, además, la Asamblea General de Naciones Unidas al reconocer "la importancia fundamental de la cooperación internacional en los planos mundial, regional, subregional y bilateral para combatir, de conformidad con el derecho internacional, las amenazas a la seguridad marítima, como la piratería, el robo a mano armada en el mar y los actos terroristas contra el transporte marítimo"[149], y el Consejo de Seguridad que, en la resolución 2316 (2016), reconoce abiertamente que la clave en la disminución de los actos de piratería se ha debido a "los esfuerzos de lucha contra la piratería desplegados por Estados, regiones, organizaciones, la industria marítima, el sector privado, centros de estudio y la sociedad civil han traído aparejada una disminución constante del número de ataques de piratas y secuestros desde 2011".

Sin embargo, esta conclusión debe matizarse si se tiene en cuenta que el descenso en el número de actos de piratería no significa necesariamente que el riesgo en la zona se haya reducido. Como se ha reconocido a muy distintos niveles, el éxito de la cooperación en la lucha contra la piratería somalí se sustenta principalmente en tres tipos de medidas de entre el conglomerado de actores y líneas de acción que se han intentado identificar en este trabajo, el despliegue de operaciones navales, la adopción de medidas de auto-protección en los propios buques y la utilización de seguridad privada armada[150]; lo que inevitablemente sugiere un escenario muy distinto en el momento en que este tipo de medidas se relajen y, al mismo tiempo, permite cuestionar un modelo de gobernanza global cuya efectividad descansa en un enfoque puramente coercitivo. Es decir, con independencia de que puede afirmarse sin reservas que el mecanismo de la gobernanza global en el contexto de la piratería somalí ha dado buenos resultados porque ha logrado contener el fenómeno, en la medida en que solo muy tangencialmente se abordan las causas profundas que subyacen al mismo (y algunas de ellas no son solo responsabilidad del Estado somalí), no ha conseguido erradicarlo y, por ello, siempre subsistirá el riesgo de que la actual situación

---

149   *armed robbery against ships. Annual Report 2014.* MSC. 4/Circ. 219/Rev. 1, 28 April 2015, p. 2; y *Reports on Acts of Piracy and Armed Robbery Against Ships. Annual report-2015*, p. 2.
       Vid. resoluciones 70/235 (2015), par. 109, y 66/231 (2011), par. 81.
150   Vid., por ejemplo, resolución 2316 (2016) del Consejo de Seguridad, resolución 70/235 (2015) de la Asamblea General de Naciones Unidas, par. 104, COMITÉ 751/1907 DEL CONSEJO DE SEGURIDAD DE NACIONES UNIDAS: *Informe del Grupo de Supervisión para Somalia y Eritrea presentado de conformidad con la resolución 2182 (2014) del Consejo de Seguridad: Somalia*, p. 37, e INTERNATIONAL CHAMBER OF COMMERCE-INTERNATIONAL MARITIME BUREAU: *Piracy and Armed Robbery Against Ships. Report for the period 1 January-31 December 2012.* January 2013, pp. 20 y 24, y *Piracy and Armed Robbery Against Ships. Report for the period 1 January-31 December 2015*, p. 27.

pueda revertirse[151]. En este sentido, por ejemplo, el Grupo de Supervisión para Somalia ya ha indicado que el problema de la pesca ilegal por parte de buques extranjeros, que fue uno de los factores que contribuyeron a la intensificación de la piratería desde finales de los años noventa, todavía no se ha solucionado y puede volver a desencadenar la reacción de las comunidades locales[152], y, por su parte, el Consejo de Seguridad, en la resolución 2316 (2016) todavía afirme estar "sumamente preocupado" por la persistencia de la amenada de la piratería. Esta misma preocupación se observa igualmente en la resolución 2442 (2018).

Del mismo modo, el optimismo que suscita el dato cuantitativo palidece ante el hecho de que algunos de los problemas existentes en los albores de la puesta en marcha de esta gobernanza global persisten en la actualidad, especialmente el ya mencionado problema del enjuiciamiento[153]; situación que subraya que el componente estrictamente represivo en la gobernanza global que, con algún matiz, todavía continúa siendo una atribución exclusiva de los Estados, es, por ello, el aspecto menos consolidado y el que mejor perfila las limitaciones del Derecho internacional, sobre todo cuando éste se articula sobre instrumentos de *soft law*.

Por otro lado, en relación a las diferentes medidas y estrategias que dan lugar a un mecanismo de gobernanza global de la piratería, cabe cuestionar no solo si este conglomerado es coherente, lo cual dependerá, lógicamente, del objetivo final/real que persiga la comunidad internacional (protección de la seguridad de la navegación marítima en el Índico occidental/protección del interés económico-financiero derivado de la industria del transporte marítimo internacional) sino también si es necesario, fundamentalmente teniendo en cuenta el coste total al que, por el momento, asciende la gobernanza global. Esta situación, de cierto escepticismo, ya fue identificada por el Asesor Especial del Secretario General de Naciones Unidas sobre cuestiones jurídicas relacionadas con la piratería frente a las costas de Somalia en su mencionado informe, afirmando de manera muy expositiva que "La multiplicidad de actores que actúan sobre el terreno en la lucha contra la piratería produce algunas veces una sensación de vértigo. Al igual que una orquesta, es necesario, por una parte, que cada instrumento tenga una par-

---

[151] En el mismo sentido. BUEGER, C.: "Learning form piracy: future challenges of maritime security governance", p. 33.

[152] COMITÉ 751/1907 DEL CONSEJO DE SEGURIDAD DE NACIONES UNIDAS: *Informe del Grupo de Supervisión para Somalia y Eritrea presentado de conformidad con la resolución 2182 (2014) del Consejo de Seguridad: Somalia*, pp. 18-19 y 38. De hecho, en este informe se hace referencia a tres actos de piratería en los que la tripulación, que se encontraba pescando de manera ilegal en aguas somalíes, fue abordada, y en un caso, "multada" antes de ser puestos en libertad.

[153] Vid. resolución 2316 (2016) del Consejo de Seguridad de Naciones Unidas, como ya se ha indicado, la última por el momento en relación a la cuestión de la piratería en Somalia.

titura coherente con el conjunto y, por otra parte, que este conjunto sea dirigido por un director de orquesta"[154], a lo que podría añadirse la necesidad de diseñar un enfoque integral que aborde las causas profundas del fenómeno.

En definitiva, la cuestión de la piratería en Somalia es una cuestión compleja y, en consecuencia, requiere una respuesta compleja que, por el momento, encuentra el mejor acomodo en un sistema de gobernanza global, al menos, hasta que Somalia se reconstruya internamente. No obstante, se trata de una solución coyuntural que, a largo plazo, no debería obviar que la lucha contra este tipo de criminalidad transnacional no será efectiva si no se abordan de manera coordinada las causas profundas que la motivaron, muy especialmente la violencia y la pobreza endémica de Somalia. Ésta parece ser también la opinión del Consejo de Seguridad, que, en la resolución 2316 (2016), ha reconocido que "la continua inestabilidad de Somalia y los actos de piratería y robo a mano armada frente a sus costas están vinculados inextricablemente, [siendo necesario que] se mantenga la respuesta amplia de la comunidad internacional para reprimir los actos de piratería y robo a mano armada y abordar sus causas subyacentes". Más concretamente, el Consejo subraya que "la paz y la estabilidad dentro de Somalia, el fortalecimiento de las instituciones del Estado, el desarrollo económico y social y el respeto de los derechos humanos y el estado de derecho son necesarios para crear condiciones que permitan erradicar de forma duradera la piratería"; lo que suscribe igualmente el Banco Mundial al sostener que "the long-term solution to piracy off the Horn of Africa cannot be dissociated from construction of a Somali state that is viable at both central and local levels"[155].

---

[154]   CONSEJO DE SEGURIDAD DE NACIONES UNIDAS: *Carta de fecha 24 de enero de 2011 dirigida al Presidente del Consejo de Seguridad por el Secretario General. Anexo de la Carta de fecha 24 de enero de 2011 dirigida al Presidente del Consejo de Seguridad por el Secretario General. Informe del Asesor Especial del Secretario General sobre cuestiones jurídicas relacionadas con la piratería frente a las costas de Somalia*, par. 145. Y, en el mismo sentido, KLUBBERS ha indicado "arguably the main current challenge to global governance resides in how it can be controlled-and the fight against piracy off the Somali coast proves no exception". Vid. KLUBBERS, J.: "Piracy in Global Law and Global Governance", p. 342.

[155]   WORLD BANK: *Ob. cit.*, pp. xxv e, igualmente, 83-154.

Capítulo 7
SALUD ALIMENTARIA, FRAUDES Y DERECHO GLOBAL

Adán Nieto Martín[1]
Catedrático de Derecho Penal
Universidad de Castilla la Mancha

I. LA INTERNACIONALIZACIÓN Y PRIVATIZACIÓN DE LA NORMATIVA ALIMENTARIA Y SUS EFECTOS EN EL DERECHO PENAL ALIMENTARIO

El Derecho penal alimentario ha tenido tradicionalmente problemas de legitimidad que derivan de: (1) el adelanto de las barreras de protección penal, a través de delitos de peligro, (2) la dependencia de las normas penales de la normativa administrativa y (3) de la adscripción de responsabilidades dentro de la empresa. Hasta ahora estos problemas han sido discutidos desde una óptica puramente estatal. Sobre la base de un Derecho alimentario que se gestaba y aplicaba en cada Estado y, generalmente, un sistema de producción y distribución de alimentos fundamentalmente nacional, construido a partir de relaciones estables entre los distintos eslabones de las cadenas de proveedores. En esta segunda década del siglo XXI, el escenario del Derecho alimentario y las relaciones comerciales resultan bien distinto, lo que obliga a repensar los presupuestos del Derecho penal alimentario.

El elemento transformador, que explica las nuevas formas de legislar y el nuevo escenario donde han de discutirse los nuevos problemas de atribución de responsabilidades, es la denominada cadena de proveedores global. La implantación del libre comercio, por obra de la Organización Mundial del Comercio, ha traído consigo la reducción de la mayoría de las trabas procedentes de las legislaciones nacionales, y su sustitución por un Derecho blando, permitiendo la globalización absoluta de la cadena de suministros. En la cúspide de la esta cade-

---

[1] El presente artículo es parte del Informe General que sobre esté tema realicé para la Asociación Internacional de Derecho penal, en el marco de su 20 Congreso sobre Criminal Justice and Corporate Businees. El Informe General así como los informes naciones y otros de carácter transversal han sido publicados en Nieto Martín A./Quackelbeen L./Simonato M., Food Regulation and Criminal Law, RIDPP, Vol. 87, Issue 2, 2016.

na se encuentran las grandes multinacionales de la alimentación, especialmente los grandes supermercados, en los eslabones inferiores agricultores y productores de todo el mundo. El gobierno y la regulación de la cadena de suministro y las responsabilidades que de allí se derivan resultan clave para afrontar los problemas clásicos del Derecho penal alimentario. De un lado, la salud alimentaria: impedir que alimentos nocivos entren en la cadena y acaben afectando a la salud del consumidor (II), de otro: los fraudes alimentarios, alterar el carácter genuino del alimento dando otro de naturaleza diferente (III).

II. LA SALUD ALIMENTARIA

1. *La estructura de la normativa alimentaria*

La regulación alimentaria supranacional se compone de tres pilares básicos: el Derecho internacional público, acuerdos internacionales de la WTO (OMC); diversas normas de soft law de organizaciones internacionales (FAO), entre ellas y destacadamente el Codex Alimentario, y finalmente la autorregulación empresarial. El derecho estatal o regional (UE) se mueve dentro de los espacios que le deja esta meta regulación[2].

En realidad, la estructura de la normativa alimentaria es uno de los máximos exponentes de lo que hoy se ha dado en llamar Derecho global[3]. Una nueva forma de regulación que actúa en los sectores más afectados por el proceso de globalización, como es la salud alimentaria y el tráfico de alimentos. El Derecho global se caracteriza en primer lugar por la aparición de nuevos reguladores: conjuntamente con los Estados y organizaciones internacionales, tienen gran importancia mecanismos de colaboración informales como el G20 o las reuniones periódicas de las agencias administrativas internacionales, o, en nuestro ámbito, las sociedades de estandarización o las propias empresas multinacionales de la alimentación. En segundo lugar, la aparición de nuevos reguladores ha generado o revitalizado la importancia de instrumentos de regulación distintos a la ley o los convenios: soft law, normas ISO, códigos éticos[4]...

---

[2]   Vid. Bernd van der Meulen, "The Global Arena of Food Law: Emerging Contours of a Meta-Framework" [2010] Erasmus Law Review, Volumen 3, n° 4, págs 216 ss.

[3]   Vid. Eyal Benvenisti, *The law of global governance* (The Hague, Hague Academy of International Law 2014); Sabino Cassese, *El derecho global: justicia y democracia más allá del estado*, (Editorial Derecho Global 2010). M. Mercé Darnaculleta Gardella, "El Derecho administrativo global: ¿un nuevo concepto dentro del Drecho administrativo?" [2016] RAP 199,11-50. Neil Walker, *Intimations of global law* (Cambridge University Press 2015).

[4]   Vid. además de las distintas contribuciones de este volumen, Dario Bevilacqua, *Introduction to Global Food-Safety Law and Regulation* (Europa Law Publishing 2015).

La irrupción de nuevos actores e instrumentos regulatorios no implica que se haya creado un sistema normativo totalmente paralelo al estatal. Existe una red regulatoria en la que nuevos actores y normas interactúan, se prestan apoyo mutuo. Los estándares o los códigos de conducta de las empresas se valen de los tribunales nacionales, del derecho de contratos. Así, por ejemplo, el cumplimiento de una norma ISO o del código ético de una gran multinacional, pueden convertirse en una cláusula contractual con un proveedor. Pero igualmente, el derecho estatal se vale de la autorregulación empresarial o de los estándares. Muchas normas administrativas se remiten a estos estándares o fomentan la utilización de la autorregulación por las empresas.

La Organización Mundial del Comercio es el gendarme del libre comercio en el mundo. A través de un sistema *quasi* jurisdiccional, se encarga de asegurar el cumplimiento de un conjunto de acuerdos internacionales que constituyen los pilares básicos del libre comercio. Los más importantes, para la regulación alimentaria, son los acuerdos relativos al libre tráfico de bienes (los acuerdos GATT) y el Acuerdo sobre agricultura. El objetivo es que más allá de los aranceles no existan obstáculos al libre comercio en el mundo.

Desde esta visión las normas estatales que, invocando la salud alimentaria introducen restricciones[5], se ven siempre sospechosas de proteccionismo. Por esta razón la propia OMC ha elaborado dos acuerdos cuyo objetivo es regular los casos más importantes en los que pueden introducirse estas excepciones[6]. De este modo, se reduce notablemente el margen de maniobra de los legisladores nacionales. Si quieren inducir excepciones al libre comercio invocando la salud alimentaria deben o bien aportar pruebas científicas suficientes que muestren, por ejemplo, la peligrosidad de un determinado pesticida o aditivo, o bien invocar acuerdos, estándares o directrices internacionales[7].

En este punto encontramos una de las intersecciones características del derecho global a la que antes nos referíamos. Los acuerdos de la WTO —regidos por el Derecho internacional público— remiten a estándares internacionales para su concreción, es decir, a normas que provienen del *soft law*. El Códex Alimentario, elaborado por la FAO y la OMS, es la norma de complemento más importante

---

5   Admitidas por el art. 20 del Acuerdo General sobre Aranceles Aduaneros y Comercio (GATT).

6   El primero de estos acuerdos es el TBT (Agreement Technical Barriers to Trade) en el que se establecen criterios unitarios para el envasado y el etiquetado de productos. El segundo, más importante aún, es el SPS Agreement (Agreement on the Application fo Sanitary and Phytosanitary Mesures).

7   Vid. Fulponi Linda, "Private voluntary standards in the food system: The perspective of mayor food retailers in OECD countries" [2006] Food Policy 31, 1-13; Bernd Van Der Meulen Bernd, Quasi States? The unexpected rise of private food law, en Van Der Meulen Bernd, *Private Food Law*, (Wageningen Academic Publishers 2011).

dentro de esta remisión. El CA es genuino *soft law*, y por tanto, no vinculante para los estados. Ahora bien, su vigencia como norma es indudable. De un lado, merced a esta remisión de los acuerdos WTO, pero también porque sus contenidos influyen en la normativa estatal y de la UE. Conceptos claves como el de alimento o aditivo, que se utilizan en todas las legislaciones alimentarias proceden de este texto. El TJUE lo invoca como criterio de interpretación del Derecho europeo. La industria alimentaria sabe además que de facto adaptarse a sus disposiciones implica que las mercancías pueden moverse libremente por el mundo. Igualmente el Código determina aspectos esenciales en la autorregulación empresarial como es el análisis de puntos críticos (General Principles o Food Hygiene and the Hazard Analysis and Critical Control Point, HACCP).

El Codex Alimentario de la FAO y la OMS es, por consiguiente, y pese a su carácter de *soft law* la norma más importante en la regulación de la salud alimentaria mundial. Por ello resulta importante subrayar que el proceso de confección de sus disposiciones es, prima facie, lo suficiente abierto y participativo, como para satisfacer un estándar de legitimidad considerable. Sus disposiciones se adoptan mediante un complejo mecanismo de resolución, dividido en ocho etapas, al cual tienen acceso ONGs y representantes del mundo empresarial[8].

Para terminar por entender la importancia de la OMC, y la importancia del Código Alimentario como parte implícita de su marco legal, debe tenerse presente que posee un sistema *quasi juidicial* que asegura la vigencia de sus tratados. En efecto, cuando un Estado considera que otro ha introducido una modificación legal (vgr. la prohibición de transgénicos) no justificada, puede reclamar ante el *Dispute Setelment Body* que resuelve al caso a partir del conjunto de normas OMC. En caso de desacuerdo existe una suerte de tribunal de apelaciones "apelating board". La OMC se limita a aprobar o a declarar la contrariedad a derecho de la medida. Lo que otorga fuerza a sus resoluciones es sin embargo su capacidad para "condonar" o compensar las sanciones comerciales que los Estados que se sienten perjudicados por una medida contraria al derecho OMC pueden acordar[9].

Tal como acabamos de comprobar, en la regulación alimentaria actual las normas de origen estatal, han perdido importancia a favor de normas internacionales, de *hard* y *soft law*, pero también a favor de la autorregulación empresarial. El auge de la autorregulación empresarial se encuentra en tres motivos diversos.

Primero, la alteración en la cadena de aprovisionamiento. La liberalización del tráfico de alimentos en el mundo ha hecho surgir un nuevo tipo de empresa

---

8   Ver Spencer Henson and John Humphrey, "Codex Alimentarius and private Standards", en Van der Meulen (n 6) 149-175.
9   Bernd Van Der Meulen (n 1) 222.

multinacional, las grandes cadenas de supermercados (Wal Mark, Carrefour, Tesco, Auchan, Target...). En el tiempo en el que el comercio internacional tenía serias restricciones los supermercados, al menos en lo que se refiere a los productos frescos, actuaban en el interior del mercado nacional. Ello suponía que normalmente utilizaban proveedores conocidos, con relaciones comerciales prolongadas en el tiempo. En muchos países curiosamente lo "nacional" no implicó nunca una simplificación de la cadena alimentaria, sino que entre el vendedor final y el productor existían un buen número de intermediarios. Pero dejando de lado esta cuestión, la liberalización del tráfico de alimentos ha traído consigo una alteración de la cadena de aprovisionamiento. La cadena que lleva los alimentos de la granja o el huerto a los estantes de los supermercados es hoy anónima e internacional. En este nuevo marco la empresa que está a la cabeza, generalmente un gran supermercado, utiliza los estándares para conseguir que sus productos tengan la calidad deseada por los consumidores. El respeto a estos estándares forma parte del contenido del contrato con los proveedores, que asegura mediante un sistema de certificaciones, al que después haremos referencia. La estandarización constituye, en definitiva, la forma de gestionar la cadena de proveedores[10].

Segundo, la autorregulación ocupa los espacios vacíos de la normativa estatal, que presionada por el sistema OMC tiende a ser de mínimos en muchos aspectos. Bajo la óptica del libre comercio cualquier regulación alimentaria procedente de los Estados y que invoca la protección de la salud o del consumidor debe demostrar que es proporcionada para ser legítima o, dicho aún más claro, debe demostrar que no es una argucia para imponer algún tipo de restricción. En la UE, los denominados efectos negativos o desincriminadores del Derecho europeo sobre el penal, tuvieron como protagonistas muchas veces normas de derecho penal alimentario, que se consideraban desproporcionadas[11]. Para entender el auge de la estandarización en este contexto no debe olvidarse además que mientras que la normativa estatal relativa a la salud alimentaria debe pasar el filtro de la OMC, no ocurre lo mismo con los estándares privados. La opinión mayoritaria considera que aunque estos en ocasiones puedan imponer barreras injustificadas

---

[10]   Vir. Bernd Van der Meulen, "Anatomy of private food law", en Van der Meulen (n 6) 75; en referencia al mercado agrícola de la UE, donde la libertad contractual es más reducida en productos como el azúcar o la leche. Izabela Lipinska, "Contractual relation on the EU agricultural market in the context of food security and production risk", en Ines Härtel and Roman Budzinowski (eds.) *Food Security Food Safety, Food Quality* (Nomos Verlag 2016) 187. En la UE, la ley de contratos agrícolas está regulada por el Reglamento 1308/2013 que establece una organización común de mercados en productos agrícolas. [2013] OJ 347/361.

[11]   Michele Simonato The EU dimension of 'Food criminal law', en Nieto Martin A./Quackelbeen L./Simonato M., (not. 1).

e incluso abusivas al libre comercio, discriminando a algunos productores, son parte de la libre autonomía de la voluntad[12].

Tercero, la autorregulación también debe su auge a que las normas estatales, y muy significativamente las europeas, la fomentan y utilizan a través de la denominada autorregulación regulada. El ejemplo más importante es el HACCP (Análisis de riesgos y puntos críticos). Conviene detenerse en esta técnica de autorregulación, pues es en definitiva la que acaba determinando el nivel de riesgo permitido y de diligencia en cada empresa, que después acabará conformando la responsabilidad penal. El HACCP exige que cada empresa determina los procedimientos que más riesgos generan para la salud de los consumidores e igualmente los momentos idóneos para introducir controles que los reduzcan. La revisión constante y el control de la efectividad de estos controles son parte fundamental del HACCP. El HACCP se realiza por todos los miembros de la cadena alimentaria (productores, transportistas, almacenistas…) y está altamente estandarizado, en cuanto que su metodología básica se determina en el Codex Alimentario, si bien posteriormente cada país suele realizar mayores concreciones, confeccionando sus propios Manuales. Es frecuente que estos Manuales nacionales se realicen a través de la participación de las agencias públicas competentes y los representantes del sector industrial.

Una de las características más sobresalientes de la autorregulación empresarial en materia alimentaria es que no complementa únicamente la capacidad normativa del Estado, sino que también complementa su función inspectora o supervisora. Hasta hace poco tiempo eran los sistemas de inspección pública los que se ocupaban personalmente de la inspección de las instalaciones y el análisis de los productos finales, mientras que ahora el principal foco de la inspección es que las empresas se han autorregulado correctamente a través del HACCP. En cuanto que a su vez muchos de los aspectos en que se fija la inspección son objeto de certificación, puede decirse que en cierto modo existe un trabajo en común entre auditores privados, certificadoras e inspección pública. El Estado no sólo confía en el poder normativo de las corporaciones para que delimiten el riesgo permitido dentro de su actividad, sino que igualmente ha acabado por utilizar la autorregulación y las empresas de certificación privadas como alternativa o complemento al sistema público de supervisión. Desde luego, esta forma de inspección remota no se da con igual intensidad en todos los países, pero va convirtiéndose paulatinamente en la forma de inspección habitual en EEUU y en los países de la UE,

---

[12]   Vid. Huge Marinus, "Private retail standards and the law of the World Trade Organisation", en Bernd van der Meulen, (n 70) 175 s; Luigi Russo, "Gli standad private per la produzione alimentare nel commercio internazionale", en Alessandro Somma (a cura di), Soft law e hard law nelle socità postmoderne, (Giappichelli 2009) 133.

donde el Reglamento 882/2004 que establece el sistema de inspección alimentaria la fomenta abiertamente[13].

La forma en que se genera la autorregulación empresarial obedece en líneas generales al siguiente ciclo: (A) En primer lugar encontramos un conjunto de estándares y certificados promovidos por agrupaciones empresariales, como GlobalGAP, GFSI y un incontable número de asociaciones nacionales. Estas normas se ocupan de las mismas materias que la legislación estatal: normas relativas a los productos, a su proceso de producción y a su etiquetado. Probablemente el núcleo central de estos estándares son las normas relativas al proceso de producción, lo que comprende normas de organización empresarial, de higiene o trazabilidad. (B) Estos estándares se convierten en normas de autorregulación en el seno de las empresas, que deseen sumarse a estos estándares. (C) Para finalizar, en tercer lugar, el cumplimiento de los estándares se asegura mediante una certificación y auditoría de cumplimiento. Estas fases no deben entenderse como un proceso lineal, sino que como un ciclo. No es infrecuente que la normativa autorreguladora de una determinada compañía líder en el sector acabe por convertirse en el estándar común[14].

2. *Legitimidad de la normativa alimentaria y responsabilidad penal*

El nuevo modelo de regulación de la salud alimentaria, así como las transformaciones en la cadena, plantea nuevos problemas al Derecho penal —y sancionador en general— que se irán abordando en sucesivos epígrafes. En este momento, nos ocuparemos de una cuestión transversal como es la legitimidad. Como acabamos de ver el sistema privado de Derecho alimentario y el ordenamiento jurídico público no forman compartimentos estancos, sino que interactúan entre sí. Por esta razón uno de los aspectos más discutidos por todos los autores que se han ocupado de la estandarización es el de la legitimidad. Si el poder corporativo tiene ya una capacidad de influencia considerable en la legislación estatal a través del lobby, la corrupción o la financiación ilegal, y una gran habilidad para capturar al regulador, sus posibilidades de configurar el *soft law*, los estándares según sus propios intereses es prácticamente ilimitada. Las sociedades de estandarización dependen de las corporaciones que las contratan o directamente las subvencionan y el origen de muchos estándares son normas que proceden de la autorregulación y que después se adoptan y generalizan por sociedades de estandarización[15]. El auge de la autorregulación y la

---

13   Vid. apartado 13 de la exposición de motivos.

14   Theo Appelhof and Ranald van den Heuvel, "Inventory of private food law", en Bernd Van der Meulen Bernd (n 6) 113 ss.

15   Sobre el proceso de elaboración de la ley de estandarización, Tim Büthe Tim and Mattli Walter (ed), *The New Global Rulers. The Privatization of Regulation in the World Economy* (Princen-

estandarización supondría, en definitiva, haber dejado al lobo (las grandes empresas) de guardián del rebaño (la salud alimentaria).

Aunque en un grado quizás algo menor, el problema de la legitimidad también se suscita en las organizaciones internacionales en la producción de *soft law*. Donde es usual que se adopte un modelo de *partenership* público-privado, que da entrada a las corporaciones. Si esto no se hace rodeado de altos niveles de transparencia y además garantizando que el resto de los *stakeholders* tiene el poder y la presencia necesaria para tener una capacidad de influencia similar, el *soft law* no deja tampoco de presentar problemas de legitimidad. Afortunadamente, en nuestro sector, el Código Alimentario, que como hemos visto es la norma más importante del derecho alimentario actual, tiene un proceso de gestación que garantiza la participación de todos los interesados. El problema de la legitimidad se agudiza cuando lo trasladamos al marco penal.

El principio de legalidad penal requiere en todos los ordenamientos un grado de participación y transparencia mayor, en aquellas normas que describen comportamientos prohibidos e imponen sanciones. Las normas no estatales o privadas interactúan también con el derecho penal o sancionador[16]. En el ejemplo, más extremo el derecho penal puede limitarse a reforzar su vigencia sancionando las infracciones a un determinado estándar. Esto puede ocurrir mediante una norma penal en blanco que se remita expresamente al estándar o, de manera indirecta, si se remite a una norma administrativa que a su vez se remite al estándar o incluso a normas de autorregulación. El respeto a las normas de estandarización genera cuando menos la presunción de que el comportamiento es conforme a derecho o, inversamente, que se trata de un comportamiento indebido.

Las normas privadas del Derecho de la alimentación sirven también para fijar estándares de cuidado en delitos imprudentes o para establecer responsabilidad dentro de la empresa. Uno de los objetivos de las normas ISO es la atribución de responsabilidades dentro de la cadena de producción. Estas normas pueden ser tomadas en consideración por el juez penal tanto para fundamentar como

---

[16]   ton University Press 2011) Peters Anne, Koechlin Luc, Förster Till and Zinkernagel F. Gretta, *Non State Actors as Standard Setters* (Cambridge University Press 2009).

Vid. Alessandro Bernardi, "Soft law e diritto penae: antinomia, convergenza, intersezioni" en Alessandro Soma (a curda di), *Soft law e hard law nelle società postmoderna* (Giappichelli 2009) 1; Alesandro Bernardi, "Il principio di legalità alla prova delle fonti sovranazionali e private: riflessi sul diritto penale alimentare" [2015] Rivista di Diritto alimentare http://www. rivistadirittoalimentare.it (última consulta el 21 de febrero de 2017); Torre Valeria, "Produttori di alimenti e produttori di norme? Gli standard di sicurezza tra fonti publicistiche e fonti privatistiche e il loro valore tipizzante nel fatoo colposo" Luigi Foffani, Antonio Doval Pais and Donato Castronuovo (eds), *La sicurezza agroalimentaria nella propettiva europea* (Giuffré Editore 2014) 507; Torre Valeria, *La Privatizzazione delle fonti di direitto penale. Un'analisi comprata dei modelli di reponsailitá penale nell'esecizio dell'attivita d'impresa*, Bolonia, 2013.

para excluir la responsabilidad penal, por lo que la pregunta clave es hasta qué punto estamos dispuestos a admitir la interferencia del poder corporativo (conjuntamente con el legislativo) a la hora de describir comportamientos penalmente relevantes y atribuir responsabilidades[17].

La propuesta que aquí se realiza es que con carácter general el juez penal a la hora de dar relevancia a una "norma privada" en la determinación de la conducta típica, ya sea con carácter exculpante o como motivo para fundamentar la responsabilidad, debiera hacer un examen de legitimidad como paso previo. Dependiendo de la nota que obtenga en este examen su influencia en la determinación de la responsabilidad penal debiera ser alta, reducida o nula. Debe reconocerse en este sentido, que el objetivo de salvar el reproche de la falta de legitimidad cada vez está más presente en las empresas de estandarización, las asociaciones empresariales e incluso en algunas empresas a la hora de diseñar sus programas de cumplimiento. En líneas generales para ello tienden a dar participación a los diversos grupos interesados en la formulación de normas o a buscar la participación de organismos públicos. Ahora bien, el mero hecho de que haya existido una participación no debe entenderse suficientes. Para alcanzar plena relevancia, el sistema de gobernanza de las entidades privadas debiera garantizar: la participación en igualdad de condiciones de todos los afectados por la norma y un proceso de adopción de decisiones transparente[18].

3. Legitimidad de los delitos de peligro abstracto

Tal como indicamos en la introducción, la utilización de delitos de peligro es uno de los rasgos más característicos del Derecho penal alimentario. Es frecuente además, como ocurre en los áises del norte de Europa, que estos se conformen como delitos de peligro abstracto. Igualmente esta fue la opción aoptada en la propuesta de Eurodelitos, con el fin de proponer un tipo común en los países de la UE[19].

La legislación alimentaria y el modo en que está concebida hoy la prevención de riesgos contra la salud alimentaria muestran la escasa operatividad de los delitos de peligro concreto: de aquellas formas de incriminación que exigen, primero, la constatación de un contacto entre una persona física determinada y el foco de

---

17   Vid. Adán Nieto Martin, Autorregulación, compliance y Justicia restaurativa, en Adán Nieto Martín y Luis Arroyo Jiménez, Autorregulación y sanciones, (Aranzadi 2015 2ª Ed) 103. Considerando que solo la remisión explícita o directa a normas generales o privadas está de acuerdo con el principio de legalidad, Alessandro Bernardi, en Alessandor Soma (n 15) 23.

18   Vid. Busch Lawrence, "Quasi-Satates?" en Bernd Van Der Meulen Bernd, (n 6) 62 ss.

19   Gerhard Dannecker, "Europäisches Lebensmittelstrafrecht", en Klaus Tiedemann (hrsg), Wirtschaftsstrafrecht in der Europäischen Union (Carl Heymans Verlag KG 2002) 239 ss.

peligro, y segundo, la existencia de una situación en la que el autor no domine el peligro y no existan cursos salvadores previsibles que impidan la realización del peligro. Aunque prescindamos de este último elemento, cuya configuración concreta es ampliamente debatida, la práctica enseña que los delitos de peligro concreto son de escasa aplicación a no ser que el peligro se haya materializado en un resultado. El peligro en un momento determinado sobre una persona es además complejo de probar[20].

Pero más allá de cuestiones de aplicación práctica, la principal objeción que puede hacérsele hoy a los delitos de peligro concreto es que no resultan coherentes con la forma de gestión del riesgo que se desprende de la normativa alimentaria. La legitimidad de los delitos de peligro y el tipo de delitos de peligro más idóneos no sólo deben discutirse desde el punto de vista interno del Derecho penal, sino que deben ponerse en conexión con el sistema de gestión del riesgo que existe en el Derecho administrativo. En este punto resultan especialmente relevantes dos características del modelo de gestión de riesgo actual.

La gestión de riesgos se realiza hoy conforme al principio de calidad total[21]. La seguridad alimentaria depende de que se apliquen con igual intensidad en todos los eslabones de la cadena alimentaria medidas de prevención del riesgo. Todas las empresas e individuos que participan en la cadena alimentaria deben realizar su Análisis de Riesgos y Control de Productos Críticos. E igualmente como ya se ha repetido, la inserción en la cadena conlleva la obligación de someterse a normas de calidad y estandarización. El principio de calidad total supone, por tanto, una decisión normativa, que afecta a la totalidad del sistema de producción, en virtud de la cual todos los partícipes tienen un igual grado de responsabilidad.

Los delitos de peligro concreto suponen centrar la intervención penal en el último tramo de la cadena, la distribución al por menor, donde se ponen en contacto productos con consumidores finales. Ello contradice abiertamente el sistema de responsabilidad por el riesgo de la legislación alimentaria. Sobreexpone al último eslabón y en cambio resta responsabilidad al resto de los miembros. Si los controles se suceden en la cadena de producción, la probabilidad de que un fallo de seguridad en los primeros escalones, por muy grave que sea, afecte a consumidor será reducida. Por el contrario, será mucho más alta si sucede en el último eslabón aunque el fallo de seguridad haya sido menor. El peligro concreto se compaginaba bien con un modelo de gestión del riesgo centrado en la etapa final de la producción, en el que se verificaba la idoneidad del producto, pero

---

[20] Últimamente sobre esta cuestión, A. Kiss, "Delito de lesión y delito de peligro concreto: ¿Qué es lo adelantado?" [2015] Indret 1/2015, 10 ss.
[21] Vid. Catalán Lapesa y Subirá Goñi, "La calidad en la industria agroalimentaria", en Vicente Rodríguez Fuentes (dir), *El Derecho agroalimentario*, (Bosch 2003) 181 ss.

resulta contradictorio con la idea de calidad total que iguala la responsabilidad de todos los intervinientes y que considera igualmente importantes las normas alimentarias del primer al último eslabón.

La segunda de las características de la gestión de riesgos afecta al modo en que el legislador debe adoptar sus decisiones en esta materia. El Codex Alimentario sienta el principio general de que la regulación administrativa a la hora de prohibir una determinada substancia o actividad por considerarla peligrosa debe realizar un análisis de riesgos, que se compone de tres fases: *risk assesment, risk management y risk communication*. Orillando ésta última fase, que no interesa, la "valoración" del riesgo y su "gestión" constituyen dos momentos claramente diferenciados. La valoración se realiza a través de una metodología puramente científica, en virtud de la cual se determina el nivel de riesgo de un determinado producto, aditivo etc. A partir de esta información, la gestión del riesgo constituye una decisión política.

En muchos países han aparecido agencias administrativas independientes que, a través de un procedimiento muy complejo, garantizan la participación de la comunidad científica y de los stakeholders, adoptan la decisión de prohibir o permitir determinados productos o alimentos. En la Unión Europea el art. 22 del Reglamento n° 178/2002 consagra una estricta separación entre la fase de valoración y gestión. La primera corre a cargo de la Agencia Europea de Seguridad Alimentaria (EFSA), mientras que la segunda, corresponde a la Comisión o al Consejo, como órgano de decisión política[22].

La discusión de los delitos de peligro en el ámbito alimentario debe tener necesariamente presente este nuevo marco normativo de la gestión legal del riesgo. La legitimidad de los delitos de peligro se ha desarrollado hasta ahora sobre la base de un paradigma científico que planteaba la posibilidad de que el juez, en el marco del proceso penal, revisara las decisiones adoptadas por el legislador en esta materia o de exigir que el peligro se concretara en un concreto individuo. Esta discusión tradicional sobre los delitos de peligro tenía lugar además en muchos espacios en el que el Derecho penal era la prima ratio en la gestión de riesgos, al no existir una regulación y gestión administrativa del riesgo.

La alta legitimidad y cualificación técnica del proceso con el que se adoptan decisiones relativas al riesgo en el Derecho público alimentario, debe modificar el entendimiento de los delitos de peligro. De manera muy especial debe tenerse presente para rechazar la creación de delitos de idoneidad o de peligro abstracto-concreto. Este tipo de delitos como es conocido exige que el juez compruebe si en el caso concreto, aparte de la estimación de peligro realizada

---

22   Simone Gabbi, "L'approccio europeo alla valutazione dei rischi alimentari", en Luigi Foffani, Antonio Doval Pais y Donato Castronuovo (eds) (n 5) 21 ss.

por el legislador, existe un peligro real. Pues bien, en marcos como el del Derecho alimentario resulta sorprendente depositar en el juez la capacidad de comprobar la peligrosidad de un determinado aditivo frente a la decisión administrativa. El procedimiento administrativo de gestión del riesgo, protagonizado por agencias independientes que actúan con un procedimiento transparente en el que se integran los diferentes intereses en liza, resulta mucho más adecuado que el procedimiento penal para decidir acerca de la peligrosidad de una determinada substancia. En este nuevo contexto, las posibilidades de error de las decisiones administrativas son menores que las judiciales y la legitimidad es cuanto menos similar.

Debe además tenerse en cuanta, a la hora de evaluar la admisibilidad de los delitos de peligro abstracto que, en primer lugar, la normativa estatal a la que se refieren las normas penales representa cada vez más una normativa de mínimos y que, en segundo lugar, lo más probable es que si un riesgo se sobrevalora indebidamente dentro de una legislación nacional, el sistema WTO, a partir de lo dispuesto en el art. 2.2 del Agreement SPS, corrija esta valoración. Como ya sabemos, según este precepto las restricciones basadas en el riesgo requieren de una exigente prueba científica[23].

En conclusión, la legitimidad y la calidad técnica que hoy tiene la legislación alimentaria en los ordenamientos desarrollados garantizan el que no estemos ante meras infracciones de desobediencia.

El nuevo diseño del Derecho penal alimentario debiera también incluir una técnica de enforcement distinta a la actual, de carácter piramidal[24]. Las agencias administrativas antes de acudir a la vía penal deben utilizaran con las empresas infractoras, sobre todo cuando sean de pequeñas dimensiones, el diálogo, la negociación y la persuasión, acompaña en su caso de la utilización de sanciones coercitivas. El ámbito penal debe reservarse para las grandes empresas o aquellas pequeñas empresas que muestran una voluntad reiterada de incumplimiento.

4. *Delitos de riesgo, principio de precaución y organismos genéticamente modificados*

La existencia de delitos alimentarios basados en normas administrativas que responden al denominado principio de precaución ha sido uno de los aspectos

---

[23]   Vid. Van der Meulen (n 2) 229.
[24]   Vid. John Braithweite, *Restorative Justice and Responsive Regulation* (Oxford University Press 2002) 30 ss.; véase también Adán Nieto Martin Adán, Autorregulación, compliance y Justicia restaurativa, en Luís Arroyo Jiménez y Adán Nieto Martín, Autorregulación y sanciones, (Aranzadi 2 ª Ed 2015).

más debatidos en los últimos años[25]. El debate se ha centrado además en el régimen sancionador de los organismos genéticamente modificados[26], que constituye hasta el momento el principal espacio de operatividad del principio de precaución dentro del Derecho alimentario. La aparición de tipos penales conectados con normas administrativas elaboradas a partir del principio de precaución ha llevado a la doctrina a formular una nueva categoría dentro de los delitos de peligro: los denominados delitos de riesgo o de riesgo normativo, como categoría diferenciada de los delitos de peligro de los que nos ocupamos anteriormente[27].

Los delitos de peligro se basan en la constatación judicial de un riesgo cierto. En los delitos de peligro, sean de la clase que sean, siempre debe existir una prueba científica que muestre el carácter perjudicial de un comportamiento, en este caso, para la salud. En ausencia de una ley causal o al menos basada en cálculos estadísticos que demuestra la existencia de este riesgo no puede formularse un delito de peligro.

Los delitos de riesgo atenderían por el contrario a tutelar el cumplimiento de aquellas normas que responden al denominado principio de precaución, que inspira la legislación alimentaria de varios Estados. Por esta razón, no resulta posible emitir un juicio acerca de la legitimidad de los delitos de riesgo sin conocer la génesis de las normas jurídicas basadas en el este principio.

El principio de precaución ampara que el legislador adopte decisiones restrictivas de derechos (en nuestro caso prohibir una determinada substancia, proceso de elaboración etc.) en situaciones de incertidumbre científica. Esto es, en situaciones en la ciencia no acaba de ofrecer pruebas concluyentes acerca de la nocividad de un determinado elemento o conducta. Su función es pues gestionar el riesgo en situaciones de incertidumbre científica[28].

---

[25]   Vid. Gómez Tomillo (dir.) "La protección de los consumidores por medio de la represión: Derecho penal, Derecho administrativo sancionador y Daños punitivos" en Mirentxu Corcoy Bidasolo y Victor Gómez Martín, *Fraudes a consumidores y derecho penal. Fundamentos y talleres de leading cases*, (BdeF, Edisofer, 2016)); vid. also the works of Donato Castronuovo Donato (519), Gorjón Barranco (537), Pongiluppi Caterina (549), Consorte Francesca (559), Perini Chiara (585), en Luigi Foffani, Antonio Doval Pais y Donato Castronuovo (eds), (n 5); Nicolás Garcia Rivas, "Influencia del principio de precaución sobre los delitos contra la seguridad alimentaria", en Javier Boix Reig J y Alessandro Bernardi, *Responsabilidad penal por defectos en productos destinados a los consumidores* (Iustel 2005) 417.

[26]   Vid. ampliamente, Quackelbeen L., Bélgica, en Nieto Martín A./Quackelbeen L./Simonato M (eds.), (not. 1).

[27]   Vid. Manuel Gómez Tomillo (dir) (n 24) 92 ss.

[28]   Vid. José M. Baño León, "El principio de precaución en el Derecho público", p. 29 ss.; Albert Ituren Oliver A, "Riesgo, precaución y Constitución", en Javier Boix Reig y Alessandro Bernardi (n 24) 29, 43.

En los países de la UE el principio de precaución se recoge expresamente en el art 7.1 del Reglamento n° 178/2002[29], que constituye la Ley general alimentaria europea. Ahora bien, dado que es un principio que admite medidas limitativas de derechos sin demostrar su eficacia, la adopción de prohibiciones se rodea de garantías importantes. En primer lugar, debe seguirse la distinción entre valoración del riesgo y gestión del riesgo, que como hemos visto es básica en toda la legislación alimentaria. Dentro de este procedimiento el órgano científico, la agencia administrativa correspondiente, debe ofrecer a los responsables públicos información fiable y sólida para comprender la cuestión científica planteada. En la fase política, las decisiones del legislador basadas en el principio de precaución deben, primero, basarse en los informes científicos aportados; en segundo lugar, constituyen medidas provisionales, que han de ser revisadas de existir datos concluyentes; en tercer lugar, estas medidas han de ser proporcionales y como tal están sometidas a control judicial.

El principio de precaución no es un principio universalmente válido, de hecho el TIJ ha rechazado en varias ocasiones que pueda otorgársele el carácter de derecho consuetudinario en el ámbito, principalmente, del derecho penal del medio ambiente. Por lo que aquí interesa tampoco es plenamente acogido por la WTO, que exige que todas las decisiones prohibiendo algún producto o substancia se tomen a partir de la existencia de certidumbre científica[30]. El principio de precaución, y la polémica sobre la legitimidad de los tipos penales vinculados al mismo, se ha producido sobre todo en los países de la UE[31], y en algunos otros como Brasil[32].

La legitimidad de los delitos de riesgo basados en el principio de precaución, al igual que en el caso de los delitos de peligro, está estrechamente vinculada al grado de legitimidad de la normativa administrativa[33]. Desde este punto de vista, no existe un grado de diferencia substancial entre ambos tipos de delitos,

---

[29] Reglamento (CE) n° 178/2002 que establece los principios generales y los requisitos de la legislación alimentaria, la Autoridad Europea de Seguridad Alimentaria y procedimientos en materia de seguridad alimentaria [200] DO L 31/1.

[30] Vid. Danilo Bevilacqua D (n 3) 104.

[31] Vid. Martínez Pérez, "El principio de cautela en la práctica internacional y europea: concepto, naturaleza jurídica y contenido", en Manuel Gomez Tomillo (n 24) 17.

[32] Vid. Saad Diniz E., Brasil, en Nieto Martín A./Quackelbeen L./Simonato M., (eds), (not. 1).

[33] Respecto a la discusión sobre la legitimidad de los delitos basada en el principio de precaución, Manuel Gomez Tomillo, "El principio de precaución en el Derecho penal", Mercedes Alonso Álamo, "¿Riesgos no permitidos? Observaciones sobre la incidencia del principio de precaución en el Derecho penal" en Gómez Tomillo (dir) (n 24) 51, 104. Entre los estudios italianos ver Donato Castronuovo, *Principio di precauzione e diritto penale. Paradigma dell'incertezza nella struttura del reato* (Libellula 2012); Donato Castronuovo, "Política criminal, generaciones futuras y principio de precaución" en Mirentxu Corcoy Bidasolo y Victor Gómez Mar-

al menos en los países de la UE, ya que se adoptan por un procedimiento similar, y además con posibilidad de revisión judicial. La utilización del principio de precaución expresa la decisión de los representantes sociales acerca del nivel de riesgo que desean para su sociedad.

Desde luego, desde un paradigma de los delitos de peligro científicos, los delitos de riesgo no tienen cabida alguna (de manera parecida a lo que ocurre incluso con el peligro abstracto), por el contrario si alejándonos, solo muy parcialmente del paradigma científico, a lo que atendemos es a la legitimidad democrática de la decisión sobre el riesgo, no deben existir inconvenientes en la admisión de infracciones penales derivadas del principio de precaución. Lo anterior supone que los delitos de peligro normativo solo se admiten si se construyen como norma penal en blanco, y la normativa administrativa satisfaga el grado de legitimidad que antes señalábamos.

Cuestión distinta es que el principio de precaución se utilice en situaciones diversas a las que acaban de expresarse para fundamentar la punibilidad de determinados comportamientos. Así, por ejemplo, ha sido utilizado en el marco de delitos de resultado con el fin de dar por probada la relación de causalidad entre un determinado comportamiento y el resultado de lesión o peligro[34]. Tal como ha quedado expuesto, la utilización del principio de precaución requiere de un procedimiento que garantice de manera democrática y científica la legitimidad de la prohibición. Ello impide desde luego que pueda ser utilizado directamente por el juez penal con el fin de ampliar la responsabilidad penal.

5. Problemas de responsabilidad en la empresa y en la cadena alimentaria (responsabilidad de los productores)

Como antes advertíamos un problema clásico de los casos de responsabilidad por productos alimentarios dudosos es la adscripción de responsabilidades dentro de la empresa y en el interior de la cadena alimentaria[35]. En ambos casos la discusión debe conectarse con las previsiones de la normativa alimentaria, que regula en muchos ordenamientos la responsabilidad dentro de la cadena alimen-

---

tín (n 24) 77; Emanuele Corn, *Il principio di precauzione nel diritto penale. Studio sui limiti dell'anticipazioni delle tutela penale* (Giappichelli 2013).

[34] Ver especialmente la discusión que tiene lugar en Italia o Portugal, Gabriele Fornasari, "El principio de precaución en la experiencia legislativa, jurisprudencial y doctrinal italianas. Aspectos de parte general", Helena Moniz y Susana Aires de Sousa, "Manifestaçoes do principio da precauçao no direito portugués", en Manuel Gómez Tomillo (dir) (n 24) 149, 357.

[35] Vid. Gerhard Dannecker, en Luigi Foffani, Antonio Doval Pais y Donato Castronuovo (eds) (n 5) 218; M. Elena, Íñigo Corroza, *La responsabilidad penal del fabricante por defectos en sus productos* (Bosch 2001) 251.

taria, y la estandarización: ISO 22000 Food Safety y ISO 28000 Food Chain Security. Igualmente resultan relevantes las normas ISO relativas a la gestión de la calidad ISO 9001.

Las normas de estandarización se han ocupado en mayor medida que el legislador estatal de establecer criterios relativos a la organización empresarial y atribución de responsabilidades dentro de la empresa. Para ello adoptan un modelo de gestión que exige una implicación de todos los miembros de la organización en la consecución de un objetivo y muy especialmente de los dirigentes empresariales. Igualmente las normas de estandarización tienen como objetivo regular los flujos de comunicación entre los distintos intervinientes en el proceso productivo y generan sistemas de documentación que permiten la trazabilidad de las decisiones que se hayan podido adoptar en relación a un determinado problema.

La utilidad del proceso de estandarización en la atribución de responsabilidad penal dentro de la empresa es ambivalente. La "filosofía de la implicación" que preside la confección de las normas ISO y los manuales que en cada empresa se confeccionan a partir de las conllevan normalmente una atribución de responsabilidades de manera ambigua, que no puede corresponderse con la realidad. Su lectura transmite la impresión de que todo es asunto de todos, por ejemplo, en materia de calidad de los productos. Este modelo de gestión contrasta con la teoría de la delegación[36], que con criterios esencialmente idénticos se ha construido en la mayoría de los países de la UE y que se expresó por ejemplo en el art. 13.2 del Corpus Iuris para la protección de los intereses financieros de la UE. Desde el punto de vista penal resulta necesario establecer con precisión cuáles son las funciones que cada interviniente desempeña, qué poder y medios tiene para llevarlas a cabo, y cuáles son las obligaciones del superior que le ha delegado la tarea. En otras palabras, la responsabilidad penal debe derivarse de un examen real de la estructura de poder y de decisiones dentro de la empresa y no desde el papel de los Manuales de gestión generados a partir de normas de estandarización. Desde el punto de vista procesal, las normas ISO resultan en cambio de gran utilidad, pues generan una abundante prueba documental acerca de la toma de decisiones en la empresa.

La responsabilidad dentro de la cadena alimentaria viene regulada en los países de la UE por el art. 17 del Reglamento 178/2002[37], donde se indica que los productores, transformadores y distribuidores se asegurarán en todas las etapas

---

[36]   Sobre la teoría de la delegación en el derecho penal, Juan Antonio Lascurain Sánchez, en Adán Nieto Martín (dir) *Manual de cumplimiento penal en la empresa* (Tirant lo Blanch 2015) 166.

[37]   Vid. José M. Baño León, "El principio de precaución en el Derecho público", p. 29 ss, Albert Ituren Oliver A, "Riesgo, precaución y Constitución", en Javier Boix Reig y Alessandro Bernardi (n 24) 29, 43.

de producción que tengan lugar en las empresas bajo su control que los reglamentos cumplen con los requisitos de la reglamentación alimentaria. La responsabilidad dentro de la cadena alimentaria debe leerse además hoy en el marco de la estructura de la cadena alimentaria. Tal como ya hemos señalado, en la actualidad ésta se encuentra fuertemente jerarquizada. La empresa a su cabeza, generalmente un gran supermercado, impone sus normas y cuenta con una capacidad de ejecución. Muchos de los productores tienen una situación de dependencia, que como hemos visto da lugar incluso a situaciones de abuso de poder.

El derecho penal debe atender, de un lado, a la estructura real de poder y decisión y, de otro, al principio de confianza[38]. El principio de confianza estaba pensado para operar en ámbitos anónimos y despersonalizados, como el tráfico rodado, en los que era imprescindible para el normal funcionamiento del sistema que todos los intervinientes confiaran, salvo señales evidentes, que el resto de los intervinientes realizaban correctamente su papel. La estructura de la actual cadena alimentaria no responde a esta realidad, pues aunque ciertamente es ciertamente anónima, el sistema de estandarización y certificaciones a que se someten, su estructura piramidal y jerarquizada nos trasladan a un sistema bien diferente.

En la cadena alimentaria actual la confianza se deposita las certificaciones y en los certificadores[39], por ello resulta esencial la discusión acerca de la responsabilidad de los certificadores. Entre otras cosas, su responsabilidad resulta relevante para la eficacia del derecho penal en éste ámbito pues ayuda a concretar la responsabilidad. En las cadenas globalizadas de alimentación los productores pueden estar en países lejanos con los que resulta complicado la cooperación judicial. Entre otras razones porque los casos de responsabilidad alimentaria generan un interés nacional en negar la responsabilidad de los productores nacionales con el fin de proteger a su sector agroalimentario.

A la hora de definir la responsabilidad no cambia demasiado las cosas en que sea la propia empresa dueña de la cadena quien emita la certificación o, que lo haga un entidad, como es más frecuente, especializada. Teóricamente los certificadores pueden tener responsabilidad por imprudencia en las muertes o lesiones ocasionadas por un alimento nocivo proveniente de empresas que han certificado. Ahora bien, en la práctica normalmente existirán muchos problemas para por ejemplo establecer la relación causal entre una defectuosa certificación y una determinada partida de alimentos defectuosos. Por esta razón sería oportuno generar un régimen de responsabilidad sancionador (sanciones penales o admi-

---

[38] Respecto al principio de confianza y su importancia en los casos de responsabilidad del producto, M. Elena Íñigo Corroza, (n 34) 253.

[39] Vid. Van der Meulen, The anatomy of private food law, en Van der Meulen, Private food law, p. 80 ss.

nistrativas) para los certificadores alimentarios. Donde se sancionarán conductas como la falsedad en el certificado, la prestación de servicios de certificación sin reunir los requisitos necesarios etc. Simultáneamente habría que regular también su régimen de responsabilidad civil y establecer normas relativas a la elección de los certificadores por parte de la empresa. Tomando el modelo, por ejemplo, de la auditoría de cuentas habría que pensar en una regulación que evitara los conflictos de intereses y garantizara la independencia del auditor.

La responsabilidad del certificador no elimina la discusión de la responsabilidad dentro de la cadena alimentaria. Como indica el art. 17 del Reglamento de la UE con la expresión "bajo su control", la responsabilidad debe derivarse de las posibilidades reales de control y de las obligaciones de control que tengan asignadas cada uno de sus integrantes. Los transportistas no están obligados en modo alguno a asegurarse que los alimentos que transportan están en buen estado, pero sí que el importador que por ejemplo contrata sus servicios debe asegurarse que el transportista reúne las condiciones necesarias para garantizar que los alimentos no se deterioren. Es dentro de cada nivel de responsabilidad donde precisamente opera, en su caso, la confianza —y responsabilidad— en las certificaciones. El importador cumple con su deber de cuidado si confía en un transportista debidamente certificado. En sectores donde no se haya implantado este sistema, la responsabilidad debe cifrarse en el marco descrito atendiendo al principio de exigibilidad, que necesariamente debe tener en cuenta criterios de eficiencia económica.

III. FRAUDES ALIMENTARIOS

1. *Hacia una definición común de fraudes alimentarios*

(a) Concepto, factores y estrategias contra el fraude.

Los ataques a la salud alimentaria que hasta ahora se han estudiado son en su mayoría comportamientos imprudentes. Los casos de fraudes alimentarios son sin embargo comportamientos intencionales, en los que se atenta contra la genuidad del alimento. El fraude consiste en producir, traficar (importar, exportar, transportar, distribuir) o comercializar al por menor, con ánimo de obtener un beneficio, alimentos privados de sus elementos nutritivos o mezclados con substancias de una cualidad inferior o que tengan una composición que contravenga la normativa vigente[40].

Informes y estudios internacionales muestran como el fraude en productos alimentarios se ha disparado en los últimos años. Varios son los factores que

---

[40]   En relación a la definición de fraude alimentario, Lotta y Bogue, "Definining Food Fraud in the Modern Supply Chain" [2015] EFFL 2/2015, 114.

han contribuido a ello. De un lado, una fuerte presión competitiva que arroja, sobre todo a pequeños comerciantes a comprar alimentos cuyas características y precio están por debajo de los que después van a ofrecer. De otro, la dificultad de descubrir este tipo de fraudes, que requiere costosos y complicados medios de análisis. La globalización del comercio de alimentos y la internacionalización de la cadena alimentaria requiere de una enorme coordinación para descubrir los casos de fraude. Además, en este sector todo indica la presencia de la criminalidad organizada, que como ha demostrado en la UE el caso de la carne de caballo[41], se infiltra inadvertidamente en los distintos eslabones de la cadena de producción alimentaria[42].

De este modo, si el primero de los factores que explican hoy el fraude alimentario, apunta a un fraude de "ciclo corto", protagonizado por pequeños minoristas. El resto de factores apuntado señalan un tipo de criminalidad bien distinta de carácter transnacional e instalada en todos los eslabones de la cadena de producción. La prevención de este tipo de fraude de "ciclo largo" requiere de la cooperación de todos las empresas insertadas en la cadena alimentaria. La receta que en este punto se ofrece para la prevención del fraude es, en primer término, asegurar la trazabilidad de los productos. Sin ella resulta imposible descubrir los puntos débiles de la cadena y en última instancia la procedencia de los alimentos falseados.

Pero en segundo lugar, y nuevamente, la autorregulación empresarial. Las empresas deben implantar mecanismo que aseguren que no van a ser ellas el punto débil por el que los alimentos de peor calidad entren en la cadena. Aunque la estandarización y al certificación están mucho más retrasadas en este punto que en la protección de la salud alimentaria, ya han comenzado a surgir alternativas importantes. GFSI que constituye la mayor *colective action* en el sector alimentario y cuyos estándares constituyen puntos de referencia, lanzó en 2014 una nueva iniciativa cuyo objetivo es la aprobación de normas de autorregulación destinadas a prevenir el fraude. Para ello recomienda a las empresas que realicen un *food fraud vulneratibility assement*. De manera similar al HCPP se trata de conocer los puntos críticos o más vulnerables para instalar a partir de aquí medidas de control, como pruebas de muestreo, comprobación del origen, desarrollar tecnologías antı falsificación, due diligencie en relación a preveedores etc.[43]. El informe

---

[41]   Ver European Parliament, *Draft Repport on the Food Crisis* [8.10.2013] 2013/2091 (INI).

[42]   Limitado al Reino Unido, pero con conclusiones que podrían generalizarse, Elliot Review the Integrity and Assurance of Food Supply Networks. Final Report. A National Food Crime Prevention Framework, IIM Government [2014] https://www.gov.uk/government/publications. Ver también Susane Van der Meulen, Boin G, Bausola I, et al, "Fight Food Fraude" [2015] EFFL 1/2015, 2.

[43]   Posición del GFSI en Mitigating the Public Health Risk of Food Fraud [July 2014].

Elliot en el RU apunta en la misma dirección[44]. Solo a través del *risk management* dentro de las empresas y la creación una cultura adversa al fraude puede atajarse eficazmente este fenómeno.

(b) Los delitos de fraude alimentario.

La tipología actual del fraude, como actividad situada a lo largo de la cadena alimentaria, contrasta con la orientación de los ordenamientos nacionales, donde las infracciones atienden principalmente al último eslabón de la cadena, es decir, las relaciones entre el minorista y el consumidor. Existen en este punto dos tipologías de infracciones. La primera es la que responde a la imagen del delito publicitario. Esta tipología se fija en el carácter engañoso de las ofertas destinadas a los consumidores con el fin de que obtengan determinados servicios o mercancías. La otra tipología es la del delito de fraude que encontramos en Italia o Argentina. En esta modalidad lo decisivo es la entrega de un alimento distinto al pactado o señalado, realizado en un establecimiento abierto al público. Ambas modalidades están cercanas al delito de estafa, en relación al cual anticipan la tutela penal, con el objetivo de tutelar eficazmente los intereses económicos de los consumidores o su derecho a recibir una información veraz[45].

Frente a este modelo, la actual tipología de los fraudes alimentario requiere el diseño de un precepto penal que sea capaz de actuar, con independencia de la afectación al consumidor final, en los diversos escalones de la cadena alimentaria. Es decir, allí donde se produce la alteración, sustitución, mezcla o falsificación de los alimentos, sin necesidad de que estemos cerca de su entrega o suministro al consumidor final. El Proyecto Caselli puede servirnos de orientación en este punto, con la figura del *frode in commercio di prodotti alimentari* (art. 516), cuya función es extender el castigo del fraude a la totalidad de los que "ejercen una actividad agrícola, industrial o de intermediación"[46].

En su mayoría la tipificación de los fraudes en los ordenamientos examinados muestra en primer término que su objetivo es proteger los intereses económicos de los consumidores y su derecho a recibir una información veraz de los alimentos que adquieren. Sin embargo, en otros muchos existe una confusión entre el fraude y la salud alimentaria.

---

[44]   Informe Elliot sobre la integridad y la seguridad de las redes de suministro de alimentos. Final Report. A National Food Crime Prevention Framework. Julio. 2014.

[45]   Sobre la determinación del interés legal en el fraude alimentario, Susana Aires de Sousa, (n 33) 565.

[46]   El Proyecto Caselli presentado en Italia en 2016 es sin duda la tentativa más importante en los países de la UE de crear un Derecho penal alimentario de nuevo cuño, al respecto vid. Donini M., Italia, en Nieto Martín A./Quackelbeen L./Simonato M., (not 1).

No es fácil delimitar, en la práctica, la línea divisoria entre los fraudes alimentarios y los delitos contra la salud alimentaria. De hecho los comportamientos de fraude, intencionales, en los que se adulteran o modifican documentos generan riesgos muy importantes para la salud. Por ejemplo, tiene claramente esta ambivalencia el "caso de la colza" en España ocurrido a principios de los años ochenta del pasado siglo. Los afectados, de un lado, pensaban que compraban un aceite vegetal apto para el consumo, por el que desembolsaron una cantidad de dinero, más de otro, el consumo de este aceite provoco la muerte y graves lesiones en cientos de personas. Igualmente conductas pertenecientes al ámbito del fraude, como una falsa información sobre los alimentos en su etiquetado o publicidad, puede ser perjudicial para la salud. Por esta razón, en algunos ordenamientos entre los delitos contra la seguridad alimentaria se incluye de manera correcta este comportamiento. La continuidad entre los intereses económicos de los consumidores y su salud hace que además estos preceptos puedan actuar en ocasiones como tipos de recogida. Si no se demuestra la nocividad de un producto, por ejemplo, por haber transcurrido su fecha de caducidad, puede decirse que existirá un fraude, pues el transcurso del tiempo ha perdido sus cualidades.

Tal como muestran la iniciativas de la UE[47], tendría pleno sentido sino una armonización de los delitos de fraude alimentario, sí al menos la existencia de un concepto común de delitos de fraude alimentario, que permitiera la cooperación judicial y policial. De hecho existen ya varios intentos de crear un concepto de fraude alimentario, que en mi opinión resultan demasiado vagos. El concepto internacional de fraude no tiene por qué coincidir exactamente con los tipos penales existentes en los países, pues como acaba de verse en la mayoría existe una cierta confusión conceptual.

Para ello en primer lugar debiera podría ser útil diferenciar entre alimentos nocivos o no seguros y los alimentos no genuinos o inadecuados. Los alimentos nocivos o no seguros son aquellos que violan las normas alimentaria cuya finalidad es garantizar la salud o cuya nocividad le es conocida al productor u operador del alimento. Este tipo de alimentos son objeto de los delitos contra la salud alimentaria. Los alimentos no genuinos son el objeto de los delitos de fraude alimentario. Los alimentos no genuinos son aquellos alimentos privados de sus elementos nutritivos o mezclados con substancias de una cualidad inferior o que tienen una composición que contraviene la normativa vigente. Los alimentos no genuinos incluyen los alimentos putrefactos, deteriorados o en descomposición cuyo uso resulta inaceptable. Desde luego, muchos alimentos no genuinos pueden

---

[47]   Michele Simonato, (not. 11).

ser a su vez nocivos, pero este tipo de intersecciones es un problema de concurrencia de leyes penales, como sabemos muy usual.

En segundo lugar, en aras a alcanzar un concepto común de fraude alimentario debe existir acuerdo en los intereses protegidos. Bajo este genérico término se engloban, (a) el derecho a recibir una información veraz, (b) sus intereses patrimoniales que tutela el valor económico de su patrimonio y (c) su libertad de disposición, con independencia del valor económico de que el producto no genuino o inadecuado sea menor, al que el consumidor pensaba adquirir.

Conforme a cuanto se lleva dicho, los delitos de fraude alimentario se situarían en tres niveles diferentes. Un primer nivel en el que se sancione la producción o introducción en la cadena alimentaria de productos no genuinos o no aptos para el consumo humano. Un segundo nivel en el que estos se ofertan al consumidor, a través de una publicidad inveraz, o en establecimientos comerciales abiertos al público. El tercer nivel es la producción de un perjuicio económico y que se sanciona a través del delito de estafa.

La estructura como puede apreciarse es similar a la de los delitos contra la salud alimentaria, con un nivel de peligro abstracto, otro concreto y otro de lesión. De este modo, pueden darse por reproducidas las consideraciones que hacíamos en aquel lugar sobre los delitos de peligro. No obstante, en este ámbito a la hora de calibrar la legitimidad de los delitos de peligro abstracto debe tenerse en cuanta en primer lugar, que nos encontramos en la mayoría de los supuestos ante comportamientos intencionales, guiados por la intención de obtener un beneficio económico. En segundo lugar, que la criminalidad organizada actúa normalmente en este nivel previo, anterior a que los alimentos se pongan en disposición del consumidor. En tercer lugar, que dada la tipología actual de los fraudes alimentario, su "ciclo largo", resulta el nivel más importante desde el punto de vista de la prevención y de la cooperación internacional.

En otras palabras, este nivel es sin duda el clave para elaborar una definición común. Esta, siguiendo la propuesta Italiana[48], podría consistir en la actividad de producir o introducir en el tráfico económico productos no genuinos, con ánimo de lucro. Las penas deberían ser mayores en el caso de que esta actividad se realice de una manera sistemática y organizada.

---

48   Ministero della Giustizia Commissione per l elaborazione di proposte di intervento sulla rigorma dei reati in materia agroalimentare, Presidente dott. Gian Carlo Caselli, Schema di disegno di legge recante: "Nuove norma in materia di reati agroalimentari, 14 ottobre 2015. Art 12 (Modifiche all'articolo 516 del códice penale, Fodi in commercio di prodotti alimentari).

2. La responsabilidad penal de personas jurídicas

Los informes nacionales muestran como la responsabilidad de las personas jurídicas no está asentada en esta materia. Ello no quiere decir que sea excepcional. De un lado, la encontramos en aquellos países que establecen su responsabilidad para todo el catálogo de delitos, de otro, algunos países la contemplan expresamente. Incluso en algunos países como Dinamarca ha sido uno de los sectores más dinámicos. Finalmente en otros se imponen sanciones quasi penales.

El papel poco relevante que actualmente juega la responsabilidad penal de las personas jurídicas contrasta con todo cuanto se lleva dicho a lo largo de este trabajo, donde se ha mostrado cómo la autorregulación empresarial desempeña un papel clave. En un mundo globalizado el Estado no tiene otro remedio que utilizar el poder de autorregulación de las empresas, como forma de regulación indirecta o a distancia. Por esta razón resulta casi ineludible establecer sanciones penales contra empresas (pero también probablemente contra sus responsables individuales) que fomenten, pero también, coaccionen a que se realice una regulación eficaz. Este es el verdadero fin de la responsabilidad penal en este sector.

En este sentido, resulta sumamente aleccionador el Proyecto Caselli, no sólo porque uno de sus objetivos declarados es introducir la responsabilidad penal de las personas jurídicas, sino porque también ofrece los elementos sobre los que deben estructurarse los programas de cumplimiento empresarial en esta materia. Tras determinar las obligaciones nacionales e internacionales que las empresas deben cumplir mediante los programas de cumplimiento (obligaciones relativas a la información y etiquetado, trazabilidad, deber de retirada de los alimentos, análisis de riesgo, revisión constante), establece el tipo de medidas de organización a establecer por la empresa (sistemas de documentación, sanciones disciplinarias, correcta delegación de funciones...)[49].

En el caso de los fraudes alimentarios las obligaciones de autorregulación de las empresas resultan nuevamente incipientes, aunque todo apunta a un rápido proceso de estandarización. En él ya se adivina una metodología en parte similar a la salud alimentaria (y en general a todo el cumplimiento normativo) basada en el análisis de puntos críticos, el diseño de medidas de control adecuadas y su constante revisión. El informe Elliot en el RU ha puesto de manifiesto la importancia de una buena cultura corporativa y de medidas como los canales de denuncia para atajar el problema del fraude alimentario[50]. En suma, los programas de cumplimiento en esta materia de fraude tendrán los elementos comunes y habituales.

---

49   Ministero della Giustizia, (n 47) Art. 31 (Introducione dell'articolo 6 bis del decreto legislativo 8 giugno 2001, n 231).

50   Elliot Review (n 41) 19.

No obstante, la finalidad del programa de cumplimiento en los casos de fraude alimentario no es tanto que un empleado o directivo de la entidad realice un comportamiento en el marco de sus funciones que beneficia a la entidad. Antes al contrario, las medidas de autorregulación en este ámbito tienen como finalidad convertir a la empresa en un gatekeeper con el fin de evitar que sea instrumentalizada para introducir en la cadena alimentaria alimentos falsificados. La finalidad del programa de cumplimiento es descubrir los puntos débiles, que pueden ser utilizados para la introducción de alimentos fraudulentos, e introducir controles. La auto organización tiene una lógica similar a la que existe en el blanqueo de capitales dónde se trata de evitar que el banco blanqueé capitales con el fin de beneficiarse, pero también de que sea instrumentalizado por terceros. Uno de los elementos centrales de los programas de cumplimiento en esta materia será por ello instaurar medidas de due diligence con el fin de conocer la solvencia de los proveedores dentro de la cadena alimentaria. Se trata, como puede apreciarse, de una orientación similar al *know your coustomer* en el blanqueo de capitales.

Garantizar una correcta y eficaz autorregulación requiere de un lado sancionar a las personas jurídicas y/o crear infracciones autónomas en las que se sancione, ya sea a la propia empresa o a sus dirigentes, por no haber adoptado estas medidas. La responsabilidad de la empresa por los delitos contra la seguridad alimentaria y el fraude puede dejarse para los casos más graves, en los que un directivo, empleado o tercero que actúa por cuenta de la empresa realiza un comportamiento con el fin de que esta obtenga un beneficio. Al lado de este tipo de responsabilidad y como tipo de recogida debe sancionarse a las empresas o a sus dirigentes por no haber implantado medidas de autorregulación.

Capítulo 8
EL DERECHO GLOBAL DEL DEPORTE. EL *IUS PUNIENDI* DE LAS FEDERACIONES DEPORTIVAS INTERNACIONALES

Rosario de Vicente Martínez
Catedrática de Derecho penal
Universidad de Castilla-La Mancha

I. INTRODUCCIÓN

El Preámbulo de la Ley 10/1995, de 15 de octubre, del Deporte comienza afirmando que "el deporte, en sus múltiples y muy variadas manifestaciones, se ha convertido en nuestro tiempo en una de las actividades sociales con mayor arraigo y capacidad de movilización y convocatoria".

El deporte ha pasado, en efecto, de ser una actividad minoritaria y clasista a convertirse en la actualidad en un fenómeno de masas. La importancia adquirida por el deporte es uno de los fenómenos más característicos de la segunda mitad del siglo XX y lo seguirá siguiendo a lo largo del siglo XXI tanto por lo que se refiere al crecimiento en el número de practicantes y espectadores como a la dimensión de los intereses económicos que arrastra. Hace varias décadas ya afirmaba Cagigal Gutiérrez, que "el deporte lo inunda todo"[1].

En general, se entiende por deporte, toda actividad de contenido físico que se practica individual o colectivamente, libre y voluntariamente, conforme a reglas predeterminadas y en un marco competitivo, sea con ánimo lucrativo, competitivo, lúdico o de mejora de la salud.

La Carta Europea del Deporte en su artículo 2 define el vocablo "deporte" en los siguientes términos: "a) se entiende por 'deporte' cualquier forma de actividad física que, a través de participación organizada o no, tiene por objeto la expresión o mejoría de la condición física y psíquica, el desarrollo de las relaciones sociales o la obtención de resultados en competición a todos los niveles".

También el Libro Blanco del Deporte comienza diciendo que "el deporte es un fenómeno social y económico en expansión que contribuye en gran medida a los objetivos estratégicos de solidaridad y prosperidad de la Unión Europea. El ideal

---

[1] Cagigal Gutiérrez, J.M., *Hombre y deporte*, Ed. Taurus, Madrid, 1957, p. 51.

olímpico de impulsar el deporte para promover la paz y el entendimiento entre las naciones y culturas, así como la educación de los jóvenes, nació en Europa y se ha extendido bajo los auspicios del Comité Olímpico Internacional y los Comités Olímpicos Europeos".

El Consejo de Europa, por su parte, ha subrayado que el deporte representa una "tribuna ideal para la democracia social"[2]. En la misma línea, la Comisión Europea atribuye al deporte un papel moralizador y socializante, considerándolo instrumento adecuado para promover una sociedad más inclusiva, para luchar contra la intolerancia y el racismo, la violencia, el abuso del alcohol o el uso de estupefacientes[3].

No obstante, los procesos de profesionalización y comercialización han cambiado al mundo del deporte transformándolo en lo que hoy ya se conoce como industria o negocio del deporte[4]. El fenómeno deportivo ha adquirido, en suma, en estos tiempos una gran dimensión a todos los niveles y es fundamental en el sistema de vida de los ciudadanos. Podría decirse, incluso, que las fronteras estatales, en lo que se refiere al deporte, no solamente no constituyen un obstáculo, sino que, por el contrario, se facilitan con las prácticas deportivas las relaciones entre los diferentes países[5].

Estamos ante un ejemplo paradigmático o modelo perfecto de globalización.

---

2   Vid. "Cohesión sociale et sport", *Clearing House-Division Sport du Conseil de l'Europe-CDDS*, Estrasburgo, marzo de 1999.

3   Cfr. "Evolución y perspectivas de la acción comunitaria en el Deporte". *Documento de trabajo de los Servicios de la Comisión*, Bruselas, 29 de septiembre de 1998.

4   Vid. De Vicente Martínez, R., *Derecho Penal del Deporte*, Ed. Bosch, Barcelona, 2010, pp. 89 y ss.

5   Vid. más extensamente, Bermejo Vera, J., *Constitución y Deporte*, Ed. Tecnos, Madrid, 1998.

II. GLOBALIZACIÓN Y DEPORTE

La globalización impregna la práctica totalidad de la sociedad, desde el ámbito económico hasta el político, pasando por el cultural o científico, se observa que lo que ocurre en un extremo del mundo tiene su respuesta y efectos en el otro. Si la globalización se entiende como algo que se refiere a fenómenos de gran escala de naturaleza humana homogeneizadora, se puede afirmar que el deporte, en sus variadas formas y organizaciones, derrocha globalización por todas partes, bien sea en el número de deportistas o de espectadores, en el de equipos nacionales deportivos que participan en los Juegos Olímpicos y en los campeonatos del mundo de los deportes más populares, en las cifras de negocios que movilizan las industrias de equipamiento, de materiales deportivos y las cada vez más frecuentes actividades de patrocinio y publicidad que tienen en el deporte su soporte fundamental, o en el número de practicantes que realizan actividades físico-deportivas como entretenimiento o salud.

En la llamada globalización se inserta el proceso de transnacionalización deportiva que mantiene como paradigma ideológico al deporte espectáculo, siendo el fútbol la insignia de este delirio del deporte espectáculo.

Los deportes y los deportistas han alcanzado un carácter global, que facilita como respuesta la influencia que ejercen las organizaciones deportivas internacionales y los medios de comunicación, poderes ambos que no solo intervienen en sus Reglamentos, sino también en los hábitos de consumo y comportamiento social.

El producto deportivo es suministrado y transmitido por un sistema de telecomunicaciones y las grandes empresas deportivas tales como Nike, Adidas, Puma, Reebok, entre otros, patrocinan a jugadores, equipos, clubes, en la promoción deportiva competitiva. Cabe destacar que eso engendra la transnacionalización deportiva que produce como resultado el espectáculo, el entretenimiento, la euforia de los aficionados.

En la actualidad, el deporte se utiliza frecuentemente como un ejemplo obvio y metafórico de los procesos que acompañan al avance de los procesos de globalización. El auge del deporte profesional, iniciado en la década de los sesenta, es consecuencia de la democratización de la práctica deportiva y de la generalización del intervencionismo económico. Las grandes entidades deportivas internacionales han conseguido, ante todo, superar las fronteras de los países; es más, las han hecho irrelevantes. Tradicionalmente a lo largo de la historia de la humanidad esta superación de las fronteras nacionales sólo la habían conseguido las organizaciones religiosas, como entidades con las que se identifican las personas independientemente de su nacionalidad, pero ni mucho menos con el nivel de penetración global que actualmente tienen las instituciones deportivas. Es más, el deporte ha conseguido ir incluso más allá; cada nacionalidad, defendiendo a sus entidades y sus deportistas, potencia el deporte a nivel internacional, lo que lo hace todavía más global; parece una paradoja, pero estamos ante la globalidad apoyada en lo local.

Además, las grandes entidades deportivas internacionales son órganos transversales que no se ven limitados por ninguna estructura administrativa. Por ejemplo, la FIFA (Fédération Internationale de Football Association) o el COI (Comité Olímpico Internacional) tienen delegaciones en todos los países del planeta (federaciones nacionales y comités olímpicos nacionales), lo cual las convierte en las organizaciones a nivel mundial con mayor implantación; una presencia que se puede calificar de global, más que cualquier empresa multinacional u organismo de cualquier tipo, incluida Naciones Unidas. Basta con comparar los miembros que tiene la FIFA (211), frente a los integrantes de la ONU (193). Pocos sectores permiten, como el deportivo, a las entidades que forman parte del mismo proyectarse de manera internacional, independientemente de los países, con la facilidad que lo hace el deporte. Además, la existencia de representantes de esas entidades en cada país (federaciones nacionales, comités olímpicos nacionales, paralímpicos, etc.) las convierte en auténticas multinacionales, mucho más que cualquier empresa de cualquier sector.

La internacionalización de la práctica deportiva y la globalización de todos los elementos que a ella se refieren fueron consecuencias lógicas de la unificación de las reglas de juego por las federaciones internacionales de las más variadas modalidades deportivas: fútbol, tenis, ciclismo, ajedrez, atletismo, baloncesto, patinaje, balonmano, etc. Ello condujo a que las tres notas características sobre las que se asienta el deporte de competición sean la universalización, la internacionalización y la unificación de reglas, reglas que son la razón de ser de las federaciones internacionales.

III. LAS FEDERACIONES DEPORTIVAS INTERNACIONALES

1. *Los inicios de las federaciones deportivas internacionales*

El origen del deporte moderno presenta una base eminentemente privada, surgida de la sociedad civil y estructurada en forma asociativa, mediante los clubes. Estas asociaciones tuvieron como función inicial la de agrupar a los jóvenes universitarios ingleses para que dispusiesen de un lugar de concentración y esparcimiento fuera de la férrea disciplina escolar. En estos primeros inicios solo se precisaba para la práctica del deporte de jugadores y de un experto conocedor de las reglas técnicas que actuara como árbitro o juez de la contienda.

La regularidad de los encuentros y traslación de éstos a ámbitos distintos y espacios superiores motivaron el que los clubes se asociaran entre sí para gestionar y organizar las competiciones y para unificar los reglamentos de cada una de las disciplinas deportivas. Estas asociaciones, que comenzaron siendo locales y regionales, pronto adquirieron carácter internacional, con lo que surgieron unos entes asociativos privados encargados de dirigir el deporte a nivel mundial, asegurando su organización, uniformidad y gestión.

Así nació y se desarrolló la organización deportiva que, en el modelo clásico, presenta una estructura asociativa de corte piramidal: la práctica del deporte se realiza normalmente en un club, éste se encuentra afiliado a una federación territorial, que forma parte de una federación estatal que, a su vez, aparece integrada, directamente o a través de federaciones supraestatales de orden regional, en los entes federativos internacionales. Estos últimos son el vértice de la pirámide, el cierre de una organización cuyo elemento básico, en los distintos niveles, es la federación[6].

Las federaciones internacionales, desde que en 1875 se creó la que se puede considerar como la primera Asociación deportiva internacional, concretamente la Unión Internacional de Carreras de Yates, a la que siguieron otras como el Club Internacional de Concursos Hípicos, la Federación Internacional de Gimnasia o la Federación de Sociedades de Remo, se han venido conformando como asociaciones privadas con competencia internacional que dirigen el deporte a nivel supranacional con la responsabilidad de su organización y de su gestión. Los miembros que integran estas federaciones internacionales son federaciones nacionales que representan a países soberanos.

---

[6]   En España, fue el ciclismo el deporte que motivó la creación de la primera federación nacional: la Unión Velocipédica Española en 1897. Le seguirían la federación gimnástica española en 1898, la federación española de fútbol en 1910, la federación española de atletismo en 1918, etc.

La aparición de las federaciones deportivas internacionales ha permitido garantizar la uniformidad de las competiciones deportivas al aspirar a regular su deporte a nivel mundial, ya que sería muy complicado articular el sistema deportivo sobre la base de que pudieran existir varias federaciones en cada deporte y que, además, las reglas técnicas que se aplicaran fueran distintas[7]. El monopolio existente supone que solo hay una federación por deporte. Por ello las federaciones internacionales pretenden que sus normas sean reproducidas y aplicadas por todas las federaciones de nivel inferior que se encuentran adscritas a la misma, adaptación que no representa un problema hasta que una de esas exigencias sea contraria al Ordenamiento Jurídico territorial aplicable. En estos casos, una mirada a la reacción de la Agencia Mundial Antidopaje (AMA) puede solventar el problema.

Desde su creación, una de las mayores críticas a la AMA fue la relativa a su naturaleza privada por cuanto se consideraba insuficiente para realizar su labor frente a los Estados. El Tribunal Arbitral del Deporte, en su laudo CAS 2011/O/2422, de 15 de septiembre de 2011, afirmó que "el Código Mundial Antidopaje ni es una ley ni un tratado internacional. Más bien es un instrumento contractual obligatorio para los que lo firman de acuerdo con el derecho internacional privado".

Esta fundación privada creada al amparo del Código civil suizo no tiene capacidad de obligar a los Estados a observar su normativa y aceptar el Código Mundial Antidopaje (CMA). Para superar las dificultades legales que planteaba dar validez jurídica en su ordenamiento a un Código elaborado por una organización no gubernamental, la vía elegida fue la ratificación parlamentaria del texto aprobado como Convenio Internacional contra el Dopaje en el Deporte, en el marco de la Convención Internacional contra el dopaje en el deporte de la UNESCO celebrada en París en noviembre de 2005. Los Estados progresivamente han ido ratificando el Convenio y adaptando su legislación interna para que el CMA se aplique en sus respectivos países. Las razones para seguir esta vía de ratificación fueron de orden jurídico, pues el ordenamiento constitucional de numerosos países les impedía quedar obligados jurídicamente por un documento de una organización privada de carácter no gubernamental.

El elemento coercitivo del Código Mundial Antidopaje respecto a los Estados se alcanza con lo previsto en el artículo 22.8 del Código al establecer que "Si un gobierno no ratifica, acepta, aprueba o asume la Convención de la UNESCO o no cumple lo establecido en dicha Convención a partir de entonces (s.c. el 1 de enero

---

[7]   Vid. Javaloyes Sanchís, V., "La organización deportiva internacional (II): las Federaciones y las Competiciones deportivas Internacionales", en Gamero Casado (Coord.) *Fundamentos de Derecho Deportivo*, Ed. Tecnos, Madrid, 2012, p. 193.

de 2016), podría no ser elegible para optar a la celebración de acontecimientos según lo dispuesto en los artículos 20.1.8, 20.3.11 y 20.6.6 y puede sufrir otras consecuencias, como por ejemplo, prohibición de asignarle funciones y cargos dentro de la AMA, imposibilidad de optar a la admisión de candidaturas para celebrar acontecimientos internacionales en un país, cancelación de acontecimientos internacionales, consecuencias simbólicas y otras con arreglo a la Carta Olímpica".

Como afirma Real Ferrer, ningún poder estatal podría, en circunstancias normales, explicar a sus ciudadanos que su tajante rechazo a los dictados del "poder deportivo" mundial le lleva a actuar de tal manera que ni su selección nacional, ni sus equipos, ni siquiera sus deportistas actuando individualmente, van a poder participar en evento alguno más allá de sus fronteras[8]. Por ello, Agirreazkuenaga califica de "reprobable chantaje" la fuerza intimidatoria que ostentan las estructuras deportivas supraestatales[9].

2. *Concepto y funciones de las federaciones deportivas internacionales*

Las federaciones deportivas internacionales son entidades privadas sin ánimo de lucro y con responsabilidad jurídica y patrimonio propio e independiente de sus asociados, que dirigen y gestionan su deporte a nivel mundial. Cada modalidad deportiva tiene su propia federación.

Las federaciones internacionales están formadas por las federaciones nacionales del deporte correspondiente que estén reconocidas por aquéllas. Cuando en un Estado se constituye una federación deportiva es normal que solicite su reconocimiento e integración en la federación internacional de su deporte. Una vez analizada y comprobada la adecuación a sus normas, la federación internacional vota su admisión.

La integración en la federación internacional conlleva la obligación de cumplir con su normativa interna y someterse a su potestad disciplinaria. Como contrapartida adquieren una serie de derechos deportivos, como es el participar en las competiciones internacionales y poder organizar las mismas en su ámbito territorial.

Las federaciones internacionales que, ostentan la responsabilidad de la organización de todas aquellas competiciones deportivas que constituyen su objeto social, se rigen por sus propias normas y por el Derecho del país en el que tienen su domicilio. Normalmente países donde la legislación es menos rigurosa y a su vez puedan tener un régimen fiscal favorable, es por ello por lo que Suiza es el país

---

8   Real Ferrer, G., *Derecho Público del Deporte*, Ed. Civitas, Madrid, 1991, p. 493.
9   Aguirreazkuenaga Zigorraga, I., *Intervención pública en el Deporte*, Ed. Civitas, Madrid, 1998, p. 81.

donde tienen su sede más federaciones internacionales, encontrándose, por tanto, bajo la aplicación del Derecho de aquel país, buscando lo que Aguirreazkuenaga denomina "paraísos jurídico-deportivos"[10]. Su marco jurídico se encuentra en los artículos 60 y siguientes del Código civil helvético. Además, Suiza admite una autonomía asociativa muy amplia que ampara incluso la prohibición de acudir a los tribunales de justicia, sustituyéndolos por un órgano arbitral neutral, el Tribunal Arbitral del Deporte.

El Código civil helvético y, consecuentemente, los pronunciamientos del Tribunal Federal Suizo, reconocen expresamente la autonomía normativa y la potestad disciplinaria de las entidades privadas en aras de hacerla efectiva. Por su parte, el Tribunal Arbitral del Deporte también ha validado el ejercicio disciplinario de las federaciones internacionales por ser necesario para el cumplimiento de sus respectivos objetivos.

El reconocimiento de su estatus y de su relevancia en la sociedad ha sido resaltado por el Tribunal Federal Suizo cuando ha considerado a las federaciones deportivas internacionales como entidades de interés público en tanto en cuanto promocionan la paz entre las naciones, llevan a cabo mensajes positivos de *fair play*, luchan contra el racismo y la discriminación y se constituyen como un baluarte de la integración social y cultural[11].

Las funciones que ejercen las federaciones deportivas internacionales son, entre otras:

- Promulgar los Reglamentos que rigen la práctica deportiva.
- Aprobar los lugares e instalaciones de competición.
- Establecer la duración de las competiciones y de las pruebas.
- Aprobar las modalidades deportivas que se pueden disputar.
- Fijar las normas de aplicación a las instalaciones deportivas y al equipamiento y material deportivo. Estableciendo los procedimientos de homologación.
- Clasificar a los participantes por categorías.
- Establecer y homologar la lista de récords mundiales.
- Dictar las normas médicas para proteger a los deportistas y luchar contra el dopaje.
- Aplicar el régimen disciplinario a las entidades y personas sometidas a su potestad, etc.

El efectivo cumplimiento de las decisiones y normas emanadas de las federaciones deportivas internacionales se basa, en los casos de incumplimiento o cumplimiento moroso de la obligación, en la existencia de un poder coactivo por

---

[10]   Aguirreazkuenaga Zigorraga, I., *Intervención pública en el Deporte*, ob. cit., p. 77.
[11]   Vid. la sentencia del Tribunal Federal Suizo de 28 de diciembre de 2010, 2C_383/2010.

parte de éstas, condición ineludible para el correcto desarrollo de la competición deportiva y de la propia modalidad[12].

IV. LA JUSTICIA DEPORTIVA

Con el fin de asegurar la aplicación uniforme de las reglas de juego, el mundo del deporte se organizó sobre estructuras asociativas basadas en el principio de unicidad o principio de representación unitaria, según el cual en la organización de cada modalidad deportiva no puede haber nada más que un solo órgano que organice o autorice la actividad deportiva respectiva en cada nivel geográfico. Este modelo está fuertemente jerarquizado para permitir la uniformización y armonización de las reglas que rigen la organización y el ejercicio de la actividad deportiva. De ahí que las dos características principales del sistema federativo sean su naturaleza monopolística y su organización fuertemente jerarquizada, lo que lleva a una estructura piramidal en cuyo vértice se sitúan las federaciones internacionales que son las que ejercen la justicia deportiva.

En términos generales, puede hablarse de dos grandes modelos de tratamiento jurídico del deporte: el público y el privado. El modelo público, propio de países europeos del área mediterránea como España, Francia, Italia o Portugal, se caracteriza por una intervención de los poderes públicos en el fenómeno deportivo. El deporte es objeto de regulación legal y la Administración pública desempeña

---

[12]   En este sentido, CAS 2011/A/2426, apartado, 62.

un papel destacado en el modelo deportivo del país, sin ensombrecer por ello el protagonismo de las federaciones deportivas.

En este modelo el deporte se considera como una especie de servicio público estando delegada su gestión, por parte de la Administración, en las federaciones deportivas. En este modelo público, la disciplina deportiva tiene también una naturaleza administrativa. Se trata de una potestad sancionadora que puede ser ejercida por los poderes públicos pero cuyo ejercicio se encuentra delegado en las federaciones deportivas, al igual que otras funciones como la organización de competiciones oficiales.

En cambio, en el modelo privado, que impera en países como Estados Unidos, Reino Unido, Alemania o Suiza, los poderes públicos tienen una mínima o nula intervención sobre el deporte. Se considera que el deporte surge espontáneamente de la sociedad civil, por su libre iniciativa, y, consecuentemente, la disciplina deportiva se configura como una materia jurídica de índole estrictamente privada.

En todo caso, la justicia deportiva es administrada por los propios órganos de la organización deportiva, en contraposición a la justicia ordinaria administrada por el poder judicial. Por tanto, cuando se habla de justicia deportiva se hace casi siempre en referencia a la disciplina deportiva que puede ser definida como el sistema de normas que permite imponer sanciones a sujetos subordinados al ordenamiento jurídico-deportivo por la comisión de infracciones previamente tipificadas[13], lo que no impide que en ocasiones ese poder de los organismos deportivos llegue incluso a excederse de sus cometidos tal y como sucedió con el "caso de las esteladas".

En este caso se trataba de la exhibición de banderas esteladas en el Camp Nou por parte de un grupo de aficionados durante un partido de Champions League jugado el 29 de septiembre de 2015 entre el F.C. Barcelona y el Bayer Leverkunsen. Al tratarse de un partido organizado por la UEFA (Union of European Football Associations), organismo rector del fútbol europeo en Europa, ella fue la encargada de arrogarse la autoridad disciplinaria. La UEFA consideró que era un asunto que afectaba al normal desarrollo de las competiciones, que afectaba a la Champions League y entraba en conflicto con su Código Disciplinario y aplicó el artículo 16.e) del mismo que recoge que será motivo de sanción "el uso de gestos, palabras, objetivos y cualquier otro medio empleado para transmitir cualquier mensaje que no esté relacionado con el deporte, especialmente los mensajes que sean de naturaleza política, ideológica, religiosa etc".

La UEFA consideró que era objeto de sanción disciplinaria utilizar un partido de fútbol para transmitir mensajes de naturaleza no deportiva, atribuyendo a los

---

[13]   Cfr. Carretero Lestón, J.L., "La disciplina deportiva: concepto, contenido y límites", en *Revista Española de Derecho Deportivo*, núm. 3, 1994, p. 12.

participantes la responsabilidad de cualquier comportamiento inapropiado por parte de sus aficionados, lo que parece excede de sus cometidos, al atribuirse una competencia casi ilimitada en lo que concierne a lo que está permitido o prohibido en los recintos deportivos y quién debe asumir la responsabilidad, pues al fin y al cabo ¿qué legitimidad tiene una institución privada, como es la UEFA, para prohibir a los aficionados a expresarse libre y pacíficamente en un estadio?

1. La potestad disciplinaria de las federaciones deportivas internacionales

Las federaciones deportivas internacionales regulan su deporte —tenis, atletismo, fútbol, baloncesto, gimnasia, balonmano, etc.— a nivel mundial, y por ello sus normas son reproducidas y aplicadas por todas las federaciones de nivel inferior que se encuentran adscritas a la misma, de manera independiente y sin tener en cuenta a los ordenamientos jurídicos estatales. Las federaciones deportivas internacionales tratan de huir de la aplicación de cualquier Derecho que no sean aquellas normas de las que ellas mismas se han dotado. Así la FIFA, la más prolífica y más representativa de todas, ha regulado la relación agente-jugador, las elecciones federativas, los fondos de inversión, prohibido el acceso a la jurisdicción ordinaria para resolver conflictos, etc., y exige el cabal cumplimiento de sus normas castigando a los incumplidores pues el poder de adoptar normas y aplicarlas a los casos concretos conlleva la facultad de sancionar a todos aquellos que no respeten las reglas y las decisiones emitidas en el ejercicio de esos poderes.

Las federaciones internacionales en su función de gobierno de su disciplina deportiva ejercen lo que puede denominarse una verdadera "soberanía"[14] sobre el conjunto de miembros que de una manera u otra forman parte de esa disciplina deportiva, imponiendo sus decisiones a las federaciones nacionales. Las federaciones internacionales precisan de un ámbito importante de libre autoorganización de sus actividades, funcionamiento y disciplina internos. Sin tal capacidad de decisión, el cumplimiento eficaz de los objetivos perseguidos podría verse seriamente comprometido.

Las reglas de las federaciones internacionales se componen de los Estatutos y de los Reglamentos, ambos textos definen la capacidad de acción de las federaciones internacionales. Los Reglamentos son las normas federativas que desarrollan o complementan los Estatutos, cuyas previsiones y principios no pueden contrariar. Los Estatutos federativos deben contener el régimen disciplinario aplicable,

---

14   Término utilizado por Simon, G., *Puissance Sportive et ordre juridique étatique. Contribution à l'étude des relations entre la puissance publique et les institutions privées*, Ed. L.G.D.J, París, 1990, pp. 44 y 45.

y ello implica también la determinación de los órganos que van a aplicar la disciplina deportiva. Los Estatutos de cada federación, sus Reglamentos y Códigos disciplinarios suponen la expresión de su autonomía de acuerdo con la naturaleza de asociación civil que informa toda su estructura, y que permite un margen amplio de constitución y decisión interna.

En todo este panorama las sanciones juegan un papel importante en el mundo federativo ya que sirven para garantizar la universalidad, uniformidad y la coherencia del sistema asegurando las condiciones más iguales posibles para todos los deportistas.

1.1. Características

El ejercicio de la potestad disciplinaria por parte de las federaciones deportivas internacionales presenta las siguientes características[15]:

Primera: el Derecho privado como fuente.

Las federaciones deportivas internacionales disponen de sus propios Códigos o Reglamentos disciplinarios que se caracterizan por la determinación en los mismos de infracciones, sanciones y procedimientos basados en las decisiones de los órganos de gobierno asociativo, pero sin ejercer ningún poder del Estado de manera delegada.

Los conflictos derivados de las relaciones deportivas se llevan a cabo mediante la exclusiva aplicación de la propia normativa deportiva, emanada de las federaciones deportivas internacionales y única fuente considerada válida, y además los mismos son resueltos de forma exclusiva en el propio seno federativo y más allá de las vías de resolución de conflictos de carácter jurisdiccional, por tanto, de un modo interno.

Segunda: la disciplina deportiva como poder coactivo respecto de los asociados.

De acuerdo con el Derecho suizo, la jurisprudencia de su Tribunal Federal y la doctrina en general se acepta que las asociaciones privadas pueden imponer sanciones a sus miembros por la violación de las normas internamente aprobadas. Esta competencia se basa en la libertad que a las asociaciones les confiere el Derecho suizo para regular y disciplinar sus cuestiones internas, debiendo respetar únicamente los principios comúnmente establecidos para cualquier procedimiento sancionador.

Tercera: naturaleza civil del ejercicio del poder disciplinario.

---

[15] Un estudio más amplio puede verse en García Silvero, E., "La disciplina deportiva en las federaciones deportivas internacionales: algunos aspectos básicos para su adecuada comprensión", en *Revista Española de Derecho Deportivo*, núm. 35, 2015-1, pp. 81 y ss.

El Tribunal Federal suizo sostiene que la imposición de sanciones por parte de las federaciones deportivas internacionales son puramente cuestiones de derecho civil, no penal. Para el citado Tribunal: "los casos disciplinarios de las federaciones deportivas internacionales son derecho privado el cual no puede estar regulado conforme a los principios del Derecho penal, tales como la presunción de inocencia y el principio *in dubio pro reo* y las correspondientes garantías contenidas en la Convención Internacional de Derechos Humanos"[16].

Aun cuando no se pueda identificar el ejercicio de la disciplina deportiva internacional con los principios inspiradores del Derecho penal deben ser respetados en el ejercicio de tal función: el principio de legalidad, el principio de culpabilidad, el principio de trato igualitario, el principio de proporcionalidad, el principio de irretroactividad de la norma no favorable, etc.

Así, el principio de legalidad se cumple mediante la previa determinación normativa de las conductas calificadas como ilícitos disciplinarios deportivos y las sanciones a que puede dar lugar la comisión de tales hechos, de manera que, antes de actuar, el sujeto pueda ser conocedor de la licitud o ilicitud de su conducta y de las posibles consecuencias de ésta.

En virtud del principio de irretroactividad, sólo pueden ser aplicadas las infracciones y sanciones vigentes en el momento de comisión de los hechos, sin que quepa imponer sanciones por conductas que se tipifiquen como ilícitos disciplinarios con posterioridad a su comisión ni imponer una sanción introducida también a posteriori. Por el contrario, cuando la modificación o derogación de la normativa disciplinaria es susceptible de producir un efecto favorable para el interesado, bien porque la nueva sanción sea más benigna o porque los hechos ya no constituyan infracción, sí cabrá la aplicación retroactiva de ese cambio normativo.

Respecto al principio de proporcionalidad, éste exige que las sanciones a imponer sean ajustadas a la gravedad de los hechos cometidos, lo que obliga, no sólo a aplicar las sanciones previamente anudadas en la concreta normativa a cada acción sino también a tener en cuenta cualquier circunstancia agravante o atenuante de la responsabilidad disciplinaria que pueda concurrir en el infractor para graduar la sanción, cuando ésta admita tal graduación, bien sea por preverse distintas sanciones posibles para el ilícito cometido, bien sea por contemplar una única sanción que permite su graduación, como sucede en aquellos casos en que se prevén suspensiones temporales con una horquilla de periodos temporales o de número de encuentros.

---

[16]   En este sentido, entre otras, la sentencia del Tribunal Federal suizo de 15 de marzo de 1993, 119 II 271.

Por su parte el principio *ne bis in ídem* se traduce en la imposibilidad de sancionar doblemente unos mismos hechos, de manera que una sola conducta no puede, por regla general, dar lugar a más de una sanción disciplinaria. No obstante, debe tenerse en cuenta que, al estar en presencia de una potestad disciplinaria, ello no excluye la posibilidad de que la conducta pueda tener un reproche disciplinario con independencia de que sea también objeto de una sanción por parte de los poderes públicos.

El ejemplo del deportista sobre el que, por haber agredido a otro, puede recaer una condena penal impuesta por los tribunales de justicia junto con una sanción disciplinaria de la organización deportiva, resulta gráfico y encuentra justificación en el distinto fundamento de la condena penal y de la sanción deportiva, viniendo la primera determinada por el incumplimiento de la legislación general y la segunda por el incumplimiento de las normas propias de la organización deportiva a las que voluntariamente se ha sometido el infractor.

Cuarta: ausencia de revisión jurisdiccional de las decisiones disciplinarias.

Una de las notas típicas de las decisiones disciplinarias deportivas emanadas de las federaciones internacionales ha sido, hasta fechas recientes, la imposibilidad de recurso externo contra las mismas. Los Estatutos de las federaciones internacionales incluían cláusulas que impedían o limitaban el acceso a los Tribunales de Justicia[17]. La independencia del Derecho deportivo y su exclusión del control judicial, provocó que tal actuación fuese calificada como de "huida de los tribunales ordinarios"[18]. Actualmente, esta falta de revisión jurisdiccional ha sido sustituida, en la casi totalidad de las ocasiones, por una apelación ante el TAS, de acuerdo con los principios emanados de la Ley Suiza de Derecho Internacional Privado, no sin ello generar, a nivel de Derecho de otros Estados, dudas sobre su legalidad.

No obstante, el origen privado de las sanciones disciplinarias deportivas no es un obstáculo para exigir que su imposición respete las garantías constitucionales de defensa y tutela judicial efectiva. En este sentido, por ejemplo, la imparcialidad de los miembros del órgano sancionador puede salvaguardarse permitiendo al interesado la posibilidad de solicitar la recusación de aquellos miembros que no se hubiesen abstenido previamente y cuya imparcialidad, por diversas circuns-

---

[17]   Como ha señalado De la Iglesia Prados, E., *Derecho privado y deporte. Relaciones jurídico-personales*, Ed. Reus, Madrid, 2014, p. 323, la prohibición de acceso a la jurisdicción impuesta por las federaciones deportivas internacionales debe calificarse en España como ilegal, por contravenir el derecho fundamental de defensa reconocido constitucionalmente en el artículo 24 de la Carta Magna.

[18]   Expresión utilizada por Colomer Hernández, I, "Deporte y medios de solución de conflictos" en Palomar Olmeda (Dir.) Terol Gómez (Coord.) *El deporte profesional*, Ed. Bosch, Barcelona, 2009.

tancias, pueda ser puesta en entredicho, como podría suceder en supuestos tales como aquel en el que el miembro en cuestión tuviese un interés personal en el sentido de la resolución disciplinaria que pudiese recaer o una relación especial con otro interesado. La independencia se manifiesta, por su parte, en la libertad y autonomía de que gozan los miembros de los órganos disciplinarios para actuar al margen de los deseos o voluntades de quienes los han puesto en sus cargos; por lo que se presume mayor independencia en los miembros designados a través de sistemas democráticos de formación de la voluntad que en aquellos otros designados de forma directa por los dirigentes federativos.

Asimismo, todo interesado tiene derecho a conocer los hechos que se le imputan, lo que resulta necesario para que pueda articular debidamente su defensa. El derecho de defensa se manifiesta en otras garantías como el derecho de audiencia, de prueba o de asistencia legal. Por lo que se refiere al derecho de audiencia, este derecho proviene de la máxima de que nadie puede ser condenado sin haber sido oído, lo que conlleva la necesidad de que los procedimientos disciplinarios sean contradictorios, es decir, que, frente a la imputación de cargos efectuada, el interesado pueda alegar lo que a su derecho conviniere.

El interesado también tiene derecho a ser representado por otra persona que acredite suficientemente la representación invocada, lo que permite que el interesado pueda ser asistido legalmente durante la sustanciación del procedimiento. Y de acuerdo con la máxima de que toda persona se presume inocente hasta que se demuestre lo contrario, durante la sustanciación del procedimiento debe producirse una mínima actividad probatoria de cargo que desvirtúe esa presunción. En muchos casos, la constatación de hechos por los jueces o árbitros de las pruebas o encuentros está revestida, a su vez, de una presunción de veracidad o certeza que permite que esa mínima actividad probatoria de cargo quede cumplida mediante la constancia de los hechos imputados en el acta arbitral. Otra manifestación de la prueba se traduce en la necesaria posibilidad de que el interesado pueda presentar las pruebas de que disponga en su descargo.

Por otro lado, toda sanción impuesta debe tener adecuado fundamento en el ilícito disciplinario que se considera de aplicación, debiendo rechazarse las aplicaciones extensivas o analógicas de los tipos infractores que no respondan a una adecuada subsunción de los hechos imputados en el tenor literal del tipo infractor aplicado.

Las resoluciones disciplinarias deben permitir su impugnación por el interesado, lo cual ha de abrir la posibilidad de que la sanción impuesta sea revocada cuando la resolución dictada no se repute ajustada a Derecho. Atendiendo a los distintos ordenamientos jurídico-deportivos de cada país, se evidencia que los cauces de impugnación de las sanciones disciplinarias deportivas constituyen uno de los aspectos en los que se constatan más diferencias dentro de ese *ius commune* disciplinario deportivo.

Sorprende sobremanera al ciudadano de a pie que el acceso a la jurisdicción pueda seguir siendo un aspecto prohibido por algunas federaciones internacionales cuando existen precedentes pronunciamientos judiciales tan sonados como la Sentencia Bosman, que han sido totalmente respetados y asumidos por las federaciones internacionales.

1.2. Requisitos

Las federaciones internacionales son las encargadas de imponer las sanciones deportivas. A este respecto el TAS ha perfilado en alguno de sus fallos los requisitos mínimos exigibles:

Primero: que el sancionado se halle en el ámbito de aplicación subjetiva de la norma disciplinaria, esto es, que sea sujeto pasivo de acuerdo con el ordenamiento deportivo de aplicación.

Segundo: que la tipificación de las infracciones esté suficientemente clara en las normas internas federativas.

Tercero: que la sanción sea impuesta previa audiencia documental u oral del infractor.

Cuarto: que en el ejercicio de la disciplina deportiva sean respetados los principios de culpabilidad, trato igualitario, proporcionalidad, irretroactividad de la norma no favorable, respeto a los derechos morales del o de los ofendidos o la posibilidad de limitar la sanción por parte del Juez o Tribunal.

La disciplina deportiva ejercida por las federaciones internacionales es, como ha reiterado la Cámara de Arbitraje de Lausana en numerosas ocasiones, una herramienta que permite a las propias federaciones crear un orden dentro de su organización y hacer valer las previsiones estatutarias a través de la imposición de sanciones impuestas bajo específicos comités garantizando igualmente su apropiada ejecución[19].

1.3. Un caso paradigmático: la FIFA

La FIFA ayuda a las asociaciones financiera y logísticamente a través de diversos programas. Pero también ellas tienen obligaciones. Como representantes de la FIFA en sus países, deben respetar los Estatutos, objetivos e ideales del organismo rector del fútbol, y fomentar y gestionar el mismo en consonancia. Los Estatutos y los Reglamentos conforman la Constitución de la FIFA y proporcionan la base jurídica en la que se asientan otras reglas aplicadas al fútbol mundial.

---

[19]   CAS 2007/A/1217, apartado 11.2.

Ser Presidente de la FIFA o del COI constituye de *facto* un poder incluso por encima de muchos jefes de Estado o de gobierno. Sus decisiones son capaces de influir en la economía de los países, en aspectos sociales de gran relevancia o, incluso, en situaciones políticas. Basta con apreciar cualquier proceso de candidatura y la actitud que ante estas circunstancias asumen los poderes públicos.

Este poder además pretende separarse cada vez más de las estructuras administrativas tradicionales y lleva tiempo apostando por crear sus propias normas y, sobre todo su propia jurisdicción. Lo llaman irónicamente "la autonomía del deporte", pero encierra mucho más que la inocencia de este concepto.

La organización disciplinaria de la FIFA está integrada, a los efectos administrativos, dentro del área legal de la federación mundial, y se presenta bajo dos instancias sucesivas: la Comisión Disciplinaria y la Comisión de Apelación. Ésta última conoce de los recursos interpuestos contra los fallos dictados por la Comisión Disciplinaria, agotando la vía federativa y posibilitando, por tanto, el acceso al TAS.

El Código Disciplinario de la FIFA, en su última versión de 2011, representa la normativa federativa en materia disciplinaria. La regulación contenida en este Código Disciplinario comienza distinguiendo, como autoridades disciplinarias, entre el árbitro del encuentro y las autoridades jurisdiccionales, que son la Comisión Disciplinaria y la Comisión de Apelación.

Las competencias de la Comisión Disciplinaria se especifican en el Código Disciplinario de la FIFA (artículo 53.1 de los Estatutos de la FIFA en su edición de abril de 2016) y pueden imponer las sanciones descritas en los Estatutos y en el Código Disciplinario a las federaciones miembros, clubes, oficiales, jugadores, intermediarios y a los agentes organizadores de partidos con licencia (artículo 53.2 de los Estatutos).

El objeto del Código Disciplinario, conforme a su artículo 1, es definir las infracciones a las disposiciones contenidas en la reglamentación de la FIFA, establecer las sanciones que las mismas conllevan y regular la organización y actuación de las autoridades disciplinarias competentes.

En cuanto al ámbito de aplicación material, el artículo 2 establece que la aplicación del Código se extiende a todos los partidos y competiciones organizados por la FIFA. Se aplica, asimismo, siempre que se trate de actos atentatorios hacia oficiales de partido, así como cuando se atente gravemente contra los objetivos estatutarios de la FIFA, especialmente en los supuestos de falsedades en los títulos, corrupción y dopaje. Asimismo, se aplicará en casos de violación contra la reglamentación de la FIFA, siempre que la competencia para ello no recaiga en otra instancia.

Por lo que se refiere al ámbito de aplicación subjetiva, conforme señala el artículo 3 del Código, están sujetos al mismo: a) las asociaciones; b) sus miembros, en especial los clubes; c) los oficiales; d) los futbolistas; e) los oficiales de partido; f) los agentes organizadores de partidos y agentes de jugadores licenciados; g) las personas a las que la FIFA hubiese otorgado alguna clase de autorización, especialmente para ejercerla con ocasión de un partido, de una competición o de cualquier otro acontecimiento organizado por ella; h) los espectadores.

Conforme al principio de legalidad, el Código contiene el catálogo de infracciones y distingue a estos efectos entre infracciones de las reglas de juego leves y graves (artículos 46 y 47), infracciones durante un partido o una competición, infracciones contra el honor y de naturaleza discriminatoria[20], infracciones que atentan contra la libertad, como amenazas y coacción, falsificación de títulos, corrupción[21], dopaje o bien influir ilícitamente en el resultado de un partido[22].

Las infracciones disciplinarias son perseguibles de oficio y como criterio general, las sanciones impuestas en base al Código Disciplinario por infracción de las reglas de juego o normas generales deportivas deben ser cumplidas en la competición en la que tal infracción disciplinaria fue cometida. Una excepción lo constituye las previsiones de los artículos 136 y siguientes del Código que impone a las

---

[20]   El artículo 57 considera ofensas al honor y deportividad: "El que a través de palabras o gestos injuriosos, o por cualquier otro medio, ofenda el honor de una persona o contravenga a los principios de la deportividad o la moral deportiva, podrá ser sancionado conforme al art. 10 ss".

[21]   El artículo 62 dispone: "1. El que ofrezca, prometa u otorgue a un órgano de la FIFA, a un oficial de partido, a un jugador o a cualquier oficial en general, beneficios ilegítimos para su persona o terceros, con el fin de inducirles a violar la reglamentación de la FIFA será sancionado con:
a) multa de 10,000 CHF como mínimo;
b) inhabilitación para ejercer cualquier actividad relacionada con el fútbol;
c) una prohibición de acceso a estadios.
2. La corrupción pasiva (solicitar, hacerse prometer o aceptar aquella clase de dádivas o beneficios), conllevará idénticas sanciones a las previstas en el punto anterior.
3. En supuestos especialmente graves o concurriendo reincidencia, la sanción contenida en el apartado 1, letra b) podrá imponerse a perpetuidad.
4. En todo caso, el órgano competente decretará el decomiso de las cantidades o valores patrimoniales que hayan sido instrumento para cometer la infracción. Tales valores serán destinados a los programas de desarrollo del fútbol".

[22]   El artículo 69 establece: "1. El que intente influir en el resultado de un partido contraviniendo los principios de la ética deportiva será sancionado con la suspensión por partidos o la prohibición de ejercer cualquier actividad relacionada con el fútbol y una multa en cuantía no inferior a 15,000 CHF. En los casos graves se impondrá la prohibición de ejercer de por vida cualquier actividad relacionada con el fútbol.
2. En caso de influir ilícitamente en el resultado de un partido a través de un jugador o un oficial, tal como se menciona en el apartado 1, se podrá imponer una multa al club o a la asociación a la que pertenezca el jugador o el oficial.
En los casos graves se podrá sancionar al infractor con la exclusión de una competición, el descenso a una categoría inferior, la sustracción de puntos y la devolución de premios. etc"..

confederaciones, las asociaciones nacionales y a las entidades organizadoras de encuentros deportivos la obligación de solicitar a la FIFA que extienda y amplíe en el ámbito mundial las sanciones que hubieran impuesto aquellas infracciones que tengan la calificación de graves, especialmente casos de dopaje, corrupción, falsificación de títulos, etc.

En efecto, el artículo 136, contenido en la Subsección 3, bajo la rúbrica "Extensión de la validez de las sanciones al ámbito internacional", dispone:

"1. Cuando la infracción cometida se califique de grave, particularmente, aunque no exclusivamente en casos de dopaje (véase art. 63), intentos de influir ilícitamente en los resultados de partidos (véase art. 69), conducta incorrecta frente a los oficiales de partido (véase art. 49), falsificación de títulos (véase art. 61) o violación de las disposiciones relativas a límites de edad (véase art. 68 letra a), las asociaciones, confederaciones y otras entidades deportivas organizadoras deberán solicitar a la FIFA la extensión al ámbito mundial de las sanciones que hayan impuesto.

2. La FIFA adoptará de oficio toda sanción legalmente vinculante en relación con casos de dopaje e impuesta por otra asociación deportiva internacional, organizaciones nacionales antidopaje o cualquier otra entidad estatal que cumpla los principios de derecho fundamentales y, siempre que satisfaga las condiciones descritas más adelante, podrá, en principio, extenderla al ámbito mundial.

3. Tal solicitud deberá formalizarse y dirigirse por escrito, acompañándose copia adverada de la decisión, y con indicación del nombre y la dirección de la persona sancionada, así como los nombres y direcciones del club y la asociación a que pertenece.

4. Si los órganos jurisdiccionales de la FIFA comprobasen que las asociaciones, las confederaciones o las otras entidades no han solicitado homologar en el ámbito internacional las sanciones que impusiesen, podrán adoptar la decisión que proceda por iniciativa propia".

La justificación de esta extensión radica en la ofensa realizada en tanto en cuanto se entiende que atenta contra los más elementales principios del juego o de la competición, lo que debe ser sancionado a nivel de toda la estructura futbolística.

Por lo que respecta a las condiciones para la imposición de sanciones, el Código Disciplinario se refiere en su artículo 7 y en primer lugar a la culpabilidad y entiende que son infracciones punibles tanto las cometidas deliberadamente como por negligencia.

Considera punible la tentativa en su artículo 8 y prevé que pueda atenuarse la sanción prevista para la infracción consumada. El órgano competente establecerá el grado de tal atenuación, sin más límites que, en lo referente a la multa, lo que establece el artículo 15, apartado 2.

También regula la participación en su artículo 9:

"1. Aquellos que intencionadamente induzcan o se hagan cómplices de los autores de una infracción incurrirán en responsabilidad sancionable.

2. El órgano competente, ponderando el grado de culpabilidad, atenuará libremente la sanción, sin más límites que, en lo referente a la multa, lo establecido en el artículo 15, apartado 2".

En cuanto a las medidas disciplinarias, el Código distingue entre sanciones a personas físicas y personas jurídicas y entiende que las sanciones que pueden imponerse tanto a personas físicas y jurídicas son:

a) advertencia[23];
b) reprensión[24];
c) multa[25];
d) devolución de premios[26].

En cuanto a las sanciones aplicables solamente a personas físicas el Código recoge:

a) amonestación[27];

---

[23] La advertencia supone un recordatorio del contenido de una disposición disciplinaria, unido a la advertencia de la imposición de una sanción en caso de una nueva infracción (artículo 13).

[24] La reprensión es la expresión de un juicio desaprobatorio, escrito y formal dirigido al autor de la infracción (artículo 14).

[25] Respecto a la multa el artículo 15 dispone:
"1. La multa se impondrá en francos suizos (CHF) o en dólares (USD) y deberá abonarse en la moneda correspondiente.
2. La multa no será inferior a 300 CHF, a 200 CHF para las competiciones con límite de edad, ni superior a 1.000,000 CHF.
3. El órgano que impone la multa determina las modalidades de pago y los plazos.
4. Las asociaciones asumen de forma solidaria las multas impuestas a jugadores u oficiales de los equipos representativos de su asociación. Esto también se aplica a los clubes con respecto a sus jugadores y oficiales. La circunstancia de que la persona física sancionada deje de ser miembro del club o la asociación no exime de la responsabilidad solidaria que el presente precepto consagra".

[26] La persona a quien se condene a esta sanción está obligada a devolver lo recibido, sobre todo si se trata de dinero en efectivo o de distinciones (medallas, copas, etc.) (artículo 16).

[27] La amonestación se regula en el artículo 17 del Código Disciplinario:
"1. La amonestación ('tarjeta amarilla') supone el ejercicio de la autoridad arbitral durante un partido para sancionar a un jugador por comportamiento antideportivo de menor gravedad (véase Regla 12 de las Reglas de Juego).
2. Dos amonestaciones en un mismo partido determinan la expulsión (tarjeta roja 'indirecta') y la suspensión automática para el siguiente partido (véase art. 18, apdo. 4). Se cancelarán las dos amonestaciones que fueron motivo de la tarjeta roja de expulsión.
3. Un jugador quedará suspendido automáticamente para el próximo partido de una misma competición si ha recibido dos amonestaciones en dos diferentes partidos de una misma competición de la FIFA. Excepcionalmente, la Comisión Disciplinaria de la FIFA puede anular o

b) expulsión[28];
c) suspensión por partidos;
d) prohibición de acceso a los vestuarios y/o de situarse en el banco de sustitutos;
e) prohibición de acceso a estadios;
f) prohibición de ejercer cualquier actividad relacionada con el fútbol.

El artículo 12 del Código Disciplinario contiene el siguiente catálogo de sanciones a imponer a personas jurídicas:
a) prohibición de efectuar transferencias[29];
b) jugar a puerta cerrada;
c) jugar en terreno neutral;
d) prohibición de jugar en un estadio determinado;
e) anulación del resultado de un partido;

---

modificar esta regla para una competición en particular. Esta decisión por parte de la Comisión Disciplinaria será definitiva.

4. En el supuesto de que se interrumpa un partido, las amonestaciones impuestas serán anuladas si se acuerda que el encuentro vuelva a celebrarse.

Si el partido no vuelve a jugarse, se mantendrán en vigor las amonestaciones a los integrantes del equipo responsable de la suspensión del juego; si fueran responsables ambos equipos, todas las amonestaciones, las de uno y las del otro, mantendrán su vigor.

5. No se anularán las amonestaciones impuestas en un partido en el que posteriormente se declare la derrota de un equipo por retirada o renuncia.

6. Si un jugador es culpable de conducta antideportiva grave (conforme a la Regla 12 de las Reglas de Juego) y se le expulsa del terreno de juego (tarjeta roja 'directa'), toda amonestación que hubiera recibido previamente en el curso del mismo partido mantendrá su vigencia".

[28]   El artículo 18 dice:
"1. La expulsión es una decisión del árbitro, adoptada en el transcurso de un partido, que implica que la persona de la que se trate debe abandonar el terreno de juego y sus inmediaciones, incluido el banco de los sustitutos. El expulsado podrá situarse en los asientos del estadio, salvo que expresamente se le prohíba acceder a los estadios.

2. Tratándose de jugadores, la expulsión se expresará a través de la exhibición de una 'tarjeta roja'. Esta tarjeta será 'directa' si sanciona una conducta antideportiva grave de acuerdo con la Regla 12 de las Reglas de Juego. Será 'indirecta' si es consecuencia de una acumulación de dos tarjetas amarillas en el mismo partido.

3. Si un oficial fuera expulsado, podrá impartir instrucciones a su reemplazante en el banco de sustitutos. Sin embargo, no deberá molestar a los demás espectadores ni alterar el desarrollo del encuentro.

4. Una expulsión, incluso la pronunciada en un partido interrumpido, anulado y/o en el que se declara la derrota de un equipo por retirada o renuncia, conllevará una suspensión automática para el siguiente partido. La Comisión Disciplinaria podrá prolongar la duración de esta suspensión".

[29]   La prohibición de efectuar transferencias supone la prohibición para un club de inscribir jugadores en el periodo establecido (artículo 23).

f) exclusión de una competición[30];
g) derrota por retirada o renuncia;
h) deducción de puntos;
i) descenso a una categoría inferior.

Existe un registro central de las sanciones, de forma que las amonestaciones, expulsiones y suspensiones se registran en el sistema central computarizado de la FIFA. La secretaría de la Comisión Disciplinaria es la encargada de informar por escrito acerca de los datos registrados a las asociaciones, clubes o bien —durante una competición final— a los jefes de delegación correspondientes.

El Código también ha previsto un precepto para desarrollar los principios en que ha de basarse la ponderación de una sanción:

1. El órgano que impone la sanción determina su alcance y/o duración.
2. Las sanciones pueden limitarse a un ámbito geográfico o tener solo efectos en alguna o algunas categorías específicas de partidos o competiciones.
3. Salvo disposición expresa en contrario, la duración de las sanciones será siempre limitada.
4. La instancia competente ponderará la sanción a imponer, considerando todos los factores determinantes de la culpabilidad.

En aquellos casos en los que el infractor fuese reincidente, el órgano competente podrá incrementar la sanción que corresponda[31].

El Código no ha dejado nada a la improvisación y así en el artículo 41 regula los casos de concurso de infracciones de manera que cuando, por la comisión de una o más infracciones, una persona fuese acreedora a la imposición de multas diversas, el órgano disciplinario competente le impondrá la prevista para la infracción más grave, sin perjuicio de que pueda incrementarse analizando las circunstancias concurrentes, si bien, en todo caso, tal incremento no podrá superar la mitad del máximo de la cuantía prevista para tal infracción de mayor gravedad.

Idéntica regla se aplicará cuando, por la comisión de una o más infracciones, una persona hubiese incurrido en faltas para las que se prevén sanciones con una duración de la misma naturaleza (dos o más suspensiones por partidos; dos o más clausuras de estadio, etc.).

En aplicación de lo que dispone el apartado 1, el órgano disciplinario competente no estará sujeto a los límites máximos de la multa[32].

---

[30]   Conforme al artículo 28: "La exclusión es la privación a una asociación o a un club de su derecho a participar en una competición en curso y/o futura".
[31]   Vid. el artículo 40 del Código Disciplinario.
[32]   Vid. el artículo 15, apartado 2.

La Sección 6 del Código está dedicada a la prescripción:
El artículo 42 dispone:

"1. Las infracciones cometidas durante un partido prescriben a los dos años. Las demás prescriben, en general, a los diez años.
2. Las infracciones de las normas antidopaje prescriben a los ocho años.
3. La infracción definida como cohecho (véase art. 62) no prescribe".

El cómputo de la prescripción comienza:
a) el día en que el autor cometió la falta;
b) si éste hubiese incurrido en repetidas infracciones, el día en que cometió la última;
c) si la actuación punible hubiera tenido una cierta duración, el día en que cesó la misma.

El plazo de prescripción queda interrumpido si, antes de que venza, la Comisión Disciplinaria procede a la apertura del proceso.

Por lo que se refiere a la pena, el plazo de prescripción para sanciones es de cinco años y comienza el día de la entrada en vigor de la sanción.

2. El Tribunal Arbitral del Deporte

Fue José Antonio Samaranch quien en 1981 ideó crear una única jurisdicción especial para solucionar todos aquellos conflictos que surgieran de la práctica del deporte. Al año siguiente, en 1982, durante la 85ª sesión del Comité Olímpico Internacional en Roma, una Comisión compuesta por tres juristas del COI, elaboró un Anteproyecto de Estatutos que entraría en vigor el 30 de junio de 1984, día en el que el Tribunal Arbitral del Deporte, más conocido por sus acrónimos "TAS" (*Tribunal Arbitral du Sport*) o "CAS" (*Court of Arbitration for Sport*) inició sus actividades.

Los Estatutos y Reglamento del TAS solo contemplaban entonces un tipo de procedimiento contencioso, cualquiera que fuera la naturaleza de la disputa. En 1991, el TAS publicó la Guía del Arbitraje.

Sin embargo, en febrero de 1992, el jinete alemán Elmar Gundel interpuso un recurso ante el TAS contra una decisión de la Federación Ecuestre Internacional y no satisfecho con el laudo dictado por el TAS el 15 de octubre de 1992, interpuso una demanda ante el Tribunal Federal Suizo impugnando la validez del laudo al entender que el TAS no reunía las condiciones de imparcialidad e independencia. La respuesta del Tribunal Federal Suizo no se hizo esperar y en sentencia de 15 de marzo de 1993, el Tribunal Federal reconocería al TAS como una auténtica corte de arbitraje, pero añadió la constatación de uniones entre el TAS y el COI que ponían en entredicho la independencia del TAS en el supuesto de que el COI fuera parte de un procedimiento contra aquél. Ello obligó a una revisión de las normas reguladoras del TAS para independizarlo del COI para lo que se constituyó un Consejo Internacional de Arbitraje del Deporte (ICAS) y la creación de dos divisiones de arbitraje: la ordinaria y la de apelación.

La nueva estructura se aprobó el 22 de junio de 1994 en París, donde se aprobó un nuevo Código de Arbitraje Deportivo que entraría en vigor el 22 de noviembre de 1994. Desde la firma del Acuerdo de París, las federaciones deportivas internacionales y los Comités Olímpicos Nacionales han ido incluyendo en sus Estatutos o Reglamentos una cláusula de sometimiento de conflictos a la jurisdicción del TAS. Así la FIFA en el artículo 66 de sus Estatutos dispone:

> "1. La FIFA reconoce el derecho a interponer recurso de apelación ante el Tribunal de Arbitraje Deportivo, un tribunal de arbitraje independiente con sede en Lausana, Suiza, para resolver disputas entre la FIFA, los miembros, las confederaciones, las ligas, los clubes, los jugadores, los oficiales, los agentes de partidos y los agentes de jugadores con licencia.
>
> 2. El procedimiento arbitral se rige por las disposiciones del código de arbitraje en materia deportiva del TAS. El TAS aplica en primer lugar los diversos reglamentos de la FIFA y, adicionalmente, el derecho suizo".

El TAS es la institución que se ocupa de resolver extrajudicialmente los conflictos más importantes que surgen en el ámbito deportivo.

El primer caso al que se enfrentó el TAS tuvo lugar el 30 de enero de 1987 sobre la revisión de sanciones disciplinarias por violación de reglas del *fair play*, al tener que examinar dos decisiones disciplinarias de la Federación deportiva suiza de hockey y resolver sobre la validez de la multa impuesta a un club de hockey sobre hielo por el comportamiento violento sobre el terreno de juego de su entrenador. El Tas confirmó las dos decisiones y la multa.

Entre las competencias que tiene atribuidas el TAS destacan:

- Puede actuar en calidad de jurisdicción arbitral ordinara de primera y única instancia en aquellos litigios sometidos por las partes en base a un compromiso o una cláusula insertada en un contrato o en los Estatutos o reglamentos de las Federaciones deportivas nacionales o internacionales.
- Puede intervenir como jurisdicción de apelación en última instancia ante los recursos contra decisiones de los órganos internos de una federación deportiva nacional o internacional o de otra entidad deportiva.
- Puede intervenir como mediador para ayudar a las partes a encontrar la solución amistosa a su litigio., etc.

El TAS se ocupa de asuntos de muy diversa índole como cuestiones litigiosas que surjan de la interpretación, cumplimiento o incumplimiento de los contratos de imagen de los deportistas, técnicos o entrenadores; reclamaciones de indemnización por el incumplimiento de acuerdos entre clubes u otras entidades por el traspaso de jugadores; reclamaciones derivadas de discriminaciones en el acceso o en la práctica del deporte por razón de sexo, edad, raza, religión o cualquier otra similar; decisiones disciplinarias, sobre todo en materia de dopaje, etc.

El COI ha resaltado las grandes ventajas de acudir al procedimiento de arbitraje del TAS:

- Resulta apropiado para los litigios de carácter internacional, al aportar soluciones a conflictos incompatibles con las jurisdicciones nacionales. Cuando las partes en litigio no tienen su domicilio en un mismo país, surgen problemas para determinar el tribunal competente y establecer cuál es la legislación de aplicación.
- Evita todo formalismo superfluo e innecesario.
- Es rápido.
- Una única instancia.
- Un medio económico, etc.

Capítulo 9
INVESTIGACIONES TRANSNACIONALES DE CRÍMENES EN EL CIBERESPACIO: RETOS A LA SOBERANÍA NACIONAL

Ulrich Sieber

Carl-Wendelin Nuebert[1]

El ciberespacio se ha convertido en un lugar proclive para el desarrollo de acuerdos entre criminales. Debido a las oportunidades de interacción que el ciberespacio ofrece, el crimen cometido a través del ciberespacio o en internet es por naturaleza típicamente trasnacional. Ello plantea un obstáculo significativo para las autoridades policiales. Por regla general, el ejercicio trasnacional de la jurisdicción interna constituye una violación de la soberanía territorial de otro Estado. Pero, ¿se aplican las mismas reglas en el ciberespacio a escala global?

Este artículo examina la aplicabilidad del principio de soberanía territorial en el ciberespacio. El artículo rechaza soluciones que consideran el ciberespacio como un bien común y sostiene que las investigaciones criminales transfronterizas *on-line* infringen la soberanía territorial del Estado donde se encuentran alojados los datos informáticos a los que se accede en el curso de las mismas. Consecuentemente, el análisis evalúa las posibles justificaciones de tales comportamientos sobre la base de los Tratados de Derecho internacional y el Derecho internacional consuetudinario y de las circunstancias que excluyen la ilicitud. Para los casos más complejos de "pérdida de ubicación" (*loss of location cases*), el análisis desarrolla una solución novedosa, cuidadosamente delimitada, basada en el principio de necesidad. El artículo también arroja luz sobre perspectivas futuras y aboga por un "ciberespacio cooperativo" de los investigadores para contrarrestar el ciberespacio global sin trabas de potenciales infractores.

---

[1]   Los Autores desean agradecer a Nicolas von zur Mühlen, Dr. Nandor Knust, Dr. Tatiana Tropina y Jean-Baptiste Maillart por los comentarios sobre los anteriores borradores del artículo y especialmente a Emily Silverman, J. D, LL. M, y Daniel Burke por las revisiones sobre el texto final.

I. CRIMINALIDAD INTERNACIONAL E INVESTIGACIONES TRASNACIONALES EN INTERNET

1. Desafíos técnicos

Internet proporciona una amplia gama de nuevas oportunidades para llevar a cabo actividades delictivas transnacionales. El desarrollo de técnicas delictivas a través de Internet plantea un aumento de los riesgos para las personas, empresas, naciones y la comunidad internacional. Potenciales infractores pueden tener acceso desde sus hogares y permaneciendo bajo el anonimato, a millones de sistemas informáticos por todo el mundo, incluso protegidos diligentemente, manipular objetos de alto valor e infraestructuras críticas y recibir ganancias financieras en secreto a través de divisas virtuales. La libre circulación de datos en internet no solo hace que la comisión de crímenes en países extranjeros sea tan fácil como perpetrarlos desde el mismo hogar, sino que también, por la naturaleza transfronteriza de la cibercriminalidad, la persecución transnacional de crímenes *on-line* conlleva una traba adicional, debido a la complejidad que supone la puesta en marcha del mecanismo de la cooperación internacional policial y judicial que conllevan.

Esta amenaza de la delincuencia transnacional cometida a través de internet no se limita a las lesiones típicas de los delitos cibernéticos, como actos contra la confidencialidad, integridad y disponibilidad de datos informáticos, o actos informáticos relacionados con fines de lucro o daño personal o financiero, como *hacking*, destrucción de sistemas informáticos y manipulación de datos financieros. Pues en un número creciente de delitos tradicionales los infractores utilizan internet —en un sin fin de formas— para la preparación, ejecución y ocultación de sus actos, tales como contacto con potenciales víctimas, reclutamiento de coautores, comunicación con cómplices, adquisición de armas, o transferencia de los ingresos del delito. El uso de internet para la comisión delictiva es cada vez más común en el contexto de la delincuencia económica; terrorismo; el crimen organizado de drogas, armas y seres humanos; ataques contra las personas (especialmente niños); distribución de pornografía infantil, material xenófobo y noticias falsas; acceso ilegal a datos personales, y ataques contra infraestructura pública, gobiernos, parlamentos y otras instituciones democráticas, ya que los ataques cibernéticos que acompañan a los conflictos militares y políticos pueden amenazar la paz y la seguridad internacionales.

Los ciberdelincuentes hacen uso de todas las herramientas que internet ofrece para agilizar comunicaciones, facilitar transacciones, obtener datos privados o públicos e inventar nuevos modelos de negocio clandestinos. Los diversos medios para la perpetración internacional de crímenes explotan todos los aspectos que ofrece la comunicación desde toda clase de dispositivos electrónicos, desde teléfonos móviles y ordenadores domésticos hasta *smartphones* y otros dispositivos portátiles, correos electrónicos, redes *peer to peer*, servicios de computación en la nube y redes de *bots*. Incluso los infractores ocultan las huellas de sus actos con la ayuda de redes anónimas como *Tor*, redes privadas virtuales, *bots zombie*, servicios *dark net*, encriptación, *spoofing* y traslado de los servicios a países con déficits de legislación regulatoria.

Con todas estas herramientas y procesos técnicos, los ciberdelincuentes aprovechan la característica intrínseca de internet, su aptitud como espacio sin delimitación nacional. El uso creciente de almacenamiento de datos en la red potencia el acopio de evidencias delictuales en la nube (*cloud computing data*), desplazándose de este modo las evidencias entre una multitud de servidores ubicados en el territorio de varias jurisdicciones. Por naturaleza, el delito cometido a través de internet o con ayuda de éste, poseerá un carácter típicamente transnacional. En consecuencia, la investigación de los crímenes y recopilación de pruebas para los procedimientos penales se extenderá cada vez más hacia el ciberespacio y con el tiempo, la criminalidad presentará elementos cada vez más y más transnacionales[2]. Con el uso creciente del *cloud computing*[3], las evidencias de los crímenes se almacenarán con mayor frecuencia en formato electrónico y la prueba será desplazada entre una multitud de servidores ubicados en el territorio de varias jurisdicciones nacionales.

---

[2]   Para los fenómenos, las amenazas y el carácter internacional de la ciberdelincuencia, véase Europol, "Internet Organised Crime Threat Assessment (IOCTA) 2016", pp. 10 y ss, disponible en: https://www.europol.europa.eu/activities-services/main-reports/internet-organised-crime-threat-assessment-iocta-2016 (accedido el 12 de abril de 2017); I. Sieber, *Straftaten und Strafverfolgung im Internet, Gutachten C zum 69. Deutschen Juristentag* (Beck 2012), pp. 9-39; U. Sieber, „Mastering Complexity in the Global Cyberspace", in M. Delmas-Marty, M. Pieth and U. Sieber (eds), *Les chemins d l'harmonisation pénale*, (Société de législation comparée 2008), pp. 129-137; UNODC "Comprehensive Study on Cybercrime", February 2013, pp. 1-49, 183 y ss, disponible en https://www.unodc.org/documents/organized-crime/UNODC_CCPCJ_EG. 4_2013/CYBERCRIME_STUDY_210213.pdf (accedido el 12 de abril de 2017).

[3]   *Cloud computing* es el uso de recursos informáticos escalables como un servicio a través de Internet. Los servicios respectivos en los cuales los datos se almacenan se determinan automáticamente, dependiendo del almacenamiento disponible y de los recursos de transmisión. El contenido también puede fragmentarse para su almacenamiento en varios servidores de diferentes Estados para que flote entre varias jurisdicciones y pueda cifrarse.

2. Respuestas jurídicas

a. *Posibilidades de regulación y límites de aplicación de la legislación interna*

Desde un punto de vista técnico, las autoridades podrían dominar este desafío del mismo modo que los criminales le plantean: trasnacionalmente, mediante el uso de las herramientas que internet proporciona. Desde las mismas oficinas de las autoridades policiales se podría acceder a los sistemas informáticos de sospechosos alrededor de todo el mundo. Las autoridades de los Estados disponen de un arsenal de medidas coercitivas que podrían ser incluidas en procedimientos internacionales, tales como protocolos de *hack-back* para rastrear criminales, mediante la búsqueda de actividades clandestinas por *software* forense remoto, alteraciones de datos, interceptaciones de comunicación, activación de micrófonos y cámaras de los equipos informáticos de ciber-sospechosos, o también, a través de la ejecución de programas de minado de datos o seguimiento de amplios espectros de la población. Además de toda esta serie de medidas *on-line,* los accesos no tendrían por qué limitarse a equipos informáticos "tradicionales" extranjeros, como ordenadores, sino que podrían también extenderse a *smartphones* y otros dispositivos portátiles, plataformas de almacenamiento de datos para la informática y redes *peer to peer*[4]. En los últimos años, el poder transnacional, respaldado en su respectivo Estado, ha recurrido a técnicas de piratería y vigilancia, actividades que han sido exhibidas de manera impresionante por varias agencias de inteligencia, como los ataques desde el territorio de China con fines de espionaje industrial contra otras empresas occidentales[5], o el presunto *hacking* patrocinado por el Estado ruso y la filtración de *e-mails* de Hillary Clinton en un intento de influir en las elecciones de los Estados Unidos[6], así como los masivos programas de vigilancia de datos estadounidenses y británicos que fueron expuestos por Edward Snowden[7]. La implementación de este tipo de métodos de investigación

---

[4]   En cuanto a las varias técnicas usadas para realizar investigaciones remotas ver e. g. C. S. D. Brown, "Investigating and Prosecuting Cyber Crime: Forensic Dependencies and Berriers to Justice" (2015) 9 International Journal of Cyber Crime Criminology, pp. 70-71.

[5]   Por ejemplo, Departamento de Justicia, "US Charges Five Chinese Military Hackers for Cyber Espionage" (19 de mayo de 2014), disponible en https://www.justice.gov/opa/pr/us-charges-five-chinese-military-hackers-cyber-espionage-against-us-corporations-and-labor (último acceso en 12 de abril de 2017); C. Lotrionte, "Countering State-Sponsored Cyber Economic Espionage under International Law" (2015) 40 North Carolina Journal of International Law & Commercial Regularion 443, pp. 454 y ss.

[6]   Por ejemplo, Consejo Nacional de Inteligencia de los Estados Unidos, *Assessing Russian Activities and Intentions in Recent US Elections,* 6 de enero de 2017, disponible en https://www.intelligence.senate.gov/sites/default/files/documents/ICA_2017_01.pdf. (último acceso en 12 de abril de 2017).

[7]   Por ejemplo, Parlamento Europeo, "Inquiry On The Electronic Mass Surveillance Of EU Citizens, Protecting Fundamental Rights In A Digital Age: Proceedings, Outcome And Background Docu-

trasnacional en los procedimientos penales podría mejorar considerablemente el control del crimen, no solo en lo que respecta a los típicos ataques cibernéticos, sino también con respecto a muchísimos otros crímenes tradicionales cuya comisión es facilitada por el uso de internet u otro sistema de comunicación internacional. Finalmente, haciendo uso de que hoy en día todo dispositivo tiene alguna conexión a internet, —desde coches, televisiones y refrigeradores— y que a través del dicha red de comunicación se recolectan y analizan grandes cantidades de datos (como metadatos y geolocalización) permitiendo así el análisis de patrones de comportamiento, podría ampliarse aún más el rango de investigaciones internacionales on-line en procedimientos penales[8].

No obstante, debido a las restricciones legales, existe una gran disparidad entre, las actividades internacionales de los infractores, y las de los investigadores: mientras que los infractores no se topan en sus actividades delictivas con la presencia de límites legales, y se mueven alrededor de todo el mundo con relativa libertad —tanto física como virtual—, los investigadores y fiscales están sujetos a las leyes de sus respectivos Estados nacionales y, según la opinión predominante, su actividad se encuentra limitada a los confines de sus territorios por el Derecho internacional. Tanto es así que cuestiones de soberanía se presentarían si, por ejemplo, investigadores de Bélgica pirateasen y accediesen al servidor de un sospechoso en Alemania o si un agente encubierto holandés se comunicara con un sospechoso de Holanda a través de una plataforma on-line cuyos servidores están ubicados en Singapur. Inconvenientes del mismo tipo podrían surgir si investigadores alemanes, en respuesta a ataques de piratería informática, instalasen un software forense de control remoto en un ordenador o un teléfono móvil que, estando ubicado en Alemania, es trasladado a Francia por su propietario. Otras muchas cuestiones de soberanía surgirían si una jurisdicción nacional enviase a jurisdicciones extranjeras órdenes de entrega de datos específicos. Los límites jurídicos existentes restringen la funcionalidad de las herramientas de investigación tanto en términos generales como en un rango territorial especifico ya que, al menos en el mundo físico, se entiende generalmente que las investigaciones policiales en suelo extranjero pueden infringir la soberanía territorial del Estado extranjero[9].

---

ments, 2014, disponible en http://www.europarl.europa.eu/document/activities/cont/201410/2014 1016ATT91322/20141016ATT91322EN.pdf. (último acceso en 12 de abril de 2017)".

[8]   Sobre las nuevas medidas de vigilancia posibilitadas por el "internet of things", ver por ejemplo, Internet Society, "The Internet of Things (IoT): An Overview -Understanding the Issues and Challenges of a More Connected World" (October 2015), pp. 20-39, disponible en https://www.internetsociety.org/wp-content/uploads/2017/08/ISOC-IoT-Overview-20151221-en.pdf. (último acceso en 12 de abril de 2017).

[9]   Para más detalles ver la Sección II. infra.

b. Asistencia judicial mutua

Al igual que en los contextos de cooperación transfronteriza entre Estados, en el espacio físico mundial se han logrado avances considerables sobre la solución de problemas planteados por la delincuencia cibernética internacional sin fronteras, con la ayuda de mejoras en los procedimientos tradicionales de asistencia judicial mutua. Estos procesos se han elaborado teniendo en cuenta las nuevas técnicas de investigación basadas en Tecnologías de la Información (IT) y se han extendido a más y más Estados por medio de acuerdos multilaterales. Los hitos de este esfuerzo incluyen la Convención del Consejo de Europa sobre Ciberdelincuencia de 2001 y acuerdos regionales similares que siguieron en África, Asia, la Liga de los Estado árabes y los países de tradición de la *Commonwealth*[10]. En un nivel práctico, estos convenios y otras iniciativas que las organizaciones internacionales han elaborado un sistema de puntos de contacto 24/7, las 24 horas del día los 7 días de la semana para investigaciones de TI en todos los Estados miembros[11], entre otras cosas.

Sin embargo, los procedimientos existentes de asistencia judicial recíproca con respecto a la prueba o evidencia en internet, son complejos y a menudo, demasiado lentos. Los procedimientos también son engorrosos debido a la falta de armonización legal[12]. Muchos países no están cooperando de manera efectiva. Por regla general, los tiempos de respuesta a la solicitud suelen comprender de

---

[10]   Ver en orden cronológico: CoE "Convention on Cybercrime" (firmada el 23 de noviembre de 2001 y en vigor desde el 1 de julio de 2004) CETS No 185; Commonwealth of Independent States Agreement on Cooperation in Combating Offences related to Computer information 2001; the Commonwealth Model Law on Combating Offences related to information Technology Systems 2004; Economic Comunity of West African States (ECOWAS) Draft Directive on Fighting Cybercrime with ECOWAS 2009; Shanghai Cooperation Organization´s Agreement on Cooperation in the Field of International Information Security 2010; Leage of Arab States Convention on Combating Information Technology Offences 2010; Common Market for Eastern and Southern Africa (COMESA) Cybersecurity Model Bill 2011; ITU/CARICOM/CTU Model Legislative Texts on Cybercrime, e-Crime and Electronic Evidence 2010; ITU Secretariat if the Pacific Community Model Law on Cybercrime 2011; South African Development Comunity (SADC) Model Law (HIPSSA), 2013; African Union Convention on Cybersecurity and Personal Data Protection 2014. Ver también la Directiva del 12 de agosto de 2013 sobre ataques contra sistemas informáticos OJ L 218/8.

[11]   Sobre los puntos de contacto 24/7 ver CoE "The effectiveness on international Cooperation against Cybercrime: Examples of good Practice", documento de debate, pp. 12-15, disponible en https://rm.coe.int/CoERMPublicCommonSearchServices/DisplayDCTMContent?document Id=09000016802fa3a2, (último acceso en 12 de abril de 2017).

[12]   Ver Unión internacional de comunicaciones, "Understanding Cybercrime: a Guide for Developing Countries", Borrador de mayo de 2011, p. 13, disponible en https://www.itu.int/ITU-D/cyb/cybersecurity/docs/ITU_Guide_A5_12072011.pdf, (último acceso en 12 de abril de 2017).; CoE Comité de la Convención sobre el Cibercrimen (T-CY) "Assessment Report: The Mutual Legal Assistance Provisions of The Budapest Convention on Cybercrime", T-CY (2013) 17 rev del 3 de diciembre de 2014, pp. 3, 38 y ss., 123, disponible en https://rm.coe.int/CoERMPu-

6 a 24 meses[13]. Este esquema, con los tiempos señalados, no puede competir en un entorno donde potenciales infractores pueden borrar o transferir datos informáticos o informatizados en milisegundos en todo el mundo, a la vez que en la nube (*Cloud*) se intercambian aleatoriamente entre jurisdicciones múltiples por máquinas —sin intervención humana— de acuerdo a las circunstancias técnicas. Los problemas se agravan si estos datos están fragmentados con piezas diferentes en distintos servidores en varios países, o si los datos están encriptados y la clave de encriptación está en manos de una persona situada en otra jurisdicción.

Incluso en algunas situaciones, las autoridades investigadoras no saben en qué lugar se encuentran almacenados los datos que son objeto de la investigación. Un caso de estas características sucedió en Holanda, en el que la Policía había detectado un servidor en la *Dark Red* donde los clientes podían ordenar la producción de una escena de pornografía infantil específica mediante el envío del guion pagando con *bitcoins*[14]. Cuando la Policía fue capaz de acceder por medios electrónicos al servidor informático, no sabían ya dónde quedaba su localización física. Dichos casos de "pérdida de ubicación" (*loss of location*) o "pérdida del conocimiento de la ubicación" (*loss of knowledge of location*)[15], pueden surgir en el contexto de actividades policiales de rutina, en el curso de investigaciones encubiertas o al interceptar el tráfico de un sospechoso. Sin embargo, la "pérdida de ubicación" es también un problema generalizado y grave con respecto a muchos ataques de piratería y ataques D-DOS: en estos casos, el sistema informático atacado o la policía puede identificar la dirección IP del último sistema atacante y atribuirla (aproximadamente) a un equipo informático sito en un Estado en particular. No obstante, la dirección y el Estado al que se asocia no pueden equipararse con el atacante que generalmente se esconde detrás de una "cascada de servidores" de anonimato, sistemas de equipos informáticos pirateados o en un túnel VPN. La Policía no puede por tanto localizar el equipo informático atacante

---

blicCommonSearchServices/DisplayDCTMContent?documentId=09000016802e726c, (último acceso en 12 de abril de 2017).

[13]   Ver CoE Comité de la Convención sobre el Cibercrimen (T-CY) "Criminal Justice Access to Electronic Evidence in the Cloud: Recommendations for considerations by the T-CY", informe final del Grupo de evidencias en la nube T-CY, T-CY (2016) 5 (septiembre 2016), pp. 9, 11, disponible en https://rm.coe.int/CoERMPublicCommonSearchServices/DisplayDCTMContent?documentId=09000016806a495e, (último acceso en 12 de abril de 2017).

[14]   Caso reportado por las autoridades holandesas a los autores del trabajo.

[15]   El término "pérdida de ubicación" (*loss of location*) fue aparentemente introducido por la CoE "Cloud Computing and cybercrime investigations: Territorially vs. the Proposal of disposal?, Project on Cybercrime discussion paper del 31 de agosto de 2010, p. 5, disponible en https://rm.coe.int/CoERMPublicCommonSearchServices/DisplayDCTMContent?documentId=09000016802fa3df, (último acceso en 12 de abril de 2017). Algunos autores prefieren el término 'pérdida del conocimiento de la ubicación'" (*loss of knowledge of location*).

detrás de dichas técnicas de distracción informática de "cascada", la policía solo podría acceder al equipo informático (no localizarlo), y en el caso en que el "*hack back*" tuviera éxito, podría analizar su contenido. En estos supuestos la cuestión reside en determinar si los investigadores policiales deberían abstenerse de dicho procedimiento simplemente porque no pueden identificar el territorio en el que se encuentra el *hardware* sospechoso y enfrentarse, por consiguiente, a la imposibilidad identificar al Estado o gobierno extranjero al que presentar la solicitud de asistencia mutua para buscar o monitorear el servidor[16].

c. La indiferencia del Derecho internacional: el surgimiento de una "Jungla legal"

El análisis precedente muestra que en un contexto de cibercriminalidad transnacional, las autoridades policiales poseen una gran desventaja estructural respecto a los potenciales atacantes: mientras que éstos se mueven libremente en un ciberespacio global, la justicia penal debe operar dentro de los límites de jurisdicciones separadas difíciles de superar. Como resultado, algunos países están expandiendo su ámbito de operación unilateralmente: según un exhaustivo estudio de la ONU sobre ciberdelincuencia, más de la mitad de los países a los que se ha preguntado acerca de la cuestión del acceso fronterizo como poder de investigación, han manifestado que afirmativamente, su ley de procedimiento penal indica que existe tal poder de acceso[17]. Una encuesta realizada en 2013 por la *Asociation Internationale de Droit Pénal* muestra la imagen que refleja dicha postura, aunque se trata de una imagen algo fragmentada[18]. Del mismo modo, un informe de 2014 del Comité de la Convención sobre Ciberdelincuencia del Consejo de Europa concluye que "un número creciente de países (…) están adoptando medidas unilaterales para obtener acceso a datos almacenados en lugares extranjeros o desconocidos con fines de justicia penal con el objetivo de proteger a sus ciudadanos contra el crimen", creándose así con todo ello, el riesgo de la aparición de una jungla legal[19]. Dicha "jungla legal" emergente, queda ampliamente ilustrada

---

[16] Para estos problemas técnicos y su evaluación legal ver en detalle la Sección V. *infra*.

[17] UNODC "Comprehensive study on Cybercrime" (*op. cit.* n. 1), p. 133. Sin embargo, los Estados que respondieron interpretaron que el término "acceso transfronterizo" incluye también la situación en la que el Estado donde los datos están localizados consiente la medida. También, *Cfr. Ibid.*, p. 220.

[18] AID, "XIX International Congress on Penal Law: Preparatory Colloqium Section 4, General Report" (2013), pp. 20-22, disponible en http://www.aidpitalia.org/docs/Verso%2019%20 Congresso%20AIDP/Sect%20IV%20AIDP%20-%20General%20Report%20final%20Klip. pdf, (último acceso en 12 de abril de 2017).

[19] CoE Comité de la Convención sobre Cibercrimen (T-CY) "Transborder Access to Data and Jurisdiction" T-CY (2014) 16 del 3 de diciembre de 2014, p. 7, disponible en https://rm.coe.int/

por el hecho de que un número cada vez mayor de países —entre ellos Bélgica y Francia— ya han adoptado legislación en materia de procedimiento penal que prevé tales poderes unilaterales de investigación[20].

Un ejemplo del uso de tales procedimientos unilaterales es el famoso caso Gorshkov-Ivanov[21]: en el año 2000 dos ciudadanos rusos, Vasily Gorshkov y Alex Ivanov, piratearon redes de empresas americanas las cuales fueron posteriormente exhortadas al pago de una cantidad de dinero a cambio de no revelar lagunas en sus sistemas de seguridad. En la investigación llevada a cabo por el FBI, los agentes encubiertos de los Estados Unidos usaron el pretexto de concertar con los delincuentes rusos una entrevista de trabajo de una empresa de tecnología para atraerlos a los Estados Unidos. Como parte de la entrevista, los dos hackers accedieron remotamente a sus servidores locales ubicados en Rusia para descargar el *software* de piratería durante un ejercicio para demostrar sus habilidades. Entonces el FBI interceptó sus nombres de usuario y contraseñas mediante un *software* de registro de claves que previamente había sido instalado en los ordenadores de prueba. Usando estos conocimientos y sin informar a las autoridades rusas, el FBI accedió posteriormente a los servidores de Gorshkov e Ivanov en Rusia para extraer pruebas de sus actividades de piratería. Gorshkov e Ivanov fueron arrestados, acusados de conspiración, fraude informático, piratería informática y extorsión, y sentenciados a prisión por un tribunal de Estados Unidos[22]. Las autoridades rusas se opusieron al

---

CoERMPublicCommonSearchServices/DisplayDCTMContent?documentId=09000016802e7 26e, (último acceso en 12 de abril de 2017).

[20]   Ver, Artículo 88 ter párrado 3º del Código procesal-penal belga, que estipula, en el contexto de la búsqueda de datos en sistemas informáticos, que "si sucede que los datos no se encuentran almacenados en el territorio nacional, solo se permite su copia. En el caso en que la instancia judicial investigadora En ese caso, el juez de instrucción notificará sin demora, a través del fiscal, al Ministro de Justicia, quien posteriormente notificará a las autoridades competentes del Estado en cuestión, si se puede determinar de manera razonable"; Art. 706-102-1 del Código procesal-penal francés, según que, en casos expresamente estipulados de delitos graves (Art. 706-773) y sujeto a la autorización de un juez, se puede acceder a los datos independientemente de su ubicación. Aparentemente, en los Países Bajos se está contemplando una legislación similar, Cfr. B.J. Koops & M. Goodwin, "Cyberspace, the Cloud, and cross-Border Criminal Investigations", Documento de investigación de la Universidad de Tilburg (diciembre 2014), pp. 84 y ss.

[21]   Cfr. B. Koerner, "From Russia with Lopht" (mayo/junio 2002) Legal affairs, disponible en http://legalaffairs.org/issues/May-June-2002/feature_koerner_mayjun2002.msp, (último acceso en 12 de abril de 2017); N. Seitz, "Transborder Search: A New perspective in Law enforcement? (2005) 7 Yale Journal of Law and Technology 23, pp. 24 y ss.; S. W. Brenner & B. J. Koops", "Approaches to Cybercrime Jurisdiction" (2004) 4 Journal of High Technology 1, pp. 21 y ss. Ver también los siguientes pies de página respecto a este caso.

[22]   Estados Unidos c. Ivanov, 174 F. Supp. 2d 36 (D. Conn 2001); Estados Unidos c. Gorshkov, 2001 WL 1024026 (W. D. Wash. 2001). La permisibilidad de las conductas de los agentes

acceso transfronterizo a los datos almacenados en su territorio que había sido llevado a cabo por los agentes de los Estados Unidos, entendiendo que ello suponía una violación del Derecho internacional y en consecuencia abrieron procedimientos penales contra los agentes estadounidenses[23].

En el mundo físico, fuera del espacio cibernético, medidas de investigación directas de carácter similar que son emprendidas en territorio de un país extranjero se consideran violaciones claras del Derecho internacional, como la entrega extraordinaria de sospechosos o la recopilación unilateral de pruebas tangibles[24]. Para el acceso de datos intangibles en internet, la situación puede ser más compleja a la que se presenta en el mundo físico: aparece un enfoque diferente para acceder a datos extranjeros internet que podría basarse en el carácter global e intangible de internet. Las redes internacionales de telecomunicaciones, como internet, consisten en unidades tangibles, como servidores, enrutadores y cables, y de datos intangibles almacenados, procesados y transmitidos por estas unidades. En principio, tanto las unidades tangibles como, en consecuencia, sus datos intangibles pueden ubicarse en territorios nacionales específicos. Sin embargo, el conjunto superior que forma internet junto a sus aplicaciones, puede ser visto como una propia "realidad virtual" en la que la ubicación de los elementos técnicos subordinados y su atribución a los territorios nacionales pierden importancia. En otras palabras, la totalidad del sistema virtual de internet está en proceso de formar un "ciberespacio global" en el que el papel fáctico de los territorios nacionales y las fronteras nacionales es cada vez menor. La importancia cada vez menor de la ubicación física del *hardware* y de los datos en internet es particularmente evidente en el campo del "*cloud computing*" o almacenamiento en la nube, donde la ubicación de los datos se desplaza en milisegundos por decisión informática basada en la disponibilidad de almacenamiento técnico y las capacidades de red; los usuarios de servicios en la nube a menudo no saben y por lo general no se preocupan de donde se encuentran sus datos almacenados en un momento dado[25].

---

del FBI bajo el Derecho internacional no fue abordada por los Tribunales. De acuerdo con la Asociación americana BAR International Guido to Combating Cybercrime, 2013, p. 154, el caso "no proporciona una base sólida para las búsquedas transfronterizas y las incautaciones".

[23]   Noticias de la NBC, "FBI Agent Chargued With Hacking" (15 de agosto de 2002), disponible en http://www.nbcnews.com/id/3078784, (último acceso en 12 de abril de 2017).

[24]   Ver Sección II. *infra*.

[25]   Sobre este fenómeno de los servicios en la nube ver, por ejemplo, P. de Filippi & S. McCarthy, "Cloud Computing: Centralization and Data Sovereignty" (2012) 3 European Journal for Law and Technology Issue 2.

d. El problema subyacente: la configuración legal del ciberespacio

Estas consideraciones ilustran los problemas jurídicos fundamentales y las cuestiones planteadas por las actividades transnacionales descritas anteriormente: ¿se puede mantener el entendimiento contemporáneo de la soberanía respecto de la propiedad física y el territorio en el ciberespacio? ¿O debería el concepto tradicional de soberanía territorial adaptarse de manera funcional a la intangibilidad del mundo cibernético? O, lo que es aún más significativo: ¿Debería remplazarse este concepto tradicional del orden legal westfaliano con respecto a internet por un nuevo concepto global revolucionario?[26].

Desde la perspectiva del Derecho internacional, la pregunta determinante se enfoca menos en lo que debería o podría ser de *lege ferenda* y más en lo que es de *lege data*. A pesar de varios desarrollos, el orden mundial legal de Westfalia existente bajo la Carta de las Naciones Unidas es, en su mayor parte, todavía un orden legal de los Estados-nación. En cada contexto trasnacional, el papel de los Estados-nación como guardianes de su propia soberanía territorial y como legisladores transnacionales consensuados es esencial. De modo que, con el fin de desarrollar conceptos para responder a los desafíos planteados por la delincuencia trasnacional, la primera pregunta que se debe hacer es cómo el Derecho internacional público aborda o puede abordar el acceso transfronterizo a los datos a través de internet en la actualidad.

Dicha cuestión esencial no ha sido tratada aún de manera satisfactoria. La mayoría de los autores que reconocen la existencia de conflictos entre las investigaciones transfronterizas *on-line* y la soberanía territorial se han limitado a delinear el problema o a asumir que el ciberespacio requiere una reconceptualización fundamental de la ley[27]. Otros han alegado que el Derecho internacional no es concluyente con respecto a la permisibilidad del acceso unilateral a los datos transfronterizos[28] y/o han sugerido que los principios de soberanía y jurisdicción

---

[26] Ver Sieber, en Delmas-Marty, Pieth & Sieber (eds) (*op. cit.* n 1), p. 202, y la discusión en secciones II. 2. d. y VIII. 3. a. *infra*.

[27] P. W. Franzese, "Sovereignty in Cyberspace: Can it Exist?" (2009) 64 Air Force Law Review 1, pp. 17 y ss.; W. H. von Heinegg, "territorial Sovereignty and Neutrality in Cyberspace" (2013) 89 Interntional Law Studies 123, pp. 124 y ss.(principalmente en el contexto de la guerra cibernética); D. Johnson & D. Post, "Law & Borders-The Rise of Law in Cyberspace" (1996) 48 Standford Law Review 1367; U. Kohl, Jurisdiction and the Internet, (CUP 2007), pp. 200 y ss. Dirigiendo posteriormente la atención a la manera en que los Estados-nación se enfrentan a la falta de poder de aplicación de su ley en contextos transfronterizos; B.J. Koops & M. Goodwin, "Cyberspace, the Cloud, and cross-Border Criminal Investigations" (*op. cit.* n. 20), pp. 27, 31 y ss.; R. H. Weber, Realizing a New Global Cyberspace Framework (Springer 2015), pp. 5 y ss.

[28] Brenner & B. J. Koops, "Approaches to Cybercrime Jurisdiction" (2004) 4 Journal of High Technology (*op. cit.* n. 20) pp. 21 y ss.; A. M. Osula, "Accessing Extraterritorially Located Data: Options for States", NATO Cooperative Cyber Defence of Excellence, Tallinn 2015, pp. 4,

territorial deben cumplir con las exigencias del acceso a los datos en el contexto del delito cibernético en la era de internet[29]. También se puede encontrar la opinión de que las investigaciones transfronterizas unilaterales sobre el ciberespacio no infringen la soberanía territorial, pero raramente, pero ciertamente no es muy habitual[30].

La falta de un análisis exhaustivo de la cuestión, que tenga en cuenta tanto las normas del Derecho internacional público como las exigencias de las investigaciones penales en internet, puede deberse a la falta de intercambio interdisciplinar entre especialistas en Derecho internacional, por un lado, y penalistas por el otro[31]. En cualquier caso, no se ha llevado a cabo un análisis detallado de si las investigaciones transfronterizas en el ciberespacio son permitidas por el Derecho internacional público existente.

3. Objetivos del presente análisis

El objetivo principal de este artículo consiste en dar respuesta a las posibles lagunas mencionadas anteriormente y proporcionar un análisis exhaustivo de la permisibilidad de las investigaciones unilaterales transfronterizas *on-line* en el ámbito penal de conformidad con el Derecho internacional[32]. Para ello, el artículo se centrará en dos cuestiones:

23, disponible en https://ccdcoe.org/sites/default/files/multimedia/pdf/Accessing%20extraterritorially%20located%20data%20options%20for%20States_Anna-Maria_Osula.pdf, (último acceso en 12 de abril de 2017); C. Velasco & J. Hörnle & A. M. Osula, (eds) "Global Views on Internet Jurisdiction and Transborde access", en S. Gurtwith, R. Leenes & P. de Hert (eds), Data Protection on the Move (Springer 2016), pp. 465-469.

[29]　Velasco & J. Hörnle & A. M. Osula, (eds) (*op. cit.* n. 27), pp. 465, 470, 476; (en prensa) M. Hildebrant, "Extraterritorial Jurisdiction to Enforce in Cyberspace?" (2013) 63 University of Toronto Law Journal 196, pp. 205 y ss., 217 y ss., 222 y ss.

[30]　J. Goldsmith, "The Internet and the Legitimacy of Remote Cross-Border Searches" (2001) 16 Chicago Public Law and Legal Theory Working Paper 1, pp. 6-12.

[31]　Este fenómeno se encuentra ampliamente ilustrado en el excelente estudio realizado por B.J. Koops & M. Goodwin, "Cyberspace, the Cloud, and cross-border Criminal Investigations (*op. cit.* n. 19), que proporciona un análisis en profundidad de los problemas de comprensión, pero no aborda en detalle los límites y las posibles soluciones del Derecho internacional público".

[32]　Gran parte del razonamiento jurídico general resultante del objetivo principal es también relevante en lo que se refiere a la permisibilidad del espionaje transfronterizo (aunque incluso se piense que existen diferencias en las posibles limitaciones y justificaciones en cada caso). Esto es particularmente cierto en lo que respecta al hecho de que los límites jurídicos existentes en varios sistemas jurídicos nacionales entre el Derecho penal, y otros medios de control social, como el Derecho administrativo sancionador o incluso leyes de inteligencia o de conflicto armado, siguen desdibujando como muchos Estados luchan para combatir el crimen y el terrorismo. *Cfr.*, U. Sieber, "Der Paradigmenwechsel vom Strafrecht zum Sicherheitsrecht", en K. Tiedemann *et al.* (eds) Die Verfassung moderner Strafrechtspflege. Einnerung an Joachim Vogel (Nomos 2016),

1. ¿Infringe el principio de soberanía territorial el acceso directo a través de internet a sistemas informáticos extranjeros en cuyo territorio se encuentran almacenados los datos a los que se accede?

2. ¿Hasta qué punto es legalmente justificable este tipo de acceso unilateral a sistemas informáticos extranjeros a través de internet?

Por tanto, el siguiente estudio comenzará abordando la cuestión fundamental de si el acceso transfronterizo con fines de justicia penal a los sistemas informáticos en el ciberespacio infringe la soberanía del Estado en el que se encuentran los datos solicitados físicamente almacenados (*infra* II.). Las dos secciones siguientes abordarán la cuestión de si tales infracciones pueden o no ser justificadas por las convenciones del Derecho internacional, el Derecho internacional consuetudinario o por las circunstancias que excluyen la ilicitud, tal y como se acepta en el Derecho internacional general, diferenciando al mismo tiempo el acceso a los datos disponibles públicamente (*infra* III.) y el acceso a los datos no disponibles de modo público (*infra* IV.) A continuación, el artículo expondrá con más detalle las restantes competencias diversas propias de la soberanía y analizará la permisibilidad del acceso transfronterizo en las circunstancias particulares de la "pérdida de ubicación" de los datos (*infra* V). El texto concluirá con un resumen y una perspectiva sobre la futura política legal[33].

---

pp. 351-372. Este proceso es reflejado, por ejemplo, en el intercambio de información entre las autoridades de los Estados Unidos y las agencias de inteligencia y su previsión de su uso en procedimientos criminales., *Cfr.*, "Justice is reviewing Criminal Cases That Used Surveillance Evidence Gathered under FISA", (noviembre de 2103) disponible en https://www.washington-post.com/gdpr-consent/?destination=%2fworld%2fnational-security%2fjustice-reviewing-criminal-cases-that-used-evidence-gathered-under-fisa-act%2f2013%2f11%2f15%2f0aea6420-4e0d-11e3-9890-a1e0997fb0c0_story.html%3f&utm_term=.d55c2ca839ff, (último acceso en 12 de abril de 2017).

[33] El alcance de este análisis se limita a las perspectivas de soberanía y no incluye el análisis de las normas internacionales relevantes de derechos humanos que pueden verse afectadas por investigaciones criminales transfronterizas, como el art. 17 ICCPR. Para una visión de las cuestiones sobre los Derechos Humanos en este sentido ver UNODC "Comprehensive Study on Cybercrime" (*op. cit.* n. 1); Parlamento Europeo "Fighting Cybercrime and Protecting Privacy in the Cloud", PE 462.509. del 15 de octubre de 2012, pp. 15 y ss, 35 y ss., disponible en http://www.europarl.europa.eu/RegData/etudes/etudes/join/2012/462509/IPOL-LIBE_ET%282012%29462509_EN.pdf, (último acceso en 12 de abril de 2017); U. Sieber, "Statements for the Privacy and Civil Liberties Oversight Board", Public Hearing Regarding the Surveillance Program Operated Pursuant to Section 702 of the Foreign Intelligence Surveillance Act, marzo de 2019, disponible en https://www.pclob.gov/library/20140319-Transcript.pdf, (último acceso en 12 de abril de 2017).

II. SOBERANÍA TERRITORIAL EN EL CIBERESPACIO

Como se ha señalado con anterioridad, las investigaciones criminales en internet a menudo implican el acceso a ubicaciones situadas en el exterior de un Estado; sin embargo, la jurisdicción de un Estado-nación para la ejecución o aplicación de la ley[34] está limitada por la soberanía de otros Estados. De modo que el concepto de soberanía territorial no es solo uno de los pilares fundamentales del Derecho internacional público, sino que también es clave para determinar la permisibilidad de las investigaciones criminales transfronterizas en el ciberespacio.

El principio de soberanía territorial tiene la función de mantener y proteger el orden mundial westfaliano de los Estados-nación soberanos e independientes. Dicho principio, que es considerado parte de *ius cogens*[35], queda reflejado en el principio de la igualdad soberana de los Estados comprendido en el artículo 2.1 de la carta de las Naciones Unidas. El principio de soberanía territorial fue expresado en dos decisiones históricas que elocuentemente reflejan su alcance material: según el famoso laudo arbitral de *Island of Palmas* de 1924 "la soberanía territorial pertenece siempre a un Estado a exclusión de todos los demás e implica el derecho exclusivo para desplegar las actividades propias de un Estado"[36]. Del mismo modo, el Tribunal Permanente de Justicia Internacional describió la soberanía territorial en su famoso caso *Lotus* de 1927, sosteniendo que "un Estado no puede ejercer su poder en ninguna forma bajo el territorio de otro Estado[37]". Los preceptos legales de la

---

[34] El Derecho internacional público distingue entre jurisdicción extraterritorial para fijar y adjudicar (por ejemplo, acciones tomadas en territorio soberano que involucran la fijación de disposiciones y la adjudicación de casos extraterritoriales), por una parte, y jurisdicción para hacer cumplir, aplicar o ejecutar (por ejemplo, la realización de actos soberanos territorialmente), por otro. Las primeras competencias no infringen por lo general el principio de soberanía de otros Estados (PIJC, The "Lotus" (France c. Turkey) PIJC Series A No 10, pp. 18 y ss.) y no es un asunto muy problemático bajo las consideraciones de Derecho internacional. En Derecho penal, se ejercen ampliamente al definir el lugar de un crimen no solo en términos del Estado en el que el infractor comete un acto criminal, sino también en términos del Estado en el cual el crimen tiene efecto (denominado Teoría de la ubicuidad). *Cfr.*, M. Akehurst, "Jurisdiction in International Law" in J. Weiler & A. Nissel, International Law vol. III (Routledge 2011), pp. 171, 191 y ss.; I Brownlie, Principles of Public International Law (7th ed OUP 2008), pp. 299 y ss, 301 y ss, 309 y ss.; A Cassese, International Law (2nd ed OUP 2005), pp. 49 y ss.; G. Boas, Public International Law: Contemporary Principles and Perspectives (Edward Eglar Publishing 2012), pp. 246 y ss.; Kohl, Jurisdiction and the Internet (*op. cit.* n. 26), pp. 96 y ss.; U. Sieber, "Cybercrime and Jurisdiction in Germany", in B. J. Koops & S. W. Brenner (eds), Cybercrime and Jurisdiction (T. M. C. Asser Press 2006), pp. 183-210.

[35] *Cfr.*, H. Kelsen, "The principle of Sovereignty Equality of States as a Basis for International Organization" (1944) 53 Yale Law Journal 207; m. Shaw, International Law (5th ed CUP 2003), pp. 21, 25.

[36] Island of Palmas (Holanda c. Estados Unidos de América) (1928) 2 RIIA 829, pp. 838 y ss.

[37] PCIJ, The "Lotus" (Francia c. Turquía), PCIJ Series A N° 10, pp. 4, 18.

mayoría de los Estados-nación respetan dicha comprensión de soberanía territorial, tal y como se refleja en la (tercera) reformulación de la Ley de relaciones exteriores de los Estados Unidos: allí se reconoce universalmente como el colorario de la soberanía que las autoridades de un Estado no puedan ejercer sus funciones en el territorio de otro Estado sin el consentimiento de este. En consecuencia, si un Estado emprende actos soberanos en otro país, como puede ser el hacer cumplir sus propias leyes nacionales en el territorio de ese país extranjero, contraviene el principio de no intervención, y por ende, infringe la soberanía territorial del otro país, a menos que dicho Estado haya procedido a autorizar la acción[38].

Por lo que aquí respecta, debe determinarse si las investigaciones penales pertinentes en el ciberespacio constituyen actos soberanos de carácter coercitivo (ver *infra* III. 1.), por un lado, y por otro, si se infringe la soberanía territorial de otro Estado si, en el curso de una investigación, se accede a los datos que están almacenados en un servidor ubicado en el territorio de éste último (ver *infra* III. 2.). Por último, es necesario examinar si la responsabilidad que deriva de las infracciones a la soberanía cometidas con motivo de la realización de investigaciones transfronterizas *on-line* es atribuible a un Estado, incluso si el agente actuante del Estado en cuestión accede a los datos almacenados en territorio extranjero sin conocimiento de estas circunstancias (ver *infra* III. 3.).

1. *Investigaciones criminales como poder de actuación del Estado*

Los poderes para llevar a cabo investigaciones en materia penal y en su caso aplicar la ley residen aún casi exclusivamente en el ámbito de facultades del Estado-nación. La utilización de estos poderes por las autoridades públicas personifica el ejercicio de la soberanía. Esto se debe a que el enjuiciamiento penal representa una de las intrusiones estatales más severas en las libertades personales de los individuos y manifiesta descaradamente el monopolio del poder estatal. Con ello en mente, es claro que las investigaciones con fines de justicia penal constituyen el ejercicio de poder público atribuible a un Estado, independientemente de si se llevan a cabo en el mundo físico o en el mundo virtual. A efectos de la administración de Justicia penal, las investigaciones conservan el carácter de actividades propias de un Estado en concreto, incluso cuando los agentes estatales simplemente "patrullan" internet en busca de una serie de pruebas relevantes para el proceso penal, dado que la naturaleza no coercitiva de una medida no cambia el hecho de que ésta esté siendo realizada por un agente que actúa en nombre de un Estado ni afecta a la función de aplicación de la medida.

---

38   Brownlie, *Principles of Public International Law* (*op. cit.* n. 33), p. 309; Akehurst, in Weiler & Nissel (*op. cit.* n. 33), pp. 172 y ss.

2. Ubicación territorial de las investigaciones en Internet

Dado que las investigaciones criminales en internet constituyen el ejercicio del poder soberano de un Estado, las medidas de investigación a través de internet podrían plantear cuestiones de soberanía si se accede a los datos informáticos ubicados en el territorio de un Estado extranjero. Se plantea de ahí la cuestión de ubicar el emplazamiento territorial en internet donde se ejercita la soberanía del Estado que accede a los datos en Internet. La respuesta a dicha cuestión no puede dejar de tener en cuenta aspectos técnicos y normativos.

a. Procedimiento técnico y ubicación de acceso a los datos

El acceso a los datos —independientemente de si se produce con el fin de visualizar, copiar, manipular o eliminar— implica el envío de datos desde el equipo informático al servidor al que se accede y el envío de otros datos desde este último equipo al ordenador con el que a éste se accede. La recepción, el procesamiento y el envío de datos tienen lugar en un servidor físico conectado a internet mediante un medio de transmisión físico (por ejemplo, un cable de fibra óptica). Todos estos sistemas informáticos se encuentran vinculados a un determinado territorio. Por tanto, si se adopta una visión puramente fáctica de los hechos, la ubicación de los investigadores podría ser determinada señalando la ubicación geográfica del *software* involucrado en la transmisión de datos. Esta perspectiva física de la determinación de la ubicación lleva a un resultado simple: si los datos a los que se accede se almacenan en servidores ubicados en territorio extranjero, el Estado investigador está ejerciendo su soberanía en otro Estado[39]. Sin embargo, por más convincente que parezca a primera vista esta perspectiva física, queda la duda de si esta evaluación ontológica de conformidad con el Derecho internacional público respeta adecuadamente las esferas conflictivas de soberanía en el contexto del ciberespacio y a la vez presta la atención a las propiedades técnicas, funcionales normativas y virtuales de internet.

b. Efectos tangibles e intangibles del acceso a los datos

Una primera objeción a la perspectiva física descrita con anterioridad es representada por la relevancia del tipo de conexión descrita entre la medida de

---

[39] Parece que esta perspectiva física es la visión predominante entre los Estados nacionales. *Cfr.*, UNODC, "Comprehensive Study on Cybercrime" (*op. cit.* n. 1), p. 220; AID, "XIX International Congress on Penal Law: Preparatory Colloqium Section 4, General Report" (2013), (*op. cit.* n. 17) pp. 20-22, 24-25; (contiene un resumen de los informes de los países; sin embargo, el análisis posterior va más allá de lo que la mayoría de los Estados considera legal según los informes de sus países). En el Código procesal-penal francés se encuentra una notable excepción (ver *supra* I. 2. c.).

investigación de un Estado y el territorio de otro Estado donde se encuentran almacenados los datos accedidos. Tradicionalmente, la violación de la soberanía implica acciones llevadas a cabo por autoridades de un Estado infractor al tiempo que se encuentran en el territorio del otro Estado infringido. Por ejemplo, la policía de Holanda ingresa al territorio de Bélgica en el curso de una investigación, o un avión no tripulado (*drone*) británico que recoge pruebas mientras vuela en el espacio aéreo irlandés, o también un investigador encubierto de Estados Unidos entrevistando secretamente a posibles testigos en China, o un investigador alemán que controla las entradas de los bancos suizos en Zúrich para identificar a los evasores fiscales alemanes. En muchos casos, dicha actividad tangible también se lleva a cabo durante las investigaciones en internet; por ejemplo, cuando un CD-ROM en un sistema informático accedido cambia, el cabezal de escaneo de un disco duro se mueve, una cámara cambia su posición o se se activa un ordenador con accedida la apertura física de una puerta o la acción de otra maquinaria en el lugar.

Sin embargo, en otros casos se puede acceder a los datos sin la concurrencia de dichos eventos intangibles. En estos, los cambios introducidos por las investigaciones transfronterizas son intangibles: cuando los datos se almacenan o se procesan en dispositivos de memoria magnética tradicionales (RAM), solo se cambia la magnetización en el plato magnético de los dispositivos de memoria. De modo similar, no se están realizando actividades tangibles cuando dispositivos específicos conectados a un equipo informático investigado son activados por *softwares* remotos, tales como micrófonos o cámaras. Cuando los datos se transfieren entre el equipo informático que es interceptado y el equipo que intercepta a éste, se llevan a cabo operaciones similares en los enrutadores responsables del transporte de datos y señales; las únicas operaciones adicionales inducidas dentro de los cables son una transferencia de impulsos eléctricos (en cables de cobre) o de señales luminosas (en cables de fibra).

Este cambio de interferencia tangible a intangible plantea la cuestión de si los procesos de cambio de estados magnéticos, cargas eléctricas o impulsos ópticos también constituyen vínculos suficientes entre la medida de investigación y el territorio extranjero donde se encuentran los dispositivos accedidos para establecer el lugar físico de la medida en ese territorio. Existen cuatro argumentos que respaldan una respuesta afirmativa: en primer lugar, el estado de la magnetización, de carga eléctrica y de luz, que son características inherentes a los dispositivos físicos a los que se accede, lo cual significa que estos dispositivos mismos también están siendo cambiados[40]. En segundo lugar, con respecto a la función protecto-

---

[40]　Respecto al delito de daños a la propiedad, ver U. Sieber, Computerkriminalität und Strafrecht (2º ed Carl Heymmans 1980), pp. 191-192.

ra y exclusiva de la soberanía territorial, no importa si la información a la que se accede en el curso de una investigación penal se encuentra en una memoria de almacenamiento, en cuyo caso el acceso conlleva efectos tangibles, o en un dispositivo de memoria, en cuyo caso el acceso solo conlleva efectos intangibles. Tercero, en los procesos "menores" anteriormente mencionados en los que cambian los estados magnéticos, las cargas eléctricas o los impulsos ópticos no son cambios técnicos aislados *per se*, sino que representan cambios importantes en el mundo tangible, por ejemplo, mediante el intercambio de secretos comerciales o envíos de grandes cantidades de dinero a otras personas. Cuarta y última razón, la definición de soberanía territorial a la que con anterioridad se ha hecho referencia, expresada por los tribunales y la literatura, no exige explícitamente que el ejercicio extraterritorial del poder soberano sea tangible en su naturaleza, sino que exige que un Estado extranjero lleve a cabo una función que es normalmente ejercida por el Estado del territorio donde ésta se desarrolla. Por estas razones, podría incluso darse un paso más y eliminar el requisito de efectos intangibles, siempre y cuando la información se obtenga y transfiera del país extranjero[41].

c. Acciones relevantes y efectos del acceso a datos

El argumento también físico de que los agentes del Estado investigador desarrollan sus actividades desde dentro de los confines de su país de origen y nunca entran ellos personalmente en territorio extranjero, tampoco refuta la violación de la soberanía causada por investigaciones criminales de sistemas informáticos *on-line* ubicados en territorio extranjero[42]. El Derecho internacional público

---

[41] Una comprensión tan amplia puede reflejarse en las decisiones de los tribunales nacionales que han considerado violaciones de la soberanía territorial en casos en que el interrogatorio de un testigo ubicado en el extranjero se llevó a cabo mediante videoconferencia durante un proceso penal (Tribunal Supremo alemán (*Bundesgerichtshof*), BGHSt 45, p. 192) o en casos de servicio extraterritorial de citaciones o requerimientos de actas penales (por ejemplo Corte de apelación de los Estados Unidos para el distrito de Columbia, Federal trade commission v. Compagnie de Saint-Gobain, (1981) 20 ILM pp. 597 y ss.). Otro ejemplo es el fallo de la Corte Internacional de Justicia en el caso de la orden de arresto (*Arrest Warrant Case*), donde el Tribunal determinó que la mera emisión de una orden de arresto por parte de un juez de instrucción belga contra el actual ministro congoleño del exterior constituía una violación de la obligación de Bélgica de respetar la inmunidad del ministro congoleño, ya que se relacionaría con la igualdad soberana de los Estados (IJC, Arrest Warrant of 11 April 2000 (República democrática del Congo c. Bélgica). En todos estos casos, sin embargo, las acciones en cuestión también causaron consecuencias tangibles indirectas (como la aparición del testigo en la video-conferencia).

[42] En este sentido, ver, por ejemplo, Seitz (2005) 7 Yale Journal of Law and technology (*op. cit.* n. 20), p. 36. Cautelosamente, CoE, "Cybercrime and Internet Jurisdiction" Project on Cybercrime Discussion paper (5 de marzo de 2009), p. 27 párrafo 77, disponible en https://rm.coe.int/CoERMPublicCommonSearchServices/DisplayDCTMContent?documentId=09000016803042b7, (último acceso en 12 de abril de 2017).

considera irrelevante que un agente del orden público que lleva a cabo una investigación no se encuentre físicamente en territorio extranjero: desde el famoso arbitraje *Trail Smelter* ha sido aceptado en el Derecho internacional que los actos que se realizan desde el territorio de un Estado pero que surten efectos dentro del territorio de otro Estado, infringen el principio de soberanía en el Estado afectado[43]. Así vistas las cosas, tanto el lugar de resultado como el lugar de acción son relevantes para la ubicación exacta del lugar donde se entiende realizado el acceso a los datos.

d. Conceptos contrapuestos de un ciberespacio global

La importancia sustantiva de la ubicación física de los servidores o cables en un país extranjero no puede negarse simplemente porque estos dispositivos físicos forman parte de un ciberespacio global[44]. Ciertamente dicha estructura global existe e incluso de hecho representa la característica esencial de internet. Sin embargo, ello no elimina el nexo físico entre los servidores conectados a internet y el lugar de su ubicación física. No hay indicios de que los Estados estén dispuestos a ceder su soberanía territorial y el ejercicio de la función de protección que presta frente a sus ciudadanos, así como a las restricciones a las que estas se someten, solo porque sus infraestructuras de TI públicas y privadas están conectadas con el ciberespacio global[45]. Por el contrario, el hecho de que la ubicación territorial del *hardware* pueda ser de importancia sustancial para la soberanía fue ilustrado por el plan del proveedor de telecomunicaciones alemán "*Deutsche Telekom*", motivado por las revelaciones *Snowden*, con el fin de construir un "internet alemán" compuesto de un servidor ubicado exclusivamente en Alemania. Esto muestra que incluso en el caso de los servicios en la nube (Cloud Computing), donde los datos se trasladan flexiblemente entre los servidores en varios países, los países pueden llegar a ser seleccionados conscientemente a veces por los administradores de la nube. El interés persistente del Estado-nación en cuanto a la integridad de los servidores y cables ubicados en su territorio nacional también demuestra por qué una perspectiva

---

[43] Caso del *Trail Smelter* (Estados Unidos de América c. Canadá) (1938/41) 3 RIIA 1905, p. 1965, perteneciente a la emisión extraterritorial de humos. *Cfr.*, ICJ, Legality of the Threat or use of Nuclear Weapons (Advisory Opinion) (1996) ICJ Rep 226, p. 29 para.; Pulp Mills on the River Uruguay (Argentina c. Uruguay) (Judgement) (2010) ICJ Rep 14 p. 101 para.; *Cfr.*, también la obligación conexa de prevenir daños transfronterizos, ver Sección IV. 3. a. *infra*.

[44] Para el supuesto por el que se afirma que el alcance y relevancia de la soberanía están experimentando cambios significativos *Cfr.*, C. Rudolph, Sovereignty and Territorial Borders in a Global Age (2005) 7 international Studies Review 1; M. Koskenniemi, "What Use for Sovereignty Today?" (2011) 1 Asian Journal of International Law 61.

[45] Ver también en detalle las Secciones III. y IV. *infra*.

puramente funcional y virtual sobre el acceso a datos transfronterizos para fines de justicia penal no es convincente[46].

En resumen: la localización geográfica del ejercicio del poder represivo del Estado en forma de acceso a los datos en Internet, se relaciona generalmente con el lugar y el territorio donde se almacenan y descargan estos datos.

e. Características especiales de los casos de "pérdida de ubicación"

La tecnología moderna de la información ha provocado situaciones específicas que dificultan el establecimiento, en el contexto de las investigaciones transfronterizas en línea, del nexo territorial discutido anteriormente entre los Estados-nación y servidores, cables y datos. Se trata de un hecho que es particularmente relevante bajo circunstancias que implican una "pérdida en el conocimiento de los datos"[47]. El Comité de la Convención sobre ciberdelincuencia del Consejo de Europa ha afirmado que en esos casos no se contraviene el principio de soberanía ya que el principio de territorialidad no se aplica[48]. Este entendimiento parece reflejarse en la práctica de algunos Estados que permiten a sus agentes involucrarse en actividades que conllevan un acceso transfronterizo sin el consentimiento del Estado afectado al momento que se desconoce la ubicación geográfica de los datos deseados[49].

La razón por la puede asumirse esta postura se basa en la suposición de que en casos de "pérdida de ubicación" los intereses de los Estados en cuanto al respeto de su propia soberanía son mínimos e incluso inexistentes en lo que se refiere a la protección de los datos almacenados dentro de su territorio: Si los datos a los que el Estado "A" accede se almacenan en un sistema ubicado en el Estado "B"

---

[46] Para diferentes enfoques de lege ferenda (que tratan el ciberespacio como un espacio común global, como la Antártida, el espacio exterior o partes de alta mar) ver Sección VII. 3. a. *infra*.

[47] Ver Sección I. 2. b. *supra*.

[48] CoE Comité de la Convención sobre cibercrimen (T-CY) "Transborder Access and Jurisdiction: What are the Options?, Report of the Transborder Group", T-CY (2012) 3 del 6 de diciembre de 2012, p. 134, disponible en https://rm.coe.int/16802e79e8, (último acceso en 12 de abril de 2017). "While the principle of territorialy remains predominant, doubts as to its applicability in virtual 'cyberspace' (...) are increasing. It is not possible to apply the principle of territoriality if the location data is uncertain".

[49] CoE Comité de la Convención sobre cibercrimen (T-CY) "Transborder Access and Jurisdiction: What are the Options?" (*op. cit.* n. 47), pp. 138, 143, 148; CoE Comité de la Convención sobre el Cibercrimen (T-CY) "Criminal Justice Access to Electronic Evidence in the Cloud" (*op. cit.* n. 12), p. 45. Ver, por ejemplo, El artículo 88 ter del Código procesal-penal belga o el artículo 11 de la Ley brasileña Nº 12.965 del 23 de abril de 2014. La Unión Europea también ve la necesidad de revisar las reglas sobre la jurisdicción de los Estados en cuanto a la aplicación de sus normas en el ciberespacio. Ver, Consejo de la Unión Europea "Council conclusions on Improving Criminal justice in Cyberspace" (9 de junio de 2016), disponible en https://www.consilium.europa.eu/media/24300/cyberspace-en.pdf, (último acceso en 12 de abril de 2017).

(aleatoriamente, debido al uso de sofisticados algoritmos y sistemas dinámicos de administración luego de la asignación de espacio de almacenamiento de datos gratuitos en la "nube" o, debido a la redirección de datos a través de *bots* transnacionales en un esfuerzo de ocultación), entonces la relación del Estado "B" con el interés legal de la protección de los datos almacenados en su territorio parece ser meramente "virtual". En última instancia, podría argumentarse que, a medida que disminuya la influencia fáctica del Estado sobre ciertos aspectos de la vida, sus intereses legales deberían disminuir de manera correspondiente. El apoyo que puede sostener este enfoque se puede extraer de los siguientes dos argumentos.

Una primera línea argumentativa para explicar la ausencia de interés soberano de los Estados hacia la protección de los datos alojados en su territorio podría residir en el hecho de que la relación entre los datos en cuestión y el Estado es meramente accidental. Este podría ser el caso en el que el enrutamiento o almacenamiento de datos en una jurisdicción extranjera se debe a razones puramente técnicas o incidentales, como sucede con datos informáticos que se enrutan a través de países extranjeros de acuerdo con las capacidades de almacenamiento y transmisión disponibles, o cuando los datos se seleccionan técnica y aleatoriamente por servidores TOR para evitar el rastreo o, cuando se intercambian datos en redes *peer to peer* sin importar las fronteras nacionales. No obstante, incluso en estos casos, una suposición general de falta de interés por parte de los Estados, en cuyo territorio albergan dispositivos físicos y datos informáticos solo sería eso: una hipótesis. Si los representantes de los Estados fueran preguntados al respecto, la mayoría no estaría de acuerdo. Además, incluso la ausencia de interés respecto a los datos pertinentes no puede equipararse con una falta de interés en la protección de la infraestructura técnica y la enorme cantidad de datos que son transportados o almacenados simultáneamente en el mismo dispositivo, los cuales son puestos en peligro por eventuales accesos remotos y clandestinos al dispositivo de almacenamiento[50]. Por el contrario, debido a los riesgos que suponen las intrusiones que siguen al equipo informático al que se accede con respecto a otros datos, los Estados tienen buenas razones para reclamar un interés *per se* en la protección de la soberanía sobre sus servidores y su infraestructura en todos los casos.

Una segunda línea de razonamiento para afirmar la falta de interés de los Estados con respecto a los datos podría basarse en el argumento de que se debe a la misma falta de conocimiento de la ubicación de los datos en cuestión. Sin embargo, no es un criterio adecuado que el Estado deba tener conocimiento acerca de la ubicación de unos datos específicos para que se genere un interés en

---

[50]   Las discusiones sobre el acceso remoto clandestino a equipos informáticos en el Derecho procesal-penal nacional ilustran las dificultades técnicas involucradas en la limitación de tales medidas a datos específicos (tales como datos telefónicos).

protegerlos, pues en general, el Estado no tiene conocimiento de la ubicación de los datos ni interés espacial en ello. Por consecuencia, tampoco se puede afirmar que no se haya producido una violación de la soberanía simplemente porque el Estado afectado no tiene conocimiento de la existencia de la violación[51].

Por lo tanto, a pesar de las dificultades e incluso imposibilidades para determinar con exactitud la ubicación geográfica de los datos *ex ante*, estos quedan almacenados físicamente en uno o varios servidores en un momento determinado, y los respectivos servidores permanecen vinculados a un territorio ubicado en un Estado en concreto. Tomando en cuenta las declaraciones valederas de los Estados, tampoco hay indicios de que el avance real de la tecnología haya producido un cambio en la medida en que la mayoría de los Estados perciben o intentan ejercer e invocar su soberanía territorial[52]. En este contexto, el principio de territorialidad en el Derecho internacional público permanece inalterado, incluso en el contexto de la "pérdida de ubicación". Por lo tanto, un Estado que emprende investigaciones transfronterizas *on-line* sin el consentimiento del Estado afectado no puede alegar con éxito que el Estado lesionado no puede invocar la violación de soberanía porque la relación de los datos accedidos con el territorio de este último es meramente "virtual".

f.   Casos específicos de no infracción

En consecuencia, un nexo entre las investigaciones en materia penal en el ciberespacio y la vinculación a un territorio extranjero solo puede negarse si la investigación se lleva a cabo completamente fuera de un Estado extranjero, por ejemplo, en el país de origen del Estado investigador, en aguas internacionales o en órbita. Este puede ser el caso en las siguientes dos situaciones:

En primer lugar, se puede negar la existencia de un vínculo territorial con un país extranjero si los investigadores confiscan el equipo informático de un sospechoso dentro de los límites de su propio territorio y la memoria de la información que generalmente se almacena en un servidor extranjero. En este caso, la copia de la información ya descubierta y transportada al territorio nacional del Estado investigador no constituye un acto soberano llevado a cabo en otro país ya que los datos han sido previamente almacenados temporalmente en la memoria del equipo local por su propietario privado. Lo mismo puede aplicarse si los datos a los que se accede están almacenados en el extranjero, pero se accede a ellos a través de un *software* de control remoto instalado en un equipo informático ubicado en el Estado investigador que es usado por el

---

[51]   Ver Koops & M. Goodwin, "Cyberspace, the Cloud, and Cross-Border Criminal Investigations" (*op. cit.* n. 19), p. 66.

[52]   UNODC "Comprehensive Study on Cybercrime" (*op. cit.* n. 1.), p. 220.

sospechoso. En otras palabras: si los datos inicialmente almacenados en un Estado se trasladan a un servidor ubicado en otro Estado por un usuario privado, la posterior confiscación en el país receptor por las autoridades no constituye una violación de la soberanía del país de almacenamiento original.

Segundo, puede refutarse la afirmación de que se ha accedido a territorio extranjero si se recopilan pruebas que demuestren que ello se ha llevado a cabo mediante la interceptación en el Estado investigador de ondas de radio u otras conexiones inalámbricas que han sido originadas por distribuidores extranjeros. Tales métodos de recopilación de información son estructuralmente comparables a la detección vía satélite, la cual es en gran medida permisible en virtud del Derecho internacional[53]. Del mismo modo podría considerarse que no constituyen medidas coercitivas en el ámbito en el territorio de otro Estado o con efectos en el mismo, por lo que no implican una violación de la soberanía de aquel[54].

Como resultado, casi todos los tipos de investigaciones penales transfronterizas emprendidas a través de internet constituyen actos soberanos en otro país y, como tales, infringen la soberanía de ese país[55].

g. Atribución de responsabilidad por las medidas coercitivas del Estado

Generalmente, para establecer la responsabilidad internacional por violaciones de la soberanía de un Estado mediante investigaciones transfronterizas *on-line* no autorizadas, el Derecho internacional requiere que la violación sea atribui-

---

[53]   *Cfr.*, Resolución de la Asamblea general de las Naciones Unidas 41/65 del 3 de diciembre de 1986, "UN principles Relating to the Remote Sensing of the Earth from Outer Space"; R. Jakhu, "International Law Govering the Acquisition and Dissemination of Satellite Imagery" (2003) 29 Journal of Space Law 65, 66, 79.

[54]   Es importante tener en cuenta que, en estos casos, los datos emitidos son enviados por el Estado de origen mediante tecnología *push*; sin embargo, este no es el caso, con respecto a las investigaciones en línea, en las que los datos son "extraídos" por el país investigador desde servidores ubicados en un país extranjero.

[55]   *Cfr.* CoE Comitè de Ministros "Recommendation No. R (95) 13 of the Committee of Ministers to Member States concerning Problems of Criminal Procedural Law Connected with Information technology", Apéndice 17, disponible en https://rm.coe.int/CoERMPublicCommonSearchServices/DisplayDCTMContent?documentId=09000016804f6e76, (último acceso en 12 de abril de 2017); Naciones Unidas, "United Nations Manual on the Prevention and Control of Computer-Related Crime" (1994) 43/44 International Review of Criminal policy, paras. 264 y ss., disponible en http://www. unodc.org/pdf/Manual_ComputerRelatedCrime.PDF, (último acceso en 12 de abril de 2017); Ver también, Asociación Americana BAR, international Guide to Combating Cybercrime, 2003, p. 154; Para una opinión en contra, ver Goldsmith, "The Internet and the Legitimacy of Remote Cross-Border Searches"(2001) 16 Chicago Public Law and Legal Theory Working Paper 1 (*op. cit.* n. 29), pp. 5-12, pero sin un análisis fundamentado del Derecho internacional público existente.

ble a un Estado[56]. Por esta razón, las investigaciones criminales en el ciberespacio conducen a la pregunta de si la responsabilidad también puede establecerse en casos de las llamadas investigaciones de "buena fe": en estas situaciones, las autoridades actúan bajo la suposición errónea de que los datos a los que acceden a través de internet en el curso de una investigación están ubicados en servidores dentro del territorio del Estado al que ellos representan: consecuentemente los agentes actúan con la fe de que no están violando los derechos de otro Estado[57].

De este modo, la cuestión de si la violación de la soberanía de otro Estado requiere constatar cierta culpa personal por parte de los agentes del Estado infractor, guarda relevancia para determinar si el criterio de la buena fe en una investigación *online* es permisible en términos del Derecho internacional. Dicha cuestión, de si la responsabilidad del Estado por una violación de una norma internacional depende de un elemento subjetivo, ha sido durante mucho tiempo tema de debate en la literatura jurídica internacional[58]. La Corte internacional de justicia parece fallar a favor de la responsabilidad objetiva y no parece requerir una falta personal por parte del agente actuante del Estado infractor para constatar una violación de la soberanía de un Estado[59]. La literatura jurídica internacional también acepta ampliamente la responsabilidad objetiva[60]. El artículo 2 del proyecto de la CDI de las Naciones Unidas sobre la responsabilidad del Estado[61],

---

[56]   UN ILC "Draft Articles on Responsibility of States for Internationally Wrongful Acts" (2001) Yearbook of the International Law Commission vol. II Part Two, p. 26, Art. 2. lit. a), pp. 4-10. Para una explicación detallada de la atribución en responsabilidad internacional del Estado ver, Brownlie, *Principles of Public International Law* (*op. cit.* n. 33), pp. 445-456; A Cassese, *International Law* (*op. cit.* n. 33), pp. 246 y ss.

[57]   *Cfr.*, U. Sieber, "Legal aspects of Computer-Related Crime in the information Society-COM-CRIME-Study", 1998, p. 107 nota a pie de página 239, disponible en http://www.edc.uoc. gr/~panas/PATRA/sieber.pdf, (último acceso en 12 de abril de 2017). Sin embargo, no se incluyen los casos en que las instancias de ejecución o aplicación de la ley consideran la probabilidad de que los datos deseados se almacenen en servidores ubicados en otro estado; En esas situaciones, simplemente no actúan de buena fe.

[58]   Ver en detalle F. V. García-Amador, "International Responsibiliti, Fifth Report" (1960) Yearbook of the international Law Commission vol. II 41, pp. 60 y ss.

[59]   Ver ICJ, United States Diplomatic and Consular Staff in Tehran (Estados Unidos de América c. Iran) (1980) IJC Rep 3, párrafos 63 y ss., 68 y ss. Sin embargo, A Verdross & B. Simma, Universlles Völkerrecht (3ª ed Dunker & Humblot 2010), pp. para. 1266. Ha de señalarse que esto puede deberse al hecho de que la falta de responsabilidad subjetiva no tuvo que ser resuelta ya que los acusados no la invocaron.

[60]   Para unas referencias exhaustivas y una discusión comprensiva de tales aspectos ver Brownlie, *Principles of Public International Law* (*op. cit.* n. 33), pp. 437 y ss.; A Cassese, *International Law* (*op. cit.* n. 33), pp. 250 y ss.; Boas, *Public International Law* (*op. cit.* n. 33), p. 284, incluso habla de "el principio de responsabilidad objetiva aceptado ahora generalmente".

[61]   *Cfr.*, UN ILC "Draft Articles on Responsibility of States for Internationally Wrongful Acts" (*op. cit.* n. 55), p. 34, comentario al Artículo 2 (2).

que define los elementos de un Derecho internacional, tampoco requiere un elemento subjetivo[62]. Puede existir una rara excepción en los casos en que la violación de la soberanía se debe a una omisión; En este contexto, la responsabilidad puede requerir el conocimiento por parte del Estado lesionado con respecto a las circunstancias materiales de la obligación de tomar medidas[63].

Por otro lado, se reconoce ampliamente que existen situaciones excepcionales en las que los Estados no pueden ser acusados de cometer un hecho internacionalmente ilícito: este es el caso del Estado infractor que no habría sido capaz de detectar y evitar la violación de la ley internacional, incluso si hubiera ejercido la debida diligencia[64]. Sin embargo, el alcance de esta excepción es muy limitado y está sujeto al criterio casi objetivo de la debida diligencia[65]. En consecuencia, el Derecho internacional de responsabilidad estatal, como se detalla en los artículos 20-25 de la ILC de la ONU, limita las circunstancias que excluyen la ilicitud a justificaciones legales generalmente reconocidas y consideraciones objetivas. Lo más revelador es que las disposiciones que excluyen la ilicitud por motivos de fuerza mayor, peligro inminente o estado necesidad[66] no toman en consideración motivos subjetivos por parte del Estado infractor de la soberanía con respecto a su exculpación.

Como resultado, las infracciones a la soberanía de un Estado no dependen generalmente de un elemento subjetivo y no se requiere la culpa personal por parte de los agentes que actúan en nombre del Estado infractor. Las excepciones solo pueden surgir en situaciones en las que la violación del Derecho internacional por parte de un Estado se derive de acontecimientos completamente fuera del control del Estado, independientemente de su debida diligencia[67]. Sin embargo no entran dentro de tales excepciones el acceso a datos almacenados en servidores ubicados dentro del territorio del Estado investigador. Por lo tanto, la "buena fe" en las investigaciones *online* está sujeta a las mismas reglas generales de Derecho internacional discutidas anteriormente y, por lo tanto, debe considerarse generalmente una infracción de la soberanía[68].

---

[62]   *Ibid.*, p. 34, comentario al artículo 2 (3) (10).

[63]   ICJ, Corfu Channel (Reino Unido de Gran Bretaña e Irlanda del Norte c. Albania) (merecimiento) (1949) ICJ Rep 4, p. 22: "(La obligación de todos los Estados de no permitir que su territorio se utilice bajo su conocimiento (a sabiendas) para actos contrarios a los derechos de otros Estados (cursiva nuestra)".

[64]   ICJ, Corfu Channel (Reino Unido de Gran Bretaña e Irlanda del Norte c. Albania) (merecimiento) (1949) ICJ Rep 4, p. 22: "(La obligación de todos los Estados de no permitir que su territorio se utilice bajo su conocimiento (a sabiendas) para actos contrarios a los derechos de otros Estados) (cursiva nuestra)".

[65]   Verdross & Simma, Universelles Völkerrecht (*op. cit.* n. 63), p. para. 1267.

[66]   *Cfr.*, Arts. 23-25 UN ILC Draft Articles on State Responsibility.

[67]   *Cfr.*, Ago, "Eighth Report on State Responsibility" (*op. cit.* n. 63), pp. 66 paras. 100 y ss, p. 152.

[68]   El Consejo de Europa contempla la introducción de una disposición que permita la realización de investigaciones transfronterizas de "buena fe" como parte de un Protocolo adicional del

Como resultado, las investigaciones transfronterizas *on-line* con fines de justicia penal generalmente representan infracciones a la soberanía extranjera y son atribuibles al Estado de ejecución. Por lo tanto, es esencial determinar si la infracción puede justificarse en virtud del Derecho convencional existente, el Derecho internacional consuetudinario o las circunstancias que excluyen la ilicitud de conformidad con el Derecho internacional general. Al responder a esta pregunta, es necesario distinguir entre dos situaciones: Acceso transfronterizo a datos disponibles públicamente (*infra* III) y acceso transfronterizo a datos no disponibles públicamente (*infra* IV).

III. JUSTIFICACIÓN DEL ACCESO TRANSFRONTERIZO A DATOS PÚBLICAMENTE DISPONIBLES

Cualquier persona puede acceder a los datos disponibles en acceso público (*public available data*) sin condiciones previas. Sin embargo, si las autoridades encargadas de hacer cumplir la ley (de aplicación o ejecución) tienen acceso a dichos datos en un país extranjero con fines de investigación criminal, este acceso —como se muestra en la sección anterior— constituye el desempeño de una función estatal y una violación de la soberanía extranjera, asunto que requiere justificación. La justificación de este tipo de investigación penal puede basarse en el Derecho de los tratados o Derecho convencional (1.) y en el Derecho internacional consuetudinario (2.).

1. *Derecho convencional*

a. Artículo 32 a) de la Convención contra el delito cibernético del Consejo de Europa

El Convenio sobre la ciberdelincuencia del Consejo de Europa[69] es el primer tratado europeo sobre el cibercrimen y el más importante de cara a armonizar el Derecho penal sustantivo y procesal de los Estados miembros, así como en cuanto a fines de cooperación internacional en el campo de la de-

---

Convenio sobre la ciberdelincuencia relativo al acceso transfronterizo, ver CoE Convención del Consejo de Europa sobre el cibercrimen "(*Draft*) Elements of an Additional Protocol to the Budapest Convention on Cybercrime regarding Transborder Access to Data" T-CY (2013) 14 de 19 de abril de 2013, propuesta 3ª, disponible en https://rm.coe.int/CoERMPublicCommonSearchServices/DisplayDCTMContent?documentId=09000016802e70b8, (último acceso en 12 de abril de 2017).

[69]   CoE "Convención sobre el Cibercrimen" (*op. cit.* n. 9).

lincuencia informática y la evidencia digital. La Convención fue adoptada en 2001 y entró en vigor en 2004. En abril de 2017, un total de 53 Estados habían ratificado la convención y otros tantos la habían firmado. Entre los miembros del Tratado se incluyen la mayoría de los miembros de la Unión Europea y del Consejo de Europa, así como a los Estados Unidos de América, Canadá y Japón[70]. Entre ellos no se encuentra Rusia, China ni Brasil. En comparación con otros tratados internacionales sobre cibercrimen, este Convenio es particularmente importante ya que el Comité del Convenio sobre ciberdelincuencia (TC-Y) del Consejo de Europa y su secretaría atienden constantemente a los nuevos desarrollos en la materia y mantienen la Convención actualizada mediante protocolos adicionales, notas de orientación, documentos de trabajo, subgrupos *ad hoc* y conferencias anuales[71].

En cuanto a los Estados miembros, el artículo 32 a) del Convenio sobre Ciberdelincuencia con respecto a los datos disponibles públicamente (*open source*) proporciona la siguiente justificación de infracción de la soberanía de un Estado mediante investigaciones penales transfronterizas a través de internet:

Una parte puede, sin la autorización de otra parte: (a) acceder a datos almacenados disponibles públicamente (*open source*), independientemente de dónde se encuentren geográficamente ubicados.

a) Con respecto a su *objeto*, el artículo 32 a) de la Convención y su informe explicativo no aclara ni el significado del término "datos informáticos almacenados que se encuentren a disposición del público (*open source*)" ni las intenciones de los redactores del texto[72]. El significado literal de los términos del artículo 32 a) sugiere que se incluye todos los datos a los que cualquier persona puede acce-

---

[70]   La situación actual de los Estados firmantes y las ratificaciones puede encontrarse en https://www.coe.int/en/web/conventions/full-list/-/conventions/treaty/185/signatures?p_auth=jVbi9L3U, (último acceso en 12 de abril de 2017).

[71]   Durante los últimos años, el T-CY estuvo particularmente activo en los campos de evidencia de nubes, acceso remoto transfronterizo y un sistema reforzado de asistencia legal mutua; ver CoE Cybercrime Convention Committee (T-CY) "T-CY guidance Note # 3: Transborder Access to Data (Art. 32); T-CY (2013) 7 E (3 de noviembre de 2014)", disponible en https://rm.coe.int/CoERMPublicCommonSearchServices/DisplayDCTMContent?documentId=09000 016802e726a, (último acceso en 12 de abril de 2017); CoE Comité de la Convención sobre el Cibercrimen (T-CY) "Assessment Report: The Mutual Legal Assistance Provisions of The Budapest Convention on Cybercrime" (*op. cit.* n. 11); CoE Comité de la Convención sobre el Cibercrimen (T-CY) "Justice Access to Data in the Cloud: Recommendation for Consideration by the T-CY" T-CY (2016) 5 (16 de septiembre de 2016), disponible en https://rm.coe.int/CoERMPublicCommonSearchServices/DisplayDCTMContent?documentId=09000016806a4 95e, (último acceso en 12 de abril de 2017).

[72]   CoE "Explanatory Report to the Cybercrime Convention" parrafo. 294, disponible en https://rm.coe.int/CoERMPublicCommonSearchServices/DisplayDCTMContent?documentId=09000 016800cce5b, (último acceso en 12 de abril de 2017).

der sin condiciones previas, es decir, datos publicados en sitios web públicos[73]. Una interpretación teleológica apoya esta visión. Se puede suponer que la persona física o jurídica que hizo pública la información no tiene objeción a que se tenga acceso a ella: si no hubieran tenido la intención de que los datos estuvieran accesibles al público en general, no habrían dado tal consentimiento a su publicidad. En consecuencia, los Estados no tienen razones para esperar que el acceso a los datos almacenados en ubicaciones situadas en su territorio infrinja los derechos individuales de los autores siempre que estos datos se encuentren accesibles al público en general (*open source*) y por tanto no hay razón para temer que al permitir dicho acceso se ponga en peligro el cumplimiento de sus obligaciones de protección con respecto a los derechos individuales garantizados en su territorio.

Como resultado, los términos del artículo 32. a) del Convenio también incluyen, por un lado, los datos a los que solo se puede acceder después de completar algún tipo de registro, siempre que el registro no dependa de requisitos personales particulares y por otro, datos ubicados en alojamientos virtuales donde su acceso se concede automáticamente al registrarse sin necesidad de confirmación intermedia previa por parte de un tercero. A este tipo de datos puede accederse a través de salas de chat o a través de la información de perfil públicamente visible en las plataformas de redes sociales como Facebook[74]. Lo mismo se aplica a los datos que están disponibles para el público en general con el único requisito previo de pago: esta categoría incluye sitios web y suscripciones a ciertos periódicos, canales de televisión y revistas científicas. Por el contrario, los datos cuyo acceso dependen del cumplimiento de un requisito personal particular (por ejemplo, la afiliación en una organización o la posesión de una autorización de seguridad) o a los que se tiene acceso tras completar un mecanismo de acceso técnico (por ejemplo, confirmación de acceso por un tercero mediante un código de acceso) o los datos que, de otro modo, evidentemente no están destinados al consumo general, no se pueden considerar públicamente disponibles de conformidad con la disposición comentada.

b) Con respecto a los actos permitidos, el artículo 32 a) del Convenio sobre Ciberdelincuencia contiene cierta ambigüedad: si bien permite "acceder" a los datos disponibles públicamente, no especifica el alcance exacto de la acción (acceder) que permite. Esto plantea la cuestión de si el término "acceso" solo permite la visualización de datos relevantes o si la disposición va más allá y también inclu-

---

[73]   Esto parece ser la comprensión del Consejo de Europa, ver CoE Comité de la Convención sobre el Cibercrimen (T-CY) "T-CY guidance Note # 3: Transborder Access to Data (Art. 32)" (*op. cit.* n. 70), p. 4: "se entiende comúnmente que los funcionarios encargados del cumplimiento de la ley pueden acceder a cualquier información que el público pueda acceder (...)".

[74]   *Ibid.*, p. 4.

ye, *inter alia*, la copia permanente, la captura o la alteración de datos. La disposición tampoco indica si permite que las autoridades policiales se comuniquen con los autores de los datos disponibles públicamente, por ejemplo en plataformas públicas, lo que provoca el acceso a aún más datos[75]. El informe explicativo no aborda el problema[76].

La literalidad de la disposición admite tanto interpretaciones amplias como otras más restringidas por lo que no es del todo concluyente. Si se compara el artículo 32 a) con el artículo 32 b) de la Convención sobre el cibercrimen, se puede decir que el primero admite una interpretación más amplia que el primero, ya que prescribe que una parte "acceda o reciba" ciertos datos. Sin embargo, con ello no se arroja luz sobre el significado exacto del término "acceso". Por el contrario, en los artículos 19.1.29.1 y 2 f), 4 y 7, así como en el artículo 31.1, el Convenio sobre Ciberdelincuencia distingue entre "búsqueda o acceso análogo" y "provecho o similarmente seguro"[77]. El Convenio, por lo tanto, hace una distinción expresa entre la identificación de datos, por un lado, y la obtención material[78] y control de los datos a los efectos de evitar su alteración o supresión por parte del autor o de un tercero[79], por el otro. En consecuencia, se puede inferir que el término "acceso" no abarca asegurar ni alterar los datos por sí mismos.

Como el artículo 19.3 b) del Convenio sobre Ciberdelincuencia clasifica la copia como una medida para proteger o asegurar los datos, una interpretación sistemática del término "acceso" podría llevar a la conclusión de que este (acceso) tampoco abarca la copia de datos. Esto, sin embargo, contravendría el espíritu de la Ley. El objetivo del artículo 32 de la Convención sobre el de-

---

[75] La última alternativa es particularmente relevante para las investigaciones encubiertas de las autoridades policiales en salas de chat y redes sociales donde se comunican con posibles delincuentes mediante la simulación de una determinada identidad (por ejemplo, un traficante de drogas, un niño interesado en el contacto sexual con hombres adultos) y la intención de provocar respuestas incriminatorias.

[76] CoE "Explanatory Report to the Cybercrime Convention" para. 294 (*op. cit.* n. 71).

[77] *Cfr.*, Art. 19 de la Convención sobre el Cibercrimen: "(1) Cada Parte adoptará· las medidas legislativas y de otro tipo que resulten necesarias para facultar a sus autoridades competentes a registrar o a tener acceso de una *forma similar* (versión en español)"; Art. 31 párrafo 1: "Una Parte podrá solicitar a otra Parte que registre o acceda de *forma similar, confisque u obtenga de forma similar* y revele datos almacenados por medio de un sistema informático situado en el territorio de la Parte requerida (...)" (las cursivas son nuestras).

[78] *Cfr.*, Art. 19 (3) letra a) y b) de la Convención sobre el Cibercrimen: "(a) confiscar u obtener de una forma similar un sistema informático o una parte del mismo, o un medio de almacenamiento de datos informáticos; (b) realizar y conservar una copia de dichos datos informáticos". (Versión en español).

[79] *Cfr.*, Art. 19 (3) letra c) y d) de la Convención sobre el Cibercrimen: "(c) preservar la integridad de los datos informáticos almacenados de que se trate; (d) hacer inaccesibles o suprimir dichos datos informáticos del sistema informático al que se ha tenido acceso". (Versión en español).

lito cibernético es permitir a los Estados utilizar datos para investigaciones y procedimientos penales, incluido su uso como prueba, sin tener que pasar por los canales de la asistencia legal mutua[80]. Si a los Estados no se les permitiera copiar los datos a los que se accedió de conformidad con el artículo 32 de la Convención sobre la Ciberdelincuencia, la disposición no cumpliría su propósito. Por lo tanto, la copia de datos debe considerarse permisible bajo los términos "acceso".

Sin embargo, no se cubre la comunicación con el autor de los datos disponibles públicamente (por ejemplo, por un agente encubierto) con el fin de obtener más datos: los datos obtenidos difícilmente pueden considerarse disponibles públicamente, y el elemento típicamente necesario de engaño utilizado por los agentes encubiertos que participan en investigaciones *online* están prohibidos incluso por el artículo 32 b) Convención sobre el delito cibernético de mayor alcance[81]. En consecuencia, el término "acceso" en el sentido del artículo 32 a) del Convenio sobre Delito Cibernético se limita a la identificación, visualización, monitoreo y copia de datos.

b. Disposiciones en otros instrumentos regionales sobre el delito cibernético

Disposiciones similares al artículo 32 a) de la Convención sobre el cibercrimen pueden hallarse en dos de los tratados mencionados al inicio: la Convención árabe sobre la lucha contra los delitos de la tecnología de la información[82] y el Modelo de seguridad cibernética del Mercado Común para África Oriental y Meridional (COMESA)[83]. El artículo 40.1 de la Convención árabe sobre la lucha contra los delitos informáticos está redactado de forma muy parecida al artículo 32 b) de los Convenios sobre Ciberdelincuencia y estipula que la información pública no requiere autorización[84]. De manera similar, el artículo 49 de la ley de seguridad cibernética COMESA 2011 especifica que una autoridad informática puede acceder a los datos disponibles al público (*open source*). Sin embargo, en

---

[80] CoE "Explanatory Report to the Cybercrime Convention" (*op. cit.* n. 71) párrafo. 293, 253.

[81] El Art. 32 letra b) de la Convención sobre el Cibercrimen prohíbe el uso del engaño o la fuerza para obtener datos, ya que requiere el consentimiento voluntario para divulgar los datos, ver CoE Cybercrime Convention Committee (T-CY) "T-CY guidance Note # 3: Transborder Access to Data (Art. 32)" (*op. cit.* n. 70), p. 6.

[82] La Convención Árabe Sobre la Lucha contra los Delitos de Tecnología de la Información fue concluida por los Estados miembros de la Liga de los Estados Árabes el 21 de diciembre de 2010 en El Cairo. Los autores no pudieron confirmar su estado actual.

[83] Gaceta Oficial del Mercado Común para África Oriental y Meridional (COMESA), vol. 16 N° 2, 15 de octubre de 2011.

[84] Art. 40 (1) señala que: "un Estado parte puede, sin obtener una autorización de otro Estado parte: acceder a la información de tecnología de la información disponible al público (fuente abierta), independientemente de la ubicación geográfica de la información".

esta redacción explícita, la disposición COMESA guarda silencio con respecto a la necesidad o la falta de autorización[85].

Por el contrario, algunos de los otros instrumentos introducidos por las organizaciones de comunidades internacionales no abordan de ninguna forma la cuestión del acceso transfronterizo a los datos disponibles públicamente. Por ejemplo, las disposiciones de la cooperación internacional en la Convención de la Unión Africana sobre Ciberseguridad y Protección de Datos Personales de 2014, no se refieren a la cuestión del acceso transfronterizo a los datos: el artículo 28 (Cooperación internacional) contiene solo disposiciones generales que impulsan a los Estados a armonizar la legislación, firmar tratados de asistencia legal mutua, intercambiar información y utilizar los medios existentes de cooperación internacional sin referirse a ningún instrumento específico. Del mismo modo, el acuerdo de la Comunidad de Estados Independientes sobre cooperación en la lucha contra los delitos relacionados con la información de 2001 tampoco contiene ninguna disposición de acceso transfronterizo en el marco de la cooperación internacional. No obstante, en el artículo 5 se refiere al intercambio de información y a la ejecución de requerimientos sobre investigaciones y procedimientos de conformidad con el instrumento internacional sobre asistencia legal.

Otros convenios y tratados internacionales y comunitarios al respecto no abordan en absoluto la cuestión de la cooperación internacional y, por lo tanto, guardan silencio con respecto a las disposiciones de acceso transfronterizo. Por ejemplo, instrumentos como la *League of Arab States Model Arab Law on Combating Offences* relativo a las *tecnologías de información de 2004 y la Directiva de la UE sobre ataques contra sistemas de información* de 2013[86] se limitan en gran medida a la armonización del Derecho penal sustantivo y no cubren poderes o competencias procesales específicos en materia de investigaciones criminales. Otros instrumentos, como la Commonwealth Model Law on Computer and Computer Crime de 2002 y los ITU/CARICOM/CTU Model Legislative Texts on Cybercrime, e-Crime and Electronic evidence de 2010, prevén procedimientos especiales en las investigaciones de ciberdelincuencia, pero no contienen disposiciones sobre cooperación internacional y, por tanto, no abordan la cuestión del acceso transfronterizo a datos almacenados en sistemas informáticos.

---

[85] Art. 49 (1) (acceso transfronterizo a datos informáticos de contenido o de tráfico): Una autoridad competente puede acceder a datos informáticos, de contenido o de tráfico cuando se encuentren públicamente disponibles (*open access*) independientemente de dónde se encuentren ubicados los datos geográficamente (Traducido de la versión en inglés).

[86] Directiva 2013/40/EU del Parlamento europeo y del Consejo europeo del 12 de agosto de 2013 sobre ataques contra sistemas informáticos, OJ L 218/8.

2. Derecho consuetudinario

El acceso transnacional a través de internet a datos públicos con fines de justicia penal puede justificarse también con arreglo al Derecho internacional consuetudinario más allá del alcance del artículo 32 a) del Convenio sobre delitos informáticos, el artículo 40.1 de la Convención árabe 2010 sobre la lucha contra los delitos de tecnología de la información y el artículo 49. 1 del modelo de seguridad cibernética COMESA. Para establecer tal justificación, debe existir una práctica general respectiva (*consuetudo*) entre un grupo sustancial de Estados, y la práctica, debe ser considerada jurídicamente vinculante por esos Estados (*opinio iuris sive neccessitatos*)[87]. Dicha práctica (*consuetudo*) debe ser sustancialmente uniforme y consistente[88]. La observancia (*opinio iuris*) a veces se infiere simplemente de la práctica del Estado; en otras ocasiones se encuentra establecida (positivamente) en el Ordenamiento jurídico[89], y otras veces puede derivarse de todo tipo de expresiones oficiales de Estado: desde la jurisprudencia nacional hasta la correspondencia diplomática, las políticas gubernamentales, la legislación estatal y la celebración de los tratados[90].

a. Práctica general (Consuetudo)

Con respecto a la práctica general, la mera existencia del artículo 32 a) del Convenio sobre ciberdelincuencia, el artículo 40.1 de la Convención Árabe sobre la lucha contra los delitos informáticos y el artículo 49.1 del Proyecto de Ley de Ciberseguridad del COMESA de 2011 no dan fe por sí mismos de la existencia de un norma consuetudinaria: si bien puede considerarse que una disposición del tratado codifica el Derecho consuetudinario existente o cataliza su desarrollo[91], también puede considerarse como indicativa de lo contrario, es decir, de la inexis-

---

[87]   Art. 38 (1) letra b) del estatuto de la Corte internacional de justicia: "la costumbre internacional como prueba de una práctica generalmente aceptada como derecho" (texto en español); *Cfr.*, IJC, North sea Continental Self Cases (República federal de Alemania/Dinamarca; República federal de Alemania/Holanda) (1969) IJC Rep 3, p. 42; Military and paramilirary Activities in and against Nicaragua (Nicaragua c. Estados Unidos de América) (Merits) (1986) ICJ Rep 14. párrafo 184.

[88]   ICJ, Caso Asylum (Colombia/Perú) (Juicio) (1950) ICJ Rep. 226, pp. 276 y ss: "(Para que una norma se convierta en costumbre, debe ser) practicada constante y uniformemente por los Estados en cuestión" (traducción del texto en inglés); Brownie, Principles of Public International Law (*op. cit.* n. 33), p. 7.

[89]   *Cfr.* Brownie, Principles of Public International Law (*op. cit.* n. 33), pp. 8 y ss.

[90]   Boas, International Public Law (*op. cit.* n. 33), p. 82.

[91]   Cfr., IJC, Continental Shelf (Malta c. Libia) (1985) IJC Rep 13, párrafo 27: Los convenios multilaterales pueden tener un rol importante en el desempeño, registro y definición de las normas que derivan de la costumbre, incluso participando en su desarrollo. (traducción del texto en inglés).

tencia del Derecho consuetudinario en este campo[92]. Sin embargo, a pesar de la falta de información pública precisa e integral de las autoridades nacionales sobre el alcance y los métodos de sus investigaciones penales *on-line* con respecto a los datos disponibles públicamente, se supone que las autoridades policiales nacionales han accedido a los datos disponibles públicamente en internet durante muchos años[93]. El hecho de que la práctica de llevar a cabo investigaciones penales a través de internet apenas tenga más de veinte años y por tanto, sea relativamente nueva, no impide la formación de Derecho consuetudinario en su seno[94]. Por tanto, sí que es posible hablar de una práctica general en esta materia.

b. *Opinio iuris*

La concurrente *opinio iuris* puede encontrarse en documentos nacionales e internacionales[95]. Ello se refleja en el hecho de que el Convenio sobre ciberdelincuencia ha sido ratificado por más de 50 de casi 200 estados existentes y que

---

[92]　*Cfr.* Brownie, Principles of Public International Law (*op. cit.* n. 33), pp. 12 y ss.; J. Charney, "International agreements and the development of customary international law" (1986), 61 Washintong Law Review 971, pp. 983, 991, 996.

[93]　Respecto a indicaciones de la práctica ver, por ejemplo Comisionado alemán para la protección de datos y libertad de información (Bundesbeauftragter für den Datenschutz und die Informationsfreiheit), "23º Informe de actividad anual (23. Tätigkeitsbericht) (2009-2010), párrafos 4.9, 7.1.7, disponible en https://www.bfdi.bund.de/SharedDocs/Publikationen/Taetigkeitsberichte/TB_BfDI/23TB_09_10.pdf?__blob=publicationFile&v=8, (último acceso en 12 de abril de 2017)".

[94]　La duración de la práctica general puede tener un efecto en la relevancia de la perspectiva de la norma consuetudinaria. El periodo de tiempo requerido para la formación de una norma consuetudinaria no se encuentra fijado. Sin embargo, también puede ser bastante corto. Ver, ICJ, North Sea Continental Shelf Cases (República federal de Alemania/Dinamarca; República federal de Alemania/Holanda) (1969) IJC Rep 3, p. 43; Brownie, Principles of Public International Law (*op. cit.* n. 33), p. 7.

[95]　Por ejemplo, AIDP, "XIX International Congress on Penal Law: Preparatory Colloqium Section 4, General Report" (2013), pp. 20-22; AIDP, "XIX International Congress on Penal Law: Final Resolution" (2013), Sección IV párrafo 9º, disponible en http://www.penal.org/en/resolutions-last-congress, (último acceso en 12 de abril de 2017); G-8 Meeting of Justice and Interior Ministers "Communiquè Annex, Principles and Action Plan To Combating High-Tech Crime" (10 de diciembre de 1997), Principio VII, disponible en http://www.coe.int/t/dg1/legalcooperation/economiccrime/cybercrime/Documents/Points%200f%20Contact/24%208%20Communique_en.pdf, (último acceso en 12 de abril de 2017); G-8 M Justice and Interior Ministerial Conference, "Principles on Transborder Access to Stored Computer Data" (19-20 de octubre de 1999): "Un estado no necesita obtener la autorización de otro estado cuando (...) a) Cuando accede a datos informáticos de acceso público, independientemente de dónde se encuentren almacenados los datos geográficamente" (traducción del texto en inglés), disponible en http://www.coe.int/t/dg1/legalcooperation/economiccrime/cybercrime/Documents/Points%200f%20Contact/24%208%20Stored%20Computer%20Data_en.pdf, (último acceso en 12 de abril de 2017); Departamento de Justicia de los Estados Unidos, "Searching and Seizing Computers and

otras dos normas europeas han adoptado disposiciones similares. Además, no ha habido protestas de los Estados contra la práctica de acceder a datos disponibles públicamente a través de internet[96]. En consecuencia, es razonable suponer que existe entre los Estados una práctica general suficiente (*consuetudo*) y respectiva observancia (*opinio iuris*), a favor de permitir investigaciones transfronterizas *online* relacionadas con datos informáticos disponibles públicamente (*open source*), independientemente de dónde se encuentren geográficamente almacenados. Por lo tanto, existe al igual una justificación bajo el Derecho internacional consuetudinario.

c. *Contenido de la norma de Derecho consuetudinario*

Sin embargo, al igual que en el contexto del artículo 32 a) de la Convención sobre el delito cibernético, el contenido de la norma consuetudinaria requiere una aclaración con respecto al significado de "datos disponibles públicamente" y las medidas que se pueden tomar para acceder a dichos datos. En lo que concierne a la primera aclaración, es razonable suponer que el significado de "datos disponibles públicamente" para el Derecho internacional consuetudinario coincide con la interpretación de dicho término de conformidad con el artículo 32 a) del Convenio sobre ciberdelincuencia. Los argumentos mencionados anteriormente para permitir el acceso a datos disponibles públicamente (*open source*) son tan válidos aquí como en el contexto de la Convención de delitos informáticos[97]. El artículo 40.1 de la Convención árabe de 2010 sobre la lucha contra delitos informáticos y el artículo 49.1 del proyecto de ley de seguridad cibernética COMESA 2011 contienen un lenguaje similar al de las disposiciones del Convenio europeo de ciberdelincuencia y, por lo tanto, no generan divergencias significativas.

    Obtaining Electronic Evidence in Criminal Investigations", p. 56, disponible en http://www.finer-bering.com/GULAW_PDFs/s&manual2002.pdf, (último acceso en 12 de abril de 2017).

[96] Si bien la ausencia de protesta a una determinada práctica no necesariamente prueba una falta de conocimiento y puede ser entendida como una mera omisión, de posición neutral ante la conducta, también puede entenderse como una pasiva aquiescencia a la conducta activa de otro Estado, siempre y cuando dicha práctica sea suficientemente conocida y la ausencia de protesta unánime. *Cfr.*, Caso *Fisheries* (Reino Unido c. Noruega) (1951) IJC Rep 116, pp. 138 y ss.; Boas, International Public Law (*op. cit.* n. 33), pp. 77 y ss.; Por ejemplo, la Federación de Rusia protesta contra el acceso transfronterizo a datos no disponibles públicamente y se queja de la falta simultánea de protesta contra el acceso a datos públicos. (CoE Cybercrime Convention Committee "Compilation of responses to Questionnaire for the Parties Concerning the Practical Implementation of the Convention on Cybercrime" T-CY (2008) 01 p. 28, disponible en https://www.coe.int/t/dg1/legalcooperation/economiccrime/cybercrime/T-CY/T-CY_2008_01_questionnaire_en.PDF, (último acceso en 12 de abril de 2017)) es indicativo de la aquiescencia de la Federación Rusa en cuanto al acceso de los datos informáticos disponibles públicamente.

[97] Ver sección III. 1. a. supra.

Sin embargo, con respecto al alcance de las medidas permisibles, la documentación existente de la práctica estatal y la *opinio iuris* no ofrece pruebas concluyentes sobre qué medidas se incluyen[98]. Como se indicó anteriormente, la variedad de posibles medidas en las que se involucran datos informáticos con disponibilidad pública no se acaba en la identificación, visualización y monitoreo, según lo permitido por el artículo 32 a) del Convenio sobre cibercrimen. Estas medidas también abarcan la copia, captura y alteración de datos informáticos e incluso pueden extenderse a la comunicación con el autor de los datos con el fin de obtener otros datos adicionales. Al igual que la Convención sobre ciberdelincuencia, la Convención árabe de 2010 y el Proyecto de Ley de Ciberseguridad COMESA de 2011 tampoco abordan explícitamente este peligro potencial, incorporando así limitaciones en cuanto a lo que significa realmente el término "acceso" en cuanto a datos informáticos se refiere. Es probable que los investigadores de los Estados hagan uso de toda una serie de medidas. Sin embargo, mientras más extensa e intrusiva sea la medida, menos dispuesto estará el Estado en el que se encuentran los datos a tolerar el acceso transfronterizo. En consecuencia, parece razonable argumentar que el contenido sustantivo de la norma consuetudinaria que permite el acceso transfronterizo a los datos disponibles públicamente (*open source*) no va más allá del contenido sustantivo del artículo 32 a) del Convenio sobre ciberdelincuencia.

3. Conclusión

El acceso transfronterizo a través de internet en una investigación penal estará justificado siempre que los datos de acceso se encuentren a disposición del público (*open source*). El acceso a los datos —incluyendo la visualización y copia de datos accedidos— está permitido, entre sus respectivos Estados miembros, no solo en virtud del artículo 32 a) Convenio sobre ciberdelincuencia, el artículo 40 de la Convención árabe de 2010 sobre la lucha contra delitos informáticos y artículo 49.1 del Proyecto de ley de seguridad cibernética COMESA 2010, sino también a escala mundial de conformidad con el Derecho internacional consuetudinario.

---

[98] *Cfr*, por ejemplo G-8 Meeting of Justice and Interior Ministers "Communiquè Annex, Principles and Action Plan To Combating High-Tech Crime" (10 de diciembre de 1997), Principio VII (*op. cit.* n. 94); G-8 M Justice and Interior Ministerial Conference, "Principles on Transborder Access to Stored Computer Data" (19-20 de octubre de 1999); Comisionado alemán para la protección de datos y libertad de información (Bundesbeauftragter für den Datenschutz und die Informationsfreiheit), "23º Informe de actividad anual (23. Tätigkeitsbericht) (2009-2010) (*op. cit.* n. 92)", párrafo 4.9, 7.1.7; Departamento de Justicia de los Estados Unidos, "Searching and Seizing Computers and Obtaining Electronic Evidence in Criminal Investigations" (*op. cit.* n. 94), p. 56.

IV. JUSTIFICACIÓN DEL ACCESO TRANSFRONTERIZO A DATOS NO DISPONIBLES PÚBLICAMENTE

1. Tratados y Derecho convencional

a. *Artículo 32. b) del Convenio del Consejo de Europa sobre ciberdelincuencia*

El artículo 32 b) del Convenio del Consejo de Europa sobre ciberdelincuencia también contiene una justificación para el acceso extraterritorial por los Estados miembros de la Convención a datos informáticos que no están disponibles públicamente:

Tener acceso o recibir, a través de un sistema informático situado en su territorio, datos informáticos almacenados situados en otra Parte, si la Parte obtiene el consentimiento lícito y voluntario de la persona legalmente autorizada para revelar los datos a la Parte por medio de ese sistema informático (texto en español).

a) La disposición permite a las autoridades estatales "acceder o recibir" datos informáticos. El término "acceso" sistemáticamente se interpreta de la misma manera que se ha hace para el artículo 32 a) de la Convención sobre ciberdelincuencia[99], mientras que el término "recibir" implica que las autoridades estatales pueden participar en la comunicación para que un sujeto entregue datos a ellos. Dado que el artículo 32 b) del Convenio sobre ciberdelincuencia permite el acceso transfronterizo a "datos almacenados en otro lugar", la Nota de orientación del Comité del Convenio del Consejo de Europa sobre acceso transfronterizo establece que la disposición es inaplicable cuando se desconoce la ubicación de los datos[100]. Debido a su posición entre las elaboradas disposiciones sobre asistencia judicial recíproca en los artículos 25-31, 33-34, del Convenio sobre ciberdelincuencia, el artículo 32 a), desde un punto de vista sistemático, representa una excepción[101]. Una visión metodológica, por lo tanto, apoyaría una interpretación bastante restrictiva.

b) El significado de "consentimiento legal y voluntario de la persona que tiene la autoridad legal para divulgar los datos" requiere indagación particular, ya que es especialmente dependiente de las circunstancias. El informe explicativo del Convenio sobre ciberdelincuencia ilustra el problema al referirse a la autoría variable del almacenamiento transfronterizo de datos: en un caso, los datos de un

---

[99] Ver Sección III. 1. a. supra.

[100] CoE Cybercrime Convention Committee (T-CY) "T-CY guidance Note # 3: Transborder Access to Data (Art. 32)" (*op. cit.* n. 70), p. 6.

[101] *Cfr.*, CoE "Cybercrime and Internet Jurisdiction" (*op. cit.* n. 41), pp. 26 párrafo 75. La interpretación sistemática de tratados se desprende del art. 31 párrafos 1º del Convenio de Viena sobre el derecho de los tratados.

individuo pueden ser almacenados en otro Estado por un proveedor de servicios, mientras que en otro caso el individuo mismo puede intencionalmente almacenar datos en otro país[102]. El informe explicativo concluye que "esta persona puede recuperar los datos y, siempre que tengan la autoridad legal, pueden divulgar voluntariamente los datos a los autoridades investigadoras o permitir que se acceda a los datos, según lo dispuesto en el artículo[103]".

Evidentemente, la "persona" puede ser una persona física o jurídica, por ejemplo, el individuo privado que crea y posee los datos solicitados o un proveedor de servicios. Sin embargo, la Nota-guía n° 3 del Comité del Convenio sobre el cibercrimen establece que "es muy poco probable que los proveedores de servicios puedan consentir válida y voluntariamente la divulgación de los datos de sus usuarios en virtud del artículo 32. Normalmente, los proveedores de servicios solo serán titulares de esos datos; no controlarán ni poseerán los datos, y por tanto, no estarán en una posición válida para consentir"[104] (traducido del texto en inglés). Por otro lado, los proveedores de servicios a menudo tienen la autoridad, de acuerdo con sus términos y condiciones generales y dependiendo de su legislación interna, de divulgar los datos del usuario a las autoridades policiales competentes. Esto lleva a la pregunta de si tal representación es válida bajo el Derecho internacional (es decir, el artículo 32 b) del Convenio sobre cibercrimen) y la legislación nacional al respecto[105]. El artículo 32 b) exige que el consentimiento sea "legal y voluntario". Este requisito es esencial para el individuo afectado ya que el consentimiento de un Estado (requerido por el Derecho internacional que otorga al ratificar el Convenio) pone en peligro los Derechos Humanos del titular de los datos que, al consentir, hará que se convierta en el sujeto de otra jurisdicción, que puede garantizar medidas de protección más débiles. Con respecto a la legislación nacional, las observaciones del Comité de Ciberdelincuencia al artículo 32 señalan que "en la mayoría de los casos, la cooperación en investigación penal requeriría un consentimiento explícito" y que "el acuerdo general por parte de una persona de los términos y condiciones de un servicio on-line no puede constituir un consentimiento explícito, incluso si estos términos y condiciones indican que los datos informáticos pueden compartirse con

---

[102]   CoE "Explanatory Report to the Cybercrime Convention" (op. cit. n. 71), párrafo 294.

[103]   Ibid, CoE Cybercrime Convention Committee (T-CY) "T-CY guidance Note # 3: Transborder Access to Data (Art. 32)" (op. cit. n. 70), p. 5, proporciona el siguiente ejemplo: "Un presunto narcotraficante es arrestado legalmente mientras su buzón electrónico, posible evidencia de un crimen, está abierto en su tablet, smartphone u otro. Si el sospechoso consiente voluntariamente que la policía acceda a la cuenta y si la policía está segura de que los datos del buzón se encuentran en otra parte, la policía puede acceder a los datos en virtud del art. 32 b".

[104]   CoE Cybercrime Convention Committee (T CY) "T CY guidance Note # 3: Transborder Access to Data (Art. 32)" (op. cit. n. 70), p. 7.

[105]   Cfr., I. Walden, "Law Enforcement Access to Data in Clouds", in C. Millard 8ed.), Cloud Computing Law (OUP 2013), pp. 285, 294.

las autoridades de justicia penal en casos de abuso[106]". Esto es correcto, ya que la renuncia de la persona a la protección de sus datos informáticos por su ordenamiento jurídico debe ser declarada en el caso específico. Por lo tanto, existen buenas razones para interpretar el artículo 32 b) de la Convención sobre el cibercrimen en sentido estricto y para requerir una decisión informada e individual de la aceptación antes de divulgar datos.

Tanto el Consejo de Europa como un estudio de *Koops* y *Goodwin* abogan por una comprensión más amplia de este requisito, que incluye la posibilidad de realizar búsquedas transfronterizas con credenciales legalmente obtenidas[107]. No obstante, subrayan que tal reinterpretación, que ampliaría considerablemente la gama de accesos forenses remotos, requeriría el acuerdo de los miembros del Convenio. De momento, este tipo de extensión del significado del artículo 32 b) parece bastante improbable[108].

En cualquier caso, el significado de la frase "persona que tiene la autoridad legal para divulgar los datos en el artículo 32 b) de la Convención sobre Ciberdelincuencia aún está sujeta a interpretaciones diferentes entre los Estados miembros de la Convención[109]. Particularmente Eslovaquia y Ucrania han sugerido que dicha persona debe ser un agente del Estado en el que se encuentran los datos[110]. Sin embargo, este punto de vista no es convincente, ya que el artículo 32 b) del Convenio no requiere el consentimiento explícito, pues el Estado en cuestión ha dado ya su consentimiento cuando ratifica la Convención sobre ciberdelincuencia. No es coherente que el instrumento legal fuera redactado con el objetivo de proporcionar medidas alternativas para la cooperación internacional permitiendo el acceso basado en el consentimiento de personas físicas o jurídicas[111].

c) Otro tema polémico se relaciona con la ubicación de la persona que consiente en proporcionar acceso a datos informáticos o divulgarlos: esa persona puede estar

---

[106]   CoE Cybercrime Convention Committee (T-CY) "Transborder Access to Data and Jurisdiction" (*op. cit.* n. 18), p. 19.

[107]   CoE Convención del Consejo de Europa sobre el cibercrimen "(Draft) Elements of an Additional Protocol to the Budapest Convention on Cybercrime regarding Transborder Access to Data" (*op. cit.* n. 67), propuesta 2ª; Koops & M. Goodwin, "Cyberspace, the Cloud, and cross-Border Criminal Investigations" (*op. cit.* n. 19), p. 10.

[108]   Ver también Sección IV. 1. d. infra.

[109]   Ver CoE Committee of Experts on the Operation of European Conventions on Cooperation in Criminal Matters (PC-OC) "Replies on Mutual Legal Assistance in Computer-Related Cases" (1 de diciembre de 2008) [PC-OC (2008) 08 Rev], declaraciones de Finlandia (p. 14), Alemania (p. 15) y Letonia (p. 18).

[110]   Ver CoE Committee of Experts on the Operation of European Conventions on Cooperation in Criminal Matters (PC-OC) "Replies on Mutual Legal Assistance in Computer-Related Cases (*op. cit.* n. 108), declaraciones de Eslovaquia" (p. 37) y Ucrania (p. 44).

[111]   CoE Cybercrime Convention Committee (T-CY) "T-CY guidance Note # 3: Transborder Access to Data (Art. 32)" (*op. cit.* n. 70), p. 7.

físicamente ubicada en el territorio del Estado solicitante de los datos, en el territorio del Estado donde los datos informáticos se encuentran almacenados o en un tercer Estado; la persona también puede estar físicamente presente en un Estado, al tiempo que acepta divulgar datos y luego ubicarse en otro Estado diferente cuando realmente proporciona acceso a los datos[112]. La Nota-guía sobre el acceso transfronterizo a datos informáticos emitida por el Convenio sobre ciberdelincuencia del Consejo de Europa señala que la 'hipótesis estándar' en virtud de la cual opera el artículo 32 b), es que 'la persona que proporciona el acceso se encuentra físicamente en el territorio de la parte solicitante'"[113]. También señala que "debe tenerse en cuenta que muchas partes se opondrían —y algunas incluso lo considerarían constitutivo de delito— si una persona que se encuentra físicamente en su territorio es directamente contactada por autoridades extranjeras solicitando su cooperación[114]". Como se muestra arriba, tales enfoques infringen la soberanía del estado extranjero[115]. El Comité de la Convención sobre el cibercrimen reconoce que la ubicación de la persona que consiente en proporcionar acceso o divulgar datos puede afectar la permisibilidad del acceso transfronterizo en virtud del artículo 32 b) y efectivamente restringe el ámbito de aplicación de la disposición a situaciones en las que esa persona se encuentra físicamente dentro del territorio del Estado solicitante.

b. *Disposiciones en otros instrumentos regionales de delito cibernético*

De los otros instrumentos regionales sobre ciberdelitos, la Convención árabe de 2010 contiene disposiciones casi idénticas al artículo 32 b) de la Convención sobre Ciberdelincuencia[116]. Del mismo modo, el Mercado Común para África Oriental y Meridional (COMESA) tiene una disposición materialmente idéntica al artículo 32 b) de la Convención sobre Ciberdelincuencia en su Proyecto de Ley de Ciberseguridad de 2011[117]. Aparte de estas disposiciones, hasta la fecha no se

---

[112]   Cfr., Las situaciones descritas por CoE Cybercrime Convention Committee (T-CY) "T-CY guidance Note # 3: Transborder Access to Data (Art. 32)" (*op. cit.* n. 70), p. 7.

[113]   *Ibid*, p. 7.

[114]   *Ibid.*, p. 8.

[115]   Ver la Sección II. 2. supra.

[116]   El Art. 40 (2) señala: "Un Estado parte puede, sin obtener una autorización de otro Estado parte: Acceder o recibir, a través de tecnología de la información en su territorio, datos procedentes de las tecnologías de la información encontrada en el otro Estado parte, siempre que haya obtenido el acuerdo voluntario y legal de la persona que tiene la autoridad para divulgar información a ese Estado parte mediante dicha tecnología de la información (traducción del texto en inglés)".

[117]   El Art. 49 señala: Una autoridad competente de otro país puede, sin la autorización de las autoridades de este país, tener acceso y recibir, por medio de una computadora o sistema informático ubicado en su territorio, datos informáticos específicos, datos de contenido o datos de tráfico almacenados en este país si la autoridad competente del otro país obtiene el consentimiento legal y voluntario de la persona que tiene la autoridad legal para divulgar los datos a dicha

han celebrado más acuerdos sobre investigaciones transfronterizas realizadas a través de internet. Como se mencionó anteriormente, esto puede atribuirse al hecho de que algunos de los acuerdos se limitan a la armonización de la legislación sustantiva y procesal de la ciberdelincuencia y no contienen ninguna disposición sobre la cooperación internacional[118].

c. *Marco legal relevante de la Unión Europea*

a) Inicialmente, la Unión Europea se limitó a emitir comentarios generales sobre la cuestión específica de las investigaciones penales transfronterizas por medios informáticos[119]. La Decisión Marco del Consejo de 2003 relativa a la ejecución en la Unión Europea de las resoluciones de embargo preventivo de bienes y de aseguramiento de pruebas introdujo una medida para asegurar unilateralmente las pruebas, incluidas las pruebas digitales, pero no autorizó el acceso directo a datos sin una solicitud de asistencia judicial recíproca[120].

b) En la Propuesta de Decisión marco del Consejo relativa al exhorto europeo de obtención de pruebas para recabar objetos, documentos y datos destinados a procedimientos en materia penal de 2003, la Comisión Europea intentó establecer una autorización para la obtención transnacional de pruebas a través de internet de forma análoga a la del artículo 32 de la Convención sobre ciberdelincuencia. De acuerdo con el artículo 21 de la propuesta:

Cada Estado miembro llevará a cabo las medidas necesarias para garantizar que pueda ejecutar un exhorto europeo de obtención de pruebas sin más formalidades, cuando: a) los datos informáticos solicitados se encuentren en un sistema informático en el territorio de otro Estado miembro, pero se encuentren legalmente accesibles a una persona física o jurídica en el territorio del Estado de ejecución por medio de una red de comunicaciones electrónicas; y b) los datos informáticos se refieran a un servicio prestado por esa persona jurídica o nacional en el territorio del Estado de ejecución a una persona física o jurídica en el territorio del mismo Estado[121].

---

118   autoridad competente a través de ese ordenador o sistema informático (traducción del texto en inglés).

118   Ver Sección III. 1. b. supra.

119   *Cfr.*, Comisión de las comunidades europeas "Communication from the Commission to the Council, the European Parliament, the Economic and Social Committee and the Committee of the Regions: Creating a Safer Information Society by improving the Security of nformation Infrastructures and Combating Computer-Related Crime" COM (2000) 890 final (26 de enero de 2001), pp. 22 y ss.

120   *Cfr.*, Decisión marco del Consejo 2003/577/JHA del 22 de julio de 2003, OJ L 196/45.

121   COM (2003) 688 final (14 de noviembre de 2003), p. 45. Cf. COM (2003) 688 final (14 de noviembre de 2003), Explanatory Memorandum, p. 15 párrafos 63-66, 28 párrafo 127: Cfr., S. Gleß, "§ 38 Europäische Beweisanordnung", in U. Sieber, F. H. Brüner, H. Satzger & B. von Heintschel Heinedd (eds), Europäisches Strafrecht (Beck 2011), pp. 596 y ss.

Sin embargo, el artículo 21 propuesto no se aplicó en la Decisión marco del Consejo de 2008 sobre el exhorto europeo de obtención de pruebas[122], lo que refleja la naturaleza controvertida de las investigaciones penales transfronterizas en el ciberespacio mundial.

c) En 2004, la UE adoptó la Directiva relativa a la orden europea de investigación en materia penal como sucesora de la propuesta del exhorto europeo de obtención de pruebas[123]. Al emitir una orden de investigación europea a través de sus autoridades judiciales, un Estado miembro puede solicitar a otro Estado miembro que lleve a cabo determinadas medidas de investigación dentro de la jurisdicción de este último para obtener pruebas. El Estado de ejecución tiene la obligación de cumplir con la solicitud "con la misma celeridad y prioridad que en un caso doméstico similar"[124]. Sin embargo, a pesar de agilizar el proceso de recopilación de pruebas en otro Estado, la orden de investigación europea generalmente no autoriza el acceso transfronterizo unilateral de datos. Funcionalmente, permanece en gran parte dentro del ámbito de la asistencia legal mutua tradicional. El Estado de ejecución tiene por lo general 30 días para responder a la solicitud[125], sin embargo, la Directiva enumera motivos específicos para la no ejecución, el no reconocimiento y el aplazamiento de la medida[126].

No obstante, el artículo 31 de la Directiva relativa a la orden europea de investigación contiene una excepción interesante con respecto a la interceptación de telecomunicaciones en las investigaciones transnacionales. La interceptación de las telecomunicaciones sigue generalmente el procedimiento tradicional de asistencia judicial mutua[127]. Pero el artículo 31 también aborda la situación en la que una interceptación es autorizada por un Estado miembro y la dirección de comunicación interceptada se utiliza en el territorio de otro Estado miembro y el Estado emisor no necesita asistencia técnica para continuar la interceptación. En este caso, el Estado interceptor debe notificar al otro Estado la interceptación tan pronto como sea posible. Si la intercepción no se autoriza en un caso doméstico similar en el otro Estado, este Estado debe notificar al Estado interceptor

---

[122] Decisión Marco del Consejo 2008/978/JHA de 18 de diciembre de 2008 relativa al exhorto europeo de obtención de pruebas para recabar objetos, documentos y datos destinados a procedimientos en materia penal, OJ L 350/72.

[123] Directiva 2014/41/EU del Parlamento Europeo y el Consejo de Europa del 3 de abril de 2013, OJ L 103/1.

[124] Ibid., Art. 12 (1); ver también Ibid., Art. 9 (1).

[125] Ibid., Art. 12 (3).

[126] Ibid., Arts. 11 y 15.

[127] En lo que respecta a la interceptación en el curso de una telecomunicación ver U. Sieber & N. von zur Mühlen (eds), Access to Telecommunication Data in Criminal justice (Druncker & Humblot 2016).

sin demora que la interceptación debe ser terminada y, donde sea necesario, que cualquier material ya interceptado no puede ser utilizado. Esta regla sobre la tolerancia del acceso directo se remonta a una disposición similar en el artículo 20 del Convenio sobre asistencia judicial en materia penal entre los Estados miembros de la Unión Europea de 2000. Este instrumento también puede servir como modelo general para extender los tratados futuros a las posibilidades de acceso directo a equipos informáticos extranjeros.

d) Además, en el campo de la legislación antimonopolio en Europa, existe un enfoque del acceso remoto a datos extranjeros que va más allá: la Red Europea de Competencia (REC), que representa a la Comisión Europea y las autoridades nacionales de todos los Estados miembros de la UE, ha expresado que las autoridades competentes tienen o deberían tener la facultad de recabar pruebas digitales en el curso de investigaciones antimonopolio para garantizar la aplicación efectiva de la legislación de la UE[128]. En este contexto, la REC enfatizó la importancia de poder acceder a los datos "independientemente de dónde estén almacenados, incluso en servidores u otros medios de almacenamiento ubicados fuera del territorio de la unidad nacional respectiva[129]". Sin embargo, la posición de la REC no aclara los casos ni las circunstancias y la base legal en virtud de los cuales se puede otorgar acceso a dispositivos de almacenamiento situados en Europa y mucho menos cuando se encuentran fuera de su demarcación territorial. Tampoco aborda la cuestión de cómo se supone se legitiman tales acciones con respecto al principio de soberanía territorial, particularmente de los Estados no miembros de la UE[130]. Además,

---

[128]   ECN "Recommendation on the Power to Collect Digital Evidence Including by Forensic Means" del 9 de diciembre de 2013, disponible en:
http://ec.europa.eu/competition/ecn/ecn_recommendation_09122013_digital_evidence_en.pdf, (último acceso en 12 de abril de 2017). A veces se afirma entre las autoridades informadas que esto representa la práctica general de la comisión europea, Cfr., CoE Comité la Convención sobre el Cibercrimen (T-CY) "Criminal Justice Access to Electronic Evidence in the Cloud: Recommendations for considerations by the T-CY" (op. cit. n. 12), párrafos 16, 49.

[129]   ECN "Recommendation on the Power to Collect Digital Evidence Including by Forensic Means" (op. cit. n. 127), Introducción párrafo 5.

[130]   Esto es particularmente sorprendente debido al hecho de que la ley antimonopolio de la UE y las investigaciones relacionadas no son calificadas como Derecho penal sino como Derecho administrativo sancionador (Corte Europea de Justicia, Caso C-204/00 P Aalborg Portland et al./Comisión. ECLI: EU:C:2006:6, párrafo 200; Caso C-501/11 P Schindler Holding Ltd et. al./Comisión, párrafos 33 y ss, 38; Art. 23 (5) Consejo de Europa (EC) 1/2003 del 16 de diciembre relativo a relativo a la aplicación de las normas sobre competencia previstas en los artículos 81 y 82 del Tratado (2003), OJ L L1/1). Sin embargo, si persiste una firme oposición a las investigaciones transfronterizas en materia penal, esto debe ser aún más con respecto a las sanciones administrativas, como en el contexto de la ley antimonopolio.

la recomendación de la REC no es jurídicamente vinculante[131], y los poderes coercitivos sugeridos están expresamente sujetos a las reglas y principios del derecho internacional[132].

d. Futuros desarrollos

a) El futuro desarrollo de instrumentos internacionales sobre acceso transnacional *on-line* a sistemas informáticos extranjeros sigue sin estar claro: en febrero de 2013, el grupo de expertos intergubernamentales de composición abierta de la Oficina de las Naciones Unidas contra la Droga y el Delito (UNDOC) llevó a cabo un estudio exhaustivo sobre ciberdelincuencia "convocado para una segunda sesión con el fin de discutir el estudio integral de UNDOC sobre el delito cibernético". El estudio sugiere que es necesario desarrollar disposiciones modelo internacional sobre poderes de investigación para pruebas electrónicas[133] y sobre cooperación internacional con respecto a la evidencia electrónica[134]. Sin embargo, el grupo de expertos del UNDOC no ha podido llegar a un consenso sobre las consecuencias[135] del estudio y se ha limitado a "tomar nota" del mismo[136], así como a "debatir el camino a seguir y recomendar una mayor consideración del estudio" en el futuro cercano[137]. Una de las principales razones subyacentes de las controversias durante esta conferencia —así como la oposición de países como Rusia a la ratificación de la Convención sobre ciberdelincuencia del Consejo de Europa— fue la controvertida evaluación del artículo 32 b), los siguientes pasos permanecen en el aire.

b) En 2013, el Comité del Convenio sobre ciberdelincuencia del Consejo de Europa publicó un borrador con los elementos de un Protocolo Adicional a la

---

[131] *Cfr.*, ECN "Recommendation on the Power to Collect Digital Evidence Including by Forensic Means" (*op. cit.* n. 127), descargo de responsabilidad al final.

[132] *Ibid.*, Introducción párrafo 6.

[133] UNODC "Comprehensive Study of the Problem of Cybercrime and Responses to it by Member States, the International Community and the Private Sector: Executive Summary" (23 de enero de 2013) UN Doc. UNODC/CCPCJ/EG. 4/2013/2, párrafo 36 letras b).

[134] *Ibid.*, párrafo 36 letras d).

[135] UNODC "Report on the Meeting of the Expert Group to Conduct a Comprehensive Study on Cybercrime" (1 de marzo de 2013) UN Doc. UNODC/CCPCJ/EG. 4/2013/3, párrafo 5(El grupo de expertos observó que sus deliberaciones, así como el estudio, reflejaban una recopilación de opiniones y diferentes enfoques adoptados por los Estados para prevenir y combatir el fenómeno de la ciberdelincuencia) y 7 ("Se expresaron diversas opiniones con respecto al contenido, los hallazgos y las opciones presentadas en el estudio").

[136] *Ibid.*, párrafo 4.

[137] *Ibid.*, párrafo 8 (El grupo de expertos examinó el camino a seguir y recomendó que se siguiera considerando el estudio en el 22° período de sesiones de la Comisión de Prevención del Delito y Justicia Penal).

Convención respecto al acceso transfronterizo a los datos[138]. Las cinco propuestas pertenecen a (1) acceso transfronterizo con consentimiento sin limitación de datos almacenados en otra parte, (2) acceso transfronterizo sin consentimiento pero con credenciales legalmente obtenidas, (3) acceso transfronterizo sin consentimiento de buena fe o en circunstancias exigentes o de otro tipo, (4) extendiendo una búsqueda sin la limitación de "en su territorio" en el artículo 19.3 Convención sobre Ciberdelincuencia, y (5) la introducción del poder de eliminación como factor legal de conexión.

En 2015, en un esfuerzo similar, la Asamblea Parlamentaria del Consejo de Europa invitó a los Estados miembros a estudiar la viabilidad de redactar protocolos adicionales al Convenio sobre ciberdelincuencia "sobre asistencia judicial recíproca en materia de poderes de investigación, que amplía, en particular, el alcance y la aplicación del artículo 32 de la Convención" así como "sobre el acceso de la justicia penal a los datos en los servidores en la nube"[139]. Queda por verse si, y de qué forma, se adoptará dicho protocolo adicional y quién lo ratificará. Sin embargo[140], en la medida en que el Protocolo Adicional pretende permitir el acceso unilateral a datos cuya ubicación se desconoce, cualquier protocolo o solución basada en un tratado será inadecuado para proporcionar una justificación legal legítima para la violación de la soberanía. Ello se debe a que tendría que ser ratificado universalmente —en otras palabras, por todas las naciones sobre la faz de la tierra— ya que los datos podrían ubicarse en cualquier país, en cualquier lugar, y posiblemente dentro del territorio de un Estado que no sea parte del mismo Convenio sobre cibercrimen o su protocolo adicional.

2. Derecho Consuetudinario

El Derecho internacional consuetudinario también podría ofrecer una justificación para el acceso transfronterizo a datos no disponibles públicamente para investigaciones públicas realizadas a través de internet. De nuevo, esto requeriría la existencia de una práctica general (*consuetudo*) y una correspondiente *opinio iuris*[141].

---

[138]   CoE Convención del Consejo de Europa sobre el cibercrimen "(Draft) Elements of an Additional Protocol to the Budapest Convention on Cybercrime regarding Transborder Access to Data" (*op. cit.* n. 67). Cfr., recientemente Comité de la Convención sobre el Cibercrimen (T-CY) "Criminal Justice Access to Electronic Evidence in the Cloud" (*op. cit.* n. 12), párrafos 106 y ss.

[139]   CoE Asamblea parlamentaria "Increasing co-operation against cyberterrorism and other large-scale attacks on the internet", Recomendación 2077 (2015) del 26 de junio de 2015, párrafo 3.1.1, 3.2, disponible en http://assembly.coe.int/nw/xml/XRef/Xref-DocDetails-EN.asp?fileid=21806&lang=EN, (último acceso en 12 de abril de 2017).

[140]   Según lo propuesto por CoE Convención del Consejo de Europa sobre el cibercrimen "(Draft) Elements of an Additional Protocol to the Budapest Convention on Cybercrime regarding Transborder Access to Data" (*op. cit.* n. 67), p. 4.

[141]   Ver Sección III. 2. *supra*.

a. *Práctica general (Consuetudo)*

La imagen no está del todo clara en cuanto a la existencia de una práctica general al respecto. Una reciente encuesta del Consejo de Europa sobre la práctica de las investigaciones penales transfronterizas en cinco escenarios diferentes mostró que las autoridades de muchos de los 18 países que respondieron el cuestionario emprenden investigaciones transfronterizas en uno o varios de los escenarios señalados; sin embargo, las condiciones y las prácticas con las que se desarrollan son diferentes[142]. Debido al resultado mixto y al número relativamente pequeño de Estados que respondieron, los hallazgos de la encuesta apenas pueden considerarse como evidencia de una práctica general.

El reciente estudio exhaustivo de UNDOC sobre cibercrimen llegó a una conclusión similar: reveló que alrededor del 20 por ciento de los estados de América, Asia y Oceanía, el 40 por ciento de los países de África y el 50 por ciento de los Estados de Europa utilizan el acceso transfronterizo (*on-line*) como medida de investigación[143]. Sin embargo, las condiciones y el alcance de la práctica variaron enormemente[144]. Por lo tanto, la práctica documentada no cumple la condición de generalidad necesaria para la formación de la costumbre tal y como se requiere por el Derecho internacional.

b. *Opinio Iuris*

Es difícil establecer la existencia de una *opinio juris* relevante entre los Estados. Como se muestra en el estudio exhaustivo de la UNODC sobre cibercrimen, la opinión jurídica prevaleciente entre los Estados considera que no existe una norma general de Derecho internacional consuetudinario que permita el acceso transfronterizo a datos no disponibles públicamente sin el consentimiento previo del Estado territorial afectado[145]. Solo una minoría de Estados expresaron opi-

---

[142]   CoE Comité de la Convención sobre cibercrimen (T-CY) "Transborder Access and Jurisdiction: What are the Options?", (*op. cit.* n. 47), párrafos 137 y ss.

[143]   UNODC "Comprehensive Study on Cybercrime" (*op. cit.* n. 1), p. 219, También declara que "el mayor porcentaje en Europa puede reflejar la influencia del Art. 32. (h) de la Convención sobre el cibercrimen del Consejo de Europa".

[144]   *Ibid.*, Sin embargo, al responder al cuestionario, los países asignaron un amplio significado al término de acceso "transfronterizo" con el que algunos Estados incluyen la situación en la que el acceso extraterritorial directo se llevó a cabo, pero solo después de que las autoridades extranjeras hubieran recibido la aprobación.

[145]   *Ibid.*, p. 220 ("Con respecto a la permisibilidad del acceso a los datos informáticos, alrededor de dos tercios de los países de todas las regiones del mundo declararon que esto no estaba permitido según sus normas nacionales"), p. 219 ("Los países que no hicieron uso de la práctica de acceso a datos transfronterizos, mencionaron con frecuencia la falta de un marco legal como la razón principal para no hacerlo").

niones divergentes sobre el tema[146]. Esto se refleja en el hecho de que el contenido del artículo 23 b) del Convenio sobre ciberdelincuencia constituye el límite de lo que los Estados miembros del Convenio estaban dispuestos a considerar unilateralmente permisible[147].

Parece que los Estados Unidos consideran que al menos el contenido material del artículo 32 b) del Convenio sobre Delito Cibernético constituye una norma general con respecto a las investigaciones transfronterizas *on-line*[148]. Sin embargo, la mayoría de los Estados que se oponen al acceso transfronterizo sin consentimiento en el estudio integral de la UNODC sobre el delito cibernético no permiten una excepción de acceso dentro del alcance del artículo 32 b) Convención sobre Ciberdelincuencia[149]. Por el contrario, una fuerte oposición se expresa precisamente contra el contenido material del artículo 32 b) del Convenio sobre ciberdelincuencia: dado que la norma permite el acceso a datos con el consentimiento de una persona física o jurídica que puede no ser un agente del Estado donde se encuentran los datos deseados, se argumenta que el artículo 32 b) lleva conceptualmente a la renuncia de un aspecto de la soberanía estatal a instancias de un actor no estatal; pero el ejercicio de la soberanía no está a disposición de una persona física o jurídica, sino que recae exclusivamente dentro de la autoridad del Estado respectivo[150]. En lo que respecta al artículo 32 b), este argumento no es convincente ya que los Estados miembros de la Convención han renunciado parcialmente a su soberanía al ratificar la Convención. Sin embargo, la situación

---

[146]   *Ibid.*, p. 220.
[147]   CoE "Explanatory Report to the Cybercrime Convention" (*op. cit.* n. 71), párrafo 293 (En última instancia, los redactores decidieron exponer únicamente en el art. 32 las situaciones de la Convención en las que todos estuvieron de acuerdo en que la acción unilateral es permisible); CoE, "Cybercrime and Internet Jurisdiction" (*op. cit.* 41) p. 27 párrafo 79; UNODC "Comprehensive Study on Cybercrime" (*op. cit.* n. 1), p. 220 (Cuando los países sí permiten el acceso transfronterizo a sistemas o datos informáticos dentro de su territorio, se dijo a menudo que esto era solo según lo previsto por el Convenio del Consejo de Europa sobre la ciberdelincuencia). Contrariamente Seitz, (2005) 7 yale Journal of Law and Technology (*op. cit.* n. 20), p. 45, s. in embargo, sin justificar sus reclamos en virtud del Derecho internacional público.
[148]   Departamento de Justicia de los Estados Unidos, "'Searching and Seizing Computers and Obtaining Electronic Evidence in Criminal Investigations' (*op. cit.* n. 94), p. 56 (La opinión de los Estados Unidos y de algunos otros países es que la consulta previa no es necesaria para (...) (2) acceder a los materiales en el País 'a' con el consentimiento voluntario de una persona que tenga autoridad legal para divulgar los materiales").
[149]   UNODC "Comprehensive Study on Cybercrime" (*op. cit.* n. 1), p. 220.
[150]   Akehurst, en Weiler & Nissel (*op. cit.* n. 33), p. 173. Correspondientemente, una persona privada (particular) no tiene derecho a invocar violaciones de la soberanía del Estado, ver Tribunal Constitucional Federal alemán (Bundesverfassungsgericht), Neue Zeitschrift für Strafrecht (NStZ) 1986, p. 468.

es diferente con respecto a los Estados que no son parte de la norma[151]. La consiguiente renuncia a la soberanía es la razón principal de la oposición de la Federación Rusa al artículo 32 b) de la Convención y por lo que aún no se ha adherido a la Convención. Además, la gran relevancia y proliferación de los tratados de asistencia judicial recíproca en asuntos penales es un testimonio de la intención de los Estados de procesar las investigaciones penales transfronterizas principalmente a través de los canales de asistencia legal mutua[152].

Como resultado, debido a la falta de una práctica general (*consuetudo*) y de una *opinio iuris* correspondiente, el Derecho internacional público consuetudinario no ofrece una justificación para el acceso transfronterizo a datos no disponibles públicamente a través de internet sin la autorización previa del Estado afectado, ya sea dentro o fuera de él alcance del art. 32 del Convenio sobre cibercrimen[153].

3. Circunstancias que excluyen la ilicitud

Las circunstancias que excluyen la ilicitud, aceptadas generalmente en Derecho internacional, también pueden ofrecer una justificación o defensa para los actos que constituyen infracciones de la soberanía territorial mediante al acceso

---

[151] CoE Cybercrime Convention Committee "Compilation of responses to Questionnaire for the Parties Concerning the Practical Implementation of the Convention on Cybercrime" (*op. cit.* n. 95), p. 28 (La redacción ambigua del art. 32 b) prevé la incursión en redes de otro Estado sin notificación sobre la base del permiso de alguien. Sin embargo, no está claro de quién es el permiso, a qué recursos se extiende, qué autoridades tiene esa persona y cómo se recibió ese permiso. La Federación Rusa cree que el art. 32 b) contradice las normas internacionalmente reconocidas de respeto a la soberanía y los Derechos Humanos). Un choque de opiniones como el mencionado se dió en la reunión del grupo intergubernamental de expertos de participación abierta de la UNODC en Viena 2013 e indica este punto de vista ruso aún más claramente. La fuerte oposición de Rusia al art. 32 b) de la Convención de ciberdelincuencia. Las investigaciones transfronterizas no autorizadas sobre datos informáticos no disponibles al público en general, pueden inhibir parcialmente la formación de una norma respectiva de Derecho internacional consuetudinario. Sobre las restricciones del desarrollo del Derecho internacional consuetudinario debido a un objetor persistente ver Caso Ayslum (Colombia/Perú) (1950) ICJ Rep. 266, pp. 277 y ss.; Caso Fisheries (Reino Unido c. Noruega) (1951) IJC Rep. 116, p. 131.

[152] UNODC "Comprehensive Study on Cybercrime" (*op. cit.* n. 1), p. 219 ("Algunos países destacaron en particular que estaban limitados en la recopilación de evidencia en el extranjero para el uso de asistencia legal mutua y cartas rogatorias").

[153] Los programas secretos de vigilancia en línea de los Estados Unidos y el Reino Unido recientemente revelados también constituyen una práctica transfronteriza entre las investigaciones policiales y el espionaje. Sin embargo, como no hay evidencia de que tal práctica sea compartida entre un gran número de Estados, tampoco cumple con la condición de generalidad de la práctica. Además, la indignación expresada por muchos estados y funcionarios públicos refleja la falta de apoyo a opinio iuris.

transfronterizo *on-line* a datos que no están disponibles públicamente. Según los principios sobre la responsabilidad del Estado en Derecho internacional[154], la ilicitud de una conducta que que supone el incumplimiento de una obligación internacional asumida por un Estado queda excluida bajo circunstancias de consentimiento, defensa propia, ejercicio de contramedidas, fuerza mayor, peligro inminente y estado de necesidad mientras subsistan las circunstancias[155]. La invocación de estos regímenes jurídicos —especialmente las normas sobre contramedidas— se debate cada vez más en la arena política como respuesta a los ataques cibernéticos extranjeros y probablemente desempeñe un papel aún mayor en este contexto en el futuro[156].

Sin embargo, dado que el presente análisis está dedicado a investigaciones de crímenes *on-line*, el siguiente capítulo no abordará estas medidas en general

---

[154]   El Derecho internacional de responsabilidad estatal está documentado en el borrador de la Comisión de Derecho internacional de las Naciones Unidas sobre la responsabilidad de los Estados por actos internacionalmente ilícitos, UN ILC "Draft Articles on Responsibility of States for internationally wrongful Acts" (*op. cit.* n. 55). Los borradores (Draft Articles) de artículos no constituyen derecho de los tratados o convencional y solo son vinculantes en la medida en que reflejan el Derecho internacional consuetudinario, ver generalmente J. Crawford, The internatonal Law Commission´s articles on State Responsibility (CUP 2002) J. Crawford & A. Pellet & S. Olleson (eds), The law of the international responsibility (OUP 2010). La Comisión internacional fue establecida por la asamblea general de la ONU para asumir el mandato de la asamblea en virtud del art. 13 (1) letra a) Carta de la ONU a promover estudios y recomendaciones para los fines siguientes (…) fomentar la cooperación internacional en el campo político e impulsar el desarrollo progresivo del Derecho internacional y su codificación (texto en español). La importancia de la Comisión y la naturaleza vinculante de sus estudios es ampliamente reconocida tanto por los Estados como académicamente.

[155]   Arts. 20-25, Trabajos sobre la Responsabilidad de los Estados de la Comisión de Derecho internacional de las Naciones Unidas; Cfr., UN ILC "Draft Articles on Responsibility of States for Internationally Wrongful Acts" (*op. cit.* n. 55), p. 72 párrafo 2, Comentary to Chapter V; J. Crawford & A. Pellet & S. Olleson (eds), The law of the international responsibility (OUP 2010) (*op. cit.* n. 153), pp. 472 y ss. Además, una circunstancia que excluye la ilicitud no puede justificar una medida que viola una norma imperativa, Arts. 26 de los Trabajos (*Drafts*) sobre la Responsabilidad de los Estados de la Comisión de Derecho internacional de las Naciones Unidas; Este requisito tiene poca relevancia para el presente contexto.

[156]   Por ejemplo, el Gobierno alemán está considerando la posibilidad de contraatacar (counter-hacking) e interrumpir los servidores de estados extranjeros utilizados en el curso de ataques cibernéticos, así como la eliminación unilateral de datos adquiridos ilegalmente en sistemas extranjeros. Ver Klicks können mehr anrichten als eine Bombe, disponible en https://www.sueddeutsche.de/politik/hacker-klicks-koennen-mehr-anrichten-als-eine-bombe-1.3338392, (último acceso en 12 de abril de 2017). Hasta ahora, sin embargo, las medidas de represalia, como los contraataques, se han utilizado de forma restrictiva y deben observarse dentro del rango más amplio de respuestas a los ataques cibernéticos. Ver Clingendael Netherlands Institute for International relations, "Foreign Policy Responses to International Cyber-attacks", disponible en https://www.clingendael.org/sites/default/files/pdfs/Clingendael_Policy_Brief_Foreign%20 Policy%20Responses_September2015.pdf, (último acceso en 12 de abril de 2017).

o con respecto a ciberataques y ciberguerra, sino solo con respecto a la pregunta específica de si estos principios podrían justificar investigaciones criminales transfronterizas en el ciberespacio. Desde esta perspectiva, la siguiente subsección analizará las normas internacionales establecidas que permiten contramedidas legales (ver abajo a), el derecho de autodefensa (ver abajo b), y los privilegios legales en situaciones de emergencia, es decir, fuerza mayor, peligro inminente y estado de necesidad (ver más abajo c.)[157].

a. Contramedidas

El Derecho internacional reconoce las contramedidas como una circunstancia que excluye la ilicitud[158]. El uso de contramedidas por parte de un Estado solo se permite en reacción a la violación de una obligación internacional de otro Estado con respecto al primero[159]. En el contexto actual, tal escenario existiría si un acto delictivo cometido a través de internet y originario del territorio del Estado A se realiza dentro del territorio del Estado B, lo que constituye una violación de una obligación internacional del Estado A hacia el Estado B, y es atribuible al Estado A en virtud del Derecho internacional.

Se cumplen estos requisitos si los agentes estatales —actuando en su función pública o a instancias de su gobierno— cometen delitos a través de internet que tienen lugar o presentan efectos en otro país. En este caso, las autoridades ejercen ilegalmente el poder del Estado en otro Estado o con efecto en él; lo que contradice el principio de soberanía territorial discutido anteriormente, violando así una de las obligaciones internacionales más fundamentales aplicables *erga omnes*[160].

---

[157]   El consentimiento como circunstancia que excluye la ilicitud también desempeña un papel en el presente contexto, si un Estado "A" solicita al Estado "B" a través de un canal informal que autorice el acceso "A" a los datos ubicados en un servidor en el Estado "B". Sin embargo, no es particularmente problemático y, por lo tanto, no será parte del análisis detallado.

[158]   UN ILC "Draft Articles on Responsibility of States for Internationally Wrongful Acts" (*op. cit.* n. 55), p. 75 párrafo 1; Crawford & A. Pellet & S. Olleson (eds), The law of the international responsibility (*op. cit.* n. 153), pp. 470 y ss.; ICJ, United States Diplomatic and Consular Staff in Tehran (Estados Unidos de América c. Iran) (1980) IJC Rep 3, párrafo 53; Military and paramilitary Activities in and against Nicaragua (Nicaragua c. Estados Unidos de América) (1986) IJ Rep. 14, párrafo 249; Gabcíkovo-Nagymaros Project (Hungría c. Eslovaquia) (1997) IJC Rep 7, párrafo 83.

[159]   Conforme al artículo 49 (1) de los Trabajos (*Drafts*) sobre la Responsabilidad de los Estados de la Comisión de Derecho internacional de las Naciones Unidas, "Un Estado agredido puede llevar a cabo contramedidas solo contra el Estado que es responsable del acto ilícito". De acuerdo con el artículo 2, (a) "un ilícito internacional es una 'conducta consistente en una acción u omisión que es atribuible a un Estado bajo el Derecho internacional; y (b) constituye un incumplimiento de una obligación de Derecho internacional de un determinado Estado'" (traducción del texto en inglés).

[160]   *Cfr.*, Sección III. supra.

Sin embargo, si el criminal en funciones no ejerce una función estatal[161] y no está dirigido ni controlado por un Estado[162], el acto no puede ser imputable o imputado a la responsabilidad de un Estado.

En el contexto actual, los requisitos previos de atribución de responsabilidad a un Estado por violaciones como las aquí descritas pueden darse en casos de espionaje y ciberdelincuencia estatal. Especialmente, parece ser cada vez más frecuente encontrar en tiempos de guerra híbrida operaciones irregulares llevadas a cabo por ciberatacantes desconocidos, que tienen como objetivo manipular e interrumpir los asuntos sociales y gubernamentales de otro Estado. Las líneas divisorias entre los ciberataques estatales, el cibercrimen bajo el nombre del Estado para objetivos políticos (como el presunto pirateo ruso y la filtración de los correos electrónicos de Hillary Clinton durante las elecciones estadounidenses de 2016), las acciones de piratas informáticos autónomos (que pueden llevar a cabo funciones públicas) y el cibercrimen ordinario se han vuelto borrosas, tanto fenomenológica como institucionalmente. Por lo tanto, el uso de contramedidas podría ser más común si los Estados contaran con una base fáctica suficiente para la atribución de responsabilidad que, en los casos raros de procedimientos legales interestatales ante un tribunal o tribunal competente, sea suficiente como evidencia[163].

Además, como ya estableció la Corte Internacional de Justicia en su Decisión del Canal de Corfú, según el Derecho internacional público "todo Estado tiene la obligación de no permitir que su territorio sea utilizado a sabiendas por actos contrarios a los derechos de otros Estados"[164]. Esta obligación de prevenir el daño constituye una norma general de Derecho internacional público que emana de la soberanía territorial de un Estado[165]. Una violación de esta obligación

---

[161] Atribución de conformidad con los Arts. 4 (1), 5, 7 de los Trabajos (*Drafts*) sobre la Responsabilidad de los Estados de la Comisión de Derecho internacional de las Naciones Unidas.

[162] Atribución de conformidad con los Arts. 8 de los Trabajos (*Drafts*) sobre la Responsabilidad de los Estados de la Comisión de Derecho internacional de las Naciones Unidas. Atribución de conformidad con los Arts. 6, 9 y 10 de los Trabajos (*Drafts*) sobre la Responsabilidad de los Estados de la Comisión de Derecho internacional de las Naciones Unidas es menos relevante en este contexto. Para una explicación detallada de la atribución de responsabilidad internacional a los Estados ver Brownlie, Principles of Public International Law (*op. cit.* n. 33), pp. 445-456; A Cassese, International Law (*op. cit.* n. 33), pp. 246 y ss.

[163] "La confianza legítima en las contramedidas requiere pruebas, *inter alia*, de la atribución del hecho ilícito de conformidad con el Derecho procesal aplicable, Trabajos (*Drafts*) sobre la Responsabilidad de los Estados de la Comisión de Derecho internacional de las Naciones Unidas sobre actos ilícitos" (*op. cit.* n. 55), p. 72 párrafo 8, Comentario al Capítulo V.

[164] ICJ, Corfu Channel (Reino Unido de Gran Bretaña e Irlanda del Norte c. Albania) (1949) IJC Rep. 4, p. 22.

[165] Island of Palmas (Holanda c. Estados Unidos de América) (1928) 2 RIIA 829, pp. 839 (La soberanía territorial tiene el corolario de un deber: la obligación de proteger dentro del territorio

general —en el ejemplo mencionado anteriormente—, la omisión internacional o consciente del Estado A para prevenir los delitos cibernéticos que se originan en su territorio y que surten efecto en el estado B puede constituir un hecho internacionalmente ilícito por omisión[166] y, por lo tanto, también puede dar lugar a contramedidas.

Aun cumpliendo estos requisitos de incumplimiento de obligaciones imputable a un Estado, el uso de las contramedidas está sujeto todavía a un apretado corsé de limitaciones[167], lo que subraya su carácter excepcional[168]. Las contramedidas legales son instrumentos que el Estado B emplea con el objetivo principal de convencer al Estado A de que cese su conducta internacionalmente ilícita contra el Estado B[169]. Para lograr este objetivo, el Estado B puede retener temporalmente el cumplimiento de una o más de sus obligaciones internacionales con el Estado A siempre que las contramedidas sean proporcionales a la conducta internacionalmente ilícita del Estado A[170]. Las investigaciones penales contra infractores de delitos informáticos bajo el nombre del Estado, son medidas *prima facie* efectivas para convencer al Estado responsable de abstenerse de continuar tales acciones en el futuro, ya que puede conducir a pruebas incriminatorias y hacer que los

---

los derechos de otros Estados, en particular el derecho a la integridad); Pulp Mills on the River Uruguay (Argentina c. Uruguay) (Judgement) (2010) ICJ Rep 14 p. 101. Su carácter general encuentra una mayor justificación en la obligación de no causar daños significativos al medio ambiente de otros Estados, *Cfr.*, Caso del *Trail Smelter* (Estados Unidos de América c. Canadá) (1938/41) 3 RIIA 1905, p. 1965, perteneciente a la emisión extraterritorial de humos. *Cfr.*, ICJ, Legality of the Threat or use of Nuclear Weapons (Advisory Opinion) (1996) ICJ Rep 226, párrafo 29.

[166]   Trabajos (*Drafts*) sobre la Responsabilidad de los Estados de la Comisión de Derecho internacional de las Naciones Unidas (*op. cit.* n. 55), p. 35 párrafo 4, Comentario al artículo 2. En el contexto de ciberataques M. J. Sklerov, "Solving the Dilema of State Responses to Cyberattacks" (2009) 201 Military Law Review 1, p. 62; M. N. Schmitt (ed.), Tallin Manual on the International Law Applicable to Cyber Warfare (CUP 2013), Rule 5, pp. 26 y ss.

[167]   Arts. 49, 51, 52, 53 de los Trabajos (*Drafts*) sobre la Responsabilidad de los Estados de la Comisión de Derecho internacional de las Naciones Unidas; Cfr., T. M. Franck, "On Proportionality of Countermeasures in International Law" (2008) 102 AJIL 715.

[168]   Trabajos (*Drafts*) sobre la Responsabilidad de los Estados de la Comisión de Derecho internacional de las Naciones Unidas sobre actos ilícitos (*op. cit.* n. 55), p. 128, Comentario a las contramedidas, p. 130 párrafo 2, Comentario al artículo 49 párrafo 1 y p. 136, Comentario al artículo 52 párrafo 4.

[169]   Arts. 49 de los Trabajos (*Drafts*) sobre la Responsabilidad de los Estados de la Comisión de Derecho internacional de las Naciones Unidas sobre actos ilícitos (*op. cit.* n. 55), p. 129 párrafo 6, Comentario a las contramedidas, p. 130 párrafo 1, Comentario al artículo 49.

[170]   *Ibid.*, p. 130 párrafo 6. Comentario al artículo 49. Además, las contramedidas no deben violar las obligaciones imperativas tales como la prohibición de amenaza o del uso de la fuerza, como dispone el Art. 50 de Trabajos (*Drafts*) sobre la Responsabilidad de los Estados de la Comisión de Derecho internacional de las Naciones Unidas.

agentes queden inoperantes una vez identificados. Incluso se podría argumentar que las primeras investigaciones criminales transfronterizas en el ciberespacio, en respuesta al aparente ciberdelito estatal, son un requisito previo para desarrollar contramedidas efectivas, ya que permiten identificar la conducta ilegal y su origen y facultan al Estado lesionado para establecer responsabilidades y atribuciones también como idear una respuesta apropiada y legal.

Además, las contramedidas deben cumplir con ciertos requisitos de procedimiento, tal como se detalla en el artículo 52 de los Trabajos (*Drafts*) de la Comisión de Derecho Internacional de la ONU sobre la responsabilidad del Estado. En particular, existe el requisito de consultar con el Estado responsable la intención de realizar contramedidas efectivas antes de ejecutarlas. Asunto que será a menudo perjudicial para las investigaciones transfronterizas unilaterales en el delito cibernético. Sin embargo, en tales casos, los Estados pueden tomar contramedidas urgentes antes de la consulta y notificación, según sea necesario para preservar sus derechos y garantizar la efectividad de las contramedidas, como por ejemplo tomando medidas preliminares, ejecutando órdenes de permanencia o congelando activos[171]. Las contramedidas legales podrían, por lo tanto, incluir el acceso y la copia de datos almacenados en países extranjeros.

En conclusión, en casos específicos, las investigaciones penales transfronterizas *on-line* sin el consentimiento del país afectado pueden justificarse como contramedidas contra el delito cibernético atribuible a un Estado extranjero siempre que los datos estén ubicados en el territorio del Estado infractor y la medida se dirija principalmente a detener el cibercrimen. Sin embargo, el principio de las contramedidas no proporciona una justificación general para las investigaciones penales ordinarias.

b. *Legítima defensa*

El derecho de legítima defensa en virtud del Artículo 51 de la Carta de las Naciones Unidas es una piedra angular del orden mundial existente y constituye una circunstancia aceptada que excluye la ilicitud[172]. Se basa en la premisa de un "ataque armado"[173]. A pesar de que los contornos legales exactos de este término

---

[171] *Ibid.*, p. 136 párrafo 6, Comentario al artículo 52.

[172] Art. 21 de los Trabajos (*Drafts*) "sobre la Responsabilidad de los Estados de la Comisión de Derecho internacional de las Naciones Unidas" (*op. cit.* n. 55), p. 75 párrafo 6, Comentario al artículo 21; Crawford & A. Pellet & S. Olleson (eds), The law of the international responsibility (*op. cit.* n. 153), pp. 460 y ss.

[173] La parte principal de la disposición dice: "Nada en la presente Carta afectará el derecho inherente a la legítima defensa individual o colectiva si se produce un ataque armado contra un Miembro de la ONU hasta que el Consejo de Seguridad haya tomado las medidas necesarias para mantener la paz internacional y seguridad" (traducción del texto en inglés). El derecho

todavía están sujetos a controversia[174], existe consenso de que tal ataque solo existe en casos de fuerza militar masiva[175], lo que excede de una simple violación de la prohibición del uso de la fuerza de conformidad con el artículo 2.4 Carta de la ONU[176].

Los ataques armados en este sentido del artículo 51 de la Carta de las Naciones Unidas podrían posiblemente comprometerse exclusivamente a través de internet en casos de la llamada guerra cibernética[177]. Esto quedó bajo escrutinio a la luz de los masivos DDOS-Attacks contra la infraestructura informática de instituciones financieras, periódicos, corporaciones y el gobierno en Estonia en 2007, a menudo atribuidos a Rusia[178], así como el presunto ataque del virus Stuxnet contra la instalación iraní de enriquecimiento de uranio en Natanz en 2010, extraoficialmente atribuido a Israel y los Estados Unidos[179]. Si bien en estos casos

---

a la legítima defensa según el artículo 51 de la Carta de las Naciones Unidas forma parte del Derecho internacional consuetudinario, ICJ, Military and paramilirary Activities in and against Nicaragua (Nicaragua c. Estados Unidos de América) (Merits) (1986) ICJ Rep 14. párrafo 193. De acuerdo con la opinión mayoritaria, los ataques armados debe ser también imputables a un Estado, ver ICJ, Legal Consequences of the Construction of a Wall in the Occupied Palestinian Territory (2004) ICJ Rep 136, párrafo 139.

[174]   Cfr., B. Simma & D. E. Khan & G. Nolte & A. Paulus (eds), The Charter of the United Nations. A comentary, (OUP 3rd ed 2012), Art. 51 párrafos 17 y ss.

[175]   Por ejemplo, invasiones, bombardeos, uso de armas destructivas contra un territorio extranjero, bloqueos totales, etc. Una guía interpretativa puede encontrarse en UNGA Res 3314 (XXIX) "Definition of Aggression" (14 de diciembre de 1974); Integralmente Simma & D. E. Khan & G. Nolte & A. Paulus (eds), The Charter of the United Nations. A comentary (op. cit. n. 173), Art. 51 párrafo 21 y ss.

[176]   Y. Dinstein, War, Aggression and Self-Defence (CUP 5th ed 2011), p. 194, 207 y ss.; Simma & D. E. Khan & G. Nolte & A. Paulus (eds), The Charter of the United Nations. A comentary (op. cit. n. 173), Art. 51 párrafo 4; Cfr., ICJ, Military and paramilirary Activities in and against Nicaragua (Nicaragua c. Estados Unidos de América) (Merits) (1986) ICJ Rep 14. párrafos 211, 249; Oil Platforms (República islámica de Iran c. Estados Unidos de América) (2003) ICJ Rep 161, párrafo 51.

[177]   Sobre la legítima defensa en el contexto de la guerra cibernética ver, M. Waxman, "Cyberattacks and the Use of Force: Back to the Future of Article 2 (4)" (2001) 36 Yale Journal of International Law 421, p. 437 y ss, pp. 450 y ss.; N. Tsagourias, "Cyber-attacks, Self-defence and the Problem of Attribution" (2012) 17 Journal of Conflict and Security Law 229. ver también, Presidente de los Estados Unidos "International Strategy for Cyberspace" (mayo 2011), pp. 13 y ss, disponible en https://obamawhitehouse.archives.gov/sites/default/files/rss_viewer/international_strategy_for_cyberspace.pdf, (último acceso en 12 de abril de 2017).

[178]   Cfr., "Russia Accused of Unleashing Cyberwar to Disable Estonia" (17 de mayo de 2017) The Guardian, disponible en https://www.theguardian.com/world/2007/may/17/topstories3.russia, (último acceso en 12 de abril de 2017).

[179]   Cfr., "Computer Virus in Iran actually targeted Larger Nuclear Facility" (28 de septiembre de 2010) Haaretz, disponible en https://www.haaretz.com/computer-virus-in-iran-actually-targeted-larger-nuclear-facility-1.316052, (último acceso en 12 de abril de 2017); "Israeli Test on Worm Called Crucial in Iran Nuclear Delay" (16 de enero de 2011) New York Times, disponi-

puede ser discutible si tales ataques alcanzan el umbral de un ataque armado. Por lo tanto, el derecho de legítima defensa no ofrece una solución general a los problemas discutidos anteriormente en el contexto de las investigaciones penales ordinarias.

c. Situaciones de emergencia: fuerza mayor, peligro inminente y estado de necesidad

El Derecho internacional permite a los Estados suspender el cumplimiento de sus obligaciones legales si ellos o sus agentes se encuentran en situaciones particulares de emergencia, es decir, en casos de fuerza mayor, peligro inminente y estado de necesidad[180]. Estas circunstancias estructuralmente similares que excluyen la ilicitud tienen un carácter excepcional[181] y justificarían violaciones de la soberanía solo en casos excepcionales.

a) Un estado puede invocar fuerza mayor en circunstancias excepcionales si se torna materialmente imposible cumplir una obligación debido a una fuerza irresistible o un evento fuera de su control[182]. El Estado A podría invocar con éxito fuerza mayor, por ejemplo, si su aeronave o buques fueron forzados a ingresar al territorio del Estado B sin autorización debido a daños relacionados con el clima o control de pérdidas[183]. En el contexto de este artículo, sin embargo, la fuerza mayor no ofrece ninguna justificación legal para la conducta en cuestión: la violación de la soberanía por investigaciones transfronterizas on-line no se deberá a una fuerza irresistible o un evento imprevisto más allá del control del Estado, sino que es voluntario. Por lo tanto, no es un caso de fuerza mayor.

b) El peligro inminente puede excluir la ilicitud de una conducta en circunstancias excepcionales si una persona, cuyos actos son atribuibles al Estado, se

---

ble en https://www.nytimes.com/2011/01/16/world/middleeast/16stuxnet.html, (último acceso en 12 de abril de 2017).

[180]   Art. 23-25 de los Trabajos (*Drafts*) sobre la Responsabilidad de los Estados de la Comisión de Derecho internacional de las Naciones Unidas (*op. cit.* n. 55); Cfr., ICJ Gabcíkovo-Nagymaros Project (Hungría c. Eslovaquia) (1997) IJC Rep 7, párrafo 51, Respecto a la necesidad.

[181]   ICJ Gabcíkovo-Nagymaros Project (Hungría c. Eslovaquia) (1997) IJC Rep 7, párrafo 51, Con respecto a la necesidad; Cfr., Trabajos (*Drafts*) sobre la Responsabilidad de los Estados de la Comisión de Derecho internacional de las Naciones Unidas sobre actos ilícitos (*op. cit.* n. 55), pp. 76 y ss con respecto a la fuerza mayor, pp. 79 y ss con respecto al peligro.

[182]   Art. 23 de los Trabajos (*Drafts*) sobre la Responsabilidad de los Estados de la Comisión de Derecho internacional de las Naciones Unidas sobre actos ilícitos (*op. cit.* n. 55), pp. 76 y ss. Comentario al artículo 23; Cfr., también el artículo 61 párrafo 1 del Convenio de Viena sobre el derecho de los tratados.

[183]   Trabajos (*Drafts*) sobre la Responsabilidad de los Estados de la Comisión de Derecho internacional de las Naciones Unidas sobre actos ilícitos (*op. cit.* n. 55), p. 76 párrafo 3, Comentario al artículo 23.

encuentra en una situación de grave peligro y la medida tomada en apuros es la única forma razonable de salvar su propia vida o la de una persona bajo su cuidado[184]. Por ejemplo, el Estado A podría invocar con éxito peligro inminente si su aeronave o los buques entraron en el territorio del Estado B sin autorización debido a condiciones climáticas peligrosas o fallas técnicas con el objetivo de evitar daños físicos a un individuo[185]. En el contexto de este artículo, sin embargo, las condiciones materiales del peligro inminente generalmente no se cumplirán: infringir la soberanía de otro Estado mediante una investigación transfronteriza *on-line* sin autorización en asuntos criminales no será por lo general la única forma razonable de salvar la vida humana y, por lo tanto, no constituye un caso de peligro inminente[186].

c) El estado de necesidad puede ofrecer la exclusión de la ilicitud en circunstancias excepcionales si un interés esencial del Estado se ve amenazado por un peligro grave e inminente y si la medida adoptada por necesidad es el único medio de salvaguardar ese interés[187]. Por ejemplo, el Estado A podría alegar con éxito la necesidad si se tratara de bombardear un petrolero varado y con fugas perteneciente al estado B que amenaza con contaminar toda la costa del Estado A, con el objetivo de quemar el petróleo restante[188]. Debido al carácter excepcional de la necesidad, su invocación exitosa está sujeta a condiciones estrictas[189]. Fundamentalmente, el acto que no está en conformidad con una obligación internacional del Estado que invoca la necesidad debe representar el único medio para que el Estado proteja un interés esencial frente un peligro grave e inminente. Sin

---

[184] Artículo 24 de los Trabajos (*Drafts*) sobre la Responsabilidad de los Estados de la Comisión de Derecho internacional de las Naciones Unidas sobre actos ilícitos (*op. cit.* n. 55), pp. 78 y ss.; Comentario al artículo 24.

[185] Trabajos (*Drafts*) sobre la Responsabilidad de los Estados de la Comisión de Derecho internacional de las Naciones Unidas sobre actos ilícitos (*op. cit.* n. 55), p. 78 párrafo 2; Comentario al artículo 24.

[186] No obstante, esto parece posible en situaciones excepcionales, por ejemplo, cuando una investigación on-line transfronteriza proporciona el paradero de un agente del Estado tomado como rehén y a punto de ser ejecutado.

[187] ICJ Gabcíkovo Nagymaros Project (Hungría c. Eslovaquia) (1997) IJC Rep 7, párrafo 51 y ss.; Cfr., artículo 25 de los Trabajos (*Drafts*) sobre la Responsabilidad de los Estados de la Comisión de Derecho internacional de las Naciones Unidas.

[188] Trabajos (*Drafts*) sobre la Responsabilidad de los Estados de la Comisión de Derecho internacional de las Naciones Unidas sobre actos ilícitos (*op. cit.* n. 55), p. 82 párrafo 9; Comentario al artículo 25.

[189] ICJ Gabcíkovo-Nagymaros Project (Hungría c. Eslovaquia) (1997) IJC Rep 7, párrafo 51 y ss.; Cfr., artículo 25 de los Trabajos (*Drafts*) sobre la Responsabilidad de los Estados de la Comisión de Derecho internacional de las Naciones Unidas. Trabajos (*Drafts*) sobre la Responsabilidad de los Estados de la Comisión de Derecho internacional de las Naciones Unidas sobre actos ilícitos (*op. cit.* n. 55), pp. 8° y ss. Comentario al artículo 25.

embargo, cualquiera que sea el interés esencial que esté en juego, una investigación unilateral transfronteriza *on-line* no suele ser la única medida posible para
salvaguardar este interés, ya que en la mayoría de los casos los Estados pueden
recurrir a canales establecidos en tratados de asistencia legal mutua. A menudo,
se afirma con razón que el sistema existente de asistencia judicial recíproca es demasiado lento y engorroso para realizar investigaciones penales transfronterizas
efectivas con respecto a internet[190], y puede argumentarse que las investigaciones
transfronterizas unilaterales *on-line* son, por lo tanto, la única manera factible
de garantizar una jurisdicción de ejecución[191]. Sin embargo, una declaración de
necesidad solo tiene éxito si la medida adoptada representa el único medio disponible, independientemente de si otros medios pueden ser menos efectivos o menos
convenientes[192]. Por lo tanto, como regla general, los Estados deben cumplir con
los sistemas contractuales de asistencia legal mutua creados y tratar con las deficiencias del sistema o deben reunir la voluntad política y la creatividad legal para
reformarlo y hacerlo más eficiente y efectivo con respecto a las investigaciones
en *on-line*.

Lo mismo es válido incluso si el Estado donde se encuentran los datos solicitados no permite o no coopera con el Estado investigador. En el contexto
del uso de la fuerza, los expertos en Derecho están discutiendo si existe un
derecho de autodefensa contra los ataques armados por parte de actores no
estatales si el Estado territorial desde el cual operan no está dispuesto o no
puede intervenir contra los actores no estatales[193]. Sin embargo, no hay evidencia de una práctica general pertinente apoyada por *opinio iuris* concurrentes
para reformar los principios existentes de defensa propia y la correspondiente
prohibición de violación de la soberanía[194]. De esto se sigue que si tal falta de

---

[190] Ver Unión Internacional de Comunicaciones, "Understanding Cybercrime: a Guide for Developing Countries" (*op. cit.* n. 11), p. 133; CoE Comité de la Convención sobre el Cibercrimen (T-
CY) "Assessment Report: The Mutual Legal Assistance Provisions of The Budapest Convention
on Cybercrime", (*op. cit.* n. 11), pp. 3, 38 y ss, 123; Ver también Secciones I. 2. b. *supra* y VIII.
1 *infra*.

[191] CoE "Cloud Computing and cybercrime investigations: Territorially vs. the Proposal of disposal?" (*op. cit.* n. 14), pp. 5 y ss.

[192] Trabajos (*Drafts*) sobre la Responsabilidad de los Estados de la Comisión de Derecho internacional de las Naciones Unidas sobre actos ilícitos (*op. cit.* n. 55), pp. 83 y ss. Comentario al
artículo 25; *Cfr.*, ICJ Gabcíkovo-Nagymaros Project (Hungría c. Eslovaquia) (1997) IJC Rep
7, párrafo 55.

[193] Ver, inter alia, A. Deeks, "Unwilling or Unable: Toward a Normative Frameworrk for Extrate-
rritorial Self-Defense" (2012) 52 VJIL 483; Simma & D. E. Khan & G. Nolte & A. Paulus (eds),
The Charter of the United Nations. A comentary (*op. cit.* n. 173), Art. 51 párrafo 37; Dinstein,
War, Aggression and Self-Defence (*op. cit.* n. 175),,, párrafo 601 y ss.

[194] Ver en detalle el análisis de O. Corten, "The Unwilling or Unable" Test: Has it been, and could
it be accepted? (2016) 29 Leiden Journal of International Law 777, pp. 870 y ss.

voluntad o incapacidad para cooperar no ofrece motivos para violar la soberanía de otro Estado unilateralmente, incluso en el caso de defensa propia —que puede considerarse un caso especial codificado de necesidad—, debe aplicarse aún más en el contexto del cibercrimen transnacional, donde están en juego intereses estatales menos esenciales. Incluso en casos raros en que no existen canales de asistencia judicial recíproca o existe una ausencia total de relaciones diplomáticas entre los dos Estados, existen otros medios disponibles, ya que el requisito pertinente no se limita a la acción unilateral, sino que también abarca todas las otras formas de conducta[195]. Un Estado debe, por lo tanto, establecer canales potenciales de comunicación y desarrollar influencia diplomática y política a través de la cooperación con terceros Estados o a través de organizaciones internacionales[196]. En un entorno jurídico internacional todavía dominado por Estados empeñados en proteger su soberanía territorial, la situación se ejemplifica fácilmente por analogía: el hecho de que el Estado "A" no renuncie a solicitar pruebas al Estado B en un caso penal transfronterizo, no le da derecho al Estado A enviar a sus agentes de la ley al Estado B y recopilar pruebas bajo la bandera de la necesidad.

d) En conclusión, en investigaciones criminales *on-line* las condiciones materiales de fuerza mayor, peligro inminente y estado de necesidad rara vez se cumplirán. En la gran mayoría de los casos, por lo tanto, no servirán como base legal para las investigaciones penales transfronterizas a través de internet. Sin embargo, teniendo en cuenta los recientes avances en la tecnología de la información y los cambios fundamentales en la aplicación de la ley en el ciberespacio que han provocado dichos avances, existe una circunstancia específica en la que el hallazgo de ilicitud podría ser excluido por necesidad. Esta circunstancia específica, que es el tema de la siguiente sección, ocurre en situaciones de "pérdida de ubicación" que no pueden resolverse ni siquiera con los acuerdos de cooperación más avanzados por parte de los Estados que cooperan con mayor disposición.

---

[195] En este contexto, vale la pena señalar que de conformidad con el art. 25 letra b) de los Trabajos (*Drafts*) sobre la Responsabilidad de los Estados de la Comisión de Derecho internacional de las Naciones Unidas: "La necesidad no puede ser invocada por un Estado como motivo para excluir la ilicitud si el Estado ha contribuido a la situación de necesidad".

[196] Trabajos (*Drafts*) sobre la Responsabilidad de los Estados de la Comisión de Derecho internacional de las Naciones Unidas sobre conductas ilícitas (*op. cit.* n. 55), p. 83 párrafo 15, Comentario al artículo 25.

V. ESFERAS COMPETIDORAS DE SOBERANÍA EN CASOS DE "PÉRDIDA DE UBICACIÓN"

1. *"Pérdida de ubicación" como conflicto de soberanía*

Como se muestra, generalmente no hay ninguna justificación para las investigaciones transfronterizas *on-line* que buscan datos que no están disponibles públicamente conforme al Derecho internacional público. Por lo tanto, salvo circunstancias excepcionales, la soberanía —la competencia exclusiva de un Estado sobre su propio territorio—[197] prevalece, al menos desde el punto de vista del Estado en el que se almacenan los datos accedidos. Sin embargo la visión es bastante diferente desde la perspectiva del Estado investigador: El interés legítimo del Estado investigador en acceder a los datos en el curso de investigaciones de crímenes está relacionado con su propia soberanía en la protección frente a la interferencia extranjera de actores estatales y no estatales[198]. Por lo tanto, tales casos siempre involucran dos esferas de soberanía que compiten entre sí.

Este conflicto de intereses soberanos debe ser reevaluado a la luz de la moderna tecnología de la información en casos que involucran la llamada "pérdida de ubicación" de los datos: donde los "cibercriminales" utilizan métodos sofisticados para ocultar su identidad y ubicación[199], junto a la proliferación del uso de la computación en la nube[200], que hace que sea cada vez más difícil —y muchas veces incluso imposible— que los investigadores localicen geográficamente a los infractores y sus datos *ex ante*. Como resultado, en muchos casos, los agentes del orden público simplemente pueden asumir que los datos a los que intentan acceder a través de internet se almacenan en servidores o no se encuentran en su país[201]. Si los investigadores no saben dónde están almacenados los datos, no pue-

---

[197]   Cfr., PCIJ, "The Lotus (Francia c. Turquía)" PCJI Series A Nº 10, p. 18; Island of Palmas (Holanda c. Estados Unidos de América) (1928) 2 RIIA 829, pp. 838 y ss. Ver Sección III. *supra*.

[198]   Brownie, Principles of Public International Law (*op. cit.* n. 33), pp. 291, 299, 301.

[199]   Por ejemplo, TOR o redes "Darknet" anonimizadas. En cuanto a la elaboración de los métodos de ocultamiento utilizados por los ciberdelincuentes, incluidos los TOR, ver G. Lovet, "Fighting Cybercrime, Technical, Juridical and Ethical Challenges", Virus Bulletin Conference September 2009, pp. 63, 65-67, disponible en https://es.scribd.com/document/238750730/Fighting-Cyber-crime-Techinical-Juridical-and-Ethical-Challenges, (último acceso en 12 de abril de 2017); P. Brunst, Anonymität im Internet, rechtliche und tatsächliche Rahmenbedingungen (Duncker & Humblot), p. 93.

[200]   Para una descripción detallada de las tecnologías en la nube y su impacto en la ubicación de los datos, ver W. K. Hon & C. Millard, "Cloud Technologies and Services", in C. Millard (ed.), Cloud Computing Law (OUP 2013), pp. 1-17.

[201]   Ver Secciones I. 1 y II. 2. e. *supra*. Cfr., CoE Convención del Comité sobre el Cibercrimen (T-CY) "Criminal Justice Access to Electronic Evidence in the Cloud: Recommendations for considerations by the T-CY" (*op. cit.* n. 12), párrafos 39 y ss.; También, I. Walden, "Accessing

den presentar una solicitud de asistencia judicial recíproca porque no saben con qué país archivarla. En muchos de estos casos, denegar el acceso a los servidores extranjeros provocaría un abrupto final de la investigación en internet. Cualquier potencial infractor habilidoso que utilice internet para cometer actos delictivos podría evadir efectivamente las investigaciones penales nacionales.

Para resolver este dilema, es necesario equilibrar el interés legal legítimo del Estado A en "acceder" —que busca ejercer su jurisdicción mediante la realización de investigaciones criminales contra delincuentes que afectan su territorio—, contra los del Estado B "accedido" que busca salvaguardar su soberanía territorial contra infracciones injustificadas de otros Estados, dentro de los límites del Derecho internacional[202]. La herramienta legal establecida en el Derecho internacional público para equilibrar tales intereses estatales en conflicto es el principio de necesidad. La siguiente subsección analizará la aplicación del principio de necesidad con respecto a la circunstancia particular de "pérdida de ubicación".

2. *"Pérdida de ubicación" como estado de necesidad*

Como se ilustró anteriormente, el principio de necesidad, como excepción, condona el incumplimiento por parte de un Estado de sus obligaciones internacionales como un medio para salvaguardar los intereses esenciales amenazados bajo condiciones muy estrictas[203]: El acto de infringir debe ser el único medio por el cual ese Estado puede salvaguardar un interés esencial contra un peligro grave e inminente (ver abajo a.-c.). Además, el acto no puede perjudicar seriamente un interés esencial del Estado hacia el cual existe la obligación violada (ver abajo d.). Finalmente, se debe prestar particular atención a la aplicación práctica del principio de necesidad y las consecuencias que conlleva (abajo e).

a. Salvaguardando un interés esencial

a) En el sentido de necesidad el término "interés esencial" abarca una pluralidad de bienes. En 1980, Robert Ago, relator especial de la Comisión de Derecho

---

Data in the Cloud: the long Arm of the Law Enforcement Agent" (2011) 74 Queen Mary Scholl of Law Legal Studies Research Paper 1.

202   *Cfr.*, Pulp Mills on the River Uruguay (Argentina c. Uruguay) (Judgement) (2010) ICJ Rep 14, párrafos 175, 177, para equilibrar los intereses de los Estados en conflicto en el contexto de las disposiciones del tratado.

203   ICJ Gabcíkovo-Nagymaros Project (Hungría c. Eslovaquia) (1997) IJC Rep 7, párrafos 51 y ss.; Trabajos (*Drafts*) sobre la Responsabilidad de los Estados de la Comisión de Derecho internacional de las Naciones Unidas sobre actos ilícitos (*op. cit.* n. 55), pp. 80, 83 y ss. Comentario al artículo 25; Boas, *Public International Law* (*op. cit.* n. 33), p. 294 y ss. Ver Sección IV. 3. c. *supra*.

internacional sobre la responsabilidad del Estado, llegó a la conclusión de que la invocación de la necesidad se basa en "un grave peligro para la existencia del propio Estado, su supervivencia política o económica, el continuo funcionamiento de su población, la preservación del medio ambiente de su territorio o una parte del mismo"[204]. Del mismo modo, en el comentario a los Trabajos (Drafts) sobre Responsabilidad del Estado (2001 UN ILC), la Comisión de Derecho Internacional afirma que se ha invocado la necesidad "para proteger una amplia variedad de intereses, incluida la protección del medio ambiente, la preservación de la existencia misma del estado y su gente en tiempos de emergencia pública o la seguridad de la población civil"[205]. Sin embargo, lo que es calificado como interés esencial de un Estado "depende de todas las circunstancias y no puede prejuzgarse"[206]. Mientras que en la jurisprudencia predominante, el interés esencial aceptado se relaciona con la protección del entorno natural[207], en el contexto de la necesidad, los intereses esenciales no están restringidos a cuestiones relacionadas con la existencia del Estado[208].

b) En el contexto del acceso transfronterizo a datos extranjeros, existen tres intereses específicos que podrían equivaler —con razón a diferentes grados— a los intereses esenciales de un Estado, tal como se requiere para desencadenar un reclamo exitoso de necesidad:

Primero, la protección de la vida y la integridad física de los ciudadanos de un Estado. El interés se basa en las obligaciones protectoras de los Estados hacia sus ciudadanos y otras personas bajo su protección, concepto firmemente establecido en el Derecho internacional de suma importancia en el caso de los peligros para la vida y la integridad física[209]. La importancia de este interés particular se refleja

---

[204]   R. Ago, "Addendum to the Eighth Report on State Responsibility" (1980), UN Doc. A/CN. 4/318/Add. 5-7, p. 14, disponible en *http://legal.un.org/ilc/documentation/english/a_cn4_318_add5_7.pdf*, (último acceso en 12 de abril de 2017).

[205]   Trabajos (Drafts) sobre la Responsabilidad de los Estados de la Comisión de Derecho internacional de las Naciones Unidas sobre actos ilícitos (op. cit. n. 55), p. 83 párrafo 14, Comentario al artículo 25.

[206]   Ibid., p. 83 párrafo 15.

[207]   ICJ Gabcíkovo-Nagymaros Project (Hungría c. Eslovaquia) (1997) IJC Rep 7, párrafo 53. Crf., la controversia sobre los lobos marinos rusos y el caso de 1976 del petrolero liberiano Torrey Canyon; Trabajos (Drafts) sobre la Responsabilidad de los Estados de la Comisión de Derecho internacional de las Naciones Unidas sobre actos ilícitos (op. cit. n. 55), pp. 81 y ss, Comentario al artículo 25.

[208]   ICJ Gabcíkovo-Nagymaros Project (Hungría c. Eslovaquia) (1997) IJC Rep 7, párrafo 53.

[209]   Cfr., UNHRC, "General Comment Nº 31: The Nature of the Legal Obligation Imposed on Stated Parties to the Convenant" (29 de marzo 2004), CCPR/C/Rev. 1/Add. p. 13, párrafo 8; Caso Osman c. R. Unido de la Corte Europea de Derechos Humanos (ECtHR) Reports 1998-VIII 3124, párrafo 115; Corte interamericana de Derechos Humanos, Caso Velásques Rodríguez (Juicio sobre compensación de daños (Art. 63.1 de la Convención interamericana de Derechos Humanos) IACtHR

en el hecho ampliamente aceptado del *ius ad bellium*, sensible a la soberanía, de que las operaciones militares de un Estado con el único propósito de rescatar a sus nacionales de un peligro inminente para la vida o la integridad en el territorio de otro Estado, incluso sin el consentimiento de este último, están justificadas por el Derecho internacional consuetudinario, a pesar de constituir una violación de la soberanía[210]. En consecuencia, constituye un interés esencial en el contexto actual[211]. Su invocación está, por definición, restringida a las medidas destinadas a proteger a los nacionales u otras personas de la violencia física y, por lo tanto, solo puede llevarse a cabo en el contexto de crímenes graves como homicidios, agresiones con agravantes o el abuso de niños.

Segundo, el ejercicio efectivo de una jurisdicción estatal contra criminales que afectan su territorio. Este interés se puede calificar como un interés esencial, tal y como se requiere para una declaración de necesidad exitosa, porque constituye un aspecto importante de la soberanía territorial[212] ya que representa una de las funciones estatales más esenciales ya que es de suma importancia para mantener la paz y el orden público dentro de un Estado. Un Estado sin un sistema efectivo de aplicación de la ley y con herramientas de justicia penal no podría garantizar ni el orden social ni la paz dentro de los límites de su territorio[213]. Por lo tanto, el interés cae bajo la categoría de "el funcionamiento continuo de los servicios esenciales (del Estado)" en el sentido de la comprensión de la necesidad de Roberto Ago. Por otro lado, este interés también cumple las obligaciones de protección antes mencionadas de los Estados hacia sus ciudadanos. Las obligaciones de protección se cumplen no solo mediante la prevención de delitos futuros sino también mediante la investigación de delitos que ya se han cometido, por lo que los Estados deben poder ejercer su jurisdicción contra personas o contra acciones que tengan una conexión sustancial con su territorio[214].

Series C N° 7 (21 de julio de 1989), párrafo 172; Cfr., ICJ, United States Diplomatic and Consular Staff in Tehran (Estados Unidos de América c. Iran) (1980) IJC Rep 3, p. 67.

[210] C. H. M. Waldock, "The Regulation of the Use of Force by Individual States in International Law" (1952) 81 Rec. d. C. 455, pp. 467, 471 y ss.; Simma & D. E. Khan & G. Nolte & A. Paulus (eds), The Charter of the United Nations. A comentary (*op. cit.* n. 173), Art. 2 (4) párrafos 60 y ss.; Dinstein, War, Aggression and Self-Defence (*op. cit.* n. 175), pp. 676 y ss.

[211] La protección de la vida y de la integridad física podría ser subsumida también bajo el concepto de peligro inminente (*distress*) (*Cfr.*, Sección IV. 3. c. *supra*) en mayor medida que bajo el concepto de la Necesidad. Debido a la perspectiva más general adoptada aquí, la calificación como un interés esencial en términos de necesidad parece preferible, pero es en gran medida intrascendente.

[212] *Cfr.*, Brownlie, *Principles of Public International Law* (*op. cit.* n. 33), p. 309; Akehurst, in Weiler & Nissel (*op. cit.* n. 33), pp. 291, 299, 301.

[213] Akehurst, in Weiler & Nissel (*op. cit.* n. 33), p. 175.

[214] *Cfr.*, Brownlie, *Principles of Public International Law* (*op. cit.* n. 33), p. 310 y ss, referencias. En el contexto de este artículo, una conexión sustancial para el territorio de un Estado puede

En el presente contexto, solo está involucrado un aspecto de la jurisdicción interna de un Estado, a saber, el crimen relacionado con internet. Sin embargo, este aspecto también califica bienes como interés esencial: el análisis fenomenológico ha demostrado que los Estados, sus ciudadanos y corporaciones dependen cada vez más de la tecnología de la información y que el ciberespacio se está convirtiendo en el principal medio de comunicación para los infractores, tanto para la comisión del delito típicamente cibernético como para un crimen convencional cometido con ayuda de internet[215]. La lucha efectiva contra los delitos relacionados con internet es, por lo tanto, de suma importancia tanto para mantener la paz y el orden social dentro de un Estado como también lo es para proteger los derechos individuales amenazados por el crimen[216].

Por otro lado, el ejercicio efectivo de la jurisdicción penal sobre delitos relacionados con internet no puede considerarse esencial con respecto a los delitos que un Estado pueda considerar que deben ser enjuiciados. Si lo fuera, el carácter excepcional del principio de necesidad se perdería. Además, dado que el interés esencial de la jurisdicción se basa en las obligaciones protectoras de los Estados hacia sus ciudadanos, deben estar en juego intereses legales particularmente importantes para que las obligaciones de protección desarrollen una influencia suficiente sobre tal justificación. Las jurisdicciones nacionales tendrían que limitar a contextos graves la calificación como interés esencial el ejercicio del Derecho penal frente a conductas relacionados con internet. Si bien la cuestión de qué conducta criminal puede incluirse se encuentra sujeta a debate[217], aunque parece evidente que los delitos de homicidio, secuestro y abuso infantil mencionados anteriormente deben incluirse.

En tercer lugar, la seguridad de la infraestructura de la tecnología de la información de un Estado también podría calificarse como un interés esencial en términos de necesidad. A medida que las sociedades se vuelven cada vez más dependientes de la tecnología de la información y su infraestructura asociada, la importancia de la seguridad en esta área para el funcionamiento de un Estado y

---

seguirse, por ejemplo, desde el hecho por el a partir del hecho de que un delincuente comete una parte sustancial de estos delitos cometidos a través de Internet tiene efecto dentro de ese Estado o que una parte sustancial de estos delitos cometidos a través de Internet tienen efecto dentro del Estado.

[215]   Ver Sección I. 1. supra.

[216]   Este argumento encuentra una mayor reflexión en la definición de interés esencial del relator especial Ago, que también incluye intereses parciales (por ejemplo, la preservación del medio ambiente de su territorio o una parte del mismo). Ver Ago, "Addendum to the Eighth Report on State Responsibility" (*op. cit.* n. 203), p. 14.

[217]   Por ejemplo, puede valer la pena debatir si se deben incluir los delitos económicos que desestabilizan todo el sistema económico de un Estado, debido a su carácter integral.

la protección de sus ciudadanos es primordial. Esto queda ampliamente ilustrado por el hecho de que instalaciones vitales como centrales eléctricas, redes eléctricas, instalaciones de tratamiento de agua, hospitales, control de tráfico aéreo y terrestre, sistemas de defensa y bancos dependen cada vez más de una infraestructura de TI que funcione de manera segura. En esencia, internet y la infraestructura asociada se han convertido en una base indispensable para muchas otras redes e infraestructuras fundamentales. En consecuencia, el funcionamiento y la fiabilidad operacional de muchas de estas redes también pueden considerarse un interés esencial en el sentido de necesidad. En consecuencia, dado que la infraestructura de estas otras redes se puede destruir mediante ataques pirata, manipulaciones o destrucción a través de Internet y dado que los resultados de estos crímenes pueden estar sujetos a diferentes disposiciones penales, se puede reclamar la necesidad de investigar una variedad de delitos cuando las infraestructuras fundamentales se ven amenazadas por la imposibilidad de investigar debido a la "pérdida de ubicación". Por lo tanto, con respecto al interés esencial de la infraestructura de TI de un Estado, no es tanto el tipo de delito investigado el que es decisivo para invocar la necesidad sino, como se muestra a continuación, la magnitud de la amenaza material respectiva.

b. *Peligro grave e inminente*

a) Además, un motivo de necesidad exitoso requiere que el interés esencial, "cualquiera que sea el interés"[218], se vea amenazado por un peligro grave e inminente, es decir, un grave riesgo de daño cuya realización no solo es posible sino inmediata[219]. Este requisito limita la invocación de la necesidad especialmente con respecto a los intereses abstractos de la sociedad y del Estado que son bastante resilientes contra los ataques individuales. En el contexto actual, se vuelve relevante con respecto al interés esencial mencionado anteriormente en un sistema funcional de aplicación de la ley porque el hecho de no procesar uno o incluso varios delitos cometidos a través de internet no pone en peligro el ejercicio efectivo de la ley penal del Estado. Lo mismo ocurre con el interés esencial en una infraestructura de TI funcional porque la comisión de uno o varios delitos individuales no necesariamente pone en riesgo el sistema en general.

Con respecto a superar el umbral pertinente de un peligro grave e inminente, sin embargo, no importa si este umbral se alcanza por un solo acto o por los efectos acumulativos de una serie de actos. Peligro grave e inminente también

---

[218]   Trabajos (*Drafts*) sobre la Responsabilidad de los Estados de la Comisión de Derecho internacional de las Naciones Unidas sobre actos ilícitos (*op. cit.* n. 55), pp. 83, Comentario al artículo 25.

[219]   ICJ Gabcíkovo-Nagymaros Project (Hungría c. Eslovaquia) (1997) IJC Rep 7, párrafo 53.

puede ser el resultado de riesgos futuros que aún no se han materializado. La Corte Internacional de Justicia no excluye la posibilidad de que un peligro que aparentemente pueda aparecer a largo plazo pueda considerarse inminente tan pronto como se establezca que la realización de ese peligro, por muy lejos que esté, no sea por ello menos certera e inevitable[220].

b) Una evaluación más cercana de si la "pérdida de ubicación" plantea un peligro grave e inminente debe, una vez más, diferenciar entre los tres intereses esenciales identificados anteriormente:

Primero, con respecto a la protección de la vida y la integridad física: identificar un grave e inminente peligro para este interés es relativamente simple. Tal peligro existe, por ejemplo, si las investigaciones ponen fin a la "pérdida de ubicación" de los datos relevantes contra un presunto asesino en serie, un terrorista determinado, un violador reincidente o un notorio abusador de niños.

Segundo, con respecto a la protección del ejercicio efectivo de la jurisdicción penal de un estado relacionada con crímenes relacionados con internet: como se mencionó, no es suficiente invocar la necesidad si uno o varios crímenes individuales no pueden ser investigados debido a una "pérdida de ubicación" de los datos relevantes. Sin embargo, si —como se ilustró anteriormente— la "pérdida de ubicación" impide a las autoridades nacionales realizar investigaciones *on-line* en áreas delictivas importantes y en relación con numerosos tipos de ataques, una parte importante y en constante aumento de las investigaciones de delitos relacionados con internet podría ser completamente bloqueada. Tales efectos de largo alcance de la "pérdida de ubicación" en las investigaciones penales facilitarían efectivamente el proceso de convertir a internet en un "paraíso cibernético" en el que infractores pueden retirarse fácilmente, que no permite el ingreso de agentes del orden y los investigadores criminales, lo que resulta en incapacidad sistemática para investigar el crimen relacionado con internet. El peligro que representa la "pérdida de ubicación" para la jurisdicción interna de ejecución puede considerarse grave, y como la "pérdida de ubicación" ya es una realidad, el peligro también es inminente[221].

En tercer lugar, con respecto a la protección de la infraestructura de TI: como se mencionó anteriormente, ni internet en su conjunto ni partes esenciales de la infraestructura de tecnología de la información de un Estado se enfrentan a "un peligro grave e inminente" debido a un solo delito cibernético ordinario. pero sí dada la creciente integración de dispositivos y servicios cotidianos en las infraes-

---

[220] ICJ Gabcíkovo-Nagymaros Project (Hungría c. Eslovaquia) (1997) IJC Rep 7, párrafo 54.

[221] Esto se puede ilustrar con el caso de la policía holandesa que investiga un sitio brutal de pornografía infantil bajo demanda donde la ubicación de los datos a los que se accede no se puede determinar ex ante (*Ver Sección I. supra*).

tructuras de TI interconectadas globalmente —aceleradas por el emergente "*internet of things*" y "*big data*"— y el creciente dominio de los ciberdelincuentes en la explotación de las lagunas en la aplicación de la ley. Por otro lado, la "pérdida de ubicación" podría conducir no solo a un gran vacío en el control de la delincuencia en internet, sino que también podría poner en peligro la confiabilidad de la infraestructura de TI en su conjunto. Esto puede ilustrarse con los siguientes actos cuya perpetración se acompaña regularmente de "pérdida de ubicación": ataques DDoS generalizados y sistemáticos, *zero day explots*, virus o gusanos (*worms*) que reducen la conectividad de grandes segmentos de Internet o una multitud de infraestructuras importantes (como el sistema bancario) o redes de TI que representan los *backbones* esenciales; los hackers usan un nuevo modus operandi para copiar ilegalmente millones de contraseñas o información de tarjetas de crédito, amenazando así la infraestructura de TI del sector bancario de un estado o de una región. Otro ejemplo de ataques a una parte esencial de la infraestructura de TI podría ser la manipulación de un sistema de control de tráfico aéreo o, en el futuro, la manipulación del sistema de tráfico para automóviles autónomos. En tales casos, la no aplicación sistemática de la ley penal nacional en casos de "pérdida de ubicación" podría tener consecuencias devastadoras para la seguridad y la integridad de la infraestructura de TI y de los diversos servicios que dependen de ella.

c. Solo son medios de salvaguarda

Un requisito adicional de necesidad es que la acción infractora sea el único medio de salvaguardar el interés esencial protegido contra el peligro grave e inminente. Este requisito tiene consecuencias importantes: como se mostraba en detalle anteriormente, la necesidad no será, por regla general, adecuada para justificar infracciones de soberanía en investigaciones transfronterizas. Las investigaciones unilaterales transfronterizas *on-line* no suelen ser la única medida posible para salvaguardar los tres intereses mencionados, ya que los Estados pueden recurrir a procedimientos de asistencia judicial recíproca u otros medios de cooperación internacional[222].

En los casos de "pérdida de ubicación", sin embargo, es imposible que los agentes del orden público localicen los datos deseados *ex ante*. En estos casos, la asistencia judicial recíproca no solo es ineficaz, sino que simplemente no es una opción viable ya que los investigadores no saben qué Estado abordar. En consecuencia, en situaciones de "pérdida de ubicación", la única forma de investigar a un presunto delincuente y, por lo tanto, la única forma de ejercer la jurisdicción es acceder a los datos a pesar de no conocer su ubicación geográfica.

---

[222]   Ver un análisis detallado en la Sección IV. 3. c. *supra*.

El requisito previo de que el acto que no es de conformidad con una obligación internacional sea la única forma de salvaguardar el interés esencial podría sugerir que la localización de los datos solicitados debe ser técnicamente imposible en el sentido de imposibilidad objetiva. Sin embargo, debido a la naturaleza de la necesidad, puede ser suficiente si la localización resulta objetivamente posible, pero el Estado investigador no puede localizar los datos solicitados a pesar de haber agotado todas las medidas razonables. Dado que, por definición, el peligro aún no se habrá materializado en casos de necesidad, "los expertos informados pueden tomar diferentes puntos de vista sobre (...) si los medios propuestos son los únicos disponibles en las circunstancias[223]". El mismo razonamiento puede hallarse en el Derecho internacional general en un contexto similar de equilibrio de intereses industriales y ambientales en competencia de Estados vecinos. En la sentencia *Pulp Mills*, la Corte internacional de Justicia declaró que "ahora se puede considerar un requisito según el Derecho internacional general para llevar a cabo una evaluación de impacto ambiental donde es un riesgo de que la actividad industrial propuesta pueda tener un impacto adverso significativo en un contexto transfronterizo"[224]. La Corte, sin embargo, no exige que los Estados determinen *ex ante* que sería objetivamente imposible para la actividad industrial propuesta causar daño ambiental transfronterizo. Lo que "medidas razonables" significa en detalle puede estar sujeto a debate; la razonabilidad en este contexto puede incluso diferir de un país a otro, ya que algunos Estados pueden presentar circunstancias tecnológicas más sofisticadas[225]: en algunos casos, puede haber tiempo suficiente para agotar toda la panoplia de esfuerzos de localización, ocasionalmente lentos mientras que en otros, dada la volatilidad de los datos específicos y las circunstancias exigentes, solo se pueden tolerar esfuerzos de localización que consumen menos tiempo para evitar perder los datos por completo. En cualquier caso, exigir el agotamiento de todas las medidas razonables sería suficiente para garantizar el carácter excepcional de la necesidad.

d. Sin perjuicio grave de intereses esenciales

a) La necesidad además exige que el acto que contradice una obligación internacional —en este caso, la investigación unilateral transfronteriza de datos almacenados en el extranjero, cuya ubicación no puede determinarse *ex ante*— no

---

[223] Trabajos (*Drafts*) sobre la Responsabilidad de los Estados de la Comisión de Derecho internacional de las Naciones Unidas sobre actos ilícitos (*op. cit.* n. 55), p. 83, Comentario al artículo 25.

[224] Pulp Mills on the River Uruguay (Argentina c. Uruguay) (Judgement) (2010) ICJ Rep 14, párrafo 204.

[225] *Cfr.*, *Ibid.*, párrafo 205.

perjudique gravemente un interés esencial del Estado en el que se encuentran almacenados los datos. Esto significa que "el interés que se confía debe superar todas las demás consideraciones, no solo desde el punto de vista del Estado actuante sino también de una evaluación razonable de los intereses contrapuestos"[226].

b) En los casos de "pérdida de ubicación", los intereses del Estado investigador —la protección de la vida y la integridad física, su jurisdicción interna de aplicación y la seguridad de su infraestructura de TI— compiten con el interés del Estado al que se accede en conservar el ejercicio de su soberanía territorial[227]. Ambos intereses ya han sido analizados en detalle anteriormente: el interés del Estado investigador en las consideraciones anteriores sobre intereses esenciales relevantes[228] y el interés del Estado al que se accede en su soberanía territorial en la sección que trata de la violación de soberanía causada por el acceso a datos en servidores extranjeros[229].

Si se comparan estos dos intereses en casos de "pérdida de ubicación", aquellos del Estado investigador claramente superan el interés del Estado accedido de no violar su soberanía territorial. Este resultado ya se aclara durante la evaluación del daño causado por el deterioro de los intereses en competencia: del lado del Estado investigador, la "pérdida de ubicación" en las investigaciones penales constituye una gran amenaza para la protección de la vida y la integridad física de sus ciudadanos, para su jurisdicción efectiva de aplicación con respecto a la delincuencia relacionada con Internet y para su infraestructura de TI. Esto puede poner en peligro las vidas de los ciudadanos, el mantenimiento de la paz y el orden, y la estabilidad social y económica del Estado. En contraste, del lado del Estado donde se encuentran los datos a los que se accede, la infracción de su soberanía se refiere solo al acceso limitado de agentes estatales extranjeros a datos específicos de presuntos autores de presuntos delitos graves. El riesgo inherente adicional de que los investigadores puedan acceder a otros datos almacenados en el mismo servidor[230] no cambia este equilibrio de intereses, ya que, en las instancias actuales, dicho riesgo es menor cuando se compara con el riesgo de los concretos infractores que se expone el Estado investigador

---

[226]   Trabajos (*Drafts*) sobre la Responsabilidad de los Estados de la Comisión de Derecho internacional de las Naciones Unidas sobre actos ilícitos (*op. cit.* n. 55), pp. 84, Comentario al artículo 25.

[227]   Como se muestra arriba, desde la perspectiva del derecho internacional actual, no se puede suponer que el interés de soberanía del Estado donde se ubican los datos a los que se accede es inexistente o está disminuido simplemente porque tampoco tiene conocimiento de la ubicación física de los datos.

[228]   Ver Sección V. 2. a. *supra*.

[229]   Ver Sección II. 2. b, d, e. *supra*.

[230]   Ver Sección II. 2. e. *supra*.

y su infraestructura de TI. El menoscabo de la soberanía territorial del Estado al cual se accede no es particularmente grave, y su ejercicio de soberanía no es particularmente limitado.

El resultado de esta evaluación de impacto para los dos intereses en pugna queda confirmado por el hecho de que, en muchos casos de "pérdida de ubicación", se reduce aún más el interés de soberanía del Estado donde se encuentran los datos. Esto es especialmente obvio si la policía está utilizando las contraseñas (interceptadas u obtenidas de otro modo) del sospechoso para acceder a datos almacenados por él o ella en un servidor extranjero. En tales casos, el acceso de la policía "en la piel del infractor" al extranjero queda limitado desde el principio por los derechos del sospechoso sin riesgo de daños adicionales. En otros casos, si la policía está pirateando un equipo informático en la nube o en redes de entrega de contenido en las que la ubicación de los datos almacenados frecuentemente es trasladada de un Estado a otro dependiendo de factores técnicos y económicos (como la disponibilidad de almacenamiento), el Estado al que se accede no puede reclamar ser el único guardián de la soberanía de estos datos "políglotas" almacenados en la nube. Lo mismo ocurre con los casos de fragmentación de datos para almacenar en la nube o redes *peer to peer*, donde en muchas ocasiones solo elementos de datos incompletos residen en un Estado[231]. Además, si la policía piratea con éxito un ordenador extranjero, la única información en riesgo también puede ser pirateada por muchas otras personas. En todos estos casos, no hay dudas con respecto a la existencia de una violación de la soberanía; sin embargo, la violación de soberanía no es particularmente grave.

Además, de acuerdo con la interpretación de la necesidad de los autores, la violación de la soberanía del Estado al que se accede se limita a acceder a datos no localizados con el fin de localizarlos para posteriormente poner fin a dicha circunstancia de necesidad. Si en el caso de "pérdida de ubicación" inicial, los datos a los que se accede se localizan y se encuentra en un Estado específico, el Estado investigador debe notificar al Estado en el que se almacenan los datos sobre el acceso lo antes posible. El Estado investigador puede entonces requerir el uso canales existentes de asistencia legal mutua. Además, si después de dicha notificación, el Estado en el que los datos son almacenados solicita que los datos no sean utilizados, el Estado investigador debe borrar todas las copias a las que accedió y abstenerse de usarlo. La viabilidad práctica de estos requisitos puede verse en las disposiciones legales de la Unión Europea descritas anteriormente con respecto a casos específicos de intercepción transfronteriza unilateral de tele-

---

[231] Ver Sección I. 1. y 2. *supra*.

comunicaciones; estas disposiciones contienen requisitos similares para notificaciones, derechos de objeción, eliminación y uso de información interceptada[232].

Sin embargo, si los datos a los que se accede no pueden ser localizados incluso después de acceder al sistema informático no asignado, el Estado que accede —que no está en posición de notificar al Estado accedido y solicitar asistencia legal mutua— puede analizar el ordenador y utilizar los datos accedidos.

La naturaleza limitada del desafío a los intereses de soberanía que plantea el acceso no autorizado a pruebas almacenadas en el extranjero también puede demostrarse comparándola con medidas estructuralmente similares: el Derecho internacional permite operaciones militares unilaterales, una de las más graves infracciones de soberanía, con el único objetivo de rescatar nacionales de un Estado por daño físico agudo. Las investigaciones penales unilaterales, en cambio, son, en términos generales, fundamentalmente menos lesivas. Por lo tanto, parece razonable que el interés del Estado investigador en conducir investigaciones unilaterales transfronterizas para el mismo propósito, —proteger la vida y la integridad física—, así como para un propósito más amplio, pero igualmente esencial, —asegurar el ejercicio efectivo de la jurisdicción— para prevalecer también frente a la soberanía del Estado afectado en la circunstancia de "pérdida de ubicación".

A la luz de todos estos aspectos, las amenazas fundamentales a los intereses esenciales del Estado investigador causadas por la prohibición de investigar frente a "pérdida de ubicación" superan las infracciones a la soberanía del Estado al que se accede, causadas por la identificación de la ubicación de un servidor desconocido al acceder a datos que ni siquiera pueden ser localizados *ex post*.

e. *Aplicación práctica y consecuencias*

La aplicación práctica de este enfoque no solo requiere la notificación del Estado en cuanto al almacenamiento de datos sobre la investigación transfronteriza unilateral *on-line* sino también requiere la elaboración de cierta documentación adecuada de los esfuerzos llevados a cabo para la localización en orden a verificar que todas las medidas razonables hayan sido agotadas de hecho. Estos requisitos son necesarios tanto para mitigar el alcance de la infracción como para minimizar posibles conflictos políticos y diplomáticos.

En lo que respecta a las disputas políticas y diplomáticas, también debe tenerse en cuenta que, por regla general y desde un punto de vista práctico, el Estado

---

[232] Artículo 2 del Convenio establecido por el Consejo de conformidad con el artículo 34 del Tratado de la Unión Europea sobre asistencia judicial recíproca en asuntos penales entre los Estados miembros de la Unión Europea de 29 de mayo de 2000, OJ C 197/3 Directiva 2014/41/EU del Parlamento y el Consejo Europeo del 3 de abril de 2013 relativa a la orden de investigación europea en materia penal, OJ L 103/1. Para más detalles ver Sección IV. 1. c. *supra*.

al que se accede tendrá el mismo interés en ejercer su propia jurisdicción con respecto a la investigación del cibercrimen como el Estado investigador. Desde la perspectiva de la reciprocidad, el Estado en el que se almacenan los datos podría incluso reconocer el interés del Estado investigador en el acceso transfronterizo en casos de "pérdida de ubicación". En el ciberespacio global, los criminales buscados por el Estado investigador con frecuencia no solo amenazan los sistemas informáticos de este Estado, sino también los sistemas informáticos en el Estado donde se almacenan los datos. Este aspecto también podría aliviar las tensiones políticas y la posible erupción de conflictos típicamente asociados con violaciones de la soberanía. Incluso podría tener un impacto en la voluntad de los Estados de invertir en esfuerzos multilaterales y encontrar soluciones transnacionales a este problema[233].

Sin embargo, no se debe abusar de este enfoque para eludir los obstáculos mencionados anteriormente en el Derecho internacional para legitimar las investigaciones transfronterizas de delitos *on-line* en los casos en que la ubicación de los datos en el extranjero simplemente no es evidente. Por el contrario, debe preservar el carácter verdaderamente excepcional de las situaciones de necesidad. Además, la necesidad no rescinde las obligaciones relevantes del Estado de acceso; en cambio, las obligaciones continúan existiendo y deben cumplirse una vez que el estado de necesidad haya terminado[234]. En los casos actuales, la necesidad finaliza una vez que los datos han sido localizados, momento en el cual la obligación de no infringir la soberanía del otro Estado debe ser respetada nuevamente. Si una infracción de soberanía debida a investigaciones *on-line* transfronterizas unilaterales se determina a posteriori, el Estado que invoque la necesidad para justificar sus actos debe demostrar que se cumplieron las condiciones de necesidad en las circunstancias particulares del caso en cuestión[235].

3. *Conclusión*

En conclusión, el presente análisis conduce a un resultado importante que aún no se ha visto o discutido seriamente en la literatura y la práctica existentes: la necesidad puede invocarse con éxito para justificar el acceso transfronterizo unilateral, particularmente en el contexto de la circunstancia más importante de

---

[233]   En lo que se refiere a futuras perspectivas ver Sección VI. 3. infra. 1.

[234]   Trabajos (Drafts) sobre la Responsabilidad de los Estados de la Comisión de Derecho internacional de las Naciones Unidas sobre actos ilícitos (*op. cit.* n. 55), p. 71, Comentario al Capítulo V; Pulp Mills on the River Uruguay (Argentina c. Uruguay) (Judgement) (2010) ICJ Rep 14, párrafo 101.

[235]   Trabajos (*Drafts*) sobre la Responsabilidad de los Estados de la Comisión de Derecho internacional de las Naciones Unidas sobre actos ilícitos (*op. cit.* n. 55), p. 72, Comentario al Capítulo V.

"pérdida de ubicación" en la que los datos a los que se accede son relevantes para investigaciones criminales de delitos graves. La invocación exitosa se basa en el cumplimiento de las condiciones de la notificación *ex post* y el uso limitado de datos. Es cierto que los requisitos pertinentes de Derecho internacional que definen estos casos de necesidad son vagos; esta vaguedad es el resultado, sin embargo, de los términos relativamente generales y del equilibrio de los intereses inherentes al principio de necesidad en el Derecho internacional[236].

VI. RESUMEN DE LA SITUACIÓN ACTUAL

1. Desafíos crecientes en las investigaciones en Internet

Debido a las oportunidades que internet ofrece, la comisión de delitos con elementos internacionales será cada día más común. No solo en el área central del delito cibernético sino también en cuanto a las formas tradicionales de delincuencia, como los delitos económicos, el crimen organizado y el terrorismo. Si bien los infractores son libres para mover —en milisegundos— datos informáticos o informatizados en un "ciberespacio global" sin fronteras físicas, la actividad de las autoridades (investigadores y fiscales) se encuentra restringida por los límites establecidos por la ley nacional y la soberanía territorial restringida a sus territorios nacionales.

Para superar estas limitaciones, las autoridades pueden recurrir al sistema tradicional de asistencia judicial recíproca. Sin embargo, este sistema no puede mantenerse al día con el rápido intercambio transnacional de datos realizado por los infractores a través de internet. Además de ello, el sistema existente de asistencia judicial recíproca falla completamente si los investigadores criminales no pueden identificar la ubicación de los datos solicitados y sus dispositivos de almacenamiento: en estos casos de "pérdida de ubicación" de los datos, los investigadores no saben a qué Estados debe dirigirse la solicitud de asistencia legal mutua.

Mientras que algunos investigadores se dan por vencidos a la luz de este desafío, otros actores se preocupan poco de estar infringiendo la soberanía terri-

---

236   Como indica el comentario de la Comisión de Derecho internacional a sus Trabajos (Drafts) sobre la Responsabilidad de los Estados de la Comisión de Derecho internacional de las Naciones Unidas con respecto al término interés esencial: "La medida en que un interés dado es 'esencial'" depende de todas las circunstancias y no puede prejuzgarse. Trabajos (Drafts) sobre la Responsabilidad de los Estados de la Comisión de Derecho internacional de las Naciones Unidas (*op. cit.* n. 55), p. 83 párrafo 159. Esto se mantiene incluso en mayor medida con Respeto a los demás elementos que definen la necesidad.

torial de otro Estado y afirman la existencia de un ciberespacio global abierto a investigaciones criminales transfronterizas. Esta última visión no solo se nutre de las operaciones globales de las agencias de inteligencia, sino que también se ve alentada por una aparente falta de claridad en el Derecho internacional: la situación actual con respecto al acceso unilateral *on-line* a servidores extranjeros en el curso de investigaciones de crímenes no se ha abordado lo suficiente hasta ahora. Sin embargo, en esencia, el Derecho internacional es bastante claro con respecto a estos temas, como lo han demostrado los resultados del presente análisis.

2. Soberanía territorial en el ciberespacio

Un primer aspecto decisivo de la situación jurídica actual es la aplicabilidad del principio de soberanía territorial en internet. Dado que los datos siempre se almacenan en servidores y estos servidores siempre se encuentran en un territorio nacional específico, el acceso transfronterizo no autorizado a estos ordenadores en el curso de una investigación criminal infringe la soberanía del Estado del territorio. El hecho de que estos servidores y sus datos sean parte de un "ciberespacio global" no constituye una justificación válida para negarle a un Estado su soberanía sobre los dispositivos técnicos ubicados en su territorio. La perspectiva física sobre la soberanía en el ciberespacio se justifica no solo por las propiedades técnicas de internet sino también porque los dispositivos y sus datos constituyen la columna vertebral de la infraestructura y la economía de los países involucrados. Debido al nexo territorial entre los sistemas de TI y su ubicación física, la existencia de un "ciberespacio global", que abarca todos los componentes de internet, no puede legitimar las investigaciones unilaterales en todos y cada uno de los dispositivos conectados a este sistema general.

3. Justificación del acceso transnacional directo a los datos

a. Acceso a datos públicos

El Derecho internacional vigente justifica el acceso transfronterizo *on-line* a los datos ubicados en servidores extranjeros con respecto a los que se puede acceder públicamente. Por un lado, la justificación puede basarse en el artículo 32 a) del Convenio sobre ciberdelincuencia del Consejo de Europa, el artículo 40.1 del Convenio árabe de 2010 sobre la lucha contra los delitos informáticos y el artículo 49.1 del proyecto de ley de seguridad cibernética COMESA 2011 en lo que respecta al acceso a datos entre sus respectivos Estados miembros. Por otro lado, el acceso transfronterizo a los datos disponibles públicamente también puede justificarse para todos los Estados sobre la base del Derecho internacional consuetudinario. Sin embargo, tanto las normas del tratado como las normas consuetudinarias solo permiten la copia de datos disponibles públicamente; no justifican los tipos de interferencia de gran alcance, como la alteración o eliminación de datos.

b. Acceso a datos no públicos

Los problemas legales relacionados con el acceso a datos no disponibles públicamente son más complejos, y el acceso transfronterizo legal a estos datos es mucho más restringido. Existen justificaciones limitadas para acceder y copiar datos en virtud del Derecho convencional de conformidad con el artículo 32 b) del Convenio sobre Ciberdelincuencia del Consejo de Europa, el artículo 40.2 de la Convención Árabe de Lucha contra los Delitos Informáticos y el artículo 49.2 del Proyecto de Ley de Ciberseguridad del COMESA. Sin embargo, estos instrumentos transnacionales que permiten el acceso directo a los datos están limitados a los casos en que el Estado investigador ha obtenido el consentimiento legal y voluntario de la persona que tiene la autoridad legal para divulgar los datos. Además, no existe una regla correspondiente para estas situaciones en el Derecho internacional consuetudinario. Esto, esta opción solo está disponible entre los Estados miembros de las convenciones enumeradas.

Se pueden encontrar justificaciones adicionales para el acceso transfronterizo directo a datos no disponibles al público en las investigaciones *on-line* en circunstancias que excluyen la ilicitud de conformidad con el Derecho internacional general. Los principios de defensa propia y las contramedidas solo tienen un ámbito de aplicación muy limitado para las investigaciones penales en el ciberespacio. Según el Derecho internacional, la autodefensa requiere un "ataque armado" que el delito convencional no logra constituir. Las normas sobre contramedidas pueden proporcionar una justificación de los accesos transfronterizos siempre que el delito cibernético que impulsa la investigación presenta efectos en el Estado investigador y puede atribuirse a un Estado extranjero y siempre que las contramedidas se dirijan a interrumpir la ejecución o el amparo de dicho delito.

El presente análisis ha encontrado además una justificación —previamente descuidada— para el acceso transfronterizo *on-line* a servidores extranjeros en ciertos supuestos de casos graves de "pérdida de (o falta de conocimiento de) la ubicación" de conformidad con el principio de necesidad. Tales casos requieren un delicado equilibrio de los intereses en confrontación. Por un lado, existe el interés del Estado en cuyo territorio se almacenan los datos accedidos para proteger el ejercicio de su soberanía territorial frente a las medidas de aplicación de jurisdicciones extranjeras. Por otro lado, existe el interés del Estado investigador en salvaguardar la vida y la integridad de los ciudadanos, en ejercer control efectivo del delito por delitos informáticos que afectan su territorio y en proteger su infraestructura de tecnología de la información de un grave peligro. El interés legítimo del Estado investigador en enjuiciar y controlar la delincuencia se vería seriamente comprometido si tales investigaciones transfronterizas fueran invariablemente prohibidas frente a los intereses de soberanía extranjera en casos de "pérdida de ubicación". Sin embargo, una petición de necesidad exitosa en estos casos requiere que el Estado investigador agote todas las medidas razonables para localizar los datos antes del acceso, que trate de identificar la ubicación del ordenador anónimo, que notifique al Estado del almacenamiento de datos del equipo accedido en caso de localización de datos *ex post*, y que cumpla con la objeción de este último al uso de los datos accedidos.

4. Conclusión de lege data

En conclusión, una aplicación coherente del Derecho internacional ofrece soluciones limitadas para varios escenarios importantes de acceso a datos transfronterizos en investigaciones penales *on-line*. Estos escenarios implican: el acceso a datos extranjeros públicamente disponibles así como el acceso a datos extranjeros no disponibles públicamente mediante sistemas informáticos ubicados en el territorio del Estado investigador, con el consentimiento legal y voluntario del propietario de los datos (aplicable solo a los Estados miembros de las convenciones pertinentes)[237], el cibercrimen amparado por el Estado, la "ciberguerra" y la "pérdida de ubicación". Con respecto a la "pérdida de ubicación", en particular, el alcance de estas justificaciones aún no se ha determinado en la práctica.

En todos los demás casos, las autoridades (especialmente investigadores y fiscales) deben respetar la soberanía territorial de los Estados en los que los datos son almacenados y deben confiar en los canales tradicionales de asistencia legal mutua para acceder a los datos a través de las fronteras. Por lo tanto, especialmente a la luz de la extrema velocidad con que los infractores actúan a través de internet y de la atonía y complejidad típicas de la asistencia judicial recíproca, el estado actual de la gestión de las investigaciones penales en internet sigue siendo inadecuado y necesita reformas. En consecuencia, el siguiente capítulo de este artículo aborda perspectivas de futuro para mejorar esta situación de *lege ferenda*.

---

[237] Artículo 32 b) del Convenio sobre Ciberdelincuencia del Consejo de Europa, artículo 40.1 de la Convención Árabe de Lucha contra los Delitos Informáticos y artículo 49.1 del Proyecto de Ley de Ciberseguridad del COMESA.

VII. PERSPECTIVAS FUTURAS

Como se demostró en varios niveles, el acceso unilateral a los datos almacenados en Estados extranjeros solo puede ser el último recurso para las investigaciones criminales en el presente orden mundial westfaliano. Tanto en términos de ley como de política, los Estados oponen fuerte resistencia a los procedimientos de acceso por parte de los Estados extranjeros que tienen lugar en su territorio. Por lo tanto, las perspectivas sobre reformas futuras deben comenzar con una búsqueda de medidas alternativas que no violen la soberanía territorial.

El siguiente debate sobre la reforma, por lo tanto, comienza con la pregunta de si los desafíos actuales a la justicia penal transnacional pueden resolverse mejorando la asistencia legal mutua en materia penal (MLA), que representa los medios tradicionales para realizar investigaciones transnacionales. En este contexto, el análisis se centrará en la pregunta de si las redes informales existentes para la cooperación policial y de justicia penal pueden fortalecerse e institucionalizarse (ver abajo 1. a. y b). La siguiente sección propone varios medios para dirigir la "jungla" existente de las investigaciones transnacionales ilícitas a través de internet hacia caminos legales, adecuados y formales (ver más abajo 2.). La conclusión final hará hincapié en que una combinación de estos enfoques es necesaria para desarrollar un "ciberespacio cooperativo" de investigadores que pueda contrarrestar el ciberespacio mundial sin restricciones (ver más abajo 3.).

1. Avanzando en la asistencia legal mutua para las investigaciones en Internet

a. *Ampliación de la ley de cooperación específica de internet*

a) El principal desafío para la asistencia judicial recíproca en internet es el contraste entre la volatilidad extrema de los datos y la explotación de esta característica por parte de los ciberdelincuentes, por una parte, y la notoria lentitud y la frecuente ineficacia de la asistencia judicial recíproca, por otra[238]. Desde 2001, la Convención sobre Ciberdelincuencia del Consejo de Europa, así como algunos de sus seguidores regionales, ha abordado este problema mejorando la asistencia

---

[238]   CoE Comité de la Convención sobre el Cibercrimen (T-CY) "Assessment Report: The Mutual Legal Assistance Provisions of The Budapest Convention on Cybercrime", (*op. cit.* n. 11), p. 3, 38 y ss, 123; G. Kent, "Sharing Investigation-Specific Data with Law Enforcement-An International Approach" Standford Public Law Working Paper, 14, february 2014, párrafos 18 y ss. Este proceso puede complicarse aún más en procesos de Cloud Computing, esto se ilustra en Walden, "Accessing Data in the Cloud: the long Arm of the Law Enforcement Agent" (*op. cit.* n. 200), pp. 285, 297 y ss.

legal mutua para la evidencia electrónica, por ejemplo, mediante la introducción de disposiciones nacionales e internacionales sobre la preservación acelerada y la difusión de datos almacenados.

Estas y otras disposiciones nuevas específicas de internet representan instrumentos importantes y deberían utilizarse con más frecuencia de lo que son actualmente[239]. Además, más estados deberían ratificar e implementar la convención sobre cibercrimen del Consejo de Europa y las otras convenciones regionales de cibercrimen mencionadas anteriormente[240]. El Consejo de Europa y su Comité competente para la Convención contra el Cibercrimen deben aclarar, actualizar y ampliar continuamente las disposiciones de la Convención sobre el Acta de Minas mediante notas de orientación y protocolos adicionales[241]. En particular, los Estados deberían establecer puntos de contacto de asistencia legal mutua 24/7 y deberían aumentar sus capacidades de asistencia legal mutua[242], especialmente con miras a agilizar la solicitud. Para promover ese objetivo, los Estados podrían racionalizar y automatizar parcialmente las solicitudes y las respuestas dependiendo del tipo de datos involucrados[243].

b) Una de las mejoras más efectivas para la asistencia judicial recíproca se lograría al pasar del esquema de reconocimiento tradicional a un esquema de reconocimiento mutuo directo (en el cual las decisiones deben ser aplicadas), como se ve en la Unión Europea. Dicho reconocimiento mutuo directo puede convertirse

---

[239] Sobre el uso de las provisiones de asistencia legal mutua en materia penal (MLA), procesos y capacidades de la Convención sobre el Cibercrimen, ver CoE Comité de la Convención sobre el Cibercrimen (T-CY) "Assessment Report: The Mutual Legal Assistance Provisions of The Budapest Convention on Cybercrime", (*op. cit.* n. 11), pp. 5 y ss.

[240] Ver Sección I. 2. c. supra. Para otro enfoque ver Kent, "Sharing Investigation-Specific Data with Law Enforcement-An International Approach" (*op. cit.* n. 237), p. 41 y ss.

[241] Ver Sección III. 1. a. supra y CoE Comité de la Convención sobre el Cibercrimen (T-CY) "Criminal Justice Access to Electronic Evidence in the Cloud (*op. cit.* n. 12)", párrafos 27, 81 y 106.

[242] CoE Comité de la Convención sobre el Cibercrimen (T-CY) "Assessment Report: The Mutual Legal Assistance Provisions of The Budapest Convention on Cybercrime", (*op. cit.* n. 11), p. 123 y ss.; CoE Comité de la Convención sobre el Cibercrimen (T-CY) "Criminal Justice Access to Electronic Evidence in the Cloud (*op. cit.* n. 12)", párrafo 27.

[243] Para propuestas detalladas en materia de reforma de asistencia legal mutua en materia penal (MLA), CoE Comité de la Convención sobre el Cibercrimen (T-CY) "Assessment Report: The Mutual Legal Assistance Provisions of The Budapest Convention on Cybercrime", (*op. cit.* n. 11), pp. 129 y ss.; CoE Comité de la Convención sobre el Cibercrimen (T-CY) "Criminal Justice Access to Electronic Evidence in the Cloud" (*op. cit.* n. 12), párrafos 90 y ss, 190 y ss.; La Unión Europea se ha movido en esta dirección con la adopción de la Directiva del Parlamento y del Consejo de Europa 2014/41/EU de 3 de abril de 2013 relativa a órdenes de investigación de delitos en Europa, OJ L 103/1, Ver Sección IV. 1. c. *supra*. La propuesta de mayor alcance del Consejo de Europa para diferenciar entre los datos informáticos almacenados y los datos en transmisión es cuestionable, ya que esta diferenciación a menudo no es posible ni está justificada.

en un precursor de futuros esquemas de aplicación directa, como se puede ver en el desarrollo histórico del derecho procesal penal suizo y en los sistemas de derecho penal en el Reino Unido[244]. Dichos sistemas podrían desarrollarse para tipos específicos de datos, tales como datos de suscriptor o tipos específicos de datos de tráfico, datos de geolocalización y otros datos de contenido.

c) Un desafío principal para la efectividad de los canales de asistencia legal mutua es su sobrecarga de capacidad. Una fuente importante que contribuye al desarrollo de este *bottleneck* es el servicio transnacional de órdenes de producción, especialmente para datos de suscriptores, que constituyen una parte considerable de la solicitud de asistencia legal mutua en investigaciones de internet[245]. El desarrollo de soluciones que permitan a las autoridades obtener datos contactando directamente a personas y empresas que los almacenan en territorios extranjeros o en un entorno de nube con jurisdicciones cambiantes, puede potenciar notablemente asistencia legal mutua. Este acceso directo a personas físicas o jurídicas en el extranjero plantea problemas específicos, pero diferentes, con respecto a la soberanía[246]. Curiosamente, en la práctica, las perspectivas para desarrollar este tipo de soluciones en cuanto al acceso directo de personas extranjeras parecen relativamente prometedoras, ya que los Estados parecen estar menos opuestos a renunciar a la soberanía en estos casos que en el campo del acceso remoto directo a datos extranjeros. Los Estados Unidos, por ejemplo, otorgan acceso directo de investigadores extranjeros a empresas estadounidenses —como *Google* y *Facebook*— con respecto a los datos de los suscriptores e incluso considera permitir que sus proveedores de servicios respondan a solicitudes legales de auto-

---

[244]   Para un análisis sistemático de las escenas de cooperación ver U. Sieber, "Die Zukunft des Europäischen Strafrechts" (2009) 121 Zeitschrift für die Gesamte Strafrechtswissenschaft 1, pp. 17-23.

[245]   CoE Comité de la Convención sobre el Cibercrimen (T-CY) "Criminal Justice Access to Electronic Evidence in the Cloud" (*op. cit.* n. 12), párrafos 52-76.

[246]   Ver, por ejemplo el Caso belga Yahoo donde el Tribunal Supremo de Bélgica decidió en 2015 que Yahoo! Inc, registrada en los Estados Unidos, está obligado a proporcionar información específica de suscriptor de conformidad con el Código de Procedimiento Penal de Bélgica ya que la empresa está activa y presente en Bélgica, disponible en http://www.jure.just.fgov.be/pdfapp/download_blob?idpdf=N-20151201-1 (último acceso en 12 de abril de 2017). En contraste el caso de Microsoft c. Estados Unidos, 829 F. 3d 197 (2d Cir. 2016) la Corte de apelación de circuito sostuvo en 2016 que el Gobierno de los Estados Unidos no puede forzar a las empresas a entregar e-mails almacenados en servidores fuera de los Estados Unidos, disponible en http://cases.justia.com/federal/appellate-courts/ca2/14-2985/14-2985-2016-07-14.pdf?ts=1468508412, (último acceso en 12 de abril de 2017). Es probable que la Corte Suprema de los Estados Unidos tome el caso. Ver "Legal Battle Over Overseas Microsoft Data Could be Headed for Supreme Court" (24 de enero de 2017), disponible en https://www.politico.com/blogs/under-the-radar/2017/01/microsoft-data-broad-appeals-court-234098, (24 de enero de 2017).

ridades extranjeras con respecto a los datos de contenido ubicados en los Estados Unidos[247]. Muchas empresas extranjeras participan en dichos procedimientos de forma voluntaria. Por lo tanto, los tratados internacionales más extensos y la legislación nacional en relación con dichas asociaciones público-privadas ofrecen un gran potencial para mejorar la asistencia judicial recíproca en el contexto en cuestión[248].

Ello demuestra que aún hay margen para mejorar los procedimientos específicos de asistencia judicial recíproca en internet. Sin embargo, incluso los procedimientos mejorados de asistencia mutua no resolverán los problemas que surgen de la "pérdida de ubicación" de los datos como se ha tratado anteriormente. Además, la lentitud de la asistencia legal mutua seguirá siendo un problema en muchos casos. Por lo tanto, se requieren nuevos enfoques institucionales adicionales.

b. Redes transnacionales de cooperación informal en instituciones internacionales

En la actualidad, los contactos informales y semi-informales y las redes entre las autoridades encargadas del control del crimen de los Estados desempeñan un papel importante en la lucha contra el delito cibernético[249]. Esta lucha podría ser más eficiente con el fortalecimiento y desarrollo de dichas redes que en última instancia podría llevarse a cabo en las instituciones internacionales[250]. De este modo los expertos en delitos cibernéticos de varios países podrían cooperar efectivamente sin los procedimientos burocráticos y las restricciones que protegen regularmente la cooperación en la asistencia mutua tradicional.

La transformación ideal de las redes de cooperación a instituciones para la investigación de crímenes y los efectos potenciales de este proceso transicional se pueden ilustrar con la siguiente serie de pasos[251]: primero, de modo muy informal

---

[247] CoE Comité de la Convención sobre el Cibercrimen (T-CY) "Criminal Justice Access to Electronic Evidence in the Cloud" (*op. cit.* n. 12), párrafos 68. Sin embargo, en muchos Estados, incluida Alemania, entregan voluntariamente datos de telecomunicaciones a las autoridades policiales extranjeras con el riesgo de infringir sus leyes nacionales de protección de datos, así como las disposiciones penales sobre el secreto de las telecomunicaciones. Ver, *Ibid.*, párrafos 52-76.

[248] U. Sieber, "Legal Order in a Global World" in A. von Bogdandy & R. Wolfrum (eds), Max Plack Yearbook of United Nations Law, vol. 14 (Brill 2010) 1, pp. 14-19, 39-40. Sin embargo, actualmente estos procedimientos solo son posibles entre los Estados que confían entre sí y que aplican estrictas medidas de protección de datos a las personas físicas y jurídicas en cuestión.

[249] CoE Comité de la Convención sobre el Cibercrimen (T-CY) "Assessment Report: The Mutual Legal Assistance Provisions of The Budapest Convention on Cybercrime", (*op. cit.* n. 11), pp. 8, 84, 86.

[250] U. Sieber, "Mastering Complexity in the Global Cyberspace", in M. Delmas-Marty (*op. cit.* n. 1), p. 202.

[251] Para los procesos de intercambio de redes entre instituciones ver Sieber en A. Bogdandy & R. Wolfrum (eds), Max Planck Yearbook of United Nations Law, vol. 14 (Brill 2010) 1, pp. 10-14.

se trata de establecer redes transfronterizas efectivas, que pueden encontrarse en los llamados procedimientos paralelos (*parallel proceedings*): cuando los datos buscados por investigaciones criminales de un Estado se almacenan en otro Estado, los investigadores competentes del Estado de almacenamiento pueden, previa información adecuada por el primero, comenzar una investigación propia e inmediatamente comenzar a reunir pruebas que luego pueden ser intercambiadas. En segundo lugar, estas investigaciones paralelas informales en varios países se pueden ejecutar de forma más formal creando nuevos equipos conjuntos de investigación o expandiendo los equipos existentes. Estos equipos también pueden ofrecer un entorno permanente para el intercambio efectivo de pruebas obtenidas en otro país[252]. En tercer lugar, tales soluciones en el campo de la ciberdelincuencia pueden confiar en las redes existentes o recientemente establecidas de los llamados puntos de contacto 24/7. Con base en el artículo 35 de la Convención sobre Delito Cibernético, estos puntos de contacto se han convertido en redes entre los agentes competentes en varios Estados miembros de la Convención sobre cibercrimen y han demostrado ser eficientes en la práctica[253]. El trabajo de estas redes 24/7 podría optimizarse aún más si tuvieran una infraestructura más permanente diseñada para reunir a los investigadores.

Finalmente, estos enfoques podrían ampliarse significativamente para incluir la formación de una autoridad internacional de investigación criminal compuesta por personal nacional junto a fiscales como delegados de sus Estados. Un modelo de la Unión Europea para dicha autoridad es *Eurojust,* en el que los delegados fiscales de los Estados nacionales pueden tener el poder de actuar en nombre de sus países de origen en estrecho contacto con sus colegas extranjeros. Por lo tanto, existe una base legal según la cual los delegados de esta institución podrían operar conjuntamente y de manera coordinada en muchos Estados al mismo tiempo. Un sistema similar se desarrolla actualmente en el Proyecto de Reglamento del Consejo sobre la creación de la Fiscalía Europea, según el cual, los Estados

---

[252]　En cuanto a equipos conjuntos de investigación ver, por ejemplo, C. Rijken "Joint Investigation Team: Principles, Practice and Problems" (2006) 2 Utrecht Law Review 99; Cfr., CoE Comité de la Convención sobre el Cibercrimen (T-CY) "Assessment Report: The Mutual Legal Assistance Provisions of The Budapest Convention on Cybercrime", (*op. cit.* n. 11), pp. 8, 89, 125 (Conclusión 16), 127 (Rec 23); CoE Comité de la Convención sobre el Cibercrimen (T-CY) "Criminal Justice Access to Electronic Evidence in the Cloud" (*op. cit.* n. 12), párrafos 124 y ss, 148 (Rec 5). En estos casos y más aún en los casos de investigaciones paralelas, la protección de los Derechos Humanos debería recibir más atención, especialmente si hay diferencias considerables entre los ordenamientos legales involucrados.

[253]　CoE Comité de la Convención sobre el Cibercrimen (T-CY) "Assessment Report: The Mutual Legal Assistance Provisions of The Budapest Convention on Cybercrime", (*op. cit.* n. 11), pp. 86; CoE Comité de la Convención sobre el Cibercrimen (T-CY) "Criminal Justice Access to Electronic Evidence in the Cloud" (*op. cit.* n. 12), párrafo 92 (Rec 5).

miembros tienen derecho a ordenar o solicitar medidas de investigación de gran alcance para el territorio de sus Estados miembros[254]. En el contexto de las investigaciones en internet, una nueva agencia internacional fundada sobre la base de principios similares podría encargarse de investigaciones para los casos de "pérdida de ubicación". El alcance de la autoridad de esas instituciones dependerá en gran medida de la confianza que otorguen sus Estados miembros. No es irreal, sin embargo, que las redes 24/7 existentes para las investigaciones de delitos cibernéticos puedan alcanzar tal estado que incluso podrían aliviar los temores de parte de los Estados con respecto a la violación de su soberanía territorial, en comparación con el espectro de acceso directo por docenas de agencias nacionales individuales. En consecuencia, los Estados pueden estar más dispuestos a otorgar autoridad para el acceso transfronterizo unilateral de datos a una institución internacional como ésta, que a una multitud de Estados individuales[255].

En la actualidad, algunos de estos desarrollos propuestos, en particular la transferencia de poderes de ejecución a una autoridad internacional de investigación criminal, parecen ser visiones futuristas. Sin embargo, incluso la modernización de redes semiformales modestas o la creación de una institución de investigación especial podrían lograr, como primeros pasos en esta parte, un progreso considerable en la coordinación y la aceleración de las investigaciones penales transfronterizas en el ciberespacio.

2. Definiendo el acceso legítimo transfronterizo

A pesar de todos los esfuerzos, las mejoras en la asistencia legal mutua y el surgimiento de nuevas instituciones, como las discutidas anteriormente, no han podido satisfacer por sí mismas las necesidades prácticas de las investigaciones *on-line*, particularmente y de modo evidente, en los casos de "pérdida de

---

[254] En cuanto a las competencias de los Estados miembros de Eurojust ver Artículos 6 y 9 de la decisión del Consejo de Europa 2002/187/JHA, OJ L 63, 6.3.2002, p. 1 y el artículo 9 de la decisión del Consejo de Europa 2009/426/JHA, OJ L 138, 4.9.2009, p. 14 (una versión consolidada del marco legal de Eurojust la proporciona el Doc. 5347/3/09 REV 3 del 15 de julio de 2009) También M. Luchtman & J. Vervaele "European Agencies for Criminal Justice and Shared Enforcement" (2014) 10 Utrech Law Review 132. Para la perspectiva de los poderes Fiscal público Europeo ver Art. 23, 25 y 28 de los Trabajos del Consejo de regulación sobre el desarrollo de la Oficina del Fiscal público Europeo, Consejo Doc. 5766/17, Interinstitutional file 2013/0255 (APP) del 31 de enero de 2017; Para una posible extensión de los poderes del Fiscal público europeo —designado inicialmente para investigar lesiones a intereses de la Unión Europea— a las lesiones por ciberdelincuencia ver Art. 86 párrafo 4 TFUE.

[255] Sin embargo, dados los potenciales poderes de gran alcance de tal institución, los asuntos de una legitimación democrática también deberán abordarse, ver U. Sieber, "Legal Order in a Global World" in A. von Bogdandy & R. Wolfrum (eds), Max Plack Yearbook of United Nations Law, vol. 14 (Brill 2010) 1, (*op. cit.* n. 247), pp. 25-32.

ubicación"[256]. A corto plazo, es probable que persista la "jungla" actual de investigaciones unilaterales ilícitas en servidores extranjeros. Para abordar este problema y mitigar el potencial de fricción en las disputas de soberanía subsiguientes, se deben hallar dos estrategias adicionales.

a) Enfoques restringidos basados en tratados

En primer lugar, las soluciones existentes a través de tratados para el acceso transfronterizo unilateral a datos informáticos con fines de investigación delictiva deberían ampliarse. Los esfuerzos iniciales en esta dirección podrían desarrollarse por las comunidades internacionales mediante asociaciones económicas y políticas con materias en común entre Estados —como el Consejo de Europa, la Unión Europea, la Unión Africana y la Liga de Estados Árabes—[257] y posteriormente expandirse. Sin embargo, como se describió anteriormente, incluso dentro del Consejo de Europa y la Unión Europea, los Estados muestran una gran reticencia hacia una expansión de las disposiciones de acceso directo.

Estas dificultades ya se han evidenciado en el contexto de una propuesta del Consejo de Europa destinada a permitir el acceso transfronterizo con la mera notificación, sin consentimiento del Estado donde se encuentran los datos, en los casos específicos donde el Estado investigador ha obtenido credenciales (por ejemplo: códigos) legalmente para acceder a los datos de un sospechoso que tiene una conexión sustancial con el Estado investigador[258]. Esta extensión del artículo 32 b) del Convenio sobre ciberdelincuencia es interesante ya que concilia en cierta medida las exigencias y los límites de la jurisdicción de aplicación nacional y los intereses de soberanía del Estado de la ubicación de datos[259]. Desde una perspectiva práctica, dicho asunto ofrecería una extensión importante de las investigaciones penales nacionales convencionales en el ciberespacio y permitiría a las autoridades policiales ponerse "en el lugar de los sospechosos". En este momento, sin embargo, la propuesta no parece estar atrayendo suficiente apoyo de los Estados Miembros.

Varios autores van mucho más allá y sugieren tratar el ciberespacio de *lege ferenda* como un campo común a nivel mundial, como la Antártida, el espacio ex-

---

[256]   En detalle, Secciones II. 2. e., V., *supra*.

[257]   Para las últimas propuestas del Consejo de Europa ver CoE Convención del Consejo de Europa sobre el cibercrimen "(*Draft*) Elements of an Additional Protocol to the Budapest Convention on Cybercrime regarding Transborder Access to Data" T-CY (2013) 14 de 19 de abril de 2013 (*op. cit.* n. 67), y Sección IV. 1. supra.

[258]   *Ibid.*, propuesta 2 aspecto 5; ver también CoE "Cloud Computing and cybercrime investigations: Territorially vs. the Proposal of disposal?" (*op. cit.* n. 14), p. 11.

[259]   Sin embargo, en la propuesta, las posibles preocupaciones sobre los derechos humanos del sospechoso y los terceros no se abordan adecuadamente.

terior o partes de la alta mar (es decir, el fondo del mar, el fondo del océano y el subsuelo del mismo)[260]. Un documento de debate del Consejo de Europa presenta la misma idea[261]. Por tentador que pueda ser este enfoque, no es realista: los intereses nacionales en el control de los sistemas informáticos conectados a internet son generalmente más fuertes que los intereses nacionales en el control de otras construcciones transnacionales, como el espacio ultraterrestre o la alta mar. Debido al valor estratégico de la información (por ejemplo, secretos empresariales o de Estado, o datos personales cruciales), los Estados están ansiosos por tener control exclusivo sobre sus datos informáticos. Además, internet exhibe ciertas características que no se encuentran en los bienes comunes globales establecidos, particularmente su uso generalizado para fines militares. Por estas razones, parece poco realista que los Estados afectados, es decir, todos los países del mundo, concluirán un tratado que restrinja los reclamos de soberanía de los Estados sobre el ciberespacio, como lo han hecho en los tratados relativos a los bienes comunes globales establecidos[262]. Dado el aumento del nacionalismo y las controversias ya existentes sobre las disposiciones unilaterales de acceso a los datos en los tratados existentes[263], es poco probable que esto vaya a cambiar en el futuro cercano.

Las soluciones basadas en tratados deberían comenzar con mucha más modestia. Para reducir la reticencia de los Estados, los esfuerzos basados en tratados para legalizar parcialmente el acceso directo a los datos no deberían extenderse a todos los tipos de datos y a todos los poderes coercitivos propios de las investigaciones criminales. En cambio, deberían limitarse a tipos específicos de datos, a situaciones especiales o a procedimientos menos penetrantes, como el acceso a datos de telecomunicaciones específicos o a los datos requeridos por las autoridades antimonopolio europeas[264]. Las bases de datos con información de suscriptores, en particular, podrían ser un candidato principal para tales regímenes especiales de acceso directo consensuado[265].

---

[260] P. W. Franzese, "Sovereignty in Cyberspace: Can it Exist?" (2009) 64 Air Force Law Review (*op. cit.* n. 26), pp. 17 y ss.; Weber, Realizing a New Global Cyberspace Framework (*op. cit.* n. 26) pp. 19 y ss.; Koops & M. Goodwin, "Cyberspace, the Cloud, and cross-Border Criminal Investigations" (*op. cit.* n. 19), p. 65 y ss.

[261] CoE "Cloud Computing and cybercrime investigations: Territorially vs. the Proposal of disposal?" (*op. cit.* n. 14), p. 9.

[262] Ver el preámbulo y el artículo 1 del Tratado del Atlántico; Arts. 1 y 2 del Tratado sobre los principios de gobierno en actividades exploradoras de los Estados y en el espacio exterior, incluyendo la Luna y otros cuerpos celestes; Arts. 1 (1), 136 y 137 del Convenio de las Naciones Unidas sobre el derecho en el mar.

[263] Ver Sección IV. I. *supra*.

[264] Ver Sección IV. I. 1. c. *supra*.

[265] Con respecto a los datos de los suscriptores, algunos Estados ya permiten que las solicitudes se envíen directamente de las autoridades de investigación extranjeras a los titulares de datos

Sin embargo, incluso con enfoques modestos, el hecho es que las soluciones basadas en tratados a nivel global son difícilmente inalcanzables, y a nivel comunitario no funcionan con respecto a los datos almacenados en los territorios de Estados que no son parte del tratado respectivo. Esto tampoco funcionará en situaciones de "pérdida de ubicación", ya que el equipo al que se accede podría estar ubicada en un Estado no miembro. Por lo tanto, la futura política legal debería centrarse más en las soluciones globales bajo el derecho internacional.

b) Enfoque global no basado en un tratado

El presente análisis ha explorado las soluciones existentes bajo el Derecho internacional consuetudinario, particularmente con respecto a las circunstancias que excluyen la ilicitud, y ha demostrado que su ámbito de aplicación es extremadamente limitado, incluso con respecto al problema más acuciante de la "pérdida de ubicación". Basar las investigaciones transfronterizas unilaterales en el principio de necesidad ha demostrado ser viable en condiciones muy estrictas. Pero el análisis también ha demostrado que los contornos exactos de la aplicación de la necesidad en este contexto siguen siendo inciertos debido a la falta de práctica estatal suficiente (*consuetudo*), jurisprudencia y *opinio iuris*. Lo mismo se aplica al uso de contramedidas en el contexto del cibercrimen atribuible a un Estado.

Una posible vía hacia soluciones más precisas y aceptables a nivel mundial sería involucrar a los Estados, las organizaciones internacionales y las instancias jurídicas internacionales en las futuras investigaciones y delinear los contornos de los principios existentes y el Derecho internacional consuetudinario en el presente contexto. Por ejemplo, la Comisión de Derecho Internacional podría abordar el tema, posiblemente en el contexto más general de soberanía territorial y poderes estatales, el ciberespacio. Esto podría proporcionar una mejor comprensión en común con suficiente autoridad institucional, establecer mayor seguridad jurídica y evitar el conflicto. El Comité del Convenio sobre ciberdelincuencia del Consejo de Europa (T-CY), con su amplia experiencia y pericia en delitos cibernéticos, también podría entablar un debate con sus Estados miembros y publicar los resultados en una nota de orientación autorizada. Esta búsqueda de un entendimiento común entre los Estados miembros del Consejo de Europa acerca de las circunstancias que excluyen la ilicitud también podría conducir a una mejor comprensión de las situaciones en las que podría ser oportuno el acceso directo unilateral. A su vez, podría fomentar el apoyo para un protocolo adicional al

---

privados de su país. Para el futuro, se podría considerar el almacenamiento de los datos relevantes de suscriptor en las agencias nacionales de investigación, al menos para delitos graves bajo condiciones estrictas (especialmente los requisitos de notificación y la restricción en el uso de datos).

Convenio sobre ciberdelincuencia que vaya más allá de las reglas del Derecho internacional consuetudinario. A largo plazo, puede surgir otro enfoque global más amplio para abordar el delito cibernético en el contexto específico del terrorismo y el crimen organizado. Este enfoque podría basarse en la actividad del Consejo de Seguridad de la ONU. En la lucha contra el terrorismo transnacional, el Consejo de seguridad se ha convertido en un pionero, adoptando regularmente resoluciones vinculantes en virtud del Capítulo VII de la Carta de las Naciones Unidas. En este campo, el Consejo se ha centrado no solo en abordar los actos de terrorismo como tales, sino que también ha hecho especial hincapié en frenar de manera efectiva su financiación, por ejemplo mediante la lucha contra el lavado de dinero y otros esquemas criminales[266]. El interés de los Estados en la prevención del financiación del terrorismo puede ser actualmente mayor que su interés en las investigaciones extranjeras de las actividades terroristas *on-line* en sistemas informáticos ubicados en su propio territorio. En algún momento, sin embargo, los Estados pueden buscar soluciones globales para el ciberterrorismo y el cibercrimen transnacional[267], como ya han hecho para luchar contra su financiación, debido a que el riesgo para sus infraestructuras de tecnología de la información está en constante aumento[268]. Por lo tanto, parece concebible que el Consejo de Seguridad de la ONU pueda considerar algunos tipos de cibercrimen una "amenaza a la paz y la seguridad internacionales" debido a sus efectos negativos acumulativos en todo el mundo.

VIII. CONCLUSIÓN

Los infractores pueden actuar, moverse y ocultarse libremente en el ciberespacio global. Ninguno de los enfoques legales y organizativos mencionados anteriormente puede anular esta ventaja frente a la aplicación de la Ley. Cada enfoque tiene sus fortalezas y sus debilidades: en un mundo de Estado-naciones soberanas, la asistencia legal mutua seguirá siendo la columna vertebral de las investigaciones de delitos con elementos internacionales, pero esta la asistencia legal mutua no puede mantenerse al día con la velocidad de internet ni puede dominar situaciones como la "pérdida de ubicación de datos". La transformación de las redes informales existentes en grupos semiformales e instituciones internacionales es la

---

[266]   Ver especialmente las resoluciones de la UNSC 1373 (2001) de 28 de septiembre de 2001 y 2178 (2014 del 24 de septiembre de 2014).

[267]   Un punto de partida podría ser el caso en el que grupos terroristas no solo usan internet para la comunicación (a menudo encriptada) entre sus miembros, sino también para la captación de nuevos miembros y la asistencia de sus actividades criminales hasta el momento del ataque.

[268]   Ver Sección I. 1. *supra*.

solución más prometedora, aunque solo se puede lograr junto con los acuerdos internacionales que la acompañan. Las investigaciones remotas directas *on-line* basadas en el Derecho internacional existente pueden resolver ocasionalmente estos problemas, pero solo bajo circunstancias muy específicas o para un grupo de Estados que cooperan estrechamente y que han acordado un tratado conjunto.

Por lo tanto, solo una combinación de estos enfoques puede nivelar el campo de juego contrarrestando el ciberespacio sin límites de los investigadores con un ciberespacio que no es inhóspito para los investigadores. Este ciberespacio en materia de justicia penal no debería ofrecer a todos y cada uno de los investigadores una vía libre en internet en todo el mundo. En su lugar, debe respaldar a una red global de investigadores o instituciones internacionales que operan sobre la base de poderes de aplicación delegados y basados en tratados de conformidad con el Derecho internacional. Solo un "ciberespacio cooperativo" puede eliminar con éxito la actual "jungla" de investigaciones transfronterizas ilícitas y unilaterales, ofrecer soluciones comunes que benefician a todos los Estados y hacer patente la diferencia entre los infractores y los representantes de los Estados sujetos al imperio de la Ley.

Capítulo 10
EL MERCADO ÚNICO DE LOS DERECHOS FUNDAMENTALES Y LA PROTECCIÓN DE LOS PRINCIPIOS Y GARANTÍAS PENALES

Mercedes Pérez Manzano
Catedrática de Derecho Penal
Universidad Autónoma de Madrid

Este trabajo se ocupa de los problemas que plantea la existencia de diferentes estándares de protección de los derechos fundamentales y de su repercusión en materia de principios y garantías penales. Con este telón de fondo, el texto analiza el papel del art. 10.2 CE así como de la jurisprudencia constitucional relativa al "contenido absoluto" de los derechos fundamentales. Finalmente, el artículo examina de forma crítica la resolución del caso Melloni y sus consecuencias en la rebaja del estándar nacional de protección del derecho a un juicio justo.

I. PLANTEAMIENTO

1. Como es de todos conocido, los derechos fundamentales se encuentran enunciados en distintas normas nacionales e internacionales y se protegen y garantizan por distintos tribunales, internos e internacionales, así como por organismos no jurisdiccionales. Esta concurrencia de normas de reconocimiento de los derechos fundamentales y de instituciones encargadas de su protección ha generado un modelo de tutela multinivel y descentralizada de protección de los derechos fundamentales que se caracteriza por la inexistencia de una relación de jerarquía ni entre las normas, internas y externas, que enuncian los derechos, ni entre los tribunales, nacionales e internacionales, dedicados a su protección.

La consecuencia práctica de este modelo de tutela de los derechos fundamentales ha sido, hasta la fecha, la dispar atribución de contenido y alcance a los mismos enunciados de derechos fundamentales, es decir, ha desembocado en la existencia de *diferentes estándares* de protección de los derechos fundamentales. Esta disparidad de estándares de protección se manifiesta no sólo al poner en relación el estándar nacional y el internacional o los diferentes estándares nacionales de los distintos Estados, sino también al comparar los estándares de protección de los distintos tribunales e instituciones internacionales de derechos humanos[1].

La existencia de una cierta disparidad de estándares de protección de derechos fundamentales constituye hoy, en un mundo fuertemente globalizado y en un Estado como el nuestro integrado en una organización política supranacional como la Unión Europea, una realidad jurídica de gran relevancia práctica y de creciente complejidad. Así, hay que destacar la importancia que esta situación de multiplicidad de estándares de protección tiene para la configuración y aplicación del ordenamiento penal, que se define como esencialmente garantista y limitador del poder punitivo del Estado. Es relevante, en primer término, porque se trata de un ordenamiento que protege valores esenciales de la comunidad —ámbitos de libertad— mediante la restricción también de valores esenciales de la persona —la propia libertad de los condenados y la de los ciudadanos cuya legítima actuación se limita—; y, en segundo lugar, lo es porque se trata de un ordenamiento que tiene como función esencial no sólo prevenir y sancionar la comisión de delitos sino delimitar el marco de actuación legítima del Estado al cumplir sus funciones de prevención del delito y de sanción del delincuente. Para un ordenamiento así definido, la delimitación del contenido y alcance de los derechos fundamentales del individuo constituye, sin duda, su presupuesto ineludible.

2. El punto de partida de mi reflexión es que esta disparidad de estándares de protección de los derechos fundamentales no es una situación óptima, ni con carácter general, ni en particular para el ordenamiento penal, porque en materia de derechos fundamentales es deseable la existencia de una cierta *unidad*. Son

---

[1]   Estas discrepancias de estándares respecto del derecho a la doble instancia o de la prohibición de la tortura entre la jurisprudencia española y la de los organismos internacionales está en el origen de las condenas a España por los tribunales internacionales; cfr. las condenas a España por el Comité de Derechos Humanos de ONU por vulneración del derecho a someter la condena a revisión ante un tribunal superior, entre otros, en los asuntos Gómez Vázquez c. España, de 11 de agosto de 2000, J. Semey c. España, de 19 de septiembre de 2003, M. Sineiro Fernández c. España, de 19 de septiembre de 2003, J. M. Alba Cabriada c. España, de 15 de noviembre de 2004, A. Martínez Fernández c. España, de 29 de marzo de 2005; o Terrón v. España de 15 de noviembre de 2004 y en el asunto Oliveró Capellades c. España de 8 de agosto de 2006, Hens Serena y Corujo Rodríguez v. España de 18 de abril de 2008; García y otra c. España de 31 de octubre de 2006 y los más conocidos Conde c. España de 31 de octubre de 2006 y Jacques Hachuel Moreno c. España, de 11 de septiembre de 2007; también ha sido condenada por el Tribunal Europeo de Derechos Humanos por vulneración de la prohibición de la tortura, particularmente, por vulneración de la garantía, inherente a la misma, de realizar una investigación suficiente y eficaz en los asuntos Martínez Salas, de 2 de noviembre de 2004 (aunque el Tribunal Constitucional modificó su estándar de protección —cfr. STC 34/2008—, han seguido produciéndose las condenas en San Argimiro Isasa c., de 28 de septiembre de 2010, Beristain Ukar c. España, de 8 de marzo de 2011, o Beortegui Martínez c. España de 31 de mayo de 2016, entre las últimas.

varias las razones que avalan esta afirmación. En primer término, la disparidad de contenidos de los derechos fundamentales no encaja bien con los propios rasgos que asignamos a los derechos fundamentales. Si los derechos fundamentales, al menos, los derechos *humanos*[2], constituyen plasmaciones de la dignidad humana o están fuertemente vinculados a ella, no parece que su contenido pueda ser distinto dependiendo del territorio en el que se apliquen, o de los tribunales que los interpreten. Por ello, de los derechos humanos se afirma su carácter universal y, por ello también, la existencia de *localismos* parece en este ámbito *contra natura*. En segundo término, la necesidad de existencia de cierta unidad en el alcance y contenido de los derechos fundamentales es lógica por razones de igualdad, porque la igualdad en el *estatus* jurídico-constitucional forma parte también de las bases constitutivas del Estado constitucional de Derecho. El principio de igualdad no requiere absoluta identidad en el estatuto jurídico de todos los seres humanos, pero sí exige igualdad en el núcleo o aspectos esenciales de dicho estatuto jurídico, y los derechos fundamentales forman parte de dicho núcleo esencial. La tercera razón reside en la seguridad jurídica, pues la coexistencia de diferentes estándares de protección de los derechos fundamentales dificulta el conocimiento por el ciudadano del real contenido de los derechos fundamentales; si la seguridad jurídica es esencial para el funcionamiento del Estado de Derecho, tanto mayor relevancia tiene la seguridad jurídica cuando se proyecta sobre elementos estructurales del mismo como son los derechos fundamentales. Además, esta ausencia de seguridad genera un cierto efecto desaliento en el ejercicio de tales derechos. Y el último argumento que puede ser aducido en favor de la necesidad de existencia de una cierta unidad reside en que la disparidad de contenidos de los derechos fundamentales acaba socavando su propia autoridad como elementos estructurales del Estado constitucional de Derecho, ya que podría argumentarse que si se pueden aplicar con un distinto contenido y alcance es porque no son tan esenciales ni tan inherentes al Estado constitucional de Derecho, ni derivados directos de la propia dignidad humana.

---

[2]　　Sobre la cuestión cfr CRUZ VILLALÓN, Dos cuestiones de titularidad de derechos: los extranjeros, las personas jurídicas, en Revista Española de Derecho Constitucional, 1992, pp. 63 y ss.; y STC 95/2000, de 10 de abril (FJ 3) que recuerda que "los extranjeros gozan en nuestro país, en condiciones plenamente equiparables a los españoles, de aquellos derechos que pertenecen a la persona en cuanto tal y que resultan imprescindibles para la garantía de la dignidad humana (art. 10.1 C.E.); por contra, no es posible el acceso a otro tipo de derechos (como los reconocidos en el art. 23 C.E., según dispone el art. 13.2 y con la salvedad que contiene) y, finalmente, existe un tercer grupo integrado por aquellos derechos de los que podrán ser titulares en la medida y condiciones que se establezcan en los Tratados y Leyes, siendo admisible en tal caso que se fijen diferencias respecto a los nacionales". Antes SSTC 107/1984, de 23 de noviembre, FJ 3; 99/1985, de 30 de septiembre, FJ 2; 130/1995, de 11 de septiembre, FJ 2.

3. Las razones señaladas avalan la necesidad de existencia de una cierta unidad en el contenido y alcance de los derechos fundamentales, que resultaría fácil de alcanzar si se establecieran reglas de ordenación normativa que, como la propia jerarquía normativa, o la supremacía del Tribunal Constitucional en materia de garantías constitucionales en España, favorecieran la producción de una última resolución que, al prevalecer sobre las demás, determinara de forma relativamente segura el contenido del derecho fundamental. Sin embargo, como acabo de afirmar, el modelo de ordenación normativa en este ámbito se rige por principios distintos. La protección multinivel de los derechos fundamentales constituye una plasmación más del pluralismo constitucional concebido no como una etapa de un proceso tendente hacia la unificación normativa, sino como una forma de estructurar las relaciones entre distintos órdenes normativos concurrentes partiendo de que el mantenimiento de las diferenciaciones normativas y las diversidades nacionales constituye un valor en sí mismo.

Aunque ésta es sin duda una opción legítima, los argumentos acabados de apuntar tienen, en mi criterio, peso suficiente para dudar de si la receta del pluralismo constitucional es adecuada para el Derecho penal y también para todo el entramado de garantías y principios penales y procesales aplicables al enjuiciamiento de los delitos. Como ya se ha afirmado, el pluralismo constitucional puede no ser un sistema óptimo desde la perspectiva de la protección que brinda a un ciudadano, al que lo que le interesa es una respuesta a su conflicto rápida y previsible[3]. Yo añadiría, que esto es tanto más trascendental cuando el conflicto pendiente se plantea entre un ciudadano y el Estado de aquel acerca de la eventual responsabilidad penal.

Este modelo de pluralismo constitucional ha sido defendido en España por ejemplo por AIDA TORRES, quien si bien admite que la mayor debilidad del modelo reside en la persistencia de un cierto grado de indeterminación del contenido de los derechos[4], sostiene, sin embargo, que ello no es disfuncional pues la determinación flexible y dinámica del contenido de los derechos fundamentales a través del modelo de *diálogo* entre tribunales incentiva el diálogo, promoviendo el intercambio de argumentos y ofreciendo una posibilidad de alcanzar resultados interpretativos "más adecuados a la comunidad en su conjunto", al apelar a valores compartidos.

---

[3]   Por todos entre los muchos trabajos de Labayle, cfr. LABAYLE, H., Droits de l'Homme et sécurité intérieure de l' Union européenne, l'équation impossible, en RAE, 2006/1, pp. 93-109; KOMARECK, J., European constitutionalism and european arrest warrant: in search of the limits of "contrapunctual principles", Common Market Law Review, 44, 2007, pp. 9 y ss, pp. 30 y ss.

[4]   Entre muchos trabajos de la autora, cfr. Conflicts of Rights in the European Union. A Theory of Supranational Adjudication, Oxford University Press, 2009, Oxford, New York, pp. 179 y ss., 182.

Aunque he de reconocer que esta idea suena bien, sin embargo, creo que el sistema en su conjunto no está preparado, pues ni los instrumentos de diálogo —por ejemplo, la cuestión prejudicial ante el Tribunal de Justicia de la Unión— ni los agentes llamados a dialogar están diseñados para alcanzar ese diálogo en condiciones óptimas para los derechos fundamentales, es decir, para garantizar un estatuto jurídico esencial del ciudadano frente a intromisiones de los poderes públicos. Más bien, al contrario, unos y otros están diseñados y operan desde la lógica o dimensión objetiva de la resolución de conflictos de normas —u otras— y no desde los presupuestos y necesidades de la preservación y defensa de los derechos subjetivos y ámbito de libertades que dan contenido a los propios derechos fundamentales.

Dado que el tema es muy amplio y complejo[5], en este trabajo me voy a ocupar sólo de presentar los elementos básicos del estado de la cuestión, para resaltar la importancia que en esta materia ha tenido la resolución por el Tribunal de Justicia de la Unión Europea de la cuestión prejudicial planteada por el Tribunal Constitucional español en el ATC 86/2011, de 9 de junio.

II. EL MARCO GENERAL PARA LA RESOLUCIÓN DEL CONFLICTO GENERADO POR LA EXISTENCIA DE DIFERENTES ESTÁNDARES DE PROTECCIÓN: EL ART. 10.2 CE

4. Para reflexionar sobre este tema conviene realizar alguna precisión previa. La primera de ellas se refiere a que hemos de partir de la diferenciación entre las dos situaciones que puede generar una dispar protección de los derechos fundamentales: que el estándar nacional o interno sea inferior al estándar externo o internacional, es decir, que el contenido asignado al derecho fundamental a nivel nacional sea más restrictivo que el atribuido en el estándar internacional; y que el estándar nacional sea superior al internacional, esto es, que a nivel nacional resulten protegidos facultades o situaciones jurídicas que no están amparadas por el derecho en el estándar que se le reconoce a nivel internacional.

---

5   Por todos, TORRES, A., Conflicts of Rights in the European Union. A Theory of Supranational Adjudication, Oxford University Press, 2009; LA MISMA, Euroorden y conflictos constitucionales: A propósito de la STC 199/2009, de 28-9-2009, en Civitas, Revista Española de Derecho Europeo, nº 35, 2010, pp. 441 y ss.; La Misma, En defensa del pluralismo constitucional, en Ugartemendia/Jáuregui, Derecho Constitucional Europeo, Actas del VIII Congreso de la Asociación de constitucionalistas de España, tirant lo blanc, Valencia, 2011, pp. 155 y ss., 175 y ss.. Cfr. también QUADRA-SALCEDO JANINI, T., El papel del Tribunal Constitucional y de los tribunales ordinarios en un contexto de tutela multinivel de los derechos fundamentales, en Rubio y otros (dir.), La constitución política en España: estudios en homenaje a Manuel Aragón Reyes, Entro de Estudios Políticos y Constitucionales, Madrid, 2016, pp. 771 y ss.

Mercedes Pérez Manzano

La segunda precisión necesaria para el análisis reside en que la Constitución española no contiene ninguna regla expresa para la resolución de este tipo de conflictos, ni para el caso en que el estándar nacional sea inferior al internacional ni para el caso contrario. Simplemente establece en su art. 10.2 que las normas relativas a los derechos fundamentales y a las libertades públicas se interpretarán de conformidad con la Declaración Universal de los Derechos Humanos y los tratados y acuerdos internacionales sobre las materias ratificados por España[6].

El art. 10.2 CE no es una cláusula de resolución de conflictos entre estándares de protección. Su finalidad principal es identificar un marco común de referencia en la configuración del contenido del derecho fundamental, de modo que, en cierta medida, contribuye a prevenir la existencia de una disparidad de estándares, pero no trata de resolverlos en caso de producirse el conflicto. En su literalidad, esta cláusula, además, no contiene ningún elemento para efectuar una interpretación restrictiva del mismo, de modo que, en principio, sería aplicable tanto si el estándar interno relativo al derecho fundamental fuera superior al externo como si el estándar nacional fuera inferior al externo; en consecuencia, la obligación de tener en cuenta los convenios internacionales relativos a derechos humanos en la determinación del contenido de estos derechos podría tener tanto un efecto de ampliación del alcance del derecho como un efecto de restricción del mismo.

A pesar de la inexistencia de elementos para la interpretación restrictiva del alcance de la cláusula contenida en el art. 10.2 CE en su propia literalidad, creo, sin embargo, que esta cláusula está pensada para elevar el estándar nacional y no para restringirlo como también PÉREZ TREMPS Y SAINZ ARNAIZ han sostenido[7]. Varias son las razones que avalan esta afirmación. En primer lugar, la propia lógica histórica del momento en el que se dicta la Constitución española tras salir de una dictadura; seguramente los constituyentes tuvieron en la cabeza la idea de que un país con poca tradición constitucional necesitaba mirar al exterior para elevar su calidad como Estado de Derecho, de modo que se puede sostener,

---

[6]   Sobre el tema por todos SAIZ ARNAIZ, A. La apertura constitucional al Derecho Internacional y Europeo de los derechos humanos. El art. 10.2 de la Constitución española, Consejo General del Poder Judicial, Madrid, 1999; EL MISMO, Art. 10.2 CE, La interpretación de los derechos fundamentales y los tratados internacionales sobre derechos humanos, en Casas/Rodríguez-Piñero (dir.), Comentarios a la Constitución Española, XXX Aniversario, Fundación Walter-Kluwers, Madrid, 2009.

[7]   Es unánime en la doctrina la idea de que el art. 10.2 CE no hace posible una interpretación restrictiva o limitadora de los derechos fundamentales, específicamente si la propia Constitución española no contempla límites explícitos o inmanentes. Cfr. por todos, PÉREZ TREMPS, P., La protección de los derechos fundamentales por jueces y tribunales, PJ n° 43-44, 1995, pp. 267; SAIZ ARNAIZ, A., La apertura constitucional, pp. 213-225; EL MISMO, en Casas/Rodríguez Piñero, Comentarios a la Constitución Española, XXX Aniversario, Fundación Wolters Kluwer, 2009, pp. 195 y ss., p. 205.

en una interpretación *originalista* del art. 10.2 CE, que es una cláusula pensada para acrecentar el nivel de protección interno en materia de derechos fundamentales mediante la apertura de las normas relativas a los derechos fundamentales a la normativa internacional[8]. Como afirman los comentaristas, con el art. 10.2 CE se pretendía la "homologación internacional del muevo sistema democrático" español por esta singular vía de incorporación interpretativa del Derecho internacional de los derechos humanos. La segunda razón reside en que los tratados internacionales sobre derechos fundamentales tienen la condición de mínimos, es decir, no impiden la existencia de un estándar de protección nacional mayor que el salvaguardado en los tratados. Esta condición se garantiza a través de la denominada *cláusula de no retroceso* que, por ejemplo, en el Convenio Europeo de Derechos Humanos establece su art. 53. De conformidad con el mismo: "Ninguna de las disposiciones del presente Convenio se interpretará en el sentido de limitar o perjudicar aquellos derechos humanos y libertades fundamentales que podrían ser reconocidos conforme a las leyes de cualquier Alta Parte Contratante o en cualquier otro Convenio en el que ésta sea parte"[9]. La tercera razón reside en que si bien ni el art. 10.2 CE ni ninguna otra disposición constitucional contiene una regla sobre la resolución de este tipo de conflictos, sin embargo, ello no significa que no exista ninguna regla o principio aplicable, pues se ha desarrollado un principio jurídico básico que podría resolver de forma sencilla y clara la cuestión. Me refiero al principio *favor libertatis* que en este marco significa dar preferencia al estándar superior, al más garantista, o a la enunciación o interpretación del derecho que le otorgue un mayor alcance. En el marco de la protección internacional de los derechos humanos y de la doctrina internacionalista se defiende la aplicación de una concreción de este principio que se denomina específicamente principio "*pro homine*"[10], cuyo sentido sería también la prevalencia del estándar

---

[8]   Los comentaristas suelen vincular el origen del precepto a la contienda sobre el derecho a la educación, de modo que, con su introducción, se pretendía garantizar una determinada interpretación del mismo en clave de libertad de enseñanza y asegurar el derecho a las subvenciones, que no quedaba tan claramente plasmado en el texto del art. 27 CE. Cfr. REMIRO BROTONS, A., La acción exterior del Estado, Tecnos, Madrid, 1984, pp. 106-107; SAIZ ARNAIZ, A., La apertura constitucional, pp. 30 y ss.. cfr. Constitución Española, Trabajos Parlamentarios, pp. 3144-3146, 3153-3155. Los comentaristas señalan también en este sentido que se pretendía la homologación de la legislación con los convenios y tratados internacionales que habían servido de modelo durante el período franquista y se habían idealizado durante los años de la dictadura, cfr. las citas de E. García de Enterría, L., Martín-Retortillo y Muñoz Machado en SAIZ ARNAIZ, A., La apertura constitucional, p. 33; de "homologación internacional del nuevo sistema democrático" habla SAIZ ARNAIZ, A., Art. 10.2 CE, en Casas/Rodríguez Piñero, Comentarios, pp. 195 y ss.

[9]   Similar es la previsión del art. 5.2 del PIDCP.

[10]   CARRILLO/EXPÓSITO, Los jueces nacionales como garantes de los bienes jurídicos globales, Revista española de Derecho Internacional, Vol. 63, nº 2, 2011, pp. 51 y ss., 54. Sobre

superior sea éste el interno o el internacional. Su eficacia es la misma que la que tienen las cláusulas de los tratados internacionales que asignan la condición de mínimo al estándar de protección de los tratados internacionales sobre derechos humanos. Una regla similar a la contenida en el art. 53 CEDH o a la que deriva del principio *"pro homine"* ha sido recogida en la legislación comunitaria para resolver los conflictos entre diferentes estándares de protección entre la Unión Europea y el Consejo de Europa, estableciéndose en el art. 52.3 CDFUE que, si bien cuando la Carta reconozca derechos contemplados en el Convenio Europeo de Derechos Humanos el sentido y alcance de dichos derechos será igual al del Convenio Europeo, sin embargo, ello no "impide que el Derecho de la Unión les conceda una protección más extensa". Es decir, que la Carta de Niza parte también de que en materia de derechos fundamentales el conflicto de estándares —europeo/comunitario— se resuelve a favor del superior, pues si el estándar comunitario fuera inferior al europeo, se garantiza el europeo por la vía de asegurar que el nivel de protección será igual; y si el estándar comunitario es superior al europeo, se garantiza el superior al afirmarse que la Unión Europea puede establecer un estándar superior.

III. CUANDO EL ESTÁNDAR INTERNO DE GARANTÍAS PENALES ES INFERIOR AL INTERNACIONAL

5. Hasta aquí las cuestiones generales referidas al contexto constitucional en el que, en principio, se enmarca la concurrencia de estándares diferenciados de protección de los derechos fundamentales y, también, de los principios y garantías penales que tienen tal rango constitucional. Pero la solución de los problemas, pasa por examinar de forma diferenciada las dos situaciones que pueden darse, comenzando por aquellas en las que el estándar nacional es inferior al internacional.

La existencia de un estándar nacional inferior ha sido la situación española de partida en nuestra historia reciente, de forma específica cuando nos referimos a las garantías penales. De modo que el art. 10.2 CE ha servido de cobertura para la ampliación de las garantías penales a nivel interno, o dicho de otro modo, para la homologación internacional al alza de los estándares internos previos a la entrada en vigor de la Constitución española en 1978. El Tribunal Constitucional

---

la posibilidad de entender que el art. 10.2 CE remite no sólo a los Tratados internacionales, sino también a los principios de Derecho Internacional relativos a los derechos humanos, entre los que se encuentra la regla hermenéutica *favor libertatis* y la de interpretar las restricciones de los derechos de la forma más limitada posible y en cambio interpretar lo favorable al derecho de la forma más amplia posible, SAIZ ARNAIZ, A., La apertura constitucional, pp. 90 y ss.

español ha hecho uso de esta cláusula en muchas ocasiones y a través de ella ha incorporado la jurisprudencia del Tribunal Europeo de Derechos Humanos y también del contenido del Pacto Internacional de Derechos Civiles y Políticos, que han sido tan fructíferos en materia penal. Su influencia, por ejemplo, en el reconocimiento del derecho del acusado a un intérprete gratuito, del derecho a la doble instancia penal y en la configuración de las garantías de la segunda instancia, en la delimitación de las garantías de la prisión provisional o del secreto de las comunicaciones o en la protección frente a la prohibición de la tortura, por poner ejemplos significativos, ha sido decisiva[11]. En este ámbito, el art. 10.2 CE se ha revelado crucial para la asimilación jurisprudencial interna del estándar internacional —especialmente el europeo— de garantías penales más elevado.

6. Ahora bien, a pesar de la función esencial que ha cumplido el art. 10.2 CE para la elevación del estándar de protección de las garantías penales, hasta épocas recientes existían serias dificultades para el ciudadano para hacer que los tribunales nacionales reconocieran el estándar superior en el caso concreto del Tribunal Europeo de Derechos Humanos. El déficit más relevante del modelo residía en la falta de un procedimiento interno de anulación de las resoluciones judiciales sobre las que se sustentaba la vulneración del derecho fundamental reconocido en el Convenio Europeo de Derechos Humanos. Como es sabido, los pronunciamientos del Tribunal Europeo de Derechos Humanos —y de la mayoría de los Tribunales Internacionales de protección de Derechos Humanos— son meramente declarativos respecto del reconocimiento de la vulneración del derecho, de modo que, incluso si el Tribunal Constitucional español, decide modificar su jurisprudencia para proceder a la adaptación (ampliación del contenido del derecho), ésta tendrá efecto *ad futurum,* pero no en el caso concreto cuya impugnación ha dado lugar al pronunciamiento del Tribunal Europeo de Derechos Humanos y que ha originado la elevación del estándar nacional de protección. Si desde la dimensión objetiva de la norma que protege los derechos fundamentales esto no es más que un efecto habitual de aplicación de la ley en el tiempo, sin embargo, constituye una solución insatisfactoria desde la dimensión subjetiva del derecho y la posición jurídica del afectado por la lesión del derecho: quien ha conseguido un pronunciamiento favorable en Estrasburgo, no resulta directamente beneficiado

---

[11]   Cfr. SSTC 5/1984, de 24 de enero, 74/1987, de 25 de mayo, 30/1989, de 7 de febrero, sobre el derecho al intérprete del acusado y del detenido; SSTC 42/1982, de 5 de julio y la serie de sentencias del caso Marey SSTC 64/2002, 65/2001 y 66/2001, de 17 de marzo, sobre el derecho a la doble instancia; SSTC 128/1995, de 26 de julio y 47/200 de 17 de febrero, sobre la prisión provisional; la STC 167/2002, de 18 de septiembre, sobre las garantías de la doble instancia; 49/1999, de 5 de abril, sobre secreto de las comunicaciones; 34/2008, de 25 de febrero, sobre investigación insuficiente en caso de alegación de tortura.

por el mismo, viéndose obligado a volver a la jurisdicción nacional para intentar la anulación de las resoluciones judiciales vulneradoras del derecho.

Como decía, hasta épocas recientes, el *iter* procesal que debía seguir el ciudadano en la hipótesis anterior no era claro, pues la legislación procesal no contenía un recurso o remedio concreto al que acudir para alcanzar el objetivo de anulación de las resoluciones nacionales con base en que las mismas habían vulnerado un derecho fundamental reconocido en el Convenio Europeo de Derechos Humanos. Y el Tribunal Constitucional fue vacilante en su jurisprudencia sobre qué hacer en dichos casos desde que se ocupó del caso Bultó a comienzos de los años noventa del pasado siglo. No obstante, la reforma de la Ley de Enjuiciamiento Criminal relativa al recurso de revisión ha resuelto el problema. El art. 954.3, redactado de conformidad con la LO 41/2015, de 5 de octubre de modificación de la Ley de Enjuiciamiento Criminal para la agilización de la justicia penal y el fortalecimiento de las garantías procesales, prevé ahora la posibilidad de acudir a la revisión penal para dar cumplimiento a las sentencias dictadas por el Tribunal Europeo de Derechos Humanos.

El segundo problema que se plantea reside en que el art. 10.2 CE no ha sido interpretado por el propio Tribunal Constitucional español como una norma jurídica que le obligue a modificar su jurisprudencia en el sentido de la del Tribunal Europeo de Derechos Humanos o de otros organismos no jurisdiccionales de protección de los derechos reconocidos en los tratados internacionales. De ahí que haya declarado en muchas ocasiones, de un lado, que la vulneración de un derecho reconocido en el Convenio Europeo de Derechos Humanos no constituye automáticamente la vulneración de un derecho fundamental reconocido en nuestra Constitución y, de otro, y consecuencia de lo anterior, que sólo éstos le vinculan[12]. De hecho, la existencia del art. 10.2 CE no ha conseguido evitar situaciones de discordancia manifiesta del alcance de los derechos más representativos del ámbito penal, pues tanto el principio de legalidad penal como el derecho a la presunción de inocencia tienen reconocido un alcance más amplio en la jurisprudencia de Estrasburgo que en la jurisprudencia constitucional interna. En relación con el principio de legalidad penal, el Tribunal Constitucional español nunca ha reconocido el derecho a la retroactividad de la norma más favorable como integrante del art. 25.1 CE, a pesar de que el art. 2.2. CP si lo prevé y a pesar de

---

[12]   Ver STC 245/1991, de 16 de diciembre, FFJJ 2 y 3. Esta declaración se ha realizado también en relación con el Derecho Comunitario, cfr. STC 64/1991, de 22 de marzo. Si bien en la doctrina internacionalista y constitucionalista se ha defendido que la obligación de interpretación del contenido y alcance de los derechos fundamentales conforme a los tratados sólo es exigible en los casos en que el texto constitucional español carezca de claridad, se ha objetado, creo que con razón, que las disposiciones sobre derechos fundamentales tienen carácter abierto siempre y, en esa medida, su contenido no es absolutamente claro.

que el Tribunal Europeo de Derechos Humanos ha afirmado que si la legislación penal admite la retroactividad favorable, su inaplicación vulnera el principio de legalidad porque supone imponer una pena no prevista en la ley (STEDH asunto Baskaya y Okuoglu vs. Turquía, de 8 de julio de 1999; STJUE en el asunto Berlusconi y otros, de 3 de mayo de 2005, y ahora en el art. 49.1 Carta de Derechos Fundamentales de la UE)[13].

El panorama descrito evidencia que, a pesar de que la Constitución española contiene un instrumento indirecto que puede ser utilizado para la homologación del estándar interno de protección de los principios y garantías penales con rango constitucional al estándar internacional cuando éste es más protector, sin embargo, no es un mecanismo idóneo y suficiente para la consecución de la protección del derecho subjetivo, ni siquiera cuando se alcanza el objetivo de protección en el Tribunal Europeo de Derechos Humanos, pues es especialmente costoso para el propio afectado por la vulneración. Y a estos efectos, los costes económicos no son los más dramáticos, sino la posibilidad misma de haber estado privado de libertad con base en resoluciones judiciales que según el estándar internacional de protección de garantías penales eran lesivas de derechos fundamentales, pues ni la anulación *ex post* de dichas resoluciones, ni la indemnización constituyen nunca *restitutio in integrum* del total del daño causado por la indebida privación de libertad pasada.

Con todo, la situación acabada de describir no es la más preocupante pues, aún con las dificultades apuntadas, permite la protección del principio o garantía penal al menos en la instancia internacional y esto tiene una repercusión posterior en la interpretación y aplicación de las garantías penales a nivel interno. Éste ha sido el caso, por ejemplo en la última época, de la cuestión relativa a las garantías procesales requeridas para la revisión de los hechos en segunda instancia que ha dado lugar a varias sentencias condenatorias de España por el TEDH y a la modificación de la jurisprudencia tanto del Tribunal Constitucional como del Tribunal Supremo español[14].

---

[13] Un ejemplo de esta discordancia en materia de principio de legalidad penal, es, además, el conocido como caso Parot, que, como es sabido, dio lugar a la condena a España en el caso Del Río Prada (SSTEDH de 10 de julio de 2012 —Sec. 3ª— y de 21 de octubre de 2013 —Gran Sala—. Sobre ello, cfr. Pérez Manzano/Lacuraín (dir.), La tutela multinivel del principio de legalidad penal, Marcial Pons, Madrid, 2016. Similar sentido tiene la discordancia entre el alcance del derecho a la presunción de inocencia en el ámbito interno e internacional: el Tribunal Constitucional español ha negado autonomía a la dimensión extraprocesal del derecho a la presunción de inocencia cuando el Tribunal de Estrasburgo se la reconoce, dando lugar a una condena a España menos conocida que la del caso Del Río Prada, en STEDH 28 de junio de 2011, asunto Lizaso Azconobieta, por vulneración del art. 6.2 CEDH (relativa a la STC 244/2007, de 10 de diciembre de 2010).

[14] A pesar de que el Tribunal Constitucional recogió la jurisprudencia europea en la STC 167/2002, de 18 de septiembre, su interpretación restrictiva de las exigencias del Tribunal Eu-

IV. CUANDO EL ESTÁNDAR INTERNO ES SUPERIOR AL INTERNACIONAL

Mayores problemas plantean, sin duda, el segundo grupo de casos: cuando el estándar nacional es superior al europeo.

1. *La solución del Tribunal Constitucional español: el contenido absoluto de los derechos fundamentales como parámetro común de referencia*

7. Esta situación, en la que el estándar interno es superior al internacional, es patente en algunos derechos procesales del orden penal; dicho escenario no ha generado problemas, dado que, como se ha dicho, los tratados internacionales tienen la condición de mínimos y así se reconoce expresamente en el art. 53 CEDH[15].

Sin embargo, esta situación comenzó a ser problemática para el Tribunal Constitucional español en la resolución de recursos de amparo al examinar la adecuación a los derechos fundamentales de las resoluciones judiciales nacionales que, con base en resoluciones judiciales extranjeras, declaraban procedente la extradición de una persona a otro Estado; así, específicamente el problema se ha manifestado cuando se ha solicitado la extradición de una persona para el cumplimiento de una pena impuesta en un juicio desarrollado en ausencia del acusado[16].

---

ropeo sobre la garantía de inmediación y contradicción condujo años después a la condena a España en las SSTEDH, asunto Igual Coll c. España de 10 de marzo de 2009, asunto Almenara Álvarez c. España, de 25 de octubre 2011, asunto Lacadena Calero c. España de 22 de noviembre de 2011, entre otras posteriores. Todo ello ha dado lugar a que el propio Tribunal Supremo haya modificado su posición sobre las garantías constitucionales exigidas para la revisión en segunda instancia de las apreciaciones del tribunal de primera instancia referidas al dolo y a otros los elementos subjetivos del delito. Cfr. entre otras, SSTS 998/2011, de 29 de septiembre citando la STEDH de 10 de marzo de 2009, caso Igual Coll c. España, § 36; 1215/2011, de 15 de noviembre; 1423/2011 de 29 de diciembre. Sobre las consecuencias que estas sentencias tienen en la consideración del dolo, o sus elementos, como hechos o elementos de la calificación jurídica, cfr. PÉREZ MANZANO, M., Prueba y subsunción en el dolo: una cuestión de garantías constitucionales, en Silva Sánchez y otros, Estudios de Derecho penal: homenaje al profesor Santiago Mir Puig, 2017, pp. 355-369.

15   A título ejemplificativo cabe mencionar la existencia de un estándar interno superior al europeo respecto del derecho a la libre elección de abogado de las acusaciones particulares que se reconoce a nivel interno (STC 30/1981, de 24 de julio) y no en el marco internacional que se refiere sólo al mismo como derecho del acusado (arts. 6.3.c) CEDH y 14.3.d PIDCP); el derecho a la asistencia al detenido de conformidad con el art. 17 CE, y el plazo máximo de detención preventiva que en el art. 17.2 es más breve que lo establecido en el art. 5.3 CEDH (Cfr. STC 21/1997, de 10 de febrero).

16   Al Tribunal Constitucional se le planteó el problema en los comienzos de su andadura en relación con el reconocimiento de resoluciones judiciales extranjeras. Así en materia de extradición,

Para estos casos el Tribunal Constitucional español ha elaborado la doctrina de la vulneración indirecta del *contenido absoluto* de los derechos fundamentales, conforme a la cual puede considerarse que los órganos judiciales españoles que acceden a la entrega de una persona a otro Estado vulneran un derecho fundamental del reclamado de *forma indirecta* si las resoluciones del Estado reclamante han vulnerado el "contenido absoluto" del derecho al proceso con todas las garantías; la razón de esta afirmación reside en que se entiende que los órganos judiciales españoles colaboran a la lesión del derecho fundamental o al menos al agotamiento de sus efectos. Se trata de un grupo de casos que tienen que ver con la cooperación judicial internacional en materia penal y no sólo con los supuestos de extradición.

Con esta doctrina del contenido absoluto del derecho fundamental, el Tribunal Constitucional español pretendió hallar una fórmula para no imponer el estándar interno superior a los otros Estados con los que se relaciona a través del reconocimiento de efectos internos de sus resoluciones judiciales —vía *exequatur* o extradición—; intentó, así, establecer un estándar que vendría configurado por el núcleo básico o estándar común del derecho en los distintos Estados. En estos casos, el Tribunal Constitucional español no ha aplicado el principio *favor libertatis*, ni ninguna otra regla o doctrina que tenga como efecto la prevalencia del estándar superior o más garantista del derecho fundamental, lo que en este caso conduciría a la prevalencia del estándar español pleno al ser más garantista, sino que ha intentado otra vía consistente en definir un marco común, un estándar común de referencia para el derecho fundamental: el *contenido absoluto* de un derecho fundamental. De modo que frente a las opciones extremas que exigirían un control conforme al estándar nacional pleno o la ausencia total de control, el Tribunal Constitucional español optó por una tesis intermedia cercana a la de las cláusulas de orden público del Derecho Internacional, o del Derecho europeo como Adán Nieto ha señalado[17].

---

desde la STC 11/1983, de 21 de febrero, 13/1994, de 17 de enero, 141/1998, de 29 de junio, 147/1999, de 4 de agosto, 91/2000, de 30 de marzo, etc...; pero también se ha planteado en caso de homologación o reconocimiento vía *exequatur* de resoluciones judiciales extranjeras entre otras en SSTC 43/1986, de 15 de abril, 54/1989, de 23 de febrero, 132/1991, de 17 de junio.

[17]   En otro sentido, AGUILAR CALAHORRO, A., (La primera cuestión prejudicial planteada por el Tribunal Constitucional al Tribunal de Justicia de la Unión Europea-ATC 86/2011, de 9 de junio), quien sostiene que el Tribunal Constitucional parte de una "visión exclusivamente interna". Más ajustada con la realidad la interpretación de NIETO MARTIN, A., [Kadi (STJUE de 3 de septiembre de 2008) y sus consecuencias para el Derecho penal del Consejo de Seguridad de Naciones Unidas y el Derecho penal de la Unión europea, en Revista General de Derecho penal, nº 10, 2008] quien ubica esta tesis en el marco de la doctrina del orden público europeo; EL MISMO, en NIETO MARTÍN, A., El concepto de orden público como garantía de los derechos fundamentales en la cooperación penal internacional, en Díez-Picazo/Nieto, Los derechos

La doctrina de la vulneración indirecta del contenido absoluto de los derechos fundamentales fue inicialmente muy criticada por la doctrina constitucionalista[18], sin embargo, parece haberse asentado sin que en la actualidad reciba críticas cuando se utiliza para examinar las resoluciones judiciales dictadas en procedimientos extradicionales de países como Turquía, Albania, Venezuela, Perú u otros ajenos al marco de la Unión Europea.

2. Las críticas a la aplicación de esta tesis en el ámbito comunitario: la STC 199/2009, de 28 de septiembre y sus votos particulares

8. Las críticas se centraron enseguida en cuestionar que el Tribunal Constitucional español pudiera aplicar esta teoría al enjuiciamiento de la constitucionalidad de las resoluciones judiciales dictadas en países de la Unión Europea y específicamente a las resoluciones dictadas en aplicación de la normativa comunitaria, como la relativa a la Orden Europea de Detención y Entrega. Y ello porque, en este caso, la solución dada por el Tribunal Constitucional español, se decía que, no encajaba con la normativa comunitaria. Así se manifestaron los magistrados Rodríguez-Zapata y Pérez Tremps en los votos particulares a la STC 199/2009, de 28 de septiembre. En este marco se adujo, de un lado, que la doctrina del Tribunal Constitucional chocaría con el sistema de ordenación normativa del Derecho nacional y el Derecho de la Unión Europea, en particular, con el principio de primacía del Derecho comunitario y, a través de él, con la normativa europea que plasma el principio de reconocimiento mutuo de resoluciones judiciales. Y, de otro, esta doctrina resultaría problemática dado que puede impedir una aplicación uniforme de la normativa comunitaria y puesto que no sería el Tribunal Constitucional español, sino el Tribunal de Justicia de la Unión Europea el garante de dicha interpretación uniforme.

Con el telón de fondo del específico debate constitucional-comunitario y la polémica de los juicios en rebeldía, la cuestión se planteó en varias ocasiones ante el Tribunal Constitucional español, dando éste la misma respuesta: la jurisprudencia relativa a la vulneración indirecta del contenido absoluto de los derechos

---

fundamentales en el Derecho penal europeo, Civitas-Thomson, Navarra, 2010, pp. 453 y ss., p. 473.

[18]　Cfr. el voto particular de Cruz Villalón a la STC 91/2000, de 30 de marzo. En la doctrina, por todos, REY MARTÍNEZ, F., El problema constitucional de la extradición de condenados en contumacia. Comentario de la STC 91/2000 y concordantes, en Teoría y realidad constitucional, n° 5, 2000, pp. 289 y ss., 313 Y SS.; TORRES, I., Enseñar al que ya sabe. Las extradiciones ante el Tribunal Constitucional (STC 91/2000), Repertorio Aranzadi del Tribunal Constitucional, n° 10, 2000, pp. 1859 y ss.; BELLIDO, R., la condena en rebeldía en el proceso español de extradición pasiva, REDC n° 57, 1999, pp. 285 y ss. (a favor de la doctrina constitucional).

fundamentales es aplicable a las resoluciones que autorizan la entrega con base en la legislación interna de trasposición de la normativa europea relativa a la Orden Europea de Detención y Entrega. Así se estuvo aplicando en distintas sentencias hasta la STC 199/2009, de 28 de septiembre, en la que, aunque se siguió aplicando, se emitieron los votos particulares de varios magistrados —Pérez Tremps y Rodríguez-Zapata— que discutían, sobre la base de los argumentos expuestos, la corrección de aplicar la jurisprudencia constitucional mencionada.

3. El caso Melloni

3.1. El planteamiento de la cuestión prejudicial ante el Tribunal de Justicia: ATC 86/2011, de 9 de junio

9. Esta fue la situación hasta que el Tribunal Constitucional español decidió hacer uso del mecanismo de diálogo con el Tribunal de Justicia de la Unión Europea, planteando la cuestión prejudicial ante éste.

El Tribunal Constitucional español reclamó por primera vez el pronunciamiento del Tribunal de Justicia de la Unión Europea en el ATC 86/2011, de 9 de junio. Dicha cuestión prejudicial tenía como base una resolución de la Audiencia Nacional —Auto de la Sala 1ª de 12 de septiembre de 2008— que había autorizado la entrega a Italia de un ciudadano italiano solicitada a través de una orden europea de detención y entrega. Dicha orden había sido emitida para el cumplimiento de una pena de prisión a la que había sido condenado como autor de un delito de quiebra fraudulenta; la condena se había efectuado en ausencia del acusado aunque éste había tenido conocimiento del juicio y había sido defendido de forma efectiva por abogado de su elección.

El Tribunal Constitucional español planteó tres cuestiones al Tribunal de Justicia de la Unión Europea que tienen como telón de fondo la cuestión de si es posible que un estado aplique un estándar superior de protección de un derecho fundamental. Ya expliqué en un trabajo previo las distintas opciones que tenía el Tribunal de Justicia para contestar las cuestiones planteadas, los costes y los beneficios de las distintas opciones, afirmando que existían posibilidades de que el Tribunal contestara en el sentido de admitir, al menos para algunos casos, la validez de un estándar nacional superior. No voy a insistir en ello[19], sino que en lo

---

[19]   Cfr. mis trabajos, El Tribunal Constitucional español ante la tutela multinivel de los derechos fundamentales en Europa. Sobre el ATC 86/2011, de 9 de junio, en Revista Española de Derecho Constitucional n° 95, 2012, pp. 311 y ss.; The Spanish Constitutional Court and the Multilevel Protection of Fundamental Rights in Europe: Matters Relating to ATC 86/2011, 0f 6 June, in EuCLR Vol. 3, 1, (June 2013) pp. 79-106.

que sigue me referiré tan sólo a las respuestas del Tribunal de Justicia de la Unión Europea y del propio Tribunal Constitucional español.

3.2. La doctrina que deriva de las SSTJUE en los casos Melloni (C-339/11) y Äkerberg (C-617/10), de 26 de febrero de 2013[20]

10. La respuesta del Tribunal de Justicia de la Unión Europea en el caso Melloni debe ser integrada con la doctrina sentada en una sentencia que, no por mera coincidencia, fue dictada el mismo día, la sentencia del caso Äkerberg. De su conjunto se deduce lo siguiente. La Carta de Derechos fundamentales de la Unión Europea tiene su ámbito de aplicación cuando se aplica el Derecho de la Unión Europea al asunto controvertido (art. 51.1 Carta). Por lo tanto, la primera cuestión relevante reside en fijar cuándo se considera que se aplica el Derecho de la Unión. La interpretación realizada en el asunto Äkerberg es amplia (no limitada a la aplicación de reglamentos europeos o normas nacionales de trasposición); conforme a dicha resolución, la utilización de cualquier normativa interna para reprimir infracciones de una directiva hubiese sido o no adoptada para trasponer ésta, cae dentro del concepto "aplicación del Derecho de la Unión", ya que con ello se da cumplimiento a la obligación de sancionar de modo efectivo los actos que causen perjuicio a los intereses financieros de la Unión[21]. De otra parte, una vez determinado que se aplica la Carta de Derechos Fundamentales, la cuestión a dilucidar es si un estado puede hacer valer su estándar superior frente al que refleja la Carta de Derechos Fundamentales de la Unión. El Tribunal de Justicia de la Unión Europea sostuvo que la respuesta no es simple, sino que depende de los casos (FJ 60, Sentencia Melloni). En primer término, un estado podría aplicar un estándar superior en los casos en que la normativa de la Unión Europea deje un margen de maniobra a los estados ("cuando la acción de los estados miembros no esté totalmente determinada por el Derecho de la Unión" —FJ 29 Sentencia Akerberg—), siempre que no afecte "a la primacía, unidad y la efectividad del Derecho de la Unión)". Por el contrario, un estado no podría aplicar un estándar superior al europeo si la normativa de la Unión Europea tiene carácter reglado

---

[20]   De los muchos trabajos publicados sobre el tema, cfr. IZQUIERDO, C., Sobre lo que opina el TJ en relación la definición del nivel de protección de un derecho fundamental por parte del legislador de la unión: Comentario a la sentencia del TJUE (Gran Sala) de 26 de febrero de 2013, Asunto Melloni, C-399/11, La Ley Unión Europea, nº 4 2013, pp. 3 y ss. y, LA MISMA, La callada configuración de los derechos fundamentales por el Tribunal de Justicia de la Unión Europea, en Pérez Manzano/Lascurain (dir.), La tutela multinivel del principio de legalidad penal, Marcial Pons, Madrid, 2016, pp. 57 y ss.

[21]   Cfr. la posición del Abogado General Cruz Villalón, mucho más restrictiva en este caso, emitida el 12 de junio de 2012.

u obligatorio. Dicho argumentario condujo a que en el caso Melloni se afirmara que España no podía aplicar un estándar superior, dado que en la aplicación de la Directiva sobre los juicios en rebeldía los estados carecían de margen de apreciación al tratarse de un ámbito reglado. En el asunto Åkerberg, sin embargo, dado que los estados podían elegir entre sanciones administrativas o penales o ambas, sí existía margen de apreciación para los estados y, por tanto, hubiera sido posible aplicar un estándar nacional más protector.

3.3. Otras opciones interpretativas

11. Esta solución es de por sí preocupante si el Tribunal de Justicia de la Unión Europea decide configurar los derechos fundamentales a la baja, cosa que ha hecho en varias ocasiones, pues, como afirma Alonso[22], si éste fuera el derrotero de este tribunal, lo más probable es que los tribunales nacionales rescatasen la doctrina de los contra-límites que se generó en los años 70 cuando la Unión Europea no contaba con una Carta de Derechos fundamentales. Es decir, probablemente, los estados buscarían los mecanismos para evitar dicha consecuencia.

Se ha de advertir, además, que la solución adoptada por el Tribunal de Justicia en los casos Melloni y Åkerberg no es la única solución posible; de hecho el Abogado general del asunto Åkerberg —Cruz Villalón— defendió de manera sensata y fundada otra tesis más restrictiva en cuanto a cuándo considerar aplicable el Derecho de la Unión Europea a los efectos de la utilización del estándar de derechos fundamentales de la Carta de Niza; y defendió también la existencia de límites al desplazamiento del estándar nacional más elevado por el europeo más bajo: el estado podría oponerse a dicha rebaja del estándar en los casos en que afectara a su "identidad nacional" —entendida como "identidad constitucional"— tal como aparece en el art. 4.2 TUE[23].

3.4. La Sentencia del Tribunal Constitucional en el caso Melloni

12. Una vez resuelta la cuestión prejudicial, el 20 de febrero de 2014 el Tribunal Constitucional español dictó la Sentencia en el asunto Melloni que había quedado pendiente, rebajando el estándar previamente establecido (en la STC 91/2000, citada) sobre el derecho al proceso con todas las garantías; en concreto, afirmó que no vulnera el contenido absoluto de este derecho "la imposición de una condena sin la comparecencia del acusado y sin la posibilidad ulterior de sub-

---

22   ALONSO GARCÍA, R., El juez nacional en la encrucijada europea de los derechos fundamentales. Civitas-Thomson Reuters, 2014, Cizur, p. 62.
23   Opinión AG Cruz Villalón, párrafos 35 y ss.

sanar su falta de presencia en el proceso penal seguido, cuando la falta de comparecencia en el acto del juicio consta que ha sido decidida de forma voluntaria e inequívoca por un acusado debidamente emplazado y éste ha sido efectivamente defendido por letrado designado".

Con este pronunciamiento, el Tribunal Constitucional español no quiso establecer los pilares del diálogo entre tribunales, sino que pretendió resolver el caso de la forma que estimó más sencilla, haciendo un *over rulling* de la jurisprudencia previa, de modo que, reinterpretó el contenido absoluto del derecho al proceso con todas las garantías a partir del pronunciamiento del Tribunal de Justicia de la UE y de los pronunciamientos del Tribunal Europeo de Derechos Humanos.

El Tribunal Constitucional no entró a considerar ninguna de las cuestiones generales que se planteaban, empezando por no hacer una diferenciación entre los dos tipos de situaciones jurídicas que se podían suscitar, esto es, cuando la materia está reglada por el Derecho de la Unión y cuando los estados tienen margen de maniobra. Reiterando pronunciamientos previos sostuvo, de un lado, que *ad intra* vincula todo el contenido de los derechos fundamentales, mientras que *ad extra* solo vincula el contenido absoluto de los derechos fundamentales, de tal manera que la vulneración de éstos genera vulneraciones indirectas cuando los poderes públicos españoles dan validez o ejecutan actos extranjeros. De otra parte, también reiteró que en la determinación de este contenido absoluto del derecho fundamental, en virtud de lo dispuesto por el art. 10.2 CE, han de tenerse en cuenta los pronunciamientos de los tribunales internacionales sobre derechos humanos. Por ello, como colofón, en la medida en que la jurisprudencia del Tribunal de Justicia de la Unión Europea y del Tribunal Europeo de Derechos Humanos coinciden en sostener que no existe vulneración del derecho al proceso con todas las garantías aunque el acusado no haya comparecido al juicio siempre que haya sido correctamente emplazado y defendido por abogado, el Tribunal Constitucional asumió éste como contenido absoluto del derecho al proceso con todas las garantías (art. 24.2 CE).

3.5. Los costes de la solución del caso Melloni

13. Como Ricardo Alonso ha expuesto, lo primero que llama la atención de esta sentencia es que cuando menciona los pronunciamientos de la Declaración 1/2004 del Tribunal Constitucional, sobre la constitucionalidad del Tratado de la Constitución de la UE, solo se refiera a las declaraciones relativas al principio de primacía y no a lo que el mismo Tribunal defendió en materia de colisión de estándares sobre derechos fundamentales. Se olvidó el Tribunal Constitucional de recordar que había sostenido (FJ 6 D-1/2004) que los derechos reconocidos en la Carta de Niza se conciben como una garantía de mínimos, siendo posible el

desarrollo de su contenido para garantizar "la densidad de contenido asegurada en cada caso por el Derecho interno". Y se olvidó también de que él mismo había sostenido que en el hipotético caso en que hubiera un conflicto en materia de derechos fundamentales, el Tribunal Constitucional español se reservaba el derecho a la última palabra (FJ 3).

En la solución del caso Melloni de 2014 el Tribunal Constitucional no se refirió a nada de esto, sino que intentó hacer ver que no había ninguna contradicción entre sus pronunciamientos previos y los del Tribunal de Justicia de la Unión Europea, cuando realmente en los asuntos Äkerberg y Melloni, el Tribunal de Justicia claramente le había desautorizado, pues el contenido de la Carta de Derechos fundamentales no constituye, según estas sentencias, el nivel *mínimo* de protección de los derechos fundamentales, sino el nivel *máximo* en los casos en que se aplica el Derecho de la Unión y la ejecución de la normativa de la Unión Europea tiene carácter reglado para los estados miembros. Esto significa que el Tribunal Constitucional español no tiene el derecho a la última palabra en estos casos sino que es el Tribunal de Justicia de la Unión Europea el que determina cuál es el contenido del derecho.

Con independencia del significado que lo expuesto tiene en sí mismo, hay que señalar, además, que la vía utilizada por el Tribunal Constitucional para declarar la armonía y evitar el conflicto, no es un mecanismo exento de problemas o de consecuencias negativas. En particular, la utilización del art. 10.2 CE en el caso es notablemente distorsionadora, pues lo que el Tribunal Constitucional sostuvo fue que como este artículo le obliga a tomar en consideración el estándar europeo, tenía que reinterpretar el contenido absoluto del derecho a partir de la jurisprudencia de los dos tribunales europeos —TJUE, TEDH—.

Esta posición puede tener un cierto efecto boomerang no querido y probablemente no previsto; de un lado, ya he sostenido que no es claro que el art. 10.2 CE esté pensado para rebajar los estándares nacionales. No voy a insistir en ello. Pero, de otra parte, aunque se pudiera sostener que la rebaja del estándar de protección no es tan grave porque ha quedado claro que no se va aplicar *ad intra* y que además *ad extra* sólo va a tener una eficacia limitada (sólo cuando se aplique el Derecho de la Unión Europea), sin embargo, no es claro que esto vaya a ser así. En primer término, porque el cambio se ha realizado mediante la reinterpretación del contenido absoluto del derecho al proceso con todas las garantías, lo que hace que sea aplicable a otras situaciones en las que se proyecta *ad extra* el mismo derecho, esto es, respecto de las relaciones con los estados no pertenecientes a la Unión Europea; en particular, la doctrina se va a aplicar en los casos de extradición, que es en los que surgió la doctrina; y recordemos que en ellos no es ni mucho menos lo mismo que el marco normativo de referencia sea el europeo, o el de países como Méjico, USA, o Laos. Dicho de otro modo, para resolver un problema de coordinación normativa en el seno de la Unión Europea —derecho interno y Derecho de la Unión Europea— el Tribunal Constitucional modificó su *doctrina general* a pesar de que para el resto de los casos no parecía necesario tal cambio[24].

El instrumentario argumentativo utilizado por el Tribunal Constitucional para la solución del caso, —reinterpretar el contenido absoluto del derecho— plantea un segundo problema. Aunque el alcance de la rebaja del estándar de protección del derecho al proceso con todas las garantías (art. 24.2 CE) literalmente sólo se debiera proyectar *ad extra*, sin embargo, va a resultar imposible dicha restricción debido al propio mecanismo utilizado para fundamentar el nuevo contenido del derecho fundamental: de conformidad con el art. 10.2 CE hay que tomar en consideración el contenido de los tratados firmados por España en la determinación del alcance del derecho fundamental siempre y no sólo cuando éste se proyecta *ad extra*, sino también cuando se aplica *ad intra*; por tanto, si admitimos que el art. 10.2 CE puede servir para interpretar a la baja el contenido de un derecho fundamental, no existe razón alguna para no hacerlo con carácter general, porque, nos guste o no, la Carta de Derechos Fundamentales de la Unión Europea es uno de esos tratados sobre derechos humanos firmados por España a los que alude el propio art. 10.2 CE. Una vez abierta la vía para que el art. 10.2 CE se utilice para una rebaja del estándar interno para adecuarlo al que deriva del Convenio Europeo de Derechos Humanos o de la Carta de Derechos Fundamentales de la Unión Europea, no veo forma de que esta vía se clausure para ciertos casos y sólo se aplique para determinar el contenido absoluto del derecho fundamental.

En relación con el tema, objeto de controversia en el caso Melloni, la consecuencia práctica residirá en que se acabará entendiendo que el derecho al proceso con todas las garantías (art. 24.2 CE), y no su contenido absoluto, *no comprende* la exigencia relativa a la presencia del acusado siempre en el juicio oral, sino tan sólo en los términos restrictivos señalados por la Sentencia del Tribunal de Justicia de la Unión Europea.

V. A MODO DE CONCLUSIÓN

14. Aunque el complejo diseño de las relaciones entre Tribunales conlleva un mapa también complejo de estándares aplicables en España, dependiendo de si

---

[24]   En todo caso, sobre esta cuestión, es curioso constatar que los votos particulares de la magistrada Roca y del magistrado Ollero, son contradictorios. Mientras la primera se queja de que el canon no sea aplicable en casos de extradición, el segundo se queja exactamente de que sea aplicable a países que no son europeos.

se proyecta *ad intra* o *ad extra*, o se aplica Derecho de la Unión Europea o no, y dentro de éste si la normativa europea deja margen de maniobra a los estados o no, lo cierto es que dudo que esa complejidad vaya a existir en la práctica de los tribunales. Me temo que, al contrario de lo que ha venido siendo práctica común hasta ahora, esto es, que los convenios internacionales tiren al alza de la normativa nacional, se va a producir una nivelación de estándares a la baja. Tanto por la razón expuesta, del alcance general del art. 10.2 CE, como por las razones meramente prácticas —la complejidad es inmanejable en el día a día de los tribunales—, creo que los estándares de la Unión Europea se van a imponer con carácter general, aunque éstos sean inferiores a los nacionales. Esto significa que la última palabra en materia de derechos fundamentales, *de facto*, no la van a tener ni los tribunales nacionales, ni el Tribunal Europeo de Derechos Humanos sino el Tribunal de Justicia de la Unión Europea. Esta primacía del Tribunal de Justicia de la Unión Europea no es la mejor opción, pues no es el tribunal situado en mejores condiciones para alzarse como el referente en materia de derechos fundamentales en Europa.

15. No puede olvidarse que el Tribunal de Justicia de la Unión Europea no es un tribunal de derechos fundamentales; la protección de los derechos fundamentales no es su principal cometido. Aunque el contenido del Derecho europeo haya ido incorporando los derechos fundamentales, primero a través de la propia jurisprudencia del Tribunal de Justicia, y definitivamente tras la constitucionalización de la propia Carta de Derechos Fundamentales, el Tribunal de Justicia sigue sin ser un tribunal cuya función sea la protección de los derechos fundamentales[25].

Cuando el Tribunal de Justicia se ocupa de un derecho fundamental lo hace con la estrechez de miras que determina su función específica, la propia de la preservación de la unidad del Derecho comunitario, y en el marco de la finalidad de proveer lo necesario para garantizar los fines de la Unión. En este marco, no se puede olvidar que la lógica de la integración europea es una lógica que conduce a levantar obstáculos jurídicos a la integración y a la libre circulación. Esta lógica comunitaria modaliza la propia argumentación jurídica y, en particular, el juicio de ponderación clásico a través del cual los tribunales determinan el contenido y alcance de un derecho fundamental. Los localismos nacionales (en concreto, la existencia de niveles superiores de protección de los principios y garantías penales), son vistos, desde la lógica de la integración europea, como obstáculos que la impiden y no como un grado desarrollo social y jurídico superior al que aproximarse. Por ello el examen de los derechos que hace el Tribunal de Justicia de

---

[25] Como ha señalado CRUZ VILLALÓN, (Unos derechos, tres tribunales, en Casas y otros —coord.—, Las transformaciones del Derecho del trabajo en el marco de la Constitución española: estudios en homenaje al profesor Miguel Rodríguez Piñero, 2006, pp. 1005 y ss.).

la Unión no se realiza para intentar hallar el núcleo irrenunciable de los mismos desde la perspectiva general que les es propia en cuanto valores merecedores y necesitados de tutela y estabilización, sino desde una perspectiva de ponderación específica.

La perspectiva del Tribunal de Justicia de la Unión Europea sigue siendo una parcial e incompleta, pues es la óptica que le permite el ejercicio de sus competencias, ya que, como establece el art. 6 del TUE y el 51 de la Carta de Niza "las disposiciones de la Carta no ampliarán en modo alguno las competencias de la Unión tal como se definen en los Tratados". Esta comprensión instrumental de los derechos fundamentales no deja de ser extraña a los mismos, en tanto que derechos inalienables y constituyentes del pacto social original de todo Estado constitucional de Derecho[26]. Es esta subordinación de la lógica de protección de los derechos fundamentales a la "lógica comunitaria" la que resulta preocupante.

En suma, aunque por las razones apuntadas al principio —de universalidad de los derechos, igualdad y seguridad jurídica—, creo que en materia de derechos fundamentales es buena la existencia en última instancia, de una única voz que los defina, no es razonable que esta voz sea la del Tribunal de Justicia de la Unión Europea. Coincido con Pedro CRUZ en que es el Tribunal Europeo de Derechos Humanos el que está en mejores condiciones de realizar esta labor de protección unitaria de los derechos fundamentales, pues su función específica no es otra que la búsqueda de estándares comunes de los derechos fundamentales para todos los estados europeos.

---

[26] Es verdad que a partir de la Sentencia Schmidberger de 2003 y la Omega de 2004 el TJUE en casos de conflicto entre las libertades económicas comunitarias y otros derechos fundamentales ha realizado ponderaciones favorables a los propios derechos no económicos. Pero el problema es que no parece que el TJUE tenga competencia para realizar interpretaciones generales que impliquen una valoración de decisiones nacionales basadas en los derechos fundamentales reconocidos en las Constituciones de los Estados miembros. Es decir, que para poder enfrentarse a los derechos desde una perspectiva amplia como lo hacen los Tribunales constitucionales nacionales tiene que hacerlo de alguna manera desbordando sus límites competenciales.

Capítulo 11
CONFLICTS OF JURISDICTION AS A CHALLENGE TO GLOBAL CRIMINAL JUSTICE

Frank Zimmermann

I. INTRODUCTION: GLOBAL PROSECUTION OR GLOBAL CRIMINAL JUSTICE?

This contribution is dedicated to a particular phenomenon: conflicts of jurisdiction in the framework of criminal proceedings. That such conflicts exist is due to the fact that States usually do not restrict the application of their criminal laws to their own territory. Rather, there is a tendency to extend criminal jurisdiction beyond national borders. In fact, under international law States need only a weak link to a case in order to establish their criminal jurisdiction: it shall suffice that an act committed abroad produces some effect on a State's territory (effects principle), that suspects or victims are nationals or reside in a State's territory (active and passive nationality/domicile principle), that the act affects important State interests (principle of State protection) or merely that the respective offence is considered so severe that it ought to be punished no matter where it was committed (universality principle)[1]. As a consequence, there is an increasing number of cases where several States can exercise criminal jurisdiction – criminal jurisdiction overlaps. The rationale behind this trend is to create a network of jurisdictions which ensures that serious offences never go unpunished.

Before embarking upon a more detailed analysis, a general observation might help to understand the ideas expressed in this paper. When reference is made to "global" or "globalised" criminal law, this notion certainly includes the core crimes enshrined in the Rome Statute of the International Criminal Court. But they are only a part of the picture. We also have to think of organised crime, terrorism structures and multi-national corporations engaging in activities all across the planet. Due to technical development and the opening of national borders

---

[1] For an overview see, for instance, Helmut Satzger, *International and European Criminal Law*, 2nd ed. 2017 (Beck, Munich-forthcoming), § 4 margin nos. 3 et seqq.

there is an increasing tendency of globalisation, and it is a commonplace that therefore also crime is nowadays often a global phenomenon. The enforcement of criminal law, by contrast, often still seems to be confined to national borders, which gives rise to the impression that police and prosecution authorities are always at least one step behind globally acting criminals. From this perspective, a desire for a new, global approach to criminal law and criminal prosecution may be understandable and to some extent justified. Proponents of this idea would probably call for a smooth cooperation of domestic judicial authorities not only with their colleagues from other countries or international organisations, but also with intelligence agencies and even private enterprises. More than anything else, this would presuppose less formalities in the interaction between these protagonists. But would the abolition of seemingly old-fashioned impediments to global prosecution really be a path towards a "brave new world"? Probably not: criminal law and procedure *must* be formal because formalities help protecting the rights of the persons involved. Without these formalities, global *prosecution* may indeed become easier. But we would fail to establish a global system of criminal *justice*. In the context of mutual legal assistance, for instance, the thorough assessment of the case at issue by authorities of the requested State can also serve as a kind of preventive control. To abolish this control (whether in part or in total) or to leave it to private entities (*e.g.*, when States request client data stored abroad directly from service providers) therefore usually weakens the legal position of the individual concerned. Much in the same vein, documentation requirements may often seem tiresome. Nevertheless they allow for effective judicial review and are indispensable in order to control the fairness of proceedings. This being said, the general approach taken in this contribution is that informal solutions (not only, but also) for conflicts of jurisdiction should be handled with care.

II. PROBLEMS POSED BY CONFLICTS OF CRIMINAL JURISDICTION

If a solution to conflicts of jurisdiction shall promote global criminal justice, and not just global prosecution, it is necessary to identify all interests affected by such conflicts in a first step. In this regard, we can distinguish between cases where several States want to exercise their jurisdiction to adjudicate (1.), and others where it is merely their jurisdiction to prescribe that overlaps (2.).

1. Multiple jurisdiction to adjudicate

The following case, decided by the District Court of the German city of Augsburg, can be considered a telling example for the problems caused by conflicts of criminal jurisdiction[2]:

> US citizen Palumbo was residing in Marbella (Spain). From there he was running a huge fraud network of persons, who —without knowing the full criminal plan— sold shares to customers acquired by telephone. The shares turned out to be worthless and a huge number of customers in dozens of countries suffered immense losses.

In this case we can assume that the selling of worthless shares to unsuspecting customers constitutes a fraud offence in various (if not all) criminal justice systems. Of the countries involved, many could also claim criminal jurisdiction. First and foremost, this applies to Spain, where Palumbo acted, but (depending on how they shape their domestic jurisdiction rules) also to the countries from where the telemarketers made their phone calls. According to the effects principle, also all States where the criminal network caused financial damage could prosecute Palumbo. Similarly, the principle of passive personality would theoretically allow all States whose citizens' property had been affected to initiate proceedings (it should be noted, however, that many states do not apply this principle). Hence, a large number of States could potentially be interested in prosecution, which makes this almost a paradigm case for a conflict of jurisdiction.

In reality, Palumbo was transferred to Germany and convicted to a prison sentence of three years and six months. However, the judgment only took into consideration the losses caused to German customers. Therefore, Finnish prosecution authorities issued a European Arrest Warrant in order to hold a second trial against Palumbo in Finland[3].

a) Problems resulting from the mere overlapping of jurisdiction to adjudicate

From the suspect's perspective, such a case entails a risk of repeated prosecution and repeated punishment because most States do not exclude criminal proceedings merely because another State has already finally disposed of the matter. Apart from that, he or she a will often face parallel proceedings in different

---

[2]   The District Court's judgment itself has not been published. However, a short description of the case can be found in the decision denying Palumbo's extradition to Finland, OLG München (OLGAusl 262/06), *Neue Juristische Wochenschrift* 2006, 788 et seq. See also http://www.spiegel.de/spiegel/print/d-41179103.html (last visited 4 April 2017).

[3]   OLG München (OLGAusl 262/06), *Neue Juristische Wochenschrift* 2006, 788 et seq.

States, which makes it necessary to organise a parallel defence, for instance in order to seek legal protection against simultaneous coercive measures in different jurisdictions. It goes without saying that this is extremely expensive and more than difficult[4]. What makes things worse is that States' legislation in the fields of criminal law and procedure is quite heterogeneous[5]. In a procedural sense, this concerns, *inter alia*, rules on the admissibility of evidence (which are often decisive for the probability of a conviction), the defence attorney's room for manoeuvre, as well as the possibility and effects of a guilty plea. But also with a view to substantive law great differences exist in many fields. It should be noted that this even applies when all states involved regard the respective act as a criminal offence, because then still the range of applicable sanctions can vary considerably. In a case as the one of Palumbo, one can easily imagine that the offender might get away with a few years' imprisonment in one State, whereas another State provides for a much more draconic penalty. The experience with trials of Somali pirates points in the same direction: whereas the penalties have been rather moderate in some States, others have imposed long-term prison sentences up to life imprisonment[6] or even the death penalty[7]. When criminal jurisdiction to adjudicate overlaps, it may thus be very difficult —if not impossible— for a citizen to foresee how severe the penalty may be and which procedural rules will apply. As long as it remains unclear where the case will (first) be adjudicated, the individual concerned can therefore hardly develop a defence strategy and prepare for trial. And of course the perspective of being tried in a foreign jurisdiction, far away from home and with very limited chances of social rehabilitation, puts an even heavier burden on the suspect.

Of course it shall not be concealed that the situation in the Palumbo case was slightly different because Germany and Finland are both Member States of the European Union. Within the EU, the transnational *ne bis in idem* rule of Article 54 of the Convention Implementing the Schengen Agreement (CISA) grants pro-

---

[4] Cornelius Nestler, "European defence in trans-national criminal proceedings", in Bernd Schünemann (ed.), *A Programme for European Criminal Justice*, 2006 (Carl Heymanns, Cologne), 418; Andrezj Szwarc, "Eurodefence-Support for the Defence", *Ibid.*, 429 et seqq.; Frank Zimmermann, "Conflicts of Criminal Jurisdiction in the European Union", in *Bergen Journal of Criminal Law and Criminal Justice* 2015, 1 (4).

[5] Zimmermann (note 4), 1 (5).

[6] Eugene Kontorovich, "The Penalties for Piracy: An Empirical Study of National Prosecution for International Crime", Northwestern Public Law Research Paper No. 12-16 (July 10, 2012), 12 et seq., available at SSRN: https://ssrn.com/abstract=2103661; Samuel Shnider, "Universal Jurisdiction Over 'Operation of a Pirate Ship': The Legality of the Evolving Piracy Definition in Regional Prosecutions", North Carolina Journal of International Law and Commercial Regulation 38 (2012-2013), 473 (531 et seqq.).

[7] Shnider (note 6), 473 (534).

tection against repeated proceedings for the same act. Nowadays this principle is furthermore enshrined in Article 50 of the Charter of Fundamental Rights. Compared with the international sphere, that constitutes an undeniable improvement for the suspect. However, *ne bis in idem* rules only come into play once a final decision has been handed down and thus do not provide effective protection against parallel proceedings before this moment. Therefore, they can in no way solve the problem that the suspect would theoretically have to prepare for trial in all jurisdictions involved[8]. Rather, they establish a mere priority regime (which can also be called a first come first served[9] —and only to be served[10]— principle) although it is often a matter of coincidence which State is the fastest in completing the proceeding[11].

This leads us to the interests of the States concerned: they want to prosecute a case in which, according to their domestic laws, a criminal offence has allegedly been committed. Ultimately, their interests therefore derive from the purpose of criminal punishment itself[12]. In the Palumbo case, each of the States claiming jurisdiction could therefore aim at the prevention of, deterrence from and retaliation for prohibited conduct. At this point a problematic effect of transnational *ne bis in idem* rules becomes obvious: none of the States involved can be sure that the case will be adequately dealt with by any other State. In extreme cases, even sham proceedings that aim at protecting the suspect and therefore result in an acquittal or a merely symbolic penalty would be conceivable[13]. And even without a transnational prohibition of double jeopardy, States will face great difficulties when another State has already handed down a final decision: once the offender has served his first penalty it can simply be too late to institute new proceedings because they are time-barred or the individual is too old. What is more, many States refuse mutual legal assistance and extradition in cases where this would result in repeated proceedings for the same act[14]. All this can make it impossible to satisfy said State's interest in prosecution, even though it may not have been

---

8   Compare Zimmermann (note 4), 1 (12).

9   COM (2005) 696 final, 3 and 8.

10   Pedro Caeiro, "Jurisdiction in criminal matters in the EU: negative and positive conflicts and beyond", *Kritische Vierteljahresschrift für Gesetzgebung und Rechtswissenschaft* 2010, 377; Christoph Burchard, "'Wer zuerst kommt, mahlt zuerst – und als einziger!' – Zuständigkeitskonzentrationen durch das europäische ne bis in idem bei beschränkt rechtskräftigen Entscheidungen", *Höchstrichterliche Rechtsprechung Strafrecht* 2015, 26 et seq.

11   Zimmermann (note 4), 1 (12); European Criminal Policy Initiative, "Manifesto on European Criminal Procedure Law", *Zeitschrift für Internationale Strafrechtsdogmatik* 2013, 430 (441).

12   For details see Frank Zimmermann, *Strafgewaltkonflikte in der Europäischen Union*, 2014 (Nomos, Baden-Baden), 158 et seqq.

13   Zimmermann (note 4), 1 (6 et seq.); in further detail Zimmermann (note 12), 195 et seqq.

14   Zimmermann (note 12), 189.

adequately taken into account in the State of the first conviction. This is particularly unsatisfactory when essential security interests are at stake that no State can be expected to entrust to foreign authorities.

The above-mentioned Palumbo case is a telling example for such problems: the German court did convict the accused, but only for 44 cases of fraud committed against German nationals. The losses caused to citizens of other States, including Finland, were left out of consideration, albeit well-known to the court. From the accessible materials one can only speculate about the reasons, but a possible explanation would be that the court wanted to speed up the proceeding. Thus, the penalty was rather moderate (three years and six months imprisonment) in view of the dimension of the case seen as a whole. But when Finnish authorities requested Palumbo to be transferred to Finland, the competent German court (the OLG Munich, this time) denied his extradition on the ground of the *res iudicata* clause in the pertinent German law[15]. The efforts that the Finnish authorities had made to investigate the case were thus ultimately frustrated. This also shows that conflicts of jurisdiction can end up in a waste of procedural resources[16].

Finally (although this was not an issue in the Palumbo case), a State can also have a legitimate interest in prosecuting a case itself instead of extraditing the suspect where the latter would face unfair proceedings in the other State. This *aut dedere aut iudicare* maxim is well known from the active personality principle and vicarious jurisdiction[17].

---

[15] See once again OLG München (OLGAusl 262/06), *Neue Juristische Wochenschrift* 2006, 788 et seq.

[16] Otto Lagodny, *Empfiehlt es sich, eine europäische Gerichtskompetenz für Strafgewaltkonflikte vorzusehen*, 2002 (available online at http://www.uni-salzburg.at/strafrecht/lagodny, last accessed 4 April 2017), 61; Joachim Vogel, "Internationales und europäisches ne bis in idem", in: Hoyer, Andreas *et al.* (eds.), *Festschrift für Friedrich-Christian Schroeder zum 70. Geburtstag*, 2006 (Müller, Heidelberg) 877 (885); Jörg Eisele, "Jurisdiktionskonflikte in der Europäischen Union: Vom nationalen Strafanwendungsrecht zum Europäischen Kollisionsrecht", in *Zeitschrift für die gesamte Strafrechtswissenschaft* 2013, 1 (7); Hans-Holger Herrnfeld, "Mechanisms for Settling Conflicts of Jurisdiction", in Michiel Luchtman (ed.), *Choice of Forum in Cooperation Against EU Financial Crime*, 2013 (Eleven International, Den Haag), 185 (196). However, Herrnfeld (*ibid.* 205) points out that parallel or "mirror" proceedings can also be helpful because the States involved can then carry out investigative measures in the framework of their domestic proceeding without waiting for a request for mutual legal assistance.

[17] Satzger (note 1), § 4 margin nos. 15, 40; see also Martin Böse, "Choice of Forum and Jurisdiction", in Michiel Luchtman (ed.), *Choice of Forum in Cooperation Against EU Financial Crime*, 2013 (Eleven International, Den Haag), 73 (83).

b) Problems resulting from States' (potentially unfair) cooperation

The legal problems of conflicts of jurisdiction do, however, not end at this point. In light of the difficulties identified so far, prosecution authorities who are simultaneously investigating the same case will often seek to coordinate their work and help each other. This is certainly not a bad thing *per se*, but it can turn into a problem when their cooperation weakens the suspect's legal position. This is the core point of criticism to the idea of a global network of jurisdictions. Two aspects should be emphasized in this regard: First, already a mere exchange of evidence can circumvent defence rights, for instance when the records of a statement made by the suspect in State A are handed over to State B where the statement normally could not have been obtained[18]. Second, prosecution authorities might even be tempted to go a step further and transfer the entire proceeding to a State where the legal situation appears most favourable to them. This could be a State where all important pieces of evidence are admissible and thus the chances for a conviction are higher. It could also be a State with a statute of limitations that leaves a lot of time for further investigations. And it could be the State whose substantive law provides for the harshest penalties[19]. In other words: there is a risk of forum shopping to the suspect's detriment[20]. Of course this is not how prosecution authorities normally work. But already the mere risk that such forum shopping might occur jeopardizes the legitimacy of cross-border prosecution[21].

---

[18]   European Criminal Policy Initiative (note 11), 434.

[19]   That this is not a completely hypothetical risk is illustrated by Eurojust's "Guidelines for Deciding 'Which Jurisdiction Should Prosecute'", see Eurojust, Annual Report 2003, 60 et seqq. In particular, it is stated there that "[p]rosecutors must identify each jurisdiction where a prosecution is not only possible but also where there is a *realistic prospect of successfully securing a conviction*" (61) and that sentencing powers "must not be a *primary* factor in deciding in which jurisdiction a case should be prosecuted" (65); emphasis added.

[20]   Lagodny (note 16), 67; Zimmermann (note 12), 185 et seqq., particularly 192 et seq.; Michele Panzavolta, "Choice of Forum and the Lawful Judge Concept", in Michiel Luchtman (ed.), *Choice of Forum in Cooperation Against EU Financial Crime*, 2013 (Eleven International, Den Haag), 143 (162); Michiel Luchtman, "Choice of Forum and the Prosecution of Cross-Border Crime in the European Union – What Role for the Legality Principle?", in Michiel Luchtman (ed.), *Choice of Forum in Cooperation Against EU Financial Crime*, 2013 (Eleven International, Den Haag), 3 (11).

[21]   Zimmermann (note 4), 1 (6); compare also Katalin Ligeti & Anne Weyembergh, "The European Public Prosecutor's Office: Certain Constitutional Issues" in Leendert H. Erkelens, Arjen W.H. Meij & Marta Pawlik (eds.), *The European Public Prosecutor's Office*, 2014 (Springer, Berlin et al.), 68.

2. Overlapping jurisdiction to prescribe

Although the analysis so far already has given rise to serious concerns regarding conflicts of jurisdiction, even more elementary questions can arise. A second case, this time a hypothetical one, shall serve to illustrate them:

> A and his brother B are German nationals. A has provided B with a lethal poison because B wants to kill himself and has asked A to help him. B takes the poison in Munich along with a glass of beer. However, it does not affect him immediately. B is disappointed and enters a plane to Spain, where he wants to rethink his decision. Just after B's arrival in Madrid, the poison takes effect and kills B. When he is informed about this, A immediately flies to Spain in order to bring home his brother's body.

Here, the point of departure is quite similar: the case has connections with Germany and Spain. But it differs from the Palumbo case in one very important point: even after the latest law reform, this type of "assisted suicide" is not punishable in Germany, whereas Art. 143 of the Spanish Código Penal does in principle contain provisions criminalising such conduct. Of course it could be objected that this is not a conflict of jurisdiction *stricto sensu* because only Spain can have an interest in prosecution. However, also here two legal regimes can claim to be applicable: the Spanish one which makes the act a criminal offence and the German one, where the legislator has decided not to punish it. What is of interest here is thus not the jurisdiction to adjudicate (as in the Palumbo case), but the jurisdiction to prescribe, i.e. the conflict occurs already one step earlier. Once again, the main interest of the State that wants to prosecute (Spain) is to prevent, retaliate and deter from a behaviour that is a criminal offence in its domestic legal order. But the interests of the perpetrator (A) are even more fundamental than in the first case. The problem for him is that he could hardly foresee that he would be criminally liable at all: he performed the act at a place where it was not illegal and nothing in the case indicated that it might be adjudicated in Spain.

Finally, it becomes obvious that indeed a conflict exists in this case when we take into consideration that also interests of the German State are involved. Germany could argue that an act which is performed on German territory should not be subjected to Spanish law. This is because the German legislator might have had good reasons not to criminalise the respective act, for instance when this decision was based on constitutional guarantees. As a consequence, Germany could claim respect for its decision against criminalisation[22].

---

[22]   Zimmermann (note 4), 1 (8 et seq.); according to Kai Ambos, "Vor § 3", in Wolfgang Joecks & Klaus Miebach (eds.), *Münchener Kommentar zum Strafgesetzbuch*, Volume 1, 3rd ed. 2017 (Beck, München), margin no. 11, such obligation can even be derived from international law.

3. Intermediate result

A conflict of jurisdiction should thus be understood as a conflict of laws. The interests affected by such conflicts can be summarised as follows: the States involved usually have an interest in prosecution and effective cooperation; but they can also have an interest in non-prosecution and in protecting their own citizens. From the point of view of the individual, the most fundamental interest is the one to know which substantive law will apply, in order to adapt one's conduct to the legal requirements. Once an act has been performed, the individual needs to know where the case will go to trial in order to prepare a defence strategy; to that aim parallel proceedings and forum shopping have to be avoided. Finally, following a conviction or an acquittal in one State, the individual's interest will be to avoid repeated prosecution, yet repeated punishment.

III. ARE THE INDIVIDUAL'S AFFECTED INTERESTS PROTECTED BY LAW?

1. A comparison with domestic criminal proceedings

The next logical step is to ask whether these interests actually deserve protection. As a starting point may serve a simple comparison with the situation in an ordinary criminal case without transnational elements, i.e. a case that is adjudicated by one State according to its domestic law without interference by other States. In such a purely national setting, it is well-established that the individual must have the chance to foresee whether a particular conduct will entail criminal liability[23]. Furthermore, the law must also give him or her an idea of the potential sanction in case of non-obedience to the rules[24]. This is guaranteed by the principle of legality – the famous maxim *nullum crimen, nulla poena sine lege*. Equally well-known from the domestic sphere is the right not to be prosecuted twice for the same act, the *ne bis in idem* principle[25]. By contrast, problems resulting from a network of

---

[23]   Article 7 para. 1 European Convention for the Protection of Human Rights and Fundamental Freedoms (ECHR), Article 49 para. 1 subpara. 1 Charter of Fundamental Rights of the European Union (CFR), Article 15 para. 1 subpara. 1 International Convenant on Civil and Political Rights (ICCPR).

[24]   This is expressly laid down in Article 49 para. 1 subpara. 2 CFR and Article 15 para. 1 subpara. 2 ICCPR. See also European Court of Human Rights, Camilleri v. Malta, appl. no. 42931/10, 22 January 2013 paras. 40 et seqq.; Claus Roxin, *Strafrecht Allgemeiner Teil, Band I*, 4th ed. 2006 (Beck, Munich), § 5 margin nos. 80 et seqq.

[25]   See, for instance, Article 4 of Protocol No. 7 to the ECHR and Article 103 para. 3 of the German Constitution.

criminal jurisdictions, *i.e.*, a potential circumvention of defence rights through a combination of different procedural elements or a deliberate choice of the forum hardly occur in domestic cases. However, it is submitted that they would conflict with the right to an effective defence[26]. In particular, many States recognise that it must be clear in advance which court will be competent and which procedural law will apply. This so-called *nullum judicium sine lege* principle can be derived from the internationally recognized[27] right to a tribunal established by law[28], or the right to a lawful judge (*Recht auf den gesetzlichen Richter*[29])[30]. Said guarantees call upon the national legislator to establish clear rules in the fields of substantive criminal law as well as criminal procedure. Admittedly, they do not establish absolute rights because laws have to be abstract and cannot provide explicit solutions for every particular case. But the afore-mentioned guarantees at least oblige the legislator to create rules that are as precise as possible.

2. Conclusions for transnational cases

But can a similar demand be raised in a global, transnational setting? In the two cases presented above, there was no shortcoming in the applicable national laws. The national legislators had fully complied with their obligation to create clear, unambiguous rules. The lack of clarity regarding the questions where the case would go to trial and which law would therefore be applicable did stem from the cross-border dimension of the two cases. At least in a technical sense, national (constitutional) guarantees do therefore not offer a sufficient solution for such cases[31]. The same holds true for international or regional human rights guarantees, to the extent that these only apply in the internal sphere of States Parties (such as the European Convention on Human Rights). However, the fact that the interests affected are protected in domestic cases —often even by constitutional law— allows for the conclusion that they generally deserve protection also in a transnational context. This claim can be further substantiated by a reference to international human rights instruments, which often contain quite similar guarantees. Finally, this view is supported by an *a fortiori* argument: when already

---

[26]   Panzavolta (note 20), 143 (160); Zimmermann (note 12), 191.
[27]   Article 6 para. 1 ECHR, Article 47 para. 2 CFR, Article 14 para. 1 ICCPR.
[28]   European Court of Human Rights, Coëme *et al.* v. Belgium, appl. no. 32492/96 *et al.*, 22 June 2000, paras. 98 et seqq. (particularly para. 102); Lavents v. Latvia, appl. no. 58442/00, 28 November 2002, para. 114; Savino *et al.* v. Italy, appl. no. 17214/05 *et al.*, 28 April 2009, para. 94; Panzavolta (note 20), 143 (149 et seq.).
[29]   See, for instance, Article 101 para. 1, subpara. 2 of the German Constitution.
[30]   Zimmermann (note 12), 185 et seqq., 236 et seqq.
[31]   Zimmermann (note 12), 152 et seq.; see also Böse (note 17), 73 (79 et seq.).

national law seeks to avoid forum shopping, this aim is even more compelling on an international level because there the choice of a forum does not only determine which court will be competent, but also which law will apply[32].

Against this analysis, it might of course be raised one major objection: isn't it all the suspect's own fault? If he or she deliberately engages in criminal activities across national borders, it could be argued, he or she should also bear the consequence, i.e. parallel proceedings in different States and a lack of certainty as to the applicable law[33]. For most fields of crime, however, this reasoning is not convincing. In fact, our second case (the one of assisted suicide) illustrates that the individual concerned does not necessarily have to be aware of the cross-border dimension of his or her act. What is more, an act often is not criminalized in all jurisdictions involved – for instance, business models do not always contradict the law as clearly as in the Palumbo case. Last, not least, it follows from the presumption of innocence that we have to look at the case as if a law-abiding citizen had to face prosecution in different states. The argument is persuasive, by contrast, for some narrowly confined areas of "global crime", namely where there is an international consensus that a certain conduct is not only punishable, but belongs to the most serious crimes and triggers universal jurisdiction. Therefore, a pirate who attacks a ship on the High Sea cannot claim that it was impossible for him to foresee which State would bring him to justice on the basis of which law. The same holds true for a political or military leader who commits genocide or another core crime. However, the fact that severe punishment is foreseeable in these areas does not mean that the States involved are free to allocate the case to one of them: also persons suspected of having committed the most heinous crimes are to be presumed innocent and have a right to a fair trial. If States cooperate in these fields, they remain bound by judicial guarantees. In particular, attempts to choose a forum where the probability of a conviction is higher only because of the applicable procedural rules cannot be justified.

---

[32] Lagodny (note 16), 114; Zimmermann (note 12), 189 et seq.

[33] Bernd Hecker, "Die rechtlichen Möglichkeiten der Union zur Lösung von Kompetenzkonflikten" in Arndt Sinn (ed.), *Conflicts of Jurisdiction in Cross Border Crime Situations*, 2011 (Universitätsverlag, Osnabrück) 85 (96); Albin Eser, "Kritische Würdigung der Modellentwürfe eines Regelungsmechanismus zur Vermeidung von Jurisdiktionskonflikten", *ibid.*, 557 (566 et seq.).

IV. MODELS FOR A SOLUTION OF CONFLICTS
OF JURISDICTION

The foregoing considerations have shown that conflicts of criminal jurisdiction affect legitimate interests, particularly of the individual, but also of the States involved. A crucial requirement for a convincing solution is that it assigns the competence to adjudicate a particular case as clearly and early as possible to only one State (and in doing so also defines the applicable law). In determining this forum State, the foreseeability of punishment for the citizen concerned must be a key criterion; apart from that also legitimate State interests have to be taken into account.

At this point two different scenarios need to be distinguished: the first one is a conflict between jurisdictions that all form part of one superordinate legal order with supranational competences in the field of criminal law. This is the situation within the European Union. The second scenario is a conflict between fully sovereign and unconnected jurisdictions – the "global" scenario.

1. Within the European Union

In the framework of the EU, it is —at least theoretically— easier to find a solution. This is because there is an addressee to whom the claim for a clear allocation of criminal cases can be directed: if the EU is to become "an ever closer union among the peoples of Europe" (Article 1 para. 2 Treaty on European Union – TEU) and a "single area of ... justice" (Article 67 para. 1 Treaty on the Functioning of the European Union – TFEU), as the European treaties proclaim, it can be expected to provide a solution for conflicts of jurisdiction. It is therefore with good reason that Article 82 (1) (b) TFEU gives the European legislator the competence (and the task) to "adopt measures to ... prevent and settle conflicts of jurisdiction between the Member States". What is more, there is also a supranational court, the Court of Justice of the European Union, that could help enforcing supranational rules for the settlement of conflicts of jurisdiction and ensuring their uniform application. Other institutions such as Eurojust could be developed further so as to contribute to this goal, too. Of course, it would remain a highly challenging task to develop a solution which is accepted by a majority of the Member States, who would partly have to renounce their sovereign right to prosecute. But since EU law is one of the origins of conflicts of jurisdiction —harmonisation instruments usually oblige Member States to establish extraterritorial jurisdiction[34]— the EU legislator should also assume responsibility and make use of the competence in Article 82 (1) (b) TFEU.

---

[34] The most far-reaching instrument is Framework Decision 2002/475/JHA on Combatting Terrorism, Official Journal 2002 no. L 164/3.

Since this contribution is not specifically dedicated to the situation within the EU, this is not the place to present a European solution in all details[35]. It is submitted, however, that such a solution should consist of three levels. On a first level, a mandatory hierarchy of traditional jurisdiction criteria could generally determine which Member State shall be allowed to exercise criminal jurisdiction[36]: the Member State where the perpetrator acted should be given priority because this best ensures the foreseeability of the applicable law. When the act was performed outside the EU the Member State where the results of the act occurred should be competent to adjudicate the case. Only when no Member State has such a territorial link to the case, the suspect's nationality or place of residence should be decisive[37], followed by the victim's nationality or place of residence[38] and the subsidiary flag principle. Such a ranking could largely limit problems in terms of foreseeability. On a second level, a flexibility clause could enumerate some exceptional circumstances in which a Member State with a weaker link to the case shall have the possibility to suspend the hierarchy. The most important example would certainly be that the case essentially affects that Member State's national security. Others could include offences committed by public officials, tax offences and cases where suspect and victim have the same nationality. In other words, this provision would function as a kind of "emergency brake". Only when the hierarchy does not lead to a clear result (e.g.: co-perpetrators acted in more than one Member State) or when a Member State pulls the "emergency brake", there should be room for consultations between the Member States involved on a third level[39]. However, detailed rules would have to

---

[35] See Zimmermann (note 4), 1 (15 et seqq.) —English; *idem* (note 12), 369 et seqq.— German; for other models that seek to combine hierarchy and consultation elements see Martin Böse, Frank Meyer & Anne Schneider, *Conflicts of Jurisdiction in Criminal Matters in the European Union Volume 2*, 2014 (Nomos, Baden-Baden), 381 et seqq.; Arndt Sinn (ed.), *Conflicts of jurisdiction in cross-border crime situations*, 2012 (Universitätsverlag, Osnabrück), 606 et seqq.; Bernd Schünemann (ed.), *A Programme for European Criminal Justice*, 2006 (Carl Heymanns, Cologne), 258 et seqq.

[36] This hierarchy approach was already envisaged by earlier proposals, for instance Ambos (note 22), margin nos. 56 et seqq.; in a similar vein Helmut Fuchs, "Regulation of Jurisdiction and Substantive Criminal Law", in Bernd Schünemann (ed.), *A Programme for European Criminal Justice*, 2006 (Carl Heymanns, Cologne), 362 (364 et seqq.).

[37] Similar: Böse, Meyer & Schneider (note 35), 398 et seqq.

[38] According to Böse, Meyer & Schneider (note 35), 401 et seqq., this passive personality (or domicile) principle should be abandoned entirely.

[39] For the sake of foreseeability and in order to exclude forum shopping, this proposal seeks to avoid consultations to the largest extent possible. Other proposals have been more open-minded in this regard, see Arndt Sinn (ed.), *Conflicts of Jurisdiction in Cross-Border Crime Situations*, 2012 (Universitätsverlag, Osnabrück), 601 et seqq.; Herrnfeld (note 16), 185 (206 et seq.); Lagodny (note 16), 108; Tom Vander Beken, Gert Vermeulen, Soetekin Steverlynck & Stefan Thomaes, *Finding the Best Place for Prosecution*, 2002 (Maklu, Antwerp), 51; Anke Biehler, Roland Kniebühler,

strictly regulate these consultations: the admissible criteria for the decision on the forum State would have to be enumerated in an exhaustive list which could not be limited to considerations of efficiency, but would also have to include whether an effective defence will be possible. Furthermore, it would have to be ensured that the consultations are transparent and subject to judicial control; thus minutes would have to be taken and the suspect should be heard (unless it would put the investigations at risk). In the end, a concentration of proceedings in one Member State should be mandatory[40]. Thus, only one Member State should be competent to exercise criminal jurisdiction[41].

2. On a global level

Theoretically, a solution similar to the one just outlined for the EU could of course also be developed on an international level. The problem is that there is neither a global legislator nor are there supranational institutions that could effectively enforce such a set of rules. Of course they could be created by means of an international convention. But a telling example of how cumbersome it is to establish such an instrument is the creation of the International Criminal Court – although its competences are rather narrowly confined (only core crimes) and its jurisdiction is subject to the principle of complementarity. Therefore, the adoption of an ambitious "global" solution to conflicts of jurisdiction is likely to remain an illusion.

a) Regional approaches, particularly the 1972 Convention on the Transfer of Proceedings

As a "second best" option, regional or bilateral instruments could be adopted. This idea is not new either, but at least dates back as early as 1965 when a draft Council of Europe Convention suggested the introduction of a hierarchy of jurisdiction criteria[42]. Unfortunately, the fate of this proposal is not really encouraging: it never only came close to being adopted.

Juliette Lelieur-Fischer & Sibyl Stein, *Freiburg Proposal on Concurrent Jurisdictions and the Prohibition of Multiple Prosecutions in the European Union*, 2003 (Max-Planck-Institut für ausländisches und internationales Strafrecht, Freiburg), 14 et seq.

[40] When the Member States involved do not reach consensus, the determination of the forum State could be assigned to Eurojust.

[41] As regards cases that are only loosely connected (e.g.: different acts of one person, different activities of one criminal organisation), however, a concentration of proceedings should remain optional. For details see Zimmermann (note 12), 421 et seqq.; *idem* (note 4), 1 (20).

[42] Draft Council of Europe Convention, Recommendation 420 (1965), Assembly debate on 29th January 1965 (24th Sitting).

More successful was a Council of Europe Convention on the Transfer of Proceedings in Criminal Matters of 1972[43]: it did enter into force and was ratified by 25 States. So far, it has apparently not played a major role in practice, though. It should be emphasized that it authorizes every State Party "to prosecute under its own criminal law any offence to which the law of another Contracting State is applicable" (Article 2 para. 1), as long as that other State requests it (Article 2 para. 2). Such request can be issued, inter alia, when the requesting State considers it "in the interests of arriving at the truth", particularly when the most important pieces of evidence are located in the requested State (Article 8 (e)). Admittedly, the Convention establishes some welcome safeguards in that it provides that a transfer of proceedings may not circumvent time-limits for prosecution in the requesting State (Article 10 (c)) and that the penalty must not be more severe than provided by the law of the requesting State (Article 25). Also the transnational prohibition of double jeopardy in Article 35 is an important achievement. Still, the exercise of criminal jurisdiction on the sole basis that it helps "arriving at the truth" is an extremely extended form of vicarious (or representative) jurisdiction and goes far beyond what is traditionally recognized: the location of evidence, for instance, is a matter of pure coincidence and can easily be manipulated. It is highly questionable whether this criterion should decide about the applicable law. Moreover, the Convention does not provide for effective safeguards against forum shopping when parallel proceedings are pending in several States Parties: in that event, it obliges them to consult with each other without defining criteria for the best place to prosecute and without establishing supervisory mechanisms or documentation requirements (Article 31 para. 1). In the end, the Convention is therefore rather inspired by the aim to give even more States the possibility to adjudicate a case. What would be needed, however, are more precise rules on *which* State will exercise jurisdiction.

b) Informal solutions

The internal law of many States can open an alternative way by providing for a possibility to stay a criminal proceeding when another State is investigating the case. Even in States with a system of mandatory prosecution this is not at all unusual, for instance with regard to acts committed abroad[44]. Then the authorities of all States involved can simply get in touch with each other, consider the various aspects of the case and decide informally that one of them will continue its investigations, whereas the others will stay their proceedings. Since they do not need them anymore, these other States can then easily transfer all case materials

---

[43]   European Treaty Series no. 73.
[44]   See, for instance, § 153c of the German Criminal Procedure Code.

(particularly all evidence they have already collected) to the investigating State. This flexible, informal transfer of proceedings may appear seductive. But from there it is only a small step to the illegitimate forms of forum shopping described above. And since everything is so informal, how can we know that the decision on the forum State is not based on inappropriate criteria? As already mentioned in the context of a possible EU solution, that decision should also be formalized, transparent and subject to judicial control. But a *praeter legem* solution to conflicts of jurisdiction simply escapes these well-meant demands.

c) Safeguards in domestic law

To the extent that supranational rules on the settlement of conflicts of jurisdiction cannot be established, each State should amend its internal law in a way that avoids such conflicts or at least their negative consequences:

- States could (and should) limit their criminal jurisdiction[45]. For instance, a rather narrow approach to the territoriality principle and the principle of passive personality could reduce the number of States that can claim jurisdiction in cases such as the one of Palumbo considerably.
- When a State cooperates with another State to transfer and concentrate criminal proceedings it must give due regard to legitimate interests of the individual(s) involved, in particular whether the transfer might impede an effective defence, but also where the chances for social rehabilitation are likely to be the best. In all circumstances, a State must refrain from forum shopping to the detriment of the suspect.
- When an act is being adjudicated, States should ensure that also other States' interests in prosecution are taken into account. For instance, the German court in the Palumbo case should have convicted the accused also of fraud to the detriment of Finnish citizens.
- Vice versa, foreign judgments should be given *ne bis in idem* effect, at least when they take into account the own interest in prosecution.
- An automatic appointment of legal counsel should be considered when parallel proceedings lead to coercive measures in different countries and thus complicate an effective defence.
- When it turns out that a decision on the forum was ill-motivated and seriously curtailed the rights of the accused, this fact could be considered as a bar for further proceedings. At least it should be considered when determining the sentence.

---

[45] Martin Böse & Frank Meyer, "Die Beschränkung nationaler Strafgewalten als Möglichkeit zur Vermeidung von Jurisdiktionskonflikten in der Europäischen Union", *Zeitschrift für Internationale Strafrechtsdogmatik* 2011, 336 et seqq.; see also Martin Böse's contribution in this volume.

- Finally, potential problems of foreseeability have to be addressed. Nobody should be convicted if he or she could not foresee the application of the sentencing State's law, but could reasonably rely on impunity. This could be achieved, for instance, by a broader application of the provisions regarding mistake of law. In addition to that, the potential sanction should be limited to the maximum penalty of the State where the act was performed (an idea which is well-known from the principle of vicarious or representative jurisdiction[46])[47]. Combined, these two rules would come close to a transnational *lex certa* principle, *i.e.*, a guarantee that nobody can be punished harder than according to the laws he or she had reason to deem applicable[48].

Especially this last proposal would be of interest in our second case, involving assisted suicide. In that example, A had provided his brother B with a lethal poison because B wanted to kill himself. Since none of them could reasonably expect Spain to have jurisdiction and they thought that German law would apply, A should be able to travel to Spain without worrying about being prosecuted there.

V. CONCLUSION

Essential guarantees of criminal law and procedure originally were conceived for domestic criminal proceedings. Therefore, they traditionally would apply only internally, *i.e.*, within one jurisdiction. It has been the purpose of this paper to show that the interests which these guarantees aim to protect are also —and even more— at stake when various States' criminal jurisdiction overlaps. For this reason, building a network of national jurisdictions is not sufficient to establish a global system of criminal justice. It must be complemented with a mechanism for the prevention and settlement of conflicts of jurisdiction. This responsibility lies with the protagonists building the network: States that extend their criminal jurisdiction beyond their national borders and international organizations (especially the European Union) that oblige States to do so. They have to determine as clearly and early as possible which State will be competent to adjudicate a partic-

---

[46] Satzger (note 1), § 4 margin no. 42 (some States, however, also provide for such a *lex mitior* rule with regard to the active and passive personality principles, *ibid.* § 4 margin nos. 9, 28); see also Article 25 of the 1972 Council of Europe Convention on the Transfer of Proceedings in Criminal Matters, European Treaty Series no. 73.

[47] See already Fuchs (note 36), 362 (365).

[48] See Zimmermann (note 4), 1 (21) – English; *idem* (note 12), 431 et seqq. German; a similar solution is offered by Böse, Meyer & Schneider (note 35), 382 et seq., who require intent or negligence with regard to the circumstances that make the prosecuting Member State's criminal law applicable.

ular case, and in doing so they have to ensure the foreseeability of the applicable law. Similarly, prosecution authorities remain bound by judicial guarantees and the rule of law in general when they cooperate with colleagues from other States. If they consider a transfer of criminal proceedings, they must therefore respect legitimate interests of the suspect. In a nutshell, every solution for conflicts of jurisdiction should be a formalized one.

Capítulo 12

THE EVOLUTION OF CRITERIA FOR GLOBAL CRIMINAL LAW ENFORCEMENT: TOWARDS A NETWORK OF JURISDICTIONS?

Prof. Martin Böse
University of Bonn

I. INTRODUCTION

In a globalized world, cross border crimes confront national criminal justice systems with a number of challenges. Increasing mobility and the almost limitless possibilities of modern communication technology stand in sharp contrast to the territorial boundaries of state sovereignty and the limited capacity of the states to effectively enforce their criminal law. In order to prevent criminals from seeking refuge in countries with lower criminal law standards and thereby escaping from justice, building a network of jurisdictions has been an appealing idea: By extending their jurisdiction to crimes committed abroad, states may be able to produce a dense web of overlapping national jurisdictions that do not allow any criminal to slip through[1]. This reasoning is the underlying rationale of the principle of universal jurisdiction[2]. But there are also doubts whether networking jurisdiction can provide a sustainable concept for the fight against impunity of cross-border crime[3]. Furthermore, this concept raises the question what does "network" mean in this context and what impact does it have on the scope of extraterritorial jurisdiction? Before we can

---

[1]   M. Böse/F. Meyer, in: M. Böse/F. Meyer, Conflicts of Jurisdiction in Criminal Matters in the European Union, Volume I: National Reports and Comparative Analysis, Baden-Baden: Nomos, 2013, p. 7 (9).

[2]   C. Ryngaert, Jurisdiction in International Law, Oxford University Press, 2008, p. 107.

[3]   O. Lagodny, Empfiehlt es sich, eine europäische Gerichtskompetenz für Strafgewaltskonflikte vorzusehen?, Expert opinion prepared for the German Federal Ministry of Justice, March 2001, available at: http://www.uni-salzburg.at/fileadmin/oracle_file_imports/460066.PDF (last visited 16 July 2019), pp. 101 et seq.; J. Vogel, Internationales und europäisches ne bis in *idem*, in: A. Hoyer/H.E. Müller/M. Pawlik/J. Wolter (eds.), Festschrift für Friedrich-Christian Schroeder zum 70. Geburtstag, Heidelberg: C.F. Müller 2006, p. 877 (891-892).

further elaborate on these issues, there is however a need for some preliminary clarifications on the term jurisdiction[4].

II. CONCEPTS OF JURISDICTION

In international law, the term jurisdiction encompasses three types of jurisdiction that widely correspond to the division of the states' sovereign powers in legislature, judiciary and executive: jurisdiction to prescribe, to adjudicate and to enforce. A definition of these terms that can be considered as a common basis is given in the American Law Institute' s Third Restatement of Foreign Relations Law of the United States[5]. According to this definition, jurisdiction to prescribe means that a state makes its criminal law applicable to the activity of a person, i.e. it makes this conduct a criminal offence under its national law[6]. A state' s jurisdiction to adjudicate is defined as the power to subject persons or things to the process of its courts[7], in our context to establish a domestic forum for a criminal trial. In criminal proceedings, this is closely linked to jurisdiction to enforce that explicitly covers the state' s power to punish noncompliance with its law or regulations[8].

Another distinction is to be drawn between primary and derivative jurisdiction. Primary jurisdiction has its origin in the state' s interest to maintain its legal order and to ensure adequate protection of its own legal interests. This is the case when a state claims jurisdiction to prescribe by making a conduct a criminal offence under its national law[9]. As a consequence, the state has to provide for a domestic forum and establish a competence of its law enforcement authorities and courts to enforce its criminal law. So, there is a functional link between the jurisdiction to prescribe and jurisdiction to enforce: If a state has a vital interest in extending the scope of its national law, this implies an interest in its enforcement as well[10].

---

[4] See for the following M. Böse, in: M. Luchtman (ed.), Choice of Forum in Cooperation Against EU Financial Crime, The Hague: Eleven, 2013, pp. 73 ff.; M. Böse/F. Meyer/A. Schneider, Conflicts of Jurisdiction in Criminal Matters in the European Union, Volume II: Rights, Principles and Model Rules, Baden-Baden: Nomos, 2014, pp. 21 ff.

[5] American Law Institute (ed.), Restatement (Third) of the Law-The Foreign Relations of the United States, Vol. 1 (§§ 1-488), St. Paul Minnesota, American Law Institute Publishers 1987.

[6] Ibid., § 401 (a).

[7] Ibid., § 401 (b).

[8] Ibid., § 401 (c).

[9] F. Jeßberger, Der transnationale Geltungsbereich des deutschen Strafrechts, Tübingen: Mohr Siebeck 2011, p. 11; T. Vander Beken/G. Vermeulen/S. Steverlynck/S. Thomaes, Finding the Best Place for Prosecution, Antwerpen-Apeldoorn: Maklu 2002, p. 59.

[10] M. Böse, in: U. Kindhäuser, U. Neumann & H.U. Paeffgen (eds.), Nomos-Kommentar zum Strafgesetzbuch, 4th edition, Baden-Baden: Nomos 2013, Vor § 3 no. 8; see also A. Eser 'Kritische Würdigung der Modellentwürfe`, in: A. Sinn (ed.) Jurisdiktionskonflikte bei grenzüberschreitender

By contrast, a state exercising derivative jurisdiction does not refer to its own interest in maintaining its legal order but to the correspondent interest of a foreign state which claims primary jurisdiction but is unable to exercise its jurisdiction to enforce[11]. In this situation, derivative jurisdiction helps to ensure that the offender will not escape from justice[12]. The state that exercises jurisdiction of another state represents this state and derives its *ius puniendi* from that state. Thus, the jurisdictional basis is the so-called principle of representation or vicarious jurisdiction.

III. A NETWORK OF JURISDICTIONS TO FIGHT IMPUNITY OF INTERNATIONAL AND NATIONAL CRIMES?

Having clarified the term jurisdiction, let us now turn to the question whether networking jurisdiction is a useful instrument to fight impunity. The term impunity necessarily implies a decision that a certain conduct should be subject to criminal punishment. This decision can be taken by a single state or the international community of states. Accordingly, a network of jurisdictions can aim at prosecuting either crimes defined by national law (national crimes) or those defined by international law (international crimes).

1. International crimes

First and foremost, the idea of networking jurisdiction has been built upon the common interest of states in effective criminal law enforcement. This common interest is reflected in various international treaties and customary international law defining the elements of crime and conferring an obligation upon states to penalize the corresponding conduct under national law[13]. These crimes usually

---

Kriminalität-Conflicts of jurisdiction in cross-border crime situations, Osnabrück: V&R unipress 2012, p. 557 (562). In the draft model B of Sinn et alii, the choice of the forum determines the applicable law, *Ibid.*, p. 611-2; see in this regard the critical remarks of Eser, *Ibid.*, p. 562.

11   F. Jeßberger (note 9), p. 11-12; R. Linke, in: D. Oehler & P.G. Pötz (eds.), Aktuelle Probleme des Internationalen Strafrechts-Heinrich Grützner zum 65. Geburtstag, Hamburg: R.v. Decker's 1970, p. 85 (90); T. Vander Beken/G. Vermeulen/S. Steverlynck/S. Thomaes (note 9), p. 15 who distinguish two variants of derivative jurisdiction (substitution and adoption of procedings).

12   To that extent, the forum state will have an (indirect) interest in exercising derivative jurisdiction. Like with international cooperation in criminal matters, solidarity with the state having primary jurisdiction is also based on the principle *do ut des*, i.e., the benefits expected from future cooperation with the state that has been assisted in criminal law enforcement.

13   See for universal Jurisdiction C. Ryngaert (note 2), and for the European Union and extraterritorial jurisdiction A.S. Massa, in: A. Klip (ed.), Substantive Criminal Law of the European Union, Antwerpen, Apeldoorn: Maklu 2011, p. 103 (118-119).

have a cross-border dimension and/or do not affect the interests of a single state only; instead, there is a common interest of the international community of states that these crimes must not go unpunished. They are international crimes because they are defined by international law.

For an effective prosecution of international crimes, the harmonization of national criminal law is not sufficient. The perpetrator might still escape from justice by seeking refuge in another country that has no jurisdiction over the crime and refuses to surrender the suspect. So, there are two options to bring the perpetrator to justice: establishing extraterritorial jurisdiction or granting extradition. The functional link between these alternative options has been elaborated in the late middle-ages and then further developed to the principle *aut dedere aut judicare*[14]. This principle was not only implemented in early extradition treaties of the 19th century, but also in several treaties on international crimes[15].

The idea that the common interest in fighting international crimes requires supplementary provisions on cooperation and jurisdiction in order to prevent the perpetrator from escaping justice has been taken up for the first time in the International Convention on the Suppression of Counterfeiting Currency of 1929[16]. Due to the understanding that extradition and prosecution were equivalent alternatives, the obligation to adjudicate was still subject to the same conditions as extradition (a request for extradition, absence of obstacles to extradition, in particular the ban on extradition of own nationals)[17]. The link to extradition requirements reveals that this concept of *aut dedere aut iudicare* is closely connected to the general regime of international cooperation in criminal matters. Accordingly, the option *iudicare* is limited to jurisdiction to adjudicate, but does not cover jurisdiction to prescribe: The adjudicating state is acting on behalf of the state requesting extradition and, thus, exercises derivative jurisdiction[18]. This understanding of the principle of *aut dedere aut iudicare* is still prevalent in international treaties (e.g. the Convention on Cybercrime of 2001)[19].

The next generation of international treaties follows a more ambitious approach and does not subject the principle *aut dedere aut iudicare* to the extradition regime. In the aftermath of the Second World War, the Geneva

---

14   See the detailed analysis of C. Maierhöfer, Aut dedere-aut iudicare, Berlin: Duncker & Humblot 2006, pp. 54 ff., with further references.
15   C. Maierhöfer (note 14), pp. 98 ff. 131 ff.
16   International Convention on the Suppression of Counterfeiting Currency of 20 April 1929, League of Nations Treaty Series, Vol. 112, p. 371.
17   Art. 8(2) and Art. 9(2) of the Convention (note 16).
18   M. Böse, in: M. Luchtman (note 4), p. 73 (77).
19   Art. 22(3) Convention on Cybercrime of 23 November 2001, European Treaties Series No. 185; see also the treaties listed by C. Maierhöfer (note 14), p. 337-338.

Conventions[20] have prepared the ground for this new understanding in order to fight the impunity of war crimes[21], and the Convention for the Suppression of Unlawful Seizure of Aircraft of 1970[22] has established this new concept as a blueprint for a number of international crime control treaties[23]. According to Art. 4 (2) of this Convention, each contracting state shall establish its jurisdiction over the offence if the offender is present in its territory and is not extradited to another state. So, the obligation to adjudicate does not depend upon a request for extradition and even applies if no state that has primary jurisdiction is not willing to prosecute[24]. According to this understanding, the adjudicating state does not act on behalf of the state where the crime has been committed, but in the common interest of the international community that there shall be no safe havens for criminals[25]. Accordingly, the obligation to adjudicate does not even require that the crime is a punishable act at the place where it was committed. The criminal sentence is rather based upon international law as implemented in the adjudicating state[26].

This concept changes character and scope of the obligation to establish jurisdiction over the relevant international crime: A state defining the criminal offence and the punishment to be applied does not only exercise jurisdiction to adjudicate, but jurisdiction to prescribe. According to the principle *nullum crimen, nulla poena sine lege* (Art. 7 ECHR, Art. 49 EU-CFR) it must be foreseeable for the offender that his conduct will be punishable under the law of the adjudicating state[27]. Since the obligation to adjudicate is only subject to conditions to be met after the crime has been committed (presence of the suspect, no extradition), each contracting state must establish its jurisdiction over the relevant international crime beforehand and irrespective of the place where the crime is committed[28].

---

[20] Geneva Conventions of 12 August 1949 for the Amelioration of the Condition of the Wounded and Sick in Armed Forces in the Field (I), for the Amelioration of the Condition of the Wounded and Sick and Shipwrecked Members of Armed Forces at Sea (II), relative to the Treatment of Prisoners of War (III) and relative to the Protection of Civilian Persons in Time of War (IV).

[21] Artr. 49(2) Geneva Convention I, Art. 50(2) Geneva Convention II, Art. 129(2) Geneva Convention III, Art. 146(2) Geneva Convention IV; see in this regard C. Maierhöfer (note 14), p. 161-162.

[22] Convention for the Suppression of Unlawful Seizure of Aircraft of of 16 December 1970, United Nations Treaty Series Vol. 860, p. 105.

[23] C. Maierhöfer (note 14), p. 137-138, 338 ff.

[24] See for a detailed analysis C. Maierhöfer (note 14), 338 ff.

[25] C. Maierhöfer (note 14), p. 345, 347.

[26] M. Böse, in: M. Böse/F. Meyer/A. Schneider (note 4), p. 41 (119).

[27] M. Böse, in: M. Böse/F. Meyer/A. Schneider (note 4), p. 41 (119-120).

[28] See with regard to the similar problem of naturalized citizens and the problem of retroactive application of the active personality principle M. Böse, in: Luchtman (note 4), p. 73 (83-84).

In short, the second generation of treaties implementing the principle *aut dedere aut iudicare* implies an obligation to establish universal jurisdiction to prescribe.

The statement that international crimes are subject to universal jurisdiction is, however, subject to the requirement that there is a corresponding international consensus, i.e. an international obligation that a certain conduct shall be subject to criminal punishment[29]. The scope of extraterritorial jurisdiction must not extend to states that are not bound by this obligation because they have not ratified the treaty and a corresponding obligation under customary law does not exist yet. Insofar, recourse to universal jurisdiction will violate the principle of non-intervention in internal affairs of that state[30].

In that case, however, extraterritorial jurisdiction may be established on the basis of a genuine link established under international law (e.g. active personality). This approach is reflected in the most recent generation of international crime control treaties. These treaties still refer to the principle *aut dedere aut iudicare,* but tighten the net of jurisdictions by calling upon the contracting states to extend extraterritorial jurisdiction over the corresponding crime even further. For instance, the UN Convention against Illicit Traffic in Narcotic Drugs and Psychotropic Substances of 1988 provides a basis for the optional establishment of extraterritorial jurisdiction over crimes committed by nationals and habitual residents (active personality and active domicile principle)[31]. In the UN Convention for the Suppression of Terrorist Bombings of 1997, extraterritorial jurisdiction on the basis of the active personality principle is mandatory, whereas recourse to the passive personality principle, to the protective principle and the active domicile principle is optional[32]. One of the most recent examples is the Convention on Preventing and Combating Violence against Women and Domestic Violence of 2011[33]. In this convention, jurisdiction on the basis of the active personality and the active domicile principle must not be made subject to the double criminality

---

[29]   Thereby, the requirement of the principle *nullum crimen sine lege* is met as the relevant conduct constitutes "a criminal offence under ... international law" (Art. 7 ECHR); see ECtHR, Judgment of 17 May 2010, Application No. 36376/04, paras. 205 ff.

[30]   K.F. Gärditz, Weltrechtspflege, Berlin: Duncker & Humblot, 2006, p. 153-154; F. Jeßberger (note 9), p. 187-188, 279-280.

[31]   Art. 4(1)(b)(i) UN Convention against Illicit Traffic in Narcotic Drugs and Psychotropic Substances of 20 December 1988, United Nation Treaty Series vol. 1582, p. 95; see also Art. 4(2) with regard to the principle *aut dedere aut iudicare.*

[32]   Art. 6(1)(c), (2)(c) UN Convention for the Suppression of Terrorist Bombings of 15 December 1997, United Nation Treaty Series vol. 2149, p. 256; see also Art. 6(4) with regard to the principle *aut dedere aut iudicare.*

[33]   Council of Europe Convention on Preventing and Combating Violence against Women and Domestic Violence of 11 May 2011, European Treaties Series No. 210.

requirement[34]. The drafters of the convention wanted to make sure that the most serious forms of violence against women are prosecuted regardless of whether or not the relevant conduct is a criminal offence in the state in which the crime has been committed[35].

Recourse to the active personality principle (and other well-established bases of primary jurisdiction) is particularly relevant for international crimes that do not fall within the scope of universal jurisdiction. The corresponding crime may have been defined by an international treaty, but does not reflect an international consensus that the conduct should be criminalized because a considerable number of states has not yet ratified the treaty. In order to overcome impunity resulting from safe havens for criminals, contracting states are required to exploit the traditional jurisdictional bases and to provide for a maximum of extraterritorial jurisdiction. Thereby, the active personality principle is given an auxiliary function, namely to prepare the ground for universal jurisdiction on the basis of a step-by-step-approach[36].

2. National Crimes

For most criminal offences, it is still the national legislator that defines what conduct should be punished as a criminal offence as the *ius puniendi* forms an essential part of state sovereignty. In this regard, the national legislator does not only define the concept of the criminal offence, but also its scope of application (jurisdiction to prescribe) and the conditions for the establishment of a domestic forum (jurisdiction to adjudicate).

As a matter of fact, most states do not confine their *ius puniendi* to crimes committed within their territory. A state claiming extraterritorial jurisdiction, however, has to abide by the principle of non-intervention in internal affairs of a foreign state. Thus, extraterritorial jurisdiction is subject to the requirement of a genuine link to the state claiming jurisdiction. Such a genuine link can be based upon the bond of loyalty between a state and its citizens (active and passive personality) or the right to defend its national interests against attacks from abroad (protective principle)[37]. So, each sovereign state ties its own net for the

---

[34]   Art. 44(1)(d), (e) and (3) of the Convention (note 32); see also Art. 44(5) with regard to the principle *aut dedere aut iudicare*.

[35]   Explanatory report tot he Convention (note 32), paras. 224, 227, available at https://rm.coe.int/CoERMPublicCommonSearchServices/DisplayDCTMContent?documentId=-09000016800d383a (last visited 16 July 2019).

[36]   M. Böse, in: M. Böse/F. Meyer/A. Schneider (note 4), p. 41 (97-98).

[37]   See for a detailed analysis F. Jeßberger (note 9), pp. 191 ff., 239 ff., 252 ff., with further references.

fight against crime. By defining the criminal offence, each state decides upon the size of the meshes, and it may extend the scope of its criminal law and thereby widen the net of its criminal jurisdiction. However, it is still a single net based on one jurisdiction; we do not have a network of jurisdictions. Nor do multiple jurisdictions of several states form such a network: The different national nets are not tied to one as making a net requires a common understanding on what to catch and what to spare: By their nature, national crimes are not based upon a common concept or an international consensus on the relevant criminal offence. By contrast, the parallel existence of criminal justice systems exercising extraterritorial jurisdiction has resulted from autonomous policy choices of sovereign states.

Admittedly, there is a huge number of crimes which are punishable in all, or at least most criminal justice systems (murder, robbery, perjury, forgery, arson etc.). So, you may say, there is a consensus that these crimes should be punished. However, if you take a closer look at these crimes in each criminal justice system, you will discover that the offences may differ significantly, not to mention the different policy choices (e.g. in dealing with assisted suicide and euthanasia)[38]. Moreover, in contrast to international crimes, national offences do not reflect a common interest in prosecution that has been voiced by the international community.

Nevertheless, there is a general interest of all states in effective criminal law enforcement in cross-border cases. This interest is not limited to specific crimes, but covers any criminal offence. Unlike international crimes, national crimes are not *per se* transnational, but single cases may have a cross-border dimension (e.g. if the suspect has fled to another country). As the treaty provisions on the principle *aut dedere aut iudicare* (supra 3.1.) have illustrated, the exercise of derivative jurisdiction is an alternative to extradition and forms part of the international cooperation in criminal matters. The potential scope of derivative jurisdiction is not limited to international crimes, but is an autonomous basis for extraterritorial jurisdiction (vicarious jurisdiction or principle of representation).

Vicarious jurisdiction is not only an alternative to extradition, but can be exercised autonomously in the interests of the defendant, the victim or the good administration of justice. A corresponding treaty instrument is the European Convention on the Transfer of Proceedings in Criminal Matters of 1972[39]. Derivative jurisdiction is based upon a request of a state having primary jurisdiction[40].

---

[38] See the comparative overview by B. Weißer, Zeitschrift für die gesamte Strafrechtswissenschaft, Vol. 128 (2016), pp. 106 ff.

[39] European Convention on the transfer of proceedings in criminal matters of 15 May 1972, European Treaty Series No. 73.

[40] Art. 2 of the Convention (note 39).

So, the requested state exercises the *ius puniendi* of the requesting state, and the latter is relieved of its competence to deal with the case[41]. It follows from the very nature of derivative jurisdiction that criminal sentencing derives from the primary jurisdiction of the requesting state. In other words, when exercising its jurisdiction to enforce the requested state does not enforce domestic criminal law but criminal law of a foreign state[42].

At first sight, this seems to contradict the Convention on the Transfer of Proceedings in Criminal Matters and corresponding national law stating that the state exercising vicarious jurisdiction prosecutes the offence *under its own criminal law*[43]. The application of domestic criminal law, however, is rooted in the double criminality requirement which forms a general principle of international cooperation in criminal matters[44]. So, the reference to domestic law limits the exercise of derivative jurisdiction: The forum state is not bound to enforce foreign criminal law if the relevant conduct is not considered to constitute a criminal offence under its own law, and this is assessed on a hypothetical basis (as if the crime occurred in the adjudicating state)[45]. Similar to jurisdiction over international crimes, derivative jurisdiction over national crimes requires a consensus on the punishability of the crime. This consensus, however, is established *ex post* and *in concreto* because derivative jurisdiction does not establish the legal basis of criminal sentencing vis-à-vis the offender.

3. Intermediary result

Scope and limits of networking jurisdiction depend upon the character of the relevant crime: If there is an international obligation to criminalize a certain conduct (international crimes), the contracting states may form a network of jurisdictions to prescribe and to adjudicate. For criminal offences rooted in legal traditions and criminal policy choices of states, the function of such networks of jurisdiction forms part of the traditional regime of international cooperation in criminal matters and is limited to jurisdiction to adjudicate.

---

[41]   Art. 21 of the Convention (note 38).

[42]   M. Böse, in: M. Luchtman (note 4), p. 73 (77).

[43]   Art. 2(1) of the Convention (note 38); see also section 7(2) No. 2 German Penal Code (Strafgesetzbuch-StGB).

[44]   M. Böse, in: M. Luchtman (note 4), p. 73 (78-79).

[45]   See with regard to extradition: J. Vogel/C. Burchard, in H. Grützner/P.G. Pötz/C. Kreß (eds.), Internationaler Rechtshilfeverkehr in Strafsachen, 3rd edition, Heidelberg: C.F. Müller 2007-2012, § 3 IRG no. 33 ff., with further references.

IV. FURTHER NEED FOR EXTRATERRITORIAL JURISDICTION?

So far, this article has focused on universal jurisdiction and vicarious jurisdiction as building blocks for an international network of jurisdictions for effective criminal law enforcement in cases having a cross-border dimension. This leaves the question of whether reference to other jurisdictional bases for extraterritorial jurisdiction is still necessary and appropriate. In this regard, I will confine myself to the role of the active and passive personality principle.

Once again, we have to distinguish between jurisdiction to prescribe and jurisdiction to adjudicate. Let us start with a look at the state' s interest to make its own criminal law applicable (jurisdiction to prescribe): The principle of active personality is based upon the national' s duty to respect the laws of his home country even abroad[46]. But why shall a state insist on obedience with regard to conduct outside its territory? A general duty of citizens to abide by the law of their home country seems to rely on the anachronistic concept of absolute and unconditional obedience to the sovereign[47], but does not provide a valid argument for such a general obligation[48].

Nevertheless, there may be cases where offences committed abroad could seriously undermine the criminal law provision at stake: If a substantial part of the norm addressees can easily escape from criminal punishment by moving abroad, this impunity could lead to an erosion of trust in the validity of criminal law because its enforcement would depend upon the wealth and cleverness of the offender[49]. This rationale, however, only applies to permanent residents, but not to nationals living abroad. Furthermore, a circumvention of criminal law protecting individuals usually requires a victim protected by domestic law. Thus, the active personality principle should be combined with the passive personality respectively passive domicile principle. In any case, the state must provide good reason to hinder its citizens and residents from evading the rigid criminal law prohibitions of their home state. In a case on the mutual recognition of driving licenses, the Court of Justice explicitly stated that an EU citizen may even exercise his right to free movement for the purpose of benefiting from legislation less stringent than the law of his home country[50].

---

46 C. Blakesley, in: C. Bassiouni (ed.), International Criminal Law-Vol. II; Procedural and Enforcement Mechanisms, 2nd edition, New York: Transnational Publishers 1999, p. 33 (61-62); for the origins of the active personality principle see D. Oehler, Internationales Strafrecht, 2nd edition, Köln: Heymanns 1983, pp. 49 ff.

47 See the criticism raised by D. Oehler (note 45), pp. 142-143 and 445.

48 See for a more detailed analysis M. Böse, in: M. Böse/F. Meyer/A. Schneider (note 4), p. 41 (91 ff.).

49 M. Böse, in: M. Böse/F. Meyer/A. Schneider (note 4), p. 41 (94 ff.).

50 CJEU, Judgment of 1 March 2012, Case C-467/10, Criminal proceedings against Akyüz, para. 76.

The passive personality principle raises even more serious concerns: The state's responsibility to protect its own nationals is undoubtedly a legitimate objective. The question, however, is whether extraterritorial jurisdiction on the basis of the passive personality principle is an appropriate means to that end[51]. As the perpetrator often does not care about the victim's nationality, a dissuasive effect will result in pure fiction. This argument is mirrored in the concern that the offender is confronted with a criminal law that is not at all foreseeable to him because he is not aware of the facts that determine the applicable criminal law. Finally, there is no need for additional protection by the criminal law of the victim's home country because the criminal law of the state where the crime is committed usually provides for adequate protection of potential victims.

By contrast, reference to the active and passive personality principle does not meet similar objections as far as these principles serve as a basis for the establishment of a domestic forum (jurisdiction to adjudicate)[52]. Obviously, there is a legitimate interest of the victim to actively participate in the criminal proceedings and, thus, to have the trial be held in his home country. Correspondingly, a legitimate interest of the suspect to be tried in his home country cannot be denied, either[53]. This understanding corresponds to the fact that the principle of active personality is closely linked to the ban on extradition of nationals: A state that does not extradite its own national has to establish extraterritorial jurisdiction in order to avoid impunity. In this case, however, prosecution can be based upon vicarious jurisdiction; recourse to the active or passive personality principle is not necessary[54].

V. CONCLUSION

In conclusion, function and scope of a network of jurisdictions depend upon the nature of the crime: The network can be based upon universal jurisdiction (international crimes) or vicarious jurisdiction (national crimes). Both jurisdictional bases require a consensus on the punishability of the crime, but whereas international crimes reflect common understanding of the international community that has been adopted under international law before the crime is committed

---

[51] See for a more detailed analysis M. Böse, in: M. Böse/F. Meyer/A. Schneider (note 4), p. 41 (87 ff.).

[52] Böse, in: M. Luchtman (note 4), p. 73 (82, 83).

[53] See in this regard Art. (1)b European Convention on the Transfer of Criminal Proceedings; see also Art. 8 of the Model Rules proposed by M. Böse/F. Meyer/A. Schneider (note 4), p. 381 (411 ff.).

[54] M. Böse, in: M. Luchtman (note 4), p. 73 (83-84).

(*ex ante* and *in abstracto*), vicarious jurisdiction relies on a bilateral consensus of the requesting and the requested state that is established *ex post* (as far as the adjudicating state is concerned) and *in concreto*.

Reference to other jurisdictional bases such as active and passive personality does not fit into this concept, but merely extends the scope of extraterritorial jurisdiction over national crimes. Moreover, the principle of vicarious jurisdiction has raised doubts whether recourse to traditional bases of extraterritorial jurisdiction is still necessary and legitimate. The concept of networking jurisdiction has been designed to fight against impunity, but the term impunity implies a common understanding that a crime has been committed, i.e. that this conduct should be subject to criminal punishment. Where such a common understanding does not exist, networking jurisdiction has no valid basis, and it seems hard to find a compelling reason why the decision to criminalize a certain conduct should carry more weight than the decision to consider the same conduct perfectly legal (or at least not punishable). Thus, the concept of networking jurisdiction is not only an instrument to fight impunity, but should also call upon states to reconsider the scope of their extraterritorial jurisdiction to prescribe. In the end, states should bear in mind that the establishment of extraterritorial jurisdiction is of mere symbolic value if it cannot be exercised in practice because the state where the crime has been committed is not willing to cooperate.

Capítulo 13
ALCANCE Y PERSPECTIVAS DEL *NE BIS IN ÍDEM* EN EL ESPACIO JURÍDICO EUROPEO[1]

Nicolás García Rivas
Catedrático de Derecho penal
Universidad de Castilla-La Mancha

I. RASGOS DEFINITORIOS DEL *NE BIS IN ÍDEM* EN EL SISTEMA CONSTITUCIONAL ESPAÑOL

De todos es sabido que nuestra Constitución no reconoce expresamente el principio *"ne bis in ídem"*. El artículo 25 se refiere en sus tres apartados al *"ius puniendi"*, reconociendo en el primero el principio de legalidad sancionadora (penal y administrativa) y proscribiendo en el tercero las sanciones administrativas privativas de libertad, práctica habitual durante la dictadura franquista, de cuya tradición expresamente se separa. Pero nada dice sobre la imposibilidad de castigar doblemente un mismo hecho, o del efecto preclusivo de la cosa juzgada ni de cuál es el alcance de la misma. Con carácter preliminar, cabe decir que esta garantía implica la imposibilidad de un doble castigo por un mismo hecho (*nemo debet bis punire pro uno delicto*), lo que incluye tanto a la sanción penal como a la administrativa, pero también prohíbe ser sometido a más de un proceso por los mismos hechos tras una decisión judicial firme, sea o no condenatoria (*nemo debet bis vexari pro una et aedem causa*). La idea de fondo es que "el ordenamiento punitivo del Estado es uno y sólo uno"[2] y que no puede actuar dos veces para lo mismo[3].

---

[1] Trabajo realizado en ejecución del Proyecto de Investigación PEII-2014-027-P "El Derecho penal europeo en el proceso de globalización jurídica", dirigido por el Prof. Dr. Adán Nieto Martín, Catedrático de Derecho penal de la UCLM.
[2] PRIETO SANCHÍS, "La jurisprudencia constitucional y el problema de las sanciones administrativas en el Estado de Derecho", en *Revista Española de Derecho Constitucional*, núm. 4, 1982, p. 99 ss. (la cita, en p. 102). El recorrido a lo largo del siglo XX es explicado por DE LEÓN VILLALBA, *Acumulación de sanciones penales y administrativas: sentido y alcance del principio "ne bis in ídem"*, Barcelona, 1998. EL MISMO, "Sobre el sentido del axioma *ne bis in ídem*", en ARROYO ZAPATERO/NIETO MARTÍN (coords.), *El principio ne bis in ídem en el Derecho penal europeo e internacional*, Cuenca, 2007, p. 17 ss. PÉREZ MANZANO, *La prohibición constitucional de incurrir en bis in ídem*, Valencia, 2002. Vid. asimismo, DÍAZ PITA, "Competencias criminales nacionales e internacionales y principio *ne bis in ídem*", en NIETO MARTÍN (coord.) *Estudios de Derecho penal. Contribuciones al XVII Congreso Internacional de Derecho penal*, Cuenca, 2004, p. 195 ss. ALASTUEY DOBÓN/ESCUCHURI AISA, "Ilícito penal e ilícito administrativo en materia de tráfico y seguridad vial", en *Estudios penales y criminológicos*, XXXI, 2011, p. 7 ss.

El recorrido de la jurisprudencia constitucional para construir este principio comienza ya con la STC 2/1981, de 31 de enero, que proclamó su vigencia con una rotundidad tajante, mediante una fórmula clara, precisa y concreta: "el principio general del derecho conocido por *non bis in ídem* supone, en una de sus más conocidas manifestaciones, que no recaiga duplicidad de sanciones —administrativa y penal— en los casos en que se aprecie la identidad del sujeto, hecho y fundamento sin existencia de una relación de supremacía especial de la Administración —relación de funcionario, servicio público, concesionario, etc....— que justificase el ejercicio del *ius puniendi* por los Tribunales y a su vez de la potestad sancionadora de la Administración". La conocida "triple identidad" acompaña todo el crecimiento y matización de esta garantía constitucional, lo cual no impide que existan serias discrepancias a veces acerca de la consideración del "ídem" o de su contrario respecto a determinadas sanciones, especialmente las disciplinarias, regidas por la relación de especial sujeción a las que se refiere el párrafo transcrito.

Importante avance representa la STC 77/1983, de 3 de octubre, que edifica la correspondiente garantía procesal invocando la división de poderes y la correlación entre decisiones de la Administración y decisiones judiciales y considera supeditadas las primeras a éstas últimas, lógicamente. Lo hace el Tribunal, además, elaborando una teoría a partir de los escasos recursos semánticos que ofrece el art. 25 CE: "nuestra Constitución no ha excluido la existencia de una potestad sancionadora de la Administración, sino que, lejos de ello, la ha admitido en el art. 25, apartado 3°, aunque, como es obvio, sometiéndole a las necesarias cautelas, que preserven y garanticen los derechos de los ciudadanos. Debe, pues, subrayarse que existen unos límites de la potestad sancionadora de la Administración, que de manera directa se encuentran contemplados por el art. 25 de la Constitución y que dimanan del principio de legalidad de las infracciones y de las sanciones. Estos límites, contemplados desde el punto de vista de los ciudadanos, se transforman en derechos subjetivos de ellos y consisten en no sufrir sanciones sino en los casos legalmente prevenidos y de autoridades que legalmente puedan imponerlas". De todo ello se deriva un importantísimo corolario que enlazará la elaboración *nacional* de esta garantía con los criterios establecidos por el TEDH en su interpretación del Protocolo 7, art. 4 CEDH: "la subordinación de los actos de la Administración de imposición de sanciones a la autoridad judicial exige que la colisión entre una actuación jurisdiccional y una actuación administrativa haya de resolverse en favor de la primera". De esta premisa se desprenden las siguientes consecuencias:

---

[3]   Vid. sobre todo esto, extensa y críticamente, QUINTERO OLIVARES, "La autotutela, los límites al poder sancionador de la Administración Pública y los principios inspiradores del Derecho penal", en *Revista de Administración Pública*, núm. 126, 1993, p. 253 ss. especialmente, p. 281 ss.

a) el necesario control a posteriori por la Autoridad judicial de los actos administrativos mediante el oportuno recurso;

b) la imposibilidad de que los órganos de la Administración lleven a cabo actuaciones o procedimientos sancionadores, en aquellos casos en que los hechos puedan ser constitutivos de delito o falta según el Código Penal o las leyes penales especiales, mientras la Autoridad judicial no se haya pronunciado sobre ellos; y

c) la necesidad de respetar la cosa juzgada. La cosa juzgada despliega un efecto positivo, de manera que lo declarado por sentencia firme constituye la *verdad jurídica*, y un efecto negativo, que determina la imposibilidad de que se produzca un nuevo pronunciamiento sobre el tema.

En esta importante decisión se alude a la primera STC sobre la materia (2/1981) y sobre esa construcción jurídica se avanza: "el principio *non bis in ídem* determina una interdicción de la duplicidad de sanciones administrativas y penales respecto de unos mismos hechos, pero conduce también a la imposibilidad de que, cuando el ordenamiento permite una dualidad de procedimientos, y en cada uno de ellos ha de producirse un enjuiciamiento y una calificación de unos mismos hechos, el enjuiciamiento y la calificación que en el plano jurídico puedan producirse, se hagan con independencia, si resultan de la aplicación de normativas diferentes, pero que no pueda ocurrir lo mismo en lo que se refiere a la apreciación de los hechos, pues es claro que *unos mismos hechos no pueden existir y dejar de existir para los órganos del Estado*[4], algo que permite asentar con firmeza la prohibición de volver a determinar los hechos objeto o no de sanción, impidiendo —al menos en línea de principio— que la Administración sancione al ciudadano por hechos diferentes de los declarados probados en el orden jurisdiccional penal". De ahí que, bajo la *regla* de subordinación del orden sancionador administrativo al orden penal, habrá que reconocer que la primera *no puede actuar mientras no lo haya hecho la segunda* y, además, que aquella debe respetar siempre el planteamiento fáctico que aquéllos hayan realizado, pues en otro caso se produce un ejercicio del poder punitivo que traspasa los límites del art. 25 de la Constitución y viola el derecho del ciudadano a ser sancionado sólo en las condiciones estatuidas por dicho precepto. En definitiva, la STC 77/1983 dota de un contenido "procesal" al *ne bis in ídem*, considerando que el criterio a

---

[4]   Vid. las reflexiones críticas sobre esta afirmación que podría parecer meramente obvia en QUINTERO OLIVARES, "Autotutela...".*, cit.* p. 281 ss. "siendo cierto que lo que un juez o Tribunal declare sobre un hecho y una persona produce los mentados y definitivos efectos, puede suceder que determinados aspectos de ese hecho, relevantes para el derecho sancionador administrativo, carezcan de significación para el derecho penal (...) *lo único* medianamente seguro es que la ausencia de determinados componentes subjetivos de algunos delitos puede dejar subsistente la infracción administrativa".

adoptar será siempre el de la preferencia de la intervención jurisdiccional penal sobre la administrativa sancionadora, a la cual se le permite entrar en juego sólo si la primera absuelve al sujeto por los hechos declarados probados, que ya han devenido *intangibles* y, por tanto, objeto en todo caso de valoración *jurídica* en el orden administrativo sancionador.

Esta vertiente procesal o procedimental fue desarrollada cumplidamente por la STC 159/1987, de 26 de octubre, declaró la imposibilidad de proceder a un nuevo enjuiciamiento penal si el primer proceso concluyó con una resolución *de fondo* con efecto de *cosa juzgada*, ya que "en el ámbito… de lo definitivamente resuelto por un órgano judicial no cabe iniciar —a salvo del remedio extraordinario de la revisión y el subsidiario del amparo constitucional— un nuevo procedimiento y, si así se hiciera, se menoscabaría la tutela judicial dispensada por la anterior decisión firme" (FJ 2). Por lo demás, con ello se arroja sobre el reo la "carga y la gravosidad de un nuevo enjuiciamiento que no está destinado a corregir una vulneración en su contra de normas procesales con relevancia constitucional" (FJ 3). El Alto Tribunal situaba la garantía procesal del *ne bis in ídem* en el radio de influencia del art. 24.2 CE, como manifestación del derecho a la tutela judicial efectiva. De este modo, se amplía su base normativa, que no sólo se halla en el art. 25.1 CE sino también en este otro precepto, dedicado en exclusiva a garantizar el respeto a las reglas del proceso debido.

Cabe decir, pues, que a mediados de la década de los años 90 el principio que nos ocupa había alcanzado ya una construcción jurídica bastante definida, tanto en el ámbito sustantivo como en el procesal. Pero a finales de la década el Tribunal Constitucional español dictó una Sentencia que provocaría una importante conmoción en la comunidad jurídica de nuestro país. Me refiero a la STC 177/1999, de 11 de octubre, que ante el doble criterio de la preferencia del orden penal sobre el administrativo, por una parte, o del "orden de llegada" (que bloquea e impide la segunda sanción), por otra, consideró que la esencia de esta garantía constitucional se inclinaba a preferir este segundo criterio porque "la dimensión procesal del principio *ne bis in ídem* cobra su pleno sentido a partir de su vertiente material. En efecto, si la exigencia de *lex praevia* y *lex certa* que impone el art. 25.1 de la Constitución obedece, entre otros motivos, a la necesidad de garantizar a los ciudadanos un conocimiento anticipado del contenido de la reacción punitiva o sancionadora del Estado ante la eventual comisión de un hecho ilícito, ese cometido garantista devendría inútil si ese mismo hecho, y por igual fundamento, pudiese ser objeto de una nueva sanción, lo que comportaría una punición desproporcionada de la conducta ilícita[5] Aquí el Tribunal explica

---

5   Vid. sobre esta Sentencia, VICENTE MARTÍNEZ, "Teoría y práctica o el Dr. Jekyll y Mr. Hyde (a propósito de la sentencia del Tribunal Constitucional 177/1999, de 11 de octubre,

de manera mucho más clara que en la STC 2/1981 el fundamento constitucional del *ne bis in ídem* y la razón por la cual radica en el art. 25.1 CE. Desde esta perspectiva sustancial, el principio de *ne bis in ídem* se configura como un derecho fundamental del ciudadano frente a la decisión de un poder público de castigarlo por unos hechos que ya fueron objeto de sanción, como consecuencia del anterior ejercicio del *ius puniendi* del Estado. Por ello, en cuanto derecho de defensa del ciudadano frente a una desproporcionada reacción punitiva, *la interdicción del bis in ídem no puede depender del orden de preferencia que normativamente se hubiese establecido entre los poderes constitucionalmente legitimados para el ejercicio del derecho punitivo y sancionador del Estado*, ni menos aún de la eventual inobservancia, por la Administración sancionadora, de la legalidad aplicable, lo que significa que la preferencia de la jurisdicción penal sobre la potestad administrativa sancionadora ha de ser entendida como una *garantía del ciudadano*, complementaria de su derecho a no ser sancionado dos veces por unos mismos hechos, y nunca como una circunstancia limitativa de la garantía que implica aquel derecho fundamental.

Este enfoque del problema me parece esencial: el *ne bis in ídem* no es únicamente un método profiláctico de expulsar decisiones anormales o incorrectas de la Administración cuando, en flagrante vulneración de la legalidad vigente, sanciona antes que el juez penal. En efecto, se le obliga a *esperar* el pronunciamiento del tribunal penal para que, si hubiera absolución, pudiera intervenir infligiendo sanciones administrativas, pero antes que eso se trata de una garantía del ciudadano (un derecho fundamental —no haría falta resaltarlo—) y por tanto nunca puede perjudicar a éste la actuación irregular, espuria, ilegal de aquélla. Por ello, el *ne bis in ídem* no tan sólo se orienta a impedir el proscrito resultado de la doble incriminación y castigo por unos mismos hechos sino también y sobre todo a evitar que recaigan eventuales pronunciamientos de signo contradictorio, en caso de permitir la prosecución paralela o simultánea de dos procedimientos —penal y administrativo sancionador— atribuidos a autoridades de diverso orden. A impedir tal disfunción perturbadora de la seguridad del ciudadano se encamina la atribución prioritaria a los órganos jurisdiccionales penales del enjuiciamiento de hechos que aparezcan, *prima facie*, como presuntamente delictivos, atribución prioritaria que descansa en la

---

sobre el principio ne bis in ídem)" en *Actualidad Penal*, núm. 22, 2000, p. 473 ss. CORCOY BIDASOLO/GALLEGO SOLER, "Infracción administrativa e infracción penal en el ámbito medioambiental: *non bis in ídem* material y procesal (Comentario a la STC 177/1999, de 11 de octubre)", en *Actualidad penal*, núm. 8, 2000, p. 159. CANO CAMPOS, T., "*Non bis in ídem*, prevalencia de la vía penal y teoría de los concursos en el Derecho administrativo sancionador", Revista de Administración Pública, núm. 156, 2001, pp. 201-205.

exclusiva competencia de este orden jurisdiccional para depurar y castigar las conductas constitutivas de delito y no en un abstracto criterio de prevalencia absoluta del ejercicio de su potestad punitiva sobre la potestad sancionadora de las Administraciones públicas.

De lo anterior se desprende que a la hora de tutelar adecuada y eficazmente el derecho fundamental a no ser doblemente castigado que garantiza el art. 25.1 C.E., *la dimensión procesal antes referida no puede ser interpretada en oposición a la material*, en tanto que esta última atiende no al plano formal, y en definitiva instrumental, del orden de ejercicio o actuación de una u otra potestad punitiva, sino al sustantivo que impide que el sujeto afectado reciba una doble sanción por unos mismos hechos, cuando existe idéntico fundamento para el reproche penal y el administrativo, y no media una relación de sujeción especial del ciudadano con la Administración. Hemos de concluir, por lo expuesto, que irrogada una sanción, sea ésta de naturaleza penal o administrativa, no cabe superponer o adicionar otra distinta, siempre que concurran las tan repetidas identidades de sujeto, hechos y fundamento. Es este núcleo esencial el que ha de ser respetado en el ámbito de la potestad punitiva genéricamente considerada para evitar que una única conducta infractora reciba un doble reproche aflictivo. En consecuencia, el Tribunal Constitucional concluye en la STC 177/1999, de 11 de octubre, nada menos que con la anulación de la condena penal por la razón evidente de que se irroga con posterioridad a la sanción administrativa, ya ejecutada y abonada.

El voto particular formulado por tres magistrados ataca directamente este criterio del "orden de llegada", al decir que la opinión de la mayoría invierte las relaciones entre Poder judicial y Administraciones sancionadoras que se desprenden del diseño constitucional, y muy especialmente del art. 25 C.E., y que nuestra jurisprudencia había mantenido constantemente desde la STC 77/1983 (SSTC 159/1985 —FJ3º—, 107/1989 —fj 4º— y 222/1997 —FJ 4º—). En aquella se señaló que la Constitución impone unos límites precisos a la potestad sancionadora de las Administraciones públicas; junto a la legalidad, la interdicción de privaciones de libertad y el respeto a los derechos de defensa, se subrayó "la subordinación a la Autoridad judicial". Dicha subordinación conlleva distintas consecuencias, pero todas ellas se basan en la misma idea esencial: "la subordinación de los actos de la Administración de imposición de sanciones a la Autoridad judicial exige que la colisión entre una actuación jurisdiccional y una actuación administrativa haya de resolverse en favor de la primera". Y la minoría se queja de que la decisión de la mayoría consiste, por el contrario, en impedir la actuación de la jurisdicción penal desde el momento mismo en que se impone una sanción administrativa. Al blindar ante la ley penal a los ciudadanos que sufren una multa por parte de una Administración pública, se resuelve en favor de las autoridades administrativas la posible colisión que pudiera producirse entre sus actividades y la de los órganos de la justicia penal, resultado que rompe la estructura básica del Estado de Derecho configurado por nuestra Constitución[6].

Así pues, la mayoría del TC considera que si no se sigue el criterio del "orden de llegada" el ciudadano está a expensas de que un segundo procedimiento sancionador —sea penal o administrativo— perturbe su tranquilidad como ciudadano y, por ende, su derecho a la seguridad jurídica[7]. Por el contrario, el voto de la minoría considera que el desplazamiento de la jurisdicción penal supone —también— una lesión de derechos fundamentales del ciudadano porque no respeta la división de poderes y permite que la Administración opere con ventaja (temporal) frente a la jurisdicción penal, rompiendo con ello "la estructura básica del Estado de Derecho". A simple vista puede observarse que la perspectiva desde la que se observe el "*bis*" condiciona por completo la adopción de una solución u otra, incompatibles entre sí.

Por muy razonable que pudiera parecer la solución desde un punto de vista garantista, en poco más de un año el Alto Tribunal corrigió su postura con claridad. En efecto, la STC 152/2001, de 2 de julio, resolvió de distinto modo un asunto similar, basado en la incoación de expediente administrativo sancionador por alcoholemia en la conducción, hecho que era constitutivo de delito. Los procedimientos administrativo sancionador y penal se abrieron al mismo tiempo, sin que el afectado invocara en ningún momento el efecto bloqueante del *ne bis in ídem*, que habría dado lugar a la paralización del expediente administrativo, dejando franca la vía penal. Esta actitud pasiva del ciudadano es tenida en cuenta por el Tribunal, que dice considerar especialmente "el dato de que en la producción de dicha duplicidad ha influido de modo decisivo la actitud del recurrente, que perfectamente pudo haberlo impedido, y no lo intentó". A continuación, realiza un juicio de valor sobre la conducta del recurrente en amparo, algo que escapa de lo que debería ser un criterio constitucional de depuración de resoluciones injustas: "el planteamiento del recurrente supone, de prosperar, que el efecto de la aplicación del principio *non bis in ídem* en el sentido reclamado sería el de limitar

---

6   De acuerdo en lo esencial, BARJA DE QUIROGA, *El principio non bis in idem*, Madrid, 2005, p. 60.

7   VIVES ANTÓN, "Ne bis in ídem procesal", en *Cuadernos de Derecho judicial*, núm. 5, 1992 (*Tol 220418*) "Su fundamento no se halla en las exigencias generales de seguridad jurídica inherentes al sistema de enjuiciar, que exigen una, y solamente una, resolución definitiva, sino en las exigencias particulares de libertad y seguridad (tanto jurídica cuanto material) del individuo. Así se expresa, con toda claridad, en *Green v. U.S.* (1957): no debe permitirse que el Estado, con todos sus recursos y poder, pueda repetir el intento de obtener la condena de un individuo, sometiéndole a una nueva ordalía, con la vergüenza y gasto que ello implica, y obligándole a vivir en un estado de inseguridad y ansiedad y a afrontar por segunda vez la posibilidad de ser condenado, aun siendo inocente. Esa diferencia de concepción y fundamento de la prohibición del '*double jeopardy*' respecto de la cosa juzgada implica un menor rigor formal".

el gravamen punitivo de la conducta del recurrente a un nivel muy inferior al que hubiera sido posible de haberse ejercitado la potestad punitiva penal como única, cual era obligado según el régimen legal vigente en el caso de confluencia entre la potestad administrativa sancionadora y la potestad punitiva penal. En otros términos, que la sanción administrativa más exigua, incorrectamente impuesta y tolerada con su pasiva actuación, le serviría de escudo frente a la correcta imposición de la sanción penal más grave". Y es esa actitud de "mala fe" procesal o de "fraude de ley" —si se prefiere— demostrada por el sujeto sancionado, la que definitivamente aboca a no otorgarle el amparo, todo ello envuelto en supuestas razones jurídicas del momento en el que la vulneración se produjo: "el silencio del actor en el proceso penal durante el tiempo en el que la vulneración estaba teniendo lugar, y podía ser remediada, y el aplazamiento de la reacción defensiva al momento en que la sanción administrativa se había impuesto, puede encontrar explicación, que no justificación, en una táctica defensiva, consistente en tolerar la vulneración actual del principio *non bis in ídem* para utilizar la sanción administrativa como defensa ulterior frente a la condena penal; pero una explicación tal lo que evidencia es una *manipulación de la funcionalidad del principio non bis in ídem* en vez de una atendible reclamación de su respeto". Dicha "manipulación" resulta cuando menos llamativa referida a un derecho fundamental cuyo contorno no ha dibujado cabalmente el Alto Tribunal y que, además, se mueve en la esfera de otro derecho fundamental (el de defensa) cuyo ejercicio no puede perjudicar al ciudadano ni siquiera cuando existen extralimitaciones no graves.

El vuelco definitivo hacia una doctrina más "compensatoria" y menos "absoluta" viene dada por la STC 2/2003, de 16 de enero, que resuelve un recurso de amparo planteado justamente sobre la base de la doctrina sentada en la STC 177/1999, esto es el criterio del "orden de llegada", que excluiría en este caso el castigo penal[8]. En efecto, tanto en el procedimiento penal como en la demanda de amparo el recurrente fundamenta su alegación de forma específica en el efecto de cosa juzgada de la sanción administrativa impuesta. De manera que le asiste la razón al Ministerio Fiscal cuando afirma en sus alegaciones que el eje central de la pretensión de amparo se localiza en el aspecto *formal* de la dualidad de pro-

---

[8]   Vid. GÓRRIZ ROYO, "Sentido y alcance del *ne bis in ídem* respecto a la preferencia de la jurisdicción penal en la jurisprudencia constitucional (en especial en la STC 2/2003, de 16 de enero)", en *Estudios penales y criminológicos*, XIV, 2004, p. 188 ss. considera que habría que otorgar al juez penal la facultad de declarar nulas de pleno derecho las sanciones derivadas del expediente sancionador; y, en los casos en que ya se hubiera ejecutado la sanción administrativa, debería atribuirse al juez penal la potestad de compensar las sanciones de multa y demás consecuencias accesorias en la ejecución de la sentencia, al mismo tiempo que se ordenaría a la Administración que dejara sin efecto cualquier consecuencia posterior del expediente sancionador (p. 266).

cedimientos. La Audiencia Provincial pretendió dar satisfacción a las exigencias derivadas del principio *ne bis in ídem* por una vía diferente a la pretendida por el recurrente. Pues si éste pretendió la absolución penal, o al menos la anulación de las penas impuestas, el Tribunal entendió que para dar satisfacción a dicho principio resultaba suficiente con absorber las sanciones administrativas en las penas y librar testimonio de la Sentencia penal a la Administración para que ésta dejara sin efecto cualquier anotación o consecuencia de la tramitación del expediente administrativo.

El Tribunal Constitucional realiza en este caso una depuración del *ne bis in ídem* que comienza con una descripción de su vertiente material inclinada hacia la proporcionalidad, como supuesto índice de seguridad jurídica del ciudadano: "la garantía material de no ser sometido a *bis in ídem* sancionador, que, como hemos dicho, está vinculada a los principios de tipicidad y legalidad de las infracciones (SSTC 2/1981, FJ 4; 66/1986, FJ 4; 154/1990, FJ 3; y 204/1996, FJ 2), *tiene como finalidad evitar una reacción punitiva desproporcionada* (SSTC 154/1990, de 15 de octubre, FJ 3; 177/1999, de 11 de octubre, FJ 3; y ATC 329/1995, de 11 de diciembre, FJ 2), en cuanto *dicho exceso punitivo hace quebrar la garantía del ciudadano de previsibilidad de las sanciones,* pues la suma de la pluralidad de sanciones crea una sanción ajena al juicio de proporcionalidad realizado por el legislador y materializa la imposición de una sanción no prevista legalmente". En realidad, la posibilidad de prever con absoluta nitidez la irrogación de sanciones desproporcionadas (que lo son por el *quantum* y no por el *cum*) desdice por completo este modo de razonar del Tribunal, pues la correlación entre *ne bis in ídem* y previsibilidad de la sanción tiene que ver mucho más con el aspecto procesal de esta garantía (es decir, el sometimiento a ese segundo procedimiento imprevisto) que con la mayor o menor sanción consecuencia del propio comportamiento. En efecto, lo que "quiere decir" el Tribunal es que si está prevista una sanción del Estado para responder a una conducta ilícita, la imposición acumulativa de una segunda sanción supone una desproporción punitiva, pero ello tiene que ver más con la formal imposición de una "segunda" sanción (*bis*) que con la previsibilidad del *quantum* de la misma[9]. Así lo corrobora el propio Tribunal cuando sostiene que la STC 159/1987 ha ubicado en el ámbito del derecho a la tutela judicial efectiva la garantía consistente en la interdicción de un doble proceso penal con el mismo objeto, si el primer proceso ha concluido con una resolución de fondo con efecto de cosa juzgada.

Cabe destacar que es en esta STC 2/2003 donde el Tribunal Constitucional español se sujeta a la jurisprudencia del TEDH como nunca hasta el momento lo

---

9   Comparte esta visión, DÍAZ y GARCÍA-CONLLEDO, "*Ne bis in ídem* material y procesal", en *Revista de Derecho. Universidad Centroamericana*, núm. 9, 2004, p. 22.

había hecho, quizá porque en ella hizo uso de la avocación al Pleno para ejercer las facultades de revisión de la doctrina constitucional precedente, a los efectos de apartarse de la doctrina contenida en las SSTC 177/1999, de 11 de octubre, y 152/2001, de 2 de julio.

Con posterioridad a dicha Sentencia, el Alto Tribunal ha mantenido la doctrina de la compatibilidad o de la compensación, siendo destacables a mi modo de ver las SSTC 188/2005 y 189/2013 por el modo en que establecen un criterio muy matizado sobre la dimensión material del *ne bis in ídem* respecto a la previsión de incrementos sancionadores basados en la reiteración de infracciones. En la primera Sentencia se declara la inconstitucionalidad de un precepto de la Ley Orgánica 2/1986, de 13 de marzo, de Fuerzas y Cuerpos de seguridad del Estado que *creaba* una ulterior sanción *basada* en dicha reiteración, algo que suponía castigar de nuevo las infracciones anteriores (es decir, no existía una *nueva* infracción paralela a esta *nueva* sanción). Por el contrario, la segunda Sentencia consideró admisible constitucionalmente el incremento de categoría de la tercera infracción y el consiguiente incremento punitivo, cuya incidencia sancionadora es muy similar a la resultante de aplicar la agravante de reincidencia, convalidada ya en la STC 150/1991. Todo ello, naturalmente, es susceptible de ser cuestionado, pero al menos parece claro que los supuestos contemplados son estructuralmente distintos; de ahí el calificativo de "muy matizado" respecto al criterio mantenido por el Tribunal.

Cabe pues concluir este apartado sobre la configuración de la garantía *ne bis in ídem* en el orden nacional indicando que su construcción comienza desde el silencio absoluto de la Constitución, que puede ser interpretado negativamente por la omisión misma, pero también positivamente, por las posibilidades interpretativas que ofrece un silencio tan clamoroso a finales del siglo XX, cuando el "ne bis in ídem" ya formaba parte del acervo garantista europeo. El primer paso lo sitúa en la esfera del art. 25.1 CE (STC 2/1981), como corolario de la garantía de seguridad jurídica, uno de los ejes del principio de legalidad, por la intrínseca correspondencia entre un hecho y una sanción. El siguiente paso, dado por la STC 77/1983, se adentra en la delimitación del criterio que ofrece esta garantía constitucional para dirimir el conflicto entre la potestad sancionadora de la Administración y la potestad punitiva de la Jurisdicción Penal, considerando que en el plano de las garantías, ambas potestades se sitúan en un mismo plano y que debe proscribirse la "segunda" intervención (*bis*), una vez que la primera ya sancionó ese mismo hecho (ídem). La STC 159/1987 extrajo todas las consecuencias de este planteamiento, situando la garantía que nos ocupa no sólo en la esfera del art. 25.1 CE sino también, coherentemente, en la del art. 24.2 CE, ligada a la tutela judicial efectiva del ciudadano frente a intromisiones espurias del Estado.

A partir de aquí, se abre una doble vía interpretativa en la jurisprudencia del TC. La primera, marcada con nitidez por la STC 177/1999, se asienta en la seguridad jurídica y garantiza el *non bis* de manera absoluta, sea cual sea la primera intervención sancionadora. La STC 152/2001, sin desdecirse respecto a la anterior, toma buena nota de un criterio que —como se verá— resulta de suma relevancia en la jurisprudencia del TEDH, cual es la posición en el tiempo de la segunda intervención, sea ésta penal —normalmente— o administrativa —rara vez—. No sería lo mismo una apertura en paralelo (coetánea) de ambas "instrucciones" que una francamente posterior. En el primer caso, dice el TC, la garantía de seguridad jurídica no debe relacionarse tanto con el *sí* de la segunda sanción sino sobre el *quantum* de la misma. Con ello, se abre la segunda vía interpretativa, que liga el *bis* con la proporcionalidad de la sanción y no con su mera concurrencia. Esta segunda vía interpretativa aboga por permitir la segunda sanción (*bis*) con la condición de que la primera sea debidamente compensada. La STC 2/2003 confirma totalmente esta solución. El *ne bis in ídem* se convierte, con ello, en un mero criterio regulador de sanciones estatales y no tanto en una garantía de la seguridad jurídica del ciudadano cuando ya ha sufrido una sanción por un hecho ilícito.

II. EL *NE BIS IN ÍDEM* EN LA JURISPRUDENCIA DEL TEDH. EL PROTOCOLO 7 CEDH

Las competencias asociadas a la garantía *ne bis in ídem* en los dos Tribunales Europeos parece clara a primera vista. El de Derechos Humanos de Estrasburgo interviene como una última instancia (internacional) frente a las posibles vulneraciones del *ne bis in ídem* nacional. Por el contrario, el Tribunal de la Unión Europea de Luxemburgo dirime con carácter general controversias jurídicas relativas al Derecho comunitario, que pueden referirse tanto al *ne bis in ídem* nacional (siempre que se trate de "materia comunitaria", algo cada vez más difuso) como a las decisiones relativas al Espacio de Libertad, Seguridad y Justicia, regulado a este respecto por art. 54 del Convenio Schengen —que se refiere expresamente al *ne bis in ídem* en su dimensión internacional— y por la DM sobre la Orden de Detención Europea, en cuyo seno rige también esta garantía frente a la posible persecución o sanción doble de un mismo hecho en el espacio jurídico común de la Unión Europea.

Aunque existen instrumentos jurídicos anteriores[10], la base para la exclusión de la doble sanción por un mismo hecho en el espacio del Consejo de Europa es, sin duda, el art. 4 del Protocolo 7° del CEDH, que dice así:

> "1. Nadie podrá ser perseguido o condenado penalmente por los tribunales del mismo Estado, por una infracción por la que ya hubiera sido absuelto o condenado en virtud de sentencia firme conforme a la ley y al procedimiento penal de ese Estado.
>
> 2. Lo dispuesto en el párrafo anterior no impedirá la reapertura del proceso, conforme a la ley y al procedimiento penal del Estado interesado, cuando hechos nuevos o ulteriormente conocidos o un vicio esencial en el procedimiento anterior pudieran afectar a la sentencia dictada.
>
> 3. No se autorizará derogación alguna del presente artículo en virtud del artículo 15 del Convenio [estado de excepción]".

Si bien su aprobación tuvo lugar en 1984, en España no entró en vigor hasta el 1 de diciembre de 2009 (25 años después), lo que da una idea de la "trascendencia" que se le concedió a esta parte del Convenio, para el que más de un tercio de los 44 países firmantes han presentado reservas, muchas de las cuales se orientan a dejar fuera del radio de acción del Protocolo las sanciones administrativas, lo que limita de buena medida su efecto garantista[11]. Cabe añadir que países tan relevantes como Alemania, Holanda, Reino Unido y Turquía no han ratificado este Protocolo y que otros muchos han formulado reservas al mismo (como Francia, Italia, Portugal o Austria), lo que resta relevancia a este instrumento como unificador del tratamiento del *ne bis in ídem* en el ámbito del Consejo de Europa.

La disposición transcrita circunscribe el efecto profiláctico de la jurisdicción del TEDH a los supuestos de doble sanción o persecución *nacionales*, esto es se presenta como un medio depurativo de la indeseable utilización por un Estado parte de su *ius puniendi*. Se trata, por tanto, de una especie de última instancia

---

10   Pacto Internacional de Derechos civiles y políticos. Art. 14.7. *"Nadie podrá ser juzgado ni sancionado por un delito por el cual haya sido ya condenado o absuelto por una sentencia firme de acuerdo con la ley y el procedimiento penal de cada país"* (en España entró en vigor el 27 de julio de 1977).
11   VERVAELE, Ne bis in ídem: ¿un principio transnacional de rango constitucional en la Unión Europea?, en *INDRET*, 1/2014, p. 7; MANACORDA, "Dalle Carte dei diritti a un diritto penale 'a la carta'", en *Diritto penale contemporaneo*, 3/2013, p. 242 ss. CAVOSKI, "Interpretation of the rule ne bis in ídem", en *Revija za evmpsko pmvo*, 2004, p. 65 ss. La autora analiza la Sentencia *Gziitok*. BERNARD, *"Ne bis in ídem* – Protector of Defendants' Rights or Jurisdictional Pointsman?" *Journal of International Criminal Justice* 9 (2011), p. 863 ss. "the rule participates in upholding the structure of emergent international criminal law. As in the European Union, this articulating function appears to come about through the internationalization of the rule: it is needed and used in extra-territorial situations, where the protective goal of the rule can be relatively neglected".

"nacional" lo que le confiere un efecto unificador relativo. De la larga lista de resoluciones dictadas por el Tribunal de Estrasburgo sobre *ne bis in idem*, me interesa comenzar por la STEDH 30.7.1998 (*Oliveira c. Suiza*), relativa a una doble sanción por impericia en el manejo de un automóvil, que dio lugar a un procedimiento sancionador administrativo (concluido en condena) y un posterior procedimiento penal, que también concluyó en sanción, pero con el efecto consuntivo de la absorción de la primera por esta segunda. En la práctica, pues, el Tribunal de Estrasburgo dio validez a una suerte de concurso de normas, pues ambas estarían sancionando el mismo hecho (ídem), aunque sólo la sanción penal abarcara la totalidad del desvalor del hecho. El Tribunal declara que el art. 4 del Protocolo 7º CEDH "no se opone a que dos jurisdicciones distintas conozcan de infracciones diferentes,... y ello en menor medida en el caso en el que no ha tenido lugar una acumulación de penas sino la absorción de la más leve por la más grave". Opta, pues, por no depurar la duplicidad de procedimientos sancionadores siempre que no se produzca desproporción. Entiende que los "elementos esenciales" de ambas infracciones se superponen lo suficiente como para que las sanciones puedan superponerse también. Por lo que respecta a la determinación de la naturaleza penal o administrativa de la infracción/sanción, el TEDH dejó fijados unos criterios en 1976 (*Engel*) que todavía hoy son considerados válidos no sólo por él mismo sino también por el TJUE, a saber: la calificación jurídica de la infracción en Derecho interno, la propia naturaleza de la infracción y la naturaleza y gravedad de la sanción que puede imponerse al interesado[12.]

El impulso fundamental hacia la clarificación de la doctrina del TEDH sobre la garantía que nos ocupa se encuentra, sin duda, en la STEDH 10.2.2009 (*Zolotoukhine c. Rusia*). En primer lugar, se recuerda que la determinación de qué constituye "materia penal" a los efectos de proscribir la doble sanción —como se acaba de señalar— no puede quedar exclusivamente en manos de cada país, porque entonces la aplicación del art. 4 del Protocolo 7 CEDH estaría subordinada a la apreciación de los Estados contratantes, lo que podría conducir a unos resultados incompatibles con el objeto y fin del Convenio. La propia naturaleza de la infracción y el grado de severidad de la sanción impuesta al interesado serán criterios ulteriores que decidirán sobre la naturaleza de ésta[13].

En la búsqueda de criterios para determinar el ídem de la infracción, existen tres enfoques. El primero, que podríamos denominar ídem *factum*, se rige por el comportamiento en sí, con independencia de su calificación jurídica (así, principalmente, la Sentencia *Gradinger* -23.4.1995: no cabe doble sanción cuando una de ellas se refiere a la alcoholemia del conductor y la segunda a su comporta-

---

[12]   STEDH, 8 de junio de 1976 (*Engel y otros c. Países Bajos*) y STJUE 5.6.2012, Asunto *Bonda*.
[13]   ROMA VALDÉS: *La convergencia jurisdiccional en Europa*, Coruña, 2014, p. 67 ss.

miento imprudente). Un segundo enfoque reconoce la admisibilidad de la doble sanción, incluso infligidas en procedimientos distintos, siempre que la segunda intervención sancionadora del Estado no se extralimite y compense de algún modo la primeramente infligida (Asunto *Oliveira*, STEDH 30.6.1998). El tercer enfoque pone énfasis en los "elementos esenciales" de las dos infracciones. En la Sentencia *Fischer c. Austria* (29.5.2001), el Tribunal confirmó que el artículo 4 del Protocolo núm. 7 toleraba la pluralidad de procesos en casos como el anterior; sin embargo, considerando que sería incompatible con esta disposición juzgar o sancionar dos veces a una persona por delitos simplemente "diferentes en cuanto a su denominación", consideró que debía examinarse si tales ilícitos contenían o no los mismos "elementos esenciales". Dado que en el caso del señor Fischer la infracción administrativa de conducir bajo los efectos del alcohol y el delito de homicidio imprudente "en estado de embriaguez" la respuesta era afirmativa, el Tribunal concluyó que había habido violación del artículo 4 del Protocolo núm. 7. Añadió que en caso de superposición meramente parcial la doble persecución sí era admisible. Este enfoque se siguió en los asuntos *W.F. c. Austria* (30.5.2002) y *Sailer c. Austria* (6.6.2002), cuyo origen era una serie de hechos similar.

Este criterio de los "elementos esenciales" se siguió después en los Asunto *Manasson c. Suecia* (8.4.2003), *Bachmaier c. Austria* (2.9.2004) y, posteriormente, en el caso *Zolotoukhine*, que nos ocupa. El recurrente había alterado el orden público en una comisaría y había sido sancionado con tres días de arresto por infracción de los artículos 158 y 165 del Código de infracciones administrativas. El posterior procedimiento penal se abrió para sancionarle por un delito contra el orden público, aunque fue absuelto, pero no por aplicación del *ne bis in ídem*. Ante la diversidad de enfoques mantenidos por el Tribunal para encarar este asunto, éste reconoce su obligación de afrontar una armonización de la propia doctrina acerca de la interpretación de la noción de "mismo delito" —el elemento ídem del principio *ne bis in ídem*— a los efectos del artículo 4 del Protocolo núm. 7: "ciertamente, es en interés de la seguridad jurídica, la previsibilidad y la igualdad ante la Ley que no se aparta sin un motivo válido de sus precedentes; sin embargo, si no mantuviese un enfoque dinámico y evolutivo, tal actitud impediría cualquier reforma o mejora", una declaración típicamente ambigua, como no podía ser de otra manera. Tras recordar que el TJUE y la Corte Interamericana de Derechos Humanos decidieron adoptar el enfoque basado estrictamente en la identidad de los hechos materiales y no admitir la calificación jurídica de tales hechos como criterio pertinente, ensanchando con ello la garantía intrínseca del *ne bis in ídem*, dice el Tribunal: "se debe entender que el artículo 4 del Protocolo núm. 7 prohíbe perseguir o juzgar a una persona por una segunda 'infracción' en la medida en que ésta tenga su origen en unos hechos idénticos o en unos hechos que son esencialmente los mismos. La garantía consagrada en el artículo 4 del

Protocolo núm. 7 entra en juego cuando se abren nuevas diligencias y la sentencia anterior absolutoria o condenatoria ha adquirido fuerza de cosa juzgada. Poco importa qué partes de estas nuevas acusaciones son finalmente estimadas o rechazadas en el procedimiento ulterior, puesto que el artículo 4 del Protocolo núm. 7 enuncia una garantía contra un nuevo enjuiciamiento o el riesgo de un nuevo enjuiciamiento y no la prohibición de una segunda condena o una segunda absolución".

En el análisis de los "elementos esenciales" en el Caso *Zolotoukhine*, el Tribunal considera que con independencia de su calificación jurídica ambas sanciones tienen como *hecho sancionador* la imprecación a la policía, lo que constituye un *idem* que no debe recibir doble sanción. Es importante resaltar que el TEDH reconoce la violación del derecho que nos ocupa aunque el sujeto resultara absuelto en el proceso penal, ya que "el procedimiento duró más de diez meses durante los cuales el interesado hubo de participar en la investigación y ser juzgado. Por lo tanto, el hecho de que finalmente resultase absuelto no debilita su alegación según la cual fue perseguido y juzgado dos veces por esta acusación".

Poco después, en *Ruotsalainen c. Finlandia* (19.6. 2009), el TEDH se enfrentó al caso inverso: imposición de una sanción penal y posterior apertura de procedimiento administrativo sancionador. En ambos casos se castigó el uso de un carburante menos gravado que el diésel sin abonar el impuesto adicional. Respecto a la naturaleza "punitiva" de la sanción administrativa el Tribunal advierte de que "la esfera considerada en el sistema legal finlandés como 'administrativa' incluye ciertas infracciones que tienen connotaciones criminales, pero son demasiado triviales para ser reguladas por la ley y el procedimiento penal. La sanción tributaria fue impuesta por una norma cuya finalidad era no solamente compensadora sino preventiva y sancionadora, lo que determina la naturaleza criminal de la infracción. Por lo demás, el término 'procedimiento penal', recogido en el texto del art. 4/Protocolo 7 debe ser interpretado a la luz de los principios generales aplicables a los términos 'imputación criminal' y 'sanción' en los artículos 6 y 7 de la Convención, respectivamente. Por todo ello, el Tribunal concluye que se incurrió en *bis in ídem* en el acto de abrir ese segundo procedimiento 'punitivo'".

Más recientemente el TEDH ha dictado una resolución (STEDH de 15 de noviembre de 2016 *A y B c. Noruega*) que deja abierta la vía del *bis* atendiendo básicamente a la "conexión sustantiva y temporal" entre los procedimientos sancionadores (lo que denomina "test *Nilsson*") y, en definitiva, a la posibilidad de conjugar uno con otro para *completar* el régimen punitivo de un Estado determinado. En el *caso Nilsson* (STEDH 13.12.2005), estimó el Tribunal que no se vulneraría el *ne bis in ídem* si las sanciones, aun siendo infligidas por autoridades distintas, presentan una conexión material y temporal suficiente como para considerar que la sanción administrativa es un "apéndice" de la sanción penal (en el caso enjuiciado, la retirada del permiso de conducir basada en la conducción bajo alcoholemia y sin permiso)[14]. En el caso enjuiciado por la STEDH *A y B c. Noruega*, el Alto Tribunal europeo afronta otra vez una duplicidad sancionadora en materia fiscal, ora administrativa, ora penal, admitiendo la misma de acuerdo con el criterio de conexión material y temporal (visión conjunta podría denominarse)[15] y de los oportunos mecanismos de compensación que permiten, de algún modo, absorber la primera sanción mediante la segunda, lo que otorga a la intervención punitiva del Estado una cierta coherencia, constituyéndose en un "mecanismo sancionador integral" aunque no sea una intervención unitaria[16]. Hace pocas semanas, el TEDH ha confirmado la vigencia de los criterios sentados en *A y B c. Noruega*, (asunto *Nodet c. Francia*, 6 de junio de 2019), y ha condenado a Francia por considerar que los procedimientos penal y administrativo no podrían considerarse como una "unidad de procedimiento sancionador" (§ 49).

Cabe concluir este apartado señalando que, en el marco del CEDH (Protocolo 7/art. 4), la garantía *ne bis in ídem* se ha desarrollado de manera asistemática, a golpe de novedad jurisprudencial, lo que ha impedido que el dibujo actual de dicha garantía sea nítido. Pese a todo, parece haberse consolidado una interpretación *extensa* del ídem que analiza la utilización del *ius puniendi* no tanto desde el prisma de las categorías o tipificaciones jurídicas sino más bien desde la óptica de los hechos mismos. Esto es, se ha consolidado un ídem *factum*. Dicha unificación interpretativa se produjo en *Zolotoukhine*.

---

14   Vid. al respecto, PARONI PINI, "Corte Europea dei Diritti dell'Uomo: la Grande Camera detta i limiti di applicabilità del principio del ne bis in ídem" en *Rivista di Diritto Tributario*, suplemento on line, 17 gennaio 2017, p. 2.

15   En el original inglés puede leerse: "*a sufficiently close connection.. in substance and in time*".

16   Con ello, el voto particular de PINTO DE ALBUQUERQUE (calificado con razón por VIGANÒ como una auténtico "tratado" sobre el principio *ne bis in ídem*) explica a lo largo de más de 40 páginas el argumento contrario (y contrariamente único, porque la votación dejó a este Juez de Estrasburgo solo frente a los otros 16), que concluye con una figura retórica, en la que el viejo *ne bis in ídem* queda remozado por la "nueva camisa propuesta para el *bis*" y una apocalíptica visión del Estado/ Leviatán que permitirá —a juicio de Pinto de Albuquerque— la proliferación de procedimientos sancionadores contra una misma persona por un mismo hecho en aras de esa "coherencia sancionadora", que el Juez disidente sitúa extramuros de las garantías individuales (lugar propio del *ne bis in ídem*) para situarse en un escenario distinto, de mero orden normativo. Vid. las relevantes consideraciones de FIMIANI, "Market abuse e doppio binario sanzionatorio dopo la sentenza della Corte E.D.U., Grande Camera, 15 novembre 2016, A e B c. Norvegia", en Diritto penale contemporaneo, 8 de febrero de 2017, p. 4. VIGANÒ, "Ne bis in ídem e doppio binario sanzionatorio: nuovo rinvio pregiudiziale della cassazione in materia di abuso di informazioni di privilegiate", en Diritto penale contemporaneo, 28 novembre 2016. PARONI PINI, "Corte Europea di Diritti dell'Uomo: la Grande Camera detta i limiti di applicabilità del principio del ne bis in ídem" en Rivista di diritto tributario, suplemento on line, 1/2017, p. 2. FATTA, "Il nuovo volto del ne bis in ídem nella giurisprudenza della Grande Camera e la compatibilità con il doppio binario sanzionatorio in materia tributaria" en *Giurisprudenza Penale Web, 2017, 1*

Por lo que se refiere al *bis*, tal consolidación no existe. Hasta 2009 se interpretó como "imposibilidad absoluta" de iniciar un segundo procedimiento cuando ya se inició el primero, siendo indiferente la catalogación de ambos a condición de que se situaran en el ámbito de lo "punible" (en el sentido del art. 6 del Convenio), porque en *Oliveira* fue primero el orden administrativo, pero en *Ruotsalainen* fue primero el orden penal. Sin embargo, la STEDH de 15 de noviembre de 2016 parece enlazar con el antecedente *Nilsson* para permitir la confluencia de procedimientos sancionadores a condición de que dicha confluencia fuera previsible y de que una visión integral de la respuesta sancionadora del Estado permita emitir un juicio positivo de proporcionalidad sobre las sanciones (*bis*) irrogadas. Desde este punto de vista, ya no existiría un *ne* (bis in ídem) sino un *bis* permitido pero condicionado a la congruencia y previsibilidad expresadas.

III. EL *NE BIS IN* ÍDEM EN EL ESPACIO JURÍDICO DE LA UNIÓN EUROPEA

a. Dimensiones nacional y supranacional del ne bis in ídem

En su muy apreciada obra sobre "Comunidades europeas y Derecho penal", Giovanni GRASSO recordaba que al abrirse a la firma el Convenio entre los Estados miembros de las Comunidades Europeas relativo a la aplicación del principio non bis in ídem (1987) se intentaba superar el obstáculo que representaba su falta de garantía para la libre circulación de personas y para la creación de un "espacio económico uniforme"[17]. La iniciativa se orientaba, en todo caso, hacia la resolución de conflictos jurisdiccionales entre los Estados miembros, unificando la persecución y/o condena o absolución de los ciudadanos europeos; en ningún caso se planteaba como una garantía de éstos frente a sus propios Estados, es decir en ese sentido "vertical" que acabamos de analizar. Se movía, pues, en el ámbito de los efectos internacionales de la *cosa juzgada penal*, el mismo en el que poco después incidiría el Convenio de aplicación del Acuerdo de Schengen —de 19 de junio de 1990—, cuyo art. 54 estableció que: "*una persona que haya sido juzgada en sentencia firme por una Parte contratante no podrá ser perseguida por los mismos hechos por otra Parte contratante, siempre que, en caso de condena, se haya ejecutado la sanción, se esté ejecutando o no pueda ejecutarse ya según la legislación de la Parte contratante donde haya tenido lugar la condena*". El Acuerdo y el Convenio, junto con los acuerdos y normas relacionados, conforman el

---

[17]   El original: *Comunità europee e diritto penale. I rapporti tra l'ordinamento comunitario e i sistemi penali degli stati membri*, Milán, 1989. En español, *Comunidades europeas y Derecho penal*, Cuenca, 1993, trad. Nicolás García Rivas (por la que se cita). Ibi, p. 69 ss.

"acervo de Schengen", integrado en la Unión Europea mediante el Tratado de Amsterdam, de 2 de octubre de 1997, que entró en vigor el 1 de mayo de 1999.

La promulgación de la Carta de Derechos Fundamentales de la Unión en 2000, unida a la entrada en vigor del Protocolo 7 CEDH varios años antes, las dimensiones internacional y nacional de esta garantía confluyen en cierto modo. Es cierto que a primera vista el art. 50 sólo se refiere expresamente a la primera, al decir que" *nadie podrá ser acusado o condenado penalmente por una infracción respecto de la cual ya haya sido absuelto o condenado en la Unión mediante sentencia penal firme conforme a la ley*"), pero la "Explicación" que acompaña al precepto incluye el texto del art. 4 Protocolo 7 CEDH (a cuyos tenor literal e interpretación jurisprudencial se remite expresamente) y añade: "el principio '*non bis in ídem*' *no se aplica únicamente en el ámbito jurisdiccional de un mismo Estado*, sino también entre las jurisdicciones de varios Estados miembros, lo que se corresponde con el acervo del Derecho de la Unión"[18]. Aunque algunos Convenios contienen cláusulas sobre *ne bis in idem* que dejan un cierto ámbito de discrecionalidad a los Estados parte, el art. 52.1 CDFUE sólo permite limitaciones del ejercicio de los derechos establecidas por la ley y que no restrinjan su contenido esencial, exigiendo además que sean proporcionales y necesarias para proteger los derechos de los demás o el interés general. Por eso en la Explicación al art. 50 CDFUE se advierte de que "las excepciones quedan cubiertas por la cláusula horizontal del apartado 1 del artículo 52". Todo ello configura un sistema complejo de protección de derechos que se complementa con la que dispensan los ordenamientos de cada Estado, lo que complica aún más el cuadro normativo y ha obligado a la doctrina a dedicarle especial atención[19]. En ese marco, dado

---

[18]   Se remite después a los artículos 54 a 58 del Convenio de Aplicación del Acuerdo de Schengen y la sentencia del Tribunal de Justicia de 11 de febrero de 2003, asunto C-187/01 *Gözütok* (Rec. 2003, p. I-1345), el artículo 7 del Convenio relativo a la protección de los intereses financieros de la Comunidad y el artículo 10 del Convenio relativo a la lucha contra la corrupción).

[19]   MUÑOZ DE MORALES, *El legislador penal europeo: legitimidad y racionalidad*, Madrid, 2011. MUÑOZ MACHADO, MUÑOZ MACHADO, "Los tres niveles de garantías de los derechos fundamentales en la Unión Europea: problemas de articulación" en *Revista de Derecho comunitario europeo* 2015, p. 219: En el caso sometido a la decisión del Tribunal [*Akerberg*], de la interpretación en uno u otro sentido de la expresión "apliquen derecho de la Unión" derivaría que fueran legítimas o no sanciones penales y administrativas impuestas a un ciudadano, ya que de no estar en un supuesto de aplicación del derecho comunitario habría que dar entrada, para resolver la reclamación de *Akerberg*, el derecho interno que ofrecía mayores niveles de protección. El Tribunal de Justicia aceptó, que, en efecto, los estándares nacionales de protección desplazaran a los establecidos en la Carta, que eran inferiores. Las normas de derecho interno ejecutaban otras del derecho de la Unión, pero estas últimas no regulaban la situación de un modo completo de manera que la actuación jurídica de los Estados no quedaba "totalmente determinada" por el derecho europeo. Y siendo así la sentencia argumenta lo siguiente: "cuando un órgano jurisdiccional de un Estado miembro

que la dimensión "nacional" (vertical) de la prohibición de duplicidad sancionadora queda cubierta en su contenido por la nutrida jurisprudencia del TEDH, los actos jurídicos comunitarios suelen remitirse (de manera implícita, al menos) a ella cuando regulan algún aspecto sancionador.

Quizá porque esa parcela "vertical" de la interdicción de la duplicidad sancionadora se supone ya cubierta, cuando las instituciones comunitarias han pretendido regular el ne bis in idem en la Unión, se han orientado básicamente hacia su sentido "horizontal" o "internacional", es decir a los efectos de la cosa juzgada nacional. Así ocurría en el Libro Verde de 23 de diciembre de 2005[20], donde la Comisión advertía de que "a medida que la delincuencia adquiere una dimensión internacional, la justicia penal se enfrenta cada vez más en la UE a situaciones en las que varios Estados miembros son competentes para ejercer la acción penal en el mismo asunto (...) Los procesamientos múltiples son perjudiciales para los derechos e intereses de las personas y pueden producir una duplicación de tareas (...) Actualmente, el único impedimento [viene dado] por los artículos 54 a 58 del Convenio de aplicación del Acuerdo de Schengen. Sin embargo, este principio no evita los conflictos de jurisdicción derivados de la existencia de múltiples procesamientos en curso en dos o más Estados miembros; sólo puede aplicarse para evitar un segundo procesamiento por el mismo asunto, cuando una resolución que prohíbe el procesamiento posterior (*res judicata*) ha puesto fin al procedimiento en un Estado miembro (...) Pero lo más importante es que, sin un sistema que atribuya los asuntos a la jurisdicción adecuada en el curso del procedimiento, el principio *non bis in ídem* puede producir resultados imprevistos e incluso arbitrarios: al dar preferencia al primer órgano jurisdiccional que pueda dictar una resolución definitiva, produce un efecto similar al "principio de orden de llegada". "Actualmente, la elección de la jurisdicción se deja al azar, lo cual parece explicar por qué el principio *non bis ídem* sigue siendo objeto de diversas excepciones". La Propuesta de Decisión Marco de 2003 advertía sobre la importancia de su regulación para resolver problemas relativos a asilo, inmigración, extradición, etc.

---

deba controlar la conformidad con los derechos fundamentales con una disposición o una medida nacional por la que se aplica el Derecho de la Unión en el sentido del artículo 51, apartado 1, de la Carta, en una situación en la que la acción de los Estados miembros no esté totalmente determinada por el Derecho de la Unión, las autoridades y tribunales nacionales siguen estando facultados para aplicar estándares nacionales de protección de los derechos fundamentales, siempre que esa aplicación no afecte al nivel de protección previsto en la Carta, según su interpretación por el Tribunal de Justicia, ni a la primacía, la unidad y la efectividad del Derecho de la Unión" Vid. asimismo, GARCÍA RIVAS, "La tutela de las garantías penales tras el Tratado de Lisboa" en DÍEZ-PICAZO/NIETO MARTÍN (dirs.) *Los derechos fundamentales en el Derecho penal europeo*, Madrid, 2010, p. 90 ss.

[20] COM (2005) 696 final.

La separación entre las dos vertientes (vertical y horizontal) se aprecia en el preámbulo de la propuesta griega: "En los sistemas jurídicos de algunos Estados el principio *ne bis in ídem* se reconoce solamente *a nivel nacional*, es decir, *verticalmente*, observando el procedimiento penal seguido en el Estado de que se trata. La *aplicación transnacional* del principio, *horizontalmente*, se establece en los artículos 54 a 57 del capítulo 3 del Convenio de aplicación del Acuerdo de Schengen. El objetivo de la Decisión marco es proporcionar a los Estados miembros normas jurídicas comunes relativas al principio *ne bis in ídem*, con objeto de garantizar la uniformidad tanto en la interpretación de dichas normas como en su aplicación práctica". Al pasar al articulado, ese ámbito de incidencia *nacional* o *vertical* (según su propia denominación) brilla por su ausencia. Así se desprende del tenor del art. 2, titulado: "*Derecho de las personas a no ser procesadas ni condenadas dos veces por el mismo delito penal*": "Cualquier persona que, como consecuencia de haber cometido un delito penal, haya sido procesada y finalmente sentenciada en un Estado miembro con arreglo al Derecho penal y al procedimiento penal *de dicho Estado*, no podrá ser procesada por los mismos hechos *en otro Estado* miembro". La razón de esta omisión parece clara: ni en 2003[21] ni en 2005 se consideró que el Derecho comunitario incluiría formalmente al Derecho penal como instrumento de ejecución de políticas comunitarias. Anduvo lenta la Comisión, porque dos meses antes de publicarse el Libro Verde, el 13 de septiembre de 2005 el Tribunal de Justicia emitió la Sentencia *Comisión c. Consejo*, que abrió la puerta al Derecho penal como una parte "ordinaria" del Derecho comunitario y no sólo en el ámbito del "Tercer Pilar", algo que revolucionó el panorama penal europeo hasta su consolidación en el Tratado de Lisboa[22]. Éste elevó la CDFUE a la categoría de Derecho primario de la Unión, lo que le convierte en parámetro de referencia la hora de examinar la validez del Derecho derivado y de las medidas *nacionales*. Y concluyo recordando que el

---

[21]   Vid. Asimismo la muy elaborada propuesta del Instituto Max Planck de Friburgo, dirigida por el profesor SIEBER, dedicada en exclusiva a la vertiente supranacional u horizontal de esta garantía: BIEHLER/KNIEBÜHLER/LELIEUR/STEIN. *Freiburg Proposal on Concurrent Jurisdictions and the Prohibition of Multiple Prosecutions in the European Union*, Friburgo de Brisgovia, 2003. Algo posterior es la contribución de PISANI, "*Ne bis in ídem* y cooperación judicial europea", trad. María José Pifarré, en ARROYO ZAPATERO/NIETO MARTÍN (coords.), *El principio ne bis in ídem en el Derecho penal europeo e internacional*, Cuenca, 2007, p. 173 ss.

[22]   Vid. ESTRADA CUADRAS, "Vía libre al Derecho penal europeo. Comentario a la Sentencia del TJCE de 13 de septiembre de 2005", en *Indret*, 1/2006, p. 7 En un trabajo posterior, apliqué los criterios de esta Sentencia a un problema que, en principio, era ajeno al Derecho penal: GARCÍA RIVAS, "¿Directivas penales de la Unión Europea en materia de salud laboral?", en CARBONELL MATEU/GONZÁLEZ CUSSAC/ORTS BERENGUER (dirs.), CUERDA ARNAU (coord.), *Constitución, derechos fundamentales y sistema penal*, Valencia, 2009, P. 671 ss.

art. 53 CDFUE establece que "ninguna de las disposiciones de la presente Carta podrá interpretarse como limitativa o lesiva de los derechos humanos y libertades fundamentales reconocidos (...) en particular el Convenio Europeo para la Protección de los Derechos Humanos y de las Libertades Fundamentales". En efecto, de acuerdo con lo previsto en el art. 52.3 CDFUE, "en la medida en que la presente Carta contenga derechos que correspondan a derechos garantizados por el Convenio Europeo para la Protección de los Derechos Humanos y de las Libertades Fundamentales, su sentido y alcance serán iguales a los que les confiere dicho Convenio. Esta disposición no obstará a que el Derecho de la Unión conceda una protección más extensa".

Con esta multiforme normativa, no es extraño que el *ne bis in ídem* dentro del Derecho comunitario no se haya resignado a jugar un papel en el ámbito *internacional (horizontal)* y haya ampliado su radio de acción al ámbito *nacional (vertical)*, en un campo que se abre a partir de esa Sentencia de 13 de septiembre de 2005, que se afianza con el Tratado de Lisboa y que pugna manifiestamente —en una especie de "tango jurídico"— con el espectro del CEDH, cuya adhesión por parte de la Unión misma ha sido rechazada mediante Dictamen 2/2014, con una argumentación que resume certeramente MUÑOZ MACHADO: "Sus razones de fondo radican en la apreciación de que las normas del Convenio y, en especial, la posible actuación del Tribunal Europeo de Derechos Humanos en asuntos en que se está aplicando, o está en juego, el Derecho de la Unión, puede afectar a la preservación de sus características específicas. Considerando que la Unión y sus instituciones, incluido el Tribunal de Justicia, estarían sujetas a los mecanismos de control previstos en el Convenio, y en particular a las decisiones y sentencias del TEDH, se produciría un control externo de dichas instituciones y Tribunal de Justicia que puede afectar a las apreciaciones de éste relativas 'al ámbito de aplicación material del Derecho de la Unión'. Y el Tribunal de Justicia considera que sus decisiones acerca de si un Estado está obligado a respetar los derechos fundamentales de la Unión no deberían poder ser cuestionadas por el TEDH"[23]. Veamos cómo se ha desarrollado la garantía que nos ocupa en la legislación y la jurisprudencia del TJUE.

b. La dimensión "nacional" del "ne bis in ídem". El papel del art. 4 del Protocolo 7 CEDH y las 3 Sentencias de 20 de marzo de 2018

Como se señalaba más arriba, la "Explicación" unida al art. 50 CDFUE enlaza este precepto con el Protocolo 7 CEDH. Pero debe comprobarse si dicho

[23]   MUÑOZ MACHADO, "Los tres niveles de garantías de los derechos fundamentales en la Unión Europea: problemas de articulación" en *Revista de Derecho comunitario europeo*, 2015, p. 210.

acoplamiento convive pacíficamente con lo dispuesto en el art. 52.1 CDFUE sobre el respeto al contenido esencial de los derechos reconocidos en la Carta por parte de los legisladores nacionales, límites que sólo pueden estar guiados por los principios de legalidad y de proporcionalidad respecto al cumplimiento de los objetivos comunitarios[24].

Hasta 2016, para definir la posición del TJUE en la vertiente *nacional* del *ne bis in ídem* había que referirse a la doctrina sentada en el Asunto Åkerberg Fransson (STJUE 26.2.2013)[25]. El "método" de análisis sobre la posible vulneración *nacional* de la garantía que nos ocupa comienza por la propia inclusión del problema en el ámbito comunitario; en el caso analizado se trataba de un recargo fiscal por infracción de la normativa sobre el IVA, previsto en la Directiva 2006/112. A continuación hay que determinar si dicho recargo es una *sanción punitiva* y, por tanto, susceptible de impedir una segunda sanción de la misma naturaleza. En este punto la STJUE 26.2.2013 cita como precedente el *Asunto Bonda* (STJUE 5.6.2012), cuya Sentencia cita a su vez el Caso *Engel* (STEDH 8.6.1976), lo que sitúa la solución jurídica en el espectro de la jurisprudencia de Estrasburgo, confluyendo con ella. A juicio de IGLESIAS SÁNCHEZ este pronunciamiento "destaca no tanto por ofrecer un resultado novedoso a la cuestión del ámbito de aplicación de los derechos fundamentales de la Unión, sino por su claridad, énfasis y rotundidad, lo que ha de llevar a descartar definitivamente una interpretación restrictiva fundada en el tenor literal del artículo 51"[26]

---

[24] Art. 52.1 CDFUE: "1. Cualquier limitación del ejercicio de los derechos y libertades reconocidos por la presente Carta deberá ser establecida por la ley y respetar el contenido esencial de dichos derechos y libertades. Dentro del respeto del principio de proporcionalidad, sólo podrán introducirse limitaciones cuando sean necesarias y respondan efectivamente a objetivos de interés general reconocidos por la Unión o a la necesidad de protección de los derechos y libertades de los demás".

[25] Considera, sin embargo, que la dimensión nacional de este principio ha sido más desarrollada que la internacional RECCHIA, "Il principio europeo del ne bis in ídem tra dimensioni interna e internazionale. Breve riflessioni alla luce della Sentenza della Corte di Giustizia Spasic", en *Rivista di Diritto penale contemporaneo* 3/2015, p. 73. Sobre la doble dimensión, también, VAN BOCKEL, *The ne bis in ídem principle in EU Law*, 2010. OLIVER/BOMBOIS, "*Ne bis in ídem* en droit européen: un principe à plusieurs variantes", en *Journal de droit européen*, 2012, pp. 266 ss.; TOMKIN, "Article 50, Right not to be tried or punished twice in criminal proceedings for the same criminal offence", en Peers, S., Hervey, T., Kenner, J. y Ward, A., *The EU Charter of Fundamental Rights: a commentary*, Oxford, 2014, pp. 1373 ss. (Los últimos citados por CAMPOS SÁNCHEZ-BORDONA).

[26] Cfr. IGLESIAS SÁNCHEZ, "La confirmación del ámbito de aplicación de la Carta y su interrelación con el estándar de protección", en Revista de Derecho comunitario europeo, 2013, p. 1163. La autora mantiene, no obstante, una visión un tanto pesimista sobre la posibilidad de clarificar totalmente eso que se denomina "ámbito comunitario": "En todo caso, y no obstante el esfuerzo clarificador vertido en la presente sentencia resulta de enorme dificultad diseñar sobre esta base un marco teórico completo capaz de encuadrar in abstracta todas las posibles

Ahora bien, las tres Sentencias del Tribunal de Luxemburgo, dictadas el 20 de marzo de 2018 (Asuntos *Menci, Glarsson y Di Puma*) y que analizan casos similares, aunque no idénticos, creo que ofrecen una visión menos optimista sobre esas limitaciones. Las cuestiones prejudiciales planteadas eran:

(Asunto *Menci*): "¿Se opone el artículo 50 [de la Carta], interpretado a la luz del artículo 4 del Protocolo n.º 7 [al CEDH] y de la [...] jurisprudencia del Tribunal Europeo de Derechos Humanos [relativa a dicho artículo], a la posibilidad de tramitar un proceso penal que tenga por objeto un hecho (impago del IVA) por el cual se haya impuesto a la persona imputada una sanción administrativa irrevocable?".

(Asunto *Glarsson*): Si lo dispuesto en el artículo 50 de la [Carta,] interpretado a la luz del artículo 4 del Protocolo n.º 7 [al CEDH], de la correspondiente jurisprudencia del Tribunal Europeo de Derechos Humanos y de la normativa nacional, se opone a la posibilidad de tramitar un procedimiento administrativo que tenga por objeto un hecho (conducta ilícita de manipulación del mercado) por el que se haya impuesto a la misma persona una condena penal irrevocable.

(Asunto *Di Puma*): Si el artículo 50 de la [Carta] debe interpretarse en el sentido de que la declaración firme de la inexistencia de una conducta constitutiva de infracción penal conlleva, sin necesidad de apreciación posterior alguna por parte del juez nacional, un efecto preclusivo con respecto a la apertura o a la prosecución de un procedimiento posterior por los mismos hechos, dirigido a la imposición de sanciones que por su naturaleza y gravedad deben considerarse de carácter penal[27].

Para establecer el ídem, el TJUE asume el criterio de la identidad de hechos materiales y no el de la identidad jurídica, que resulta fácilmente eludible. A partir de ahí, su argumentación parte de la evidente existencia de un *bis* sancionador en los tres casos, pero entiende que en los dos primeros (*Menci y Glarsson*) la limitación del alcance garantista del art. 50 CDFUE, prevista en el art. 52.1 de la Carta, es asumible debido a que se cumple el parámetro de la proporcionalidad y a la orientación de las sanciones hacia la satisfacción efectiva de objetivos comunitarios. Por el contrario, en el Asunto *Di Puma*, el Tribunal entiende que la falta de prueba sobre los hechos, decidida por el juez penal, no permite proseguir con un procedimiento sancionador administrativo, habida cuenta de que (como dice

---

vinculaciones susceptibles de desencadenar la aplicación de la Carta. En efecto, el profundo entrelazamiento entre el derecho nacional y el derecho de la Unión, así como la constante expansión de este último, abocan a variaciones exponenciales de interrelación entre los dos planos normativos, con perfiles e intensidades divergentes. La identificación de las situaciones cubiertas por el derecho de la Unión no puede, por lo tanto, eludir las circunstancias del caso concreto". (p. 1165).

27   *Menci* (C-524/15), *Glarsson* (C-537/16), *Di Puma* (C-596/16 y C-597/16).

nuestro Tribunal Constitucional) la falta de prueba no afecta sólo al orden penal sino también al orden administrativo sancionador. En concreto, dice: la tramitación de un procedimiento de sanción administrativa pecuniaria de carácter penal excede manifiestamente de lo necesario para alcanzar el objetivo [comunitario], puesto que existe una sentencia penal firme absolutoria en que se declara la falta de elementos constitutivos de la infracción que el artículo 14, apartado 1, de la Directiva 2003/6 pretende sancionar.

Al decidir de ese modo, el TJUE se está acoplando, en realidad, a la jurisprudencia del TEDH en su Sentencia de 15 de noviembre de 2016 *A y B c. Noruega*, la cual, como antes se advertía, dejó abierta la posibilidad de un *bis in ídem* siempre que los procedimientos paralelos tuvieran "conexión sustantiva y temporal" y cumplieran el denominado "test Nilsson". En efecto, en los Asuntos *Menci* y *Glarsson*, el TJUE permite que existan instrumentos sancionadores paralelos y procedimientos sancionadores sucesivos con tal de que ello sirva para cumplir los objetivos comunitarios.

Por consiguiente, aunque VERVAELE advertía hace años sobre la diferente aplicación del *ne bis in ídem* en Estrasburgo y Luxemburgo, porque aquí se permitía la "compensación" mientras que Estrasburgo se mostraba más categórico sobre el *ne* a la segunda sanción o procedimiento, ya se ha visto que la STEDH 15.11.2016, *A y B c. Noruega* también admite la compensación, lo que limita bastante el alcance de esas diferencias. ¿No era esto lo que propugnaban quienes hablaban del "diálogo entre tribunales"? Sí, efectivamente, aunque creo que se han equiparado por el lado menos garantista. La reciente STJUE de 3 de abril de 2019 (C-617/17) corrobora esa impresión[28]

c. La dimensión supranacional del ne bis in ídem. Art. 54 CAAS y art. 50 CDFUE

En el propio Tratado de la Unión Europea (art. 31) se atribuye a ésta la misión de promover la acción común sobre cooperación judicial en materia penal, que deberá prevenir "la prevención de conflictos de jurisdicción entre los Estados Miembros", lo que no es sino proyección de una visión racionalista de la Unión, cuyo espacio jurídico penal está compuesto por 28 sectores que cuenta, cada uno,

---

[28] VERVAELE, "'Ne bis in ídem'…, *cit.*"., p. 13. En el mismo sentido, la STJUE de 3 de abril de 2019 (C617/17), "el principio *non bis in idem* reconocido en el artículo 50 de la Carta debe interpretarse en el sentido de que no se opone a que una autoridad nacional de competencia imponga a una empresa, en una misma resolución, una multa por infracción del Derecho nacional de la competencia y una multa por infracción del artículo 82 CE. No obstante, en esa situación, la autoridad nacional de competencia debe cerciorarse de que las multas, *consideradas conjuntamente*, son proporcionadas a la naturaleza de la infracción" (subrayado mío).

con sus propias reglas sustantivas y procesales[29.] En ese camino hacia la unificación del espacio penal europeo los expertos han tratado de introducir otras reglas de carácter supranacional que permitan una ordenación que no sólo garantice los derechos del justiciable sino que evite una estéril duplicación de procedimientos y de esfuerzos. Para ello sería imprescindible dar carta de naturaleza sin ambages al reconocimiento de la eficacia de los instrumentos jurídicos ajenos, propio de otros países y quizá distintos de los nuestros, con el fin de luchar eficazmente contra la delincuencia transnacional, ámbito de competencia comunitaria según el Tratado de Lisboa.

Esa eficacia debía considerarse también desde el punto de vista de los procesos orales favoreciendo mecanismos que permitan, en caso necesario, llegar a acuerdos para determinar qué jurisdicción se encuentra en mejor situación para realizar el enjuiciamiento único de los culpables[30]. Cabe hablar de un conflicto de jurisdicción internacional cuando los tribunales de dos o más países son competentes, según su respectiva Ley interna, para enjuiciar o investigar una infracción penal. Dichos conflictos son la materia regulada en los arts. 54 y siguientes del Convenio de Aplicación de los Acuerdos de Schengen, pero lo están de forma incompleta y poco satisfactoria por las excepciones que contempla. Ya se advirtió, por otra parte, de la concurrencia normativa de aquél con el art. 50 CDFUE, que también está orientado a la prohibición de la doble sanción en el ámbito supranacional (*"nadie podrá ser acusado o condenado penalmente por una infracción respecto de la cual ya haya sido absuelto o condenado en la Unión mediante sentencia penal firme conforme a la ley"*). De esa concurrencia surge una exudación dinámica de esta garantía, que va cambiando de color a veces de manera oportunista con el fin de abrir cauce resolutivo frente a dos flancos de enorme rigidez respecto a la intervención penal: la soberanía de los Estados miembros (legitimidad) y la necesidad de una ágil respuesta a esos conflictos jurisdiccionales supranacionales (eficacia).

---

[29]   MORÁN MARTÍNEZ, "Prólogo" a Conflictos de jurisdicción y principio ne bis in ídem en el ámbito europeo. Madrid, 2007, p. 8: "Resulta curioso conocer que en uno de los trabajos encargados por la Comisión a una consultora, la conclusión minimiza el problema. Tras una encuesta realizada por esta consultora entre agosto de 2006 y enero de 2007, con el objeto de conocer el número de casos de conflictos, los gastos que de ellos se derivan y la forma y cantidad de información compartida, la generalidad de las respuestas —procedentes de sólo 14 Estados— negaban la existencia de muchos casos de conflictos de jurisdicción o al menos no se percibe en las respuestas recogidas demasiada preocupación por los mismos".

[30]   "Conclusiones del grupo de Expertos de Portugal, Italia, España y Eurojust en el seminario sobre conflictos de jurisdicción y principio de ne bis in ídem en el ámbito europeo", en MORÁN MARTÍNEZ/GUAJARDO PÉREZ (coords.) *Conflictos de jurisdicción y principio ne bis in ídem en el ámbito europeo,* Madrid, 2007, p. 13. Vid., asimismo, SPINELLI "Richiesta di estradizione e giudicato trasnazionale: la Cassazione esalta in ne bis in ídem in ámbito europeo", en http://www.penalecontemporaneo.it/upload/SPINELLI_2017a.pdf (20.2.2017) p. 7.

Sobre el papel del *ne bis in ídem* en este ámbito ha hecho hincapié VERVAE-LE al señalar que su utilización como un instrumento jurídico para consolidar la *confianza mutua* en el espacio de libertad, seguridad y justicia ha supuesto una desnaturalización del mismo, ya que nació con una misión diferente a saber: constituir un criterio regulador de la libre circulación de personas. El TJUE se ha encargado de reorientarlo. "Siguiendo este enfoque, el TJUE se decantó por una aplicación extensiva del principio, al no limitar el *bis* a las sentencias definitivas e incluir los acuerdos extrajudiciales sobre el fondo del asunto, y al optar por una interpretación fáctica del ídem y no limitar su aplicación a las definiciones *de iure* de los correspondientes tipos penales o a la *res judicata*"[31]. Veamos cómo se ha construido a lo largo de estos años.

El camino hacia la consolidación del ídem como identidad fáctica y no jurídica se abre con el asunto *Van Esbroeck* (9.3.2006) Como advierte JIMENO FERNÁNDEZ[32] al comentar esa resolución, el único criterio válido para establecer la conexión entre los procedimientos tramitados en distintos Estados es el de la *identidad de hechos*, sin que pueda exigirse la identidad de las infracciones perseguidas en uno u otro procedimiento ni la de los bienes jurídicamente protegidos por las leyes nacionales. El criterio de la identidad de hechos engloba no sólo los hechos absolutamente idénticos, sino también aquellos indisolublemente unidos entre sí. Esta necesidad enuncia una diferenciación entre la consideración procesal y material del hecho, de modo que aquella no está necesariamente vinculada a ésta, como recuerda SANZ HERMIDA[33]. Por lo demás, el criterio de la identidad fáctica ha sido corroborado en los Asuntos *Gasparini, Van Straaten, Kretzinger, Kracijenbrink y Turansky*.

Por lo que se refiere a la determinación del sentido y alcance del *bis,* los titubeos del TJUE han sido mayores. En el asunto acumulado *Gözütok/Brügge* (11.2.2003) por vez primera reconoce el TJUE el principio *ne bis in ídem,* aplicándolo a determinadas resoluciones diferentes a las condenas o absoluciones declaradas en sentencia firme, extendiéndolo a decisiones adoptadas por un ór-

---

[31]   VERVELE "Ne bis in ídem..." cit., p. 18-19. Vid. asimismo SARMIENTO, "El principio ne bis in ídem en la jurisprudencia del Tribunal de Justicia" en ARROYO ZAPATERO/NIETO MARTÍN (coords.), El principio ne bis in ídem en el Derecho penal europeo e internacional, Cuenca, 2007, p. 37 ss. (si bien el autor no podía conocer la evolución de los 10 años posteriores).

[32]   JIMENO FERNÁNDEZ "Algunas reflexiones sobre el principio ne bis in ídem y el art. 54 del Convenio de aplicación de Schengen [Comentario a la STJCE Van Esbroeck (C-436/2004) de 9 de marzo de 2006]", en Diario La Ley, Nº 6496, 2 de junio de 2006. ROSANO; "Ne bis interpretatio in ídem?" The two faces of the ne bis in ídem principle in the case law of the European Court of Justice, en German Law Journal, vol. 18/1, 2017, p. 42.

[33]   SANZ HERMIDA, "Aplicación transnacional de la prohibición del bis in ídem en la Unión Europea", en Revista Penal, núm. 21, 2008, p. 130.

gano no propiamente judicial, en fase previa al juicio oral, como consecuencia de conformidades/mediaciones o acuerdos transaccionales que conllevan el cumplimento de determinadas obligaciones. Con ello, el Tribunal de Luxemburgo evidenció que no consideraría limitado el *ne bis in ídem* a resoluciones formales de finalización del proceso penal en un país sino que admitiría como primera decisión sobre un hecho la adoptada extrajudicialmente con la sola condición de que el sistema jurídico de ese país considere que esa es una forma de finalización. Dicho de otro modo: es el sistema jurídico de cada Estado miembro el que determina cómo finaliza la persecución penal. Así lo había formulado el Abogado General Ruiz-Jarabo y así lo recogió la Sentencia: "el principio *ne bis in ídem*, consagrado en el artículo 54 del CAAS, con independencia de que se aplique a procedimientos de extinción de la acción pública en los que se prevea o no la intervención de un órgano jurisdiccional o a sentencias, implica necesariamente que exista una *confianza mutua* de los Estados miembros en sus respectivos sistemas de justicia penal y que cada uno de ellos acepte la aplicación del Derecho penal vigente en los demás Estados miembros, aun cuando la aplicación de su propio Derecho nacional conduzca a una solución diferente"[34].

A mi modo de ver, el sistema de preclusión del *bis in ídem* depende por completo del modelo de *confianza mutua* que se adopte. Ya en otro lugar, refiriéndome a la Comunicación de la Comisión sobre *Reconocimiento mutuo de resoluciones firmes en materia penal* (COM/2000/0495 final) he defendido que "el 'efecto equivalente' es el eje del libre intercambio de resoluciones penales, pero dicho 'efecto' no tiene por qué lograrse mediante la equivalencia de las normas de los países que deben 'reconocerse'". La definición [incluida en esa Comunicación] sugiere más bien lo contrario, es decir, que precisamente porque las legislaciones no son uniformes (y no se prevé dicha unificación en el inmediato futuro) tiene sentido establecer mecanismos de reconocimiento mutuo basados en la confianza, que sí constituye un presupuesto indispensable para que los sistemas jurídicos de dos países miembros "se reconozcan mutuamente". Una confianza que sólo puede apoyarse en 'el fundamento común que constituye su adhesión a los principios de libertad, democracia y respeto a los derechos humanos (...) y al Estado de Derecho', como afirma el Programa de medidas destinadas a poner en práctica el reconocimiento mutuo[35]. HAVA GARCÍA —refiriéndose al euro orden— sos-

---

[34] Cfr. FLETCHER, "Some developments to the *ne bis in ídem* principle in the EU: Criminal proceedings against Hüssein Gözütok and Klaus Brügge", en *Modern Law Review*, núm. 66, 2003, pp. 769-780.

[35] GARCÍA RIVAS, "La tutela de las garantías penales tras el Tratado de Lisboa" en DÍEZ-PICAZO/NIETO MARTÍN (dirs.) *Los derechos fundamentales en el Derecho penal europeo*, Madrid, 2010, p. 96-97. Allí recojo también esta explicación: "La aplicación del principio de reconocimiento mutuo de las resoluciones en materia penal supone una confianza recíproca de

tiene igualmente que el reforzamiento del reconocimiento mutuo de decisiones judiciales ha supuesto 'un cierto debilitamiento' de los límites del ejercicio del *ius puniendi* por parte de los Estados miembros"[36]

Varios años después, en el asunto *Van Straaten* (STJUE 28.9.2006), el Tribunal de Justicia pone de relieve que el artículo 54 CAAS pretende evitar que una persona, al ejercer su derecho a la libre circulación, se vea perseguida por los mismos hechos en el territorio de varios Estados contratantes. Así pues, si no se aplicara este artículo a una resolución definitiva de absolución por falta de pruebas se pondría en peligro el ejercicio del derecho a la libre circulación. Además, la incoación de un proceso penal en otro Estado contratante por los mismos hechos minaría, en caso de absolución definitiva por falta de pruebas, los principios de seguridad jurídica y de confianza legítima. Efectivamente, el acusado tendría razones para temer ser perseguido de nuevo penalmente en otro Estado aunque hubiera recaído sentencia firme sobre los mismos hechos[37].

La última evolución en la materia está delimitada, sin duda, por las Sentencias *Spasic* y *Kossowski*, dictadas en 2014 y 2016, respectivamente. La última de las citadas (STJUE 29.6.2016), en un caso parecido al del asunto *Gözütok/Brügge* es decir una intervención previa al proceso en la que el Ministerio Fiscal cierra el caso por falta de pruebas incriminatorias dice el Tribunal que "no puede calificarse de resolución firme" porque analizando la fundamentación de la misma se observa que "se puso fin al procedimiento *sin llevar a cabo una instrucción en profundidad*, siendo indicio de la inexistencia de esa instrucción la falta de audiencia de la víctima y de un eventual testigo". Ello abre el camino para que la segunda instancia en "orden de llegada" tenga capacidad para revisar la conformidad de la primeramente adoptada con el estándar comunitario, procediendo "en segundo lugar" contra el mismo sujeto y por los mismos hechos, por sobreentenderse que, en realidad, no existió un primer procedimiento válido. Todo ello atenúa, como es obvio, el sentido de la prohibición del *bis*.

En sus Conclusiones al asunto C268/17, de 16 de mayo de 2018, el abogado general Maciej Szpunar reconoce que cuando el TJUE ha interpretado el art. 50 CDFUE y el art. 3.2 de la DM 2002-ODE, que exigen una "sentencia firme",

---

los Estados miembros en sus respectivos sistemas de justicia penal. Dicha confianza se basa, en particular, en el fundamento común que constituye su adhesión a los principios de libertad, democracia y respeto de los derechos humanos y de las libertades fundamentales y del Estado de Derecho". (2001/C 12/02 DOCE C/12 D).

[36]   HAVA GARCÍA, "Contenido del principio *non bis in ídem* en el Derecho de la Unión", en *Revista de Derecho comunitario europeo*, núm. 39, 2011, p. 537.

[37]   Vid. sobre esta Sentencia, GALANTINI, "Il ne bis in ídem nello spazio giudiziario europeo: traguardi e prospettivi" en Diritto penale contemporaneo 22.2.2011 (http://www.penalecontemporaneo.it/d/405-il-ne-bis-in-ídem-nello-spazio-giudiziario-europeo-traguardi-e-prospettive.

no ha dado una "respuesta nítida" sobre cuál es el alcance de esta expresión. Y recuerda que en la sentencia *Mantello* optó por una interpretación bastante amplia, de manera que traspuso su doctrina sobre el art. 54 CAAS y declaró que se considera que una persona buscada ha sido juzgada definitivamente por los mismos hechos cuando, a resultas de un procedimiento penal, la acción pública se extingue definitivamente o cuando las autoridades judiciales de un Estado miembro adoptan una resolución mediante la cual se absuelve definitivamente a un acusado de los hechos imputados. Al mismo tiempo, el TJUE declaró que el hecho de que una persona haya sido juzgada «definitivamente» se determina con arreglo al Derecho del Estado miembro en el que se hubiese dictado la resolución. Por otra parte, de la sentencia *Turanský* puede deducirse que el principio *ne bis in idem* no es aplicable a una resolución por la cual una autoridad de un Estado miembro, después de examinar el fondo del asunto de que conoce, ordena, en una fase previa a la inculpación de una persona sospechosa de un delito, el archivo de las diligencias penales, cuando esta decisión de archivo, de acuerdo con el Derecho nacional de ese Estado, no extingue definitivamente la acción pública y no impide por tanto que se emprendan en él nuevas diligencias penales por los mismos hechos. Por último, el TJUE ha declarado en la sentencia *Kossowski* que una resolución del Ministerio Fiscal por la que se sobreseen las diligencias penales y se cierra con carácter definitivo el procedimiento de instrucción seguido contra una persona no puede calificarse de resolución firme cuando esté claro que se puso fin al procedimiento sin llevar a cabo una instrucción en profundidad.

Por su parte, en el asunto *Spasic* (STJUE 27.5.2014), se planteaba un problema diferente relativo a lo que se ha dado en denominar "condición de ejecución". Lógicamente, si un segundo Estado debe abstenerse de intervenir sobre un hecho juzgado ya por otro Estado, será a condición de que ésta no sólo haya condenado sino que, como dice el art. 54 CAAS, *se haya ejecutado la sanción, se esté ejecutando o no pueda ejecutarse ya según la legislación de la Parte contratante donde haya tenido lugar la condena*. Por tanto, si un ciudadano es condenado a pena de prisión y multa y sólo se ha hecho efectiva la pena de multa, el TJUE considera que "el artículo 54 de ese Convenio debe interpretarse en el sentido de que el hecho de que se haya pagado únicamente la multa penal impuesta a una persona no permite considerar que la sanción se haya ejecutado o se esté ejecutando, en el sentido de esa disposición". En el difícil equilibrio entre seguridad y ausencia de impunidad, el Tribunal sostiene que "el principio *non bis in ídem* enunciado en el artículo 54 del CAAS no sólo pretende evitar en el espacio de libertad, seguridad y justicia la impunidad de las personas condenadas en la Unión por una sentencia penal firme, sino también garantizar la seguridad jurídica mediante el respeto de las resoluciones de los órganos públicos que han adquirido firmeza, a falta de armonización o aproximación de las legislaciones penales de los Estados miembros". Y bien cierto es, pero aquí parece que el Tribunal se refiere más bien al respeto al enjuiciamiento solicitado en segundo lugar (*bis*) cuando la primera condena no ha sido ejecutada. Cabe añadir que este sentido del *bis*, que lo somete a la "condición de ejecución", no aparece recogido en modo alguno en el art. 50 CDFUE. Con claro sentido crítico, GÓMEZ-JARA opina que en estos casos la "falta" de ejecución no debe resolverse mediante un segundo juicio sino que deben buscarse soluciones mediante instrumentos de cooperación penal internacional como la extradición o el reconocimiento mutuo de las resoluciones penales condenatorias[38].

IV. RESUMEN Y CONCLUSIONES

1 Tanto el TEDH como el TJUE interpretan el ídem desde un punto de vista fáctico y no atienden a la calificación jurídica, por consideraciones garantistas: si se asumiera una interpretación jurídica, cualquier cambio de denominación abriría el paso a la segunda sanción. Para evitarlo, ambos Tribunales obligan a inspeccionar los hechos sancionados. Nuestro Tribunal Constitucional sigue también ese criterio.

2 Por lo que se refiere al *bis,* la confluencia de sanción penal y administrativa en un mismo sistema jurídico (*ne bis in ídem nacional o vertical*), tanto el Tribunal Constitucional español (STC 2/2003) como el Tribunal Europeo de Derechos Humanos (STEDH 15.11.2016) y el Tribunal de Justicia de la Unión Europea (STJUE 26.2.2013) consideran que la garantía del *ne bis in ídem* alcanza a prohibir no tanto la existencia de una concurrencia sancionadora en cada uno de los órdenes sino únicamente que esa "doble sanción" resulte imprevisible y, por ello, desproporcionada. Esta ha sido la evolución observada en los Tribunales de Madrid y Estrasburgo aunque en un principio se asumió el *ne* como algo absoluto (STC 177/1999 y STEDH 30.7.1998 *Oliveira c Suiza*).

3 La previsibilidad de la sanción (única o doble) es un criterio autónomo de legitimidad de la misma, íntimamente conectada al principio de legalidad en su evolución jurisprudencial en el marco del CEDH (Sentencia de *Prada c. España*, 21.10.2013), que incluye no sólo a la ley sino también a la jurisprudencia en ese marco de análisis de legitimidad. En el TEDH se ha desarrollado especialmente esta línea de pensamiento, lo que se refleja en la asunción del *test Nilsson* en la STEDH 15.11.2016 (*A y B c. Noruega*) o, lo que es lo mismo, la adopción del

---

[38]   GÓMEZ-JARA, "Artículo 54 del Convenio Schengen y proceso de extradición: a propósito del auto de la Audiencia Nacional de 14 de enero de 2013 y el concepto de cosa juzgada europea (1)" Diario La Ley, N° 8042, 13 de marzo de 2013, p. 9.

criterio de *unificación* espacial y temporal de los procedimientos sancionadores múltiples, que permita considerar *una* sola respuesta la doble sanción punitiva. La reciente STJUE de 3 de abril de 2019 (C617/17) confirma la unificación de la doctrina de ambos tribunales.

4 Las (des) orientaciones interpretativas mostradas por nuestro Tribunal Constitucional a la hora de decidirse por un criterio cronológico o de prioridad absoluta del orden penal para dar preferencia a alguno, puede resolverse (al menos formalmente) atendiendo a este criterio del Tribunal de Estrasburgo cuya jurisprudencia constituye, por lo demás, un parámetro interpretativo obligado para nuestro Tribunal Constitucional (art. 10.2 CE). La adopción de ese criterio podría chocar, sin embargo, con la proliferación de "normas de reenvío" en buen número de Leyes sancionadoras, normas que obligan a nuestra Administración a paralizar el expediente sancionador y enviarlo al Ministerio Fiscal para que decida proseguir o no la persecución penal.

5 Por lo que se refiere al *ne bis in ídem supranacional (horizontal),* regulado en los arts. 54 CAAS y 50 CDFUE, el TJUE ha asumido desde luego el criterio *fáctico* para dilucidar el ídem de la intervención punitiva, pero a la hora de cerrar el paso a una segunda persecución penal de un ciudadano por un hecho cometido en el territorio de un país de la Unión, su actitud no ha sido tan categórica. (En las Conclusiones al asunto C268/17, de 16 de mayo de 2018, se explica con claridad). La postura garantista que impedía la persecución siempre que un Estado hubiera adoptado ya una solución contraria "de acuerdo con su propio ordenamiento" [*Gözütok/Brügge* (11.2.2003)] ha dejado paso a otra versión menos garantista que permite analizar el criterio de ese Estado miembro, de manera que la seguridad jurídica cede ante el riesgo de impunidad [SSTJUE *Kossowski,* 29.6.2016 y *Spasic,* 27.5.2014]. Esta jurisprudencia europea es manifiestamente inidónea como instrumento para consolidar la *confianza mutua* en el espacio de libertad, seguridad y justicia. La evitación de la impunidad puede dar lugar a un indeseable efecto de *nacionalización* de la persecución penal, antagónica con aquélla.

6 La conclusión general evidencia que el principio *ne bis in ídem* no significa exactamente "la imposibilidad de un doble castigo por un mismo hecho (*nemo debet bis punire pro uno delicto*)" sino la imposibilidad de que ese doble castigo sea irrazonable, arbitrario o desproporcionado. Tampoco significa "la imposibilidad de ser sometido a más de un proceso contra un mismo sujeto y por los mismos hechos, tras una decisión judicial firme, sea o no condenatoria (*nemo debet bis vexari pro una et aedem causa*)" sino la imposibilidad de que ese doble procedimiento se realice de manera imprevisible, arbitraria y sin atender a una visión integral de la intervención punitiva (*test Nilsson*).

Capítulo 14
EUROPOL

Manuel Portero Henares
Prof. Contratado Doctor de la Faculta de Derecho de Albacete
Universidad de Castilla-La Mancha

I. EVOLUCIÓN DE LA COOPERACIÓN POLICIAL EN LA UNIÓN EUROPEA

A lo largo del Siglo XX, y hasta la creación de Europol, la institución policial que canalizaba la cooperación policial internacional venía siendo Interpol, creada en el año 1923 en el marco de la cooperación internacional surgida en la postguerra de la Primera Guerra Mundial. Desde entonces hasta la creación de Europol se puede decir que, salvo los casos puntuales de cooperación policial bilateral entre estados con ocasión de eventos concretos, Interpol había sido el único canal de cooperación policial internacional. A partir de los años 60 y 70 del pasado siglo confluyen dos factores en Europa que influyen decisivamente en la idea de la profundización de la cooperación policial. Por un lado, la progresiva integración política y económica que implica la en ese momento inminente Unión Europea. Por otro, la incapacidad de las estructuras policiales aisladas de los Estados para enfrentarse a las nuevas amenazas y formas de delincuencia organizada, para las que no es suficiente la actuación diseminada o asilada de las policías nacionales de los Estados. El crimen organizado es, desde hace décadas, un problema prioritario en el ámbito de la seguridad internacional. La delincuencia transnacional es objeto de la máxima preocupación en los instrumentos de integración europea. La versión consolidada de los Tratados constitutivos tras las reformas de la última década incluyen la armonización de las legislaciones penales de los estados miembros en determinados ámbitos delictivos, dentro de los cuales adquiere especial relevancia la criminalidad transnacional y organizada.

La adaptación a esta nueva realidad se produce con más intensidad desde la promulgación del Tratado de la Unión Europea, y sus 3 pilares de la Unión, el tercero de los cuales hacía referencia a la cooperación policial y judicial en materia penal. El preámbulo del Tratado de Lisboa también hace referencia expresa a la cooperación judicial y policial como uno de los objetivos específicos de la Unión Europea teniendo en cuenta que la seguridad interior de la Unión Europea se enfrenta a una amenaza sustancial de la delincuencia organizada, el terrorismo y la migración ilegal, y la mayoría de estas amenazas se originan ya fuera de Europa, o tienen un vínculo claro con otras partes del mundo, lo que hace imprescindible una respuesta eficaz y concertada en el conjunto de la Unión Europea. Se destaca, además, que de no contemplar una respuesta común, las iniciativas se ven frustradas por la facilidad con la que los grupos criminales y terroristas explotan las fronteras abiertas para facilitar la transferencia ilícita de bienes, personas y dinero, y a menudo la lucha eficaz contra estas formas de delincuencia organizada se ve dificultada por una efectiva respuesta judicial y policial.

1. De la influencia de Interpol al Grupo de Trevi

Desde principios del siglo XX, e impulsados por las iniciativas de la política exterior norteamericana, más colaborativa en la primera mitad del siglo XX que en décadas posteriores, se plantea la necesidad de la creación de estructuras multilaterales permanentes de cooperación policial. Tuvo mucho que ver el talante del Presidente norteamericano Woodrow Wilson, impulsor a su vez de la Sociedad de Naciones, en su búsqueda de estructuras que impidieran la confrontación bélica global así como que aproximaran la cooperación entre los estados en materias de interés general. En el primer Congreso Internacional de Policía Criminal, celebrado en Mónaco en 1914, tiene lugar el primer intento de institucionalización de una cooperación policial multilateral[1]. En 1923 se crea la Comisión Internacional de Policía Criminal que, tras la II Guerra Mundial, pasó a convertirse en la actual Organización Internacional de Policía Criminal (Interpol). Esta fue, sin duda, la primera manifestación de cooperación policial multilateral, aunque a través de sus diferentes estructuras también puede canalizarse una cooperación de carácter regional entre sus miembros. La función principal de Interpol es el intercambio de información y el facilitamiento de la cooperación entre cuerpos de policía de los estados miembros de Interpol para la consecución de objetivos concretos. Actualmente cuenta con 190 países miembros y constituye la segunda organización internacional mayor del mundo, tras la ONU.

A pesar de todo, y debido seguramente a su tamaño y las muy diversas inquietudes que albergan los países miembros, Interpol se muestra menos operativa de lo deseable frente a fenómenos de delincuencia global. El gran incremento de la amenaza terrorista en Europa desde finales de los años 60 ocasionó que en los entonces miembros de la entonces CEE surgiera la necesidad de reforzar su cooperación en materia antiterrorista. Como consecuencia, los Estados miembros decidieron crear estructuras de cooperación policial más restringidas, con el principal objetivo de hacer frente a estas nuevas amenazas contra la seguridad en el

---

[1]   BENZO SAINZ, F., *El Espacio Europeo de Libertad, Seguridad y Justicia*, Madrid, Ministerio del Interior, 2000, p. 50 y ss.

territorio europeo, cuyo origen se sitúa en la creación del Club de Berna en 1968[2], cuyo principal objeto de atención era terrorismo.

El Grupo de Trevi[3], creado el 1 de julio de 1975 como foro informal de los ministros de Justicia e Interior para discutir temas de su competencia, trató de conformarse como un grupo de debate que nació con el objetivo de convertirse en la primera forma de cooperación policial europea. A iniciativa de Reino Unido, el Consejo Europeo decidió en 1975 que "los ministros de Interior de los Estados miembros se reúnan para discutir cuestiones de su competencia, especialmente en lo que se refería al orden público"[4]. Gracias a esta cooperación se inicia formalmente la andadura de la cooperación policial y el intercambio de información en Europa. Lógicamente, como hemos adelantado, su objetivo se asentaba principalmente en el combate al terrorismo y en la coordinar la cooperación policial de toda la Comunidad en este ámbito. Sin embargo, con el tiempo sus competencias se fueron ampliando debido a la asunción de asuntos relacionados con el crimen organizado y al tráfico de personas.

En el seno del Grupo de Trevi se puso en marcha varios grupos de trabajo especializados cada uno en distintos ámbitos de interés: TREVI I (lucha antiterrorista) y TREVI II (cooperación policial en sentido estricto) fueron creados en 1975. Posteriormente, en 1985, se creó TREVI III (delincuencia organizada y lucha contra el tráfico de drogas). Por último, a partir de 1989, TREVI 92 asumió competencias en diferentes materias (seguridad nuclear, medidas complementarias de la libre circulación de personas y la puesta en marcha Europol y la Unidad de Drogas de Europol). Hasta Maastricht el Grupo de Trevi permaneció al margen de los Tratados de la Unión Europea, si bien ligado al proceso de integración europea y a la realización de sus objetivos. Al tratarse de una cooperación intergubernamental, las decisiones las toman directamente los ministros del ramo respectivos[5].

2. El Acta Única Europea y Acervo Schengen

En la década de los ochenta, el Acta Única Europea y la firma de los acuerdos de Schengen influyeron de forma considerable y positiva en el desarrollo de la

---

2   El Club de Berna se creó en 1968 por el aumento de actividades terroristas en Europa occidental por extremistas árabes, con el fin de intercambiar información sobre terrorismo, espionaje y contraespionaje.

3   Las siglas de TREVI se corresponden con las iniciales de estos términos: Terrorismo, Radicalismo, Extremismo y Violencia Internacional.

4   BCE 1975-11, p. 9.

5   CARRERA HERNÁNDEZ F.J., *La cooperación policial en la Unión Europea: Acervo Schengen y Europol*, Madrid, Colex, 2003, p. 19.

cooperación policial entre los Estados miembros, facilitando una posterior incorporación de esta materia a las futuras reformas de los Tratados constitutivos. El Acta Única Europea puede considerarse, en la historia de la integración policial europea, la primera herramienta provocadora de la aceleración de la cooperación policial y, en general, de todas las materias relativas a los asuntos de justicia e interior. Ello se debe a que la realización de un "espacio sin fronteras interiores" implicaba la creación de una zona donde las mercancías, las personas y los capitales pudieran circular libremente, sin obstáculos aduaneros y, con ello, la necesidad de eliminar las barreras físicas al comercio y a la libre circulación de personas exigirá el refuerzo de la cooperación en ámbitos complementarios, como el policial, que escapaban de la competencia comunitaria. Es decir, cuando se apostó por la completa realización del mercado interior, pero sin atribuir competencias a la Comunidad Europea para la adopción de medidas complementarias, fue necesario articular o profundizar estructuras intergubernamentales de cooperación en cuyo seno pudieran adoptarse todas las acciones necesarias.

El Acta Única favoreció el refuerzo de la cooperación intergubernamental pero como consecuencia de sus carencias se pusieron en marcha otras estructuras que con el paso del tiempo resultarían claves en el proceso de cooperación policial y judicial en el seno de la Unión. Es en ese ambiente en el que se crea el grupo Schengen. Fueron Bélgica, Países Bajos, Luxemburgo Francia y Alemania los que se unieron para adelantar la realización del espacio sin fronteras interiores en un ámbito geográfico más restringido ya que estos cinco Estados tenían experiencia en materia de flexibilización o eliminación de controles fronterizos. Así, en 1985, se firmó el acuerdo relativo a la supresión gradual de controles en fronteras comunes, o acuerdo Schengen[6]. El objetivo principal del acuerdo era suprimir de manera progresiva los controles en las fronteras comunes. Establecía la libre circulación de personas de los Estados miembros del Acuerdo, de personas del resto de Estados de las Comunidades Europeas y ciudadanos provenientes de terceros Estados. También, aunque de modo indirecto, el acuerdo Schengen tenía como meta luchar contra la delincuencia, previniendo y deteniendo el aumento de la delincuencia transfronteriza tomando como referencia, sobre todo, el perímetro exterior a la zona Schengen. La finalidad del sistema Schengen era facilitar y finalmente suprimir los controles en las fronteras interiores o comunes fortaleciendo al mismo tiempo los controles en las fronteras exteriores mediante la creación de una serie de medidas de colaboración, refuerzo y coordinación entre las autoridades aduaneras de los Estados miembros del

---

[6]   Acuerdo de 14 de junio de 1985 (*BOE* núm. 181 de 30 de junio de 1991 y *BOE* núm. 62 de 13 de marzo de 1997. Se aplicó de forma provisional a partir de su firma pero entró en vigor el 2 de marzo de 1986.

sistema. El Acuerdo se perfeccionó gracias al Convenio de Aplicación del Acuerdo de Schengen de 14 de junio de 1985 firmando en Schengen el 19 de junio de 1990 y gracias a estos instrumentos se avanzó decisivamente en materia de cooperación policial y aduanera antes de que estas cuestiones se integraran en los Tratados constitutivos. El Convenio entró en vigor el 26 de marzo de 1995 y fue insertado en el acervo comunitario mediante el Protocolo por el que se integra el acervo de Schengen en el marco de la Unión Europea, que se publicó incorporado al Tratado de Ámsterdam y que surtió efecto a partir del 1 de mayo de 1999. Actualmente, los países que forman parte del espacio de Schengen son 26, incluyendo, por supuesto, a España. Hay países que forman parte del acuerdo de Schengen pero tienen excepciones en la aplicación de algunos puntos del acuerdo y no pertenecen al espacio de Schengen[7].

3. La Unidad de Drogas de Europol

La Unidad de Drogas de Europol es el antecedente inmediato de Europol y tiene su sede en La Haya. Esta institución se originó, como hemos dicho anteriormente, en uno de los subgrupos del Grupo de Trevi. Este organismo ve la luz en la reunión de Luxemburgo, celebrada los días 28 y 29 de junio de 1991, aunque en dicha reunión fue donde realmente se propuso la creación de Europol, creando antes sin embargo una unidad de información en materia de drogas. Por ello, "los ministros recomendaron, en su reunión especial del 18 de septiembre de 1992, que se pusiese en marcha, a más tardar el 1 de enero de 1993, la primera fase de Europol, la Unidad de Drogas de Europol"[8]. Los Estados miembros le encomendaron, por un lado, la misión de intercambiar y analizar información sobre determinadas actividades ilícitas que afectaran al menos a dos Estados miembros[9] y, por otro, colaborar con las respectivas policías de los Estados miembros en la lucha contra estas actividades. Estaba compuesta por una red de funcionarios de enlace y fue pensada para mejorar el intercambio de información y la coordinación de las policías en las investigaciones antidroga. La UDE fue sustituida por la Oficina Europea de Policía el 1 de octubre de 1998 (fecha de entrada en vigor del Convenio de Europol, a pesar de que Europol empezó a iniciar sus actividades a partir del 1 de julio de 1999).

---

[7]   El Reino Unido e Irlanda no forman parte del espacio de Schengen pero participan en la cooperación policial y judicial y en la lucha contra estupefacientes. Se desconoce aún cuál será el estatus del Reino Unido tras la concreción de su salida de la Unión Europea.

[8]   Acción Común relativa a la Unidad de Drogas de Europol.

[9]   CARRIZO GONZÁLEZ-CASTELL A., "Instrumentos de asistencia policial en la Unión Europea", en *Hacia un verdadero Espacio Judicial Europeo*, Madrid, Comares, 2008, p. 183 y ss.

4. El Convenio de Europol

Como hemos dicho, en esa época era ya decidida la conciencia entre los países miembros de la aún Comunidad Europea de que era imprescindible crear una estructura central permanente de cooperación policial distinta del conjunto, lo que desembocó en el descrito proceso de creación por fases de Europol, La denominación Europol es la apócope de la Oficina Europea de Policía. Tiene su sede en la ciudad holandesa de La Haya[10], al igual que su predecesora, la UDE. Las propuestas para su creación se remontan al Consejo Europeo de Luxemburgo de junio de 1991, en donde el Grupo de Trevi se encargó, en primer lugar, de estudiar su conveniencia y de elaborar un Convenio sobre Europol tras la adopción del Tratado de Maastricht. De manera formal, finalmente Europol viene desarrollando sus funciones desde el 1 de julio de 1999, momento en que cesó en sus actividades la UDE.

Europol fue creada mediante un Convenio que se adoptó en desarrollo del título VI TUE[11], donde fue concebida esencialmente como estructura permanente de canalización de un sistema de intercambios de información entre los Estados miembros con el objetivo de conseguir una eficaz actuación policial y la cooperación entre los distintos Estados[12]. El Convenio fue firmado el 26 de julio de 1995 en Bruselas por los representantes de los entonces quince Estados miembros, si bien no entró en vigor hasta el 1 de octubre de 1998, y el comienzo real de sus actividades se produjo nueve meses después. Este lapso temporal entre la entrada en vigor y su entrada en funciones es consecuencia del art. 45.4 del Convenio Europol, que exigía la entrada en vigor de distintos actos jurídicos relativos a Europol de forma previa al inicio de sus actividades.

En conclusión, el Convenio tenía como objetivo mejorar "la eficacia de los servicios competentes de los Estados miembros y la cooperación entre los mismos con vistas a la prevención, lucha contra el terrorismo, el tráfico ilícito de estupefacientes y otras formas graves de delincuencia internacional, en la medida en que existan indicios concretos de una estructura delictiva organizada y que dos o más Estados miembros se vean afectados por las formas de delincuencia antes mencionadas de tal modo que, debido al alcance, gravedad y consecuencias de los actos delictivos, se requiera una actuación común de los Estados miembros"[13].

El Convenio de Europol ha sido objeto de varias modificaciones. Las más importantes arrancan el día 3 de diciembre de 1998, en el que dos Decisiones del

---

[10]   Anexo del Convenio de Europol.
[11]   Convenio de Europol.
[12]   Art. 2 del Convenio de Europol.
[13]   Diario Oficial de la Comunidad Europea n.° C 316, de 27.11.95, p. 1 y ss.

Consejo modificaron de forma parcial el Convenio. La primera Decisión ampliaba la competencia de Europol en materia de terrorismo, mientras que la segunda
completaba la definición de la forma de delincuencia "trata de seres humanos"
incluida en el anexo de Europol. El 30 de noviembre de 2000 el Consejo modi-
ficaba la cuestión relativa al blanqueo de dinero mediante un Protocolo, inclu-
yéndola en la lista de delitos del artículo 2 que establece la competencia objetiva
de Europol. El 28 de noviembre de 2002 el Consejo modificó el Convenio de
Europol para permitir la participación en los equipos conjuntos de investigación.
Asimismo, el 27 de noviembre de 2003 se volvía a modificar el Protocolo[14] indicando que "es preciso dotar a Europol del apoyo y los medios necesarios para que
funcione efectivamente como piedra angular de la cooperación policial europea.
Deben introducirse en el Convenio Europol los cambios necesarios para reforzar
la función de apoyo operativo a los servicios policiales nacionales que desempeña
Europol". Finalmente, el 12 de julio de 2005 se aprobó una nueva competencia
para Europol mediante Decisión[15], por la que se le nombraba organismo central
para luchar contra la falsificación del euro.

Para que las sucesivas modificaciones pudieran ser aprobadas, se estableció
un procedimiento de modificación del Convenio de Europol mediante el que una
vez aprobada la modificación ésta tenía que ser ratificada por todos los Estados
miembros y posteriormente entraba en vigor, por lo que el lapso entre la aprobación de la modificación y la entrada en vigor se alargaba hasta cinco años, un
excesivo periodo vacante. Como consecuencia, el Consejo aprobó el 6 de abril
de 2009 una Decisión por la que se creó la Oficina Europea de Policía (Europol)
que entró en vigor el 4 de junio de 2009 y que derogaba el Convenio de Europol
de 1998. Con esta Decisión, Europol puede sufrir modificaciones de manera más
sencilla que con el anterior Convenio ya que según este texto las Decisiones son
"más fácilmente adaptables a las circunstancias cambiantes y a las nuevas prioridades políticas".

II. OBJETIVOS Y COMPETENCIAS DE EUROPOL

Los objetivos principales de Europol son mejorar, en el marco de la cooperación policial entre los Estados miembros acorde con el Tratado de la Unión

---

[14]   Acto del Consejo, de 27 de noviembre de 2003, por el que se establece la creación de una
Oficina Europea de Policía (Convenio Europol), un Protocolo por el que se modifica dicho
Convenio-Declaración

[15]   Decisión 2005/511/JAI del Consejo, de 12 de julio de 2005, relativa a la protección del euro
contra la falsificación mediante la designación de Europol como organismo central para la
lucha contra la falsificación del euro.

Europea, la eficacia en los servicios competentes de los Estados miembros y la cooperación entre los mismos para prevenir y combatir una serie de actividades delictivas cuyo ámbito se ha ido ampliando progresivamente desde la creación de la institución. Podemos decir que Europol tiene un objetivo específico y otro general. El objetivo específico es apoyar y reforzar las actuaciones de todas las autoridades competentes de los Estados miembros en la lucha sobre ámbitos delictivos preestablecidos: delincuencia organizada, terrorismo y otras formas graves de delincuencia organizada, tráfico ilícito de estupefacientes, actividades ilícitas de blanqueo de capitales, delitos relacionados con materiales nucleares o sustancias radioactivas, tráfico de inmigrantes clandestinos, trata de seres humanos, delincuencia relacionada con el tráfico de vehículos robados, homicidios dolosos, agresiones con lesiones graves, tráfico ilícito de órganos y tejidos humanos, secuestro, retenciones ilegales y tomas de rehenes, racismo y xenofobia, robos organizados, tráfico ilícito de bienes culturales (incluidas las antigüedades y obras de arte), fraude y estafa, chantaje y extorsión, violación de derechos de propiedad industrial y falsificación de mercancías, falsificación de documentos administrativos y tráfico de documentos administrativos falsos, falsificación de moneda y falsificación de medios de pago, delitos informáticos, corrupción, tráfico ilícito de armas, municiones y explosivos, tráfico ilícito de especies y variedades vegetales protegidas, delitos contra el medio ambiente y tráfico ilícito de sustancias hormonales y otros factores de crecimiento. Además, las competencias de Europol se han ampliado respecto a los llamados "delitos conexos"[16].

Por otro lado, el objetivo general que persigue Europol consiste en ayudar a las autoridades policiales de la Unión Europea incorporando una plataforma para el intercambio y el análisis de información sobre diversas actividades delictivas en vista de aumentar la eficacia y la capacidad operativa de las respectivas policías nacionales. Para ello los instrumentos de Europol se han visto multiplicados, lo que ha permitido avanzar a lo largo del tiempo para llegar a liderar en la Unión Europea en el ámbito de la actuación policial con el fin de detener y desmantelar los grupos terroristas y los grupos de delincuencia organizada grave. Inicialmente Europol solo intervenía apoyando a los cuerpos de policía de los Estados miembros cuando se daban "indicios concretos o motivos razonables para creer que haya implicada una estructura delictiva organizada y que dos o más Estados miembros se vean afectados de tal modo que, debido al alcance, gravedad

---

[16]   Respecto a los delitos conexos, la Decisión del Consejo de 6 de abril de 2009, en su art. 4.3, se refiere a los delitos cometidos con objeto de procurarse los medios para perpetrar los actos para los que Europol sea competente; los delitos cometidos para facilitar o consumar la ejecución de los actos para los que Europol sea competente; los delitos cometidos para conseguir la impunidad de los actos para los que Europol sea competente.

y consecuencias de los actos delictivos, se requiera una actuación común de los Estados miembros"[17]. Tras la reforma del año 2009 se ha eliminado la limitación con respecto a "indicios concretos", permitiéndole actuar siempre y cuando dos o más Estados miembros se vean afectados.

En cuanto a las competencias de Europol, podemos categorizarlas en torno a competencias principales y secundarias. Las competencias principales son las que caracterizan a la Oficina Europea de Policía como el núcleo de la información policial, así como el principal centro de apoyo a las operaciones policiales de la Unión Europea, y son las siguientes[18]:

a) Recoger, almacenar, tratar, analizar e intercambiar información y datos, tanto a nivel de la Unión Europea como también a nivel de terceros países (previo acuerdo de cooperación).

b) Comunicar a las autoridades competentes de los Estados miembros, a través de las Unidades Nacionales, la información que afecte a cuestiones de seguridad de dicho país, así como los vínculos que se hayan podido interceptar entre los actos delictivos.

c) Con el objetivo de facilitar las investigaciones que llevan a cabo los Estados miembros, Europol les facilitará toda la información pertinente.

d) Solicitar, si lo considera necesario, que los Estados miembros afectados inicien, realicen o coordinen investigaciones o la puesta en marcha de Equipos Conjuntos de Investigación (ECI).

e) Apoyo en materia de análisis e información en relación con acontecimientos internacionales de gran envergadura.

f) Elaborar evaluaciones de amenazas, análisis estratégicos, así como informes generales y evaluaciones de la amenaza de la delincuencia organizada.

g) Apoyo a los Estados miembros en sus tareas de recogida y análisis de información en Internet, lo que en su momento conllevó la puesta en marcha del proyecto de comprobación de la red "Check the Web" de Europol, en vista de agrupar datos sobre la propaganda islamista.

h) Apoyo a los Estados miembros y a las Instituciones de la UE en el fomento de la capacidad operacional y analítica en la lucha contra las nuevas formas de ciberdelincuencia, siendo el punto central de lucha contra esta lacra, por lo que dentro de Europol se ha incorporado el Centro Europeo de Ciberdelincuencia (EC3).

---

[17] Art. 2 del Protocolo establecido sobre la base del apartado 1 del artículo 43 del Convenio de Europol.
[18] MARICA A., *Manual de Europol*, Aranzadi, 2014, pp 47-49.

Se considera competencias secundarias de Europol ofrecer asesoramiento con el fin de profundizar en los conocimientos solicitados por los Estados miembros; ofrecer datos estratégicos y apoyar las actividades operativas tanto nivel nacional como a nivel de la Unión Europea; mostrar su apoyo, asesoramiento, investigación y capacidad de formación para los miembros de las fuerzas y cuerpos de seguridad y autoridades competentes de los Estados miembros; así como ayuda técnica a estos mismos colectivos. Está autorizada a ofrecer asesoramiento y apoyo en la investigación a los cuerpos de seguridad de los Estados miembros en lo que respecta los métodos y análisis técnicos con el fin de prevenir y erradicar la delincuencia.

III. PERSONAL DE EUROPOL

1. *Unidades Nacionales de Europol y funcionarios de enlace*

Tanto en el primer Convenio como en la Decisión del Consejo por la que se crea Europol, se mantiene que cada Estado miembro deberá crear una Unidad Nacional de Europol (UNE) que será el único órgano de enlace entre Europol y las autoridades competentes del Estado miembro respectivo, la cual, junto con los servicios competentes en materia de cooperación policial, se someterá al Derecho nacional en cada país. Por lo tanto, el apoyo de Europol, y sobre todo el intercambio de información, llegará a través de la UNE a los servicios policiales de los Estados miembros[19]. En el artículo 8.7 de la Decisión del Consejo por la que se crea Europol se establece que cada Estado miembro designará un jefe al mando de su UNE y todos ellos se reunirán de forma periódica, por iniciativa propia, o a solicitud del Director o del Consejo de Administración, con los objetivos del mantenimiento del contacto, asesoramiento y seguimiento de las actividades en lo que respecte a los diversos asuntos operativos.

Cada UNE deberá proporcionar información y datos a Europol sobre sus actividades así como mantenerlos al día. Además deberá velar por la agilidad y eficacia de los intercambios de información, por el cumplimiento de la legalidad sobre todo en lo tocante a esos intercambios de información, así como responder a las solicitudes de información, suministro de datos y asesoramiento solicitados por Europol[20]. Ahora bien, las unidades nacionales no tendrán la obligación de transmitir datos e informaciones si dicha transmisión[21]: perjudica intereses nacionales esenciales en materia de seguridad; compromete investigaciones en curso, o

---

[19]   Véase el art. 8, Unidades Nacionales, Decisión del Consejo de 6 de abril de 2009.
[20]   Véase el art. 8.4, Unidades Nacionales, Decisión del Consejo de 6 de abril de 2009.
[21]   Véase el art. 8.5, Unidades Nacionales, Decisión del Consejo de 6 de abril de 2009.

la seguridad de las personas; o se refiere a datos de servicios o actividades específicas de información en materia de seguridad del Estado.

Cada UNE mantiene el contacto con Europol a través de su Funcionario de Enlace, de modo que para poder facilitar la agilidad en el contacto cada UNE enviará a Europol, al menos, un Funcionario de Enlace que estará sujeto al Derecho nacional del país del que provenga y su objetivo será defender los intereses de su UNE en Europol, así como apoyar el intercambio de información entre su UNE y los Funcionarios de Enlace de los demás Estados miembros. Además, serán los canales de transferencia de datos de Europol a su UNE y viceversa, y cooperarán con el personal de Europol mediante la transmisión de información y la prestación de asesoramiento[22]. Durante el cumplimiento de sus funciones, los Funcionarios de Enlace deberán garantizar la existencia de un vínculo personal y permanente, 24 horas al día, 7 días a la semana.

Tras la aprobación de la Decisión del Consejo en 2009, y para evitar trámites innecesarios, se prevé que las UNE tengan acceso directo a todos los datos del sistema de información de Europol[23], y desde el año 2011 se puede otorgar acceso al Sistema de Información de Europol a los funcionarios de policía que lo precisen[24].

2. La Unidad Nacional de Europol en España

La UNE en España está insertada en la estructura y organigrama del Cuerpo Nacional de Policía, concretamente depende de la División de Cooperación Internacional. Está ubicada en el Complejo Policial de Canillas y cuenta con un número aproximado de 40 agentes y 10 funcionarios de enlace destacados en la Sede Central de Europol en La Haya. En la Unidad Nacional hay Oficiales de Enlace de los distintos Cuerpos policiales, tanto de ámbito nacional como de las fuerzas y cuerpos de seguridad de ámbito autonómico.

3. Personal de Europol

El personal de Europol está formado por expertos nacionales, por agentes temporales y personal laboral[25]. En primer lugar, se debe destacar que los puestos ofertados por Europol para agentes temporales se dividen en dos clases: no restringido (abierto a todos los ciudadanos de la Unión Europea), y restringidos

---

[22]   Véase el Art. 9, Funcionarios de Enlace, Decisión del Consejo de 6 de abril de 2009.
[23]   Considerando, Nº 10, Decisión del Consejo de 6 de abril de 2009.
[24]   Panorama de Europol, Informe general sobre las actividades de Europol, Europol sin clasificación-Nivel de protección básica, Fichero Nº. 1423-74r2, p. 19.
[25]   Art. 39.4, Decisión del Consejo de 6 de abril de 2009.

(abierto únicamente a los ciudadanos de la Unión Europea que son miembros de los servicios nacionales competentes para luchar contra el crimen organizado y terrorismo)[26]. Para la cobertura de puestos vacantes restringidos la solicitud del candidato se tramita a través de la Unidad Nacional de Europol de su país respectivo. El Consejo de Administración decide cuáles de los puestos temporales previstos en la plantilla del personal podrán dotarse únicamente con personal procedente de las autoridades competentes de los Estados miembros[27]. En el caso de los Expertos Nacionales la candidatura de un aspirante deberá ser avalada por la autoridad competente del Estado miembro en cuestión, y la solicitud se hará llegar a Europol a través de la Unidad Nacional, aunque en cualquier caso, y en lo que se refiere a los requisitos generales que cada candidato debe cumplir, existe una convocatoria pública de requisitos exigibles, lógicamente.

En cuanto al total de la plantilla, en 2011 Europol contaba con 777 empleados, entre ellos 92 analistas para el desarrollo de actividades de identificación y rastreo de las redes delictivas y terroristas más peligrosas de Europa. En 2016 la Agencia cuenta con 800 empleados incluido 150 Funcionarios de Enlace. Europol tiene dos oficiales de enlace en Washington y uno en la sede de Interpol.

IV. ESTRUCTURA DE EUROPOL

1. Consejo de Administración

El Consejo de Administración de Europol está compuesto por un representante de alto rango de cada Estado miembro, además de un representante de la Comisión Europea. Cada miembro del Consejo podrá estar representado por un suplente[28]. Entre sus funciones, el Consejo de Administración es el encargado de diseñar e implementar la estrategia para Europol que incluirá índices de referencia destinados a llevar a cabo un seguimiento del cumplimiento de los objetivos; también participará en el desempeño de las instrucciones del Director; llevará a cabo la adopción de normas aplicables al personal de la Agencia; lleva a cabo la elaboración y diseño del reglamento financiero y organizará la auditoría interna; confecciona la lista de precandidatos al puesto de director y directores adjuntos que se presentará al Consejo de la Unión Europea cuando proceda la renovación de estos cargos; establecerá el reglamento interno; y adoptará con carácter anual el proyecto de plantilla que se presentará a la Comisión Europea.

---

[26] En este caso, los puestos vienen marcados con un asterisco en la web oficial de Europol "*".
[27] Art. 39.5, Decisión del Consejo de 6 de abril de 2009.
[28] Reglamento Interno del Consejo de Administración de Europol, 2012/C 5/03.

Evidentemente, dentro de estas funciones, destaca la dirección estratégica que se plasma en la adopción del programa anual de trabajo sobre las principales actividades de Europol con respecto a las necesidades operativas de los Estados miembros, previo dictamen de la Comisión. Será de especial relevancia la labor de seguimiento y evaluación de dichas actividades[29]. Además, el Consejo de Administración podrá establecer grupos de trabajo sobre cualquier asunto de su competencia definiendo previamente su ámbito de actuación las tareas a desarrollar[30].

2. Director de Europol

El Director[31] de Europol es el máximo responsable de la ejecución de las tareas que corresponden a la agencia. Su nombramiento se lleva a cabo a través del Consejo de la Unión Europea, en una votación por mayoría cualificada y su mandato dura un periodo de cuatro años, renovable una sola vez. El Director está asistido por tres directores adjuntos[32]. Sus funciones son la dirección y coordinación de todas las tareas que competen a Europol. También prepara y ejecuta las Decisiones del Consejo de Administración, así como lo informa con regularidad de las prioridades definidas por el Consejo de la Unión Europea y sobre las relaciones de Europol con el exterior. También tiene encomendada la función de preparar los informes anuales que contienen las actividades efectuadas por la Agencia y su seguimiento. El Director responde de su gestión ante el Consejo de Administración.

3. La Autoridad Común de Control

Este organismo está integrado por dos expertos en protección de datos de cada Estado miembro y es el encargado de vigilar la actividad de Europol en lo que al tratamiento de datos se refiere, con vista a garantizar que el almacenamiento, tratamiento y la utilización de los datos de la Agencia no vulneran los derechos de los ciudadanos así como comprobar que la transmisión de datos que procedan de Europol sea lícita. Por todo ello, lógicamente, la Agencia tiene la obligación de auxiliar a la Autoridad Común de Control y dar acceso libre a toda la documentación y datos almacenados en su Sistema de Información, así como permitir el acceso en todo momento a sus dependencias[33]. Forma parte del

---

29   Art. 37, Consejo de Administración, Decisión del Consejo de 6 de abril de 2009.
30   Art. 4, Reglamento Interno del Consejo de Administración de Europol, 2012/C 5/03
31   En la actualidad, el cargo de Director de Europol lo ejerce D. Rob Wainwright.
32   Art. 38, Director, Decisión del Consejo de 6 de abril de 2009.
33   Art. 34, Autoridad Común de Control, Decisión del Consejo de 6 de abril de 2009.

organigrama interno de la Autoridad Común de Control el Comité de Recursos, el cual examina las reclamaciones interpuestas contra las decisiones de Europol en cuanto al acceso o denegación de acceso a los datos personales y también en cuanto a la rectificación o destrucción de los datos almacenados en el Sistema de Información de Europol.

4. *Presupuesto de Europol*

El presupuesto de Europol proviene íntegramente de la consignación de una partida estipulada en el Presupuesto General de la Unión Europea, y como tal ha de ser objeto de acuerdo del Parlamento Europeo y del Consejo. En el presupuesto se incluye tanto los gastos de personal como los gastos de administración, infraestructura y gastos operativos. La previsión de ingresos y gastos para cada ejercicio presupuestario de la Agencia proviene de un informe elaborado por el Director de Europol, que contiene también un proyecto de plantilla de personal que abarca la información necesaria sobre los puestos de carácter permanente o temporal así como sobre los expertos nacionales destacados, el número, grado y la categoría del personal contratado por Europol para el ejercicio de que se trate[34].

V. EL SISTEMA DE INFORMACIÓN DE EUROPOL (SIE)

1. *El tratamiento de los datos en Europol*

En los primeros y más informales años de andadura el Sistema de Información de Europol se limitaba a "almacenar, modificar y utilizar solo los datos necesarios para el cumplimiento de las funciones de Europol, con la excepción de los datos sobre delitos conexos"[35], con la mera utilidad de que permita una rápida consulta de la información proporcionada por los Estados miembros o por Europol. Tras la Decisión del Consejo de 2009 se eliminan algunas limitaciones y se prevé y amplía expresamente la clase de datos[36] que serán introducidos en el

---

[34] Art. 42, Presupuesto de Europol, Decisión del Consejo de 6 de abril de 2009.

[35] Art. 8.1 del Convenio de Europol, establecía que: "En el sistema de información solo se podrán almacenar, modificar y utilizar los datos necesarios para el cumplimiento de las funciones de Europol, con excepción, de los datos sobre los delitos conexos de conformidad con el párrafo segundo del apartado 3 del artículo 2".

[36] El art. 12 de la Decisión del Consejo, de 6 de abril de 2009, establece que: *El sistema de información de Europol solo se podrá utilizar para tratar los datos necesarios para el cumplimiento de las funciones de Europol. Los datos introducidos se refieren a: 1°. Las personas que sean*

Sistema de Información de Europol. Estos datos deberán ser recogidos con fines determinados, explícitos y legítimos, adecuados, pertinentes y no excesivos en relación con los fines para los que se recaben y para los que se traten. En el art. 10.3 de la Decisión del Consejo, se establece que queda prohibido el tratamiento de los datos personales que revelen el origen racial o étnico, las opiniones políticas, las creencias religiosas o filosóficas o la afiliación sindical, el tratamiento de datos relacionados con la salud o la vida sexual, y solo en la medida en que ello sea necesario, se permite almacenar otras características que puedan ser útiles para la identificación de un sujeto, y en particular, los rasgos físicos específicos, objetivos y permanentes, tales como los datos dactiloscópicos y el perfil del ADN. De modo excepcional, y cuando sea estrictamente necesario, en los ficheros de trabajo se puede hacer uso del tratamiento de datos personales que revelen el origen racial o étnico, las opiniones políticas, las creencias religiosas o filosóficas o la afiliación sindical, el tratamiento de datos relacionados con la salud o la vida sexual.

En el SIE también se puede almacenar, tratar, modificar y utilizar indicaciones[37] sobre personas que hayan sido condenadas o que sean sospechosas de haber cometido o participado en algún delito competencia de Europol. Estas indicaciones permiten realizar el perfil de un sujeto, o en el caso, el perfil criminal. También se almacenan los datos sobre la pertenencia o participación en grupos u organizaciones delictivas, como también la posición que tiene el sujeto en el grupo (líder, participante o coadyuvante en una organización delictiva), así como el ámbito geográfico en cual actúa o donde comete las actividades delictivas.

En cuanto al acceso directo al SIE, hay que tener en cuenta que la libertad de acceso se hace posible tras un proceso de habilitación a cada uno de los Funcionarios de Enlace, miembros que componen las UNE, Director y Directores adjuntos de Europol, así como a los Agentes de Europol. Una vez realizada dicha habilitación, Europol establecerá, junto con los Estados miembros, todos los mecanismos de control que puedan permitir y garantizar la vigilancia de la licitud de

---

sospechosas, de acuerdo con el derecho nacional del Estado miembro de que se trate, de haber cometido o de haber participado en un delito que sea competencia de Europol, o que hayan sido condenadas por tal delito; 2ª. Las personas respecto de las cuales existan indicios concretos o motivos razonables, de acuerdo con el Derecho nacional de cada Estado miembro de que se trate, para presumir que cometerán delitos que son competencia de Europol.

[37] El art. 12.3, Decisión del Consejo de 6 de abril de 2009, dispone que: además de los datos indicados en el apartado 2 y la mención de Europol o de la Unidad Nacional que los haya suministrado, podrá almacenarse, modificarse y utilizarse en el sistema de información las siguientes indicaciones con respecto a las personas a que se refiere el apartado 1: delitos, hechos imputados, fecha y lugar de comisión; medios utilizados o que puedan serlo; servicios responsables del expediente y número de referencia de éste; sospecha de pertenencia a una organización delictiva; condenas, siempre que se refieran a delitos que sean competencia de Europol; parte que haya introducido los datos.

las consultas que se efectúen con los datos almacenados y tratados en el SIE[38]. En cuanto a la transmisión de la información existente en el Sistema de Información de Europol, ésta se podrá realizar entre las Unidades Nacionales de cada Estado miembro, así como entre las Unidades Nacionales de un lado y las autoridades competentes de los Estados miembros de otro lado, de conformidad con la legislación nacional.

2. *Los Ficheros de Trabajo de Análisis*

Los datos almacenados en los ficheros del Sistema de Información de Europol (SIE) se aportan por los Estados miembros o por los Agentes de Europol, o son el resultado del tratamiento de los datos personales[39] y estos estarán introducidos en el Sistema siempre y cuando afecten a dos o más Estados miembros. El Estado que aporta los datos al Sistema de Información de Europol (Estado transmisor), es el que los transfiere al Estado afectado (Estado interesado) y a la hora de hacer la transferencia de datos personales, tendrá en cuenta las normas y las garantías que se imponen al respecto por su legislación nacional. Cada transmisión de datos de carácter personal contenidos en los ficheros de análisis quedará registrada en el mismo y antes de efectuar la transmisión, Europol junto con el Estado transmisor verificará la exactitud y la conformidad de los datos con lo establecido en la Decisión del Consejo por la que se crea Europol. Además el Estado destinatario deberá informar al Estado transmisor de la utilización que se haya hecho de los datos recibidos, así como los resultados obtenidos, siempre y cuando la legislación del Estado destinatario permite que se informe sobre estos aspectos. Además, el Estado transmisor tiene la posibilidad de restringir al Estado interesado los posibles usos a que destine los datos personales transferidos y fijar las condiciones para el debido uso de los datos transmitidos.

A su vez, la Agencia podrá almacenar, modificar y utilizar datos relativos a los delitos que sean de su competencia, incluido los delitos conexos, y lo hará en los llamados Ficheros de Trabajo de Análisis. Estos Ficheros serán creados por Europol o a petición de los Estados miembros[40] que hayan suministrado datos y podrán contener información con respecto a las siguientes categorías de sujetos: autores o sospechosos; posibles testigos; perjudicados o que puedan serlo por la comisión de hechos delictivos; personas intermediarias y acompañantes;

---

[38]   Art. 18, Normas sobre el Control de las Consultas, Decisión del Consejo de 6 de abril de 2009.
[39]   ARENAS RAMIRO, M. *El derecho fundamental a la protección de datos personales en la Unión Europea*, AEPD, 2006, p. 299.
[40]   Art, 13.1, Decisión del Consejo 2009/936/JAI, de 30 de noviembre de 2009, por la que se adoptan las normas de desarrollo aplicables a los ficheros de trabajo de análisis de Europol; DOUE L 325/14; 11.12.2009.

personas que sean consideradas posibles testigos; así como personas que puedan facilitar información sobre los delitos que son competencia de Europol. Estos Ficheros tienen la consideración de ficheros automatizados de datos personales para los que se necesita una disposición de creación, que requerirá el acuerdo del Consejo de Administración, acuerdo que debe hacer referencia a sus elementos de identificación, denominación, objetivo, categorías de personas sobre las cuales se almacenen datos, proveniencia de los datos que pretendan almacenarse, transferencia o introducción de datos, condiciones en que podrán transmitirse los datos del fichero en cuestión, a qué destinatarios y bajo qué procedimiento, los plazos de verificación y la duración de almacenamiento, así como la constancia documental[41].

Los Ficheros de Trabajo de Análisis podrán ser de naturaleza general, estratégica u operativa, en función de si el objetivo del fichero es tratar información pertinente sobre un problema particular, o desarrollar y mejorar las iniciativas de las autoridades competentes de los Estados miembros o, en el caso de la naturaleza operativa, que el fin sea recabar información relativa a un caso, persona u organización vinculadas con alguna de las actividades delictivas competencia de Europol para investigaciones bilaterales o multilaterales de alcance internacional, y siempre que las partes interesadas sean dos o más Estados miembros[42].

Con carácter periódico y establecido oficialmente Europol emite el *Informe de Situación y Tendencias*, que se lleva a cabo anualmente tomando el rango de octubre a octubre. Los análisis efectuados por los Agentes de Europol sobre el tratamiento de datos tienen la denominación de *Informes de Evaluación de la Amenaza*. En ellos se establece los parámetros sobre la motivación y la capacidad de riesgo como factores básicos que definen la amenaza.

3. El tratamiento de la información clasificada

La importancia de la información en la lucha contra la criminalidad organizada es evidente y en lo que referente a los ficheros creados para llevar a cabo investigaciones concretas es importante señalar que sus características especiales determinan su regulación en lo que respecta el tratamiento que requieran. Los ficheros automatizados de datos tratados por Europol se dividen en cuatro grandes categorías a las que se asigna el nivel y las medidas de seguridad teniendo en cuenta la clase de información que almacenan.

---

41   Art. 16. Orden de creación de un fichero de trabajo de análisis. Decisión del Consejo de 6 de abril de 2009.
42   Art. 14.4. Decisión del Consejo de 6 de abril de 2009.

La categoría de clasificación más básica es *Europol Restricted*, que abarca la información y el material cuya revelación no autorizada podrá resultar desfavorable para los intereses esenciales de Europol, de la Unión Europea, o de uno o varios Estados miembros. Este sería el nivel máximo de clasificación. Los ficheros clasificados como Europol Restricted podrán almacenar todos aquellos datos de carácter personal que se refieren a las personas que sean sospechosas de haber cometido o de haber participado en un delito que recaiga bajo competencia de la Agencia, así como las personas que hayan sido condenadas.

El segundo nivel de clasificación es *Europol Confidential*, y se aplica a la información y al material cuya revelación no autorizada pueda causar algún perjuicio a los intereses esenciales de Europol, de la UE, o de uno o varios Estados miembros. Es esencial destacar que en un esquema jerárquico los datos personales almacenados reciben un mayor grado de seguridad y de confidencialidad, por lo que a la hora de acceder a esta clase de datos, las condiciones que se deben cumplir serán más exigentes. En esta clase de datos podemos incluir los datos personales relativos a: medios de identificación (documentos de identidad; pasaportes; etc), profesión y capacitaciones (actividad laboral y profesional anterior; títulos académicos; aptitudes; etc), medios de comunicación y medios de transporte que usa.

El tercer nivel se denomina *Europol Secret* y se aplica a la información y al material cuya revelación no autorizada pueda causar un perjuicio grave para los intereses esenciales de Europol, de la Unión Europea, o de uno o varios Estados miembros. En este nivel el posible perjuicio por la vulneración de la clasificación se califica como grave. Se aplica a la información económica financiera: datos financieros (cuentas y códigos bancarios, tarjetas de crédito, etc.); activos líquidos disponibles; acciones; vínculos con sociedades y empresas; etc. Se aplica también a los datos sobre el comportamiento: estilo de vida y costumbres; movimientos; lugares que se frecuentan; armas; toxicomanías; etc...

El último nivel de clasificación se denomina *Europol Top Secret*. Es el nivel de seguridad más alto que se puede aplicar a los datos de Europol, y será aplicable a la información y material cuya revelación no autorizada pueda causar un perjuicio excepcionalmente grave a los intereses esenciales de Europol, de la Unión Europea, o de uno o varios Estados miembros. Los ficheros de datos que tendrán el nivel más alto de seguridad serán, en primer lugar, los relativos a las actividades delictivas en las que es competente Europol: condenas anteriores; presunta implicación en actividades delictivas; grupo u organización delictiva a la que pertenece y posición del grupo u organización; ámbito geográfico de las actividades delictivas; etc... En segundo lugar, datos que revelen el origen racial; las opiniones políticas; las convicciones religiosas; datos relativos a la salud o a la vida sexual. Asimismo información sobre identificación forense, como impresiones dactilares;

resultados de ADN; grupo sanguíneo; información dental. En cuarto lugar, referencias a otras bases de datos en que haya almacenados datos sobre la persona: Europol; Cuerpos de Policía y Aduanas; organizaciones internacionales; entidades públicas y privadas. Por último, cualquier dato con respecto a sus víctimas o, posibles víctimas, testigos o posibles testigos.

Toda la información tratada por Europol o a través de Europol dentro de su organización, se someterá a las medidas de seguridad establecidas para cada nivel de clasificación y cada Estado miembro se comprometerá a garantizar que la información de Europol recibirá en su territorio un nivel de protección equivalente al nivel de protección ofrecido por Europol.

4. El Intercambio de Información

Europol puede intercambiar información clasificada con las instituciones pertinentes de los estados miembros de la Unión Europea, con las instituciones de la Unión Europea y, en su caso, con terceros Estados y con las organizaciones internacionales, siempre de acuerdo al seguimiento de los protocolos establecidos por el Consejo de la Unión Europea, previa consulta al Parlamento, y siempre respondiendo la Agencia de la legalidad de dicha transmisión, dejando constancia de todas las transmisiones realizadas y de los motivos que las hayan motivado. Todo intercambio de información requiere la existencia previa de un acuerdo entre Europol y el Estado o institución destinatario de la información. En el caso de terceros estados Europol solo puede enviar o compartir información cuando sea necesario y para casos concretos de lucha o prevención de actos delictivos que sean de su competencia y solo en caso de que, previamente, se haya celebrado un acuerdo operativo con el tercero interesado en cuestión. El acuerdo debe garantizar la aplicación de un nivel adecuado de protección de los datos transmitidos[43]. No obstante, en caso de urgente necesidad y excepcionalmente, se prevé la posibilidad de llevar a cabo la transmisión de datos aunque el acuerdo no haya entrado en vigor. Europol podrá transmitir directamente información e incluso datos personales en la medida necesaria para la realización de las funciones del receptor siempre y cuando la transmisión no ponga en peligro el correcto cumplimiento de las funciones de un Estado miembro, no constituya una amenaza al orden y a la seguridad públicos de un Estado miembro y no perjudique de forma alguna a los intereses de este último. Si se trata de información confidencial la transmisión se permitirá siempre que exista un acuerdo sobre la confidencialidad entre Europol

---

[43]   Art. 9.4, Decisión del Consejo 2009/934/JAI, de 30 de noviembre de 2009 por la que se adoptan las normas de desarrollo que rigen las relaciones de Europol con los socios, incluido el intercambio de datos personales y de información clasificada.

y el órgano de la Unión Europea, informándose de ello al Comité de Seguridad. Dicho acuerdo de confidencialidad se formalizará en el acuerdo de cooperación posterior que se suscriba.

En los acuerdos firmados con terceras partes queda estipulado que la parte receptora no compartirá la información con otras autoridades o instancias que no hayan sido identificadas en el acuerdo firmado con la Agencia. Para que se garantice el cumplimiento de estos requisitos Europol exige que se establezca una autoridad competente como punto de contacto entre Europol y las autoridades competentes del receptor y, si no fuese posible, será Europol quien transmitirá directamente la información a las autoridades del Estado en cuestión que la requieran[44].

VI. RELACIONES INSTITUCIONALES EXTERNAS

1. Parlamento Europeo

La relación de Europol con el Parlamento Europeo gira en torno a las labores de control de este sobre la actividad de la Agencia. El Parlamento Europeo tiene competencias en la aprobación del presupuesto de Europol, así como en lo que respecta a la plantilla del personal y del procedimiento de la gestión de Europol. Además, ejerce las labores de seguimiento y supervisión periódica propias de un control general a través de las comparecencias del presidente del Consejo de Administración de Europol y el Director[45].

2. Comisión Europea

La Comisión, como órgano impulsor de las políticas de la Unión, está plenamente vinculada a las labores en el ámbito de la cooperación policial. Ello ha conllevado la firma de un acuerdo de colaboración con el objetivo de establecer una cooperación eficaz entre la Comisión y Europol en la prevención y lucha contra las formas graves de delincuencia internacional. Dicho Acuerdo tiene naturaleza estratégica y política y no incluye, en principio, el intercambio de datos personales de los ficheros de Europol, aunque sí incluye el intercambio de información relevante para el cumplimiento de los fines del Acuerdo entre la Comisión y Europol. En el artículo 3 de dicho acuerdo se sostiene que la colaboración entre

---

[44]   Art. 17, Decisión del Consejo 2009/934/JAI, de 30 de noviembre de 2009 por la que se adoptan las normas de desarrollo que rigen las relaciones de Europol con los socios, incluido el intercambio de datos personales y de información clasificada.

[45]   Art. 48, Información al Parlamento Europeo, Decisión del Consejo de 6 de abril de 2009.

las dos partes se hará a través de un punto de contacto y, en lo que a la Comisión Europea se refiere, actuará como punto central de contacto la Dirección General de Justicia y Asuntos de Interior. Se podrá ejercer contacto directo con Europol por parte de los demás servicios de la Comisión en función de las áreas específicas de cooperación. El acuerdo de colaboración fortalece la asistencia mutua a través de consultas con regularidad entre las partes sobre cuestiones de política y asuntos de interés común, que tendrán como finalidad la realización y coordinación de sus objetivos y actividades en el ámbito de la delincuencia organizada como amenaza grave a la seguridad de la Unión Europea.

El artículo 5 del Acuerdo dispone que las partes deben informarse mutuamente sobre la finalidad para la que se suministra la información entre ambas partes y las restricciones sobre su uso, supresión o destrucción. A los intercambios de información les serán de aplicación las normas de confidencialidad y seguridad que otorguen un adecuado nivel de protección y responsabilidad.

Una de las facetas más relevantes en la colaboración institucional entre Europol y la Comisión gira alrededor de las actividades de prevención y persecución de la falsificación de moneda. En el caso de Europol, el intercambio de información abarcará información estratégica que puede incluir información relevante del SIE, siendo prevista la comunicación de la información relativa a las actividades de falsificación, las tendencias y las características más importantes de la actividad de falsificación, la circulación general, los circuitos de origen y distribución de euros falsificados, etc.

3. Banco Central Europeo

Está en vigor asimismo un Acuerdo de cooperación entre Europol y el Banco Central Europeo con el objetivo clave de asegurar una cooperación efectiva entre las dos partes en relación con las medidas para combatir las amenazas que se derivan de la falsificación del euro, cuestión íntimamente ligada a esta institución al igual que nos referíamos a la Comisión. El Acuerdo tiene como objeto intensificar y coordinar la asistencia que proporciona Europol a las autoridades nacionales y europeas y al resto de instituciones que puedan verse implicadas en la lucha contra la falsificación de moneda europea. En el ámbito del Acuerdo, Europol facilitará información al BCE sobre sus actividades en la lucha contra la falsificación del euro, incluida la información recibida de otras agencias u organismos, de otras organizaciones internacionales y terceros países, quedando siempre excluida la transmisión de datos personales. Europol será informada por el BCE de la aparición de nuevas formas de falsificación de moneda a través del Sistema de Control de Falsificaciones. Asimismo el BCE será informado del descubrimiento de cualquier gran cantidad de billetes falsos de euro. La información intercambiada entre las partes estará sometida a normas de confidencialidad y seguridad y recibirá un nivel de protección adecuado.

4. Eurojust

Eurojust[46] surge con el fin de apoyar las labores investigación y seguimiento procesal en los casos de delincuencia transfronteriza grave y especialmente de delincuencia organizada a través de una adecuada coordinación de las fiscalías nacionales, tomando en especial consideración los análisis de Europol[47]. El Acuerdo de cooperación entre Europol y Eurojust se firma con el objetivo de aumentar su eficacia en la lucha contra las formas graves de delincuencia internacional que caen bajo las competencias respectivas de ambas instituciones. Dicha cooperación se trata de optimizar mediante el intercambio de la información operativa, estratégica y técnica de que dispongan ambas instituciones. En base al Acuerdo y a las competencias de ambas instituciones, se prevé la iniciativa en la creación de ficheros de análisis y se prevé los protocolos de información mutua y transferencia de la información de dichos ficheros de análisis. En el caso de que sea Europol quien dé inicio a un fichero, se prevé la necesidad de que informe a Eurojust sobre la apertura del mismo. En caso de iniciativa de Eurojust, deberá presentar una solicitud motivada a Europol para tomar la iniciativa a la hora de abrir un fichero de trabajo de análisis o para establecer un grupo objetivo, siempre y cuando Eurojust esté asociada con el archivo de trabajo para el que se propone la creación del fichero.

En cuanto a la transmisión de información entre ambos organismos, el Acuerdo establece que se podrá hacer de forma espontánea o en base a una solicitud motivada en la que se especificarán los fines para los que se haya comunicado o solicitado, además de la obligación de indicar la fuente de dicha información. El Acuerdo, en su art. 14.4, establece que los datos personales sólo podrán transmitirse en casos absolutamente necesarios, y dichos datos sólo se transmitirán con carácter secundario, es decir el objeto de la transferencia de información no puede ser la transmisión de dichos datos prioritariamente. En las transferencias mutuas de información está prevista la inclusión de la realización de un examen de evaluación de la fuente y la fiabilidad de la información. Además, se imponen

---

[46]   Eurojust se crea a través de la Decisión 2002/187/JAI de 28 de febrero de 2002 y posteriormente entran en vigor la Decisión 2009/426/JAI del Consejo de 16 de diciembre de 2008 por la que se refuerza Eurojust y se modifica la Decisión 2002/187/JAI por la que se crea Eurojust para reforzar la lucha contra las formas graves de delincuencia, publicada en el DOUE de 4 de junio de 2009, L138/14.

[47]   Arts. 29 y 31 del Tratado de la Unión Europea.

normas de confidencialidad y seguridad para el tratamiento de la información, lo que implica que cada organismo velará por que la información recibida tenga un nivel de protección equivalente al nivel de protección ofrecido por las medidas aplicadas a la información en el organismo transmisor. Para garantizar la aplicación de estos protocolos las partes establecerán un cuadro de equivalencias entre sus respectivas normas de confidencialidad y de seguridad.

5. Escuela Europea de Policía (CEPOL)

A la Escuela Europea de Policía (CEPOL)[48] se le otorgó el estatus de Agencia de la Unión Europea en 2005 y su misión consiste en llevar a cabo las actividades relacionadas con la formación inicial y continua de los agentes de Europol, así como la formación continua de los agentes de los diversos cuerpos policiales estatales de los países miembros. Ello refuerza, indirectamente, la cooperación entre las fuerzas de policía nacionales mediante la organización de cursos con una dimensión policial europea, además de definir planes de estudios comunes sobre temas específicos, difundir investigaciones y mejores prácticas pertinentes, y coordinar un programa de intercambio para mandos policiales y formadores.

Su principal objetivo consiste en aumentar el conocimiento de los sistemas y estructuras policiales nacionales de los Estados miembros y de la cooperación policial transfronteriza dentro de la Unión así como mejorar los conocimientos sobre los instrumentos internacionales de la Unión Europea, en particular en lo que respecta a la cooperación policial, a la estructura de Europol y la cooperación con los Estados miembros en la lucha contra la delincuencia organizada[49].

6. FRONTEX

FRONTEX[50] es la Agencia Europea para la gestión de la cooperación operativa en las fronteras exteriores de los Estados miembros. En al artículo 13 de su Reglamento se le reconoce la posibilidad y la necesidad de cooperar con Europol en el marco de un convenio de trabajo a celebrar entre las dos partes. En 2008 se firma el Acuerdo estratégico de cooperación entre Frontex y Europol con el objetivo claves de reforzar la cooperación entre ambas a través de comisiones de

---

[48] La Escuela Europea de Policía se estableció inicialmente en virtud de la Decisión 2000/820/JAI del Consejo, derogada posteriormente por la Decisión 2005/681/JAI del Consejo, por la que se crea la Escuela Europea de Policía (CEPOL).

[49] Decisión 2005/681/JAI del Consejo, por la que se crea la Escuela Europea de Policía (CEPOL).

[50] Reglamento (CE) nº 2007/2004 del Consejo de 26 de octubre de 2004 por el que se crea una Agencia Europea para la gestión de la cooperación operativa en las fronteras exteriores de los Estados miembros de la Unión Europea.

trabajo de alto nivel con el fin de evitar la duplicación de actividades y esfuerzos, con los objetivos prioritarios de fomentar el intercambio de información estratégica y técnica con respecto a las áreas de criminalidad que caen bajo sus respectivas competencias, incluidos los delitos conexos, y en particular el tráfico de seres humanos y la inmigración ilegal.

7. *Observatorio Europeo de las Drogas y las Toxicomanías (OEDT)*

El Observatorio Europeo de las Drogas y las Toxicomanías[51] tiene como principal objetivo proporcionar a la Unión Europea y a los Estados miembros la información real, objetiva y fiable sobre el fenómeno de la droga y la toxicomanía, así como sobre sus repercusiones. En el año 2001 se firma el Acuerdo entre Europol y este Observatorio con el objetivo de reforzar la cooperación entre las dos organizaciones en lo que respecta las cuestiones delictivas relacionadas con las drogas y las actividades asociadas al blanqueo de dinero, así como el tráfico de sustancias como precursores químicos encaminadas a la fabricación de drogas o estupefacientes. En el Acuerdo se prevé que la colaboración entre ambas partes se llevará a cabo de conformidad con sus respectivos mandatos y competencias, basándose en los principios de adecuación, interés común, reciprocidad y complementariedad, y en particular, teniendo como base el intercambio de información estratégica y operativa.

8. *Centro Europeo para la Prevención y Control de Enfermedades (ECDC)*

El Centro Europeo para la Prevención y Control de Enfermedades se constituye como Agencia independiente en el organigrama institucional de la Unión Europea desde el año 2004 y su objetivo consiste en aumentar la capacidad de la Unión y de los Estados miembros para proteger la salud humana mediante la prevención y el control de enfermedades. Para ello se encarga de identificar, determinar y comunicar las amenazas actuales y emergentes que representan para la salud humana las enfermedades transmisibles[52]. El Acuerdo estratégico de cooperación entre Europol y el ECDC se firma por la posibilidad de que se lleven a

---

51   Fue establecido por el Reglamento (CEE) nº 302/93 del Consejo, de 8 de febrero de 1993 que se ha modificado en varias ocasiones y de manera sustancial. La más importante de entre las recientes se lleva a cabo por el Reglamento (CE) nº 1920/2006 del Parlamento Europeo y del Consejo de 12 de diciembre de 2006 sobre el Observatorio Europeo de las Drogas y las Toxicomanías (Versión consolidada).

52   Reglamento (CE) nº 851/2004 del Parlamento Europeo y del Consejo, de 21 de abril de 2004, por el que se crea un Centro Europeo para la Prevención y el Control de las Enfermedades.

cabo acciones contra la seguridad y la salud pública por parte de grupos terroristas u otras organizaciones de delincuencia grave. El Acuerdo tiene como objetivo suministrar e intercambiar información entre las dos partes con la pretensión de aunar sus esfuerzos y en particular de fortalecer las capacidades de preparación y respuesta de los Estados miembros.

9. Oficina de Armonización del Mercado Interior (OAMI)

Europol y la OAMI firman el Acuerdo Estratégico de colaboración en 2013 debido a los problemas urgentes que se derivan del crimen organizado transnacional y en particular del creciente fenómeno de falsificación y piratería en lo que a los derechos de propiedad intelectual se refiere. El Acuerdo se centra en apoyar a los Estados miembros y a las instituciones Unión para prevenir y combatir los delitos relacionados con los derechos de la propiedad intelectual. Para ello se llevarán a cabo intercambios de expertos de las dos partes, así como intercambios de conocimientos especializados, informes generales de situación, resultados de análisis estratégicos y las mejores prácticas, además de encuentros de formación, como principales líneas de actuación.

10. Cooperación externa

Europol ha ido estableciendo también una serie de Acuerdos estratégicos y operativos con terceros países, así como con organizaciones internacionales con el fin de promover el intercambio de información para aumentar su capacidad operativa y su eficacia en el marco de sus competencias y funciones[53]. Europol ha firmado acuerdos con terceros países, como Estados Unidos, Australia, Canadá, Colombia, Noruega, Suiza, Rusia, Turquía, Serbia, Ucrania, entre otros. En lo que a organismos internacionales se refiere, Europol ha firmado un acuerdo operativo con Interpol y dos acuerdos estratégicos con la Oficina de las Naciones Unidas contra la Droga y el Delito (ONUDD), y con la Organización Mundial de Aduanas (OMA).

---

[53] Decisión 2009/935/JAI del Consejo, de 30 de noviembre de 2009 por la que se determina la lista de terceros Estados y organizaciones con los que Europol celebrará acuerdos, DOUE L 325/12.

Capítulo 15
ASSET RECOVERY: ...GONNA TRY WITH A LITTLE HELP FROM OUR FRIENDS...

Ana María Prieto del Pino
Profesora contratada Doctora
Universidad de Málaga

I. DEFINITION AND GENERAL REMARKS

Confiscation of proceeds of criminal activities plays a key role in crime deterrence. When funds illicitly obtained have been transferred to other countries, a process of tracing, freezing, confiscating and returning them to their countries of origin, which is called asset recovery, needs to be implemented.

Money may be passed around in a matter of seconds, it may be relocated to the other side of the world at the speed of an electronic wire transfer. Therefore, law enforcement and prosecutorial agencies must be able to count on a virtually immediate exchange of information.

However, the speed of the exchange is as vital as the temporal framework in which it is carried out. The earlier, the better, since the so-called "pre-investigative" or intelligence stage, given its proximity to the moment of detection of the crime, may be the most propitious one for tracing and recovering assets.

Certainly we still have to walk, as The Beatles sang, *a long and winding road*...but the way becomes easier when we turn into plural a sentence taken from another song by the Beatles and sing: (...) *gonna try with a little help from our friends*...

Nevertheless, we must be very careful not to sing out of tune with individual rights and legal guarantees. Crime does not pay, let there be no doubt about it. However, on the one hand, the information on innocent individuals and businesses must be protected —since they should not pay for the guilty ones' faults— and, on the other hand, the rule of law must be preserved and not be tossed aside regarding those who have carried out criminal activities.

II. THE INTERNATIONAL LEGAL FRAMEWORK

UN Convention against Illicit Traffic in Narcotic Drugs and Psychotropic Substances (1988) was a landmark regarding the seizure of proceeds of crime.

Depriving criminals from the profits from their activity became a priority at an international level in the fight against organised crime[1]. Enabling confiscation of proceeds of illicit traffic in narcotic drugs and psychotropic substances, criminalising money laundering and confiscating the proceeds thereof are the three measures taken in order to achieve that purpose.

Therefore, under Article 3 b) domestic laws of the Parties shall establish as criminal offences, on the one hand, the conversion or transfer of property and, on the other hand, the concealment or disguise of the true nature, source, location, disposition, movement, rights with respect to, or ownership of property, knowing in both cases that such property is derived from any offence or offences established in accordance with subparagraph a) of that paragraph, or from an act of participation in such offence or offences, for the purpose of concealing or disguising the illicit origin of the property or of assisting any person who is involved in the commission of such an offence or offences to evade the legal consequences of his actions.

For its part, Article 5. 1. a) of the Convention sets forth that each party shall adopt such measures as may be necessary to enable confiscation of proceeds derived from offenses established in accordance with article 3, paragraph 1, or property the value of which corresponds to that of such proceeds; and article 5.2. states that each party shall also adopt such measures as may be necessary to enable its competent authorities to identify, trace, and freeze or seize proceeds, property, instrumentalities or any other things referred to in paragraph 1 of this article, for the purpose of eventual confiscation.

Shortly after that milestone, the Council of Europe Convention on Laundering, Search, Seizure and Confiscation of the Proceeds from Crime (1990) provided that each State Party should adopt the measures —either legislative or of any other nature— necessary to confiscate the instrumentalities and proceeds from crime or property of an equivalent value. In 2005 this commitment was updated by a new Council of Europe Convention to include the financing of terrorism[2].

The beginning of the 21st century brought the declaration of war on corruption and on the illicit enjoyment of the profits thereof onto the international scene. According to the UN Convention against Transnational Organised Crime (2000) States Parties should adopt the necessary measures to enable the confiscation of proceeds of crime derived from offences (or property of equivalent value)

---

[1]   *The Parties to this Convention, (...) Determined to deprive persons engaged in illicit traffic of the proceeds of their criminal activities and thereby eliminate their main incentive for so doing,(...).*

[2]   By *The Council of Europe Convention on Laundering, Search, Seizure and Confiscation of the Proceeds from Crime and on the Financing of Terrorism* (CETS No. 198).

and property, equipment and other instrumentalities used in offences covered by that Convention. Pursuant to Article 12, on confiscation and seizure, States Parties may consider the possibility of requiring that an offender demonstrate the lawful origin of alleged proceeds of crime or other property liable to confiscation, to the extent that such a requirement is consistent with the principles of their domestic law and with the nature of judicial proceedings.

For its part, the UN Convention against Corruption (2003) states asset recovery explicitly as a fundamental principle and sets forth measures aiming at the direct recovery of property through international cooperation in confiscation.

Furthermore, European legislation has also made many significant strides forward in less than twenty years.

Joint Action 98/699/JHA on money laundering, the identification, tracing, freezing, seizing and confiscation of instrumentalities and the proceeds of crime provided that Member States should allow value confiscation and the tracing and preservation of suspected proceeds of crime at the request of another Member State.

Three years later, Framework Decision 2001/500/JHA on money laundering, the identification, tracing, freezing, seizing and confiscation of instrumentalities and the proceeds of crime (the '2001 Framework Decision') required Member States to enable confiscation, allow value confiscation and ensure that requests from other Member States should be treated with the same priority as domestic requests.

Framework Decision 2003/577/JHA on the execution in the European Union of orders freezing property or evidence (the '2003 Framework Decision') required mutual recognition of freezing orders for a list of crimes punishable by three years' imprisonment or which satisfy the dual criminality principle.

Framework Decision 2005/212/JHA on confiscation of crime-related proceeds, instrumentalities and property (the '2005 Framework Decision') pursued that all Member States *"have effective rules governing the confiscation of proceeds from crime, inter alia, in relation to the onus of proof regarding the source of assets held by a person convicted of an offence related to organised crime"*.

Framework Decision 2006/783/JHA of 6 October 2006 on the application of the principle of mutual recognition to confiscation orders established the rules under which a Member State shall recognise and execute in its territory a confiscation order issued by a court competent in criminal matters of another Member State.

Framework Decision 2007/845/JHA, which is a follow-up of the Framework Decisions 2003/577/JHA and 2005/212/JHA, asked Member States to *"set up or designate a national Asset Recovery Office, for the purposes of the facilitation of the tracing and identification of proceeds of crime and other crime related proper-*

ty which may become the object of a freezing, seizure or confiscation order made by a competent judicial authority in the course of criminal or, as far as possible under the national law of the Member State concerned, civil proceedings".

The Directive 2014/42/EU of the European Parliament and of the Council of 3 April 2014 on the freezing and confiscation of instrumentalities and proceeds of crime aims to amend and expand the provisions of Framework Decisions 2001/500/JHA and 2005/212/JHA, which should be partially replaced for the Member States bound by the new Directive.

The confiscation of instrumentalities and proceeds of crime, or that of property of equivalent value to the proceeds following a final decision of a court continues to be the general rule. Nevertheless, when *"confiscation on the basis of a final conviction is not possible, it should be under certain circumstances still be possible to confiscate instrumentalities and proceeds, at least in the cases of illness or absconding if the suspected or accused person, the existence of proceedings in absentia in Member States being sufficient to comply with this obligation. When the suspected or accused person has absconded, Member States should take all reasonable steps and may require that the person concerned be summoned to or made aware of the confiscation proceedings".* Even the confiscation of assets in the possession of third parties, which was not previously allowed, has also been enabled. A number of procedural safeguards have also been set forth, such as the right to be informed of the execution of the freezing order including, at least briefly, on the reason or reasons; the effective possibility to challenge the freezing order before a court; the right of access to a lawyer throughout the confiscation proceedings; the effective possibility to claim title of ownership or other property rights; the right to be informed of the reasons for a confiscation order and to challenge it before a court.

The Directive establishes minimum rules on the freezing of property with a view to its subsequent confiscation for the serious crimes listed in Article 83 (1) of the Treaty on the Functioning of the European Union (TFEU), i.e. terrorism, trafficking in human beings, sexual exploitation of women and children, illicit drug and arms trafficking, money laundering...

Finally, a new legal instrument has been designed to contribute together with the Directive to effective asset recovery in the European Union. Thus, whereas the Directive improves the domestic possibilities to freeze and confiscate assets, the Regulation (EU) 2018/185 of the European Parliament and of the Council of 14 November 2018 aims to improve the cross-border enforcement of freezing and confiscation orders. This new instrument, which will be directly applicable from 19 December 2020, broadens the scope of the current rules to cover new types of confiscation and includes provisions on victims' rights to restitution and compensation.

III. SOME (DISAPPOINTING) FIGURES

Definitely, the recovery of assets coming from crime is considered one of the most important measures for fighting against organised crime nowadays. However, figures do not seem to give much cause for optimism.

According to the UNODC (United Nations Office on Drugs and Crime), in 2009 the total amount of criminal proceeds generated was approximately US$2.1 trillion (about € 1.9 trillion), or 3.6% of global GDP in that year. The resulting amounts available for laundering activities were estimated to be about US$1.6 trillion or 2.7% of global GDP. This figure is also consistent with the International Monetary Fund' s (IMF) estimate of the scale of money laundering, that ranges from 2% to 5% of the global GDP[3].

- Recent research carried out by Savona, Riccardi et all (Transcrime Institute 2015) estimates that illicit markets in the European Union generate about €110 billion annually, i.e. about 0.9% of the EU' s GDP in 2010[4].

- In 2011 the amount of criminal proceeds ranged also from 2% to 5% of the global GPD, and only less than 1% of the laundered proceeds were seized and frozen[5].

- According to the most recent data regarding the period 2010-2014 provided by the Europol in 2016, 2.2% of the estimated proceeds of crime were provisionally seized or frozen, however only 1.1% of the criminal profits were finally confiscated at EU level. That means that around 50% of all provisionally seized or frozen assets were ultimately confiscated[6].

- According to the available data, Savona et all. have reported that regarding Europe most confiscated assets are movable goods (in particular

---

3   United Nations Office on Drugs and Crime (UNODC) Estimating illicit financial flows resulting from drug trafficking and other transnational organized crimes Research Report, 2011, p. 7, available online:
    https://www.unodc.org/documents/data-and-analysis/Studies/Illicit-financial-flows_31Aug11.pdf. Last retrieved: 14 August 2019.

4   SAVONA, Ernesto U. & RICCARDI, Michele (Eds.): *From illegal markets to legitimate businesses: the portfolio of organised crime in Europe* Final Report of Project OCP-Organised Crime Portfolio (www.ocportfolio.eu). Trento: Transcrime-Università degli Studi di Trento, 2015. Available online: http://www.transcrime.it/pubblicazioni/the-portfolio-of-organised-crime-in-europe/. Last retrieved 14 August 2019.

5   United Nations Office on Drugs and Crime (UNODC) Estimating illicit financial flows resulting from drug trafficking and other transnational organized crimes Research Report, 2011, available online:
    https://www.unodc.org/documents/data-and analysis/Studies/Illicit-financial-flows_31Aug11.pdf. Last retrieved: 14 August 2019.

6   EUROPOL: *Does crime still pay? Asset Recovery in the EU. Survey of statistical information (2010-2014)*, 2016. Available online: www.europol.europa.eu. Last retrieved: 15 August 2019.

cash) and registered assets (e.g. cars, etc.). The confiscation of real estate properties is not very frequent, and that of companies is almost non-existent, with the exception of a few countries (mainly Italy)[7].

IV. INTERNATIONAL COOPERATION

1. Policy-making bodies

Political will of the countries to recover proceeds of crime in their territories and to assist other states in need of their support is a necessary condition to achieve results. Undoubtedly, policy making bodies have a critical role to play in creating and reinforcing this prerequisite. Let us therefore consider what those bodies are and what they do.

1.1. Money laundering, predicate offences and terrorist financing

1.1.1.   Financial Action Task Force (FATF) and FATF-style regional bodies

According to its self-definition, the Financial Action Task Force (FATF) is an inter-governmental "policy-making body" which works to generate the necessary political will to bring about national legislative and regulatory reforms in the areas of money laundering, terrorist financing and other related threats to the integrity of the international financial system. The mandate of the FATF is to set standards and to promote effective implementation of legal, regulatory and operational measures for combating these illicit acts.

It was established by the Ministers of its Member jurisdictions in 1989 during the G-7 summit that was held in Paris[8]. During 1991 and 1992, the FATF expanded its membership from the original 16[9] to 28 members. In 2000 the FATF expanded to 31 members, and has since increased to its current 37 members.

The 40+9 Recommendations of the FATF (set forth in 1990 and revised in 2012) provide for the international standard for money laundering, financing of terrorism and asset recovery.

---

[7]   SAVONA, Ernesto U. & RICCARDI, Michele (Eds.): *From illegal markets to legitimate businesses: the portfolio of organised crime in Europe*. Final Report of Project OCP —Organised Crime Portfolio (www.ocportfolio.eu). Trento: Transcrime— Università degli Studi di Trento, 2015. Available online (supra fn. 5).

[8]   During the G-7 Summit that was held in Paris in 1989.

[9]   the G-7 member States, the European Commission and eight other countries.

Recommendation n. 38, on Mutual legal assistance: freezing and confiscation, reads as follows: *Countries should ensure that they have the authority to take expeditious action in response to requests by foreign countries to identify, freeze, seize and confiscate property laundered; proceeds from money laundering, predicate offences and terrorist financing; instrumentalities used in, or intended for use in, the commission of these offences; or property of corresponding value. This authority should include being able to respond to requests made on the basis of non-conviction-based confiscation proceedings and related provisional measures, unless this is inconsistent with fundamental principles of their domestic law. Countries should also have effective mechanisms for managing such property, instrumentalities or property of corresponding value, and arrangements for coordinating seizure and confiscation proceedings, which should include the sharing of confiscated assets.*

On the other hand, the FATF Recommendation 29[10] and the Interpretative Note to Recommendation 29 (INR. 29) set out the definition, functions and essential attributes of a financial intelligence unit (FIU). The INR. 29, which explains the core mandate and functions of a FIU and provides further clarity on the obligations contained in the standard, states that the FIUs should apply for the membership of the Egmont Group[11].

There is a number of FATF-style regional bodies such as the Asia Pacific Group (APG), which was established in 1997 and is the largest one[12].

1.1.2. United Nations

The Global Programme against Money-Laundering (GPML) was established in 1997 in response to the mandate given to UNODC by the 1988 UN Convention against Illicit Traffic in Narcotic Drugs and Psychotropic Substances.

The GPML mandate was strengthened in 1998 by the United Nations General Assembly Special Session *Political Declaration and Action Plan against Money*

---

[10]   *29. Financial intelligence units*
Countries should establish a financial intelligence unit (FIU) that serves as a national centre for the receipt and analysis of: (a) suspicious transaction reports; and (b) other information relevant to money laundering, associated predicate offences and terrorist financing, and for the dissemination of the results of that analysis. The FIU should be able to obtain additional information from reporting entities, and should have access on a timely basis to the financial, administrative and law enforcement information that it requires to undertake its functions properly.

[11]   *13. Countries should ensure that the FIU has regard to the Egmont Group Statement of Purpose and its Principles for Information Exchange Between Financial Intelligence Units for Money Laundering and Terrorism Financing Cases (these documents set out important guidance concerning the role and functions of FIUs, and the mechanisms for exchanging information between FIUs). The FIU should apply for membership in the Egmont Group.*

[12]   http://www.apgml.org/. Last retrieved: 15 August 2019.

Laundering, which broadened the aforementioned scope of action to all serious crimes.

Subsequently, three Conventions have been adopted in the fields of Anti money laundering (AML) and Countering the financing of terrorism (CFT): the International Convention for the Suppression of the Financing of Terrorism (1999), the UN Convention against Transnational Organized Crime (2000) and the UN Convention against Corruption (2003)[13].

Furthermore, Resolution 1617 (2005) of the UN Security Council *strongly urges all Member States to implement the comprehensive, international standards embodied in the Financial Action Task Force's (FATF) Forty Recommendations on Money Laundering and the FATF Nine Special Recommendations on Terrorist Financing.*

The same mandate was reproduced in 2006, when Member States adopted the United Nations Global Counter-Terrorism Strategy on 8 September. This Strategy is a global instrument (A/RES/60/288) containing a resolution and an annexed Plan of Action whose purpose is to strengthen national, regional and international efforts to combat terrorism. Section II of the Annexed Plan of Action establishes Measures to prevent and combat terrorism aiming to *denying terrorists access to the means to carry out their attacks, to their targets and to the desired impact of their attacks.* According to number 10, the Member States resolve *"to encourage States to implement the comprehensive international standards embodied in the Forty Recommendations on Money-Laundering and Nine Special Recommendations on Terrorist Financing of the Financial Action Task Force, recognizing that States may require assistance in implementing them".*

Therefore, the Global Programme against Money-Laundering, Proceeds of Crime and the Financing of Terrorism intends to support States and jurisdictions in the implementation of policies against these criminal activities. This adjuvant role is played at the national and the regional level through the following actions, among others[14]: reviewing legal and institutional frameworks, developing model laws, aiding in the drafting or upgrading of legislation and related regulatory measures, helping in the implementation of efficient mechanisms to combat these illicit practices, promoting the dissemination and execution of best practices in the regulation of financial services, as well as organizing training workshops and seminars for key players involved in the different stages which have just been referred to (central banks, enterprises of the banking and finance sector, regulatory bodies, enforcement agencies, judiciaries...)

---

[13]   https://www.unodc.org/documents/money-laundering/GPML-Mandate.pdf. Last retrieved: 15 August 2019.

[14]   https://www.unodc.org/unodc/en/money-laundering/advisory-services.html. Last retrieved: 15 August 2019.

1.2. Money laundering of corruption[15]

1.2.1. The Stolen Asset Recovery Initiative (StAR)

The Stolen Asset Recovery Initiative (StAR) is a partnership between the World Bank Group and the United Nations Office on Drugs and Crime (UN-ODC) that supports international efforts to end safe havens for corrupt funds. It assists in the implementation of Chapter V of the United Nations Convention against Corruption (UNCAC), which entered into force in 2006 and is the only global instrument in the fight against corruption. StAR works with developing countries and financial centres to prevent the laundering of the proceeds of corruption and to facilitate more systematic and timely return of stolen assets[16].

StAR assists countries in developing the legal framework, institutional expertise, and skill necessary to recover assets. Likewise, it is the coordinator for the World Bank' s participation in the G20 Anti-corruption working group. In particular, StAR plays a technical advisory role for this policy making body on Asset Recovery, transparency and beneficial ownership, and corruption risk mapping[17].

Building networks of both governmental and non-governmental practitioners is a very relevant aspect of StAR' s activity, so it is engaged with the OECD, AFAR partners, Interpol, the Egmont Group, ICAR, the Qatari Rule of Law Center, the Global Focal Point[18], CARIN, RRAG (or GAFILAT), ARIN-SA, ARIN-EA, ARIN-AP. StAR also supports the activity carried out by civil society organisations[19].

---

[15] Summaries of the laws and regulations on freeze and repatriation of the proceeds of fraud and corruption can be found in TICKNER, Jonathan/GABRIEL, Sarah/LAMING, Hannah (editors): Asset Recovery 2018, Getting the Deal Through, 2017.

[16] http://star.worldbank.org/star/sites/star/files/wb_star_brochure_final.pdf.Retrieved. 15 August 2019.

[17] http://star.worldbank.org/star/about-us/our-work/. Last retrieved 15 August 2019.

[18] Since 2012, an arrangement known as the Global Focal Point (GFP) for Police, Justice and Corrections Areas in the Rule of Law in Post-Conflict and other Crisis Situations provides a united front for overall UN assistance in these areas. The GFP supports assessment, planning, fundraising and delivery under the guidance of national partners and UN in-country leadership. See: https://www.undp.org/content/undp/en/home/ourwork/democratic-governance-and-peace-building/rule-of-law-justice-and-security/global-focal-point-for-police--justice--and-corrections/Last retrieved: 15 August 2019.

[19] BRUN, Jean-Pierre/GRAY, Larissa/SCOTT, Clive/STEPHENSON, Kevin M.: Asset Recovery Handbook. A Guide for Practitioners, 2011, pp. 6 ff. Available online: https://openknowledge.worldbank.org/handle/10986/2264?locale-attribute=en Last retrieved: 15 August 2019.

1.2.2.   The World Bank Group

The World Bank Group (WBG)[20], which works at the country, regional and global level *to build capable, transparent, and accountable institutions and design and implement anticorruption programs*, delivers on its commitment to confront corruption by helping both state and non-state actors establish the competencies needed to implement policies and practices that improve outcomes and build public integrity. Following the Anti-Corruption Summit, held in May 2016, the WBG agreed to enhance its support for implementation of anti-money laundering requirements and for the recovery of stolen assets[21].

1.2.3.   The G20 Anti-corruption working group

The G20' s[22] Anticorruption Working Group was established in June 2010 at the Toronto Summit. Its chief aim is to elaborate "comprehensive recommendations for consideration by leaders on how the G20 could continue to make practical and valuable contributions to international efforts to combat corruption". The ACWG collaborates with the World Bank Group, the OECD[23], the UNODC, the IMF, the FATF, as well as with the Business 20 (B20) and the Civil Society 20 (C20). Furthermore, StAR leads the World Bank Group delegation to the ACWG and coordinates the World Bank Group contributions and engagement[24].

2. The Asset recovery enforcement strategies

2.1. Channels: Mutual Legal Assistance and informal Assistance Networks

International cooperation can be implemented through both formal and informal assistance. Requests for assistance regarding service of process, compelled or sworn testimony, production of financial records, authentication of records,

---

20   (THE) WORLD BANK: Combating Corruption, http://www.worldbank.org/en/topic/governance/brief/anti-corruption. Last retrieved: 15 August 2019.

21   It also agreed to build the capacity of country clients to honour their commitments to enhance transparency and reduce corruption and to extend its work on tax reform, illicit financial flows (IFFs), procurement reform, and preventing corrupt companies from winning state contracts as well.

22   The G20 comprises the following countries: Argentina, Australia, Brazil, Canada, China, France, the European Union, Germany, India, Indonesia, Italy, Japan, the Republic of Korea, Mexico, Russia, Saudi Arabia, South Africa, Turkey, the United Kingdom and the United States of America.

23   https://www.oecd.org/g20/topics/anti-corruption/. Last retrieved: 15 August 2019.

24   https://star.worldbank.org/star/about-us/g20-anti-corruption-working-group. Last retrieved: 15 August 2019.

restraining orders and execution of forfeiture judgments, need formal mutual legal assistance requests to be enforced, which are usually made and received under a bilateral Mutual Legal Assistance treaty, multilateral convention, discretionary letter rogatory or letter of request. When law enforcement officers seek for assistance by implementing this kind of formal instruments, their requests are received through the Central Authorities designated in the Treaties, which can also receive requests made on the basis of reciprocity[25].

However, informal assistance can also be obtained. On the one hand, countries can provide foreign authorities with investigative assistance without the need for a formal petition. For example, the U.S.A. offers investigative aid and cooperation to support foreign investigations through measures such as witness interviews, visual surveillance, public record searches, and providing public documents, which foreign law enforcement authorities can request by contacting U.S. attachés in their respective countries and/or the DOJ contacts set forth in *Asset Recovery Tools & Procedures: A Practical Guide for International Cooperation.* Available online *(infra fn. 27).*

On the other hand, international networks of agencies constitute a channel of assistance particularly valuable in terms of speed and efficiency, since their members can contact each other directly and informally. They make nimble communications possible both prior and during formal mutual legal assistance. In addition, information exchange is also available for member countries which have not concluded a Mutual Legal Assistance treaty between them yet. Informal networks are made up of national contact points designated by the member countries, which, in turn, are inter-connected through a secretariat.

2.2. The actors

2.2.1. *United Nations Office on Drugs and Crime*

As outlined previously, the Law Enforcement, Organized Crime and Anti-Money-Laundering Unit of UNODC is responsible for carrying out the Global Programme against Money-Laundering, Proceeds of Crime and the Financing of Terrorism (GPML)[26]. The GPML comes into play not only at the policy-making level, but at the enforcement level as well, mainly by contributing to the development of financial intelligence units and other specific institutions.

---

[25] For example, the primary point of contact for all requests for formal legal assistance from the United States is OIA.

[26] http://www.unodc.org/documents/money-laundering/GPML-Mandate.pdf. Last retrieved: 15 August 2019.

2.2.2. Financial Intelligence Agencies: the Egmont Group of FIUs

The Egmont Group of FIUs was born at a meeting held at the Egmont Aren-berg Palace in Brussels after the plenary meeting of the FATF in the Hague, on 9 June 1995, chaired jointly by the *Cellule de Traitement des Informations Fi-nancières (CTIF-CFI)* of Belgium and the Financial Crimes Enforcement Net-work (FinCEN) of the United States[27]. Its mandate is to promote the development and effectiveness of the FIUs through cooperation, especially in the areas of infor-mation exchange, training, and the sharing of expertise.

The Egmont Group of Financial Intelligence Units is a non-political, inter-national forum of operational FIUs which exchange information to follow the suspected proceeds of crime when assets are located in different jurisdictions. All Egmont Group member FIUs are required to meet the Egmont Group definition of a FIU to serve as a national centre for the receipt and analysis of suspicious transaction reports and other information relevant to money laundering, associ-ated predicate offences and terrorist financing, and for the dissemination of the results of that analysis.

Membership of the group belongs to the FIU, not to the jurisdiction. While existing and functioning as state agencies, Egmont Group member FIUs are nev-ertheless required to be operationally independent, thus allowing them to effec-tively examine potential criminal proceeds whatsoever the underlying offence and regardless of the organisation that takes the investigative lead. Nowadays it is an organisation consisting of 151 member FIUs with a commitment to improve information exchange and promote the global development of FIUs to combat money laundering, associated predicate offences, and terrorist financing. Egmont Group member FIUs operate within the context of their national legislation and respective frameworks for combating these illicit acts, and often play a vital role in the detection, identification, investigation, prosecution and confiscation of the proceeds of crime.

The operating structure of the Egmont Group is made up by the Heads of Financial Intelligence Units (HoFIU), the Egmont Committee (EC), the Working Groups, the Regional Groups, the Egmont Secure Web (ESW) communication network, and the Egmont Group Secretariat (EGS).

---

[27] The so called *314(a) request* is the procedure through which a foreign jurisdiction may seek information from the FinCEN in order to determine whether an individual, entity, or organi-zation maintains an account in a U.S. financial institution. See UNITED STATES DEPART-MENT OF JUSTICE AND UNITED STATES DEPARTMENT OF STATE: U.S. Asset Recov-ery Tools & Procedures: A Practical Guide for International Cooperation, available online: https://2009-2017.state.gov/documents/organization/190690.pdf. Last retrieved: 15 August 2019.

The Heads of Financial Intelligence Units (HoFIU) are the governing body of the Egmont Group.

The Egmont Committee (EC) serves as the consultation and coordination mechanism for the HoFIU, the Regional Representatives, and the Working Groups. The EC led by the Chair of the Egmont Group is composed of the Working Group Chairs, the Regional Representatives, the ESW Representative, and the Executive Secretary.

The documents *Principles for Information Exchange* (June 2001) and *Best Practices for the Exchange of Information*[28] were adopted in order to enhance information exchange and to provide guidelines in terms of best practices for the exchange of information between FIUs.

2.2.3. European Asset Recovery Offices (AROs)

National Asset Recovery Offices were set up by Council Decision 2007/845. AROs identify assets illegally acquired, participate in confiscation procedures, ensure proper management of seized assets, act as contact point for national confiscation activities and facilitate information exchange at EU level. AROs should cooperate with Financial Intelligence Units (FIUs) and judicial authorities.

The Asset Recovery Offices must cooperate by "exchanging information and best practices, both upon request and spontaneously" and the "Member States shall ensure that this cooperation is not hampered by the status of the Asset Recovery Offices under national law, regardless of whether they form part of an administrative, law enforcement or a judicial authority". An ARO can request another one for information by specifying the object of and the reasons for the request, the nature of the proceedings, as well as the details of the property targeted and subjects involved. An ARO can also spontaneously exchange information in order to improve the work of other AROs.

2.2.4. Eurojust

Eurojust was established by Council Decision 2002/187/JHA, which was published on 28 February, as a judicial coordination unit[29].

According to its self-definition, the European Union' s Judicial Cooperation Unit supports judicial coordination and cooperation between national

---

[28]   EGMONT GROUP. Best Practices for the Improvement of Exchange of Information Between Financial Intelligence Units, available online: http://216.55.97.163/wp-content/themes/bcb/bdf/int_regulations/egmont/bestpractices.pdf. Last retrieved: 15 August 2019.

[29]   The budget was released in May, and the Rules of Procedure were agreed upon in June.

authorities to combat terrorism and serious organised crime affecting more than one EU country.

The College of Eurojust, composed of 28 National Desks, has a number of teams, each dedicated to a particular topic related to Eurojust' s operational and/ or strategic work. Each team is chaired by a National Member or Deputy and supported by a number of experts from the National Desks and the Administration.

Eurojust' s Financial and Economic Crime (FEC) Team has the mandate to give advice to the College of Eurojust on all issues related to financial and economic crimes. The FEC Team works in close cooperation with both the Camden Assets Recovery Interagency Network (CARIN) and the Informal Platform of EU Asset Recovery Offices (AROs).CARIN and AROs, in turn, meet regularly to ensure an effective exchange of information on issues related to the identification and tracing of criminal assets and also regarding coordination and cooperation[30].

The Eurojust teams also organise seminars on confiscation, bringing together academics, experts and prosecuters, such as those held in 2012 and 2014.

As of June 2009 Eurojust became an observer in the FATF.

2.2.5. Interagency informal networks

A) Camden Assets Recovery Interagency Network (CARIN)

CARIN is an **informal network** of contacts between 44 members and observers, some of them being international organizations.

---

[30]   Some real case examples of successful investigations are presented in EUROJUST: *Eurojust News*, Issue No. 13, June 2015, on the freezing and confiscation of the proceeds of crime, available online:
http://www.eurojust.europa.eu/doclibrary/register/Documents/Eurojust%20News%20Issue%2013%20(June%202015)%20on%20the%20freezing%20and%20confiscation%20of%20the%20proceeds%20of%20crime.pdf. Last retrieved: 15 August 2019.
Case example 1, which is shown on p. 10, relates to a complex transnational fraud investigation in which the suspects and the companies they work with are based in eight Member States, as well as Switzerland and the Seychelles. 400 victims were identified through Europe and damages were estimated to be at least € 23 million. Eurojust was requested to facilitate the execution of MLA requests to locate the suspects and criminal proceeds as well as to organise hearings, house searches, seizures and the freezing of assets. A coordination centre was established to support action at judicial level to freeze assets simultaneously in six jurisdictions, including the Seychelles. The coordination centre allowed the French investigating judge to monitor progress with Eurojust's National Desks and to address specific judicial issues in real time. On the action day, 16 persons were arrested, six suspects were identified, and bank accounts worth approximately EUR 700 000, as well as vessels, villas, luxury cars and artworks.

Its origin dates back to October 2002, when a conference was held in Dublin co-hosted by the Criminal Assets Bureau Ireland and Europol. The conference was attended by representatives of all Member States of the European Union and some applicant states together with Europol and Eurojust. Participants, who were drawn from law enforcement agencies and judicial authorities within Member States, held workshops whose objective was to present recommendations dealing with the subject of identifying, tracing and seizing the profits of crime. One of the recommendations arising in the workshops related to the establishment of an informal network of contacts and a cooperative group in the area of criminal asset identification and recovery. The name agreed for the group was the Camden Assets Recovery Inter-Agency Network, since the Camden Court Hotel Dublin was the original location of the workshops where the initiative was born.

The aim of the Camden Assets Recovery Inter-Agency Network is to enhance the effectiveness of efforts in depriving criminals, particularly organized crime gangs, of their illicit profits. Improving cross-border and inter-agency cooperation as well as information exchange, within and outside the European Union, is considered a key tool for implementing such an enhancement in the area of identification, freezing, seizure and confiscation of the proceeds of crime[31].

The Official start of CARIN took place during the CARIN Establishment Congress in The Hague, 22-23 September 2004. The following states and jurisdictions attended the launch congress: Austria, Belgium, Cyprus, Czech Republic, Denmark, Estonia, Finland, France, Germany, Hungary, Ireland, Italy, Latvia, Liechtenstein, Lithuania, Luxembourg, Malta, Netherlands, Norway, Poland, Portugal, Romania, Slovak Republic, Slovenia, Spain, Sweden, Switzerland, UK (including the UK Crown Dependencies of Isle of Man, Guernsey, Jersey and Gibraltar), USA.

CARIN provides assistance in a number of areas, including locating bank and investment accounts, real estate, companies, cars, boats, and aircrafts, through law enforcement or public information, and discovering where and how assets associated with suspects may be hidden or concealed through the use of corporate structures, nominees or trusts.

The assistance of CARIN can be requested only by law enforcement officers, prosecutors, magistrates or judges, or officials from asset recovery or asset management offices.

CARIN itself receives financial support from the European Commission in the form of funding from the AGIS and ISEC programmes.

---

[31] Https://www.europol.europa.eu/publications-documents/camden-asset-recovery-inter-agency-network-carin-manual. Last retrieved: 15 August 2019.

Europol holds the permanent Secretariat for CARIN. Eurojust' s status is as a Permanent Observer in the Steering Group. It plays a key role in CARIN advising practitioners on very important judicial aspects, such as those concerning freezing and seizure, confiscation, asset sharing and victim compensation. However, as Ms. Jill Thomas (Founding CARIN secretariat) has stated, given that the Candem Network has primarily an operational character, Eurojust 'is ideally placed to intervene in specific cross-border asset recovery action when requested.'

In order to know what the process of CARIN assistance is like in practice the following interview with Ms Jill Thomas (Founding CARIN Secretariat) provides us with the best source[32]:

> 'A typical case requiring CARIN engagement may involve an investigation team receiving information that its main suspects own assets in a foreign jurisdiction. When information reveals that assets will be moved within 24 hours, immediate law enforcement intervention is vital. The case may be such that it is not clear whether or not the jurisdiction holding the assets needs an international letter of request to search for the assets, or whether specific databases exist to search for the assets and, if so, which agency holds the relevant databases. Once assets are identified, the legal conditions vary to such an extent between jurisdictions that a number of factors need to be quickly clarified before any freezing or confiscation order can be enforced:
> - Will the requested jurisdiction freeze an asset to enforce a value based confiscation order?
> - What if the suspect suddenly dies?
> - What if the asset has been transferred to the suspect' s wife?
> - What if the order to freeze criminal proceeds is based on non-conviction-based civil forfeiture legislation?
>
> In order to act quickly, a conversation between network contacts is often needed. In this case, the local investigation team would contact its own CARIN contact, who would in turn contact the foreign CARIN contact, either by e-mail or by telephone. This is very easy to do, as CARIN contacts are known to each other, having built an informal relationship through their day-to-day work. Each CARIN member jurisdiction generally has two contacts, one drawn from law enforcement (police or Customs) and one from the judiciary (prosecutor, magistrate or judge). If the enquiry is to trace assets, the law enforcement CARIN contact assists. If the enquiry is to enforce a freezing or confiscation order, then the judicial contact is used. CARIN contacts will clarify (a) the assistance that can be given, (b) the legal basis for that assistance, and (c) the channel that should be used to

---

[32]   EUROJUST: Interview with Ms Jill Thomas, *Eurojust News*, Issue No. 13, June 2015, on the freezing and confiscation of the proceeds of crime, p. 11; available online:
http://www.eurojust.europa.eu/doclibrary/register/Documents/Eurojust%20News%20Issue%2013%20(June%202015)%20on%20the%20freezing%20and%20confiscation%20of%20the%20proceeds%20of%20crime.pdf. Last retrieved: 7 September 2019.

transmit the data. This strategy will vary depending on the stage of the investigation, the jurisdictions involved and the asset that is sought. Since the establishment of other regional asset recovery networks across the globe, CARIN contacts in the European Union can quickly and easily make contact with asset recovery specialists in jurisdictions around the world on behalf of their own investigators and.
Mrs. Thomas adds:
'When divergent confiscation legislation exists, the only way to proceed to achieve effective confiscation and forfeiture is to discuss that case and find a solution suitable to both jurisdictions. This is the role of the CARIN contact'.

Based on this successful model, other regional networks have been created in Africa, such as ARIN-SA (Southern Africa), America (RRAG-Gafisud Asset Recovery Network) and Asia (ARIN-AP in Asia Pacific).

B) African networks: Asset Recovery Inter-Agency for Southern Africa (ARINSA), West Africa (ARIN-WA) and East Africa (ARIN-EA)

UNODC' s Global Programme Against Money Laundering, Proceeds of Crime and the Financing of Terrorism (GPML), began supporting the creation of CARIN-style networks in other regions of the world in 2009. The Asset Recovery Inter-Agency Network of Southern Africa (ARINSA) was the first result of that initiative[33]. The following countries are the current sixteen members of ARINSA: Angola, Botswana, Kenya, Lesotho, Madagascar, Mauritius, Malawi, Mozambique, Namibia, South Africa, Seychelles, Swaziland, Tanzania, Uganda, Zambia and Zimbabwe[34].

Asset Recovery Inter-agency Network for Eastern Africa (ARIN-EA) grew out of discussions held by the East African Association of Anti-Corruption Agencies (EAACA) in 2013, in which StAR was involved. ARIN-EA consists of representatives from Burundi, Ethiopia, Kenya, Rwanda, South Sudan, Djibouti, Tanzania and Uganda[35].

ARIN-WA is the youngest African CARIN-style network. GPML organized a regional workshop from 24 to 27 November 2014 in Accra, Ghana, which officially established the Asset Recovery Inter-Agency Network for West Africa[36].

---

[33]   https://www.unodc.org/southernafrica/en/aml/arinsa.html. Last retrieved 15 August 2019.
[34]   ASSET RECOVERY INTER-AGENCY NETWORK OF SOUTHERN AFRICA (ARINSA): https://new.arinsa.org. Last retrieved: 14 August 2019.
[35]   ODOUR, Jacinta: *Networking For Asset Recovery in East Africa*, available online: https://star. worldbank.org/star/content/networking-asset-recovery-east-africa. Last retrieved: 14 August 2019.
[36]   UNODC: Launch of the Asset Recovery Inter-Agency Network for West Africa "ARIN-WA". (Press release). Available online: https://www.unodc.org/westandcentralafrica/en/launch-the-as-set-recovery-network-arinwa.html. Last retrieved: 7 September 2019.

Its members are: Benin, Burkina Faso, Cabo Verde, Côte d'Ivoire, The Gambia, Ghana, Guinea, Guinea-Bissau, Liberia, Mali, Niger, Nigeria, Senegal, Sierra Leone, Togo and Sao Tome and Principe.

C) Latin America: GAFILAT/GAFISUD Asset Recovery Network (Red de Recuperación de Activos de GAFILAT/GAFISUD) (RRAG)

RRAG, which was established in 2009, is a virtual platform for exchange of information between contact points, initiated by the UN, OAS, INTERPOL and GAFISUD for South American countries[37]. Member countries (Argentina, Bolivia, Brazil, Chile, Colombia, Cost Rica, Cuba, Ecuador, Guatemala, Honduras, Mexico, Nicaragua, Panama, Paraguay, Peru and Uruguay) have designated their contact points, most of which comprise both police and Public Prosecution contacts[38].

D) Asset recovery Inter-agency Network Asia Pacific (ARIN-AP)

ARIN-AP is conceived as a centre of information and expertise for the benefit of the members countries as well as for the benefit of inter-regional cooperation with other regional Asset Recovery Inter-agency networks. It was launched on November 19th 2013 and as of 4 August 2017 ARIN-AP has 20 jurisdictions as members and 7 international organisations as observers.

According to its self-definition, this network tries to meet its goals through the promotion of the exchange of information and best practice, the constitution of a solid international network with other related organizations such as UNODC and CARIN, the research and development of practices and systems of asset recovery; the facilitation and enhancing in all aspects of tackling the proceeds of crime and the advice to other authorities[39]. It is made up of national contact points designated by the member countries in Asia and the Pacific, which, in turn, are inter-connected through the Secretariat. Informal direct communication among them is promoted prior or during formal mutual legal assistance in order to achieve a more efficient asset recovery[40].

---

[37]   https://www.gafilat.org/index.php/es/espanol/18-inicio/gafilat/49-red-de-recuperacion-de-activos-del-gafilat-rrag. Last retrieved: 14 August 2019.

[38]   Https://www.gafilat.org/index.php/es/espanol/18-inicio/gafilat/49-red-de-recuperacion-de-activos-del-gafilat-rrag. Last retrieved: 14 August 2019.

[39]   KINGAH, Stephen: Measures for Asset Recovery: A Multiactor Global Fund for Recovered Stolen Assets, in Wouters, "Jan/Ninio, Alberto/" Doherty, Teresa/Cissé, Hassane (editors): Improving Delivery in Development: The Role of Voice, Social Contract, and Accountability, The World Bank Legal Review, volume 6, 2015, p. 465. Available online: https://openknowledge.worldbank.org/handle/10986/21553
Last retrieved: 15 August 2019.

[40]   Indonesian Attorney General Basrief Arief said during the opening of the Asset Recovery Inter-Agency Network Asia Pacific (ARIN-AP) annual general meeting in Sleman, Yogyakarta, on

2.2.6. The Global Focal Point Network on Asset Recovery

The Global Focal Point on Asset Recovery, which is supported by StAR and Interpol, provides a secure information exchange platform for criminal asset recovery. Authorized law enforcement officers from each country are designated as "Focal points" to respond to the immediate needs for assistance from any other member country in asset recovery. Responding to concerns of asset freezing, seizing, confiscating and recovering stolen assets is declared to be the immediate strategic objective of this initiative. Facilitating secure exchange of sensitive information among the Focal Points is considered a continuing objective. As of November 2015, more than 200 national investigators and prosecutors from anti-corruption and asset recovery agencies from 120 countries had been nominated as Focal points[41].

2.2.7. Arab Forum on Asset Recovery (AFAR)

AFAR, which was launched in 2012, aims to provide regional training for practitioners involved in the tracing, freezing, recovery, and returning of stolen assets in Arab countries in transition following the Arab Spring[42]. The first meeting of AFAR was held in Doha, Qatar in November 2012 and the forth one, which took place in Tunisia from December 8th to December 10th 2015, was co-chaired by Germany, Tunisia, and Qatar[43].

2.2.8. Intervention of the private initiative

Forfeited assets may be "shared" by the confiscating jurisdiction (to recoup the costs incurred) and the foreign government which has participated in the fruitful investigation. However, confiscated assets may be returned to victims of the criminal activity upon which the seizure was carried out as well. For example,

---

Monday August 25th 2014 that from 2012 until the date Indonesia had managed to recover between Rp 4 trillion (US$341,47 million) and Rp 5 trillion worth of assets from crimes that had been hidden overseas. See http://www.thejakartapost.com/news/2014/08/25/asset-recovery-discussed-int-l-conference-yogyakarta.html. Last retrieved: 7 September 2019.

[41] Https://www.interpol.int/Crimes/Corruption/Asset-recovery. Last retrieved: 14 August 2019.

[42] KINGAH, Stephen: Measures for Asset Recovery: A Multiactor Global Fund for Recovered Stolen Assets, in Wouters, "Jan/Ninio, Alberto/" Doherty, Teresa/Cissé, Hassane (editors): Improving Delivery in Development: The Role of Voice, Social Contract, and Accountability, The World Bank Legal Review, volume 6, 2015, p. 465. Available online: https://openknowledge.worldbank.org/handle/10986/21553.
Last retrieved: 14 August 2019.

[43] https://star.worldbank.org/star/ArabForum/About. Last retrieved: 14 August 2019.

under USA regulations, foreign individuals, entities, or governments may file a Petition for Remission with Asset Forfeiture and Money Laundering Section[44].

Therefore, inquiries leading to asset confiscations may be promoted by the private initiative, and there is no shortage of law firms offering their services to victims and even States willing to have their properties returned from many jurisdictions, such as Switzerland, Hong Kong, Spain[45]; Great Britain, USA, Luxembourg[46], Bahamas[47], or Cayman Islands[48].

V. LEGAL AND OPERATIONAL OBSTACLES

Differences in both substantive and procedural rules among the States may hamper the investigation, identification, tracing and recovery of assets, particularly affecting the cases of crossborder organised crime. Besides the existence of bank secrecy regulations and cases of possible conflicts of jurisdiction (including the determination of the State or States to which the confiscated assets shall be returned), legal obstacles may arise concerning the principle of dual criminality, under which the criminal conduct underlying the freezing order or letter of request must be a criminal offence in the requested Member State as well.

In addition, evidentiary thresholds which should be reached in a given jurisdiction in executing a request may be higher than those required in the requesting jurisdiction. As a consequence thereof, a given request could be considered appropriate in a State but overly broad or even a fishing expedition in another[49].

---

[44] According to the U.S. Asset Recovery Tools & Procedures: A Practical Guide for International Cooperation (United States Department of State, May 2012), p. 1, the USA has forfeited and returned over $168 million to victims abroad since 2004. Some examples of U.S. cooperation to recover proceeds of corruption are presented on page 10 of this guide, available online: https://2009-2017.state.gov/documents/organization/190690.pdf. Last retrieved: 15 August 2019.

[45] Asset Recovery 2015: Roundtable, August 2015. https://whoswholegal.com/features/asset-recovery-2015-roundtable. Last retrieved: 15 August 2019

[46] See the most recent case at: https://www.baselgovernance.org/blog/landmark-asset-recovery-case-puts-peruvian-non-conviction-based-confiscation-legislation-test. Last retrieved: 14 August 2019.

[47] Maynard, Peter D.: Asset Tracing and Recovery, October 2016, https://whoswholegal.com/features/asset-tracing-and-recovery.
Last retrieved: 15 August 2019.

[48] https://www.icc-ccs.org. Last retrieved 15 August 2019.
See WILKINS, C./ DUNNE, N.: Offshore? Yes. Off Limits? No. Asset recovery in Paradise, Who's Who Legal(02 August 2018), available at: https://whoswholegal.com/features/offshore-yes-off-limits-no-asset-recovery-in-paradise. Last retrieved: 15 August 2019.

[49] BRUN, Jean-Pierre/GRAY, Larissa/SCOTT, Clive/STEPHENSON, Kevin M.: *Asset Recovery Handbook. A Guide for Practitioners*, 2011, p. 143. Available online: https://star.world-

Furthermore, non-conviction based confiscation, also called civil forfeiture and confiscation *in rem*, is accepted by many jurisdictions and rejected by others, since it may involve a criminal sanction in disguise (suitable to circumvent the principle of non retroactivity of penal legislation and the right to access to legal aid), imposed through a reversal of the onus of proof, and therefore infringing the right to presumption of innocence (including the right to silence). Differences between civil and common law systems are very remarkable in this regard, because non-conviction based confiscation, whose standards of proof, evidentiary tests, and requirements for admissibility are less stringent, is widely accepted in common law jurisdictions[50]. However, on the one hand, some civil law jurisdictions have been implementing civil forfeiture to counter organised crime for many years[51] and some others have adopted it a few years ago[52]. On the other hand, the fact must not be overlooked that according to UNCAC state parties must consider the introduction of civil forfeiture in their jurisdictions.

Likewise, the lack of sufficient technical and human resources leads to operational obstacles. Every State should have its own fully staffed asset recovery office endowed with experts in forensic accountancy and access to secure platforms for exchange of operational and strategic information and intelligence[53]. Finally, central property and central bank registers for the identification of assets can also be key elements of a successful recovery operation[54].

---

[50]   bank.org/sites/star/files/asset_recovery_handbook_0.pdf. last retrieved: 15 August 2019. BRUN, Jean-Pierre/GRAY, Larissa/SCOTT, Clive/STEPHENSON, Kevin M.: *ibidem*.

[51]   That is the case of Italy since 1956

[52]   That is the case of Spain since 2010.

[53]   such as Europol's Secure Information Exchange Network Application (SIENA)

[54]   See *Interview with Mr Leif Görts*, EUROJUST: Eurojust News, Issue No. 13, June 2015, on the freezing and confiscation of the proceeds of crime. pdf, pp. 14 and 15, available online: supra fn. 30. Mr. Görts was the National Member for Sweden and Chair of Eurojust's Financial and Economic Crime Team when he was interviewed.

Capítulo 16

EL PAPEL DE LOS SERVICIOS DE INTELIGENCIA EN LA INVESTIGACIÓN DESDE LA PERSPECTIVA DE UN DERECHO PENAL GLOBAL[1]

José L. González Cussac
Catedrático de Derecho penal
Universidad de Valencia

I. UNA APROXIMACIÓN A LOS SERVICIOS DE INTELIGENCIA

La necesidad de información es una constante en la historia. Defenderse de las amenazas y aprovechar las oportunidades sólo es posible si se dispone de información. Esta necesidad permanece constante, sin embargo lo que cambia sustancialmente es la forma mediante la cual se obtiene y procesa esa información precisa y esencial. Siempre ha urgido tener información contrastada, evaluada y analizada que permita dirigir las decisiones estatales y proteger los intereses básicos[2].

Es a partir de la Segunda Guerra Mundial cuando se suele fijar el nacimiento de los servicios de inteligencia como la clase de organizaciones que hoy conocemos. En efecto, porque la única forma de convertir información en inteligencia requiere tener continuidad en sus actividades. Este procedimiento complejo precisa de estructuras permanentes. Es por ello que se transforman en organizaciones altamente especializadas en su función primordial, la producción de inteligencia, que junto a la contrainteligencia y a las acciones encubiertas, conforman su actividad. Pero igualmente esta mutación comporta la exigencia de un depurado conjunto de normas que regulen su organización, actividad y funciones, y lo hagan conforme al modelo jurídico del Estado en el que se insertan y al que sirven. Por

---

[1] Este artículo se enmarca en el Proyecto *"Seguridad global y derechos fundamentales: la protección contra las amenazas y la garantía de las libertades"*, referencia: DER2015-65288-R (MINECO/FEDER).

[2] GONZÁLEZ CUSSAC/LARRIBA HINOJAR/FERNÁNDEZ HERNÁNDEZ: "Inteligencia", (coord. José L. González Cussac), Valencia (Tirant) 2012, p. 282.

consiguiente, los servicios de inteligencia, como cualquier otro servicio público, se conforman según el sistema constitucional adoptado por el Estado correspondiente[3].

Así pues, en el marco del Estado democrático de derecho, las agencias de inteligencia aparecen sometidas y controladas, jurídica y políticamente, por los poderes públicos. Por consiguiente, el pluralismo ideológico permite cualquier opción política, sin que tenga entonces legitimidad la función de vigilancia a los tradicionales "enemigos internos", vinculados a la idea de subversión. Sin embargo, la irrupción del "nuevo" terrorismo a partir del 11 S de 2001, ha variado totalmente este enfoque a escala global, si bien ya existían países donde los servicios de inteligencia desplegaban una intensa actividad frente a fenómenos de terrorismo doméstico. En cualquier caso, los esfuerzos de las agencias de inteligencia se dirigen principalmente hacia amenazas externas. De igual modo, estas agencias no poseen capacidad de tomar decisiones políticas, sino que su función es eminentemente técnica, de ahí la necesidad de su profesionalización y alto grado de especialización.

La conjunción de esta evolución y la diversidad de modelos jurídicos, ofrece como resultado que en la actualidad junto a los servicios de inteligencia en sentido estricto, los Estados mantienen otras agencias públicas que le suministran información, entre las que destacan, esencialmente, las relativas a la "inteligencia militar", "inteligencia criminal" (policial) e "inteligencia económica" (comercial, financiera, fiscal, tecnológica). Su coexistencia platea una ardua problemática de delimitación competencial y coordinación, que junto a la necesaria regulación jurídica de todas, apela a la idea de "comunidad de inteligencia".

Sin embargo, para algunos autores existe un criterio esencial de diferenciación, pues mientras para la *inteligencia militar* y la *inteligencia policial*, la información es instrumental para su actividad, en los *servicios de inteligencia*, su obtención, tratamiento y producción, representan el fin esencial de su trabajo: facilitar inteligencia al responsable político para que pueda decidir con el menor margen de inseguridad[4].

Esta diferencia comporta a su vez transcendentales diferencias en su marco jurídico. En efecto, porque la diferente naturaleza de las actividades y finalidades atribuidas a unos y otros departamentos de inteligencia e información, conlleva

---

[3]   Así, por ejemplo, se ha distinguido entre "policía política", "agencias de seguridad independientes" y servicios de inteligencia, que a su vez se corresponderían respectivamente con un modelo de Estado totalitario, autoritario o democrático: cfr. GONZÁLEZ CUSSAC/LARRIBA HINOJAR/FERNÁNDEZ HERNÁNDEZ, *cit.* p. 284-286.

[4]   DÍAZ FERNÁNDEZ: "La función de los servicios de inteligencia", en "Introducción a los estudios de seguridad y defensa" (C. de Cueto/Jordán Enamorado), Granada (Comares), 2001, p. 157.

lógicamente estatutos jurídicos igualmente diferentes. De aquí las dificultades de delimitación y coordinación entre unos y otros, y también el interesante flujo mutuo de influencias.

II. SERVICIOS DE INTELIGENCIA Y POLICÍA

En puridad, la función de los servicios de inteligencia no se proyecta en el mismo plano que el generalmente atribuido por los ordenamientos jurídicos a la policía[5]. Es decir, no opera en el mismo ámbito trazado por la descripción de hechos delictivos, sino en el campo de situaciones en todo caso "pre-delictuales", esto es, que todavía no son delictivas y quizás nunca lo sean, pero *ex ante*, ahora, constituyen riesgos potenciales para la seguridad. De modo que, en comparación con la exactitud formalizada en la descripción de las infracciones penales, éstas, las amenaza para la seguridad, resultan de muy compleja precisión. Y a ello hay que sumar otra diferencia, pues la inteligencia se elabora con informaciones incompletas, contradictorias, y de diversa fiabilidad[6]. De ahí que no se trata de adivinar el futuro, sino de analizar y evaluar las tendencias, evoluciones, escenarios y probabilidades de un determinado fenómeno. De un modo muy simple, podría decirse que la inteligencia ha de responder a este esquema: describir, explicar, comprender y predecir. De modo que un servicio de inteligencia gestiona la incertidumbre. Y lo hace tratando de aplicar técnicas de análisis de la información que sean científicamente sostenibles, ofreciendo un pronóstico al Estado que le otorgue un plus de conocimiento anticipado que le permita tomar decisiones con mayores probabilidades de acierto.

Esta singularidad de los servicios de inteligencia, radicada en la idea de anticipación, se observa más nítidamente al cotejar las funciones de los servicios de inteligencia con las categorías de "investigación criminal/policial" e "inteligencia criminal/policial". La gran diferencia es que esta última se desarrolla al suscitarse un caso y culmina con los logros obtenidos, alcanzando su esclarecimiento y

---

[5]   Este es el modelo seguido entre otros en España al regular el CNI, sin embargo en otros países, existen servicios mixtos, como por ejemplo el FBI o la DEA en EEUU, que conviven con agencias *puras* de inteligencia como CIA, NSA entre otras. Cfr. LLAVADOR PIQUERAS/LLAVADOR CISTERNES: "El régimen jurídico de los servicios de inteligencia en España", Valencia (Tirant), 2015.; y, SANSÓ-RUBERT PASCUAL: "Inteligencia criminal", en "Conceptos fundamentales de inteligencia" (Díaz Fernández dir.), Valencia, 2016, p. 223 y ss.

[6]   Hay que recordar que, entre otras por esta razón, incluso el sacrosanto ciclo de inteligencia, como construcción intelectual, ha sido puesto en entredicho no pocas veces, aunque se siga empleando. En este sentido A. S. Hulnick: "What's wrong with the Intelligence Cycle", Intelligence and National Security, 2006, 21:6, 959-979, http://www.tandfonline.com/doi/pdf/10.1080/02684520601046291.

resolución. Es decir, las actuaciones practicadas por los servicios policiales se inscriben necesariamente en el marco de un proceso penal con referencia a hechos tipificados en las leyes y está orientada al acopio de evidencias destinadas servir de prueba de cargo. Su finalidad es la represión de hechos delictivos. De ahí que se exija su práctica conforme a unas estrictas garantías[7].

Por el contrario, la segunda, la inteligencia, es permanente. Esto es, opera en un *continum* constante sobre toda persona, actividad u organización que pueda constituir una amenaza o un riesgo potencial para la seguridad. Por ello las actividades de los servicios de inteligencia no persiguen obtener pruebas susceptibles de trasladarse a un proceso penal, sino exclusivamente obtener información para, después de analizarla, ser entregada al decisor político. En consecuencia se trata de intervenciones *extraprocesales, preventivas y prospectivas*[8].

Hay que añadir que las finalidades perseguidas por los servicios de inteligencia se formulan en un sentido vago, y no tasada como sucede en el ámbito penal de represión de hechos delictivos. Esta falta de concreción resulta consustancial a su misma actividad, en la que al no perseguir comportamientos ilícitos, sino prevenir amenazas actuales o potenciales, reduce notablemente cualquier posibilidad normativa de concreción. Así pues, parece que debamos contentarnos con la referencia a finalidades más difusas y vaporosas, tales como la seguridad nacional, la defensa del Estado, la contrainteligencia frente a servicios extranjeros, etc. Para añadir mayor indefinición, la categoría de seguridad nacional se concibe como un concepto multidimensional y holístico, que incluye materias militares, políticas, económicas, científicas, sociales, sanitarias, y medioambientales, tanto en una dimensión individual como colectiva.

En resumen, mientras que los servicios policiales trabajan para obtener pruebas y por tanto deben demostrar la comisión de unos hechos concretos *más allá de toda duda razonable*, los servicios de inteligencia no tienen que probar ningún hecho, sino aportar al Estado conocimiento en términos de probabilidades sobre un fenómeno social que constituya una amenaza potencial para la seguridad nacional, para que éste pueda tomar decisiones con menor incertidumbre.

Pero justamente la expansión de la categoría de seguridad nacional ha comportado a su vez un protagonismo creciente de los servicios de inteligencia y la influencia de sus métodos en otros actores estatales.

---

[7]   GONZÁLEZ CUSSAC: "Intromisión en la intimidad y servicios de inteligencia", en "Un Derecho penal contemporáneo" (Libro Homenaje al Prof. G. Landrove Díaz), Valencia (Tirant) 2011, p. 267-294.

[8]   SANSÓ-RUBERT PASCUAL: "Inteligencia criminal", *cit.*, p. 229.

III. LA EXPANSIÓN DE LA CATEGORÍA DE SEGURIDAD NACIONAL

Los *servicios de inteligencia* tienen atribuida la misión de protección de la seguridad nacional, que no ha de identificarse en la actualidad solo con el orden público ni con la defensa militar[9]. En efecto, la idea de seguridad nacional es a la vez más amplia y a la vez más difusa. Ello comporta que no se opere con categorías tan tasadas como son los listados legales de delitos e infracciones —y sus correspondientes procedimientos legales—, sino respecto a referencias mucho más vaporosas como son amenazas, peligros, riesgos y, en cualquier caso, con situaciones *predelictuales*. Semejante cometido implica una extraordinaria variedad de temas, entidades y personas de interés, que incluyen contenidos militares, políticos, económicos, sociales, culturales, científicos, religiosos y en general, sobre cualquier materia que represente o pueda representar una amenaza o riesgo para el Estado. A esta complejidad se añaden factores temporales y espaciales, al tenerse que manejar a corto, medio y largo plazo, y simultáneamente en múltiples y cambiantes escenarios.

En cierta forma podríamos decir que, en el actual escenario post-Guerra Fría, asistimos a un progresivo giro orientando hacia labores de inteligencia, contrainteligencia y acciones encubiertas de naturaleza económica. Y ello es fruto de una expansión de la categoría de seguridad nacional[10].

Por consiguiente no es una novedad que los Estados acumulen información, ni que lo hagan "espiándose" unos a otros, ni que existan alianzas entre ellos. Tampoco lo es la existencia de tecnologías de *Big Data*, que ya poseen más de 30 años. Quizás sorprende la evidencia de la estrecha colaboración entre agencias de inteligencia y grandes corporaciones de telecomunicación e información. Lo que hoy sobresale es la inmensa capacidad de penetración de las nuevas tecnologías, con el uso de programas de recolección masiva de datos.

Las explicaciones oficiales sobre el uso de estos programas se han justificado en la prevención del terrorismo. Amenaza auténtica, a la que habría que añadir el crimen organizado y los clásicos riesgos militares. Sin duda se trata de peligros reales, pero las filtraciones del ex-analista de la Agencia Nacional de Seguridad (NSA) EDUARD J. SNOWDEN, o las más recientes de WIKILEAKS filtrando los supuestos códigos de espionaje electrónico de la CIA, entre otras informaciones y estudios, acerca del uso y finalidad de estos programas, han provocado impor-

---

[9]   Por ejemplo, cfr Informe Anual de Seguridad nacional. Departamento de Seguridad nacional. Presidencia del Gobierno. BOE, 2017.

[10]   GONZÁLEZ CUSSAC/LARRIBA HINOJAR: *"Inteligencia Económica y Competitiva: Estrategias legales en las nuevas agendas de Seguridad Nacional"*, Valencia, Tirant lo Blanch, 2011.

tantes conflictos diplomáticos entre países aliados de los EEUU, a la vez que un elevado grado de escándalo y preocupación en la opinión pública internacional. Porque las citadas revelaciones ponen de manifiesto una nueva dimensión, creciente y determinante, de la categoría de seguridad nacional. En concreto, al valor estratégico de la economía[11].

En efecto, esta versión oficial, siendo cierta, no explica toda la realidad. Desde hace años todas las Agendas de Seguridad Nacional incluyen la protección y desarrollo de la economía. Ello nos sitúa en el escenario de la inteligencia económica y competitiva. Los países occidentales somos sólidos aliados frente a las amenazas clásicas, pero también somos fieros competidores en un mundo global. De ahí la expresión actual de *guerra económica* especialmente aplicada en este contexto de crisis. Las *acciones encubiertas* y de *influencia* constituyen todo un clásico que desenmascara ciertas reacciones hipócritas[12].

El *ciberespionaje* entre EEUU y China, sin olvidar a Rusia y al resto de potencias medias, es una constante multidireccional. Lo determinante sería observar no la cantidad de información sino el contenido de los paquetes de datos circulantes en una y otra dirección. Las intrusiones digitales evidencian el espionaje sobre propiedad industrial e intelectual, su relevancia en la normativa internacional, y el dominio o hegemonía mundial a través del *poder blando*[13]. Pero también encienden el debate entre libertad *versus* seguridad, la necesidad de adecuar las leyes a la era tecnológica y por supuesto la actualización de los controles políticos y jurídicos sobre las agencias de inteligencia.

IV. LOS SERVICIOS DE INTELIGENCIA POST-GUERRA FRÍA

El fin de la Guerra Fría ha traído múltiples consecuencias de todo tipo, y desde luego también para los servicios de inteligencia. Pero aquí solo quiero apuntar algunas directamente relacionadas con su influencia en el ámbito jurídico.

Así, por una parte, el nuevo orden mundial forzó una revisión de sus prioridades, teniendo que adaptarse a una nueva realidad multifacética y cambiante generada por las nuevas amenazas, entre ellas, el terrorismo y la criminalidad

---

[11]   MONTERO GOMEZ/MARTIN RAMÍREZ: "Inteligencia económica como vector internacional de seguridad", Documento de Trabajo No. 18/2008. Real Instituto Elcano.

[12]   JUILLET, Alain: *"Principios de aplicación de la inteligencia económica"*. *Inteligencia y seguridad: Revista de análisis y prospectiva*, núm. 1, diciembre, 2006, pp. 123-132.

[13]   NYE, Joshep S. Jr (2010). *"American and Chinese Power after the Financial Crisis"*, *The Washington Quarterly*, 33:4, Center for Strategic and International Studies, October 2010, pp. 143-153.

organizada, que pasaron a fijarse como objetivos prioritarios en sus agendas. Su impronta ya se comenzó a percibir a finales de las década de los ochenta y a lo largo de los noventa en la bautizada como "guerra contra el narcotráfico". En el marco de la "lucha" contra la criminalidad organizada ha persistido su creciente influencia. Pero ha sido en la "guerra contra el nuevo terrorismo", donde a partir del 11 septiembre de 2001 ha alcanzado un relieve mayúsculo, con una nueva reforma de los servicios de inteligencia, una mayor inversión y un destacado protagonismo[14].

Su influencia trascurre en diversas etapas. Primero, al ocuparse de fenómenos que tradicionalmente eran competencia exclusiva de la administración de justicia, comienzan a competir y compartir con otros organismos en su prevención. Segundo, porque los recursos excedentes se incorporaron a cuerpos policiales y otras agencias públicas de seguridad trasladando a éstas su metodología. Así, ya aquí hay una clara influencia en los niveles estratégico, táctico y operacional. Comienza a hablarse de inteligencia policial, inteligencia criminal y actuaciones policiales orientadas por inteligencia (*Intelligence-led policing*). En una tercera etapa su influencia alcanza el plano normativo, contagiando la técnica legislativa y hasta la misma interpretación jurídica.

El sello de identidad de un servicio de inteligencia sigue siendo el secreto, con la infinidad de problemas jurídicos que sigue planteando en sociedades construidas en el ideal del Estado democrático y social de derecho. Porque en éstos la regla es la publicidad y la tendencia hacia la transparencia de todas las administraciones públicas. Aquí surge un primer nivel de contagio, pues no cabe duda que en secreto se investiga mejor, es decir, con mayor eficacia. De modo que el secreto tiende a convertirse en algo común en determinadas operaciones judiciales y policiales, singularmente en las que algunos autores han denominado los "cuatro jinetes del *infocalipsis*": terrorismo, pornografía infantil, blanqueo de capitales y narcotráfico[15].

Un segundo nivel de contagio muy intenso lo encontramos en la exportación de su metodología. En efecto, porque la actividad de una agencia de inteligencia se desarrolla conforme a un *proceso* periódico y jerarquizado, denominado *ciclo de inteligencia* y generalmente estructurado en las siguientes fases: planificación y dirección; obtención de información; procesamiento, integración y análisis; difusión; y evaluación[16]. En este sentido, la inteligencia es un producto, es decir, el

---

[14]   BRANDÁO: "Servicio de inteligencia", en "Conceptos fundamentales de inteligencia" (Díaz Fernández dir.), Valencia, 2016, p. 357.

[15]   RAMONET: "El imperio de la vigilancia", Madrid 2016, p. 9.

[16]   Sobre el proceso de inteligencia, por todos, LOWENTHAL: "Intelligence: from secrets to policy", 4ª ed., Washington (CQ Press), 2009.

resultado de esta secuencia consistente en la aplicación de conocimiento para interpretar, analizar y evaluar información relevante sobre un determinado asunto que supone una amenaza[17]. Su misión es aportar conocimiento a las autoridades responsables para que puedan comprender los fenómenos sociales, sus variables, potenciadores, vectores y evolución, posibilitando de este modo que éstas tomen decisiones con la menor incertidumbre posible, encaminadas a neutralizar, disminuir o disuadir las amenazas y conflictos. Así pues, desde la perspectiva de su funcionamiento y finalidad la esencia de un servicio de inteligencia reside en la idea de anticipación. Y precisamente esta metodología orientada a la anticipación como objetivo parece alumbrar también ahora, con recobrado ímpetu, los diferentes planos de la intervención punitiva (legislativo, judicial y policial).

En estas líneas solo puedo esbozar este nivel de profundo contagio al derecho. Podría sintetizarlo en el sueño de una anticipación total frente a las nuevas amenazas a la seguridad nacional, lo que posibilita investigaciones y operaciones policiales tempranas. El siguiente paso ha sido autorizar estas indagaciones prospectivas en las leyes procesales más modernas. Correlativamente las interpretaciones judiciales están progresivamente acogiendo esta forma de pensar, más cercana al procesamiento combinado de datos fragmentados, emociones y probables escenarios futuros, que al estricto enjuiciamiento de hechos. Y finalmente las leyes penales materiales han comenzado a tipificar no-comportamientos, sino más bien fracciones, piezas o partes que, predeterminadas por una suerte de patrón normativo, en las que se incluyen emociones y pre-juicios, suponen una cierta probabilidad de riesgo o daño remoto.

V. CONCLUSIONES

Desde una perspectiva de *derecho global*, las investigaciones desarrolladas por la policía y los servicios de inteligencia deberían ser diferente, tanto por sus finalidades, como por sus tiempos y metodologías. Sin embargo, la irrupción de fenómenos delictivos en las agendas de seguridad nacional catalogados también como amenazas, como sucede principalmente con terrorismo, criminalidad organizada y *ciberdelincuencia*, ha contribuido a difuminar estas diferencias.

Así, de una parte, los servicios policiales, ante el éxito, prestigio y mito de los servicios de inteligencia, comenzaron a imitar los medios y técnicas de éstos. Este aspecto es especialmente claro al comprobar el uso creciente de nuevas herramientas de vigilancia y en la creación de bases de datos destinadas a esclarecer

---

[17]   ESTEBAN NAVARRO/CARVALHO: "Inteligencia" (coord.. González Cussac), Valencia, 2012, p. 25-26.

hechos pasados pero también empleadas para recolectar información para prevenir potenciales hechos delictivos futuros. Con este giro igualmente han ampliado sus objetivos, coexistiendo el tradicional de reprimir delitos, para lo que acuden a una metodología retrospectiva, con el más complejo de anticipación, que va más allá de la prevención de delitos y para lo cual ya han comenzado a introducir métodos prospectivos[18].

Por su parte, los servicios de inteligencia conminados a dirigir su vigilancia sobre estos fenómenos híbridos, esto es, a la vez que amenazas a la seguridad nacional continúan contemplándose como infracciones criminales, reciben un alto contagio de los métodos y objetivos policiales. En efecto, porque las exigencias de obtener resultados a corto plazo les obliga a un seguimiento diario de estos fenómenos. Y naturalmente esta vigilancia cotidiana ofrece informaciones muy concretas sobre la preparación de hechos delictivos próximos o inminentes. A este acercamiento han contribuido las recientes reformas legislativas, que desde un plano internacional han caminado hacia la incriminación de actos preparatorios como delitos autónomos. De modo que estas tendencias combinadas comportan significativas consecuencias tanto para su funcionamiento como para su régimen jurídico[19].

En el primer aspecto, el funcionamiento, les aleja de su objetivo primordial que es aportar inteligencia sobre la evolución de las amenazas a medio y largo plazo, es decir, detrae tiempo, medios y recursos para producir inteligencia estratégica. Y respecto a su régimen jurídico, su aproximación a la tarea de reprimir hechos delictivos les acerca al mismo estatuto de sometimiento normativo que el vigente para la policía[20]. De suerte que se incrementa la exigencia de legislaciones mas precisas para regular sus actuaciones, de mayor control judicial previo y posterior, de normas claras sobre la validez de la llamada "prueba de inteligencia" y de reglas para validar la transferencia de informaciones obtenidas por los servicios de inteligencia, que luego fluyen hasta la policía originando fuentes secretas de investigación criminal mediante evidencias logradas en actividades clasificadas[21].

---

[18]   UGARTE, J. M. (2012). '*Hacia una doctrina de inteligencia criminal*', *Cuadernos de Seguridad Nº 15, Argentina,* 07/2012.

[19]   GONZÁLEZ CUSSAC: "*Servicios de inteligencia y contraterrorismo*", en "El terrorismo en la actualidad: un nuevo enfoque político-criminal" (Directores G. Portilla Contreras y A. I. Pérez Cepeda), Universidad de Salamanca (Ratio Legis) 2016, pags. 123-134.

[20]   ESTÉVEZ, E. E.: "*La actividad de inteligencia en nuevos contextos normativos democráticos. Adaptando la inteligencia realizada en el ámbito interior*", Seminario Internacional. "A Atividade de Inteligéncia e os desafíos contemporáneos". Agencia Brasileira de Inteligencia, Basilea DF, 1 a 2 Dezembre 2005.

[21]   VERVAELE, J., "*Terrorism and Information Sharing between the Intelligence and Law Enforcement Communities in the US and the Netherlands: Emergency Criminal Law?*", *Utrecht Law Review,* Vol. 1, Nº 1, September 2005, pp. 1 a 27.

Por último, al tratarse el terrorismo, la criminalidad organizada y la *ciberde-lincuencia* de fenómenos globales o trasnacionales, presentan rasgos comunes, lo que acelera un enfoque semejante por parte de muchos países y de organizaciones internacionales. Todo ello determina que también las respuestas, tanto políticas como jurídicas, como de inteligencia y policiales, sean comunes, por lo que podría decirse que igualmente son globales o trasnacionales. A lo que consecuentemente hay que añadir el incremento de las necesidades de armonización legislativa, de cooperación internacional y sobre todo al flujo de "informaciones compartidas", que constituyen hoy un recobrado renacimiento de las materias clasificadas (secreto de Estado) y a la creación e impulso de "clubs de inteligencia" o "foros de información".

Capítulo 17
LAS PRISIONES EN UN MUNDO GLOBAL: ESTÁNDARES EUROPEOS DE DERECHO PENITENCIARIO[1]

Cristina Rodríguez Yagüe
Profesora Contratada Doctora (TU Acreditada) de Derecho penal
Universidad de Castilla-La Mancha

I. EL CONSEJO DE EUROPA COMO ÁMBITO DE GENERACIÓN DE LOS ESTÁNDARES PENITENCIARIOS EUROPEOS

Frente a otras parcelas, en materia de ejecución de penas privativas de libertad, y también más recientemente de alternativas a las mismas, la generación y desarrollo de estándares europeos comunes se ha gestado dentro del Consejo de Europa, y, en concreto, en el trabajo de tres de sus actores fundamentales: el Comité de Ministros, el Tribunal Europeo de Derechos Humanos y el Comité europeo para la prevención de la tortura y las penas o tratos inhumanos o degradantes. Y se han ido elaborando partiendo del presupuesto de la existencia de una serie de valores propios europeos comunes a los Estados que lo conforman entre los que sobresale la idea de dignidad humana.

Para lograr esta finalidad, el Consejo de Europa ha adoptado una serie de Acuerdos internacionales, entre los que destaca por todos la Convención de Derechos Humanos y libertades fundamentales (CEDH), el Convenio de Roma, de 4 de noviembre de 1950, su norma fundamental para la protección de los derechos civiles y políticos en el territorio de los Estados miembro[2]. El CEDH aspira, en tanto catálogo de mínimos, a ser el mínimo común que todos los Estados parte, con una amplia heterogeneidad en cuanto a sus realidades sociales y jurídicas,

---

[1]   Este trabajo se ha realizado en el marco del proyecto de investigación "El Derecho Penal Europeo ante el proceso de globalización jurídica" (Ref. PEII-2014-027-P), de la Junta de Comunidades de Castilla-La Mancha, dirigido por el Catedrático de Derecho penal de la UCLM Adán Nieto Martín.

[2]   Más detenidamente sobre sus antecedentes y adopción, MORENILLA RODRÍGUEZ, J.M.: *El Convenio Europeo de Derechos Humanos: ámbito, órganos y procedimientos*. Ministerio de Justicia, Madrid, 1985, pp. 13 y ss.

deben compartir en materia de derechos fundamentales. Con el fin de proteger los derechos recogidos en la CEDH, se crea un mecanismo de control jurisdiccional de respuesta ante las posibles violaciones individuales planteadas que, en un primer momento, recae en la Comisión Europea de Derechos Humanos y en el Tribunal Europeo de Derechos Humanos (TEDH), manteniéndose solo este último a partir de 1998. Este control es sin duda el rasgo más característico y significativo de la Convención.

Ahora bien, el Convenio no reconoce de manera específica derechos a las personas privadas de libertad. Más allá de las garantías recogidas en su artículo 5 respecto a la privación de libertad, el Convenio no recoge, como sí lo hizo posteriormente por ejemplo el Pacto Internacional de Derechos Civiles y Políticos de Naciones Unidas de 1966[3], el necesario respeto a la dignidad o la finalidad resocializadora de la ejecución penitenciaria. Pese a ello, el elevado número de denuncias individuales, primero ante la Comisión europea de Derechos Humanos, y posteriormente ante el TEDH, en relación a la vulneración de los derechos y libertades recogidos en el Convenio en situaciones de privación de libertad, ha dado lugar a una abundante y rica jurisprudencia del Tribunal que, dado el carácter obligatorio de sus sentencias, ha constituido como veremos un auténtico motor en el desarrollo del derecho penitenciario europeo.

Junto a esa importantísima labor del TEDH en la salvaguardia de los derechos encuadrados en el CEDH, esta tutela jurisdiccional se completa con la actuación intergubernamental del Comité de Ministros, que se recoge a través de sus Recomendaciones. Fundamentales son, entre ellas, las Reglas Penitenciarias Europeas en sus distintas versiones. Como veremos en este trabajo, en el Consejo de Europa el desarrollo del derecho penitenciario ha sido objeto de normas no obligatorias, de *soft law* que, frente a la opción convencional, no suponen el reconocimiento de un catálogo cerrado y vinculante de derechos jurídicamente protegidos, y en consecuencia, sin mecanismos de recurso para exigir su respeto. Estas Recomendaciones buscan ser un instrumento de estímulo para las autoridades nacionales de los Estados miembros para que, en un proceso progresivo,

---

[3] Concretamente, en su artículo 10, estableció que "1. Toda persona privada de libertad será tratada humanamente y con el respeto debido a la dignidad inherente al ser humano. 2. Los procesados estarán separados de los condenados, salvo en circunstancias excepcionales, y serán sometidos a un tratamiento distinto, adecuado a su condición de personas condenadas; b) los menores procesados estarán separados de los adultos y deberán ser llevados ante los tribunales de justicia con la mayor celeridad posible para su enjuiciamiento; 3. El régimen penitenciario consistirá en un tratamiento cuya finalidad esencial será la reforma y la readaptación social de los penados. Los menores delincuentes estarán separados de los adultos y serán sometidos a tratamiento adecuado a su edad y condición jurídica".

vayan incorporando a sus legislaciones los contenidos de estas reglas de guía de la actuación en el ámbito penitenciario[4].

El tercer mecanismo, a través del cual el Consejo de Europa ha ampliado su actuación en el ámbito de la protección de derechos humanos, es el de la creación de instituciones específicas para luchar por su defensa. En el ámbito aquí estudiado debemos destacar la creación del Comité Europeo para la prevención de la tortura y de las penas o tratos inhumanos o degradantes (CPT) a través de la Convención europea para la prevención de la tortura y de los tratos inhumanos o degradantes de 1987 que, como veremos, ha ido con el tiempo desarrollando unos estándares de cumplimiento cada vez más perfeccionados, que por otra parte no dejan de ser igualmente estándares de *soft law*[5].

La operatividad de los instrumentos de *soft law* elaborados por estos tres pilares, Comité de Ministros, TEDH y CPT, viene marcada por su amplio radio de influencia. En efecto, desde su constitución inicial por los 10 Estados fundadores[6], el Consejo de Europa ha llevado una política generosa de admisión de

---

[4]   Como señala LEZERTÚA RODRÍGUEZ, M.: "Los derechos de los reclusos en virtud del Convenio Europeo de Derechos Humanos". *Eguzkilore* nº extraordinario 12, 1998, p. 138.

[5]   También debe ser en este punto destacada la labor del Comisario Europeo de Derechos Humanos, institución creada por la Resolución (99) 50 del Consejo de Europa de 7 de mayo de 1999. Elegido por la Asamblea Parlamentaria, por un mandato no renovable de 6 años, tiene como función fomentar el cumplimiento efectivo de los derechos humanos, ayudar a los Estados miembros a implementar los estándares de derechos humanos del Consejo de Europa, promover la educación y conciencia sobre los derechos humanos en los Estados miembro, identificar posibles deficiencias en las leyes y prácticas relacionadas con los derechos humanos, facilitar las actividades de las estructuras de derechos humanos y proporcionar consejo e información relacionada con la protección de los derechos humanos en Europa. Si bien no recibe reclamaciones individuales, su labor en la confección de informes sobre situaciones que se someten a efectos de resoluciones al Comité de Ministros y a la Asamblea Parlamentaria le ha conferido un papel relevante como órgano que vela por el cumplimiento de los compromisos asumidos por los Estados miembro respecto al ideario institucional del Consejo de Europa. PASTOR RIDRUEJO, J.A.: "Sesenta años del Consejo de Europa", *Revista de Derecho Comunitario Europeo* nº 33, 2009, pp. 442 a 444. El Comisario lleva a cabo visitas a los países miembro para supervisar y evaluar la situación de los derechos humanos, incluyendo en estas visitas lugares como las prisiones. Tras las visitas, puede enviar un informe o una carta a las autoridades del país de que se trate con una evaluación de la situación de los derechos humanos y recomendaciones sobre cómo subsanar las deficiencias de la legislación y la práctica, pudiendo además intervenir como tercero en los procedimientos del TEDH, ya presentando información por escrito o participando en sus audiencias. En este sentido, hay que destacar que las cuestiones penitenciarias fueron objeto de especial atención para el Comisario en 2006 en su Informe Anual para el Consejo de Ministros y la Asamblea Parlamentaria. Véase en Informe de Actividad Anual de 2005, CommDH (2007) 3, de 11 de abril de 2007, parágrafos 25 y 26.

[6]   Bélgica, Dinamarca, Francia, Irlanda, Italia, Luxemburgo, Países Bajos, Noruega, Suecia y Reino Unido, a los que, tres meses después se unieron Grecia y Turquía, por lo que también son considerados como fundadores.

nuevos miembros, lo que le ha permitido una importante expansión geográfica[7]. Si bien esta ampliación se hacía conforme los Estados iban acomodándose a los pilares sobre los que se construyó el ideario del Consejo de Europa presentes en el Estatuto de Londres[8], el rigor inicial se suavizó, particularmente, en la admisión de los países de Europa central y oriental, y en concreto de Rusia, países que durante la década de los 90 del pasado siglo fueron incorporándose conforme abandonaron los regímenes autoritarios[9]. Aunque tal relajación en la exigencia de adhesión al ideario puede haber causado distorsiones en la aceptación de la actuación de algunos de los órganos o instituciones del Consejo (como el TEDH), prima la conveniencia de tener a estos países en el seno del Consejo de Europa, de tal manera que se pueda vigilar y enseñar a sus poderes e instancias en materia de derechos humanos[10]. Precisamente este proceso de ampliación de Estados miembro implicó una serie de modificaciones que, de carácter político y con el fin de adherirse al solicitado club del Consejo de Europa, consiguió que los Estados que así lo pretendían cumplieran las exigencias en materia de derechos humanos del Consejo de Europa[11]. Tales exigencias implicaban no solo la adhesión al CEDH (o, por ejemplo, a su Protocolo nº 6 de Abolición de la pena de muerte en tiempos de paz) y al Convenio Europeo para la Prevención de la Tortura y de las Penas o Tratos Inhumanos o Degradantes de 1983, sino la aceptación de ser sometidos a la realización de auditorías sobre la situación de los derechos humanos, incluyéndose en las mismas un examen de sus sistemas penitenciarios. En este proceso se observó que algunos países, como ocurrió con Rusia, presentaban carencias en el cumplimiento de tales estándares, lo que derivó en el consentimiento por parte de los mismos de una serie de compromisos como la firma del CEDH, con la

---

[7]   Deseosos de incorporarse, puesto que, como señala CARRILLO SALCEDO, J.A., muchos de los Estados de Europa central y oriental vieron en Estrasburgo una antesala de Bruselas: un paso necesario para reforzar sus aspiraciones de posterior adhesión a las Comunidades Europeas. "El proceso de internacionalización de los derechos humanos. El fin del mito de la soberanía nacional (II). Plano regional: el sistema de protección instituido en el Convenio Europeo de Derechos Humanos". *Consolidación de derechos y garantías: los grandes retos de los derechos humanos en el siglo XXI*. Consejo General del Poder Judicial, Madrid, 1999, p. 50.

[8]   Democracia parlamentaria y representativa, Estado de Derecho o imperio de la ley y respeto a los derechos humanos y libertades fundamentales.

[9]   PASTOR RIDRUEJO, J.A.: "Sesenta años del Consejo de Europa", *ob. cit.*, pp. 442 a 444.

[10]   *Ibidem*, p. 444.

[11]   Si bien estas condiciones políticas, la firma y rápida ratificación del CEDH y sus protocolos adicionales y la aceptación del mecanismo jurisdiccional de garantía instituido por el Convenio, no se encontraban ni en el Estatuto del Consejo de Europa ni en el Convenio, su exigencia devino de la toma de conciencia de que la ampliación del número de miembros, con profundas diferencias culturales, sociales y económicas, implicaba el riesgo de debilitamiento de la organización, basada en un patrimonio común de valores. CARRILLO SALCEDO, J.A.: "El proceso de internacionalización de los derechos humanos", *ob. cit.*, p. 52.

aceptación de que los ciudadanos pudieran acudir ante el TEDH ante la violación de los derechos reconocidos por aquel, y del Convenio Europeo para la tortura, sometiéndose a las inspecciones del CPT así como a adaptar sus sistemas penales y penitenciarios a los estándares europeos de derechos humanos[12].

Por último, antes de ver los estándares desarrollados por las tres instituciones referidas del Consejo de Europa, hay que señalar otros instrumentos que, también en seno de este, desempeñan su función ya en la identificación de la realidad penitenciaria y de sus problemas más relevantes a nivel europeo y comparativo, ya en la generación de soluciones y aplicación uniforme de los estándares desarrollados por aquellas. En primer lugar, hay que referirse a los informes SPACE, con los que el Consejo de Europa realiza una importante labor de recopilación estadística de datos referidos a las tasas de encarcelamiento y las condiciones de cumplimiento y a la aplicación de alternativas penales no privativas de libertad a través de la emisión de sus informes anuales por países SPACE (*Statistiques Pénales Annuelles du Conseil d'Europe*)[13]. La realización de estos informes se lleva a cabo a partir de los datos proporcionados por una red de corresponsables de cada Estado Parte que trabajan en las prisiones y servicios de *probation* y que son verificados, procesados y analizados por un grupo de investigadores de la Universidad suiza de Lausanne. Su mayor virtualidad es la de proporcionar una valiosa fuente de información y datos comparativos utilizados por organizaciones internacionales, autoridades nacionales, políticos, profesionales y expertos.

En segundo lugar, es necesario destacar la labor de las Conferencias de los Directores Generales de las Administraciones Penitenciarias y de los servicios de *Probation* de los Estados Miembro, que comienzan a realizarse a partir de 1971[14]. En estas conferencias, que inicialmente se celebraban bianualmente y en

---

[12]   VAN ZYL SMIT, D., SNACKEN, S.: *Principios de Derecho y Política Penitenciaria Europea. Penología y Derechos Humanos.* Tirant lo Blanch, Valencia, 2013, pp. 64 y 65.

[13]   En el SPACE I, el Consejo de Europa recopila los datos sobre encarcelamiento e instituciones penales desde 1983 y en el SPACE II sobre sanciones y medidas no privativas de libertad desde 1992 (aunque anualmente desde 2009). Estos informes son realizados por un grupo de expertos de la Universidad suiza de Lausanne. Más información en http://wp.unil.ch/space; y http://www.coe.int/en/web/prison/space. Recientemente, los días 16 17 de octubre de 2017, ha celebrado una reunión con los corresponsales nacionales de los 47 Estados Miembro en Estrasburgo con el objeto de examinar los resultados de estos trabajos estadísticos por parte de los servicios nacionales para la ejecución de sanciones y medidas comunitarias en el curso de los últimos siete años, mejorar el intercambio de información y conocimientos técnicos y debatir algunos puntos fundamentales de carácter metodológico.

[14]   La última de las cuales (n° 24), se celebró los días 21-22 de mayo de 2019 en Ajia Napa (Chipre) y se ocupó de "la gestión de los condenados. Tradición y tecnología"; la n° 23, celebrada en Johvi (Estonia) los días 19-20 de junio de 2018, versó sobre "trabajando conjuntamente de forma eficaz: modelos de gestión y cooperación entre los servicios de prisión y probation"; la n° 22 se celebró los días 20-21 de junio de 2017 en Noruega, con el tema:

la actualidad tienen lugar de forma anual, participan e intervienen no solo responsables de los servicios penitenciarios y de *probation* de los diferentes países sino también responsables de las Administraciones de Justicia, jueces, académicos y expertos en esta materia en el desarrollo de los diferentes temas planteados en diversos paneles. Finalizan con la elaboración de unas conclusiones, que son publicadas, y que sin llegar a constituir estándares en sentido estricto, sí que son un elemento más que permite identificar los problemas comunes, las diversas soluciones planteadas en los distintos países y las acciones comunes que puedan orientar más efectivamente la praxis penitenciaria en su resolución, así como pueden servir para activar la actuación de otras instituciones del Consejo de Europa[15] o para llamar la atención de los Estados miembro[16]. De esta manera, estas conferencias no se han limitado a tratar aspectos meramente internos de las Instituciones Penitenciarias sino que han dado resultados instrumentales referidos a aspectos como los límites del encarcelamiento o la necesidad de sanciones y medidas más comunitarias[17], que sirven de base para el trabajo realizado por el Consejo a través de sus diversos órganos y comisiones.

Por lo tanto, son muy diversos los tentáculos a través de los cuales el Consejo de Europa extiende a los países, en sus legislaciones pero también en su praxis, los estándares trabajados y adoptados por sus instituciones de referencia en este ámbito y que, a continuación, pasamos a analizar.

"Selección, formación y desarrollo del personal en el siglo XXI". La n° 21, celebrada en Holanda los días 14-15 de junio de 2016, trató sobre "Participación de la comunidad en el trabajo penitenciario y de libertad condicional"; La n° 20, celebrada en Rumanía, los días 9-10 de junio de 2015, trató sobre "Radicalización y otros retos estratégicos"; La n° 19, celebrada en Finlandia, los días 17-18 de junio de 2014, trató sobre "Objetivos compartidos, valores compartidos en prisión y libertad condicional"; la n° 18, celebrada en Bélgica los días 27-29 de noviembre de 2013, trató sobre "¿Cómo gestionar la ejecución de las sanciones penales?"; la n° 17, celebrada en Italia los días 22-24 de noviembre de 2012, sobre "Internos extranjeros"; la n° 16, celebrada en Francia los días 13-14 de octubre de 2011, trató sobre "Trabajando juntos para promover la reintegración social de los internos".

[15]   Así por ejemplo, en sus conclusiones, los participantes en la 17 Conferencia de Directores de los Servicios penitenciarios, con la participación de los Directores de Servicios de *Probation* sobre "Internos Extranjeros" celebrada en Roma los días 22 a 24 de noviembre de 2012 "invitan al Consejo de Europa, en particular a través del Comité Europeo de Problemas de Delincuencia (CDPC), a que ayude a sus Estados miembros a intercambiar y promover las mejores prácticas en materia de lucha contra los delincuentes extranjeros".

[16]   En la misma: "Señalar a la atención de los Ministerios de Justicia la necesidad de dedicar esfuerzos y contribuir al desarrollo de políticas y prácticas penales nacionales que permitan tratar a los delincuentes extranjeros de manera eficaz, proporcionada y humana, incluso proporcionando suficiente personal y formación a los profesionales que trabajan con esos delincuentes".

[17]   VAN ZYL SMIT, D., SNACKEN, S.: *Principios de derecho y política penitenciaria europea*, ob. cit., p. 54.

II. LOS ACTORES

1. El Comité de Ministros

1.1. Composición y funciones

Como hemos señalado, el Consejo de Europa se construye sobre una dualidad de órganos como solución de consenso entre las encontradas posiciones inglesa y franco-belga: el Comité de Ministros como único órgano dotado de poder de decisión y la Asamblea Consultiva, posteriormente denominada Parlamentaria[18], que se limita a discutir y adoptar recomendaciones y resoluciones que luego aquel puede o no aprobar[19].

Las normas relacionadas con la materia penitenciaria traen causa en 1957 con la creación en el Consejo de Europa de un Comité de Expertos en materia de Prevención del delito y tratamiento del Delincuente, que en su primera sesión de 1958 adoptó la denominación del Comité Directivo sobre Problemas de Delincuencia —y al año siguiente pasó a ser la Comisión Europea de Problemas Criminales[20] (CDPC)—, de la que forman parte uno o varios expertos gubernamentales de cada uno de los Estados miembros del Consejo de Europa. La finalidad con la que se crea esta Comisión era la de armonizar, de entre las diversas legislaciones nacionales de los Estados miembro, aquellos sectores, tanto del Derecho penal como del penitenciario, susceptibles de una regulación regional[21]. Ya desde el inicio de su andadura se centró principalmente en materias penológicas[22]. De esta Comisión ha salido la redacción de diversas recomendaciones en el ámbito

---

[18]   Como señala el art. 22 del Estatuto de Londres, "la Asamblea Consultiva es el órgano delibe-rante del Consejo de Europa. Deliberará acerca de los asuntos que sean de su competencia, tal como está definida en el presente Estatuto, y transmitirá sus conclusiones al Comité de Ministros bajo la forma de recomendaciones". Constituida por representantes de cada Estado miembro, elegidos por sus respectivos Parlamentos (art. 25), la Asamblea puede deliberar y formular recomendaciones acerca de cualquier cuestión que responda a la finalidad y sea com-petencia del Consejo de Europa así como sobre cualquier cuestión que le someta para dictamen el Comité de Ministros (art. 23).

[19]   SIERRA NAVA, J.M.: El Consejo de Europa. Instituto de Estudios Políticos, Madrid, 1957, p. 64.

[20]   En su versión inglesa: European Committee on Crime Problems (CDPC).

[21]   RIVERA BEIRAS, I: La cuestión carcelaria. Historia, Epistemología, Derecho y Política Peni-tenciaria. Vol. 1, 2° edición, Buenos Aires, 2009, p. 241.

[22]   VAN ZYL SMIT, D., SNACKEN, S.: Principios de derecho y política penitenciaria europea, ob. cit., p. 53. Subrayan estos autores que en cierta medida el CDPC y sus órganos subordinados continúan con su labor los trabajos de las Conferencias internacionales penológicas de finales del siglo XIX e inicios del XX y el trabajo de la Comisión Internacional en materia penal y penitenciaria de antes de la guerra aunque si bien en un contexto distinto: su adscripción al Consejo de Europa como marco de compromiso con los derechos humanos; ibidem, p. 54.

penitenciario, siendo la que ha elaborado los borradores que han dado lugar a las Reglas Penitenciarias Europeas en sus sucesivas versiones, desde la primera de 1973[23].

Asimismo, en junio de 1980, el Comité de Ministros del Consejo de Europa crea el Consejo de Cooperación Penológica[24] (PC-CP)[25], como órgano asesor de la CDPC. En la actualidad, funciona como un órgano subordinado a este último[26], que celebra una reunión plenaria al año. El PC-CP está integrado por un representante de cada Estado miembro, designado por el Gobierno de cada país entre los funcionarios de la categoría más alta posible en la esfera correspondiente. Cada miembro del PC-CP dispone de un voto, de tal manera que si un gobierno designa a más de un miembro, lo que es posible para las reuniones del grupo de trabajo, solo tendrá uno de ellos derecho al voto[27]. A su vez el grupo de Trabajo PC-CP está integrado por nueve miembros, elegidos por el CDPC a título personal por un período de dos años (renovables), normalmente entre representantes de alto nivel de las Administraciones penitenciarias o de los servicios encargados de la aplicación de sanciones o medidas no privativas

---

[23]   FERNÁNDEZ ARÉVALO, L., NISTAL BURÓN, J.: *Derecho penitenciario*, Aranzadi, Cizur Menor, 2016, p. 337.

[24]   Bajo la base del art. 17 del Estatuto de Londres, que permite al Comité de Ministros constituir Comités o Comisiones de carácter consultivo o técnico para todas las finalidades específicas que juzgue convenientes.

[25]   En su versión inglesa: *Council for Penological Co-operation* (PC-CP).

[26]   Anteriormente estaba integrado por siete miembros independientes elegidos por el CDPC.

[27]   Como participantes, está previsto que puedan enviar representantes, sin derecho a voto y a cargo de sus respectivos presupuestos administrativos, los siguientes órganos: Asamblea Parlamentaria del Consejo de Europa; TEDH; Comisario de Derechos Humanos del Consejo de Europa; CDPC; CPT, Consejo Consultivo de Fiscales Europeos; Consejo Consultivo de Jueces Europeos; otros comités intergubernamentales del Consejo de Europa, según proceda. También pueden enviar representantes, sin derecho a voto y sin gastos de representación la UE, Estados observadores del Consejo de Europa (Canadá, EEUU, Japón, México, Canadá, la Santa Sede), el Subcomité de las UN para la Prevención de la Tortura y otros Tratos o penas crueles, inhumanos o degradantes, la Oficina de las UN contra la Droga y el Crimen y UNICEF. A su vez se prevé que puedan ser enviados como observadores, sin derecho a voto y sin gastos de representación, Estados no miembros con los que el Consejo de Europa mantiene una relación; Confederación Europa de *Probation*; *International Centre for Prison Studies*; *Penal Reform International* (PRI), la Asociación internacional de Magistrados de Tribunales de Menores y de Familia y *EuroPris*. Además, en su trabajo está previsto que el PC-CP pueda ser asistido por 4 expertos científicos, dos de los cuales recogerán datos estadísticos de SPACE, y que tendrán conocimientos específicos de la legislación y práctica jurídica pertinente, de las normas y convenios internacionales relativos a cuestiones penitenciarias y sanciones y medidas comunitarias así como del CEDH y jurisprudencia correspondiente y de la evolución reciente de la investigación y práctica de los diferentes Estados miembros europeos.

de libertad o investigadores o expertos en cuestiones penológicas. Se reúnen cuatro veces al año[28].

Su función es la de redactar textos, informes y valoraciones, recopilar información sobre la aplicación por los servicios penitenciarios y de *probation* de las Recomendaciones pertinentes adoptadas por el Comité de Ministros, supervisar la recopilación anual de datos estadísticos materializada a través de los informes SPACE y organizar las reuniones y conferencias de alto nivel de los Directores de los servicios penitenciarios y de los servicios de *probation*[29].

Por ejemplo, el CDPC creó un subgrupo para trabajar sobre el problema de la sobrepoblación carcelaria[30], problema que afecta a más de la mitad de las Administraciones penitenciarias de los Estados miembro, con la vista en la elaboración de un Libro Blanco sobre sobrepoblación que finalmente vio la luz en 2016, con su aprobación por Comité de Ministros. Este subgrupo revisó tanto la situación por países como las normas nacionales, actuaciones judiciales y praxis penitenciarias de los distintos países con el objeto de identificar las prácticas que pueden prevenir y revertir esta problemática.

---

[28]   Más detenidamente sobre su método de trabajo, véase Resolución CM/Res (2011) 24, sobre los Comités intergubernamentales y los órganos subordinados, su mandato y sus métodos de trabajo.

[29]   En concreto, sus funciones se materializan en: a) Seguir de cerca los acontecimientos relacionados con las políticas y prácticas nacionales en la esfera de la ejecución de sanciones y medidas penales en los Estados miembro del Consejo de Europa; b) Seguir el desarrollo de los sistemas penitenciarios europeos y de los servicios encargados de la aplicación de alternativas a la prisión provisional y a la aplicación de sanciones y medidas comunitarias, prestando especial atención a evitar situaciones que conduzcan al hacinamiento en las cárceles; c) Evaluar el funcionamiento y la aplicación de las normas penitenciarias europeas, las normas europeas sobre sanciones y medidas comunitarias, las normas europeas para delincuentes juveniles sujetos a sanciones o medidas, las normas de *probation* del Consejo de Europa, así como otras recomendaciones pertinentes del Comité de Ministros y formular propuestas para mejorar su actuación con vistas a lograr la coherencia y la exhaustividad de las normas en este ámbito; d) Elaborar instrumentos, estudios e informes vinculantes y no vinculantes sobre cuestiones penológicas; e) Formular opiniones sobre cuestiones penológicas a petición del CDPC, de los Estados miembros o por iniciativa propia; f) Preparar las Conferencias de Directores de Servicios Penitenciarios y de *Probation* del Consejo de Europa y velar por su seguimiento, conforme a las instrucciones del Comité de Ministros y a las propuestas formuladas por el CDPC; g) Ofrecer orientación y asistencia en relación con la recopilación y publicación de las estadísticas penales anuales del Consejo de Europa Space I y Space II.

[30]   Este Subgrupo trae causa en el Comité de redacción sobre la sobrepoblación carcelaria que a su vez fue pensado a partir de la 17 Conferencia de Directores de Administración Penitenciaria del Consejo de Europa que tuvo lugar en Roma en 2012, en la que se acordó iniciar un diálogo a nivel europeo entre los servicios penitenciarios y de *probation* y los jueces y fiscales y de la 19 Conferencia de Directores de Servicios Penitenciarios y de *Probation* en la que se concreta y presenta la idea de crear un grupo de trabajo. Este Comité celebró sus reuniones la 1° los días 8-9 de diciembre de 2014, la 2° los días 20-21 de mayo de 2015; la 3° los días 26-27 de octubre de 2015 y la 4° los días 21-22 de abril de 2016.

1.1.2.   Convenios, Decisiones y Recomendaciones. Las Reglas Penitenciarias Europeas

Las fuentes formales del Consejo de Europa son los Convenios y las Recomendaciones. De los más de 200 Convenios adoptados por el Consejo de Europa, en materia penal los tratados internacionales que ha promovido se han centrado fundamentalmente en materia de cooperación jurídico-penal[31]. En materia de ejecución, es necesario destacar el Convenio europeo para la vigilancia de personas condenadas o en libertad condicional de 1964 (n° 51); el Convenio europeo sobre el valor internacional de sentencias penales de 1970 (n° 70); el Convenio sobre traslado de personas condenadas de 1983 (n° 112) —con Protocolo adicional de 1997— y el Convenio europeo para la prevención de la tortura y los tratos y penas inhumanos y degradantes de 26 de noviembre de 1987 (n° 126). Si bien estos dos últimos son los tratados que se refieren específicamente a la situación de las personas privadas de libertad, ninguno de los dos les confiere derechos específicos, pues se trata de tratados procedimentales[32]. El primero instaura un procedimiento para facilitar el traslado de detenidos extranjeros a sus países de origen. El segundo, que analizaremos con más detenimiento en este trabajo, tiene por objeto la configuración del Comité europeo para la prevención de la tortura y tratos o penas inhumanos o degradantes.

Los Convenios son elaborados por comités de expertos de los Estados, revisados por el Comité Director del que depende orgánicamente el comité de expertos y sometidos a la aprobación del Comité de Ministros. En tanto no son actos estatutarios de la Organización, la fuerza de los Convenios deriva de su aceptación por los Estados por los cauces de la firma, aceptación o adhesión, exigiéndose

---

[31]   De carácter penal, debemos destacar además el Convenio Europeo de Extradición de 1957 (n° 24); el Convenio Europeo de Asistencia Judicial en materia penal de 1959 (n° 30); el Convenio europeo sobre el valor internacional de las sentencias penales de 1970; el Convenio Europeo sobre la transmisión de procesos penales de 1972 (n° 73). También hay otros que se circunscriben a materias delictivas específicas como: el Convenio europeo para la represión de infracciones de seguridad vial de 1964 (n° 52); Convenio europeo sobre imprescriptibilidad de crímenes contra la humanidad y crímenes de guerra de 1974 (n° 82); Convenio europeo para la represión del terrorismo de 1977 (n° 90); Convenio Europeo sobre infracciones relativas a bienes culturales de 1985; Convenio relativo al blanqueo, embargo y confiscación de productos del delito de 1990 (n° 141); Convenio de derecho penal sobre corrupción de 1999 (n° 173); Convenio sobre ciberdelincuencia de 2001 (n° 185) (Convenio de Budapest); Convenio sobre lucha contra la trata de seres humanos de 2005 (n° 197); o el Convenio relativo al blanqueo, seguimiento, embargo y comiso de los productos del delito y a la financiación del terrorismo de 2005 (n° 198); GARCÍA MORENO, J.M.: "Principales Convenios del Consejo de Europa en materia de cooperación judicial penal", *Revista de Jurisprudencia* n° 3, 2011.

[32]   LEZERTÚA RODRÍGUEZ, M.: "Los derechos de los reclusos en virtud del Convenio Europeo de Derechos Humanos", *ob. cit.*, pp. 140 y 141.

normalmente un número bajo de ratificaciones para su puesta en marcha. Solo están abiertos a los Estados parte del Consejo de Europa. Ante la ausencia de un órgano judicial que garantice su cumplimiento —salvo para el CEDH—, los conflictos interpretativos o aplicativos tienen una solución diplomática, que en algunos convenios penales se atribuye al CDPC, denunciando también en ocasiones los comités de expertos el incumplimiento por algún Estado[33].

Pero junto a los Convenios y Tratados mencionados, jurídicamente vinculantes, el trabajo del Consejo de Europa en materia penal y penitenciaria es mucho más amplio. Como señalan VAN ZYL SMIT, D. y SNACKEN, S., el principal vehículo de las iniciativas del Consejo de Europa en materia penitenciaria con esa perspectiva específicamente europea fueron inicialmente las Resoluciones que posteriormente pasarían a ser denominadas Recomendaciones —sin que tal cambio conllevara una modificación en su estatuto formal más allá que su nomenclatura—[34].

Las Recomendaciones se elaboran en los comités de expertos, que adoptan su texto en el Comité Director, que en materia penal, es el CDPC. Son adoptadas por el Comité de Ministros y se dirigen a cada uno de los Estados miembro. El objetivo de las Recomendaciones es cumplir con una función armonizadora del sistema[35]. Buen ejemplo de ello son las Reglas Penitenciarias Europeas.

Si bien el Consejo de Europa se crea en 1949, no es hasta finales de la década de los 50 cuando comienza a desarrollar específicamente los derechos humanos presentes en el CEDH en su aplicación al ámbito penitenciario. Lo hace con la primera Resolución en esta materia, la Resolución (62) 2 sobre los derechos civiles, electorales y sociales de los reclusos de 1962, Resolución que ya se diseña con la idea de ofrecer una guía de legislación penitenciaria a los gobiernos nacionales y, en ausencia de legislación nacional sobre un punto particular, como expresión de la conciencia jurídica europea en la materia[36].

---

[33]   DE MIGUEL ZARAGOZA, J.: "El espacio jurídico-penal del Consejo de Europa", *Cuadernos de Derecho Judicial* n° 23, 1995, pp. 25 y 26.

[34]   VAN ZYL SMIT, D., SNACKEN, S.: *Principios de Derecho y Política Penitenciaria Europea*, *ob. cit.*, p. 54.

[35]   DE MIGUEL ZARAGOZA, J.: "El espacio jurídico-penal del Consejo de Europa", *ob. cit.*, p. 21.

[36]   Su gestación es muestra de la coordinación entre los diferentes órganos y organismos del Consejo de Europa, como evidencian VAN ZYL SMIT, D. y SNACKEN, S. Así, es fruto de una Recomendación de la Asamblea Consultiva de 1959 en la que se pedía la implementación progresiva de las Reglas Mínimas sobre el Tratamiento de los Reclusos de Naciones Unidas de 1955 y de una petición similar a raíz de la Conferencia de los Ministros europeos de Justicia tras su reunión en París en 1961. Pero si bien tienen base en las Reglas de UN, aparece ya de manera implícita desde la primera Resolución la idea de que los reclusos mantienen todos sus

A esta primera Resolución le suceden una serie de Resoluciones que se centran en uno de los problemas que desde su inicio ocupan al CDCP, como es la limitación del uso de la prisión —ya reduciendo su uso, el tiempo de estancia o buscando alternativas—, con cierta influencia de las ideas abolicionistas, pero sobre todo reduccionistas, desarrolladas en la década de los setenta del siglo pasado[37]. De esta etapa son la Resolución (65) 1 sobre sentencias suspendidas, libertad condicional y otras alternativas al encarcelamiento; Resolución (70) 1 sobre organización práctica de medidas para la supervisión y tratamiento post carcelario de reclusos con condenas suspendidas o en libertad condicional; Resolución (65) 11 de presos preventivos; Resolución (66) 25 sobre estancias de corta duración de jóvenes delincuentes menores de 21 años; y la Resolución (76) 10 sobre ciertas medidas penales alternativas a la pena de prisión. Junto a ellas se adoptaron también dos resoluciones referidas al personal de prisiones (Resolución (66) 26 sobre el Estatuto, contratación y formación del personal funcionario de prisiones; y Resolución (68) 24 sobre el Estatuto, selección y formación de los cuerpos superiores del personal de las Administraciones penitenciarias) y sobre las investigaciones sobre la situación de los internos (Resolución (67) 5 sobre Examen de los internos considerados desde un punto de vista individual y en atención a la comunidad penitenciaria)[38].

Ya en esta primera fase, el Consejo de Europa evidencia su preocupación constante por la configuración de penas adecuadas, individualizadas e idóneas, con una utilización restrictiva de las penas privativas de libertad y la articulación de sistemas de sustitución o la opción por penas y medidas de otra naturaleza, así como por la atención al delincuente, desde la idea de respeto a su dignidad y con la vista puesta en su necesaria rehabilitación y reinserción en la sociedad[39].

Estas resoluciones son la base sobre la que se construye la Resolución más importante en esta materia en aquella primera fase de trabajo del Comité de Ministros: las Reglas de Estándares mínimos sobre trato de reclusos[40], aprobadas el 19 de enero de 1973. A través de ellas, el Consejo de Europa quiso superar el mo-

---

derechos a excepción de los que legítimamente les han sido retirados. *Principios de Derecho y Política Penitenciaria Europea, ob. cit.,* p. 55.

[37] *Ibidem,* pp. 56 y 57. En el mismo sentido, RUIZ VADILLO, E.: "Algunas consideraciones sobre la contribución del Consejo de Europa al desarrollo y perfeccionamiento del Derecho penal" (Parte I), *Revista General del Derecho* n° 487, 1985, pp. 821 a 824.

[38] Más detenidamente sobre el contenido de estas primeras Recomendaciones del Comité de Ministros del Consejo de Europa, RUIZ VADILLO, E.: "Algunas consideraciones sobre la contribución del Consejo de Europa al desarrollo y perfeccionamiento del Derecho penal" (Parte III), *Revista General del Derecho* n° 489, 1985, pp. 1717 a 1721.

[39] *Ibidem,* p. 1725.

[40] Resolución (73) 5 sobre las Reglas de Estándares mínimos para el tratamiento de los reclusos.

delo mínimo adoptado a nivel internacional por Naciones Unidas con las Reglas Mínimas para el Tratamiento de los Reclusos adoptadas en Ginebra en 1955[41]. Ya en 1967 pone a trabajar al CDCP sobre las mismas con el fin de trasladarlas a su ámbito de actuación[42] y, con ello, a la singularidad e idiosincrasia europea, particularmente en lo que se refería al refuerzo en el respeto a los derechos humanos de los reclusos, en el afianzamiento del principio de legalidad en la ejecución penal, en la adopción de nuevos métodos de tratamiento y en la incorporación de procedimientos resultantes del progreso tecnológico (como la referencia a la televisión como medio de comunicación accesible a los reclusos)[43]. En todo caso, ya en el Preámbulo clarifica su naturaleza, señalando que se "recomienda a los gobiernos de los Estados miembro que en su legislación y práctica internas se inspiren en los principios expuestos en el texto (...)" en vistas de su aplicación progresiva[44].

---

[41]   BUENO ARÚS, F.: "El Consejo de Europa y el Derecho penitenciario". *La Ciencia del Derecho Penal ante el nuevo siglo. Libro Homenaje al Profesor Doctor D. José Cerezo Mir.* Díez Ripollés, J.L., Romeo Casabona, C.M., Gracia Martín, L., Higuera Guimerá, J.F. (editores), Tecnos, Madrid, 2002, p. 1049. Como recuerda TÉLLEZ AGUILERA, A. ya antes de la II Guerra Mundial, se había intentado dar los primeros pasos para elaborar unas reglas internacionales para el tratamiento de las personas privadas de libertad. En concreto, en 1925 Maurice Waller, Director de prisiones en Inglaterra y Gales, propuso a la Comisión Penitenciaria Internacional su elaboración. Hubo que esperar 30 años para que el Primer Congreso de UN para la Prevención del Delito y Tratamiento del Delincuente celebrado en Ginebra el 30 de agosto de 1955 aprobase las Reglas Mínimas para el tratamiento de los reclusos. "Aproximación al Derecho penitenciario de algunos países europeos". *Boletín del Ministerio de Justicia* nº 1818, 1998, p. 699.

[42]   Como antecedentes se señalan en primer lugar, la Recomendación 195 (1959) de la Asamblea Consultiva al Comité de Ministros, en el que recomienda que se estudien las Recomendaciones del Congreso de las UN sobre Prevención del Delito y Tratamiento del Delincuente de UN de 1955 y considere la conveniencia de ir progresivamente aplicando tales Recomendaciones, de organizar un intercambio del personal directivo de prisiones entre los Estados miembros y de que solicite a los Estados miembro que adopten como parte de su legislación nacional una serie de principios rectores (la aplicación de la suspensión bajo un régimen de prueba u otro tratamiento análogo para los primarios condenados a prisión por un delito no grave; el no encarcelamiento provisional sin orden del tribunal y su no prolongación más allá de lo estrictamente necesario; la no encarcelación por no cumplir obligaciones contractuales; y la prestación de una debida atención psiquiátrica y médica a los reclusos con enfermedades mentales o físicas). Un segundo paso se dio en 1962 con la Resolución 62 (2) de los Delegados de los Ministros sobre los derechos electorales civiles y sociales, en la que se estima la conveniencia de completar las Reglas Mínimas de UN "precisando en un acuerdo común los límites que el régimen de la detención puede legítimamente poner al ejercicio por el recluso de los derechos inseparables de su personalidad". GARCÍA BASALO, J.C.: "Las Reglas Mínimas para el Tratamiento de los Reclusos del Consejo de Europa", *Revista de Estudios Penitenciarios* nº 216-219, 1977, pp. 521 a 523.

[43]   *Ibidem*, p. 527.

[44]   Al igual que lo recogen las Reglas Mínimas de UN, las Reglas europeas aclaran que su objeto no es describir detalladamente un sistema penitenciario modelo sino establecer, a partir de con-

La relevancia de estas Reglas no deviene tanto de su contenido, como de la voluntad por parte del Consejo de Europa de construir un modelo europeo de estándares penitenciarios. En efecto, en cuanto a lo primero, las Reglas de Estándares mínimos europeas se construyeron a semejanza de las de Naciones Unidas, con una estructura —y hasta el número de artículos— similar[45], sin que se pueda llegar a hablar de una verdadera innovación de contenido de las primeras respecto a las segundas[46]. Es verdad que las Reglas del Consejo de Europa pretendían dar una respuesta, europea ante unas Normas Mínimas de UN de 1955 que por aquel entonces ya habían quedado insuficientes precisamente por su proyección universal, y ello porque muchos de los derechos reconocidos en los países más desarrollados aparecían en el texto devaluados, además de por su redacción excesivamente programática, que imposibilitaba la traducción del texto en un verdadero compromiso político penitenciario[47]. Sin embargo, en cuanto a su contenido

---

ceptos generalmente admitidos, los principios y reglas de una buena organización penitenciaria y de la práctica relativa al tratamiento de los reclusos, con la voluntad de servir para "estimular el esfuerzo constante por vencer las dificultades prácticas que se oponen a su aplicación". De manera más detenida, puede consultarse sobre su estructura y contenido en los trabajos de GARCÍA BASALO, J.C.: "Las Reglas Mínimas para el Tratamiento de los Reclusos del Consejo de Europa", *ob. cit.*, pp. 530 y ss.; y BUENO ARÚS, F.: "El Consejo de Europa y el Derecho penitenciario", *ob. cit.*, pp. 1050 y ss.

[45] En concreto, tras las observaciones preliminares, la estructura se construye sobre dos partes, la primera referida a las Reglas de aplicación general y la segunda, relativa a las reglas aplicables a las categorías especiales. En la primera parte, las Reglas abordan los principios básicos, las reglas de distribución de internos, la acomodación, la higiene personal, la ropa personal y de cama, la comida y acceso a agua corriente, la práctica de ejercicio y deporte, la atención médica, la disciplina y castigo, el uso de instrumentos de sujeción, información y sistema de reclamaciones, el contacto con el mundo exterior, acceso a libros, la asistencia religiosa y moral, la custodia de propiedades de los internos, la notificación de circunstancias como muerte, enfermedad o traslado, el traslado de internos, el personal de la institución o la inspección y control. En la segunda parte, se recogen las reglas aplicables a los condenados (principios rectores, clasificación de prisiones e individualización del tratamiento, trabajo, educación y actividades), a los enfermos mentales, a los sometidos a detención o prisión provisional y los privados de libertad civilmente.

[46] En este sentido, VAN ZYL SMIT, D., SNACKEN, S.: *Principios de derecho y política penitenciaria europea, ob. cit.*, p. 57. Igualmente TÉLLEZ AGUILERA, A. quien identifica como la aportación más novedosa de las Reglas del Consejo de Europa, frente a las Reglas de UN, la incorporación de la idea de control por una autoridad judicial o de otro tipo legalmente habilitada de los establecimientos penitenciarios, lo que supone el primer paso en la judicialización de la ejecución penitenciaria y, como aportación complementaria, la configuración expresa del paseo o ejercicio al aire libre como un derecho o la prohibición de sometimiento a experiencias médicas o científicas y la de castigos colectivos. *Las nuevas Reglas Penitenciarias del Consejo de Europa (una lectura desde la experiencia española).* Edisofer, Madrid, 2006, p. 15.

[47] MAPELLI CAFFARENA, B.: "Una nueva versión de las normas penitenciarias europeas". *Revista Electrónica de Ciencia Penal y Criminología* 08-r1 (2006), p. 1.

apenas establecía ciertos principios y reglas de buena organización penitenciaria, con un tenor igualmente generalista y amplio, precisamente con el objeto de ser ratificadas por los diferentes países[48], como ocurrió con las Reglas de UN. Sin duda la relevancia de las Reglas europeas deviene porque evidencia la voluntad del Consejo de Europa de construir unos estándares mínimos de reclusión articulados sobre la base de los valores europeos y, en concreto, sobre la dignidad humana y el reconocimiento de los derechos de las personas privadas de libertad[49]. Y, en este sentido, las Reglas de 1973 sirvieron para abrir la puerta del Consejo de Europa al mundo penitenciario[50], puesto que si bien las primeras Resoluciones sobre esta materia son anteriores, coinciden en el tiempo con los trabajos del CDCP que finalizarían en el texto de 1973.

En efecto, la configuración de las Reglas europeas no supuso el objetivo final del trabajo del Comité de Ministros en materia penitenciaria sino, más bien al contrario, el punto de partida de una activa labor en la adopción de Resoluciones y Recomendaciones que tenían por objeto desarrollar aspectos concretos de la vida en prisión[51], atender a las especificidades que planteaban determinadas categorías de internos[52], entre ellos los extranjeros en respuesta al aumento de la población reclusa extranjera en las prisiones europeas[53], la relación con el exterior[54], sin olvidar el ámbito del uso mínimo de la prisión y de la búsqueda de alternativas penitenciarias[55].

---

[48] REVIRIEGO PICÓN, F.: "¿La crisis de los sistemas penitenciarios europeos?". *Revista de la Unión Europea* n° 16, 2009, p. 242.

[49] Así, en el Preámbulo de la Resolución, tras afirmar que "hay motivos para favorecer la aplicación efectiva de esas Reglas —refiriéndose a las Reglas Mínimas de UN— en el marco europeo, teniendo presente que, en su conjunto, no constituyen más que condiciones mínimas", señala que se ha tratado de "proceder a este fin a un reexamen de esas reglas en una perspectiva europea".

[50] Así lo afirma TÉLLEZ AGUILERA, A., *Las nuevas Reglas Penitenciarias del Consejo de Europa, ob. cit.*, p. 57.

[51] Es el caso de la Resolución (75) 25 sobre Trabajos penitenciarios.

[52] A este grupo pertenecen la Resolución (76) 2 sobre tratamiento de presos de larga duración y la Recomendación (82) 17 relativa a la custodia y al trato de reclusos peligrosos.

[53] La Recomendación (84) 12 relativa a los reclusos extranjeros y la Recomendación (84) 11 del Comité de Ministros a los Estados miembro de información del Convenio sobre la Transferencia de personas condenadas.

[54] Recomendación (82) sobre permisos de salida.

[55] Resolución (73) 17 sobre tratamientos de corta duración de adultos delincuentes; Resolución (73) 24 sobre determinadas medidas penales alternativas a la pena de reclusión y Recomendación (80) 11 relativa a la detención previa al juicio. Más detenidamente sobre el contenido de estas primeras Recomendaciones del Comité de Ministros del Consejo de Europa, RUIZ VADILLO, E.: "Algunas consideraciones sobre la contribución del Consejo de Europa al desarrollo y perfeccionamiento del Derecho penal (Parte I)", *ob. cit.*, pp. 1717 a 1723; y BUENO ARÚS, F.: "El Consejo de Europa y el Derecho Penitenciario", *ob. cit.*, pp. 1057 a 1060.

A principios de los años 80 el Consejo de Europa se propone acometer la primera revisión de las Reglas aprobadas en 1973. Es a partir de los informes emitidos por los Estados respecto a la aplicación de las Reglas[56], de los trabajos de las Conferencias bienales de Directores Generales y del CDCP, cuando la Asamblea Parlamentaria del Consejo de Europa, en su Recomendación 914 (1981), resuelve la necesidad de su revisión para adaptarlas a las tendencias más modernas y extender su ámbito. En 1984 el CDPC le encarga tal tarea al PC-CP[57]. El resultado fueron las Reglas Penitenciarias Europeas de 1987, que nacen con la voluntad de acomodar las anteriores a la evolución de la sociedad y a los cambios referentes al tratamiento de los internos y de la Administración penitenciaria[58]. Siguiendo la senda tomada en 1973, las Reglas Penitenciarias Europeas se apartan de las Reglas de UN, optando por tener una perspectiva básicamente europea, que se construye sobre la inclusión de un listado de principios básicos cuyo objetivo primordial es asegurar la dignidad humana de todos los reclusos[59]. Así lo recoge expresamente como primer principio básico su art. 1: "la privación de libertad se efectuará en condiciones materiales y morales que garanticen el respeto de la dignidad humana y se ajusten a las presentes normas", para pasar a recoger a continuación como principios fundamentales la imparcialidad y prohibición de no discriminación, la orientación del tratamiento hacia la idea de reinserción, el sometimiento al principio de legalidad en la ejecución, la protección de los derechos individuales de los reclusos por la autoridad judicial u otro órgano debidamente constituido externo a la Administración penitenciaria y la necesidad de realizar inspecciones regulares de las instituciones penitenciarias para supervisar, por inspectores debidamente cualificados, si se administran de conformidad con la normativa, sus objetivos y requisitos. Estas Reglas, que no solo aumentan el número de artículos y consolidan una nueva estructura frente a su versión anterior[60], muestran la apuesta que continúa realizando el Consejo de Europa por la idea de tratamiento y de la búsqueda de la reinserción y la voluntad de plasmar en

---

[56] Puesto que la Resolución de 1973 requería la elevación cada cinco años de informes sobre la aplicación de las Reglas al Secretario General del Consejo de Europa.

[57] BUENO ARÚS, F.: "El Consejo de Europa y el Derecho penitenciario", *ob. cit.*, p. 1050; del mismo: "Las Reglas Penitenciarias Europeas (1987)", *Revista de Estudios Penitenciarios* n° 238, 1987, p. 12.

[58] Recomendación Rec (87) 3 del Comité de Ministros sobre las Reglas Penitenciarias Europeas.

[59] VAN ZYL SMIT, D., SNACKEN, S.: *Principios de derecho y política penitenciaria*, *ob. cit.*, p. 61.

[60] Superando la división entre Reglas de aplicación general y Reglas destinadas a colectivos específicos, por la que se opta en el texto de 1973, las RPE de 1987 establecen una división entre: Preámbulo, Principios fundamentales; Administración de los establecimientos; Personal; Régimen y Tratamiento; y Reglas complementarias para ciertas categorías de internos.

las mismas los derechos humanos que deben ser garantizados a todo interno privado de libertad[61].

Es verdad que su alcance es limitado, pues hasta finales de los años 90 las decisiones de la Comisión Europea de Derechos Humanos y del TEDH hacen un uso muy reducido de las RPE; sin embargo, su mayor virtualidad es que suponen un paso fundamental en la aparición de una política europea penitenciaria, que muestra el compromiso oficial de identificar políticas comprehensivas aplicables a todos los aspectos de la reclusión en Europa[62].

Durante la década de los noventa la labor Comité de Ministros muestra la preocupación fundamentalmente en dos temas: la necesaria limitación de la utilización de la prisión ante un cada vez más acuciante problema de sobrepoblación carcelaria[63] y la salud de la población reclusa[64], particularmente por los estragos que enfermedades como el SIDA y la tuberculosis causaron dentro de las prisiones[65]. No solo en la identificación de estas situaciones como problemas relevantes de las instituciones penales y penitenciarias europeas, sino en su posible consideración de trato inhumano o degradante y en la articulación de mecanismos para su solución, comienza a apuntarse ya una interacción entre los distintos organismos del Consejo de Europa, fundamentalmente el Comité de Ministros, a través de las Recomendaciones referidas, y el CPT[66].

---

[61]   Más detenidamente sobre el contenido de esta versión, véase BUENO ARÚS, F.: "Las Reglas Penitenciarias Europeas (1987)", ob. cit., pp. 11 a 17; y TÉLLEZ AGUILERA, A.: Las nuevas Reglas Penitenciarias del Consejo de Europa, ob. cit., pp. 21 y ss.

[62]   VAN ZYL SMIT, D., SNACKEN, S.: Principios de derecho y política penitenciaria, ob. cit., p. 60.

[63]   Forman parte de este grupo la importante Recomendación (92) 16 del Comité de Ministros a los Estados miembros sobre las Reglas Europeas de Sanciones y medidas comunitarias, cuyo objeto es la reducción de la reclusión y la potenciación de la utilización de las alternativas al encarcelamiento; también la Recomendación (92) 17 del Comité de Ministros a los Estados miembros relativa a la coherencia de las sentencias y, muy relevante igualmente, la Recomendación (99) del Comité de Ministros a los Estados miembros relativa a la sobrepoblación en las cárceles e inflación de la población reclusa. Más detenidamente véase RODRÍGUEZ YAGÜE, C.: "Un análisis de las estrategias contra la sobrepoblación penitenciaria en España a la luz de los estándares europeos". Revista Electrónica de Ciencia Penal y Criminología 20-05 (2018), pp. 4 y ss.

[64]   Recomendación (93) 6 del Comité de Ministros a los Estados miembro relativa a los aspectos penitenciarios y criminológicos del control de las enfermedades transmisibles incluyendo el SIDA y otros problemas sanitarios en las instituciones penitenciarias; y Recomendación (98) 7 del Comité de Ministros a los Estados miembros relativa a los aspectos éticos y organizativos de la asistencia sanitaria en prisiones.

[65]   VAN ZYL SMIT, D., SNACKEN, S.: Principios de derecho y política penitenciaria europea, ob. cit., pp. 62 y 63.

[66]   En concreto, y respecto a la sobrepoblación, el CPT se había pronunciado en su Informe anual n° 7 de 1997 (CPT/Inf (92) 10, parágrafos 12 a 15) mientras que respecto a la salud

El comienzo del siglo XXI viene marcado por la aprobación de dos relevantes Recomendaciones del Comité de Ministros, la relativa a la libertad provisional y la referida a la gestión de las penas perpetuas o de larga duración, ambas de 2003, y por la última revisión de las RPE, en 2006.

El importante incremento del uso de las condenas a penas de prisión perpetua —y otras penas de prisión de larga duración— en los Estados miembro, su influencia en el problema de sobrepoblación y hacinamiento presente en las prisiones europeas y la aplicación en muchos de los países de un régimen de mayor dureza tanto en condiciones materiales, seguridad, régimen, acceso a actividades y contactos familiares, es objeto de atención de los distintos organismos del Consejo de Europa que generan estándares y que, en el caso del Comité de Ministros, desemboca en la aprobación de la Recomendación de 2003 relativa a la gestión por parte de las administraciones penitenciarias de los condenados a penas de prisión perpetuas o de larga duración[67]. Complementa esta Recomendación la aprobada en el mismo año referida a libertad condicional, que parte de su condición como uno de los medios más eficaces y constructivos para prevenir la reincidencia y promover la reintegración, para luchar contra los efectos adversos de la prisión y como forma de combatir el elevado coste económico de la prisión y los problemas de hacinamiento y masificación penitenciaria[68].

En 2006 llega la última versión de las Reglas Penitenciarias Europeas[69], revisión en la que comienza a trabajar el Comité dos años antes. Ante el fracaso de la iniciativa sugerida en los años 90 de que el CEDH fuera ampliado mediante un Protocolo sobre los derechos de los internos[70], los esfuerzos se centran en la

---

lo había hecho ya en su 3º Informe General de Actividades del Comité (CPT/Inf (93) 12, parágrafos 30 a 77).

[67] Recomendación Rec (2003) 23 relativa a la gestión por parte de las administraciones penitenciarias de los condenados a penas de prisión perpetuas o de larga duración. Más detenidamente puede encontrarse un análisis de esta Recomendación en RODRÍGUEZ YAGÜE, C.: "Estándares europeos sobre la cadena perpetua y su ejecución". *La Ley Penal 2019* nº 129, 2019, pp. 3 y ss.

[68] Recomendación Rec (2003) 22 sobre libertad condicional. Como ponen de relieve VAN ZYL SMIT, D., y SNACKEN, S. esta Recomendación es un ejemplo del creciente y reglado compromiso europeo por la dignidad humana y las garantías del proceso debido a la hora de imponer sentencias de prisión así como del compromiso con una estrategia reduccionista en el uso de la pena de reclusión. *Principios de derecho y política penitenciaria europea*, ob. cit., p. 77.

[69] Recomendación Rec (2006) 2 del Comité de Ministros a los Estados miembro sobre las Reglas Penitenciarias Europeas.

[70] Que llega a formularse a través de un primer proyecto de Protocolo que "garantizaba determinados derechos adicionales a personas privadas de libertad" elaborado por el Comité de Expertos para el desarrollo de los Derechos Humanos en 1994 y que posteriormente trata de impulsarse en 2000 cuando, a petición de la presidencia italiana en el Consejo Europeo, el Comité de Ministros pide opinión consultiva al Comité Director de Derechos Humanos (CDDH) sobre la inclusión de tal Protocolo, que se pronunció negativamente ante el riesgo de que tal

modernización de las RPE teniendo en consideración tanto la jurisprudencia del TEDH como la labor y observaciones del CPT[71]. Nuevamente en su elaboración vemos cómo se incardinan los diferentes instrumentos e instituciones que el Consejo de Europa ha dispuesto para el trabajo en materia penitenciaria. Por ello en el trabajo realizado a partir de 2002 por el PC-CP, al que el CDCP remite nuevamente la labor de tal renovación, participaron además de representantes gubernamentales, el CPT y la Conferencia de Directores de Administraciones Penitenciarias[72].

Las RPE de 2006 se estructuran en ocho partes. La Parte I se refiere a los principios fundamentales y a su ámbito de aplicación. Los primeros los conforman a su vez nueve principios básicos[73]: la obligación de respeto a los derechos humanos de toda persona privada de libertad; el principio de conservación de todos los derechos, salvo los retirados por ley, sentencia condenatoria o auto de prisión preventiva; el sometimiento a un criterio de necesidad y proporcionalidad de las restricciones que se impongan; la imposibilidad de justificar por la carencia de recursos la vulneración de los derechos humanos; el principio de normalidad, debiendo ajustarse lo máximo posible la vida en prisión al exterior; la búsqueda de la reintegración en la sociedad libre de las personas privadas de libertad; la cooperación con los servicios sociales externos y la participación de la sociedad civil en la vida penitenciaria; la misión de servicio público del personal penitenciario,

---

texto se limitara a codificar la jurisprudencia existente del TEDH, ralentizándose su desarrollo. Más detenidamente sobre este proceso VAN ZYL SMIT, D., SNACKEN, S.: *Principios de derecho y política penitenciaria europea*, ob. cit., pp. 72 y ss.

[71] Así lo recoge expresamente el Comentario a las normas penitenciarias europeas que acompaña a la Recomendación Rec (2006), que identifica como factores clave en la evolución de la gestión penitenciaria y del tratamiento a los reclusos, junto con los cambios en la sociedad, política penal y práctica y ejecución de las sentencias y a la adhesión al Consejo de Europa de los nuevos Estados miembros, la labor de la jurisprudencia del TEDH y las normas para el tratamiento de reclusos establecidas por el CPT, estándares contenidos en el texto de esta recomendación. Puede verse en CM (2005) 163-Add, de 2 de noviembre de 2005.

[72] VAN ZYL SMIT, D., SNACKEN, S.: *Principios de derecho y política penitenciaria europea*, ob. cit., pp. 78 y 79. A pesar de ello muy críticamente con la técnica utilizada – "siendo no fruto de la mejor ciencia penitenciaria, como debiera, sino del pulso tembloroso de los políticos timoratos" y, con ello, con su relativo alcance, especialmente por la potenciación regimental frente a la idea de resocialización y la relativización de derechos y garantías en tanto gran parte de Estos quedan supeditados en realidad a expresiones como "en la medida de lo posible", TÉLLEZ AGUILERA, A.: *Las nuevas Reglas Penitenciarias del Consejo de Europa*, ob. cit., pp. 7 y 8.

[73] Como destacan VAN ZYL SMIT, D. y SNACKEN, S., frente a las reglas de 1987, las RPE de 2006 inciden más explícitamente en los derechos humanos, aunque sigan muchas de las pautas perfiladas en los textos anteriores, no solo en las versiones previas de las Reglas sino también en otras Recomendaciones del Comité de Ministros. *Principios de derecho y política penitenciaria europea*, ob. cit., p. 78.

que requiere una selección, formación y condiciones de trabajo adecuada; la necesidad de articular una inspección gubernamental regular y un control por parte de una autoridad independiente. Si bien recogida dentro del ámbito de aplicación, también esta versión recoge el principio de imparcialidad y no discriminación en la aplicación de las Reglas.

Llama la atención que, frente a las versiones anteriores, las RPE de 2006 relegan a un segundo plano la finalidad de resocialización de la pena, sí presente en sus antecesoras. Ya no queda recogida como principio informador de las Reglas sino que la sitúa en un plano secundario, dentro de los objetivos del régimen, sustituyéndola por la idea de reinserción o reintegración social. Esta sustitución ha sido objeto de valoraciones encontradas. De manera positiva, se ha entendido que esta nueva formulación parte de las críticas y la asunción del fracaso de las ambiciosas pretensiones resocializadoras, apostando por un concepto, la reinserción, que enfrenta al sistema con un condenado más real y concreto, con el que tiene la obligación no de cambiar ni convertir en otra persona, pero sí de identificar sus carencias y ofrecerle recursos para superarlas[74]. Pero también esta opción ha sido objeto de críticas, al entender que ha conllevado relegar el aparato tratamental a un segundo plano frente a la potenciación del régimen[75].

Una de las novedades más relevantes en la sistemática de las Reglas es la incorporación, junto a los principios, de las reglas referidas a su ámbito de aplicación. Así, las RPE lo serán en primer lugar para las personas que estén en prisión, ya por estar en prisión preventiva o en virtud de una sentencia condenatoria. Sin embargo, extiende la posibilidad de aplicación de las Reglas a las personas internas por cualquier otra razón en una prisión, a aquellas privadas de libertad por un auto de prisión preventiva o sentencia condenatoria pero que se encuentran, por la razón que sea, en otros lugares. En cambio, los menores de dieciocho años y las personas que sufran enfermedades mentales o cuyo estado de salud mental sea incompatible con la estancia en prisión pero

---

[74]   En este sentido, MAPELLI CAFFARENA, B.: "Una nueva versión de las Normas Penitenciarias Europeas", *ob. cit.*, p. 4. Como señala este autor, este principio se complementa con el de normalización social, recogido también como principio básico, en el sentido que la prisión debe ser un reflejo de la sociedad libre, no pudiendo añadir la prisión más castigo al condenado que la privación de su libertad deambulatoria.

[75]   Así TÉLLEZ AGUILERA, A., para quien es una muestra de la llegada del Derecho penal del enemigo al Consejo de Europa que produce la total despreocupación del Consejo de Europa en materia tratamental, entendiendo que el abandono de la idea del fin reinsertador de la prisión tiene su causa tanto en la crisis de la ideología del tratamiento (a la que contribuye la falta de concreción de los fines que se le han asignados, la incorrecta dotación de los medios para su puesta en marcha y la no evaluación de su fruto) como en los movimientos ideológicos que se enfrentan al sistema penitenciario y en el neoconservadurismo penal presente en Europa. *Las nuevas Reglas Penitenciarias del Consejo de Europa*, *ob. cit.*, pp. 45 y 46.

que, por razones excepcionales, estén en prisión ordinaria, deben ser regidas por reglas especiales.

La Parte II se refiere a las condiciones de internamiento, en la que establece las reglas relativas a cuestiones como el ingreso, el destino y lugares de internamiento, la higiene, prendas de vestir y de cama, alimentación, asesoramiento jurídico, relaciones con el exterior, régimen penitenciario, trabajo, ejercicio físico y actividades recreativas, educación, libertad de pensamiento, de conciencia y de religión, información, objetos retenidos, traslados, libertad de los reclusos, y aspectos específicos de colectivos como las mujeres, menores, niños de corta edad, súbditos extranjeros, minorías étnicas y lingüísticas. La Parte III se dedica al ámbito de la salud, tratando aspectos como los cuidados médicos, la organización de la asistencia sanitaria en prisión, el personal médico y asistencial, el deber médico, la administración de la asistencia sanitaria, la salud mental o la experimentación médica sometida al consentimiento y garantías. La Parte IV recoge las recomendaciones referidas al buen orden, dirigida a aspectos como el aseguramiento, la seguridad, medidas especiales de máxima seguridad, registros y controles, infracciones penales, disciplina y sanciones, doble incriminación, recurso a la fuerza, el uso de medios coercitivos y armas, y la formulación de peticiones y quejas. La V Parte se dedica a la dirección y personal penitenciario, en la que, partiendo del presupuesto de la prisión como servicio público, se refiere a cuestiones como la selección del personal, su formación, el sistema de gestión de la prisión, la necesidad de un personal especializado, la sensibilización de las personas del exterior o del establecimiento de un programa de investigación y evaluación por las autoridades penitenciarias sobre su papel y cumplimiento de objetivos. La Parte VI es la relativa a la inspección gubernamental y el control. Las últimas dos partes se dedican a recoger las reglas específicas para los dos grandes grupos objeto de reclusión: la Parte VII a los internos preventivos —a su estatus, criterios de separación, locales de detención, asesoramiento jurídico, contactos con el mundo exterior, posibilidad de trabajo, acceso al régimen de los penados— y la Parte VIII al régimen de los internos penados —en concreto, a sus objetivos y aplicación, organización del encarcelamiento, trabajo, educación y liberación—. Las Reglas terminan en su Título IX con una cláusula de cierre, referida a la necesariedad de su actualización de forma regular[76].

---

[76] Más detenidamente puede encontrarse un análisis de su contenido en: MAPELLI CAFFARENA, B.: "Una nueva versión de las Normas Penitenciarias europeas", *ob. cit.*, pp. 1 y ss.; y TÉLLEZ AGUILERA, B.: *Las nuevas Reglas Penitenciarias del Consejo de Europa, ob. cit.*, pp. 1 y ss.

En las Recomendaciones que el Comité de Ministros ha ido aprobando tras la última revisión de las RPE de 2006, se profundiza, al tiempo que actualiza Recomendaciones anteriores, en los aspectos y problemas del ámbito penitenciario que ha ido identificando durante su actividad durante estas décadas. Es el caso, en primer lugar, de la apuesta por las medidas alternativas y comunitarias para frenar el uso de la prisión y los problemas de sobrepoblación. Para ello en 2010 se aprobaron las Reglas de libertad condicional del Consejo de Europa[77] y recientemente, en 2017, las Reglas Europeas sobre sanciones y medidas comunitarias[78]. También con el fin de limitar el abuso de la utilización de la prisión provisional, se aprobó en 2006 la Recomendación sobre el recurso a la prisión preventiva[79] y con el fin de potenciar la introducción de la justicia restaurativa en el sistema de justicia penal se ha aprobado en 2018 la Recomendación sobre justicia restaurativa en asuntos penales. Y, en cuanto a la posibilidad de la utilización de la vigilancia electrónica en la fase previa a la sentencia, durante la suspensión de la condena, como alternativa o en la fase de libertad condicional, se aprueba para regular los principios que deben guiar su uso la Recomendación sobre vigilancia electrónica de 2014[80].

En segundo lugar, la necesaria atención a las condiciones previstas para determinados colectivos que, ya por su peligrosidad, delito cometido o su situación de mayor vulnerabilidad, por ejemplo, por su condición de extranjería, necesitan una atención singularizada. A ello responden la Recomendación sobre los delincuentes peligrosos[81], la Recomendación sobre internos extranjeros[82], la Reco-

---

[77] Recomendación CM/Rec (2010) 1 del Comité de Ministros a los Estados miembros sobre las normas de libertad condicional del Consejo de Europa.

[78] Recomendación CM/Rec (2017) 3 del Comité de Ministros a los Estados miembros relativa a las normas europeas sobre sanciones y medidas comunitarias. Esta Recomendación formalmente sustituye a la Recomendación Rec (2000) relativa a la mejora de la aplicación de las normas europeas sobre sanciones y medidas comunitarias y la Recomendación Nº R (92) 16 relativa a las normas europeas sobre sanciones y medidas comunitarias.

[79] Recomendación Rec (2006) 13 del Comité de Ministros a los Estados miembros sobre el recurso a la prisión preventiva, las condiciones en que se lleva a cabo y el establecimiento de salvaguardias contra los abusos. Esta Recomendación sustituye formalmente la Recomendación Nº R (80) relativa a la custodia en espera de juicio y a la Resolución (65) 11 sobre prisión preventiva.

[80] Recomendación CM/Rec (2014) 4 del Comité de Ministros a los Estados miembro sobre vigilancia electrónica.

[81] Recomendación CM/Rec (2014) 3 del Comité de Ministros a los Estados miembro sobre los delincuentes peligrosos, que formalmente sustituye a la Recomendación Nº R (82) 17 relativa a la custodia y tratamiento de los internos peligrosos.

[82] Recomendación CM/Rec (2012) 12 del Comité de Ministros a los Estados miembro sobre internos extranjeros, que formalmente sustituye a la Recomendación Nº R (84) relativa a los internos extranjeros.

mendación sobre delincuentes juveniles sometidos a sanciones o medidas[83] y la reciente recomendación sobre los niños con padres en prisión[84].

En tercer lugar, la constante atención a la labor y actuación del personal de prisiones se concreta en la aprobación en 2012 del Código deontológico europeo del personal penitenciario[85] y, en cierta medida, en la citada Recomendación sobre vigilancia electrónica de 2014[86].

En los últimos años una preocupación creciente del Comité de Ministros está siendo la actuación, ya en el ámbito de la prisión, pero también en el de las alternativas y servicios de *probation*, frente a la radicalización y al extremismo violento. De ahí que el 2 de marzo de 2016 el Comité de Ministros aprobara las Directrices para los servicios penitenciarios y de *probation* en relación con la radicalización y el extremismo violento. Construidas sobre una serie de principios generales (el respeto a los derechos y libertades fundamentales, a la protección de datos y a la privacidad, al principio de intervención mínima, y la buena gestión penitenciaria), estas directrices se dirigen a ofrecer a los Estados miembros recomendaciones sobre la actuación frente a este nuevo reto en aspectos tan diversos como la valoración del riesgo, la ubicación en las prisiones, los mecanismos de seguridad, la detención y prevención de estas conductas o la configuración de programas especiales de tratamiento y el trabajo en comunidad con esta tipología de sujetos. Un año después, en 2017, el CDPC presentó el Manual del Consejo de Europa para los servicios penitenciarios y de *probation* en relación con la radicalización y el extremismo violento donde desarrolla de manera más detallada éstos y otros aspectos de la gestión penitenciaria, y en el ámbito de las alternativas, de las personas ya radicalizadas o bien en riesgo de sufrir tal proceso.

En cambio, no ha fructificado, al menos hasta el momento, la iniciativa de elaborar una Carta Penitenciaria europea. El Comité de Ministros, en respuesta adoptada el 27 de septiembre de 2006, rechazaba la iniciativa propuesta por la Asamblea parlamentaria[87], de tal manera que, a través de la configuración de un tratado vinculante para las partes firmantes, que podría haber estado vinculado al CEDH, contuviera un capítulo relativo al ámbito penitenciario que permitiera

---

[83]   Recomendación CM/Rec (2008) 11 del Comité de Ministros a los Estados miembro sobre las Reglas Europeas para delincuentes juveniles sujetos a sanciones o medidas.

[84]   CM/Rec (2018) 5 del Comité de Ministros del Consejo de Europa sobre los niños con padres en prisión.

[85]   Recomendación CM/Rec (2010) 1 del Comité de Ministros a los Estados miembro sobre el código deontológico europeo del personal penitenciario.

[86]   Recomendación CM/Rec (2014) 4 del Comité de Ministros a los Estados miembro sobre vigilancia electrónica.

[87]   Recomendación de la Asamblea Parlamentaria 1747 (2006) sobre la Carta Penitenciaria Europea.

cristalizar ese acervo de estándares penitenciarios hasta ahora construidos como *soft law*. Finalmente el proyecto no vio la luz ante el temor de no se alcanzase el consenso suficiente en gran parte de las materias que debieran convertirse en vinculantes, debilitando de esta manera los estándares existentes y, con ello, la importancia y el impacto de las RPE. Se trató de evitar que una propuesta de protocolo adicional al CEDH en materia penitenciaria fuera ratificado solo por una parte de los países miembros del Consejo de Europa y ello diera pie a dos grupos distintos de estándares de Derecho penitenciario europeo o bien que, para llegar a un consenso de mínimos, se rebajara el contenido de los estándares ya aceptados por la vía del *soft law*. Como señalan VAN ZYL SMIT, D. y SNACKEN, S. se trata esta de una oportunidad perdida para dotar de peso específico a la política penitenciaria europea puesto que una iniciativa de esta envergadura podría haber contribuido a la sistematización del derecho y la política penitenciaria europea, ayudando a la interpretación del TEDH en materia penitenciaria, aunque no hubiera estado vinculado al CEDH, culminando la labor de la política penitenciaria plasmada en las RPE y otras Recomendaciones del Consejo de Europa y suministrando la base racional para el desarrollo de futuras Recomendaciones[88].

1.1.3. *Naturaleza y ámbito de incidencia de las Recomendaciones del Comité de Ministros del Consejo de Europa*

La mayor ventaja que ofrecen las Recomendaciones del Comité de Ministros, en cuanto a generación de una política penitenciaria y estándares de cumplimiento, es que están configuradas con el propósito de ofrecer una guía clara a los gobiernos nacionales de cómo deben articularse las condiciones de encarcelamiento. Así se señala expresamente, por ejemplo, en el caso de las RPE en su versión de 2006, que recomienda a los gobiernos de los Estados miembro "que tanto en la elaboración de su legislación como en su política y práctica, sigan las Reglas contenidas en el Anexo a la presente Recomendación..."[89]. Más ambicio-

---

[88] *Principios de derecho y política penitenciaria europea, ob. cit.,* pp. 552 y 553.

[89] Así como, en segundo lugar, "que se aseguren de que la presente Recomendación y su Exposición de Motivos se traduzca y difunda de la manera más amplia posible, y especialmente entre las autoridades judiciales, el personal penitenciario y los propios internos". Como recoge en sus considerandos, "es importante que los Estados miembro del Consejo de Europa continúen poniéndose al día y respetando los principios comunes en su política penitenciaria", recalcando que "el respeto de tales principios comunes reforzará la cooperación internacional en este ámbito". Esta fórmula es la que se repite en el resto de Recomendaciones posteriores a las RPE de 2006 y que ya estaba presente en otras previas como la Recomendación Rec (2003) 23 del Comité de Ministros a los Estados miembros para la gestión por las administraciones penitenciarias de los condenados a penas perpetuas u otras penas de larga duración o la Recomendación Rec (2003) 22 del Comité de Ministros a los Estados miembros sobre libertad condicional.

sos fueron, en cualquier caso, los Preámbulos de sus versiones anteriores, tanto de 1973, como también de 1987. Este último resume claramente cuáles eran los propósitos de estas Reglas, que podemos entender que se mantienen no solo en su versión posterior sino en el resto de Recomendaciones adoptadas por el Comité de Ministros a lo largo de su andadura en materia penitenciaria: a) establecer una serie de normas mínimas para todos los aspectos de la administración penitenciaria que son esenciales para lograr condiciones humanas y un trato positivo en los sistemas modernos y progresistas; b) servir de estímulo a las administraciones penitenciarias para que desarrollen políticas y un estilo y práctica de gestión basados en los principios contemporáneos de finalidad y equidad; c) fomentar en el personal penitenciario actitudes profesionales que reflejen las importantes características sociales y morales de su trabajo y crear las condiciones necesarias; c) proporcionar criterios básicos realistas con arreglo a los cuales las administraciones penitenciarias y los responsables de la inspección de las condiciones y la gestión de las prisiones puedan emitir juicios válidos sobre el rendimiento y medir los progresos realizados respecto a la consecución de estándares más estrictos.

Sin poder llegar a hablar de Código, puesto que se han ido sucediendo sin una coherencia necesaria tanto en la terminología utilizada como particularmente en sus contenidos, sí se puede decir que las RPE y el resto de Recomendaciones son el resultado de la labor codificadora del derecho y política penitenciaria europea[90]. Eso sí, sin voluntad de ser un modelo en sí[91], sino un conjunto de estándares que

---

[90] VAN ZYL SMIT, D., SNACKEN, S.: *Principios de Derecho y Política Penitenciaria Europea*, *ob. cit.*, p. 544. De hecho, como señalan estos autores, desde el 2007 el Consejo de Europa publica regularmente un Compendio de Convenios, Recomendaciones y Resoluciones relativas a cuestiones penitenciarias, en el que realiza un esfuerzo de actualización, excluyendo las Recomendaciones que han sido sustituidas por una versión más actual o las resoluciones que han quedado obsoletas. La última actualización es de marzo de 2019.

[91] Así, las Reglas de 1973 afirman en sus observaciones preliminares que "no pretenden describir en detalle un modelo de sistema de instituciones penales. Solo pretenden, sobre la base del consenso general de la sociedad contemporánea y de los elementos esenciales del sistema más adecuados en la actualidad, establecer lo que generalmente es aceptado como buenos principios y prácticas en el tratamiento de los reclusos y en la gestión de las instituciones". Como señala MURDOCH, J., las reglas se destinan esencialmente al consumo interno y están concebidas para proporcionar criterios básicos y realistas para que las administraciones y los inspectores puedan emitir juicios válidos sobre el rendimiento y medir los progresos realizados en la consecución de normas más estrictas, pero no proporcionan un plan completo para los servicios penitenciarios: no lo hacen en tanto presentan importantes lagunas en los temas que contemplan (como la prohibición de violencia o intimidación por el personal penitenciario o el tratamiento de determinadas categorías de reclusos) y por su falta de precisión en la redacción. MURDOCH, J.: *The treatment of prisoners. European standars*. Council of Europe Publishing, 2006, pp. 34 y 35. En el mismo sentido se refiere el preámbulo de las RPE de 1987, que asimismo reconoce que muchos servicios penitenciarios europeos funcionan mejor que los mínimos requeridos en las Reglas y que otros están esforzándose por llegar a ello.

representan las condiciones mínimas exigibles en todos los Estados miembros[92]. Por ello se ha afirmado que su fuerza es que suponen la expresión del alto nivel de compromiso común alcanzado entre los gobiernos, en tanto el Comité de Ministros trabaja en estrecha colaboración con la Asamblea Parlamentaria, compuesta por representantes de cada Estado miembro[93].

Y en este sentido es de destacar que su ámbito no se limita al de incidir en las legislaciones penitenciarias nacionales de los Estados miembro[94], sino también sirven como guía de la interpretación de los tribunales y de la praxis en el ámbito penitenciario[95].

El análisis de la influencia que sobre las legislaciones y praxis penitenciarias tiene la labor del Comité de Ministros es imposible, a nuestro juicio, deslindarlo del marco en el que este comienza a desempeñar sus funciones, que no es otro que el de la consagración de los derechos fundamentales y libertades públicas y del desarrollo de sus instrumentos de protección a partir de la II Guerra Mundial y de la Declaración Universal de Derechos Humanos de 1948 y en el que también se encuentran otros instrumentos fundamentales de gran influencia en el concreto ámbito penitenciario como las Reglas Mínimas para el Tratamiento de los Reclu-

---

[92] De tal manera, como pone de manifiesto LÓPEZ LORCA, B., que permitan estandarizar las políticas penitenciarias de los países europeos para posibilitar la creación de normas y prácticas comunes. "Principios generales del Derecho penitenciario europeo". *Derecho penitenciario. Enseñanza y aprendizaje*. De Vicente Martínez, R. (dir). Tirant lo Blanch, Valencia, 2015, p. 424. Resaltando también ese papel de mínimos en el trato a las personas privadas de libertad en todos los países miembros del Consejo, MATA Y MARTÍN, R.M.: *Fundamentos del sistema penitenciario*. Tecnos, Madrid, 2016, p. 193.

[93] MURDOCH, J.: *The treatment of prisoners. European standars, ob. cit.*, p. 33.

[94] Como nos recuerda LEZERTUA RODRÍGUEZ, M., pese a que identifica su carencia de fuerza obligatoria como una de las grandes debilidades de las RPE, su incidencia en los ordenamientos internos puede venir por dos vías: primera, en tanto han inspirado buena parte de las legislaciones penitenciarias de los Estados europeos y, segunda, puesto que, en la medida en que estas legislaciones hayan transpuesto las RPE, los detenidos han podido invocarlas ante los tribunales nacionales. "Los derechos de los reclusos en virtud del Convenio Europeo de Derechos Humanos", *ob. cit.*, p. 138.

[95] Así lo refiere el comentario que acompaña a las RPE, cuando afirma que "las normas son una guía para los Estados miembro que están modernizando su sistema penitenciario y ayudarán a las administraciones penitenciarias a decidir cómo ejercer su autoridad, incluso aunque las normas todavía no hayan sido plenamente integradas en la legislación nacional. Las Reglas se refieren a medidas que se deben aplicar 'en el derecho nacional' (*national law*) más que 'a la legislación nacional' (*national legislation*), porque reconocen que el proceso legislativo puede adoptar formas diferentes en los diferentes Estados miembros del Consejo de Europa. El término 'legislación nacional' está concebido de tal manera que incluya no solo el derecho primario aprobado por el parlamento nacional sino también otras normas y órdenes vinculantes, y también la jurisprudencia de las cortes y los tribunales, en la medida en que estas vías de creación de derecho sean reconocidas por los sistemas jurídicos nacionales". CM (2005) 163-Add.

sos de 1955. Es en ese contexto, con la elaboración de la primera versión de las RPE de 1973, cuando de manera progresiva se comienzan a consagrar en Europa tales avances en las normativas penitenciarias que adoptan países como Francia (Código de Procedimiento Penal de 1957), Italia (Ley de 1975), Alemania (Ley de 1976) o España (Ley de 1979)[96].

Como hemos señalado, además de la conclusión de Convenios y de Tratados, el Comité de Ministros formaliza sus conclusiones en forma de Recomendaciones a los Gobiernos (art. 15 b) Estatuto de Londres). Es el caso de las RPE, pero también el del resto de Recomendaciones que en materia penitenciaria ha ido elaborando, de manera más específica y desarrollada, el Comité de Ministros a lo largo de sus años de vida.

Este carácter de *soft law* que tienen estas Recomendaciones es heredero de la configuración de consenso que marcó el nacimiento del Consejo de Europa, frente a las posturas encontradas que propugnaban ya la creación de una Asamblea Consultativa Europea, desde una visión más federalista (Francia y Bélgica), ya la de un Comité de Ministros de Europa (Inglaterra)[97], lo que finalmente se plasma también en la estructura orgánica del Consejo, con su configuración como centro de gravedad de un órgano intergubernamental como el Comité de Ministros y con una Asamblea solo con funciones consultivas y deliberativas; y, en definitiva, en la naturaleza y alcance de su actuación.

Es verdad que estas Recomendaciones son eso, recomendaciones dirigidas por el Comité de Ministros a los Estados miembro y, como tales, no tienen un carácter jurídico vinculante. De hecho, ese carácter de *soft law* permite que algunos países, como Reino Unido u Holanda, tengan una posición más restrictiva en cuanto a su radio de alcance, lo que se traduce en un impacto reducido de las RPE en sus legislaciones nacionales[98]. De ahí que se haya afirmado que su influencia es principal y deontológica[99] o que meramente supone una obligación política y ejerce una sanción moral respecto a las autoridades nacionales[100].

Pero por otro lado también hay que tener en cuenta que son Recomendaciones que traducen las tendencias evolutivas en el marco de la ejecución penal, fijando los principios mínimos a los que deben ajustar su actuación las adminis-

---

[96]   TÉLLEZ AGUILERA, A.: "Aproximación al Derecho penitenciario de algunos países europeos", *ob. cit.*, p. 700.

[97]   Véase sobre sus orígenes, OYARZUN IÑARRA, R.: "El Consejo de Europa", Disponible en www.cepc.gob.es, pp. 79 y ss.

[98]   VAN ZYL SMIT, D., SNACKEN, S.: *Principios de Derecho y Política Penitenciaria Europea*, *ob. cit.*, p. 546.

[99]   Así BUENO ARÚS, F.: "El Consejo de Europa y el Derecho penitenciario", ob, *cit.*, p. 1062.

[100]   NEALE, K.: "The European Prison Rules: Contextual, philosophical and practical aspects". *Imprisonment: European perspectives*. Muncie, J., Sparks, R. (editores). Harverster Wheatsheaf, 1991, p. 211.

traciones penitenciarias[101]. En efecto, en tanto han sido aprobadas unánimemente por el Comité de Ministros del Consejo de Europa, donde todos los Estados miembro están representados, reflejan el consenso político y el compromiso con las buenas prácticas de los 47 Estados miembro[102]. Tal naturaleza lo que pone de manifiesto, frente a las posibles críticas sobre que se trata de normas menos estrictas o ideales o de que permiten el cumplimiento a niveles mínimos, es la necesidad de poder llegar a un acuerdo en todo el espectro internacional, de compromiso y de flexibilidad, elementos sin los cuales se llegarían a muy pocos acuerdos de carácter efectivo[103].

Además, por un lado, se ha señalado que esto no quiere decir que carezcan por completo de valor jurídico, existiendo como mínimo deberes de información por parte de los Estados. Y ello en tanto el Comité de Ministros puede requerir información sobre los desarrollos internos que se hayan producido[104]. Asimismo, con el fin de garantizar su aplicación, se prevé la posibilidad de realizar inspecciones por el Consejo de Europa a los países miembro para comprobar su puesta en práctica, lo que incrementa la obligación, eso sí, de naturaleza política que no jurídica, de su incorporación[105]. Recordemos además que entre las funciones que se atribuían al PC-CP estaban las de supervisión de las políticas y prácticas nacionales en materia de ejecución de sanciones y medidas penales y evaluar el funcionamiento y la aplicación de las RPE y las Recomendaciones del Comité de Ministros. Por lo tanto, este control estricto y periódico dificulta, aunque no imposibilita, que las Recomendaciones queden como una mera declaración de intenciones, sin seguimiento por los países destinatarios de las mismas y sin control por parte del Consejo de Europa[106]. En este sentido, se ha resaltado que no hay que minusvalorar la importante fuerza moral y política que tienen estas

---

[101] FERNÁNDEZ ARÉVALO, L., NISTAL BURÓN, J.: *Derecho penitenciario, ob. cit.*, p. 338.

[102] Así lo afirmaba Vivian Geiran, Presidente del PC-CP en la presentación de la edición de mayo de 2017 del Compendio de Convenciones, Recomendaciones y resoluciones referidas a las prisiones y a las sanciones y medidas comunitarias.

[103] NEALE, K.: "The European Prison Rules: Contextual, philosophical and practical aspects", *ob. cit.*, p. 210. Refiriéndose en concreto a las RPE de 1987 afirma este autor que las RPE son ampliamente aceptadas, sin reserva, precisamente porque se trata de Reglas que establecen un umbral que satisface las consideraciones básicas de humanidad, sin imponer cargas inaceptables a los gobiernos, que a su vez están limitados por consideraciones referidas a recursos y a prioridades políticas. Asimismo, esta flexibilidad le permite poder ajustarse a las muy diferentes circunstancias de los diversos países miembro.

[104] DE MIGUEL ZARAGOZA, J.: "El espacio jurídico-penal del Consejo de Europa", *ob. cit.*, p. 21.

[105] FERNÁNDEZ ARÉVALO, L., NISTAL BURÓN, J.: *Derecho penitenciario, ob. cit.*, p. 338.

[106] Por ello la última Regla de las RPE de 2006, la 108, establece que "las RPE se actualizarán de forma regular". No recoge en cambio la recomendación que sí previó en el texto de 1973, en la Resolución (73) 5 de los Estándares mínimos para el tratamiento de los internos, invitando a los gobiernos de los Estados miembro a informar cada cinco años al Secretario General del

directrices, lo que se evidencia en que bastantes países han ido incorporando sus previsiones a sus legislaciones internas[107].

También hay que tener en cuenta que es precisamente ese carácter de *soft law* lo que permite alcanzar —o al menos tratar de— de una manera más flexible, rápida y eficaz los fines de armonizar la respuesta jurídica respecto a la materia a la que se refieren las Recomendaciones del Comité de Ministros[108], en este caso, la penitenciaria. No obstante, su alcance no puede ser igual en todos los Estados miembros, pues la situación de partida, así como la coyuntura (social, económica e incluso política) no es idéntica. Y en este sentido mientras que su alcance, como normas de mínimos, puede ser más ambicioso en determinados países, otros en cambio estarán muy por encima de los estándares mínimos establecidos en las RPE y en el resto de Recomendaciones. De ahí que se haya advertido del peligro de que la inacción de determinados países obstaculice el avance de la labor normativa del Consejo de Europa, impidiendo que sea más ambicioso en el impulso de las RPE[109]. Es importante no olvidar que las Reglas penitenciarias no están para reglamentar lo que existe, sino para impulsar el cambio[110].

Por otro lado hay que destacar que se ha señalado a las RPE, ya en su primera versión de 1973, ya a las aprobadas en 1987 por el Comité de Ministros del Consejo de Europa, como un elemento muy importante para la aparición de una política europea penitenciaria, puesto que supuso un compromiso oficial de identificación de políticas aplicables en Europa a todos los aspectos de la privación de libertad, dotándolas además de una perspectiva básicamente europea al cons-

---

Consejo de Europa sobre las acciones adoptadas para llevar a cabo la resolución adoptada; tampoco lo hizo la versión de 1987.

[107] Es el caso, recientemente por ejemplo, de Rumanía, Bosnia Herzegovina o Alemania. VAN ZYL SMIT, D., SNACKEN, S.: *Principios de Derecho y Política Penitenciaria Europea, ob. cit.*, p. 546. Además, destaca en este sentido NEALE, K., cómo la "maquinaria procedimental" diseñada por el Consejo de Europa supone un importante elemento para la influencia en la práctica de las RPE. "The European Prison Rules: Contextual, philosophical and practical aspects", *ob. cit.*, p. 212.

[108] LEZERTÚA RODRÍGUEZ, M.: "El espacio jurídico del Consejo de Europa". *La obra jurídica del Consejo de Europa*. Fernández Sánchez, P.A. (ed). Gandulfo Editores, Sevilla, 2010, p. 8.

[109] Así lo ha puesto de manifiesto TÉLLEZ AGUILERA, A., quien al analizar la nueva versión de las RPE de 2006, advierte de que "una cosa es recomendar lo que hay que cumplir, y cosa muy diferente contentarse en que se haga lo que se pueda para entender cumplida la recomendación. No es lo mismo, por ejemplo, recomendar que el preso trabajador debe tener derecho a los beneficios de la Seguridad Social, que decir que tal acceso será en la medida de lo posible". Señala este autor que con ello se permite que países que no hacen prácticamente nada en su sistema penitenciario puedan decir que cumplen con la normativa del Consejo de Europa, ya que lo que hacen está dentro de sus posibilidades, al tiempo que supone un lastre para el impulso de lo que se debería esperar en una revisión de las RPE: *Las nuevas Reglas Penitenciarias del Consejo de Europa, ob. cit.*, p. 8.

[110] *Ibidem*, p. 8.

truirse sobre una serie de principios básicos dirigidos a la consecución de un objetivo prioritario, como el de asegurar la dignidad humana de todos los reclusos[111].

Y si bien es verdad, como ya advertimos, que inicialmente el impacto de las Reglas pareció muy limitado, no alcanzando la influencia que algunos habrían esperado en tanto hasta finales de los años 90 la Comisión Europea de Derechos Humanos y el TEDH hicieron un uso reducido de las mismas, su relevancia ha ido incrementándose de manera significativa, aunque de forma desigual. Son las RPE de 2006, además de las más importantes en esta materia, las que tienen una aceptación más amplia a nivel europeo, tanto a nivel interno en su influencia e interacción con los otros pilares del Consejo de Europa en materia penitenciaria —CPT, TEDH y Comisario Europeo de Derechos Humanos—, como a nivel europeo, tanto en las reformas a las que ha dado lugar en varios países miembro como en las actuaciones realizadas por los mismos a nivel de difusión y formación del personal de prisiones[112], de trabajo y puesta en común de las diferentes prácticas por parte de los responsables penitenciarios en las Conferencias de Directores de Administraciones penitenciarias de los Estados miembros y en el seguimiento realizado por el CP-PC[113]. Asimismo es de destacar la mejora técnica que caracteriza las últimas Recomendaciones, cada vez de mayor concreción y asentadas sobre principios básicos sobre los que se construyen las recomendaciones individuales que, sobre cada aspecto, formula el Comité de Ministros a través de cada Recomendación.

1.2. El Tribunal Europeo de Derechos Humanos

1.2.1. Naturaleza y funciones

El CEDH previó inicialmente dos órganos para llevar a cabo el cumplimiento de sus disposiciones ante las denuncias sobre su incumplimiento que podían ser presentadas ya por los Estados parte del Convenio, ya por los individuos de aquellos países, una vez estos hubieran agotado los recursos internos para satisfacer sus derechos vulnerados: la Comisión Europea de Derechos Humanos y el Tribunal Europeo de Derechos Humanos[114]. Configurado ini-

---

[111]   VAN ZYL SMIT, D., SNACKEN, S.: *Principios de Derecho y Política Penitenciaria Europea*, *ob. cit.*, pp. 60 y 61.

[112]   *Ibidem*, pp. 545 y 546. A tal fin el Consejo de Europa ha hecho un esfuerzo importante en la traducción de las RPE en, al menos, 17 idiomas.

[113]   BUENO ARÚS, F.: "Las Reglas Penitenciarias Europeas (1987)", *ob. cit.*, p. 12.

[114]   Sin duda el rasgo más característico y relevante del CEDH ha sido la instauración de un complejo mecanismo institucionalizado de garantía en el que, junto al mecanismo no jurisdiccional concretado en los informes que los Estados están obligados a suministrar, a requerimiento

cialmente como un órgano jurisdiccional facultativo, no permanente, la actuación del TEDH se articulaba de tal manera que se confería a la Comisión la competencia para estimar si las denuncias eran admisibles y, de serlo, de emitir un informe con su valoración sobre si existía o no violación del Convenio. De entender que así era, debía procederse a tratar de alcanzar un acuerdo amistoso. Solo en el caso de no conseguirlo, el asunto se remitía por la Comisión al Comité de Ministros del Consejo de Europa o al TEDH para una decisión definitiva[115].

Con objeto de mejorar su operatividad, agilizando su funcionamiento ante el notable aumento del número de demandas[116], y reforzando la eficacia de la protección de los derechos humanos y libertades públicas recogidas en el CEDH, se elabora el Protocolo nº 11 al CEDH relativo a la reestructuración del mecanismo de control establecido por el Convenio. Para ello el Protocolo procede a sustituir la Comisión, quedando a partir del 1 de noviembre de 1998 el TEDH como tribunal obligatorio, de carácter permanente y competente tanto para determinar la admisibilidad o no de los asuntos, como para entrar en el fondo de los mismos[117].

---

del Secretario General, sobre la manera de aplicación efectiva en el derecho interno de las disposiciones del Convenio, se establece un mecanismo jurisdiccional para asegurar el respeto de sus compromisos. CARRILLO SALCEDO, J.A.: "El proceso de internacionalización de los derechos humanos", *ob. cit.*, p. 60.

115   VAN ZYL SMIT, D., SNACKEN, S.: *Principios de derecho y política penitenciaria, ob. cit.*, p. 43. Más detenidamente sobre el sentido primigenio de la existencia de dos órganos y la distribución de atribuciones entre ambos, CARRILLO SALCEDO, J.A.: "El mecanismo de protección jurisdiccional de los derechos reconocidos en el Convenio Europeo de Derechos Humanos: ¿ha fracasado el Protocolo de enmienda nº 11?", *Revista española de Derecho europeo* nº 4, 2002, pp. 588 a 590.

116   Así lo señala PASTOR RIDRUEJO, J.A., aunque admite que tal reforma no ha impedido un retraso preocupante en la tramitación de los procedimientos contra algunos Estados y una no menos preocupante acumulación de asuntos: "Sesenta años del Consejo de Europa", *ob. cit.*, pp. 446 y 447. Precisamente para mejorar esa efectividad se adoptan posteriormente el Protocolo 14 con medidas como la creación de un nuevo criterio de inadmisión si el demandante no ha sufrido un perjuicio significativo (a no ser que el respeto a los derechos humanos exija un examen del fondo), la introducción de la figura del juez único para dictar decisiones de inadmisión en casos de demandas claramente inadmisibles, o la atribución a los comités de tres jueces la competencia para dictar sentencia en aquellos asuntos en los que exista jurisprudencia consolidada para hacer frente a las sentencias repetitivas; o el Protocolo 15 en el que se reduce de 6 a 4 meses el tiempo de presentación de la denuncia, desde la decisión interna definitiva.

117   Como pone de manifiesto SALADO OSUNA, A., este Protocolo pretendió instituir un TEDH con las siguientes características: único órgano de control, de carácter permanente, órgano judicial internacional, integrado por jueces electos que actúan a título individual, con competencia que se extiende a todo asunto relacionado con la interpretación y aplicación del Convenio, con jurisdicción obligatoria y frente al que están legitimados activamente ante él tanto los Estados Parte en el Convenio como los particulares bajo la jurisdicción de dichos Estados. "El Protoco-

En la actualidad, conforme al art. 19 del CEDH, el TEDH se crea para asegurar el respeto de los compromisos que resultan para las Altas partes contratantes del Convenio y sus Protocolos. Su jurisdicción, por tanto, se ejerce solo respecto a los Estados parte del Convenio. En la actualidad, es un tribunal internacional con jurisdicción en toda Europa[118].

Como veremos a continuación, seguramente es la, aunque tardía, nutrida jurisprudencia existente sobre esta materia del TEDH el mayor motor del Derecho penitenciario europeo. Precisamente en su desarrollo en los últimos años ha destacado por su trascendencia y amplitud del alcance un nuevo procedimiento, las denominadas sentencias piloto (*pilot judgments*)[119]. Se puede decir que a través de las mismas el TEDH supera el carácter individual propio de su forma de actuación, en la que se limita a constatar en la sentencia si se ha producido la vulneración de uno de los derechos contenidos en el Convenio, reconociendo así el derecho del demandante y, en su caso, determinando una satisfacción equitativa para la víctima. En cambio, en las sentencias piloto, el TEDH pretende responder a vulneraciones de derechos del Convenio que se producen no por una actuación individual, sino que derivan de un problema estructural y que, en consecuencia, dan lugar a demandas repetitivas, de tal forma que con este nuevo procedimiento también quiere el Tribunal responder al elevadísimo número de casos pendientes por resolver. La gran relevancia de esta técnica es doble: por un lado, porque identifica situaciones estructurales que suponen la vulneración sistémica de los derechos y libertades contenidos en el Convenio; por otro, porque en estas decisiones, el Tribunal impone a los Estados la obligación de abordar, y solventar, ese problema sistémico, lo que multiplica el alcance de su decisión. Para ello el Tribunal otorga un plazo al Estado condenado para que pueda abordar tal situación, aplazando los asuntos conexos pendientes durante un período de tiempo a condición de que adopte en un plazo rápido medidas para cumplir la sentencia.

De esta manera, este procedimiento permite no solo al Estado condenado, sino también al resto de los 47 Estados europeos que han ratificado la CEDH, resolver los problemas sistémicos que producen la vulneración de derechos denunciada, ofreciendo además una posibilidad de reparación más rápida, condicionada temporalmente, a las personas afectadas, que en tanto se trata de una

---

lo de enmienda nº 11 al Convenio Europeo de Derechos Humanos", *Revista de Instituciones europeas* vol. 21, 1994, p. 943.

[118] Salvo Bielorrusia y Kazajistán. LÓPEZ LORCA, B.: "Principios generales del Derecho penitenciario europeo", *ob. cit.*, pp. 426 y 427.

[119] Cuya técnica pasó a ser codificada en 2011 cuando se introducen en las Reglas del Tribunal (en concreto, en la regla 61).

situación estructural, no serán solo la persona o personas que denuncian, sino todos aquellos sometidos a una situación similar. Junto a ello, el propio Tribunal se ve directamente beneficiado puesto que este procedimiento le permite reducir el número de casos similares pendientes de resolución.

La primera sentencia piloto fue la adoptada por la Gran Sala en el asunto Broniowski vs Polonia, de 22 de junio de 2004, en relación con el derecho a la protección de la propiedad en el caso de las propiedades situadas más allá del río Bug[120], a la que siguieron nuevas sentencias sobre la vulneración sistémica del mismo[121] y otros derechos del convenio[122], también siendo utilizadas para responder a vulneraciones de derechos de origen estructural en el ámbito penitenciario, como en la privación del derecho al voto de los condenados[123], o, en un

---

[120]   En este caso, el Tribunal abordó la afección del derecho a la propiedad que sufrieron alrededor de 80.000 personas, a las que se privó del disfrute de sus posesiones, tras ser redibujadas las fronteras orientales de Polonia tras la II Guerra Mundial, que tuvieron que abandonar las propiedades situadas más allá del río Bug y que ahora ya se encontraban en territorio ucraniano, bielorruso o lituano, al no haber sido indemnizadas por tal pérdida, aunque así se había comprometido el gobierno polaco. En esta sentencia el TEDH instó al Estado a garantizar, a través de la adopción de medidas jurídicas y administrativas, la aplicación del derecho de propiedad a los demandantes o bien a proporcionarles una reparación equivalente.

[121]   Por ejemplo, STEDH de la Gran Sala, asunto Hutten-Czapska vs. Polonia, de 19 de junio de 2006; STEDH asunto Suljagic vs. Bosnia and Herzegovina, de 3 de noviembre de 2009; STEDH caso Maria Atanasiu y otros vs. Rumania, de 12 de octubre de 2010; STEDH asunto Manushage Puto y otros vs. Albania, de 31 de julio de 2012; STEDH MC y otros vs Italia, de 3 de septiembre de 2013; o STEDH de la Gran Sala asunto Alisic y otros vs. Bosnia y Herzegovina, Croacia, Macedonia, Serbia y Eslovenia, de 16 de julio de 2014.

[122]   Así, en relación a la falta de ejecución prolongada de decisiones judiciales y la ausencia de recursos internos, las STEDH asunto Burdov vs. Rusia, de 15 de enero de 2009; STEDH Olaru y otros vs. Moldavia, de 28 de julio de 2009; STEDH asunto Yuriy Nikolayevich Ivanov vs. Ucrania, de 15 de octubre de 2009; STEDH asunto Gerasimov y otros vs. Rusia, de 1 de julio de 2014. Y respecto a la excesiva duración de los procedimientos, STEDH asunto Rumpf vs. Alemania, de 2 de septiembre de 2010; STEDH asunto Athanasiou y otros vs. Grecia, de 21 de diciembre de 2010; STEDH asunto Dimitrov y Hamanov vs. Bulgaria y Finger vs. Bulgaria, de 10 de mayo de 2011; STEDH Ümmühan Kaplan vs Turquía, de 20 de marzo de 2012; STEDH asunto Michelioudakis vs. Grecia, de 3 de abril de 2012; o STEDH asunto Glykantzi vs. Grecia, de 30 de octubre de 2012.

[123]   Como la STEDH asunto Greens y M.T. vs. Reino Unido, de 23 de noviembre de 2010, en la que se refiere a la prohibición general del derecho al voto que de manera general el Reino Unido imponía a los condenados a prisión, no habiendo enmendado su legislación cinco años después de la STEDH Hirst vs. Reino Unido, de 6 de octubre de 2005. Sobre esta vulneración, el Tribunal había recibido 2.500 denuncias similares. En esta resolución, el TEDH aplaza el examen de todas las denuncias similares pendientes, dando al Gobierno del Reino Unido seis meses desde la sentencia para presentar propuestas legislativas encaminadas a armonizar la legislación electoral con el fallo del Tribunal en el asunto Hirst.

número muy elevado, ante el problema de la sobrepoblación carcelaria como una condición de detención inhumana o degradante[124].

En la sentencia piloto, el Tribunal determinará la naturaleza del problema estructural o sistémico u otra disfunción constatada así como el tipo de medidas correctoras que la parte contratante afectada debe adoptar a nivel nacional en virtud de las disposiciones operativas en la sentencia. Además podrá ordenar en la sentencia que esas medidas reparadoras se adopten en un plazo determinado, teniendo en cuenta su naturaleza y la rapidez con la que puede ser remediado el problema que se ha detectado. Asimismo, al adoptar una sentencia piloto, el tribunal podrá reservarse la cuestión de la satisfacción justa, total o parcial, en espera de la adopción por la parte demandada de las medidas individuales y generales que se hayan especificado en aquella. Como ya apuntamos, se prevé también que el Tribunal pueda aplazar el examen de todas las solicitudes similares hasta que se adopten las medidas correctoras exigidas[125]. No obstante, el tribunal podrá examinar en cualquier momento la solicitud aplazada cuando el interés de la justicia así lo exija. Salvo decisión en contrario, en caso de incumplimiento por el Estado de las disposiciones operativas de una sentencia piloto, el Tribunal reanudará el examen de las solicitudes aplazadas.

1.2.2. Derechos del Convenio más desarrollados por la jurisprudencia del TEDH en materia penitenciaria

En el análisis de la labor del TEDH en el desarrollo del derecho penitenciario europeo hay que tener en cuenta que su actuación, y en cierta medida su alcance, se encuentra determinada por la estructura misma del CEDH, que no trata especí-

---

[124] Como, entre muchas otras, la STEDH asunto Ananyev y otros vs. Rusia, de 10 de enero de 2012. El problema estructural que da base a esta sentencia piloto es la disfunción de un sistema penitenciario con condiciones inadecuadas de detención (como la falta de espacio en las celdas, escasez de lugares para dormir, acceso limitado a luz y aire fresco o falta de privacidad en las instalaciones sanitarias) que suponían una vulneración del art. 3 CEDH en tanto trato inhumano o degradante, así como del art. 13 (derecho a un recurso efectivo). El Tribunal ya había dictaminado desde 2002 para Rusia en más de 80 sentencias previas que se había producido tal vulneración, teniendo más de 250 causas todavía pendientes en ese país. En esta resolución el TEDH insta a establecer, en cooperación con el Comité de Ministros del Consejo de Europa y en un plazo de seis meses a partir de la sentencia, un plazo vinculante para la puesta en marcha de medidas preventivas y compensatorias en relación con las denuncias de violación del art. 3 CEDH, decidiendo en este caso, dado el carácter fundamental del derecho a no recibir un trato inhumano o degradante, no aplazar el examen de otras denuncias similares que estuvieran pendientes.

[125] En estos casos, se informará adecuadamente a los solicitantes interesados de tal decisión de aplazar la decisión, notificándoles, según proceda, todas las cuestiones que afecten a sus asuntos.

ficamente la cuestión carcelaria y que, en consecuencia, obliga al Tribunal a hacer un doble proceso: en primer lugar, la interpretación de los derechos fundamentales y libertades públicas recogidos con carácter general en el articulado del Convenio para, en segundo lugar, analizar su aplicación al ámbito penitenciario[126].

Ya desde el inicio de la andadura, en primer lugar de manera conjunta, de la Comisión Europea de Derechos Humanos y del TEDH, el tema penitenciario conformó una gran parte del trabajo de estos órganos, si bien su alcance inicial fue ciertamente limitado y ello por dos motivos: el primero, porque en un primer momento la mayoría de las denuncias fueron revisadas por la Comisión, que solo remitió unos pocos casos al Tribunal[127]. El segundo se refiere a las reticencias iniciales que impidieron que muchos de esos casos pasaran el umbral mismo de la Comisión alegando para ello la teoría de las limitaciones inherentes, entendiendo que la privación de libertad conllevaba de manera automática la pérdida de otros derechos y libertades[128].

El punto de inflexión llega bastantes años después, con la sentencia del TEDH en el asunto Golder vs. Reino Unido, de 21 de febrero de 1975, referido a la vulneración del derecho de acceso a los tribunales (art. 6 CEDH) y del derecho de correspondencia (art. 8 CEDH) ante la prohibición de comunicar con su abogado la intención de poner una denuncia por calumnias frente a un funcionario de prisiones, admitiendo en esta resolución el TEDH que los derechos de los internos solo podían ser limitados sobre las mismas bases que los derechos del resto de individuos a los que el Convenio se aplica y superando, en consecuencia, esa doctrina de las limitaciones inherentes. Pero aun con todo, se puede afirmar que hasta mediados de la década de los ochenta el CEDH no empezó a proteger de manera suficiente a la población reclusa en Europa, puesto que las resoluciones de la Comisión y del TEDH si bien aceptaban el reconocimiento de los aspectos formales, procesales, de los derechos de los reclusos[129], fueron mucho más

---

[126] VAN ZYL SMIT, D., y SNACKEN, S.: *Principios de derecho y política penitenciaria europea*, pp. 536.

[127] En concreto, los datos nos los dan VAN ZYL SMIT, D., y SNACKEN, S.: en los primeros 30 años de trabajo del TEDH, solo le fueron remitidos por parte de la Comisión 72 casos de los cuales alrededor de 15 estaban referidos a materia penitenciaria. *Principios de derecho y política penitenciaria europea, ob. cit.,* p. 43.

[128] *Ibidem*, pp. 43 y 44. Como señalan estos autores, estos primeros casos ponen de manifiesto tanto los puntos fuertes como las debilidades de aplicar un instrumento de derechos humanos que no estaba específicamente pensado para personas privadas de libertad e instituciones penitenciarias.

[129] Por ejemplo, en la STEDH sobre el asunto Silver y otros vs. Reino Unido, de 11 de octubre de 1980, sobre vulneración del derecho a la correspondencia al no reunir las restricciones los requisitos formales por no haber sido previstas de forma clara en la ley; o la STEDH en el asunto Campbell y Fell vs. Reino Unido de 28 de junio de 1984 que estableció los derechos de los in-

restrictivas inicialmente en asuntos sustantivos como en la evaluación de si las condiciones de privación de libertad podían llegar a constituir una vulneración del art. 3 CEDH por suponer un acto de tortura o un trato o pena inhumana o degradante[130].

La falta de interés tanto de la Comisión, pero también del TEDH, respecto a la cuestión penitenciaria fue tal que llegó a plantearse en 1990, como ya apuntamos, la elaboración de un Protocolo opcional al Convenio con el objeto de asegurar la protección jurídica vinculante de los internos en temas como el alojamiento, la asistencia médica, los aspectos disciplinarios o el derecho de asociación, llegándose a proponer un Protocolo sobre los derechos de los internos en 1994 por el Comité de Expertos para el desarrollo de los Derechos Humanos, que finalmente no vio la luz[131].

Sin embargo, con el cambio de siglo y coincidiendo temporalmente con la desaparición del Comité y la conformación como órgano único del TEDH, su jurisprudencia experimenta una importante evolución en la dirección de reforzar la protección de los derechos de los internos, particularmente con la adopción de un concepto menos restrictivo de lo que podía ser conceptuado como tortura y trato inhumano o degradante conforme al art. 3 CEDH; por ejemplo, admitiendo que la situación de sobrepoblación podía, por sí sola y aun con la inexistencia de voluntad de humillar al interno por parte de los responsables de la prisión, constituir un trato inhumano o degradante que vulnerara aquel derecho[132]; o también desarrollando otros preceptos en su aplicación al tema penitenciario como el derecho a la vida familiar del art. 8 CEDH[133]. Asimismo, es en la jurisprudencia de estos años cuando el TEDH comienza a incorporar de manera creciente las observaciones del CPT en la fundamentación de sus sentencias. A partir de este

---

ternos a la representación por abogado cuando fueran juzgados por infracciones disciplinarias que pudieran suponer la pérdida de beneficios penitenciarios y, con ello, una mayor estancia en prisión.

130   VAN ZYL SMIT, D. y SNACKEN, S.: *Principios de Derecho y Política penitenciaria europea*, pp. 44 a 46.

131   *Ibidem*, pp. 47 y 72.

132   Así lo entiende, por ejemplo, en la STEDH por el asunto Peers vs. Grecia, de 19 de abril de 2001 o STEDH asunto Kalashnikov vs. Rusia, de 15 de julio de 2002. De manera paralela, el TEDH también adoptó una posición menos estricta a la hora de aceptar la conceptuación de tortura en el ámbito penitenciario, en resoluciones como la STEDH asunto Aksoy vs. Turquía, de 28 de diciembre de 1996 —por someter a un interno a un tratamiento de especial dureza—; la STEDH asunto Aydin vs. Turquía, de 25 de septiembre de 1997 —por la violación de un detenido por un funcionario; la STEDH de la Gran Sala por asunto Ilascu y otros vs. Moldavia y Rusia de 8 de julio de 2004— por las condiciones y el trato especial duro a un condenado a muerte.

133   Por ejemplo, con la STEDH asunto Messina vs. Italia, de 28 de septiembre de 2000, en un caso de régimen penitenciario que impedía en la práctica las visitas familiares.

momento la jurisprudencia del TEDH comienza a desempeñar un papel proactivo en la delimitación del derecho penitenciario europeo[134].

Si bien las personas privadas de libertad son titulares de todos los derechos humanos reconocidos por el CEDH, y por ello prácticamente todas sus disposiciones les resultan de aplicación, dos son los ámbitos sobre los que el TEDH ha tenido que intervenir de una manera más intensa ante las demandas individuales de los internos y que son precisamente los que acabamos de referir: la vulneración del art. 3 CEDH referida a la prohibición de torturas y tratos o penas inhumanas o degradantes y la vulneración del art. 8 CEDH, referida al derecho al respeto a la vida privada, vida familiar, domicilio y correspondencia[135].

En cuanto a la prohibición de torturas y tratos y penas inhumanos y degradantes (art. 3 CEDH), son varios los asuntos que han llevado a pronunciarse al Tribunal en relación a su posible vulneración en situaciones de detención. Es el caso por ejemplo del maltrato por parte de personal penitenciario[136], la no adopción de medidas que evitaran o investigaran situaciones de maltrato por los compañeros de celda[137] o la falta de investigación ante su denuncia[138], las deficitarias condiciones higiénicas de privación de libertad[139]; el castigo a

---

[134]   VAN ZYL SMIT, D. y SNACKEN, S.: *Principios de Derecho y Política penitenciaria europea, ob. cit.*, pp. 73 y 74.

[135]   El análisis de esta jurisprudencia y su desarrollo y extensión al ámbito penitenciario de los derechos del CEDH requerirían un estudio exhaustivo que excede este trabajo. Para ello, pueden consultarse más detenidamente trabajos como: VAN ZYL SMIT, D., SNACKEN, S.: *Principios de Derecho y política penitenciaria europea, ob. cit.*, pp. 205 y ss.; LEZERTÚA RODRÍGUEZ, M.: "Los derechos de los reclusos en virtud del Convenio Europeo de Derechos Humanos", *ob. cit.*, pp. 136 y ss.; RIVERA BEIRAS, I.: *La cuestión carcelaria, ob. cit.*, pp. 190 y ss.; o LÓPEZ LORCA, B.: "Principios generales del Derecho penitenciario europeo", *ob. cit.*, p. 427 y ss.

[136]   Por ejemplo, STEDH Tali vs. Estonia, de 13 de febrero de 2014.

[137]   Por ejemplo, SSTEDH asunto Premininy vs. Rusia, de 10 de febrero de 2011; Stasi vs. Francia, de 20 de octubre de 2011; Yuriv Illarionovich Shchokin vs. Ucrania, de 3 de octubre de 2013; o D.F. vs. Letonia, de 29 de octubre de 2013.

[138]   STEDH Filip vs. Rumanía, de 14 de diciembre de 2006.

[139]   En sentencias como STEDH asunto Peer vs. Grecia, de 19 de abril de 2001, referido al encarcelamiento durante 24 horas confinado en una celda, sin ventilación y sin ventana, con uso del baño en presencia de otros internos. En la misma línea, SSTEDH asunto Modarca vs. Moldavia, de 10 de mayo de 2007; asunto Florea vs. Rumanía, de 14 de septiembre de 2010; asunto Ananyev y otros vs. Rusia, de 10 de enero de 2012 (sentencia piloto); asunto Payet vs. Francia, de 20 de enero de 2011; asunto Canali vs. Francia, de 25 de abril de 2013; asunto Pavalache vs. Rumanía, de 18 de octubre de 2011, asunto Varga y otros vs. Hungría, de 10 de marzo de 2015 (sentencia piloto); asunto Neshkov y otros vs. Bulgaria, de 27 de enero de 2015 (sentencia piloto). También existen condenas cuando la higiene es la excusa para la adopción de medidas que esconden la humillación, como el afeitado de cabezas: por ejemplo, STEDH asunto Yankov vs. Bulgaria, de 28 de marzo de 2006.

través de la privación de la alimentación[140]; la falta de espacio mínimo[141], la no atención ante necesidades especiales de alojamiento[142]; de los registros corporales con desnudo integral[143], el aislamiento celular[144], el uso de la fuerza[145], la asistencia sanitaria deficiente[146]; la realización de traslados de prisiones de

---

[140] STEDH asunto Ilascu y otros vs. Moldavia y Rusia, de 8 de julio de 2004.

[141] SSTEDH asunto Dougoz vs. Grecia, de 6 de marzo de 2001 o asunto Peer vs. Grecia de 19 de abril de 2001, asunto Kalashnikov vs. Rusia, de 15 de julio de 2002; caso Mamedova vs. Rusia, de 2 de junio de 2006; asunto Labzov vs. Rusia, de 16 de junio de 2005; asunto Novoselov vs. Rusia de 2 de junio de 2005; asunto Mayzit vs. Rusia, de 20 de enero de 2005; asunto Dvoynykh vs. Ucrania, de 12 de octubre de 2006, asunto Trepashkin vs. Rusia, de 19 de julio de 2007; asunto Lid vs. Rusia, de 6 de diciembre de 2007; asunto Dorokhov vs. Rusia, de 14 de febrero de 2008,...

[142] Como en el caso de la STEDH asunto Papon vs. Francia, de 7 de junio de 2001 respecto a las necesidades de un recluso de 90 años; o STEDH asunto Price vs. Reino Unido de 10 de julio de 2001, respecto a una mujer tetrapléjica.

[143] Por ejemplo, SSTEDH asunto Valasinas vs. Lituania, de 24 de julio de 2001, respecto a un registro, tras la realización de una visita de un pariente, en el que se obliga al interno a desnudarse en presencia de una funcionaria de prisiones, se le ordena ponerse de cuclillas y se examina por funcionarios, sin guantes, sus órganos sexuales y la comida que había recibido del familiar; También, en asuntos como Iwanczu vs. Polonia, de 15 de noviembre de 2001; Frérot vs. Francia, de 12 de junio de 2007; o El Shennawy vs. Francia, de 20 de enero de 2011.

[144] SSTEDH asunto Ilascu y otros vs. Moldavia y Rusia, de la Gran Sala, de 8 de julio de 2004; asunto Piechowicz vs. Polonia y Horych vs. Polonia, de 17 de abril de 2012; asunto X vs. Turquía, de 9 de octubre de 2012; STEDH asunto Rohde vs. Dinamarca de 21 de julio de 2005; STEDH asunto Mathew vs Países Bajos, de 29 de septiembre de 2005; o asunto Öcalan vs. Turquía (nº 2), de 18 de marzo de 2014.

[145] Sobre el uso de armas y la necesidad de la proporcionalidad y necesariedad: STEDH asunto Dedovskiy y otros vs. Rusia, de 15 de mayo de 2008 o Nachova y otros vs. Bulgaria, de la Gran Sala de 6 de julio de 2005. También exigiendo la proporcionalidad de la utilización de otros medios coercitivos, SSTEDH asunto Raninen vs. Finlandia, de 16 de diciembre de 1997; asunto Mouisel vs. Francia, de 14 de noviembre de 2002; asunto Mathew vs. Holanda, de 29 de septiembre de 2005; o asunto Kuckeruk vs. Ucrania de 6 de septiembre de 2007.

[146] Sobre la falta de tratamiento adecuado a un paciente con alteraciones psíquicas, SSTEDH asunto Rupa vs Rumanía, de 16 de diciembre de 2008; asunto Dybeku vs. Albania, de 18 de diciembre de 2007; o asunto Raffray Taddei vs. Francia de 21 de diciembre de 2010. Ante una enfermedad muy grave: como el Sida, STEDH asunto Khudobin vs. Rusia, de 26 de noviembre de 2006 o la leucemia, STEDH asunto Mouisel vs. Francia, de 14 de noviembre de 2002. Sobre la falta de asistencia sanitaria adecuada que deriva en muerte: STEDH asunto McGlinchey y otros vs. Reino Unido, de 29 de abril de 2003. O sobre la falta de atención y seguimiento en casos que derivan en suicidio en prisión o el no sometimiento a una asistencia psiquiátrica adecuada ante tal riesgo: SSTEDH asunto Keenan vs. Reino Unido, de 3 de abril de 2001; asunto Rivière vs. Francia de 11 de julio de 2006; o asunto Renolde vs. Francia, de 16 de octubre de 2008. Sobre la necesidad de no prolongar la detención de un interno con serios problemas de salud: SSTEDH asunto Mouisel vs. Francia de 14 de noviembre de 2002; o asunto Papon vs. Francia, de 7 de junio de 2001. Sobre el trato dado a una persona con discapacidad: SSTEDH asunto Price vs. Reino Unido, de 19 de julio de 2001; asunto Kudla vs. Polonia, de 28 de octubre de 2000; asunto Melnik vs. Ucrania, de 28 de marzo de

manera repetida[147]; o la alimentación forzada y la intervención médica obligatoria[148] así como la jurisprudencia relativa a diversas cuestiones como la pena de muerte[149].

Más recientemente, y en el marco del desarrollo de este derecho, el TEDH ha desarrollado su jurisprudencia respecto a las condiciones de cumplimiento en situación de sobrepoblación carcelaria[150] o en la ejecución de penas a perpetuidad[151].

2006; asunto Nevmerzhistsky contra Ucrania de 7 de abril de 2005; o asunto Kucheruz vs. Ucrania, de 6 de septiembre de 2007. O sobre la innecesariedad de adopción de medidas de protección y seguridad desproporcionadas que entorpezcan el tratamiento: SSTEDH asunto Hénaf vs. Francia, de 27 de noviembre de 2003; asunto Mouisel vs. Francia, de 14 de noviembre de 2002; o asunto Tarariyeva contra Rusia, de 14 de diciembre de 2006.

[147]   Junto con la adopción de otras medidas regimentales como la clasificación como recluso de máxima seguridad, el aislamiento en solitario o el establecimiento de condiciones de cumplimiento más deficitarias; así por ejemplo STEDH asunto Khider vs. Francia, de 9 de julio de 2009.

[148]   STEDH Nevmerzhitsky vs. Ucrania, de 5 de abril de 2005, cuando por ejemplo, como en este supuesto, la alimentación forzosa no se ha demostrado como médicamente necesaria y es arbitraria; o asunto Jalloh vs. Alemania, de la Gran Sala, de 11 de julio de 2006, ante la administración de un medicamento para vomitar con el fin de que el interno expulsara las bolsas de droga, siendo un método que ya había producido muertes y pudiendo haber esperado el curso natural.

[149]   Ya respecto a la consideración de tal pena como contraria al art. 3 CEDH: SSTEDH, asunto Soering vs. Reino Unido de 7 de julio de 1989; u Öcalan vs. Turquía, de 12 de mayo de 2005; ya respecto a la inconveniencia de la extradición o expulsión en países de origen donde existía el riesgo de ser condenado a ello: SSTEDH asunto Babar Ahmad y otros vs. Reino Unido de 8 de julio de 2010; o asunto Jarabi vs. Turquía de 11 de octubre de 2000.

[150]   STEDH asunto Kalashnikov v. Rusia, de 15 de julio de 2002, por las condiciones de detención, sufridas durante 5 años, en las que se situaba a 24 internos en una celda de 17 metros cuadrados, obligándole a ser fumador pasivo, sin posibilidad de dormir, con luz y televisión encendida durante 24 horas al día, con la celda infestada de cucarachas y hormigas, que llevó a su contagio de varias enfermedades de piel e infecciones de hongos, perdiendo varias uñas de pies y manos; También SSTEDH asunto Mandic y Jovic vs. Eslovenia y asunto Strucl y otros vs. Eslovenia, de 20 de octubre de 2011; asunto Iacov Stanciu vs. Rumanía, de 24 de julio de 2012; asunto Torreggiani y otros vs. Italia, de 8 de enero de 2013 (sentencia piloto); o asunto Rezmives y otros vs. Rumanía, de 25 de abril de 2017 (sentencia piloto). MÁS DETENIDAMENTE véase RODRÍGUEZ YAGÜE, C.: "Un análisis de las estrategias contra la sobrepoblación penitenciaria en España a la luz de los estándares europeos", *ob. cit.*, pp. 11 y ss.

[151]   Partiendo de que una condena, sin posibilidad real de excarcelación, puede suponer una vulneración del art. 3 CEDH. Fundamentales son las SSTEDH en los asuntos Kafkaris vs. Chipre, de 12 de febrero de 2008, Vinter vs. Reino Unido, de la Gran Sala, de 9 de julio de 2003 y Hutchinson vs. Reino Unido de la Gran Sala de 17 de enero de 2017. Más detenidamente sobre la jurisprudencia del TEDH en cuanto a la pena de cadena perpetua y a su ejecución véanse los trabajos: VAN ZYL SMIT, D.: "Un acercamiento a la jurisprudencia del Tribunal Europeo de Derechos Humanos sobre la cadena perpetua y a su posible proyección sobre la

En desarrollo del derecho a la vida privada, la vida familiar y al secreto de la correspondencia del art. 8 CEDH[152], el Tribunal ha tenido que pronunciarse, en primer lugar, sobre situaciones referidas al derecho a comunicar por escrito con los abogados sin interferencias[153], así como con familiares y amigos e incluso extraños[154]; o sobre la posibilidad de su intervención[155]. En cuanto al derecho a la vida familiar, el Tribunal ha abordado cuestiones como el derecho a contraer matrimonio[156]; a fundar una familia[157]; a las visitas familiares[158]; a su restricción solamente bajo circunstancias justificadas y no arbitrarias[159]; al disfrute de permisos por motivos humanitarios[160], o al cumplimiento en un establecimiento penitenciario próximo al lugar de residencia familiar[161]. Y, en tercer lugar, también desde este artículo se ha

prisión permanente revisable en España". *Revista General de Derecho Penal* nº 31, 2019, pp. 1 y ss; y RODRÍGUEZ YAGÜE, C.: "Estándares europeos sobre la cadena perpetua y su ejecución", *ob. cit.*, pp. 8 y ss.

[152] Partiendo de que la ausencia de contacto con el mundo exterior puede ser un trato inhumano o degradante —o incluso tortura, por lo que los casos más graves supondrán una vulneración del art. 3 CEDH— STEDH asunto Ilascu y otros vs. Moldavia y Rusia, de 8 de julio de 2004. Los casos menos graves se entienden como vulneración del art. 8.1 CEDH.

[153] En relación con artículos 6 y 8 CEDH: STEDH asunto Golder vs. Reino Unido, de 21 de febrero de 1975; Silver y otros vs. Reino Unido, de 25 de marzo de 1983; o asunto Cambell vs. Reino Unido, de 25 de marzo de 1992.

[154] SSTEDH asunto Messina contra Italia nº 2, de 28 de septiembre de 2000; asunto Silver y otros vs. Reino Unido, de 25 de marzo de 1983; o asunto Cambell y Fell vs. Reino Unido, de 28 de junio de 1984.

[155] SSTEDH asunto Silver y otros vs. Reino Unido, de 25 de marzo de 1983; asunto Labita vs. Italia, de la Gran Sala, de 6 de abril de 2000; asunto Frerot vs. Italia, de 6 de abril de 2000; asunto Dankevich vs. Ucrania, de 29 de abril de 2003; o asunto Pisk-Piskowski vs. Polonia, de 14 de junio de 2005.

[156] Decisión de la Comisión Europea en asunto Hamer vs. el Reino Unido de 13 de diciembre de 1979.

[157] STEDH asunto Dickson vs. Reino Unido, de la Gran Sala, de 4 de diciembre de 2007.

[158] STEDH asunto Ostrovar vs. Moldavia de 13 de septiembre de 2005.

[159] STEDH asunto Nowcka vs. Polonia, 3 de febrero de 2002. Ha admitido la prohibición absoluta solo en circunstancias excepcionales: STEDH asunto Lavents vs. Letonia, de 28 de noviembre de 2002; y extendiendo la posibilidad también a los presos de alta seguridad: SSTEDH asunto Messina vs. Italia nº 2, 28 de septiembre de 2000; o asunto Van der Ven vs. Holanda de 4 de febrero de 2003.

[160] STEDH asunto Ploski contra Polonia, de 12 de noviembre de 2002 o asunto Kind contra Rusia, de 6 de diciembre de 2007.

[161] Reconociendo solo vulneración del art. 8.1 CEDH cuando una persona permanece detenida en una prisión alejada de su familia hasta el punto de imposibilitarle en la práctica recibir visitas: SSTEDH asunto Vintman vs. Ucrania, de 23 de octubre de 2014; asunto Khodorkovskiy y Lebedev vs. Rusia, de 25 de julio de 2013; asunto Rodzevillo vs. Ucrania, de 14 de enero de 2016; no así en las recientes SSTEDH Urko Labaca Larrea vs. Francia, de 7 de febrero de 2017, y Fraile Iturralde vs. España, de 7 de mayo de 2019, ambas a partir de denuncias interpuestas por terroristas de ETA.

analizado la violación del derecho a la vida privada a través de medidas como los cacheos integrales a familiares que van a visitar al interno[162].

1.2.3. *El alcance de las sentencias del TEDH y su labor en la construcción del derecho penitenciario europeo*

Indudablemente, la jurisprudencia del TEDH ha contribuido a conformar el orden público europeo en materia de derechos humanos[163]. En concreto, en el ámbito penitenciario se ha afirmado que la jurisprudencia del TEDH es la fuente más importante para el desarrollo de los principios generales de Derecho penitenciario europeo[164]. Y ello es así por dos razones: porque suponen el desarrollo y traslación al ámbito penitenciario de los derechos humanos reconocidos por el CEDH y porque, frente a lo que ocurre con los estándares del Comité de Ministros y del CPT, sus sentencias son vinculantes.

En cuanto a la primera cuestión, es el TEDH el órgano a quien corresponde la interpretación y aplicación del Convenio y quien, a lo largo de su abundante y rica jurisprudencia, ha sido el responsable del establecimiento de los estándares en materia de derechos fundamentales que se han convertido en el parámetro de control de convencionalidad de la actividad de los poderes públicos en los últimos sesenta años[165]. En el ámbito de ejecución, esta labor la ha hecho, particularmente en su segunda etapa, partiendo de la premisa, no escrita en el CEDH pero sí presente en el espíritu que da origen a las RPE ya en su primera versión, de que las personas condenadas mantienen los mismos derechos, salvo las restricciones derivadas de la condena.

En segundo lugar, la gran ventaja que presenta el TEDH y lo convierte en motor del derecho penitenciario europeo tiene que ver con su carácter vinculante, en relación con la amplitud del territorio sobre el que tiene capacidad decisoria

---

162   STEDH asunto Wainwright vs. Reino Unido, de 26 de septiembre de 2006.

163   PASTOR RIDRUEJO, J.A.: "Setenta años del Consejo de Europa", *ob. cit.*, p. 448.

164   VAN ZYL SMIT, D., SNACKEN, S.: *Principios de derecho y política penitenciaria europea, ob. cit.*, p. 535.

165   QUERALT JIMÉNEZ, A.: "La recepción constitucional del Estándar europeo sobre garantías en el proceso penal", *Garantías constitucionales y Derecho penal europeo*. Mir Puig, S., Corcoy Bisasolo, M. (dirs). Marcial Pons, Madrid, 2012, p. 226. Ello responde, como señala esta autora, a esa doble función que tiene el TEDH: la función jurisprudencial, de desarrollo del Convenio, fijando el alcance y contenido de los derechos en él incluidos, y la función armonizadora de los sistemas de garantías existentes en Europa, a través del establecimiento de un parámetro de mínimos y reglas interpretativas de resolución de conflictos aceptada por todos. "Crónica de una ejecución anunciada: la efectividad de la STEDH del Río Prada vs. España", *La tutela multinivel del principio de legalidad penal*. Pérez Manzano, M., Lascuraín Sánchez, J.A. (Dirs). Marcial Pons, Madrid, 2016, pp. 356 y 357.

en la interpretación de los derechos humanos y libertades públicas del Convenio. Todos los Estados europeos han ratificado el CEDH por lo que están obligados a su respeto y vinculados, en consecuencia, a las decisiones del TEDH.

No obstante, en esta labor de generador del desarrollo del Derecho penitenciario europeo, el TEDH también se encuentra ciertas limitaciones. Respecto a la materia que nos ocupa, existen ciertas limitaciones del TEDH en el traslado al ámbito penitenciario de la interpretación de los derechos fundamentales y libertades públicas, en concreto, en la evaluación de la actuación del Estado respecto al demandante en cuanto al reconocimiento de aquellos derechos y libertades que la propia CEDH admite que pueden ser limitados[166]. Es precisamente en la interpretación de estos donde el TEDH ha reconocido la existencia de un "cierto margen de apreciación" por parte de los Estados que, en cierta medida, va a determinar la decisión del Tribunal hasta el punto de justificar su no intervención en materia penitenciaria[167]. Así lo ha desarrollado para dos tipos de supuestos. En primer lugar, el más utilizado ha sido en una aplicación de carácter sustantivo, en la resolución de aquellas cuestiones que ha entendido que serían solventadas de mejor manera por los órganos nacionales. Es el caso, por ejemplo, de los supuestos en los que al Estado le corresponde evaluar los motivos que se permiten en la restricción de un determinado derecho, por ejemplo a las visitas familiares, en los que se le reconoce a aquel cierto margen de apreciación, siempre y cuando sea proporcional, aunque haya adoptado una decisión que no sea similar a la que habría escogido el TEDH[168].

En segundo lugar, lo ha desarrollado en una aplicación estructural, cuando ha entendido que no debía revocar la decisión adoptada por el Estado por no existir consenso o una posición predominante sobre la cuestión objeto de litigio en los distintos Estados del CEDH, sino, más bien al contrario, al existir una práctica divergente en estos; ha sido el caso, por ejemplo, de la denegación de visitas conyugales, admitidas en unos países pero prohibidas por cuestiones de seguridad en otros y respecto a las cuales el TEDH no ha entrado a analizar si su prohibición se trata de una intervención proporcionada del Estado en la

---

[166] En concreto, el derecho al respeto a la vida privada y familiar (at. 8), la libertad de pensamiento, de conciencia y de religión (art. 9), la libertad de expresión (art. 10) y la libertad de reunión y de asociación (art. 11) y el derecho de sufragio (art. 3 del Protocolo 1 al CEDH).

[167] Siguiendo a VAN ZYL SMIT, D. y SNACKEN, S.: *Principios de derecho y política penitenciaria, ob. cit.,* pp. 536 a 539.

[168] Aun con ello señalan estos autores que la intervención del TEDH en estos casos sigue siendo importante tanto porque revisa la decisión del tribunal nacional, para analizar la ponderación de proporcionalidad realizada por estos y ver si corresponde a la que realizaría el Tribunal, como porque obliga a las autoridades nacionales a concretar las razones que demuestran que la limitación de derechos no ha sido innecesaria. *Ibidem.,* p. 538.

ponderación del derecho con las necesidades de seguridad interna o con otros elementos como la duración de la condena, limitándose a señalar su conveniencia y a admitir que negarlas es una restricción de derechos de los internos casados. En estos casos la utilización del margen de apreciación que el TEDH concede a los Estados puede inhibir el desarrollo del derecho penitenciario europeo ante situaciones respecto a las que, por otro lado, sí existe una política penitenciaria europea desarrollada por el CPT[169].

1.3. El Comité europeo para la prevención de la tortura y las penas o tratos inhumanos o degradantes

1.3.1. Sobre sus orígenes, composición y modus operandi y su creciente ámbito de actuación

El tercer pilar a través del cual el Consejo de Europa ha desarrollado su *soft law* penitenciario es el Comité Europeo para la Prevención de la Tortura y las Penas o Tratos Inhumanos o Degradantes.

El CPT es creado por el Convenio Europeo para la Prevención de la Tortura y de las Penas o Tratos Inhumanos o Degradantes, adoptado por el Comité de Ministros el 26 de junio de 1987. Este Convenio surge tras la constatación de que, a pesar de la plasmación en la Declaración Universal de Derechos Humanos de 1948 de la prohibición de la tortura y de los tratos o penas inhumanos o degradantes, la práctica de la tortura continuaba existiendo en numerosos países del mundo, no existiendo mecanismos de inspección que sirvieran para presionar a los Estados para cumplir su obligación de prevenirla[170]. Junto a ello concurrió la necesidad de creación de un mecanismo alternativo para la protección frente a la tortura y tratos humanos y degradantes de las personas privadas de su libertad, que no quedaba garantizada por la interpretación tan restringida que, en ese momento, tenía el TEDH de estos términos[171].

---

[169] Así lo afirman VAN ZYL SMIT, D. y SNACKEN, S., si bien matizan que el TEDH no se ha negado a intervenir en el ámbito penitenciario aun cuando no exista consenso en los países europeos, en casos en los que entiende que el asunto lesiona un derecho vitalmente importante para el CEDH (en referencia a la STEDH por el asunto Hirts vs. Reino Unido de la Gran Sala, de 6 de octubre de 2005). *Ibidem*, p. 539.

[170] MORGAN, R.: "The European Committee for the Prevention of Torture and Inhuman or Degrading Treatment or Punishment", *Imprisonment Today and Tomorrow*. Van Zyl Smit, D., Dünkel, F. (eds). Kluwer Law International, La Hague, 2001, p. 718.

[171] VAN ZYL SMIT, D., SNACKEN, S.: *Principios de derecho y política penitenciaria europea*, ob. cit., p. 45.

Si bien inicialmente se pretendía su diseño bajo el auspicio de Naciones Unidas, el riesgo de que un instrumento de esta naturaleza preventiva no encontrase aceptación de manera general y que provocara la dilación en la adopción del Convenio contra la Tortura de Naciones Unidas que finalmente se adoptó en 1984, provocó que estos esfuerzos se localizasen en Europa, en el seno del Consejo de Europa, donde a partir de la Recomendación de la Asamblea Parlamentaria de 1984, el Comité de Expertos para el desarrollo de Derechos Humanos empezó a trabajar en el texto que finalmente vio la luz en 1987[172].

Frente a otros tratados y convenios de Derechos humanos, que normalmente recogen un cuerpo de normas, la singularidad del Convenio Europeo para la Prevención de la Tortura se concreta en la configuración de un mecanismo que pretende examinar el tratamiento de las personas privadas de su libertad, con el fin de reforzar, si fuera necesario, la protección de estas personas frente a la tortura y tratos o penas inhumanos o degradantes[173]. De ahí que su artículo 1 se destine a la creación del CPT: "Se crea un Comité Europeo para la Prevención de la Tortura y de las Penas o Tratos Inhumanos o Degradantes. Por medio de visitas, este Comité examinará el trato dado a las personas privadas de libertad para reforzar, llegado el caso, su protección contra la tortura y las penas o tratos inhumanos o degradantes"; dedicando el resto del articulado a regular su composición, ámbito de actuación y procedimiento.

En cuanto a sus competencias, tal y como la propia denominación del Comité indica y el texto del Convenio corrobora, el CPT surge con la finalidad de prevenir la tortura y los tratos o penas inhumanos o degradantes en ámbitos de privación de libertad. No obstante, debido a que afortunadamente las condiciones de privación de libertad en Europa —salvo excepciones— raramente pueden ser consideradas como tortura, el trabajo del CPT se ha centrado en lo que se constituye como condiciones aceptables en la custodia de las personas privadas de libertad[174]. Como señala su artículo 2, las visitas a través de las cuales se lleva a cabo la función preventiva del Comité se realizarán "a todo lugar bajo su jurisdicción donde haya personas privadas de la libertad por una autoridad pública".

---

[172]   Más detenidamente sobre los orígenes de esta Convención, EVANS, M., MORGAN, R.: *Preventing torture. A study of the European Convention for the Prevention of Torture and Inhuman or Degrading Treatment or Punishment.* Oxford University Press, New York, 1998, pp. 106 a 141; y MORENILLA RODRÍGUEZ, J.M.: "El Convenio Europeo para la Prevención de la Tortura y de las Penas o Tratos Inhumanos o Degradantes", *Boletín de Información del Ministerio de Justicia* nº 1511, 1988, pp. 5347 y ss.

[173]   MORGAN, R., EVANS, M.: *Protecting Prisoners. The Standards of the European Committee for the Prevention of Torture in Context.* Oxford University Press, 1999, p. 4.

[174]   MORGAN, R., EVANS, M.: "Inspecting prisons. The view from Strasbourg". *British Journal Criminology* 141, 1994, p. 141.

Sin duda una de las mayores fortalezas del Comité deviene de su propia configuración[175]. En efecto, su composición multidisciplinar, en tanto integra miembros con diferente formación y sensibilidad (de ámbitos tan diferentes como la medicina, psiquiatría, derecho, o también parlamentarios, responsables penitenciarios o expertos en derechos humanos) le permite proceder a realizar un análisis más global de las situaciones de privación de libertad que incorpore todas esas diferentes perspectivas, atendiendo a todos los aspectos que se entremezclan en la privación de libertad y en las que puede generarse el riesgo de sufrir tratos inhumanos o degradantes[176].

La actuación del CPT se construye sobre el principio de cooperación entre el Comité y los Estados parte del Convenio (art. 3). Su forma de trabajo se articula, en primer lugar, a partir de la realización de visitas *in situ* a los lugares de privación de libertad de los distintos países firmantes del Convenio. En este sentido, se pretendió trasladar el trabajo del Comité internacional de la Cruz Roja, pionero en la protección de las personas detenidas a través del establecimiento de visitas de un grupo de expertos imparciales de las personas detenidas[177]. Si bien se prevé que estas visitas serán periódicas, el Convenio contempla la posibilidad de que el Comité organice cualquier visita que, a su juicio, exijan las circunstancias (art. 7). Estas visitas *ad hoc* las realiza el Comité cuando entiende que es necesario el seguimiento de alguna de las recomendaciones que formuló tras sus visitas periódicas, la atención de alguna situación particular detectada en esas visitas o por otro cauce o bien para comprobar el estado de los privados de libertad ante condiciones que ya habían sido denunciadas con anterioridad[178]. Asimismo, en tercer lugar, dentro de sus funciones de seguimiento se encuentra la de observar la situación de las personas condenadas por tribunales internacionales. Así lo ha hecho con la monitorización de los condenados por el Tribunal Penal Internacional para la Ex Yugoslavia, que parte de un compromiso entre el Consejo de Europa y el Tribunal, fechado en noviembre de 2000[179]. Por regla general, las visitas son

---

[175]   Más detenidamente, MORGAN, R., EVANS, M.: "The European Torture Committee: Membership Issues", *European Journal of International Law* vol. 5, 1994, pp. 249 y ss.

[176]   VAN ZYL SMIT, D., SNACKEN, S.: *Principios de derecho y política penitenciaria europea, ob. cit.*, pp. 52 y 542.

[177]   MURDOCH, J.: *The treatment of prisoners. European Standars, ob. cit.*, p. 39.

[178]   Como señala el Informe que acompaña a la Convención en cuanto a las visitas *ad hoc*, el Comité tiene la facultad discrecional de determinar tanto el momento en que considere necesario realizar una visita como los elementos en los que fundamente la decisión. En este sentido, y aunque no incumbe al Comité investigar las quejas individuales (competencia del TEDH), debe poder evaluar libremente las comunicaciones de personas o de grupos y decidir si debe ejercer sus funciones respecto a tales comunicaciones (parágrafo 49).

[179]   21 Informe General de las actividades del Comité (2010-2011) CPT/Inf (2011), 28.

efectuadas por al menos dos miembros del Comité, que, en su caso, pueden recabar la asistencia de expertos e intérpretes[180].

Los Estados parte están obligados a dar al Comité las facilidades necesarias para que este pueda cumplir sus funciones (art. 8). Así, una vez que el Comité notifica al Gobierno de la Parte interesada su propósito de efectuar la visita, está facultado para visitar, en cualquier momento, todo lugar bajo la jurisdicción del Estado donde haya personas privadas de la libertad por una autoridad pública. Para posibilitar la labor del Comité, los Estados parte deben permitir el acceso a su territorio y que puedan desplazarse por él sin ningún tipo de restricción. Esa libertad de movimientos se refiere tanto en su vertiente "exterior", en el sentido de poder desplazarse a su voluntad a cualquier lugar donde haya personas privadas de libertad, como en la "interior", teniendo el derecho a moverse sin trabas en el interior de estos lugares. El Estado visitado deberá, en segundo lugar, proporcional cualquier dato sobre los lugares en que se encuentren personas privadas de libertad o cualquier otra información de que disponga y que el Comité necesite para cumplir su función. Asimismo, y como importante garantía de su independencia, el Convenio establece que el Comité podrá entrevistarse sin testigos con las personas privadas de libertad. Además, puede ponerse en contacto libremente con cualquier persona que, a su juicio, pueda proporcionarle datos útiles[181]. Esa libertad e independencia de los miembros del Comité, así como de los asesores o expertos que los acompañen, se refuerza con el blindaje que establece el Anexo del Convenio en materia de privilegios e inmunidades[182].

---

[180] A título excepcional, el Comité puede estar representado únicamente por un miembro, por ejemplo, en las visitas *ad hoc* y de carácter urgente, cuando solo esté disponible uno de sus miembros. Informe que acompaña al Convenio, parágrafo 50.

[181] Pensando los redactores del Convenio en las familias, los abogados, médicos y enfermeros de las personas privadas de libertad. En todo caso no puede obligarse a ningún particular a ponerse en contacto con el Comité. En la realización de todas las entrevistas el Comité puede elegir sus propios intérpretes y no están sujetos a ninguna limitación temporal (parágrafos 66 y 68 del Informe que acompaña al Convenio).

[182] En concreto, los miembros del Comité gozarán, durante el ejercicio de sus funciones y durante la realización de los viajes que realicen para ello de la inmunidad de detención o arresto y de embargo de sus equipajes personales; de inmunidad ante cualquier jurisdicción respecto a los actos realizados en su calidad oficial, incluidas palabras o escritos; y de exención de cualquier medida restrictiva de su libertad de movimientos: salida y entrada en su país de residencia y entrada en el país donde ejercen sus funciones y salida del mismo, así como de cualesquiera trámites de registro de extranjeros en los países que visiten o atraviesen en el desempeño de sus funciones. Asimismo los documentos y papeles del Comité serán inviolables y la correspondencia oficial y demás comunicaciones oficiales del Comité no podrán ser retenidas o censuradas. Esa inmunidad en cuanto a las palabras, escritos o actos en el cumplimiento de sus funciones continuará una vez haya terminado su mandato, para garantizar libertad completa de expresión y total independencia en el desempeño de sus funciones. Solo el Comité está habilitado

En todo caso, los datos recogidos por el Comité en cada visita tendrán carácter confidencial, no pudiendo hacerse públicos, en el caso en el que el informe sea publicado tras el consentimiento del Estado, sin consentimiento explícito de la persona interesada (art. 11).

Tras la realización de estas visitas el Comité redacta un informe sobre los hechos comprobados con motivo de la visita y en el que incluye las observaciones que puede presentar al Estado visitado y las recomendaciones que entienda necesarias, pudiendo entablar consultas con la Parte para sugerir mejoras para la protección de las personas privadas de libertad (art. 9). Mediante este informe nacional, el CPT informa al Estado interesado, a partir de la evaluación de toda la información recabada, facilitándole sus observaciones y, en su caso, recomendando medidas destinadas a prevenir la posible aparición de un trato contrario a lo que razonablemente puede considerarse como normas aceptables para tratar con personas privadas de su libertad[183]. El Estado podrá responder al Comité con las observaciones y sugerencias que estime conveniente. Se puede decir, en este sentido, que la emisión del informe supone el inicio de un procedimiento de diálogo e interrelación entre el CPT y el Estado visitado, procedimiento que le permite ser más efectivo, en cuanto a su labor preventiva[184], que otros actores del Consejo de Europa. Por ello se ha afirmado que el CPT ve en la transmisión a los Estados de sus informes sobre las visitas, no el fin del procedimiento, sino precisamente su inicio, pues al tratarse de un instrumento preventivo se basa en el diálogo cooperativo con los Estados miembros que comienza antes de las visitas, continúa durante la realización de las mismas y se mantiene con posterioridad, ya que tras las visitas los Estados deben emitir una respuesta provisional al informe en el plazo de seis meses, al que seguirá una respuesta final a los doce meses[185]. Además, el Comité en esas visitas *in situ* tiene la facultad de, si lo estima oportuno, comunicar de inmediato observaciones a las autoridades competentes del Estado visitado (art. 8.5).

A su vez, el Comité presenta al Comité de Ministros del Consejo de Europa un informe general sobre sus actividades. Este informe se transmite a la Asamblea Consultiva —ahora Parlamentaria—, a cualquier Estado no miembro del

---

para proceder a la retirada de la inmunidad cuando entienda que dicha inmunidad impide el curso de la justicia y pueda levantarse sin perjuicio de la finalidad para la que fue concedida.

[183] Primer Informe General sobre las actividades del Comité (noviembre 1989-diciembre 1990), CPT/Inf (91) 3, parágrafo 4.

[184] Subrayando el papel disuasivo que tiene el CPT en ese diálogo establecido con el país visitado al finalizar cada visita, GINÉS SANTIDRIÁN, E.: "La prevención de la tortura en Europa: el Comité europeo para la Prevención de la Tortura". *La Obra Jurídica del Consejo de Europa*. Fernández Sánchez, P.A. (ed.). Gandulfo ediciones, Sevilla, 2010, p. 657.

[185] EVANS, M., MORGAN, R.: *Preventing torture*, ob. cit., p. 203.

Consejo de Europa que sea parte del Convenio y se hace público (art. 12). Es precisamente en estos Informes Generales anuales de la actividad del Comité, como veremos a continuación, donde el CPT ha ido generando y consolidando la realización de sus estándares de reclusión con una vocación general, trascendiendo por tanto la situación concreta de cada uno de los países visitados, con la voluntad de servir de guía, en esa labor preventiva, para la generalidad de los Estados parte.

En otro orden de cosas se puede afirmar que el CPT ha experimentado desde su creación hasta el momento actual un importante desarrollo que se manifiesta en diferentes niveles.

El primero de ellos es en cuanto a su ámbito geográfico de actuación. Tras su adopción el 26 de junio de 1987, quedó abierto a la firma de los Estados miembros del Consejo de Europa cinco meses después, el 26 de noviembre, de tal manera que cuando inició su actividad, en noviembre de 1989, ya 15 países habían ratificado la Convención, número que no ha dejado de aumentar año a año hasta llegar a los 47 países actuales miembros del Consejo de Europa. Sin dudar de las buenas intenciones de prevenir en sus territorios cualquier tortura o trato inhumano o degradante, la razón por la que todos los miembros del Consejo de Europa, incluidos los países del Este de Europa, han suscrito la Convención también se encuentra en que su ratificación supuso la oportunidad de unirse al club de los miembros de este organismo, con ventajas en el ámbito económico, que no podían ser rechazadas[186]. Hay que tener en cuenta además que su vocación territorial es mayor, pues permite extender su ámbito fuera de los Estados Miembros, en tanto el Protocolo nº 1, adoptado el 4 de noviembre de 1993, posibilita al Comité de Ministros del Consejo de Europa invitar a cualquier Estado no miembro a adherirse al mismo. De esta manera, el CPT se constituye como un órgano preventivo del maltrato en las instituciones de privación de libertad de toda Europa (a excepción de Bielorrusia y una parte de Asia)[187].

---

[186]   Como sugieren MORGAN, R. y EVANS, M., el CPT opera dentro de un contexto político que ofrece atractivos asociados. "Inspecting Prisons. The view from Strasbourg", *ob. cit.*, p. 152. Afirma VAN ZYL SMIT, D. que la importancia del CPT aumentó de manera considerable gracias a los acontecimientos políticos de principios de 1990, tras la caída del muro comunista, todos los países europeos, con la excepción de Bielorrusia, pasaron a ser miembros del Consejo de Europa, con la condición de firmar el CEDH y el Convenio europeo para la prevención de la tortura. "Regulation of prison conditions", 39 *Crime & Justice* 503, 2010, p. 520.

[187]   RODRÍGUEZ YAGÜE, C.: "Los estándares internacionales sobre la cadena perpetua del Comité Europeo para la Prevención de la Tortura y las Penas o Tratos Inhumanos o Degradantes". *Revista de Derecho Penal y Criminología* nº 17, 2017 (p. 240).

El segundo nivel de ampliación se refiere a la naturaleza de los lugares de privación de libertad que han ido siendo objeto de interés y, en consecuencia, de visitas, por parte del CPT. Si bien inicialmente las visitas se focalizaron en los centros de detención policial y en los centros penitenciarios, con el tiempo se han extendido hasta incorporar todo tipo de establecimientos en los que tiene lugar algún tipo de privación de libertad, como ese el caso de los psiquiátricos (internamientos involuntarios), centros de internamiento administrativo de extranjeros, centros de menores, establecimientos de asistencia social para discapacitados mentales o personas de edad avanzada y centros de detención militares[188].

Junto a estas ampliaciones, podríamos denominar, geográfica y espacial, el CPT también ha visto ampliado, o mejor formulado, desarrollado, su papel como organismo de prevención y denuncia de situaciones de tortura, tratos inhumanos o degradantes o de condiciones de detención no admisibles. En efecto, ese papel inicial de denuncia de las vulneraciones detectadas sobre el terreno y evidenciadas por el Comité a través de los informes por países, ha ido reformulándose hasta consagrar su relevante posición, seguramente no buscada inicialmente, como actor generador de ese *soft law* penitenciario. Y lo ha hecho a través de la elaboración de una serie de pautas, a modo de estándares, sobre las condiciones de detención más relevantes que, presentes primero en cada Informe General anual, y posteriormente seleccionadas y compiladas por el Consejo de Europa[189], se han constituido como verdaderos estándares penitenciarios de las condiciones de privación de libertad.

En este sentido también hay que señalar que en los últimos años los informes nacionales, y en consecuencia los estándares que de los mismos se extraen, han ido dirigiendo su atención al estudio de la situación de determinadas categorías de reclusos, como específicamente en el ámbito de la prisión, a la de los sometidos a situación de aislamiento, los que se encuentran en unidades o centros de máxima seguridad y los condenados a cadena perpetua[190]. De esta manera, el CPT va elaborando sus propios estándares respecto a estos grupos[191], al tiempo que se genera el conocimiento no solo de las legislaciones, sino particularmente de las

---

[188]   Véase el documento CPT Standars, CPT/Inf/E (2002) 1, revisión de 2015, p. 5.

[189]   CPT Standars, CPT/Inf/E (2002) 1, revisión de 2015.

[190]   19 Informe General de las actividades del Comité (2008-2009). CPT/Inf (2009), parágrafos 2 a 5.

[191]   Así, por ejemplo, recientemente respecto a estos últimos, ha revisado sus estándares de 2001, publicando en su 25 Informe General —CPT/Inf (2016) 10—, actualizando sus estándares sobre la situación de los condenados a cadena perpetua. O en 2011, a través del 21 Informe General —CPT/Inf (2011) 28—, lo hacía respecto a la situación de los internos en situación de aislamiento en celda.

prácticas y usos penitenciarios en las condiciones de internamiento de determinados colectivos de mayor vulnerabilidad dentro de la prisión, que a su vez sirve de base de trabajo al Comité de Ministros, en su labor de creación de estándares vía Recomendaciones, o del TEDH, en la fundamentación de sus sentencias a partir de la denuncia de determinadas prácticas en determinados países (o en sus centros penitenciarios concretos).

1.3.2. *Los estándares del Comité en materia de reclusión*

Si bien es cierto que la naturaleza no judicial del CPT implica que el Comité no pueda influir de forma tan directa en el desarrollo del derecho penitenciario como por ejemplo lo hace el TEDH, su relevancia se ha desarrollado en relación con la política penitenciaria en tanto sus orientaciones se basan en recomendaciones referidas a aspectos concretos que invariablemente son un reflejo de la política penitenciaria[192]. En esa consolidación de los estándares penitenciarios europeos han jugado, y juegan, un papel muy relevante, los estándares del CPT. En efecto, en un primer momento con el fin de facilitar a sus expertos la evaluación de las prácticas existentes y para alentar a los Estados a aceptarlos como criterios de actuación, el CPT fue desarrollando una serie de estándares para emplear por sus miembros durante las visitas a los Estados parte[193]. La justificación para su desarrollo ya está presente en el primero de sus informes generales, en el que se refleja que, ante la ausencia de una guía clara para la labor del CPT en los instrumentos internacionales existentes[194], es necesario elaborar una guía propia de actuación[195]. Si bien originariamente esta era su finalidad, ya desde el inicio el propio Comité se planteó la posibilidad de su consolidación como directrices generales de actuación frente a las personas privadas de libertad[196].

---

[192]   VAN ZYL SMIT, D., SNACKEN, S.: *Principios de derecho y política penitenciaria europea, ob. cit.*, p. 543.

[193]   MURDOCH, J.: *The treatment of prisoners, ob. cit.*, p. 45.

[194]   "A pesar del abundante material disponible, el CPT a menudo encuentra que no es posible establecer una guía clara para abordar situaciones específicas con las que se encuentra el Comité, o al menos, se requiere estándares más detallados".

[195]   "En relación con estas situaciones, el CPT se está preparando para desarrollar su propia 'vara de medir' a la luz de la experiencia de sus miembros y de una cuidadosa y equilibrada comparación de diversos sistemas de privación de libertad".

[196]   "El CPT no descarta y de hecho está considerando la posibilidad de construir progresivamente un conjunto de criterios generales para el tratamiento de las personas privadas de libertad. Si logra a lo largo de los años generar un cuerpo de estándares generales, el CPT podría decidir publicarlo en el futuro con el fin de ofrecer a las autoridades nacionales algunas directrices generales en relación con el trato de las personas privadas de libertad". 1°

Así que de manera gradual, el CPT ha ido desarrollando un conjunto de normas sobre salvaguardias contra los malos tratos y las condiciones de detención, tanto en lo que respecta a las personas privadas de libertad en general, como a las personas detenidas pertenecientes a grupos especialmente vulnerables[197]. Esos estándares se fueron incluyendo en sus informes anuales, conformando una sección específica[198], aunque posteriormente, como dijimos, además han ido siendo compilados y publicados de manera separada como Estándares del CPT[199].

Si bien no dejan de ser estándares, construidos sobre recomendaciones que, por su importancia y el ámbito en el que se producen, tienen la vocación de generales, y, como tales, de *soft law*[200], su relevancia hoy en día es innegable. Aunque se trate de "meras directrices" no vinculantes para los Estados, tienen la virtualidad de ser más detallados que otros instrumentos europeos, precisamente porque el CPT tiene la oportunidad de ver por sí mismo las condiciones de deten-

---

Informe General de las actividades del Comité (noviembre 1989-diciembre 1990), CPT/Inf (91) 3, parágrafos 95 y 96.

[197] Como recuerda en su repaso a la labor del CPT en sus 20 años de celebración, el CPT en su 19º Informe General de las actividades del Comité (2008-2009), CPT/Inf (2009) 27 parágrafo 6.

[198] En concreto, los temas sobre los que específicamente ha desarrollado estándares propios el Comité son: en el 2º informe sobre la custodia policial y prisión (1991); en el 3º sobre asistencia sanitaria en prisión (1992); en el 7º sobre los extranjeros privados de libertad por la legislación de extranjería (1996); en el 8º sobre el ingreso no voluntario en establecimientos psiquiátricos (1997); en el 9º sobre los jóvenes privados de libertad (1998); en el 10º sobre las mujeres privadas de libertad (1999); en el 11º, una actualización de los estándares del CPT respecto a la privación de libertad (2000); en el 12º sobre la custodia policial (2001); en el 13º sobre las deportaciones de extranjeros por aire (2002-2003); en el 14º sobre la lucha contra la impunidad (2003-2004); en el 16º sobre las medidas de sujeción en los establecimientos psiquiátricos para adultos (2005-2006); en el 19º sobre estándares para los migrantes irregulares privados de su libertad (2008-2009); en el 20º sobre la utilización de armas de descarga eléctrica (2009-2010); en el 21º sobre el acceso a abogado de los presos en situación de aislamiento (2010-2011); en el 22º sobre los mecanismos de prevención nacional (2011-2012); en el 23º sobre la documentación e información de las pruebas médicas sobre maltrato (2012-2013); en el 24º sobre el fenómeno de la intimidación y las represalias en los jóvenes privados de su libertad conforme a la legislación penal (2013-2014); en el 25º sobre la situación de los condenados a cadena perpetua (2015); en el 26º sobre la detención preventiva (2016); en el nº 27 (2017) sobre mecanismos de denuncia; y en el nº 28 (2018) sobre prevención de la tortura policial y otras formas de maltrato.

[199] CPT/Inf/E (2002)1 Rev. 2015.

[200] "Huelga decir que si el CPT eventualmente diera tal paso, no estaría en modo alguno tratando de desempeñar un papel legislativo, para lo cual no fue creado. Simplemente ofrecería a las autoridades nacionales correspondientes algunas directrices no vinculantes que podrían ser de ayuda en el contexto de la mejora del trato y de las condiciones de detención de las personas privadas de libertad". Informe General de las actividades del Comité (noviembre 1989-diciembre 1990), CPT/Inf (91) 3, parágrafos 95 y 96.

ción a las que posteriormente va a referirse en sus informes y sobre las que van a ser construidos los estándares generales. Pese a que queda mucho por hacer y todavía existen tortura y otras formas de maltrato de las personas privadas de libertad así como condiciones de reclusión no admisibles en la zona del Consejo de Europa, la influencia del CPT durante sus años de vida se puede encontrar en las legislaciones y en la praxis de los diferentes países parte del Convenio, que han ido introduciendo o fortaleciendo salvaguardias contra los malos tratos, renovando los locales de encarcelamiento que eran deficientes, mejorado la calidad de la atención de la salud de las personas privadas de libertad e implementado las actividades fuera de la celda[201].

Los estándares del Comité se dirigen a eliminar las prácticas que puedan ser consideradas como tortura o trato o pena inhumano o degradante o, más allá, condiciones inadmisibles, de toda detención[202]. Por ello, se desarrollan en diferentes planos: la actuación de las fuerzas de orden público[203]; las prisiones; la detención de inmigrantes[204]; los establecimientos psiquiátricos[205]; la privación de libertad de menores con arreglo a la legislación penal; la situación de las mujeres privadas de libertad; y la rendición de cuentas[206].

En cuanto a los estándares referidos a prisión, el CPT ha ido desarrollando de manera progresiva, desde sus primeros criterios generales emitidos en 1992[207] hasta la actualidad, todo un cuerpo de normas de actuación, referidos a aspectos bien diversos. Ya en este informe se evidencia la preocupación del Comité por el fomento de relaciones constructivas en los establecimientos penitenciarios, que superen el clási-

---

[201] *Ibidem*, parágrafo 7.

[202] Pues como el mismo Comité indica en su 2º Informe General publicado en 1992: "todos los aspectos de las condiciones de detención en una prisión tienen importancia para el mandato del CPT. Los malos tratos pueden adquirir varias formas, muchas de las cuales pueden no ser deliberadas, sino el resultado de fallos de organización o recursos inadecuados. La calidad de vida global en un establecimiento penitenciario tiene, por lo tanto, mucha importancia para el CPT. Dicha calidad de vida dependerá en gran medida de las actividades ofrecidas a los presos y del estado general de las relaciones entre los presos y el personal penitenciario"; CPT/Inf (92) 3, parágrafo 44.

[203] Que a su vez comprenden estándares sobre las condiciones de la detención policial, el acceso a un abogado como medio para prevenir los malos tratos o la utilización de armas de descarga eléctrica.

[204] Referidos a tres grandes ámbitos: los ciudadanos extranjeros detenidos en aplicación de las leyes de extranjería; las garantías para los extranjeros en situación irregular que se encuentran privados de libertad; y la deportación de extranjeros por medios aéreos.

[205] Relativos al internamiento involuntario en establecimientos psiquiátricos y a medidas de restricción en establecimientos psiquiátricos para adultos.

[206] Bajo el que se engloban estándares dirigidos a la lucha contra la impunidad y a la documentación y acreditación de pruebas médicas de malos tratos.

[207] En concreto, en el 2º Informe General de Actividades del Comité, CPT/Inf (92) 3, parágrafos 44 a 60.

co enfrentamiento entre internos y el personal, lo que ayudará no solo a disminuir la violencia y los malos tratos sino a reforzar la seguridad a través de la comunicación y atención. En esta dirección, el CPT centra su atención en temas como el impacto de la superpoblación en la calidad de vida, pudiendo llegar a ser un trato inhumano o degradante desde el punto de vista físico; la necesidad de desarrollo de un programa satisfactorio de actividades, fundamentales para el bienestar de los internos; en la lucha contra el internamiento en solitario, evitando que los internos, particularmente los preventivos, pasen todo el tiempo en la celda; la necesidad del ejercicio al aire libre diario para todos los presos sin excepción, junto con el acceso a servicios y niveles adecuados de higiene; el necesario y suficiente contacto con el mundo exterior; la restricción de la utilización de la fuerza a situaciones de alto riesgo, debiendo ser en todo caso el interno inmediatamente examinado por el médico; el refuerzo de los procedimientos de inspección contra los malos tratos en las prisiones; el establecimiento de garantías en los procedimientos disciplinarios; la limitación de la prisión incomunicada o las condiciones de traslado y cumplimiento de los presos problemáticos. Un relevante número de las preocupaciones del Comité enunciadas en ese informe han ido adquiriendo forma como estándares con individualidad propia, más desarrollados, en informes posteriores. Es el caso de la sobrepoblación carcelaria, cuyos efectos adversos (falta de condiciones higiénicas, falta constante de cualquier tipo de privacidad, limitación de actividades fuera de la celda, saturación de los servicios de salud, incremento de la tensión y violencia entre internos y entre estos y el personal,...) entiende que producen condiciones de detención inhumanas y degradantes, que no deben ser solventadas con la mera estrategia de creación de más prisiones, sino que requiere de estrategias comunes a nivel europeo[208]. Nuevamente vuelve a recoger su preocupación en 2001[209], recordando que solo la tasa de criminalidad debe explicar las altas tasas de encarcelamiento detectadas y que debe responsabilizarse a los órganos encargados de hacer cumplir la legislación y el sistema judicial, requiriendo el examen de la legislación y la práctica en el recurso a la prisión tanto antes del juicio como en sentencia, así como utilizando las posibles penas no privativas de libertad aplicables. Y más recientemente el CPT ha vuelto a referirse a este problema al desarrollar específicamente unos estándares sobre el espacio vital por interno en prisión[210], estableciendo ya unos estándares mínimos exigibles[211].

---

[208]   Desarrollada en el 7º Informe General de Actividades del Comité, CPT/Inf (97) 10, parágrafos 12 a 15.

[209]   En concreto, en el 11º Informe General de Actividades del Comité, CPT/Inf (2001) 16, parágrafo 28.

[210]   Desarrollados en CPT/Inf (2015), 44, parágrafos 1 y ss.

[211]   Que se concretan en los 6m² de espacio vital si es una celda individual (más los referidos al aseo) y en 4 m² en el caso de una celda compartida (más el espacio del aseo compartido). Asimismo,

En las revisiones de sus estándares, el CPT ha ido desarrollando las propuestas referidas a la habitabilidad y salubridad de las prisiones, exigiendo el acceso a luz natural a menudo impedido por dispositivos de seguridad —contraventanas, listones, placas en las ventanas—, y planteando objeciones a las condiciones en las que se encuentran los internos alojados en dormitorios grandes, que contienen todas o la mayoría de las instalaciones utilizadas diariamente, particularmente en Europa central y oriental, por su falta de salubridad e intimidad, así como el evidente riesgo de intimidación y de violencia[212]. Especial preocupación ha mostrado el Comité en la atención sanitaria, tanto elaborando unos criterios específicos referidos a cómo debe ser garantizada, pues su inexistencia o inadecuación pueden conducir rápidamente a un tratamiento inhumano o degradante[213], como estableciendo criterios para evitar la propagación de enfermedades transmisibles —particularmente de la tuberculosis, hepatitis y VIH—, sin recurrir al aislamiento del resto salvo si es estrictamente necesario, así como para asegurar el acceso a revisión médica y un adecuado tratamiento[214].

Otra preocupación constante del Comité es la mejora de las relaciones entre los reclusos y el personal penitenciario, al haber detectado en sus visitas no solo relaciones formales y distantes sino prácticas que deben ser rechazadas. Para evitarlo apuesta por el modelo de seguridad dinámica, a través del fomento de relaciones constructivas y positivas, con un trato digno y humano, lo que no solo reducirá el riesgo de malos tratos sino que aumentará el control y la seguridad

---

debe haber al menos 2 metros entre los muros de la celda y al menos 2.5 entre el suelo y el techo. Más detenidamente, RODRÍGUEZ YAGÜE, C.: "Un análisis de las estrategias contra la sobrepoblación penitenciaria en España a la luz de los estándares europeos", *ob. cit.*, pp. 4 y ss.

[212] 11º Informe General de Actividades del Comité, CPT/Inf (2001) 16, parágrafos 29 y 30.

[213] 3º Informe General de Actividades del Comité, CPT/Inf (93) 12, parágrafos 30 a 77. Varios son los puntos que sirven de guía al Comité en sus visitas para la evaluación de los servicios de asistencia sanitaria: a) acceso a un médico —en el ingreso, durante el tiempo en custodia y con atención periódica y de urgencias—; b) igualdad en la asistencia —en relación con las prestaciones de medicina general que disfrutan los pacientes en el exterior así como una adecuada atención psiquiátrica—; c) exigencia del consentimiento del paciente y garantía de la confidencialidad; d) asistencia sanitaria preventiva —higiene en los servicios de asistencia y en las dependencias de las prisiones, atención e información ante las enfermedades transmisibles, medidas de prevención contra el suicidio, medidas de prevención y actuación cuando se detecte cualquier sigo de violencia y medidas para limitar la ruptura de vínculos sociales y familiares—; e) asistencia humanitaria —en relación a la atención a las necesidades específicas de categorías de internos particularmente vulnerables como las madres con hijos, los adolescentes bajo custodia, los internos con desórdenes de personalidad o los internos no aptos por su enfermedad para estancias prolongadas; f) independencia profesional; y g) competencia profesional—.

[214] 11º Informe General de Actividades del Comité, CPT/Inf (2001) 16, parágrafo 31. Para la inspección de los servicios médicos de las prisiones por un médico del CPT, recientemente ha elaborado un documento con los ítems que deben ser evaluados en cada visita. Véase en CPT/Inf (2017) 20.

de la prisión y hará más gratificante el trabajo en prisión. Para ello es necesario tanto una dotación suficiente de personal, como una contratación y formación apropiadas del personal penitenciario[215]. También es un modelo que disminuye la violencia entre los reclusos, aspecto que también ha sido objeto de atención por el CPT, pronunciándose además sobre la necesidad y posibilidades de protección de determinados internos, como los acusados o condenados por delitos sexuales, frente a posibles ataques de otros reclusos[216]. Las exigencias de seguridad pueden requerir la utilización de centros penitenciarios de alta seguridad para los internos categorizados como particularmente peligrosos, grupo que preocupa especialmente al CPT pues aumenta el riesgo de que reciban un trato inhumano, por lo que requiere, además de su uso restringido, el establecimiento de un sistema de cumplimiento relativamente relajado, con contacto con compañeros, posibilidad de elegir actividades que palien los efectos perjudiciales y la apuesta nuevamente por el establecimiento de relaciones positivas con el personal como forma de mantener la seguridad y control efectivos y mejorar el trato en prisión[217].

Más recientemente el CPT ha centrado su atención en situaciones concretas que pueden ocasionar efectos especialmente dañinos en la integridad física y mental de los internos. Destaca el nivel de desarrollo y concreción de estos estándares, frente a los iniciales, más genéricos, que precisamente por ello pueden servir de guía más concreta en la actuación de las autoridades nacionales y que casi llegan a constituir una suerte de Recomendación como las elaboradas por el Comité de Ministros. Es el caso del encarcelamiento en solitario y de los condenados a cadena perpetua. En cuanto al primero[218], partiendo de su existencia en todos los sistemas y de los daños que puede ocasionar —además de la afección física, mental y social, tiene altas ratios de suicidio, y es una oportunidad para el maltrato—, mayores cuanto más tiempo se prolongue, pretende dar una serie de criterios que ayuden a reducir al mínimo su utilización, conseguir que su uso sea lo más positivo posible y garantizar que se implementen procedimientos que hagan que su gestión sea responsable. Para ello articula, como hacen las Recomendaciones, una serie de principios que guíen su uso: proporcionalidad, legalidad, justificación, necesidad y no discriminación; se pronuncia sobre los cuatro tipos de confinamiento en solitario —como resultado de una decisión judicial, estando en contra de que sea parte de una condena, como medida disciplinaria, como medida administrativa con fines preventivos o como medida de protección frente a otros internos—, estableciendo procedimientos, salvaguardas y tipos de régimen de vida para cada uno de ellos, así como realizando recomenda-

---

215   11º Informe General de Actividades del Comité, CPT/Inf (2001) 16, parágrafo 26.
216   11º Informe General de Actividades del Comité, CPT/Inf (2001) 16, parágrafo 27.
217   11º Informe General de Actividades del Comité, CPT/Inf (2001) 16, parágrafo 32.
218   21º Informe General de Actividades del Comité, CPT/Inf (2011) 28, parágrafos 53 a 64.

ciones sobre las condiciones materiales en las que debe ser ejecutado y la necesaria atención y control médico de los que se encuentran bajo esta situación.

En cuanto al impacto de las condenas de larga duración o perpetuas y en los efectos que los regímenes asociados a su cumplimiento, normalmente de mayor dureza, tienen en los condenados, el CPT ya mostró su atención en el 2001[219], revisando de manera muy amplia sus estándares en 2016 relativos a la situación de los condenados a cadena perpetua[220]. En ellos, tras analizar el estado de la cuestión en relación al importante desarrollo sufrido por esta pena al albur del diseño de una Europa como un territorio sin pena de muerte y su previsión para los delitos de mayor gravedad y enunciar algunas de las severas condiciones de ejecución de esta pena detectadas por el Comité en sus visitas, incorpora a sus estándares, como propios, los principios elaborados para estas penas por el Comité de Ministros en la Recomendación (2003) 23 relativa a la gestión por las Administraciones penitenciarias de los condenados a penas perpetuas o de larga duración —individualización, normalización, responsabilidad, seguridad y protección, no segregación y progresión— y desarrolla su plasmación en la práctica, particularmente en los aspectos referidos a la necesaria individualización e implementación de un plan de ejecución donde el régimen no esté determinado por el tipo de pena impuesta sino a partir de una evaluación individual de riesgos, que permita su contacto cotidiano con el resto de internos, que potencie el contacto con los familiares, y que le posibilite el acceso a una amplia gama de actividades (trabajo, educación, deporte, culturales y hobbies), apostando nuevamente por la seguridad dinámica como forma de relación entre internos y personal. En definitiva, busca por un lado aliviar el régimen de vida de estos condenados, particularmente con la abolición del aislamiento en solitario como forma de cumplimiento, al tiempo que la adopción de medidas que minimicen los daños causados por esta pena y que preparen al interno para una futura liberación. Hay que destacar que el Comité es menos tibio que el TEDH a la hora de expresar sus serias reservas sobre los países que tienen en su legislación cadenas perpetuas sin posibilidad de revisión (más allá de los motivos humanitarios o del indulto), aseverando que una cadena perpetua sin posibilidad real de liberación es inhumana[221].

---

[219]   11º Informe General de Actividades del Comité, CPT/Inf (2001) 16, parágrafo 33.

[220]   25º Informe General de las Actividades del Comité, CPT/Inf (2016) 10, parágrafos 67 a 82.

[221]   Más detenidamente sobre ello véase: RODRÍGUEZ YAGÜE, C.: "Los estándares internacionales sobre la cadena perpetua del Comité Europeo para la Prevención de la Tortura y las Penas o Tratos Inhumanos o Degradantes", *ob. cit.*, pp. 240 y ss. En general, sobre los estándares desarrollados por el CPT, puede consultarse también: MORGAN, R., EVANS, M.: *Protecting prisoners. The standars of the European Committee for the Prevention of Torture in context*, *ob. cit.*, pp. 31 y ss.; MORGAN, R., EVANS, M.: *Combating torture in Europe: the work and*

En su Informe nº 26, de 2016, el CPT desarrolla sus estándares sobre prisión preventiva, que si bien representa el 25% de la población reclusa en el ámbito del Consejo de Europa, en algunos países llegan a ser el 70%[222]. Estos estándares surgen con la finalidad no solo de limitar su utilización, pues se ha demostrado su relación con el problema persistente de la sobrepoblación, sino también de abordar las condiciones más duras de vida que el CPT ha detectado en sus visitas por países (utilización del aislamiento en solitario, restricciones con los contactos con el exterior, ubicación en celdas saturadas y con unas condiciones paupérrimas, niveles de suicidio más altas, además de la ruptura de lazos familiares y de la pérdida de trabajo y alojamiento). Para lo primero propone la aplicación del principio de última ratio, y cuando sea impuesta, la mínima duración necesaria y su proporcionalidad a la gravedad del delito, con la aplicación prioritaria de otro tipo de medidas cautelares no privativas de libertad, también en el caso de los extranjeros. En cuanto a lo segundo, propone la elaboración de programas de recepción e incorporación de las personas que entran en prisión provisional, con el objeto de informarles de manera adecuada, reducir su ansiedad e incluso posibles riesgos autolesivos, evitando que sea aplicado un régimen más restrictivo o incluso el confinamiento en solitario por tiempo prolongado, garantizando al menos una hora de ejercicio diario en el exterior durante este periodo y debiéndose justificar cualquier decisión de restricción o separación del resto. En respeto del principio de presunción de inocencia, apuesta por garantizar la realización de un número satisfactorio de actividades bajo la separación respecto de los condenados, lo que les protege de la posible influencia criminal de estos. Rechaza la práctica de ubicación ya en grandes dormitorios, ya en celdas diminutas, que no garantizan los estándares establecidos de espacio mínimo vital, cuyos efectos sobre la privacidad y la generación de tensión se agravan ante la duración de este tipo de medidas cautelares y ante la ausencia de tiempo fuera de la celda. Por ello apuesta tanto por el uso de celdas individuales —salvo que prefieran compartirlas— como por la implementación de un completo programa de actividades fuera de la celda que les permitan disponer de gran parte del día fuera de la misma, garantizando al menos una hora diaria de ejercicio en el exterior. Las comunicaciones con las familias y otras personas deben ser accesibles en principio en igualdad de condiciones que el resto, no aceptando las restricciones generales e indiscriminadas por categorías. Asimismo se refiere a las condiciones aplicables a los menores bajo prisión provisional y al acceso a la asistencia sanitaria, así como muestra sus reservas ante el cumplimiento de esta medida cautelar en centros penitenciarios diseñados para el cumplimiento de condenas.

---

standards of the European Committee for the Prevention of Torture (CPT). Council of Europe, 2001, pp. 55 y ss.; o MURDOCH, J: The treatment of prisoners, ob. cit., pp. 70 y ss.

[222] 26º Informe General de las actividades del Comité, CPT/Inf (2017) 5, parágrafos 52 a 73.

En sus últimos estándares, el CPT se ha ocupado de los mecanismos de denuncia y de la prevención de la tortura y otras formas de maltrato. En cuanto a lo primero, en su Informe General de actividad nº 27, de 2017, el CPT desarrolla sus estándares sobre los mecanismos de denuncia formal que pueden presentar las personas privadas de libertad, u otros en su nombre, contra decisiones, acciones o falta de actuación oficial, salvaguardia fundamental contra la tortura y tratos inhumanos o degradantes ante cualquier privación de libertad (comisarías, prisiones, psiquiátricos, centros de extranjeros, centros militares,...). Tras definir su concepto, capacidad y naturaleza, el CPT elabora una serie de principios básicos que deben ser aplicados para garantizar una correcta tramitación de las denuncias interpuestas por las personas privadas de libertad: la disponibilidad de los mecanismos de denuncia internos y externos; la accesibilidad a la información sobre las vías de denuncia; el acceso directo y confidencial a los órganos de denuncia; la eficacia en su tramitación y resolución sobre el fondo; y la trazabilidad, en el sentido de la necesidad de llevar un registro de las reclamaciones. En cuanto a lo segundo, en su último Informe General, el nº 28, correspondiente al 2018, el CPT revisa los estándares que, durante las últimas tres décadas, ha ido elaborando de forma regular sobre la prevención de la tortura y el abuso policial ya respecto a las personas detenidas bajo su custodia, ya en su actuación, particularmente en el momento de la detención o en la práctica de los interrogatorios.

1.3.3. Alcance de los estándares del Comité: recursos para hacer llegar el contenido a los Estados parte

El Convenio de 1983 crea un sistema de protección contra la tortura y penas o tratos inhumanos o degradantes con vocación de complementariedad y de prevención. De complementariedad respecto a la jurisdicción del TEDH, que actúa de manera reactiva a partir de las denuncias presentadas por las personas o los Estados alegando vulneraciones de derechos humanos, pero que resuelve a posteriori una vulneración que, además y en principio —ya vimos como excepción las sentencias piloto—, es individual. Así que no se trata de un órgano judicial y ni sus resoluciones ni su misión consisten en pronunciarse sobre las vulneraciones de los instrumentos internacionales pertinentes[223]; por ello sirve como un útil complemento al mecanismo judicial planteado en defensa de los derechos reconocidos en el Convenio[224]. La labor del CPT es preventiva, de evitación de

---

[223] Como aclara el Informe que acompaña al Convenio, parágrafo 17.

[224] En palabras de VAN ZYL SMIT, D. y SNACKEN, S., surge el CPT como una fuente alternativa de la política —llevada a cabo por el Comité de Ministros del Consejo de Europa— y el derecho

situaciones que puedan ser entendidas como tortura o penas o tratos inhumanos o degradantes o bien como condiciones inadmisibles de reclusión. Por lo tanto el Comité no condena, simplemente recomienda, no siendo además sus recomendaciones vinculantes para los Estados interesados[225].

No obstante, varios son los instrumentos de que dispone el Comité para hacer efectiva su actuación. El primero de ellos es la obligatoriedad de aceptar las visitas. En efecto, ya vimos que es el Comité quien organiza las visitas y, en el momento en el que notifica al Gobierno del Estado que va a ser visitado, este está obligado a facilitar el acceso, desplazamiento, visitas y entrevistas que el Comité estime convenientes. Pero a su vez no reconoce posibilidad a los Estados para negarse a la recepción de la visita del Comité[226]. Todo lo más, señala su art. 9 la posibilidad de que, en casos excepcionales, las autoridades competentes del Estado puedan poner en conocimiento del Comité sus objeciones a la visita en el momento previsto o en cuanto al lugar determinado, objeciones que solo pueden motivarse ya en razones de defensa nacional o de seguridad pública, por razones de graves desórdenes en los lugares donde haya personas privadas de libertad, o bien por el estado de salud de una persona o con motivo de un interrogatorio urgente, dentro de un procedimiento en curso por un delito grave. En todo caso estas objeciones no provocan la suspensión de la visita. El Comité y el Estado parte se consultarán para esclarecer la situación y llegar a un acuerdo sobre las medidas que permitan al primero ejercer sus funciones lo antes posible (como puede ser incluso el traslado a otro lugar de la persona que quisiera visitar el Comité). Y, mientras tanto, hasta que se produzca finalmente la visita, el Estado está obligado a proporcionar al Comité información sobre toda persona afectada[227].

---

penitenciario europeo —construido a partir de la jurisprudencia del TEDH—. *Principios de derecho y política penitenciaria europea, ob. cit.*, p. 71.

[225] Informe que acompaña al Convenio, parágrafo 25.

[226] Sí pueden hacerlo, con carácter excepcional, respecto a un experto u otra persona que asista al comité, no autorizando que participe en la visita a un lugar comprendido bajo su jurisdicción (art. 14.3). Como matiza el Informe que acompaña al Convenio, el Estado, tras haber recibido la información pertinente, solo puede rechazar a tal persona si considera que no cumple los requisitos previstos en los artículos 13 y 14.2 del Convenio, por ejemplo, si la persona interesada ha mostrado una actitud parcial respecto a dicho Estado o si en otras ocasiones ha vulnerado la norma de confidencialidad. En todo caso, si un Estado declara que una persona no puede tomar parte en una visita, el Comité puede solicitar explicaciones (parágrafos 84 y 85).

[227] Aunque el Convenio es aplicable tanto en tiempos de paz como de guerra, sí recoge una priorización en caso de conflicto armado (internacional o no internacional). En este sentido, las Convenciones de Ginebra deben aplicarse en primer lugar, debiendo realizarse las visitas por los delegados o representantes del Comité Internacional de la Cruz Roja (CICR). Por ello señala su artículo 17.3 que el Comité no visitará los lugares que visiten efectivamente y con regularidad representantes o delegados de potencias protectoras o del CICR en virtud de las Convenciones de Ginebra de 12 de agosto de 1949 y de sus Protocolos adicionales de 8 de junio de 1977 (art.

El segundo instrumento de que dispone el CPT, en este caso, para instar al Estado parte bien a cooperar con el Comité, bien a mejorar la situación de las personas privadas de libertad a la vista de las recomendaciones por este formuladas, es el de evidenciar las situaciones que considera inadmisibles no solo en cuanto a que puedan ser conceptuadas como tortura o tratos o penas inhumanos o degradantes, sino también en relación a condiciones de detención inadmisibles. Y ello lo realiza a través de dos vías, la ordinaria y la excepcional. La primera, ya vista, se articula a través de la emisión de los informes por países, que vienen acompañados por una serie de recomendaciones a los Estados parte y que además, de no ser observadas, pueden dar lugar a un incremento de la actividad, y con ello de la presión, del Comité sobre ese país, al tiempo que de la petición de explicaciones y justificaciones en relación con la situación mantenida. De hecho el descubrimiento de una flagrante situación de vulneración de derechos humanos da lugar a un seguimiento particularizado del caso que se materializa en un incremento de visitas e informes sobre ese país.

En este sentido los informes tienen la virtualidad de evidenciar tanto las carencias del sistema como de reconocer, como así ocurre habitualmente, los esfuerzos realizados por los distintos países en la corrección de las situaciones objeto de atención. Así actúa en ese doble plano de evidencia de lo negativo pero también de reconocimiento de los pasos dados para su corrección. Para ello juega un papel muy importante la publicidad de los informes. El Convenio de 1987 optó por su carácter confidencial, precisamente como una forma de facilitar la colaboración de los Estados con el CPT y asegurarse la efectividad de su trabajo. De hecho el art. 11 prevé que el informe y las consultas del Comité con la parte interesada tengan carácter confidencial. No obstante, también prevé que el Comité publique su informe, junto con cualquier comentario de la parte interesada, cuando esta así lo pida, situación que es la que ha sido aceptada por la mayoría de los países. Así la excepción, la publicación, se ha convertido en la nota general, lo que a su vez permite al Comité poner sus buenas prácticas a disposición de todos los Estados que quieran modificar sus regímenes y actuaciones conforme a las directrices referidas por el CPT a otros países así como, en segundo lugar, facilitar la labor de las organizaciones no gubernamentales de cada país de tal manera que puedan ayudar al procedimiento de seguimiento del cumplimiento de las recomendaciones recogidas en el informe nacional, ofreciendo para ello al CPT información relevante sobre cómo se llevan a cabo[228].

17.3). Sin embargo, como matiza el Informe que acompaña al Convenio que el CPT podría visitar ciertos lugares (particularmente en caso de conflicto armado no internacional) que el CICR no visita efectivamente.

[228]   MURDOCH, J.: *The treatment of prisioners*, ob. cit., pp. 43 y 44.

La segunda vía, de naturaleza excepcional, consiste en la realización de una declaración pública que evidencie la no colaboración del Estado de que se trate. Este recurso, previsto en el art. 10.2 del Convenio, requiere la mayoría de los dos tercios de los miembros del Comité, y siempre después de que la parte haya tenido la posibilidad de dar explicaciones. La evidencia de incumplimiento ante el resto de Estados parte del Convenio jugaría de esta manera como una suerte de "sanción difamante" que, por un lado, puede suponer una presión importante frente al Estado sobre el que se realiza la declaración para atender las recomendaciones y exigencias del CPT y, por otro, puede servir de base, o en su caso apoyo, para una eventual denuncia ante el TEDH por algún particular por vulneración de los derechos reconocidos en el CEDH[229].

Por otro lado, otro factor que influye en la operatividad del CPT es, como ya anticipamos, la amplitud de su actuación, que en la actualidad abarca a los 47 países miembros del Consejo de Europa. La incorporación de los países del telón de acero al club de los países del Consejo de Europa produjo la firma del Convenio Europeo para la Prevención de la Tortura. Además, no hay que olvidar que su art. 21 advierte de que "no se admitirá reserva alguna a lo dispuesto en el presente Convenio".

De ahí que se haya afirmado que la CPT es sin duda considerada como la más profesional, eficaz y valiosa del conjunto de agencias y departamentos del Consejo de Europa, habiendo superado con creces las expectativas iniciales de sus redactores[230].

---

[229]   En su Informe General de las actividades del Comité (noviembre 1989-diciembre 1990), en el que el Comité hace un repaso de su labor durante los veinte primeros años de trabajo, relata que durante ese tiempo se ha hecho uso de esta posibilidad en cinco ocasiones. Señala en su informe que cuando se adopta una medida de esta naturaleza, el Comité considera que el carácter excepcional de este tipo de medidas debe ser debidamente reconocido dentro de la estructura organizativa del Consejo de Europa y adoptarse medidas apropiadas; por lo menos, debería incluirse en el orden del día de los órganos pertinentes. Aunque este tipo de declaraciones públicas deben ser ante todo examinadas a fondo por las autoridades nacionales interesadas, el Consejo de Europa puede ayudar a solventar el conflicto planteado. CPT/Inf (91) 3, parágrafo 12.

[230]   Así, MORGAN, R., quien además afirma que se ha demostrado como uno de los mecanismos internacionales de derechos humanos más innovadores y robustos creados hasta el momento. "The European Committee for the Prevention of Torture and Inhuman or Degrading Treatment or Punishment", ob. cit., p. 718.

III. CONSOLIDACIÓN DE UN SOFT LAW PENITENCIARIO COMÚN

1. Consolidación a través de la interrelación entre la actuación de los distintos actores del Consejo de Europa

Sin duda la consolidación de los estándares penitenciarios europeos formulados por el Comité de Ministros, el TEDH y el CPT en sus diferentes ámbitos de actuación se ha visto reforzada de manera importante a través de su progresiva interacción, que no solo los ha enriquecido y consolidado, sino que ha servido para identificar los problemas más relevantes del sistema penitenciario europeo y las líneas comunes de actuación.

Esa interacción tiene dos dimensiones, una de carácter formal o estructural y otra de carácter sustancial.

En cuanto a la primera, y como ya hemos ido analizando, si bien se trata de organismos con un ámbito competencial y de actuación bien delimitado, su actividad no discurre estrictamente de manera paralela sino que la regulación de cada uno de ellos establece puentes que posibilitan el conocimiento del trabajo por parte de los demás e incluso su interrelación funcional. Es el caso, por ejemplo, del TEDH y el Comité de Ministros: así, corresponde a este último velar por la ejecución de la sentencia definitiva del TEDH, que será notificada por el Tribunal al Comité conforme establece el art. 46 CEDH. O, por ejemplo, en el caso de la utilización de la técnica de las sentencias piloto, se prevé que sean informados el Comité de Ministros, al igual que la Asamblea Parlamentaria, el Secretario General del Consejo de Europa y el Comisario Europeo de Derechos Humanos (regla 61 de las Reglas del Tribunal).

También el Comité de Ministros guarda una estrecha relación estructural con el CPT: elige a sus miembros por mayoría absoluta de los votos a partir de una lista elaborada por la Mesa de la Asamblea Parlamentaria (art. 5 del Convenio europeo para la prevención de la violencia), estando obligado el CPT a presentarle a aquel anualmente un informe general sobre sus actividades, que a su vez será trasmitido a la Asamblea Parlamentaria (art. 12).

En esta labor transversal también hay que resaltar la labor de correa de transmisión de las Conferencias de los Directores Generales de las Administraciones penitenciarias y de los servicios de *Probation* o la posibilidad de integración dentro de la CDPC, que se encargará de la redacción de las recomendaciones en el ámbito penitenciario del Comité de Ministros, de representantes de la Asamblea Parlamentaria, el TEDH o el CPT.

La segunda, de carácter material o sustantivo, propiciada además por la primera, evidencia cómo de manera progresiva cada uno de los tres actores del Consejo de Europa han ido incorporando en sus decisiones, resoluciones e informes el trabajo de las demás. En efecto, si bien estos tres pilares sobre los que se sustenta el sistema de garantía de los derechos de las personas privadas de libertad del Consejo de Europa se encuentran en una relación de especialización que se construye inicialmente de tal manera que no haya conflicto competencial entre los diferentes instrumentos, con el tiempo se han desarrollado de tal manera que su complementariedad ha ido enriqueciendo de manera evidente su labor[231].

Por su tardía creación y por su ámbito de actuación, la identificación de situaciones de tortura y tratos inhumanos o degradantes, proscritas por el art. 3 del CEDH, el CPT es el órgano que más distorsiones podría plantear respecto al trabajo del TEDH. Por ello el Convenio, ya desde su preámbulo, subraya que viene a reforzar el sistema de protección de las personas privadas de su libertad contra la tortura y las penas o tratos inhumanos o degradantes "mediante un procedimiento no judicial de carácter preventivo". Tal configuración ha permitido que haya una necesaria separación entre las funciones y competencias de ambos órganos, de tal manera que no interfieran en sus diferentes funciones y que el CPT no se convierta en un nuevo órgano que interprete y aplique el CEDH. Por ello el art. 17 del Convenio aclara que "ninguna de las disposiciones del presente Convenio podrá interpretarse como limitación o derogación de las competencias de los órganos del CEDH o de las obligaciones asumidas por las Partes en virtud del mismo". Y es que como desarrolla el Informe que acompaña al Convenio, no solo no corresponde al Comité desempeñar funciones judiciales, ni pronunciarse sobre las vulneraciones de los instrumentos internacionales, sino que deberá además abstenerse de expresar su opinión sobre la interpretación de dichos instrumentos, ya sea de forma abstracta o en relación con hechos concretos (parágrafo 17). Para ello, continúa, la jurisprudencia de la Comisión y del TEDH relativa al art. 3 CEDH facilita orientación al Comité, pero, repite, las actividades del Comité están orientadas a la prevención y no a la aplicación de instrumentos jurídicos a situaciones concretas, por lo que no deberá tratar de intervenir en la interpretación y la aplicación de dicho art. 3 (parágrafo 27)[232]. Eso no quiere decir que no recurra el CPT a esas normas jurídicas contenidas en la CEDH o en otros instrumentos de derechos humanos, sino todo lo contrario, como

---

[231] Resaltando de manera general la existencia de ese espíritu de cooperación que une a los Estados miembros del Consejo de Europa y que ello facilita a su vez las buenas relaciones de los órganos del Convenio y su actitud positiva en la ejecución de las decisiones adoptadas en aplicación del Convenio MORENILLA RODRÍGUEZ, J.M.: *El Convenio Europeo de Derechos Humanos: ámbito, órganos y procedimientos*, ob. cit., p. 31.

[232] De hecho, el CPT ha demostrado en sus informes cómo acoge una acepción de los conceptos de tortura y tratos inhumanos y degradantes de mayor amplitud que la restrictiva del TEDH. MORGAN, R.: "The European Committee for the Prevention of Torture and Inhuman or Degrading Treatment of Punishment", *ob. cit.*, p. 729.

clarifica el Primer Informe General de actividad del Comité, al tiempo que aclara que no está atado a la jurisprudencia de los órganos judiciales o cuasi judiciales que actúen en el mismo ámbito, aunque pueda utilizarlo como punto de partida o referencia en la evaluación del tratamiento dado a personas privadas de su libertad en países individuales[233].

Pero pese a este claro reparto tanto en las competencias como en la forma de actuación y en la composición de sus respectivos órganos, es necesario subrayar la influencia transversal que, poco a poco, se ha ido produciendo en las actividades de los distintos organismos del Consejo de Europa. No son en todo caso compartimentos estancos, sino que, más bien al contrario, sus paredes porosas han ido filtrando los instrumentos y estándares emanados de tal manera que han ido influyendo en la actividad de cada uno de ellos.

Así ocurre, en primer lugar, en la elaboración de las Recomendaciones del Comité de Ministros en materia penitenciaria, donde progresivamente se han ido

---

[233] Primer Informe General sobre las actividades del Comité (noviembre 1989-diciembre 1990), CPT/Inf (91) 3, parágrafo 5. Así también lo ponen en evidencia MORGAN, R. y EVANS, M., que señalan que en el desarrollo de sus funciones el CPT no está limitado, al contrario que el TEDH, al contenido del art. 3 CEDH, pudiendo tener en cuenta el trabajo de los órganos judiciales o cuasi-judiciales así como los diversos códigos de conducta internacionales y las disposiciones del derecho interno, añadiendo que, además, de la jurisprudencia del TEDH, es de esperar que, al menos, se tengan en cuenta las Reglas Mínimas para el tratamiento de los reclusos de UN, el conjunto de principios para la protección de todas las personas sometidas a cualquier forma de detención, las Reglas mínimas para la Administración de justicia juvenil y las RPE; *Combating torture in Europe: the work and standards of the European Committee for the Prevention of Torture (CPT)*. Council of Europe, 2001, p. 33. En este sentido, el Comité en su informe señala expresamente las diferencias con la Comisión y con el TEDH: en primer lugar, mientras estos tienen como objetivo primordial comprobar si ha existido una vulneración del CEDH, la tarea del CPT es prevenir los abusos, físicos o mentales, de las personas privadas de su libertad —sus ojos están en el futuro y no en el pasado—; en segundo lugar, mientras que la Comisión y el Tribunal tienen disposiciones sustantivas de los tratados para interpretar y aplicar, el CPT no está vinculado por disposiciones sustantivas de tratado, aunque pueda referirse a tratados, instrumentos internacionales y jurisprudencia en su labor; en tercer lugar, dada la naturaleza de sus funciones, la Comisión y el Tribunal se componen de abogados especializados en el campo de los derechos humanos, mientras que el CPT está formado, además, por médicos, expertos en cuestiones penitenciarias, criminólogos, ...; En cuarto lugar, la Comisión y el Tribunal solo intervienen previa denuncia de particulares o Estados mientras que el CPT interviene de oficio a través de sus visitas periódicas o *ad-hoc*; Por último, las actividades de la Comisión y del Tribunal terminan con una sentencia vinculante que se pronuncia sobre si un Estado ha incumplido las obligaciones en virtud de un Tratado, y las conclusiones del CPT se concretan en un informe y, si es necesario, en la formulación de recomendaciones para la adopción de acciones estatales de corrección de condiciones inaceptables. Solo en caso de incumplimiento por parte de un Estado de las recomendaciones, el CPT puede emitir una declaración pública sobre el asunto. Primer Informe General sobre las actividades del Comité (noviembre 1989-diciembre 1990), CPT/Inf (91) 3, parágrafo 6.

filtrando y encontrado un espacio los estándares desarrollados por el CPT en sus informes generales[234]. Tal relación se evidencia de manera explícita, por ejemplo, en la última versión de las RPE de 2006 que, en sus considerandos iniciales, afirma haber tenido en cuenta los trabajos realizados por el CPT y, en particular, los estándares que ha desarrollado en sus informes generales. Igualmente es evidente que, aunque no la cite expresamente, las Recomendaciones más recientes del Comité de Ministros también están construidas a partir de la jurisprudencia del TEDH[235].

Asimismo se ha señalado que las Recomendaciones del Comité de Ministros a los Estados miembro pueden servir como puente entre el TEDH y el CPT, en tanto, por un lado, las Recomendaciones se nutren de la orientación dada por las decisiones del TEDH y, por otro, el Comité las toma de referencia de manera que en sus visitas trata de constatar su observancia y de proponer recomendaciones para su mejor cumplimiento, además de que la labor del CPT permite poner al día las RPE[236].

En segundo lugar, también el TEDH se hace cada vez más eco en la fundamentación de sus decisiones de la labor realizada por el CPT y a las normas penitenciarias europeas[237]. A modo de ejemplo, en uno de los mayores problemas de los sistemas penitenciarios europeos, y que más preocupa a los órganos del Consejo de Europa, la sobrepoblación, el Tribunal recoge en diversas resoluciones referencias expresas tanto a la labor del Comité de Ministros en esta materia, concretada en la Recomendación (99) 22 sobre la sobrepoblación en las prisiones y la inflación penitenciaria y a los estándares del CPT sobre sobrepoblación en las cárceles incluidos en el 2º y 7º Informes Generales de actividad del Comité. Entre muchas otras es el caso de la sentencia piloto por el asunto Torreggiani y otros

---

[234] Así lo expresa, por ejemplo, el propio CPT en su 19 Informe cuando afirma que se complace en señalar que sus estándares han tenido influencia sobre varios instrumentos del Consejo de Europa, entre los que cita expresamente las "Veinte directrices sobre el retorno forzoso", adoptadas por el Comité de Ministros del Consejo de Europa en 2005; en las Reglas Penitenciarias Europeas de 2006; en las Reglas Europeas de los delincuentes juveniles de 2008 y en las Directrices sobre la protección de Derechos humanos en el contexto de los procedimientos de asilo de 2009. CPT/Inf (2009) 27, parágrafo 6.

[235] VAN ZYL SMIT, D., SNACKEN, S.: Principios de derecho y política penitenciaria europea, ob. cit., p. 544.

[236] MATA Y MARTÍN, R.: Fundamentos del sistema penitenciario, ob. cit., p. 192.

[237] En su 19 Informe General el CPT se alegra del incremento de referencias de las resoluciones que el TEDH está realizando tanto a sus estándares como a los hallazgos específicos que ha encontrado el CPT en sus informes tras las visitas a los países. CPT/Inf (2009) 27, parágrafo 6. En este sentido, VAN ZYL SMIT, D.: "Humanising imprisonment: a European Project?". European Journal of Criminal Policy Resarch 12 (2006), p. 112.

contra Italia, de 8 de enero de 2013 con la inclusión de estos estándares europeos dentro de los textos internacionales aplicables (parágrafos 30 y ss).

Y, en tercer lugar, el CPT también ha ido incorporando paulatinamente los estándares trabajados por el Comité de Ministros y la jurisprudencia del TEDH en los suyos propios. Así, por ejemplo, en su reciente revisión sobre la situación de los condenados a cadena perpetua[238], el CPT no solo se hace eco de las prácticas que ha detectado el Comité en sus visitas desde la emisión de sus primeros estándares en esta materia[239], sino que incorpora, y hace propios, los objetivos y principios para el tratamiento de los condenados a cadena perpetua enunciados por el Comité de Ministros en la Recomendación (2003) 23 sobre la gestión por parte de las administraciones penitenciarias de los condenados a cadena perpetua y otras penas de prisión de larga duración: principio de individualización, de normalización, de responsabilidad, de seguridad y aseguramiento, de no segregación y de progresión[240]; desarrollando y concretando los mismos, particularmente el de individualización y la necesidad de implementar el plan de ejecución (parágrafos 76 a 80). Al Igual hace con la jurisprudencia del TEDH en esta materia, principalmente con las referencias expresas a la sentencia Vinter y otros vs. Reino Unido, de la Gran Sala, de 9 de julio de 2013 (parágrafos 73) si bien el CPT se muestra más crítico con estas penas, avanzando con más resolución en lo que debe ser y no admisible —en confrontación con lo asumido por el TEDH en la posterior sentencia sobre el asunto Hutchinson, de la Gran Sala, de 17 de enero de 2017[241]—.

Ahora bien, hay que señalar la virtualidad del CPT en este punto, en tanto puede reaccionar de forma más rápida que el resto de los órganos del Consejo de Europa debido a la flexibilidad que caracteriza su forma de trabajar[242]. Eso permite, por un lado, que sus estándares puedan ser más concretos y desarrollados que los

---

[238]   Incluidos en su 25º Informe General de actividad del Comité de 2015: CPT/Inf (2016) 10.

[239]   Incluidos en el 11º Informe General de actividad del Comité de 2000: CPT/Inf (2001) 16.

[240]   Parágrafo 74 del 25º Informe General de actividad del Comité de 2015: CPT/Inf (2016) 10.

[241]   Formulando tres consecuencias fundamentales que deben servir de guía a los países miembros en esta materia: Primero, la legislación de los Estados debe prever en lo sucesivo un plazo durante el cumplimiento de la cadena perpetua para posibilitar la revisión de la condena. Segundo, los Estados parte deben establecer un procedimiento a través del cual sean revisadas estas condenas. Y tercero, la detención en prisión debe organizarse de tal manera que los condenados a cadena perpetua puedan progresar hacia su rehabilitación. Más detenidamente, RODRÍGUEZ YAGÜE, C.: "Los estándares internacionales sobre la cadena perpetua del Comité Europeo para la Prevención de la Tortura y las Penas o Tratos Inhumanos o Degradantes", *ob. cit.*, pp. 259 y ss.

[242]   Lo ponen de manifiesto VAN ZYL SMIT, D., y SNACKEN, S., con el ejemplo de cómo la cuestión sobre la vida en las prisiones de Europa del Este, percibida a través de las entrevistas con los reclusos, dio lugar a recomendaciones para la mejora de sus condiciones de encarcelamiento, entre las que figuraba la posible puesta en libertad de los condenados a cadena perpetua, aspecto que supera las condiciones materiales inmediatas del encarcelamiento de los reclusos

elaborados por otros órganos. Así se ha afirmado que ocurre, por ejemplo, con los estándares del CPT en comparación con las Reglas Penitenciarias Europeas, en tanto que el CPT al elaborar sus estándares se ha preocupado de facilitar una serie de criterios más detallados para hacer un seguimiento de las condiciones de las prisiones de manera más objetiva. Por ello se ha dicho que los estándares desarrollados y aplicados por el CPT son posiblemente de mayor importancia práctica que las Reglas Penitenciarias Europeas (refiriéndose a la versión anterior), que apenas son mencionadas por el CPT[243]. Además son más específicos, puesto que su referente son situaciones analizadas en las visitas y que se detectan como generalizadas en un número relevante de países, lo que le permite ser más detallado y concreto que en las Recomendaciones. Por otro, los estándares del CPT son más exigentes respecto a los establecidos por la CEDH puesto que el mandato del Comité se dirige a la mejora de tratamiento de las personas privadas de libertad a través de una actuación preventiva y de diálogo con las autoridades estatales en lugar de a través de la mera condena del Estado por incumplimiento del contenido de aquella[244]. Y, en tercer lugar, ese carácter flexible de trabajo permite que los estándares emitidos por el CPT puedan adaptarse mejor y más rápidamente a las situaciones que se planteen de una manera más dinámica y rápida. No obstante, como ya advertimos, hay que destacar que con el tiempo los estándares del CPT han ido creciendo en desarrollo y vocación general, acercándose en estructura, extensión y configuración a partir de unos principios informadores, a las Recomendaciones del Comité de Ministros.

En definitiva, la actuación de los tres actores es complementaria y permite el avance en el desarrollo y consolidación de los estándares penitenciarios europeos. Se puede afirmar que mientras el TEDH centra su actuación sobre el pasado y el análisis individual de una situación lesiva de los derechos del CEDH, la labor del Comité de Ministros a través de sus Recomendaciones es *ad futurum* y general, tratando de reglar los principios mínimos necesarios para conformar las penas y gestionar su ejecución. Entre ambas condiciones, entre lo general y lo individual, y entre el pasado y el futuro, actúa el CPT, puesto que sus estándares se construyen sobre el análisis de la suma de múltiples situaciones individuales, apreciadas en el pasado y algunas mantenidas en el presente, que han sido detectadas en sus visitas periódicas, que, en el momento en el que se materializan como criterios, adquieren ese carácter general y que por tanto también tienen vocación de actuación en el futuro cambio normativo y de gestión de la praxis penitenciaria.

---

pero que evidencia una cuestión relevante de política penitenciaria. *Principios de Derecho y Política Penitenciaria Europea, ob. cit.*, pp. 543 y 544.

[243]   MORGAN, R.: "The European Committee for the Prevention of Torture and Inhuman or Degrading Treatment or Punishment", *ob. cit.*, p. 717.

[244]   MURDOCH, J.: *The treatment of prisoners, ob. cit.*, p. 45.

2. La progresiva incursión de los estándares penitenciarios del Consejo de Europa en la Unión Europea

En este momento, el verdadero impulso al derecho penitenciario europeo puede, y debe, venir de la mano de la UE. Es ella quien posee el potencial necesario para convertirse en la mayor fuerza existente en el desarrollo del derecho y la política penitenciaria europea[245]. Y lo es, en nuestra opinión, por dos razones: la primera, de orden estructural, por una mayor homogeneidad de los países que lo conforman, tanto socialmente —eso sí, con matices importantes—, como especialmente en el marco de sus sistemas jurídicos, sometidos a un proceso progresivo de armonización[246]. La segunda, por el carácter imperativo de sus instrumentos para la armonización (Decisiones Marco y Directivas), que superan el carácter de *soft law* de los mecanismos de actuación del Consejo de Europa —salvo, obviamente, la jurisprudencia del TEDH—[247], en el caso en el que se opte por estos instrumentos para llevar a cabo este proceso.

Sin embargo, la preocupación del derecho comunitario por la materia penal —y más, dentro de él, por las cuestiones relativas a la ejecución de penas— es bastante tardía. Ese inicial desinterés se debió en un primer momento al entendimiento del Derecho penal como una manifestación inherente al núcleo más profundo de la soberanía estatal de cada Estado miembro, y también, en el ámbito referido a la ejecución, a la confianza de que en tanto todos los países de la UE pertenecían al Consejo de Europa, habían firmado el CEDH, y por tanto estaban vinculados a las decisiones del TEDH e influidos por los estándares de *soft law* de las Recomendaciones del Consejo de Ministros y del CPT.

No obstante, la lucha contra determinada criminalidad, de ámbito transfronterizo, que requiere la armonización progresiva de los ordenamientos penales de los Estados miembro así como la cooperación judicial en el territorio europeo ha supuesto la cesión de parte de esa soberanía estatal a la UE[248]. En este proceso de

---

[245]   Así lo afirman VAN ZYL SMIT, D., SNACKEN, S.: *Principios de derecho y política penitenciaria europea, ob. cit.,* p. 553.

[246]   Frente a ese riesgo que ya evidenció CARRILLO SALCEDO, J.A. respecto a lo que supuso la incorporación masiva de Estados miembros al Consejo de Europa, convirtiéndolo en una organización menos homogénea y más inestable, con el riesgo consecuente de que ello viniera acompañado de «un relajamiento de las obligaciones jurídicas y de las garantías instituidas en el Estatuto del Consejo de Europa y en el Convenio Europeo de Derechos "tras Humanos. 'El proceso de internacionalización de los derechos humanos'"», *ob. cit.,* pp. 51 y 76.

[247]   Muestra de esa progresiva interacción es el artículo 6 del Tratado de la Unión Europea, que señala que "los derechos fundamentales que garantiza el CEDH y los que son fruto de las tradiciones constitucionales comunes a los Estados miembros formarán parte del Derecho de la Unión como principios generales", así como que "la UE se adherirá al CEDH".

[248]   MUÑOZ DE MORALES, M.: "Derecho penal europeo". *Curso de Derecho Penal, Parte General.* Demetrio Crespo, E., Rodríguez Yagüe, C. (coords). Ediciones Experiencia, Barcelona, 2016, pp. 699 y ss.

armonización iniciado por la UE a partir de la adopción del Tratado de Ámsterdam en 1997 incorporando como competencia específicamente europea el área de libertad, seguridad y justicia[249], la armonización de las sanciones prosiguió[250], de manera paralela, a la armonización de las infracciones penales[251].

En cambio, en espera de que se aborde, en su caso, el procedimiento para la armonización de las penas y medidas, el ámbito de la ejecución se ha revelado de especial incidencia en la puesta en marcha de los mecanismos de cooperación de los que se ha dotado la UE para hacer efectivos ya los procedimientos de detención y entrega —Decisión Marco del Consejo 2002/584/JAI de 13 de junio de 2002, sobre la Orden Europea de Procedimiento de Arresto y Entrega entre los Estados Miembro—, ya en el reconocimiento mutuo de sentencias en materia penal —Decisión Marco 2008/909/JAI del Consejo de 27 de noviembre de 2008[252], relativa a la aplicación del principio de reconocimiento mutuo de sentencias en materia penal por las que se imponen penas u otras medidas privativas de libertad a efectos de su ejecución en la Unión Europea—[253].

---

[249]   VAN ZYL SMIT, D., SNACKEN, S.: *Principios de derecho y política penitenciaria europea*, *ob. cit.*, p. 66.

[250]   Advirtiendo en este sentido cómo la política penal de la UE, con su mayor énfasis en la consecución de una mayor seguridad por encima de todo, puede tener el efecto contrario, además de generar el peligro de que los esfuerzos por lograr la uniformidad puedan presionar a los países para que recurran con mayor facilidad al encarcelamiento y a la imposición de penas de mayor duración, VAN ZYL SMIT, D., SNACKEN, S.: "Distinctive features of European Penology and Penal Policy-Making". *European Penology?* Daems, T., Van Zyl Smit, D., Snacken, S. (ed). Oxford and Portland, Oregon, 2013, p. 14.

[251]   Más detenidamente sobre las diferentes vías a través de las cuales se realiza este proceso, BERNARDI, A.: "La armonización de las sanciones en Europa". *Los caminos de la armonización penal*. Delmas-Marty, M., Pieth, M., Sieber, U. (dirs). Tirant lo Blanch, Valencia, 2009, pp. 377 y ss.; o MIKLAU, R.: "Approximation of sanctions within the European Union". *European Penology?* Daems, T., Van Zyl Smit, D., Snacken, S. (ed). Oxford and Portland, Oregon, 2013, pp. 113 y ss.

[252]   Posteriormente reformadas ambas por la Decisión Marco 2009/199/JAI del Consejo de 26 de febrero de 2009, por la que se modifican las Decisiones Marco 2002/584/JAI, 2005/214/JAI, 2006/783/JAI, 2008/909/JAI y 2008/947/JAI, destinada a reforzar los derechos procesales de las personas y a propiciar la aplicación del reconocimiento mutuo de las resoluciones dictadas a raíz de juicios celebrados sin comparecencia del imputado.

[253]   Y también con la Decisión Marco 2008/947/JAI del Consejo, de 27 de noviembre de 2008, relativa a la aplicación del principio de reconocimiento mutuo de sentencias y resoluciones de libertad vigilada con miras a la vigilancia de las medidas de libertad vigilada y las penas sustitutivas; y la Decisión Marco 2009/829/JAI del Consejo de 23 de octubre, de 2009, relativa a la aplicación, entre Estados miembros de la UE, del principio de reconocimiento mutuo a las resoluciones sobre medidas de vigilancia como sustitución de la prisión provisional. Y en el ámbito de protección de la víctima, la Directiva 2011/99/UE, de 13 de diciembre de 2011.

En efecto, hasta el momento, y aunque se pueda hablar del derecho de la UE como fuente (mediata) del Derecho penitenciario[254], aquel se ha dirigido prioritariamente en esta esfera a la articulación de una suerte de espacio penitenciario europeo[255], creando a partir del principio de reconocimiento mutuo, que como establece la propia Decisión Marco 2008/909/JAI, es la piedra angular de la cooperación judicial en la UE, un espacio que permita el reconocimiento mutuo de sentencias entre los Estados miembros para propiciar la posibilidad del traslado de personas para el cumplimiento de penas u otras medidas privativas de libertad de cara a su ejecución sin requerir el consentimiento del condenado[256], cuando

---

[254]   Reivindicando así el relevante papel de las Decisiones Marco —a partir de la obligación de la interpretación conforme al Derecho nacional— y de la jurisprudencia del TJUE, MESTRE DELGADO, E.: "La ejecución, en España, de una pena privativa de libertad incompatible con la legislación penal o penitenciaria española, dictada en un país miembro de la Unión europea". *La Ley Penal* nº 127, 2017, p. 10. Relevante para entender el papel de la jurisprudencia del TJUE como fuente (mediata) del Derecho penitenciario en tanto a él le corresponde la interpretación de los Tratados constitutivos y la normativa europea derivada, pudiendo generarse a partir de las cuestiones prejudiciales ante él interpuestas ante dudas planteadas en la interpretación de las Decisiones Marco, es la sentencia analizada por este autor, la STJUE de 8 de noviembre de 2016 (Gran Sala). Esta decisión resuelve una petición de decisión prejudicial planteada por un Tribunal búlgaro, a partir de la solicitud de reconocimiento por Bulgaria, para su ejecución allí, de una sentencia impuesta a un ciudadano búlgaro por un Tribunal danés, ante las dudas planteadas respecto a la posibilidad de aplicar reducciones de condena por la realización de trabajos, medida contemplada por la legislación búlgara, al cómputo de tiempo que el sujeto había estado privado de libertad en el Estado emisor —por tanto, de manera retroactiva—. Concluye el TJUE que el Estado de ejecución solo puede aplicar su derecho a la parte de la pena que quede por cumplir en su territorio una vez se produzca el traslado, no pudiendo aplicar retroactivamente su normativa en materia de ejecución o redención de penas, aunque sea más favorable para el sujeto. De lo contrario, si un órgano jurisdiccional nacional del Estado de ejecución concede una redención de penas respecto a una parte de la pena cumplida en el territorio del Estado de emisión, cuando sus autoridades no lo hicieron en virtud de su normativa nacional, "pondría en peligro la especial confianza mutua de los Estados miembros hacia sus respectivos sistemas jurídicos" (*ibidem*, pp. 11 y 12).

[255]   Véase con más profundidad un análisis de la concreción del Espacio de Libertad, Seguridad y Justicia de la Unión en la conformación de un Espacio penitenciario europeo y su construcción a partir de las Decisiones Marco referidas, en BARAS GONZÁLEZ, M.: *El Espacio Penitenciario Europeo*. Premio Nacional Victoria Kent (2012). Ministerio del Interior, Madrid, 2013, p. 27 y ss.

[256]   Y superando de esta manera en este punto al Convenio del Consejo de Europa sobre traslado de personas condenadas, de 21 de marzo de 1983, que sí requiere el consentimiento del condenado y de los Estados afectados, pues no todos los países han suscrito su Protocolo adicional de 18 de diciembre de 1997 que sí permite, bajo determinadas condiciones, la realización del traslado sin el consentimiento del afectado. Ahora bien, como bien advierte la Decisión Marco 2008/909/JAI, ninguno de esos dos instrumentos establece la obligación del Estado de hacerse cargo de los condenados para la ejecución de una condena, aspectos que quieren ser superados a través de la Decisión Marco con el fin de profundizar en la cooperación iniciada por el Convenio de 1983.

la sentencia se transmita al Estado miembro de nacionalidad en el que vive el condenado o bien al Estado miembro al que vaya a ser expulsado una vez puesto en libertad o al Estado miembro al que se ha fugado o al que ha regresado ante el proceso penal abierto contra él en el Estado de emisión o por haber sido condenado en el Estado de emisión (art. 4.2).

Para llevar a cabo la transmisión de la sentencia, la Decisión Marco establece el procedimiento las garantías y requisitos que permitan la cooperación judicial en un ámbito tan propio tradicionalmente de la soberanía estatal como es el de la ejecución de las condenas, fijando las condiciones en las que debe producirse el reconocimiento de la sentencia dictada por el país extranjero y las posibles excepciones. Precisamente es en estas donde aparecen los aspectos más relacionados con el ámbito penológico y de ejecución: en primer lugar, con las reglas específicas que deben regirse en el caso en el que la condena impuesta por el Estado extranjero sea incompatible por su duración o por su naturaleza con la legislación del Estado de ejecución (artículos 8.2 y 8.3)[257], supuestos en los que la Decisión Marco permite la adaptación de la pena o medida a la legislación nacional dando criterios para su realización; en segundo lugar, con la posibilidad de retirada del certificado por el Estado de emisión, tras la solicitud de información a la autoridad competente del Estado de emisión de las disposiciones aplicables en materia de libertad anticipada o condicional, si no está de acuerdo con las mismas (art. 17.3)[258] ; y, en tercer lugar, permitiendo que puedan conceder amnistía o indulto tanto el Estado de emisión como el Estado de ejecución (art. 19). Son cuestiones que, en ese entendimiento de que la ejecución se trata de una esfera intrínseca a la soberanía de los Estados, pretenden por un lado solventar las reticencias en el traslado por parte de los Estados estableciendo ciertas garantías en la adecuación de la ejecución, al tiempo que, por otro, permite al Estado emisor decidir finalmente no solo sobre el mantenimiento del certificado o su retirada, una vez recibida la información del Estado de ejecución, sino también sobre la extinción de la misma responsabilidad penal a través del indulto o la amnistía.

---

[257] Garantías respecto al tipo de pena y su cuantía con el fin de que no excedan o sean incompatibles con la legislación del Estado de ejecución; a ello se añade la garantía recogida en el art. 17.2 que obliga a deducir a la autoridad competente del Estado de ejecución el periodo total de privación de libertad que el condenado ya ha cumplido en relación con su condena en el Estado emisor.

[258] Estableciendo además que los Estados miembros podrán disponer que toda decisión en materia de libertad condicional o anticipada pueda tomar en consideración asimismo las disposiciones del Derecho nacional que señale el Estado de emisión, en virtud de las cuales la persona tenga derecho a la concesión de libertad anticipada o condicional en una fecha determinada (art. 17.4). Y ello en tanto la ejecución de la condena se va a regir por la legislación del Estado de ejecución, incluyéndose la determinación del procedimiento de ejecución y todas las medidas conexas, incluidos los motivos de concesión de libertad anticipada o condicional (art. 17.1).

Sin embargo, consideramos que más allá de articular el edificio de garantías para la cooperación en la ejecución de sentencias, la Decisión Marco no genera estándares de cumplimiento referidos a las condiciones de detención, a los derechos de los internos, al régimen o al tratamiento al que van a ser sometidos.

Y es precisamente ahí, en un plano secundario o indirecto, donde cobran gran relevancia los estándares europeos generados por el Consejo de Europa, que pueden y deben filtrarse a través de los instrumentos de la UE, en este caso de la Decisión Marco 2008/909/JAI, para evaluar el segundo de los objetivos que la propia Decisión Marco establece, junto a la cooperación: facilitar la reinserción social del condenado (art. 3). En efecto, la finalidad que debe perseguir el reconocimiento de sentencias en materia penal que imponen penas o medidas privativas de libertad, y de ahí su relevancia para el ámbito penitenciario, es facilitar la reinserción social del condenado que se entiende, a priori, más factible si el condenado tiene un vínculo con el Estado de ejecución del que es nacional y en el que vive o, de no vivir, al que sería expulsado una vez puesto en libertad (art. 4.1)[259]. En esa evaluación que debe realizarse por el Estado emisor no solo deben ser ponderados criterios como los vínculos con el país de origen o la cercanía al lugar de origen, residencia o a la familia, sino que deben entrar otras variables igualmente relevantes para esa finalidad de reinserción, como en nuestra opinión deben ser las condiciones de ejecución o la legislación y praxis penitenciaria que se le va a aplicar al sujeto, y ya no solo en general, sino también en particular, debiéndose valorar individualizadamente cada caso.

En este sentido, ese objetivo de facilitar la reinserción social del condenado queda ya referido en la finalidad misma de la transmisión de la sentencia y el certificado por la autoridad competente del Estado de emisión, que se hará "cuando tenga el convencimiento de que la ejecución de tal condena por el Estado de ejecución contribuirá a alcanzar el objetivo de facilitar la reinserción social del condenado" (art. 4.2), para lo cual "podrá consultar, por todos los medios apropiados, a la autoridad competente del Estado de ejecución" (art. 4.3), previéndose también que ante tal consulta la autoridad competente del Estado de ejecución pueda "presentar a la autoridad competente del Estado de emisión un parecer motivado, en el que indique

---

[259] De ahí que en sus considerandos, la Decisión Marco afirme que "el cumplimiento de la condena en el Estado de ejecución debe incrementar las posibilidades de reinserción social del condenado. Para asegurarse de que el Estado de ejecución hará ejecutar la condena cumpliendo la finalidad de facilitar la reinserción social del condenado, la autoridad competente del Estado de emisión debe tener en cuenta aspectos como la relación del condenado con el Estado de ejecución, por ejemplo si el condenado considera que allí se encuentran sus vínculos familiares, lingüísticos, culturales, sociales o económicos, y otros lazos con el Estado de ejecución" (considerando n° 9). En este sentido, recuerda que la opinión del condenado puede ser útil para evaluar la aplicación de los motivos para el no reconocimiento y la no ejecución (considerando n° 10).

que el cumplimiento de la condena en el Estado de ejecución no contribuiría al objetivo de facilitar la reinserción social ni la reintegración con éxito del condenado en la sociedad" (art. 4.4)[260]. De ahí que se garantice que en todos los casos en los que el condenado se encuentre en el Estado de emisión se le dará la oportunidad de formular verbalmente o por escrito su opinión, opinión que "se tendrá en cuenta al decidir la cuestión de la transmisión de la sentencia junto con el certificado" (art. 6.3).

En el mismo sentido, la exigencia de que las garantías de reclusión se acomoden a los mínimos requeridos por los estándares europeos debe ser también requerida en la aplicación de la Decisión Marco del Consejo 2002/584/JAI relativa a la orden de detención europea y a los procedimientos de entrega entre Estados miembros[261], que si bien no incorpora entre los motivos para la no ejecución de la orden de detención europea (arts. 3, 4 y 4 bis) el no respeto a los derechos fundamentales por el Estado de ejecución, establece en su art. 1.3 la cláusula de derechos fundamentales según la cual la Decisión Marco "no podrá tener por efecto el modificar la obligación de respetar los derechos fundamentales y los principios jurídicos fundamentales consagrados en el art. 6 del Tratado de la Unión Europea".

Por lo tanto, es en esa evaluación, ya de si el reconocimiento de la sentencia del Estado emisor para el traslado para la ejecución al Estado de ejecución, ya de si la entrega tras una orden de detención no supone la vulneración de derechos fundamentales, donde cobran fuerza los estándares europeos —e internacionales— penitenciarios.

Así lo ha indicado la Comisión en su *Libro Verde* "Reforzar la confianza mutua en el espacio judicial europeo"[262] respecto a la Decisión Marco sobre reconocimiento mutuo de sentencias, afirmando que "unas condiciones de detención claramente deficientes o que puedan situarse por debajo de las normas mínimas establecidas por las Reglas Penitenciarias Europeas del Consejo de Europa pue-

---

[260]   Asimismo, el art. 4.6 señala que, en aplicación de la Decisión Marco, "los Estados miembros adoptarán medidas que tendrán en cuenta especialmente el objetivo de facilitar la reinserción social del condenado y que constituirán la base sobre la que sus autoridades competentes adoptarán las decisiones de autorizar o no la transmisión de la sentencia y del certificado en los casos contemplados en el apartado 1, letra c)".

[261]   En su versión modificada por la DM 2009/299/JAI del Consejo, de 29 de febrero de 2009.

[262]   *Libro Verde de la Comisión: Reforzar la confianza en el espacio judicial europeo. Libro verde relativo a la aplicación de la legislación de justicia penal de la UE en el ámbito de la detención.* Com (2011) 327 final, p. 12. Por ello subraya la importancia del acceso a la información sobre las condiciones penitenciarias y los sistemas de justicia penal en otros Estados para la valoración por los Estados emisores de todos los factores relevantes antes de iniciar el traslado. Asimismo reconoce, a renglón seguido, la existencia del riesgo de la utilización de los traslados para aliviar el exceso de población reclusa en un Estado miembro, agravando en consecuencia la sobrepoblación de otro, así como que "la diversidad existente entre las legislaciones de los Estados miembros en materia de ejecución de las penas privativas de libertad plantea posibles problemas para la correcta aplicación de la Decisión Marco".

den constituir un impedimento para el traslado de reclusos. Los condenados que no deseen ser trasladados podrían tratar de alegar que el traslado podría someterles a un trato inhumano o degradante". Igualmente el Parlamento europeo en su Resolución de 5 de octubre de 2017, sobre condiciones y sistemas penitenciarios, ha afirmado que "las condiciones de reclusión son un elemento determinante para la aplicación del principio de reconocimiento mutuo de las resoluciones judiciales en el espacio de libertad, seguridad y justicia de la Unión, tal como el TJUE ha sostenido en los asuntos Aranyosi y Caldararu".

En efecto, el TJUE se ha pronunciado en su relevante Sentencia de 5 de abril de 2016 referida a los asuntos acumulados Caldararu y Aranyosi[263], sobre la posibilidad de excepcionalizar el principio de reconocimiento mutuo ante una vulneración de derechos fundamentales por ejemplo, por el riesgo de que el individuo sufra un trato inhumano o degradante, pronunciándose por vez primera en el ámbito de la UE sobre las condiciones de reclusión y sus efectos en el ámbito de la cooperación judicial[264].

En esta resolución, el TJUE resuelve las cuestiones prejudiciales planteadas por un Tribunal alemán ante la oposición de Aranyosi y Caldararu a que se procediese a su entrega alegando que los Estados de emisión de sus respectivas órdenes de detención y entrega no cumplían los estándares europeos referidos a las condiciones de reclusión[265]. En ella el STJUE tiene que resolver si la cláusula de derechos fundamentales recogida en el art. 1.3 de la Decisión Marco sobre la euroorden permite la denegación de la entrega si existen indicios sólidos de condiciones de reclusión insuficientes a partir del art. 3 CEDH[266], esto es, si un juez

---

[263]   Un análisis más detenido sobre esta importante resolución puede encontrarse en: MUÑOZ DE MORALES ROMERO, M.: "Dime cómo son tus cárceles y ya veré yo si coopero`. Los asuntos Caldararu y Aranyosi como nueva forma de entender el principio de reconocimiento mutuo". *InDret* 1/2017; y OLLÉ SESÉ, M., GIMBERNAT DÍAZ, E.: "Orden europea de detención y entrega y tratos inhumanos o degradantes". *Diario La Ley* 5 de abril de 2016.

[264]   MUÑOZ DE MORALES ROMERO, M.: "Dime cómo son tus cárceles y ya veré yo si coopero", *ob. cit.* p. 4.

[265]   Aranyosi había sido detenido tras la emisión de una Orden de detención europea emitida por un juez de instrucción húngaro por ser sospechoso de la comisión de dos robos con fuerza mientras que a Caldararu se le había solicitado la orden de detención por un juez rumano tras haber sido condenado en ausencia a una pena de prisión por conducir sin permiso.

[266]   En concreto, resolviendo las dos cuestiones prejudiciales formuladas: primera, si el art. 1.3 puede ser interpretado de tal manera que pueda decretarse improcedente la entrega si hay razones de peso para creer que las condiciones de reclusión del Estado emisor vulnera los derechos fundamentales de la persona interesada y los principios generales del Derecho recogidos en el art. 6 TUE o debe interpretarse en el sentido de que en estos casos el Estado de ejecución puede condicionar su decisión sobre la procedencia de la entrega a la constitución de garantías relativas al cumplimiento de las condiciones de reclusión o, bien, puede o debe formular a tal efecto requisitos mínimos concretos aplicables a las condiciones de reclusión que han de ser

de ejecución puede denegar la entrega de una persona alegando como motivo el riesgo de vulneración de derechos fundamentales, aunque no esté contemplado en los artículos 3 a 5 de la DM[267]. En su resolución, el TJUE si bien parte de que en tanto el principio de reconocimiento mutuo es la piedra angular de la cooperación judicial en materia penal y que, por tanto, la autoridad judicial de ejecución solo podrá negarse a ejecutar la orden de detención y entrega en los supuestos enumerados exhaustivamente en la Decisión Marco (arts. 3, 4 y 4 bis) o supeditar solo a las condiciones recogidas taxativamente en el art. 5 su ejecución, admite que puedan limitarse los principios de reconocimiento y de confianza mutuos entre Estados miembro en circunstancias excepcionales[268]. Así ocurre si se acredita un "riesgo real de que se inflija un trato inhumano o degradante a las personas encarceladas en el Estado emisor, con arreglo a la norma de protección de los derechos fundamentales garantizada por el Derecho de la Unión y, en particular, por el artículo 4 de la Carta" (parágrafo 88).

Tal riesgo debe ser resultado, según el TJUE, de un doble juicio de valoración: el primero, general, basado en "elementos objetivos, fiables, precisos y debidamente actualizados relativos a las condiciones de reclusión imperantes en el Estado miembro emisor que demuestren la existencia de deficiencias sistémicas o generalizadas que afecten a ciertos grupos de personas o a ciertos centros de reclusión" (parágrafo 89). En este sentido, entre las posibles fuentes que señala para proceder a tal evaluación se encuentran las resoluciones del TEDH o las decisiones, informes u otros documentos elaborados por los órganos del Consejo de

---

garantizadas; y, segunda, si conforme a los artículos 5 y 6.1 la autoridad judicial emisora ostenta la facultad de constituir garantías relativas al cumplimiento de las condiciones de reclusión o se mantiene el orden competencial interno del Estado emisor. STJUE de 5 de abril de 2016, parágrafo 63.

[267] Como señala MUÑOZ DE MORALES ROMERO, M., subyace a este problema el propio modelo de cooperación judicial que se quiere en la UE: o bien uno tradicional, de carácter bidimensional, que solo afecta a los dos Estados implicados, descansa en las relaciones internacionales y en la lucha eficaz de la delincuencia y se nutre de principios como el de *non inquiry* o bien uno de naturaleza tridimensional, que pondere adecuadamente los dos intereses en juego señalados junto a un tercero: la protección de los derechos fundamentales de la persona implicada. Mientras el primero limita la función del juez al control formal de los requisitos establecidos en el derecho interno para acordar la extradición, sin entrar en consideraciones sobre la posible afección a los derechos fundamentales en el Estado requirente, al entender que se trata de una cuestión ya tenida en cuenta con la firma y ratificación del convenio internacional sobre la materia, el modelo de cooperación de corte tridimensional convierte al juez encargado de la extradición en garante de los derechos de la persona reclamada, pudiendo valorar, a través de la previa previsión mediante una cláusula de orden público, el cumplimiento de los derechos fundamentales del país con el que coopera antes de adoptar su decisión. "Dime cómo son tus cárceles y ya veré yo si coopero", *ob. cit.*, pp. 6 y 7.

[268] STJUE de 21 de 5 de abril de 2016, parágrafos 78 a 82.

Europa[269]. No obstante, ese riesgo general acreditado debe ser completado por un segundo juicio a través del cual la autoridad judicial de ejecución deba comprobar "concreta y precisamente si existen razones serias y fundadas para creer que la persona de que se trate correrá ese riesgo debido a las condiciones de reclusión previstas para ella en el Estado miembro emisor"[270]. En este caso el Tribunal de Justicia establece el camino que debe seguir el Estado de ejecución: con arreglo al art. 15.2 de la Decisión Marco deberá solicitar a la autoridad judicial del Estado miembro emisor la transmisión urgente de toda la información complementaria necesaria sobre las condiciones de reclusión previstas para la persona de que se trate[271], fijando para ello un plazo en el que aquella está obligada a proporcionar tal información. Tras esa recepción de la información, se dibujan tres posibles escenarios: en primer lugar, si la información permite concluir que no existe un riesgo real de que la persona sufra un trato inhumano o degradante, la autoridad

---

[269] Junto a otras resoluciones judiciales internacionales, del Estado miembro emisor o bien decisiones, informes u otros documentos del sistema de Naciones Unidas (parágrafo 89). También los instrumentos del Consejo de Europa son utilizados por el Tribunal alemán, en la interposición de las cuestiones prejudiciales, para construir su convencimiento de que existían indicios fundados de que el Sr Aranyosi, de ser entregado a la autoridad húngara, podría verse sometido a condiciones de reclusión contrarias al art. 3 CEDH en las condena a este país por el TEDH en su resolución por el asunto Varga y otros vs. Hungría de 10 de marzo de 2015 (sentencia piloto) por las condiciones de reclusión y la sobrepoblación y en el informe del CPT a partir de las visitas efectuadas entre 2009 y 2013; Asimismo, respecto al Sr. Caldararu, se refiere a las varias condenas por el TEDH por la misma circunstancia – asuntos Voicu vs. Rumanía; Bujorean vs. Rumanía; Constantin Aurelian Burlacu vs. Rumanía, y Mihai Laurentiu Marin vs. Rumanía, todas ellas pronunciadas el 10 de junio de 2014) así como a los informes del CPT por sus visitas en 2014; STJUE de 21 de 5 de abril de 2016, parágrafos 42 a 44 y 60 y 61. En todo caso, y respecto a las fuentes, como señalan OLLÉ SESÉ, M., GIMBERNAT DÍAZ, E. esta enumeración debería ser entendida no como un *numerus clausus*, sino como un "sistema de prueba de mínimos, a los que se les puede —y debe— sumar cualquier otro elemento probatorio admitido por los sistemas procesales nacionales, en virtud del principio de valoración de la prueba, de los diferentes Estados miembros de la UE que, necesariamente, ante ese temor real de violación de un derecho fundamental en el Estado de emisión, deberán practicar de oficio o a instancia de cualquiera de las partes"; "Orden europea de detención y entrega y tratos inhumanos o degradantes", *ob. cit.*

[270] No bastando la constatación de la "mera existencia de elementos que acrediten deficiencias sistémicas o generalizadas que afecten a ciertos grupos de personas o a ciertos centros de reclusión en lo referente a las condiciones de reclusión en el Estado miembro emisor" en tanto ello "no implica necesariamente que, en un caso concreto, la persona de que se trate vaya a sufrir un trato inhumano o degradante en el supuesto de que sea entregada a las autoridades de ese Estado miembro" (parágrafos 92 y 93).

[271] Junto a la información necesaria para averiguar si existen en el Estado miembro emisor posibles procedimientos o mecanismos nacionales o internacionales de control de las condiciones de reclusión (por ejemplo, visitas a los establecimientos penitenciarios), que permitan evaluar el estado en ese momento de las condiciones de reclusión en esos establecimientos (parágrafos 95 y 96).

judicial de ejecución adoptará la decisión sobre la ejecución de la orden de detención europea en los plazos previstos por la Decisión Marco[272]. En segundo lugar, si con tal información la autoridad judicial constata la existencia de un riesgo real para la persona de sufrir un trato inhumano o degradante, deberá aplazarse la ejecución de la orden[273], pero no abandonarse. Y, por último, si la existencia de ese riesgo no puede ser excluida en un plazo razonable, el TJUE concluye que la autoridad "deberá decidir si procede poner fin al procedimiento de entrega"[274]. Seguramente sin quererlo, el TJUE abrió una puerta a la "desconfianza mutua" en materia de condiciones de detención, respaldada por la situación de los sistemas penitenciarios de varios países europeos[275], que ha tratado a nuestro juicio de matizar en su reciente sentencia por el asunto ML, de 25 de julio de 2018[276]. En efecto, desarrollando lo establecido en Aranyosi y Caldararu, el TJUE trata de volver a la senda de la confianza mutua concretando tanto el contenido como el alcance de la revisión que debe realizar el órgano judicial del Estado de ejecución ante las dudas sobre las condiciones de detención del Estado emisor.

Lo hace en primer lugar respecto al cuándo debe procederse a tal revisión y, con ello, a la solicitud de mayor información sobre tales condiciones. Señala así que sólo podrá recurrirse en casos excepcionales a la posibilidad de solicitar

---

[272]   Sin, perjuicio, como señala en el parágrafo 103, de que la persona pueda, una vez entregada, hacer uso de los medios de recurso previstos en el ordenamiento jurídico del Estado miembro emisor para impugnar, en su caso, la legalidad de las condiciones de reclusión en un establecimiento penitenciario de ese Estado miembro.

[273]   En tal caso, la autoridad judicial de ejecución solo puede decidir mantener en detención a la persona si el procedimiento de ejecución de la orden de detención se ha llevado a cabo con suficiente diligencia, la duración de la detención no ha sido excesiva y se respeta la exigencia de proporcionalidad y, si concluye que debe poner fin a la detención, deberá adoptar las medidas necesarias para evitar su fuga y garantizar las condiciones materiales para su entrega efectiva (parágrafos 98 a 102).

[274]   Parágrafo 104. Como advierte MUÑOZ DE MORALES ROMERO, M., la denegación debe ser la última de las opciones pues avoca o bien a la obligación del Estado de ejecución de juzgar al sujeto, con los problemas que ello plantea —pues requiere, por un lado, el reconocimiento del principio *aut dedere aut judicare* y, por otro, solventar los importantes problemas de prueba, que estarán en el Estado de emisión— o bien a la impunidad, de ahí la aparición de un camino intermedio, sobre el que no se pronuncia expresamente la sentencia: el establecimiento de garantías, procediendo a una entrega condicionada "Dime cómo son tus cárceles y ya veré yo si coopero", *ob. cit.*, pp. 13 a 17.

[275]   Tal y como evidencian los informes SPACE I respecto a las tasas de sobreocupación, los informes nacionales del CPT y la jurisprudencia del TEDH, en particular, a través de los procedimientos piloto iniciados en diferentes países miembros del Consejo de Europa y, a su vez, de la UE.

[276]   Nuevamente en respuesta a las cuestiones prejudiciales formuladas por el Tribunal Superior Regional Civil y Penal de Bremen, en Alemania, ante la solicitud de una ODE por parte de la autoridad judicial húngara.

información complementaria urgente al Estado miembro emisor (art. 15.2 DM), que deberá ser un último recurso cuando no se disponga de todos los elementos formales necesarios para adoptar urgentemente tal decisión: no se puede en consecuencia "hacer uso de esta disposición para solicitar, de oficio, que el Estado miembro emisor facilite información general sobre las condiciones de detención en las prisiones en las que pueda estar detenida una persona objeto de una orden de detención europea".

En segundo lugar, se pronuncia sobre la posibilidad de sustituir la obligación de tal revisión cuando exista un recurso judicial en el Estado miembro emisor que permita al sujeto entregado impugnar ante los tribunales nacionales la legalidad de las condiciones de su detención a la luz de los derechos fundamentales[277]. El TJUE concreta que si bien la posibilidad de revisión judicial posterior de las condiciones de internamiento en el Estado miembro emisor constituye un avance importante, que puede servir además de incentivo para mejorar las condiciones de internamiento —y por ello ser tenido en cuenta por las autoridades judiciales de ejecución en la decisión sobre la ODE—, "esa revisión no es, como tal, capaz de evitar el riesgo de que esa persona, tras su entrega, sea sometida a un trato incompatible con el art. 4 de la Carta debido a las condiciones de su detención". Por ello, las autoridades judiciales de ejecución están obligadas a proceder a una evaluación individualizada de la situación de cada persona afectada de haberse detectado ese riesgo genérico en las condiciones de detención.

En tercer lugar, y respecto al alcance, esta sentencia introduce varios aspectos muy relevantes que tratan de reducir el riesgo de que las condiciones de detención pongan en peligro los instrumentos de cooperación judicial construidos sobre esa confianza y lealtad mutua que trata de apuntalar el TJUE en esta segunda resolución.

El primero se refiere a qué centros penitenciarios deben ser evaluados por el órgano judicial de ejecución, ante la posibilidad de que el sujeto sea sometido a traslados posteriores o bien que se prevea su ingreso provisional, por breve periodo temporal, en un centro con problemas de hacinamiento. El TJUE es categórico: la apreciación del órgano judicial no puede referirse "a las condiciones generales de detención en todas las prisiones del Estado miembro de emisión en las que pueda estar detenido el interesado", lo que impediría cumplir con los plazos de adopción de la ODE y haría "totalmente ineficaz el funcionamiento del sistema de la orden de detención europea". En virtud de la confianza mutua, las autoridades "sólo están obligadas a evaluar las condiciones de detención en los centros penitenciarios en los

---

[277]   Aspecto que había planteado dudas tras Aranyosi y Caldararu al señalar en esta resolución la posibilidad de solicitar información sobre ello y al mantener Hungría en el caso ML. que por una Ley en 2016 había introducido un recurso de esta naturaleza en su Ordenamiento.

que, según la información de que disponen, se pretende realmente que la persona de que se trate sea detenida, incluso con carácter temporal o transitorio".

El segundo se refiere a qué condiciones de detención son las que deben ser evaluadas por el órgano judicial de ejecución. Acudiendo para ello a la jurisprudencia del TEDH[278], y recordando la importancia de la falta de espacio vital mínimo como fuerte presunción de violación del art. 3 CEDH y las posibilidades de matización en el caso en el que, a pesar de ello, se trate de una reducción de espacio temporal, haya posibilidad de tiempo suficiente fuera de la celda y de realización de actividades o de que el resto de condiciones de detención sean apropiadas, se refiere a las 78 preguntas que el Ministerio Fiscal había dirigido al órgano jurisdiccional húngaro. Advierte que si bien varias de ellas son pertinentes para la apreciación de las condiciones reales de detención, otras, ya por su número, por su ámbito de aplicación (todas las prisiones) y por su contenido (culto religioso, posibilidad de fumar, modalidades de lavado de ropa, presencia de barras o persianas de lamas) "hacen que, en la práctica, sea imposible que las autoridades del Estado emisor den una respuesta útil" trayendo como consecuencia "el bloqueo de la ejecución del mandamiento de detención europeo", bloqueo que "no es compatible con el deber de cooperación leal previsto en el art. 4.3 TUE[279]".

El último aspecto con el que el TJUE viene a limitar el alcance de esa "desconfianza mutua" en las condiciones de detención es precisamente el afianzamiento del principio de cooperación leal y de la confianza mutua como base el espacio de libertad, seguridad y justicia. Y lo hace, en concreto, estableciendo que la garantía ofrecida por las autoridades competentes del Estado miembro de emisión de que la persona requerida, con independencia de la prisión en la que esté detenida, no sufrirá un trato inhumano o degradante por las condiciones de su detención, es un factor que no puede ser ignorado por la autoridad judicial de ejecución. De darse, "la autoridad judicial de ejecución, habida cuenta de la confianza mutua que debe existir entre las autoridades judiciales de los Estados miembros y en las que se basa el sistema de la orden de detención europea, deberá basarse en esa garantía, al menos en ausencia de cualquier indicación específica de que las condiciones de detención en un determinado centro de detención infrinjan el art. 4 de la Carta".

En definitiva, más que configurarse —hasta el momento— nuevos estándares penitenciarios en la UE en el marco de cooperación judicial y de reconocimiento

---

[278] En particular, a la STEDH de 20 de octubre de 2017 por el asunto Mursic vs. Croacia, en tanto aglutina los estándares elaborados por el Tribunal respecto a las condiciones de detención que pueden ser lesivas para el art. 3 CEDH.

[279] De hecho se señala en la STJUE que el órgano jurisdiccional alemán no estaba ejecutando ninguna ODE emitido por un órgano judicial de tres países (entre ellos, Hungría).

mutuo de resoluciones judiciales en materia penal, se procede a la asunción, como elementos interpretativos, de los estándares penitenciarios europeos elaborados en sede del Consejo de Europa que de esta manera pueden filtrarse hasta adquirir una relevante función en garantizar, al menos, una homogeneización de mínimos exigible para que estos instrumentos de la Unión puedan desarrollar sus efectos plenamente[280].

Pero no solo los estándares europeos trabajados en el seno del Consejo de Europa cobran su fuerza a través de los instrumentos normativos europeos referidos a la cooperación judicial. También se consolidan, y quizá puedan en el futuro sentar la base incluso para el desarrollo de estándares propios, a través del interés que han manifestado las instituciones de la UE en el ámbito penitenciario. En este sentido cabe destacar el papel desempeñado por el Parlamento europeo[281], quien, en diversas resoluciones, ha manifestado su preocupación por la situación de las prisiones en los países miembros de la UE[282]. De particular importancia en este sentido fue la Recomendación sobre los derechos de los reclusos en la Unión Europea, de 2004, en la que el Parlamento encargó al Consejo de Europa la redacción de unas nuevas RPE —que finalmente verían la luz en 2006— y de un capítulo vinculante sobre asuntos penitenciarios, proyecto finalmente rechazado por el Comité de Ministros, como vimos anteriormente[283].

---

[280] En este sentido, señala MUÑOZ DE MORALES ROMERO, M. ante el problema de que las condiciones de reclusión de los centros penitenciarios pueda ser un obstáculo para los instrumentos de cooperación señalados (orden de detención y entrega europea y traslado de personas para la ejecución de sentencias privativas de libertad), que quizá sea el momento de plantearse una intervención a nivel legislativo, aunque advierte de sus obstáculos prácticos, como el solapamiento con el trabajo realizado por el Consejo de Europa o la competencia accesoria de la UE en esta materia. "Dime cómo son tus cárceles y ya veré yo si coopero", *ob. cit.*, pp. 23 y 24.

[281] También el de la Comisión europea que, como señalan VAN ZYL SMIT, D. y SNACKEN, D., lo ha demostrado tanto en la puesta en marcha a través del apoyo a una amplia variedad de programas educativos para la mejora de la educación en prisión, como en el respaldo otorgado a través de la financiación de distintos proyectos de investigación en los países de la UE sobre aspectos varios de la privación de libertad. *Principios de derecho y política penitenciaria europea*, ob. cit, pp. 66 y 67. "También el Libro Verde relativo a la aplicación de la legislación de justicia penal de la UE en el ámbito de la detención" (COM (2011) 0327).

[282] Véase Resolución de 18 de enero de 1996, sobre las malas condiciones en las cárceles de la UE (DO C 32, de 5 de febrero de 1996); Resolución de 17 de diciembre de 1998, sobre las condiciones carcelarias en la UE: reorganización y penas de sustitución (DOC 98 de 9 de abril de 1999); Resolución de 25 de noviembre de 2009, sobre el programa plurianual 2010-2014 relativo al Espacio de libertad, seguridad y justicia (DOC 285 E de 21 de octubre de 2010); y Resolución de 15 de diciembre de 2011, sobre las condiciones de privación de libertad en la UE (DOC 168 E de 14 de junio de 2013).

[283] Apuntan en este sentido VAN ZYL SMIT, D. y SNACKEN, S. que uno de los posibles avances podría venir de la mano de la Carta de Derechos Fundamentales que, al formar parte del derecho comunitario, es aplicable por los tribunales nacionales, puesto que en su texto, además de

La última de sus resoluciones, la adoptada el 5 de octubre de 2017, sobre condiciones y sistemas penitenciarios[284] —situación que en 2014 afectaba a más de medio millón de reclusos en centros penitenciarios de los países miembro—, es buen ejemplo ya de esa interacción entre el Consejo de Europa y la UE, ya de la incipiente voluntad de que el tema carcelario acabe asentándose en la agenda de las instituciones comunitarias como un tema propio y, probablemente, sobre el que UE desarrolle sus estándares y sus instrumentos normativos. En esta Resolución de 2017, aunque el Parlamento europeo reconoce en sus considerandos que las condiciones penitenciarias y la gestión de las cárceles corresponde a los Estados miembro, afirma que la Unión desempeña un papel necesario en la protección de los derechos fundamentales de los reclusos y en la creación del espacio europeo de libertad, seguridad y justicia y que, en el ámbito de sus competencias, se incluye la promoción del intercambio de buenas prácticas entre los Estados que afrontan problemas comunes que plantean verdaderos desafíos en materia de seguridad dentro de Europa[285]. Para ello, promueve la adopción de esas buenas prácticas —o estándares penitenciarios europeos—, para lo cual como primera medida "insta a los Estados miembro a que respeten las reglas en materia de privación de libertad establecidas en los instrumentos de Derecho internacional y en las normas del Consejo de Europa (...)". Nuevamente se refiere a los estándares europeos ya elaborados cuando pide a la Comisión y a las instituciones de la Unión que "adopten las medidas necesarias para garantizar el respeto y la

---

contener artículos que al igual que los recogidos en el CEDH pueden ser aplicados a la realidad de las prisiones de forma prácticamente automática, su artículo 49.3 recoge el principio de proporcionalidad de las penas – "la intensidad de las penas no debe ser desproporcionada en relación con la infracción", de tal manera que puede servir como un instrumento para reducir los periodos de encarcelamiento más largo. *Principios de derecho y política penitenciaria europea, ob. cit.*, p. 555. En este sentido el art. 6 Tratado de la Unión Europea establece que la Unión reconoce los derechos, libertades y principios enunciados en la Carta de los Derechos Fundamentales de la UE de 7 de diciembre de 2000, tal como fue adaptada el 12 de diciembre de 2007 en Estrasburgo, la cual tendrá el mismo valor jurídico que los Tratados.

284 2015/2062 (INI). Como ya se hizo en la Resolución de 2004, y muestra de esa interacción entre los estándares del Consejo de Europa y la UE, en sus considerandos el Parlamento se refiere, entre otros, a las Reglas penitenciarias europeas y a los convenios, recomendaciones y resoluciones del Consejo de Europa sobre asuntos penitenciarios o al libro blanco del Consejo de Europa sobre la superpoblación carcelaria, de 28 de septiembre de 2016; y en los considerandos al referirse a los informes del CPT, al TEDH y su jurisprudencia sobre sobrepoblación o a las Estadísticas penales anuales del SPACE.

285 Asimismo, señala que el problema de la superpoblación penitenciaria, uno de los más recurrentes, no solo obstaculiza la extradición o la transferencia de las personas condenadas debido a las preocupaciones por las malas condiciones penitenciarias en el Estado de acogida, sino que pone en grave peligro la calidad de las condiciones de reclusión, puede favorecer los fenómenos de radicalización, afectar a la salud y bienestar de los internos y ser un obstáculo para la reinserción social.

protección de los derechos fundamentales de los reclusos y particularmente de las personas vulnerables, menores, enfermos mentales, personas con discapacidad y a las mujeres, incluida la adopción de normas y reglas europeas comunes de reclusión en la totalidad de los Estados miembro".

Pero el Parlamento europeo no se limita solo a eso, sino que se pronuncia sobre aspectos referidos a la reclusión y a los problemas más acuciantes que se plantean en las prisiones de los países de la UE —particularmente la sobrepoblación, pero también la radicalización, el número elevado de presos preventivos,....— realizando una serie de llamamientos, propuestas y recomendaciones que, sin llegar quizá todavía a su consideración formal de estándar, sí evidencian una opción por determinadas políticas legislativas en materia de ejecución penitenciaria, en temas como la asignación de recursos suficientes, la apuesta por unidades pequeñas para acoger a los internos, en el establecimiento de criterios de separación en función de la peligrosidad, en la elaboración de programas equilibrados de actividades, en las condiciones higiénicas de habitabilidad, en la contratación de voluntarios para apoyo del personal, en el establecimiento de un inspector general para los centros penitenciarios, en materia de comunicaciones y contacto con el exterior, en la condena las prácticas de alejamiento en tanto castigo añadido o en la solicitud de que el aislamiento sea el último recurso. También evidencia una postura propia cuando requiere la atención a los grupos de mayor vulnerabilidad; así como cuando muestra sus reservas ante la creciente privatización de los sistemas penitenciarios y realiza una firme apuesta por las medidas punitivas no privativas de libertad.

Es necesario destacar, por su importancia para el impulso de la incorporación de los estándares penitenciarios elaborados por el Consejo de Europa a través de ella, pero también quizá para el desarrollo futuro de estándares propios en el seno de la UE, la solicitud de implicación no solo de los Estados miembro, sino de la Comisión en esta materia. Así, el Parlamento solicita a la Comisión que adopte diversas iniciativas como: la realización de un estudio comparativo para analizar su aplicación en los Estados miembro y apoyar la difusión de las mejores prácticas nacionales; la creación de un Foro Europeo sobre las condiciones carcelarias con el fin de promover el intercambio de las mejores prácticas entre expertos y profesionales; la supervisión y recopilación de información y estadísticas sobre las condiciones de reclusión en todos los Estados miembros y sobre cualquier violación de los derechos fundamentales de los reclusos[286]; o que publique informes detallados sobre la situación de los establecimientos penitenciarios en Europa cada cinco años, a partir de la publicación de la resolución, incluyendo en ellos un análisis en profundidad de la calidad de la educación y la formación propor-

---

[286] Al tiempo que solicita a los Estados miembros a que permitan a los diputados del Parlamento europeo ejercer su derecho de acceso a los centros carcelarios y de detención sin obstáculos.

cionadas a los reclusos, así como una evaluación de los resultados de las medidas alternativas a la reclusión.

De particular relevancia es el llamamiento realizado en una Resolución anterior —La Resolución sobre la situación de los derechos fundamentales en la UE de 2003—, en la que el Parlamento había sugerido que se tenían que realizar esfuerzos en al área europea de Libertad, Seguridad y Justicia para mejorar la operatividad del sistema penitenciario a través de la elaboración de una Decisión Marco de protección de los derechos de los reclusos en la Unión Europa, sugerencia hasta el momento ignorada por la Comisión o la fallida invocación a la redacción de una Carta vinculante para todos los Estados miembros e invocable ante el TJUE, en el caso de que el Consejo no realizara las actuaciones apropiadas para actualizar las RPE y elaborase un Protocolo adicional al CEDH en materia penitenciaria, propuesta en la Recomendación al Consejo sobre los Derechos de los reclusos en la UE de 2003[287].

---

[287]   VAN ZYL SMIT, D. y SNACKEN, S.: *Principios de derecho y política penitenciaria europea*, *ob. cit.*, p. 69.